HEBRÄISCHES UND ARAMÄISCHES
LEXIKON
ZUM ALTEN TESTAMENT

HEBRÄISCHES UND ARAMÄISCHES LEXIKON ZUM ALTEN TESTAMENT

VON

LUDWIG KOEHLER† UND WALTER BAUMGARTNER†

DRITTE AUFLAGE

NEU BEARBEITET VON

WALTER BAUMGARTNER†

UNTER MITARBEIT VON

BENEDIKT HARTMANN UND E. Y. KUTSCHER†

HERAUSGEGEBEN VON

B. HARTMANN, PH. REYMOND UND J. J. STAMM

LIEFERUNG II

נבט–טַבָּח

TUTA SUB AEGIDE PALLAS · EJB ·

LEIDEN
E. J. BRILL
1974

ISBN 90 04 03919 8

PRINTED IN THE NETHERLANDS

VORWORT

Ende Januar 1970 ist Walter Baumgartner, der nach dem Tod von Ludwig Koehler die Neubearbeitung des Lexikons auf sich genommen hatte, gestorben. Im Einvernehmen mit dem Verlag Brill nahm sich B. Hartmann des ihm schon vertrauten Wörterbuches an und gewann im Laufe des Jahres 1970 Prof. J. J. Stamm in Bern und Dr. Ph. Reymond in Lausanne für die Mitarbeit in der Redaktion.

Die vorliegende Lieferung ist fast vollständig aus der Feder von Walter Baumgartner. Hingegen waren die Herausgeber bestrebt, Hinweise auf neuere Literatur aufzunehmen, und in einigen Fällen sahen sie sich veranlasst, den Text zu ändern. Doch waren ihren Bemühungen dadurch enge Grenzen gesetzt, dass der Grossteil des Manuskriptes bereits in der Fahnenkorrektur vorlag.

Wegen der zahlreichen Ergänzungen, die nötig waren, ist das Abkürzungsverzeichnis neu bearbeitet worden. Dabei wurden auch alle in der ersten Lieferung nicht berücksichtigten Abkürzungen gesammelt und verzeichnet. Um der Einheit des Werkes willen haben wir von Veränderungen in der Art des Zitierens abgesehen.

Diese zweite Lieferung hätte nach dem ursprünglichen Plan bis Ain führen sollen. Wir mussten sie aber dann da enden lassen, wo das Material von E. Y. Kutscher, der Ende 1971 gestorben ist, aufhörte.

Zu besonderem Dank sind wir auch in dieser Lieferung Dr. A. van den Born verpflichtet, der mit viel Akribie die Korrekturen mitgelesen hat. Ferner gilt unser Dank auch unseren Assistenten, VDM Peter Bärtschi (Bern) und Drs. Fokke Plat (Leiden), für manche Dienstleistungen an der Wörterbucharbeit und das Mitlesen der Korrekturen.

Die Fortsetzung des Lexikons wurde durch die Unterstützung des "Schweizerischen Nationalfonds zur Förderung der wissenschaftlichen Forschung" ermöglicht. Wir möchten nicht unterlassen, seinen Behörden für ihr Verständnis unserem Anliegen gegenüber zu danken.

Wir wollen diese zweite Lieferung nicht ausgehen lassen, ohne in Verehrung und Dankbarkeit unseres gemeinsamen Lehrers Walter Baumgartner zu gedenken. Sie ist noch einmal ein Zeugnis seiner hingebenden Gelehrtenarbeit.

Im Namen der Herausgeber
BENEDIKT HARTMANN

ABKÜRZUNGEN UND ZEICHEN

A. DIE BÜCHER DER BIBEL

Gn Ex Lv Nu Dt Jos Ri 1S 2S 1K 2K Js Jr Ez Hos Jl Am Ob Jon Mi Nah Hab Zef Hg Zch Mal Ps Hi Pr Rt HL Koh Kl Est Da Esr Neh 1C 2C. Bar 1Mak 2Mak Sap Sir Jud Tob.

Mt Mk Lk Joh Act Rö 1Kor 2Kor Gal Eph Phil Kol 1Thess 2Thess 1Tim 2Tim Tit Philm Heb Jak 1Pe 2Pe 1Joh 2Joh 3Joh Jud Apk.

B. ZEICHEN

↗	siehe
*	nur erschlossene Form
†	alle Stellen sind angegeben
˂	die Tonsilbe (meist nur auf der Paenultima angegeben)
>	geworden zu; fehlt in
<	entstanden aus
√‾	Wurzel
=	gleich
::	anders, im Unterschied zu
ǁ	parallel
/	bei Parallelstellen (2S 22/Ps 18)
×	mal (10 × = zehnmal)
!	(zu beachten!)
[.....]	ergänzt
(....)	deutsch zugefügt
ʼ	Abkürzung des Stichwortes (אֶ׳, א׳= הָאָ׳, אֶרֶץ od. הָא׳ = הָאָרֶץ)
	אֱל׳ = אֱלֹהִים
	י׳ = יְהוָה Jahwe, J.
	יְרוּשׁ׳ Jerus(alem)
	יִשְׂר׳ Isr(ael)
	פְּ׳ = פְּלֹנִי (ein Gewisser)

C. ALLGEMEINE UND BIBLIOGRAPHISCHE ABKÜRZUNGEN

A	Aquila, ↗ Würthwein, 44, ^{4}56
a.	aus
aam	altaramäisch, ↗ Lex^1 XIX
AANL	Atti della Academia Nazionale dei Lincei
AASOR	Annual of the American Schools of Oriental Research. New Haven
aAss. (aass).	altassyrisch, ↗ akkadisch, ↗ AHw; CAD; v. Soden GAG S.3
abab	altbabylonisch; ↗ v. Soden GAG S.2
Abb.	Abbildung
Abel	FMAbel: Géographie de la Palestine, 1-2. Paris 1933/38
abk.	abkürzend
ABP	HHolma: Die assyrisch-babylonischen Personennamen der Form quttulu. Helsinki 1914
abs.	absolut; (status) absolutus
abstr.	abstrakt
acc.	Akkusativ
ActOr.	Acta Orientalia. Lund
AD	GRDriver: Aramaic Documents of the Fifth Century B.C. Oxford 1954, ^{2}1957

adj.	Adjektiv
adv.	Adverb, adverbial
advers.	adversativ
äg.	ägyptisch; ↗ EG
äga.	ägyptisch-aramäisch; ↗ Leander, AD, AP, APE, APO, BMAP, DAE, RA
ägar.	ägyptisch-arabisch
Aeg. Hdwb.	Aegyptisches Handwörterbuch (Hrsg. AErman-HGrapow). Berlin 1921 (Hildesheim 1961)
ÄgZ	Ägyptische Zeitschrift
ähnl.	ähnlich
äth.	äthiopisch (umfassend Geez, amh., har., tigr., tigrin.); ↗ Dillm.; Lesl.; Littm.; Ulldff.
äth^{G}	Geez; ↗ GBergsträsser: Einführung in die semitischen Sprachen, München 1928 (Darmstadt 1963) 96 ff.; CBrockelmann: VG 1, 30
af.	afʿel
aff.	Afformativ
affirm.	affirmativ, beteuernd
AfO	Archiv für Orientforschung. Berlin
afrik.	afrikanisch
Aharoni	JAharoni: Animals mentioned in the Bible. Osiris 5 (1938) 461-478
Aḥqr	Achiqar; ↗ AP 212 ff.; AOT 454ff; ANET 427 ff.; DAE 427 ff.; Meissner AO XVI 2, 1917
Aḥrm	Achiram; ↗ KAI Nr. 1
AHw.	WvSoden: Akkadisches Handwörterbuch. Wiesbaden 1965ff.
Aimé-G.	MNAimé-Giron: Textes araméens de l'Egypte. Le Caire 1931
Aistl.	JAistleitner: Wörterbuch der ugaritischen Sprache. Berlin 1963, ^{3}1967
AIT	JAMontgomery: Aramaic Incantation Texts from Nippur. Philadelphia 1913
AJA	American Journal of Archaeology
AJSL	American Journal of Semitic Languages and Literatures
akk.	akkadisch. ↗ AHw. und CAD
al.	alii (andere)
ALBiOr	Acta Lovaniensia Biblica et Orientalia. Löwen
Albr.	WFAlbright. AmmH = Notes on Ammonite History. In: Miscellanea Biblica (BUbach ed. Montserrat 1954) 131-6; PrSinI = Proto-Sinaitic Inscriptions. Cambridge 1966; RI = Die Religion Israels im Lichte der archäologischen Ausgrabungen. München/Basel 1956; VdStZ (VSzC) = Von der Steinzeit zum Christentum. Bern 1949; Voc. = Vocalization of the Egyptian Syllabic Orthography. New Haven 1934; YGC = Yahweh and the Gods of Canaan. London 1968
Albrecht	KAlbrecht: Neuhebräische Grammatik auf Grund der Mischna. München 1913
Alp.	Aleppo-Kodex. ↗ Würthwein 31, ^{4}39; Textus 1, 1 ff. 17 ff. 59 ff.
Alt	AAlt. KlSchr. = Kleine Schriften 1-3. München 1953-59
Alt.	Altertum
Alth.-(St.)	FAltheim (und RStiehl). A(m)Spr. = Die aramäische Sprache unter den Achaimeniden. Frankfurt am Main 1959; Ar (AW) = Die Araber in der alten Welt, 1-3. Berlin 1964-66; PhS = Philologia Sacra. Tübingen 1958; SuAm = Supplementum Aramaicum. Baden-Baden 1957
altind.	altindisch; ↗ MMWilliams: Sanskrit-English Dictionary. Oxford ^{2}1970
ALUOS	Annual of Leeds University Oriental Society. Leeds
aLw (aLW)	aramäisches Lehnwort. Mit Zahl, ↗ MWagner: Die lexikalischen und grammatikalischen Aramaismen im alttestamentlichen Hebräisch. Berlin 1966 (BZAW 96)
Amenp.	Die Sprüche des Amenemope (HOLange, Copenhagen 1925; AOT^{2} 38 ff.; ANET^{3} 421 ff.)
amh(ar).	amharisch. ↗ EUllendorff: An Amharic Chrestomathy. Oxford 1956
amor.	"amoritisch", oder "ostkanaanäisch". ↗ Noth WdAT 213 f.; Huffmon 1ff.; Bauer OK
AnBibl	(auch An(al)Bi(bl)). Analecta Biblica, Roma
ANEP	JBPritchard: The Ancient

	Near East in Pictures ... Princeton 1954, ^{2}1969
ANET	JBPritchard: Ancient Near Eastern Texts ... Princeton 1950, ^{2}1955, ^{3}1969
Anm.	Anmerkung
Ann.	Annalen
AnOr.	Analecta Orientalia. Roma
AntSurv.	Antiquities and Survival. Den Haag 1955 ff.
ANVA(O)	Avhandliger...Norske Videnskaps Akademi Oslo, Hist.-Filosof. Klasse
AO	Der Alte Orient
ao.	altorientalisch
AOAT	Alter Orient und Altes Testament. Veröffentlichungen zur Kultur und Geschichte des alten Orients und des AT. Neukirchen
AOATS	Alter Orient und Altes Testament. Veröffentlichungen zur Kultur und Geschichte des alten Orients, Sonderreihe.
AOB	HGressmann: Altorientalische Bilder zum AT. Berlin ^{2}1927
AOF	HWinckler: Altorientalische Forschungen. Leipzig 1893-1905
aor.	aoristisch (↗ BL 269 ff.; cf HAL S. 248b, Nr. 27)
AOT	HGressmann: Altorientalische Texte zum AT. Berlin ^{2}1926
AP	ACowley: Aramaic Papyri of the Fifth Century B.C. Oxford 1923
Ap.	Apocryphon; cf GnAp
APAW	Abhandlungen der Preussischen (Berliner) Akademie der Wissenschaften. Berlin
APE	AUngnad: Aramäische Papyrus aus Elephantine. Leipzig 1911
ape.	altpersisch. ↗ Herzfeld API; Kent; Mayrhofer HbAP
API	EHHerzfeld: Altpersische Inschriften. Berlin 1938
APN	KTallqvist: Assyrian Personal Names. Helsinki 1914
APO	ESachau: Aramäische Papyri und Ostraka aus einer jüdischen Militärkolonie zu Elephantine. Leipzig 1911
App.	Appendix
appell.	Appellativ
Ar.	Arabien
ar.	arabisch. ↗ Lisān; Tāǧ, Wehr, WKAS, Lane

aram.	aramäisch. ↗ KBL^{1} S. XVI ff.; Rosenthal AF
aramais.	aramaisierend, dem Aramäischen angeglichen
arch.	archaistisch
ArchOr	Archiv Orientálni (Praha 1929 ff.)
ArchOTSt	WThomas, ed.: Archaeology and the OT Study. London 1967
archt.	architektonisch
Arist.	Aristeabrief. ↗ Rost EAP 74 ff.
ARM	Archives royales de Mari. Paris 1946ss.
arm(en).	armenisch; ↗ Hübschmann
Arrian Anab.	Anabasis. ↗ P-WKl. I 605 f.
Arsl.	Arslan-Tash; ↗ KAI Nr. 27
art.	Artikel
ARW	Archiv für Religionswissenschaft. Leipzig 1916 ff.
asa.	altsüdarabisch (minäisch, himj, qatab, sabäisch, hadram.); ↗ Conti, Müller, Höfner
asiat.	asiatisch
asin.	altsinaitisch. ↗ Albright PrSinI
ass.	assyrisch; ↗ v. Soden GAG
Assbr.	aramäischer Brief aus Assur. ↗ KAI Nr. 233
assim.	assimiliert (:: dissim.)
AssMos	Assumptio Mosis. ↗ Rost EAP 110 ff.
ASTI	(auch A(n)S(w)ThI) Annual of the Swedish Theological Institute in Jerusalem. Leiden
Astour	MCAstour: Hellenosemitica. Leiden 1967
asy.	altsyrisch. ↗ Black 216 ff.
AT	Altes Testament
ATAO	AJeremias: Das AT im Lichte des Alten Orients. Leipzig ^{4}1930
Atbaš	Vertauschung der Buchstaben, ת = א, ש = ב; ↗ Encyclopaedia Judaica 7,370 (Jerusalem 1971) s.v. Gematria
ATD	Das Alte Testament Deutsch. Göttingen
AThANT	Abhandlungen zur Theologie des Alten und Neuen Testaments. Zürich
ʿAtiqot	Journal of the Israel Department of Antiquities. Jerusalem 1955 ff.
atl.	alttestamentlich
AtlAbh.	Alttestamentliche Abhandlungen. München
ATO	L'Ancien Testament et l'Orient. Louvain 1957

attrib.	Attribut, attributiv
AuC	FDölger, Hrsg: Antike und Christentum. Münster 1929 ff. (= Jahrbuch für Antike und Christentum. Münster 1958 ff.)
AuS	GDalman: Arbeit und Sitte in Palästina, 1-7. Gütersloh 1928-42
AustrBR	Australian Biblical Review. Melbourne 1951 ff.
avest.	avestisch. ↗ ape.
AWA(r)	ChRabin: Ancient West-Arabian. London 1951
Ⓑ	Bombergiana, in BH$^{1.2}$. ↗ Würthwein 33 f., ^{4}42 f.
b.	bei
b...	babylonisch. ↗ M(ischna)
ba.	biblisch-aramäisch. ↗ Lex.^{1} XVI ff.; BLA
BA	Biblical Archaeologist Biblisch-Aramäisch
bab., Bab.	babylonisch, Babylon(ien)
BabChr(onik)	Babylonische Chronik. ↗ AOT 359 ff., ANET 301 ff., Wiseman
Baessler-Archiv	Leipzig
BagM	Bagdader Mitteilungen. Berlin
Bardtke	HBardtke: Kommentar zu Esther (KAT XVII 5)
Barr	JBarr. BWT = Biblical Words for Time. London 1962 (WoT); CpPh = Comparative Philology and the Text of the OT. Oxford 1968
Barrois	AGBarrois: Manuel d'archéologie biblique, 1-2. Paris 1939/53
Barth	JBarth. EtSt = Etymologische Studien. Leipzig 1883; Nb = Die Nominalbildung in den semitischen Sprachen. Leipzig ^{2}1894; WU = Wurzeluntersuchungen. Leipzig 1902
Barthélemy	ABarthélemy: Dictionnaire Arabe-Français. Paris 1935/54
BarthET	ChrBarth: Die Errettung vom Tode ... Zollikon (Zürich) 1947
BASOR	Bulletin of the American Schools of Oriental Research
Baud.	WWvBaudissin. AE = Adonis und Esmun. Leipzig 1911; Kyr. = Kyrios als Gottesname im Judentum, 1-4. Giessen 1929

Bauer, Edelst.	MBauer: Edelsteinkunde. Leipzig ^{3}1932
Bauer, Ok.	ThBauer: Die Ostkanaanäer. Leipzig 1926
Bauer (P)Wb.	LBauer: Wörterbuch des palästinischen Arabisch. Leipzig 1933
Baumg. (Bg.)	WBaumgartner; ↗HeWf, ZATU
Baumgtl.	FBaumgärtel: Elohim ausserhalb des Pentateuchs. Leipzig 1914
BBB	Bonner Biblische Beiträge
BBS	ZBen-Ḥayyim: The Book of Ben Sira (ספר בן סירא). Jerusalem 1973
BCh.	Ben Hayyim: Literary and oral Tradition of Hebrew and Aramaic amongst the Samaritans, 1-3. Jerusalem 1957-61; Trad (TrS) = Traditions samaritaines. In: Mélanges de Philosophie et de Littérature Juives (5,1962) 89ss.
BDB	FBrown-SRDriver-CABriggs: Hebrew and English Lexicon. Oxford 1906
Bedtg	Bedeutung
BedtgLw.	Bedeutungslehnwort, Lehnübersetzung
beduin.	beduinisch
Beer	GBeer: Exodus (HbAT I/3)
Begr.	JBegrich. Chron. = Die Chronologie der Könige von Israel und Juda. Tübingen 1929; Dtj. = Studien zu Deuterojesaja. Stuttgart 1938 (München 1963); PsH(i). = Der Psalm des Hiskia. Göttingen 1926
Beh.	Behistun; die aramäische Version der Behistun Inschrift ↗ Cowley AP 248 ff.
Bentzen	ABentzen: Daniel (HbAT I/19)
BenYeh.	Elieser Ben Yehuda: Thesaurus totius hebraitatis, 1-17. Berlin 1908-59
Benzinger	IBenzinger: Hebräische Archäologie. Leipzig ^{3}1927
berb.	berberisch, ↗ Rössler ZA 50, 121 ff. (:: Moscati CpGr § 5, 5)
Beross.	↗Schnabel (S. 249 ff. die Fragmente)
Berth(olet)	ABertholet: Die Stellung der Israeliten und der Juden zu den Fremden. Freiburg 1896
Beryt.	Berytus
bes.	besonders

betr.	betreffend
BEUP	The Babylonian Expedition of the University of Pennsylvania. Philadelphia 1893 ff.
Bewer	JABewer: Der Text des Buches Ezra. Göttingen 1922
Beyer	KlBeyer: Die semitische Syntax im NT. Göttingen 1962
Bgstr.	GBergsträsser: Hebräische Grammatik, 1-2. Leipzig 1918/29; Gl. = Glossar des neuaramäischen Dialekts von Maᶜlūla. Leipzig 1921 (1966) (Abhandlungen für die Kunde des Morgenlandes 15, Nr. 4)
BH	Biblia Hebraica. Stuttgart 1906, ³1937, ⁷1951; cf. BHS
Bh.	Beiheft
bhe.	biblisch-hebräisch
BHH	Biblisch-Historisches Handwörterbuch, 1-3. Göttingen 1962-1966
BHS	Biblia Hebraica Stuttgartensia. Stuttgart 1968 ss.
bibl.	biblisch
BiblOr	Biblica et Orientalia. Roma
B(i)K	Biblischer Kommentar. Neukirchen
bildl.	bildlich
BiOr	Bibliotheca Orientalis
BiW	MAvi-Yonah - EGKraeling: Die Bibel in ihrer Welt. 1964
BiZ	Biblische Zeitschrift
BJ	Sainte Bible ("Bible de Jérusalem"). Paris 1956, 1973
BJPE	Bulletin of the Jewish Palestine Exploration Society
BJRL	Bulletin of the John Ryland's Library
bjT	vorhanden im babylonischen und jerusalemer Targum
BL	HBauer - PLeander: Historische Grammatik der hebräischen Sprache. Halle a.S. 1922 (1969)
BLA	HBauer-PLeander: Grammatik des Biblisch-Aramäischen. Halle a.S. 1927
Black	MBlack: An aramaic approach to the Gospels and Acts. Oxford 1946, ²1954
Bl.-Debr.	FBlass-ADebrunner: Grammatik des neutestamentlichen Griechisch. Göttingen ⁷1943
BM	GBeer-RMeyer: Hebräische Grammatik, 1-3. Berlin 1952-60
BMAP	EGKraeling: The Brooklyn Museum Aramaic Papyri. New Haven 1953
BMB	Bulletin du Musée de Beyrouth
Bodenh.	FSBodenheimer. AL = Animal Life in Palestine. Jerusalem 1935; A(u)M = Animal and Man in Bible Lands. Leiden 1960
Boecker	HJBoecker: Redeformen des Rechtsleben im AT. Neukirchen 1964
Böhl	FMTh(de Liagre)Böhl. KH = Kananäer und Hebräer. Leipzig 1911; OpMin. = Opera minora. Groningen 1953; Spr(EA) = Die Sprache der Amarnabriefe ... Leipzig 1909
Bogh.	Boghazköi
Boisacq	EBoisacq: Dictionnaire étymologique de la langue grecque. Paris ²1923 (Heidelberg 1950)
Bonnet	HBonnet. W. = Die Waffen der Völker des alten Orients. Leipzig 1926
Borée	WBorée: Die alten Ortsnamen Palästinas. Leipzig ²1930 (Hildesheim 1968)
Borger	RBorger: Die Inschriften Asarhaddons, Königs von Assyrien. Graz 1956
Boström	GBoström: Proverbiastudien. Lund 1935
Botterw(eck)	GJBotterweck. Tril. = Der Triliterismus im Semitischen. Bonn 1952
Bouss(et)-Gr(ess).	WBousset-HGressmann: Die Religion des Judentums im späthellenistischen Zeitalter. Tübingen 1926
Br.	Bruder
Brandst.	WBrandenstein: Bemerkungen zur Völkertafel. In: Fschr. ADebrunner, 1954, 57 ff.
Braun	HBraun: Qumran und das NT. Tübingen 1966
briefl.	brieflich
Bright	JBright: A History of Israel. Philadelphia 1959
BRL	KGalling: Biblisches Reallexikon (HbAT I/1)
Brock(elm).	CBrockelmann. HeSy = Hebräische Syntax. Neukirchen 1956; LS = Lexicon Syriacum. Halle ²1928 (1966);

	SGr = Syrische Grammatik. Leipzig ^{6}1951;
	VG = Grundriss der vergleichenden Grammatik der semitischen Sprachen, 1-2. Berlin 1908/13 (Hildesheim 1966)
Brönno	EBrönno: Studien über hebräische Morphologie und Vokalismus. Leipzig 1943.
Brooke-M.	AEBrooke-NMclean: The Old Testament in Greek. Cambridge 1906 ff.
bSabb	Traktat Šabbat des babylonischen Talmud
BSOAS	Bulletin of the Schools of Oriental and African Studies
bT	babylonischer Talmud (:: jT)
Budde	KBudde: Jesajas Erleben. Gotha 1928;
	Gahl = Geschichte der althebräischen Litteratur. Leipzig ^{2}1909
Burch.	MBurchardt: Die altkanaanäischen Fremdworte und Eigennamen im Aegyptischen. Leipzig 1909 f.
BVKSGW	Berichte über die Verhandlungen der Königlich-Sächsischen Gesellschaft der Wissenschaften zu Leipzig
BVSäAW	Berichte über die Verhandlungen der Sächsischen Akademie der Wissenschaften. Leipzig
BWA(N)T	Beiträge zur Wissenschaft vom Alten und Neuen Testament. Stuttgart
BWL	WGLambert: Babylonian Wisdom Literature. Oxford 1960
Byrsa	Cahiers de Byrsa
BZ	Biblische Zeitschrift (=BiZ)
BZ	OEissfeldt: Baal Zaphon, Zeus Kasios und der Durchzug der Israeliten durchs Meer. Halle 1932
BzA	Beiträge zur Assyriologie
BZAW	Beihefte zur Zeitschrift für die alttestamentliche Wissenschaft. Berlin
bzw.	beziehungsweise
c.	cum (mit)
c(a)	circa (ungefähr)
CAD	Chicago Assyrian Dictionary. 1956 ff.
CAH	Cambridge Ancient History

CahBy(rsa)	Cahiers de Byrsa (=Byrsa, CdB)
Cant.	JCantineau.
	Gr. = Grammaire du Palmyrénien épigraphique. Le Caire 1935;
	Inv. = Inventaire des inscriptions de Palmyre, 1-10. Beyrouth 1930-49;
	Nab. = Le Nabatéen, 1-2. Paris 1930/32
Canticum	ABea: Canticum Canticorum. Rom 1953
carit.	caritativ, Koseform
Caskel	WCaskel: Lihyan und Lihyanisch. Köln 1954
Catull	↗ P-WKl I 1089 ff.
caus.	Kausativ
Caz(elles)	HCazelles: Etudes sur le Code de l'Alliance. Paris 1946
CBQ	Catholic Biblical Quarterly
CdB	Cahiers de Byrsa
Cerulli	ECerulli. LgSem = Linguistica Semitica. Roma 1961 (Studi Semitici, 4)
cf.	confer (vergleiche)
CG	PKahle: The Cairo Geniza. Oxford ^{2}1959
CH	Codex Hammurabi. ↗ AOT 380 ff.; ANET 163 ff.; Eilers AO 31, 3/4; Driv.-M. BL
Ch.	(ar.) *chirbet* (Ruine)
chald.	chaldäisch
Charles	RHCharles: A critical and exegetical commentary on the book of Daniel. Oxford 1929; Apocr(ypha) = The Apocrypha & Pseudepigrapha of the OT, 1-2. Oxford 1913 (Reprint 1963)
Christian	VChristian: Altertumskunde des Zweistromlandes ..., I. Leipzig 1940
ChrW	Die Christliche Welt
churr.	churritisch; ↗ HAL S. 339, III חֹרִי
CIS	Corpus Inscriptionum Semiticarum. Paris 1881ss.
cj.	conjectura, konjiziert
cjg.	conjungendum (zu verbinden mit)
CML	GRDriver: Canaanite Myths and Legends. Edinburgh 1956, [1971]
cogn.	cognomen (Beiname)
coh.	Kohortativ
coll.	Kollektiv
comm.	communis (masculin und feminin)

compar.	comparativ, vergleichend (↗ מִן 5b)
compos.	compositio (Zusammensetzung) compositum (zusammengesetzt)
concr.	konkret
conj.	Konjunktion
cons.	konsonantisch
consec.	konsekutiv
contam.	kontaminiert
Conti	KConti Rossini: Chrestomathia Arabica Meridionalis Epigraphica. Roma 1931
Cook	SACook, RAP = The Religion of Ancient Palestine in the Light of Archaeology. London 1930
Cooke	GACooke: A Text-book of North-Semitic Inscriptions. Oxford 1903
cop.	Kopula
corr(upt).	corruptus (verderbt, fehlerhaft)
Cowl.	ACowley. AP = Aramaic Papyri of the Fifth Century B.C. Oxford 1923; SL (SamLit) = The Samaritan Liturgy, 1-2, Oxford 1909
cp.	christlich-palästinisch. ↗ Schulthess
cpag. (compag.)	*w/j* compaginis. ↗ BL 524h-526l
CpBi	HHRowley, ed.: A Companion to the Bible. Edinburgh 1963
CpUg.	AHerdner: Corpus des tablettes en cunéiformes alphabétiques découvertes à Ras-Shamra, 1-2. Paris 1963
CRAI(BL)	Comptes-Rendus de l'Académie des Inscriptions et Belles Lettres
Cross-Freedm.	FMCross-DNFreedman: Early Hebrew Orthography (EHO). New Haven 1952
Crum	WECrum: A Coptic Dictionary. Oxford 1929
cs.(tr).	(status) constructus
CT	Cuneiform Texts from Babylonian Tablets ... in the British Museum. London 1896 ff.
ctxt.	contextus (Zusammenhang)
D	akkadische und ugaritische Doppelungsform (= piʿel)
d.	der, die, das; des, dem, den
DAE	PGrelot: Documents araméens d'Egypte. Paris 1972
dag.	dageš: f(orte), l(ene), dir(imens)
Dahood	MDahood. Gruenth. = Northwest Semitic Philology and Job. In: Fschr. Gruenthaner 55-74; UHPh = Ugaritic-Hebrew Philology. Rome 1965. ↗ HAL S. XIII
Dalglish	ERDalglish: Psalm Fifty-One. Leiden 1962
Dalm.	GDalman. AuS = Arbeit und Sitte in Palästina, 1-7. Gütersloh 1928-1942; Gr. = Grammatik des jüdisch-palästinischen Aramäisch .. Leipzig 1894, ^{2}1905 (Darmstadt 1960) Jer(us). (oder JG) = Jerusalem und sein Gelände. Gütersloh 1930; OW = Orte und Wege Jesu. Gütersloh 1919; P. = Petra und seine Felsheiligtümer. Leipzig 1908; Wb. = Aramäisch-neuhebräisches Wörterbuch ... Frankfurt a.M. 1901, ^{2}1922, ^{3}1938
Dam.	Damaskus-Schrift (Ausgaben: LRost, Berlin 1933; SZeitlin, Philadelphia 1952; ↗ Lohse, Maier, Rabin)
dat.	Dativ. dat. ethicus (↗ GK § 119s, HeSy. § 107f); dat. poss(essivus)
Datin	Daṯina. ↗ Brockelmann, VG I, 126; Landberg
def.	defektiv (:: ple.)
deform.	deformiert, entstellt (↗ diffam.)
Deimel	ADeimel. Pth = Pantheon Babylonicum. Rome ^{2}1950
DeL(anghe)	RDeLanghe: Les textes de Ras Shamra-Ugarit ..., 1-2. Gembloux & Paris 1945
Delap(orte)	LDelaporte: Epigraphes araméens. Paris 1912
Delitzsch	Franz Delitzsch. Ps. = Biblischer Kommentar über die Psalmen. Leipzig ^{5}1894
Del(itzsch)	Friedrich Delitzsch. LSF = Lese- und Schreibfehler im AT. Berlin 1920; Par. = Wo lag der Paradies? Leipzig 1881
demin.	deminutiv
Demot.	RABowman: An Aramaic Re-

ligious Text in Demotic, JNESt 3 (1944) 219 ff.
dem(str). demonstrativ
denom. denominativ (von Nomen abgeleitetes Verb)
deprav. depraviert
Der. Derivat
det. (status) determinatus/emphaticus
determ. determiniert
d.h. das heisst
Dho. EDhorme. La Bible, l'Ancien Testament, 1-2. Paris 1956/59; EM = L'emploi métaphorique des noms de parties du corps. Paris 1923; Job = Le livre de Job. Paris ²1926; RBA = Les religions de Babylonie et d'Assyrie. Paris 1949; Rec. = Recueil Ed. Dhorme. Paris 1951; RHN = La religion des Hébreux nomades. Paris 1937
d.i. das ist
dial. dialektisch, Dialekt
dialar. dialektarabisch
DictBi. Dictionnaire de la Bible; Su. = Supplément. Paris 1926ss.
Diening FDiening: Das Hebräische bei den Samaritanern. Stuttgart 1938
Dietr.-Lor. MDietrich-OLoretz: Die soziale Struktur von Alalaḫ und Ugarit, WdO 3(1966) 188 ff.
diffam. diffamierend, herabsetzend
DiLella AADiLella: The Hebrew Text of Sirach, London 1966
Dillm. ADillmann: Lexicon Linguae Aethiopicae. Leipzig 1865 (Osnabrück 1970); Gramm. = Grammatik der aethiopischen Sprache. Leipzig ²1899 (Graz 1959)
Dionys. Perieg. Dionysos Periegesis. ꟳ Conti 30 f; P-WKl 2, 73 f.
Dir. DDiringer: Le Iscrizioni Antico-ebraiche Palestinesi. Firenze 1934
DISO ChJean-JHoftijzer: Dictionnaire des inscriptions sémitiques de l'ouest. Leiden 1965
dissim. dissimiliert (: : assim.)
dittgr. (dttgr.) dittographisch (: : hapl.)
DJD Discoveries in the Judaean Desert. Oxford 1955 ff.
dl. dele (streiche)
DOTT DWThomas: Documents from OT Times. London 1958
Doughty ChMDoughty: Travels in Arabia Deserts. New York 1936
Dozy RDozy: Suppléments aux dictionnaires arabes. Paris ²1927
Driver GRDriver. AD = Aramaic Documents of the Fifth Century B.C. Oxford 1954, ²1957; CML = Canaanite Myths and Legends. Edinburgh 1956 [1971]; Gl = Glosses. ꟳ ATO 123 ff;. HVS = Problems of the Hebrew Verbal System. Edinburgh 1936; QTL = Some Uses of Qtl in the Semitic Languages, Proceedings of the International Conference on Semitic Studies. Jerusalem 1965; SWr = Semitic Writing. London 1948, ²1954
Driv.-M. GRDriver-JCMiles. AL = The Assyrian Laws. Oxford 1935; BL = The Babylonian Laws, 1-2. Oxford 1952/55, I 1952 ²1956, II 1955
Drower ESDrower. MdD = ESDrower-Macuch: A Mandaic Dictionary. Oxford 1963; MII = Mandaeans of Iraq and Iran. Oxford 1937
DSS Dead Sea Scrolls; ꟳ Dam., DJD, KQT
Dtj. Deuterojesaja
dtsch deutsch
dtst deuteronomistisch
du. Dual
dub. dubiosus (zweifelhaft)
dubl. Dublette
Duch.-G. GDuchesne-Guillemin: Les noms des eunuques d'Assuérus. Muséon 66(1953) 105ss.
Duhm B. Duhm: Das Buch Jesaia. Göttingen ⁴1922, ⁵1968 (GHK); Das Buch Hiob. Freiburg 1897; H. Duhm: Die Bösen Geister im AT. Tübingen 1904
Dup.-S. ADupont-Sommer. Aram. = Les Araméens. Paris 1949; Sfiré = Les inscriptions araméennes de Sfiré. Paris 1958

Dura	Dura Europos. Die aramäischen Ideogramme der mittelpersischen Pergamente und der Synagogeninschriften. In: FAltheim-RStiehl: Asien und Rom (Tübingen 1952) 9 ff.
Dura Inscr.	RNFaye (u. andere): Inscriptions from Dura-Europos. Yale 1955
Dura Inv. (Inv.Dura).	Comte du Mesnil du Buisson: Inventaire des inscriptions palmyréennes de Doura-Europos. Paris 1939
Duss.	RDussaud. Mana = Les religions des Hittites et des Hourrites, des Phéniciens et des Syriens. Paris 1949 ("Mana" II) MélSyr. = Mélanges syriens offerts à RDussaud. Paris 1939; Or. = Les origines cananéennes du sacrifice israélite. Paris 1921, ^{2}1941; Top. = Topographie historique de la Syrie antique et médiévale. Paris 1926;
Dyn.	Dynastie
E	Elohist
e.	ein, eine, einer, eines, einem, einen
EA	El-Amarna; ↗ JAKnudtzon: Die El-Amarna Tafeln. In VAB 2, 1915; AFRainey: The El-Amarna Tablets 359-379. 1970 (AOAT 8)
Ea Eb Ec	Die, nach PKahles Bezeichnung, mit einfacher (E) Punktation versehene Handschriften der orientalischen Überlieferung (a = Pentateuch, b = Propheten, c = Hagiographen)
Echter	Echter-Bibel. Würzburg 1947-68
ed.	editor, éditeur (Herausgeber)
edd.	editiones (Drucke)
EDH	WLeslau: Etymological Dictionary of Harari. Los Angeles 1963
EG	AErman-HGrapow: Wörterbuch der ägyptischen Sprache, 1-6. Leipzig 1926-40
EHO	FMCross-DNFreedman: Early Hebrew Orthography. New Haven 1952
Ehrl.	ABEhrlich: Randglossen zur hebräischen Bibel, 1-7. Leipzig 1908-14
Eichr.	WEichrodt: Theologie des AT, 1-2/3. Stuttgart, Göttingen 1 ^{5}1957, 2/3 ^{4}1961
eig.	eigentlich
Eilers	WEilers: Iranische Beamtennamen in der keilinschriftlichen Überlieferung. Leipzig 1940; Beitr. Nf. = Beiträge zur Namenforschung. 1964
Einf.	Einführung; ↗ HAL S. I ff.
einz.	einzeln
Eissfeldt	OEissfeldt: Einleitung in das AT. ^{3}1964; BZ = Baal Zaphon, Zeus Kasios und der Durchzug der Israeliten durchs Meer. Halle 1932; El = El im ugaritischen Pantheon. Berlin 1951; KlSchr. = Kleine Schriften, 1-5. Tübingen 1962-1973; Molk als Opferbegriff ... Halle 1935; NKT = Neue keilalphabetische Texte aus Ras-Šamra. Berlin 1965; RŠ = Ras Schamra und Sanchunjaton. Halle 1939; Sanch. = Sanchunjaton von Berut und Ilumilku von Ugarit. Halle 1952
Eitan	IEitan: A Contribution to Biblical Lexicography. New York 1924
Eleph.	Urkunden von Elephantine. ↗ APE; APO; Cowley AP; DAE.
Ell.	KElliger. HK = Studien zum Habakukkommentar vom Toten Meer. Tübingen 1953; KlSchr. = Kleine Schriften zum A. T. München 1966; Lev. = Leviticus (HbAT I/4); Nah.-Mal. ↗ ATD 25
Ellb(g.) (Ellenb.)	MEllenbogen: Foreign words in the OT. London 1962
ell(ipt).	elliptisch (ohne zugehöriges Objekt)
emphat.	emphatisch
EncIsl.	Encyclopédie de l'Islam. Leyde 1960ss.
encl.	enclitisch (: : procl.)
Endg	Endung
energ.	energicus (impf. energ., Nun energ.)

engl. englisch
EnzIsl. Enzyklopädie des Islam. Leiden 1927 ff. 2. Aufl. ↗ EncIsl.
Eph. MLidzbarski: Ephemeris für semitische Epigraphik, 1-3. Giessen 1902-1915
EphThLov Ephemerides Theologicae Lovanienses
Epiph. Epiphanius; ↗ AJepsen ZAW 71, 114 ff.
EpistJer. Epistola Jeremiae; ↗ Rost EAP 53 f.
epith. epitheton
Epstein JNEpstein: Einleitung in den Text der Mišna (hebr.). Jerusalem 1949
Eran. (Eranos JB) Eranos Jahrbuch
ErIsr. Eretz-Israel
erkl. erklärt
Erm.-Ra. AErman-HRanke: Ägypten und ägyptisches Leben im Altertum. Tübingen 1923
Ern.-Mei(ll). AErnout-AMeillet: Dictionnaire étymologique de la langue latine. Paris ^{3}1951
erw. erweitert
eschat. eschatologisch
Esd. (3.Esra) ↗Rost EAP 71 ff.
4.Esd. (4. Esra) ↗ Rost EAP 91 ff.
Ešm. Ešmunazar; ↗ KAI Nr. 15
etc. et cetera (und so weiter)
ETL JSimons: Handbook of Egyptian Topographical Lists. Leiden 1937
etpa. etpaʿal
etpe. etpeʿel
etw. etwas
etym. Etymologie, etymologisch
euphem. euphemistisch
Eus(eb). Eusebius; ↗ RGG^3 II 739 f. Onom. = Das Onomastikon der biblischen Ortsnamen; ed. EKlostermann, Leipzig 1904 (Hildesheim 1960)
ev. eventuell
EvTh Evangelische Theol. München
Ewald HEwald. Proph.^{2} = Die Propheten des alten Bundes erklärt, 1-3. Göttingen ^{2}1867/68
exc. excepto/is (ausgenommen)
ExpT Expository Times

f., ff. folgende(r) (Vers, Seite), folgende
f., fem. femininum
Févr(ier) JGFévrier: La religion des Palmyréniens. Paris 1931
Field FField (ed.): Origenes: Hexaplorum quae supersunt, 1-2. Oxford 1871/75
Finet AFinet: L'accadien des lettres de Mari. Bruxelles 1956
Fitzm(yer) JAFitzmyer. GnAp(ocr) = The Genesis Apocryphon of Qumran Cave I. Rome 1966. ^{2}1971; Sef. = The Aramaic Inscriptions of Sefîre. Rome 1967
fl. flumen (Fluss)
Fohrer GFohrer: Ezechiel (HbAT I/13); GiR = Geschichte der israelitischen Religion. Berlin 1969
forens. forensisch
formh. formelhaft
Forrer EForrer: Die Provinzeinteilung des assyrischen Reiches. Leipzig 1921
Forrer Sar. LForrer: Südarabien. Leipzig 1942 (Hildesheim 1966)
Fr. Frau
fr(agm.) Fragment
Frae. SFraenkel: Die aramäischen Fremdwörter im Arabischen. Leiden 1886 (Hildesheim 1962)
Frah ↗ HFJJunker (Hrsg.): Frahang i Pahlavik. Heidelberg 1912; EEbeling MAOG XIV 1, 1941
Frankena RFrankena: Kanttekeningen van een Assyrioloog bij Ezechiël. Utrecht 1965
Frazer JGFrazer: Folklore in the OT, 1-3. London 1919
Fried(r). JFriedrich: Phönizisch-punische Grammatik. Rom 1951 ^{2}1970; H(eth)Wb = Hethitisches Wörterbuch (mit Ergänzungsheften). Heidelberg 1952 ff; Hetitisch und "kleinasiatische" Sprachen. Berlin 1931
FRLANT Forschungen zur Religion und Literatur des Alten und Neuen Testaments. Göttingen
Frw. Fremdwort
frz. französisch
Fschr. WFAlbright The Bible and the Ancient Near-East. New York 1961; Near Eastern Studies in Honour of W.F.A. Baltimore & London 1971
Fschr. AAlt Geschichte und AT. Tübingen 1953

Fschr. WW Graf von Baudissin Abhandlungen zur semitischen Religionskunde und Sprachwissenschaft. Giessen 1918
Fschr. FrBgtl.(Baumgtl) FrBaumgärtel zum 70. Geburtstag. Erlangen 1959
Fschr. ABerth(olet) Tübingen 1950
Fschr. KBudde Giessen 1920 (BZAW 34)
Fschr. WCaskel Leiden 1968
Fschr. SHDavies Proclamation and Presence. Richmond 1970
Fschr. GRDriver Hebrew and Semitic Studies ... Oxford 1963
Fschr. WEilers Ein Dokument der internationalen Forschung. Wiesbaden 1967
Fschr. OEissfeldt Halle 1947
Fschr. OEissfeldt Von Ugarit nach Qumran. Berlin 1958 (BZAW 77)
Fschr. KElliger Wort und Geschichte. Neukirchen 1973 (AOAT 18)
Fschr. JFried(rich) Heidelberg 1969
Fschr. GFurlani Roma 1957
Fschr. KGalling Archäologie und AT. Tübingen 1970
Fschr. MGaster Occident and Orient. London 1936
Fschr. HLGinsberg. New York 1945
Fschr. MJGruenth(aner) (Gruenth MV) The Bible in Current Catholic Thought—Gruenthaner Memorial Volume. New York 1962
Fschr. HGunkel Eucharisterion, 1-2. Göttingen 1923
Fschr. JHempel Apoxysmata. Berlin 1961 (BZAW 81)
Fschr. HWHertzb(erg) Gottes Wort und Gottes Land. Göttingen 1965
Fschr. JJHess Von den Beduinen des inneren Arabiens. Zürich 1938
Fschr. DZHoffmann 1914
Fschr. FrHorst Gottes Recht. München 1961
Fschr. PHumbert Opuscules d'un hébraïsant. Neuchâtel 1958
Fschr. GJacob Leipzig 1932
Fschr. PKahle In Memoriam Pl. Kahle. Berlin 1968 (BZAW 103)
Fschr. YKaufmann YKaufmann Jubilee Volume. Jerusalem 1960
Fschr. ThKlauser "Mullus". Münster/Westf. 1964
Fschr. LKoehler Bern 1950 (SThU 20, Heft 3/4)
Fschr. BLandsberger Studies in Honour of B.L. ... Chicago 1965
Fschr. ILévi Bruxelles 1955
Fschr. GLevi della Vida Studi orientalistici in onore di G. L. d. V., 1-2. Roma 1956
Fschr. KMarti Vom Alten Testament. Giessen 1925 (BZAW 41)
Fschr. AMarx A.M. Jubilee Volume. New York 1950
Fschr. HGMay Translating and Understanding the Old Tstement. Nashville/New York 1970
Fschr. SMow(inckel) Interpretationes ad VT pertinentes. Oslo 1955
Fschr. AANeumann Studies and Essays in Honour of A.A.N. Leiden 1962
Fschr. ThNöldeke Orientalische Studien, 1-2. Giessen 1906
Fschr. FNötscher Alttestamentliche Studien. Bonn 1950 (BBB 1)
Fschr. ALOppenh(eim) Studies presented to A.L.O. ... Chicago 1964
Fschr. JPedersen Studia orientalia J.P. ... dicata. Hauniae 1953
Fschr. OProcksch Leipzig 1934
Fschr. GvRad Studien zur Theologie der alttestamentlichen Überlieferungen. Neukirchen 1961; Probleme Biblischer Theologie; München 1971 (= PBT)
Fschr. GRinaldi Studi sull'Oriente e la Bibbia ... Genova 1967
Fschr. ARobert Mélanges bibliques. Paris 1957
Fschr. ThHRobinson Studies in OT Prophecy. Edinburgh 1950
Fschr. LRost Das ferne und nahe Wort. Berlin 1967 (BZAW 105)
Fschr. WRudolph Verbannung und Heimkehr. Tübingen 1961
Fschr. ESachau Berlin 1915
Fschr. MHSegal Studies in the Bible (Sefer Segal). Jerusalem 1965
Fschr. EASpeiser Oriental and Biblical Studies. Philadelphia 1967
Fschr. WBStevenson Glasgow 1945
Fschr. DWThomas Words and Meanings. New York-Manchester 1968 (JSSt 13)
Fschr. ETisser(ant) Recueil Cardinal E.T. "Ab oriente et occidente", 1-2. Louvain 1955
Fschr. JTrier Köln/Graz 1964
Fschr. Tur-S(inai) Sefer Torczyner. Jerusalem 1947 (Lešonenu 15)
Fschr. WVischer "La branche d'amandier". Montpellier 1960

Fschr. ThChVriezen Studia biblica et semitica. Wageningen 1966
Fschr. JWackernagel Antidôron. Göttingen 1923
Fschr. AWeiser Tradition und Situation. Göttingen 1963
Fschr. JWellhausen Studien zur semitischen Philologie und Religionsgeschichte. Giessen 1914
Fschr. HYalon Sefer H.Y. Jerusalem 1963
FuF Forschungen und Fortschritte
fut. futurum, futurisch

G. Gott
G Septuaginta; ↗HBSwete: The OT in Greek according to the Septuagint. Cambridge 1909
G Grundstamm (akkadischer Grundstamm = qal)
G^A G^B G^L ↗ Würthwein ^{4}S. 75 f.
G^{Ra} Septuaginta (Hrsg. v. ARahlfs). Stuttgart 1935
Ǧ *Ǧebel* (Berg)
Gadd CJGadd. HINbd = The Harran Inscription of Nabonidus (Anatolian Studies VIII 1 (1938) 35 ff.)
GAG WvSoden: Grundriss der akkadischen Grammatik. Rom 1952
Galling KGalling. BRL = Biblisches Reallexikon (HbAT I/1); Chr. Esr. Neh. = Die Bücher der Chr., Esr., Neh. (ATD 12); Koh. = Der Prediger. In: Die fünf Megilloth (HbAT I/18); Stud. = Studien zur Geschichte Israels im persischen Zeitalter. Tübingen 1964; Tb. = Textbuch zur Geschichte Israels. Tübingen ^{2}1968
Garbini GGarbini. SNO = Il Semitico di Nord-Ovest. Napoli 1960
Garst(ang) JGarstang. JJ = Joshua Judges. London 1931; T. = Tombs of the third Egyptian Dynasty ... Westminster 1904
Gaster ThGaster: Thespis. New York 1950, ^{2}1961
Gaut.-Benv. RGautier-EBenveniste: Essai de grammaire sogdienne, 1-2. Paris 1909/29
GB WGesenius-FBuhl: Hebräisches und aramäisches Handwörterbuch über das AT. Leipzig ^{17}1915
Gd. CHGordon. B(e)B(i) = Before the Bible. London 1962; Intr. = Introduction to OT Times. Ventnor 1952; UM = Ugaritic Manual. Rome 1955; UMCr. = Ugaritic and Minoan Crete. New York 1966; UT = Ugaritic Textbook. Rome 1965
Gehm. HSGehman: Notes on the Persian Words in Esther (JBL 43(1924) 321 ff.)
Geiger AGeiger: Urschrift und Übersetzungen der Bibel (1857) ^{2}1928
gemin. Gemination, geminiert (verdoppelt)
Gemser BGemser. Pn. (oder BP) = De beteekenis der persoonsnamen voor onze kennis van het leven en denken der oude Babyloniërs en Assyriërs. Wageningen 1924; Spr. = Sprüche Salomos (HbAT I/16)
gen. Genitiv; gen. epex. = epexegeticus (↗ GK § 128 f-q)
Gerl(eman) GGerleman: Zephanja, textkritisch und literarisch untersucht. Lund 1942
Gershevitch JGGershevitch: A Grammar of Manichaean Sogdian. Oxford 1954
Ges. (Thes.) WGesenius: Thesaurus ... Linguae Hebraicae et Chaldaicae. Leipzig 1853
gew. nach gewöhnlicher Annahme
GHK Göttinger Hand-Kommentar
Ginsbg HLGinsberg (:: Gsbg = Ginsburg). KU = Kitve Ugarit (hebr.). Jerusalem 1936; StDa. = Studies in Daniel. New York 1948; (St)Koh. = Studies in Koheleth. New York 1950
GK WGesenius-EKautzsch: Hebräische Grammatik. Leipzig ^{28}1909
Gkl. HGunkel. El. = Elias, Jahwe und Baal. Tübingen 1906; Els. = Die Geschichten von

	Elisa. In: Meisterwerke hebräischer Erzählungskunst, I. Berlin 1922; Est. = Esther. Tübingen 1916; Gen. = Genesis (GHK III/1); Mä. = Das Märchen im AT. Tübingen 1917; Ps. = Die Psalmen (GHK II/2); RA = Reden und Aufsätze. Göttingen 1913; SchCh. = Schöpfung und Chaos. Göttingen 1895 ^{2}1921
Gkl.-Begr.	HGunkel-JBegrich: Einleitung in die Psalmen. Göttingen 1933
gl.	Glosse
Glueck	NGlueck: Explorations in Eastern Palestine I-IV. AASOR 14, 15, 18/19, 25/28. New Haven 1914-51 (EEP); OSJd = The Other Side of the Jordan. New Haven 1940; R(i)D = Rivers in the Desert. London 1959
GnAp	NAvigad-YYadin: A Genesis Apocryphon: A Scroll from the Wilderness of Judaea. Jerusalem 1956; ↗ auch Fitzmyer
GNbd	Das Gebet des Nabonid; ↗ RMeyer
gntl.	nomen gentile, gentilicium
Goetze	AGoetze: Accent and Vocalism in Hebrew. JAOS 59(1939) 431-59; Klas^{2} = Kleinasien. München ^{2}1957; LE = The Laws of Eshnunna. New Haven 1956 (AASOR 31)
Goldm(ann)	WGoldmann: Die palmyrenischen Personennamen. Leipzig 1935
Gordis	RGordis: The Biblical Text in the Making. Philadelphia 1937
Gosh.-Gtst	MGoschen-Gottstein
gr.	gross
gr(ie).	griechisch
Gradw.	RGradwohl: Die Farben im AT. Berlin 1963 (BZAW 83)
Graetz	HGraetz: Schir haschirim. Wien 1871
Gray	JGray. LoC (LC) = The Legacy of Canaan. Leiden 1957, ^{2}1965 (VTSu. V); Kings = I & II Kings. London 1964, ^{2}1970
Gray Sacr.	GBGray: Sacrifice in the OT. Oxford 1925
grBar	Die griechische Baruch Apokalypse; ↗ Rost EAP 86 ff.
Grdb	Grundbedeutung
Grdf	Grundform
Greg(or).	Gregorianum
Gressm.	HGressmann. Esch. = Der Ursprung der israelitisch-jüdischen Eschatologie. Göttingen 1905; Mess. = Der Messias. Göttingen 1929; Mo(se) = Mose und seine Zeit. Göttingen 1913
Grether	OGrether: Name und Wort Gottes im AT. Giessen 1934 (BZAW 64)
grie.	griechisch
Grimme	HGrimme: Texte und Untersuchungen zur safatenisch-arabischen Religion. Paderborn 1929 (TU)
Gröndahl	FGröndahl: Die Personennamen der Texte aus Ugarit. Rom 1967
Grossv.	Grossvater
Gsbg (Gsburg)	CDGinsburg (:: Ginsbg. = Ginsberg): Introduction to the Massoretico-Critical Edition of the Hebrew Bible. New York ^{2}1926; Gsbg-Orl. = ib. Orlinsky p. I—XXXVII
Gt	akkadischer u. ugar Grundstamm mit *ta*- Infix
GTT	JSimons: Geographical and Topographical Texts of the OT. Leiden 1959
Guill.	AGuillaume: Hebrew and Arabic Lexicography, 1-4. Leiden 1963-1965
Gulk.	IGulkowitsch: Die Bildung von Abstraktbegriffen ... Leipzig 1931
Gutt.	Gutturalen
Gzr	Die Kalenderinschrift von Gezer; ↗ KAI Nr. 182
H	Heiligkeitsgesetz (Lv 17-26): ↗ Eissfeldt: Einleitung ... 310 ff.; Elliger HbAT I/4 14 ff.
hadram.	hadramautisch; ↗ Höfner
haf.	hafʿel
HAL	LKoehler-WBaumgartner: Hebräisches und Aramäisches Lexikon zum AT. Leiden 1967 ff.
Haldar	AHaldar: Associations of Cult Prophets. Uppsala 1945

HAOGk	Handbuch der altorientalischen Geisteskultur. Berlin ^{2}1929
haplgr.	haplographisch (: : dittgr.)
har.	Harari; ↗ Leslau
Harris	ZSHarris.
	Dev. = Development of the Canaanite Dialects. New Haven 1939;
	Gr. = Grammar of the Phoenician Language. New Haven 1936
Harrison	RKHarrison: Healing Herbs of the Bible. Leiden 1966
hasmon.	hasmonäisch; ↗ BHH 650 ff.
Hatra	↗ DISO XIX; KAI Nr. 237-57; AfO 16, 141 ff; Syr 40, 1 ff. 41,251 ff.
Hb (HdB)	Handbuch
HbAbgl.	Handwörterbuch des deutschen Aberglaubens. Berlin 1927-42
HbAP	WBrandenstein-MMayrhofer: Handbuch des Altpersischen. Wiesbaden 1964
H(b)AT	Handbuch zum AT. Tübingen
HbOr.	Handbuch der Orientalistik. Leiden
Hdt.	Herodot; ↗ P-WKl. II 1099 ff.
he(br).	hebräisch; ↗ mhe., nhe.
hebrais.	hebraisiert
Hehn	JHehn: Die biblische und die babylonische Gottesidee. Leipzig 1913
hell.	hellenistisch
Hempel	JHempel: Das Ethos des AT. Berlin 1938, ^{2}1964 (BZAW 67) (auch Eth.);
	GuM. = Gott und Mensch im AT. Stuttgart ^{2}1936
HEN	JJStamm: Hebräische Ersatznamen. In: Fschr. BLandsberger 413 ff.
1 Hen.	Das äthiopische Henochbuch; ↗ Rost EAP 101 ff.
2 Hen.	Das slavische Henochbuch; ↗ Rost EAP 82 ff.
hendiad.	Hendiadys; ↗ König: Stil 160f.
h. ep.	heros eponymos
Hermop(olis)	Papyri von Hermopolis; ↗ Or. 17(1948) 549 f; CRAIBL 1954, 251 ff.
Hertzb.	HWHertzberg: Der Prediger (KAT XVII/4, 1963)
Herzf.	EHHerzfeld.
	API = Altpersische Inschriften. Berlin 1938;
	Paik. = Paikuli. Monument and Inscription of the Early History of the Sasanian Empire. Berlin 1924
HeSy	Hebräische Syntax; ↗ Brockelmann
Hesych	Hesychios; ↗ P-WKl. II 1120
heth.	hethitisch
HeWf	Hebräische Wortforschung, Festschrift zum 80. Geburtstag von WBaumgartner, Leiden 1967
Hex.	Hexapla; ↗ Field
HFN	Hebräische Frauennamen; ↗ Stamm
Hier.	Hieronymus; ↗ Siegfried, ZAW 4,34 ff.; Sperber; Barr JSSt 12; Kahle CG 166
hif.	hifʿil
himj.	himjaritisch; ↗ asa.
Hinz	WHinz: Der Reich Elam. Stuttgart 1964
hištaf.	hištafʿal
hitp.	hitpaʿel, hitpaʿal
hitpal.	hitpaʿlel
hitpalp.	hitpalpel
hitpe.	hitpeʿel
hitpol.	hitpolel
HK	Handkommentar zum AT. Göttingen (auch GHK)
hof.	hofʿal
Hofmann	JBHofmann: Etymologisches Wörterbuch des Griechischen. München 1949-50
Hoft(ijzer)	J.Hoftijzer. (RA =) Religio Aramaica. Leiden 1968
Höfner	MHöfner: Altsüdarabische Grammatik. Leipzig 1943; ↗ Littmann-Höfner: Wörterbuch der Tigre-Sprache; RAAM
Hö(lscher)	GHölscher.
	Erdk. = Drei Erdkarten. Heidelberg 1949;
	EsrNeh ↗ Kautzsch AT;
	Hiob = Das Buch Hiob (HbAT I/17);
	Prof. = Die Profeten. Leipzig 1914
Holladay	WLHolladay: The root Šûbh in the OT. Leiden 1958
holld.	holländisch
Holma	HHolma.
	NKt = Die Namen der Körperteile. Helsinki 1911;
	PN (auch ABP) = Die assyrisch-babylonischen Personennamen der Form quttulu. Helsinki 1914

Hommel	FHommel. AiÜ = Die altisraelitische Überlieferung in inschriftlicher Beleuchtung. München 1897
Honeyman	AMHoneyman: The Pottery Vessels of the OT. PEQ 1939, 76-90
Hönig	HWHönig: Die Bekleidung des Hebräers. Zürich 1957
Horst	FHorst: Hiob (BK 16); GsR = Gottes Recht. München 1961; (Das) Privilegrecht Jahves ... Göttingen 1930
Hpl Heilg.	JHempel: Heilung als Symbol und Wirklichkeit im biblischen Schrifttum. NAWG 1958, 3, 237-314
Hrozný	FHrozný: Die Getreide im alten Babylonien. Wien 1913
Hrsg.	Herausgeber, herausgegeben
HS(chr)AT	Die Heilige Schrift des AT. Bonn
HThR	Harvard Theological Review
HUCA	Hebrew Union College Annual. Cincinnati
Hübschm.	HHübschmann: Armenische Grammatik. Leipzig 1897
Huffm(on)	HBHuffmon: Amorite Personal Names in the Mari Texts. Baltimore 1965
Humb.	PHumbert. ↗ Fschr. P.H. Hab. = Problèmes du livre d'Habacuc. Neuchâtel 1944; Sap. = Recherches sur les sources égyptiennes de la littérature sapientiale d'Israël. Neuchâtel 1929
Hw(b)Isl.	Handwörterbuch des Islam. Leiden 1941
iam.	inschriftlich aramäisch
ib.	ibidem
ICC	International Critical Commentary. Edinburgh
id.	idem (der-, dasselbe)
IDB	The Interpreter's Dictionary of the Bible, 1-4. New York 1962
Idrimi	SSmith: The Statue of Idrimi. London 1949
i.e.	id est (das heisst)
IEJ	Israel Exploration Journal
ign.	ignotus/m (unbekannt)
ihe.	inschriftlich hebräisch
ija.	inschriftlich jüdisch-aramäisch
ILN	Illustrated London News
imp.	Imperativ

impf.	Imperfekt
inc.	incertus (ungewiss)
incl.	inklusiv (einschliesslich)
ind.	Indikativ
indecl.	indeklinabel
indet.	indeterminiert
ind(oir).	indoiranisch
inexpl.	inexplicatus/m (unerklärt)
inf.	Infinitiv
Ingholt	HIngholt. Hama(th) = Rapport préliminaire sur sept campagnes de fouilles à Hama, en Syrie. Paris 1940
ins.	inserendum (einzuschieben)
inschr.	inschriftlich
interj.	Interjektion
Interpr. DiBi	↗ IDB (Interpreter's Dictionary of the Bible. New York 1962 ff.
interr.	interrogativ
intr.	intransitiv
invers.	inversus/m (umgekehrt)
InvPa.	JCantineau-JStarcky: Inventaire des inscriptions de Palmyre, 1-10. Beyrouth 1930-49
iran.	iranisch
Iraq	Iraq, London
iraqar.	iraq-arabisch; ↗ BMeissner BzA 5(1906) 1 ff.
Isr., isr.	Israel(iten), israelitisch
Isserlin	BSJIsserlin: Place Name Provinces in the ... Near East. Leeds 1956
it(al).	italienisch
J.	Jahwe, Jahwist
j...	jerusalemisch; ↗ M(ischna)
JA	Journal Asiatique
ja.	jüdisch-aramäisch
ja.b, ja.g, ja.t	jüdisch-aramäisch: b = babylonisch g = galiläisch t = targumisch ↗ HAL Einleitung I/2d; EKutscher HeWf 158 ff.
Jahnow	HJahnow: Das hebräische Leichenlied. Giessen 1923 (BZAW 36)
JAOS	Journal of the American Oriental Society
Jastrow	MJastrow: Dictionary of the Targumim, the Talmud Babli ..., 1-2. New York 1903
jaud.	"jaudisch"; ↗ die Inschriften aus Zenğirli (KAI Nr. 214 und 215); Friedrich: Phönizisch-

	Punische Grammatik ^{1}1951, S. 153 ff.
JbAuC	↗ AuC
JbEOL	Jaarbericht ... Ex Oriente Lux. Leiden
JbKl(as)F(o)	Jahrbuch für kleinasiatische Forschung. Heidelberg
JbKlPh	Jahrbücher für klassische Philologie. Leipzig
JBL	Journal of Biblical Literature
JbWg	Jahrbuch für Wirtschaftsgeschichte. Berlin
JCS(t)	Journal of Cuneiform Studies
Jd.	Jordan
JEA	Journal of Egyptian Archaeology
Jean	↗ DISO
jem(en).	jemenitisch; ↗ Rabin AWA
Jenni	EJenni: Der hebräische Piʿel. Zürich 1968; ʿOlam = Das Wort ʿolām im AT. Berlin 1953; ↗ THAT
Jeremias Hdb	↗ HAOGk
Jerus.	Jerusalem
Jew. Enc.	The Jewish Encyclopaedia. New York 1916 ff.
Jh(r).	Jahrhundert
jidd.	jiddisch
JJS(t)	Journal of Jewish Studies
jmd	jemand; jmdm jemandem; jmds jemandes
JNES(t)	Journal of Near Eastern Studies
Johnson	ARJohnson. CP(r). = The Cultic Prophet in Ancient Israel. Cardiff ^{2}1962; SKsh. = Sacral Kingship. Cardiff ^{2}1967 Vit. = The Vitality of the Individual in the Thought of Ancient Israel. Cardiff ^{2}1964;
J(o)sph. (Jos.)	Josephus; ↗ P-WKl. II 1440 ff. Antt. = Antiquitates; (c.) Ap. = Contra Apionem; BJ = De Bello Judaeorum; Vita = Vita Josephi; ↗ NFJ
Joüon	PJoüon: Grammaire de l'hébreu biblique. Rome 1947
JPh(il).	Journal of Philology
JPOS	Journal of the Palestine Oriental Society
JQR	Jewish Quarterly Review
JRAS	Journal of the Royal Asiatic Society
JSOR	Journal of the Society of Oriental Research
JSS(t)	Journal of Semitic Studies
Jt.	Jahrtausend
jT	Jerusalemer Talmud (: : bT)
JThS(t)	Journal of Theological Studies
Jub.	Das Buch der Jubiläen; ↗ Rost EAP 98 ff.
jud.	judäisch
jüd.	jüdisch
JüdLex	Jüdisches Lexikon. Berlin 1927-30
Junge	EJunge: Der Wiederaufbau des Heerwesens unter Josia. Leipzig 1937 (BWANT 4. Folge, Heft 23)
juss.	Jussiv, jussivisch
K	Ketib (: : Q); ↗ Meyer: Gr. § 17,2; Würthwein 19 f.
K.	König
Kahle	PKahle CG = The Cairo Geniza. Oxford ^{2}1959; MdO = Masoreten des Ostens. Leipzig 1913; MdW = Masoreten des Westens. Leipzig 1927/30; MTB = Der Masoretische Text des AT und die Überlieferung der babylonischen Juden. Leipzig 1902
KAI	HDonner-WRöllig: Kanaanäische und Aramäische Inschriften, 1-3. Wiesbaden 1962-64 (zitiert nach Nummer oder Band und Seite)
Kairos	Kairos, Zeitschrift für Religionswissenschaft und Theologie. Salzburg
Kaiser	OKaiser: Die mythische Bedeutung des Meeres. Berlin 1959 (BZAW 78)
kan.	kanaanäisch; kan. Gl(ossen) in EA, ↗ Böhl
Kand(ahar)	Inschrift von Kandahar; ↗ PHLEggermont-JHoftijzer: The Moral Edicts of King Aśoka. Leiden 1962
KAO	HSchmökel (Hrsg.): Kulturgeschichte des Alten Orients. Stuttgart 1966
Karat.	Die Phönizischen Inschriften von Karatepe im Amanus; ↗ Alt WdO 1,272 ff., 2,172 ff., KAI Nr. 26, DISO XXI
Karge	PKarge: Reph(aim) = Rephaim. Die vorgeschichtliche Kultur Palästinas und Phöniziens. Paderborn 1925

KAT	Kommentar zum AT. Leipzig, Gütersloh
KAT^3	ESchrader: Die Keilinschriften und das AT, 3. Aufl. von HWinckler und HZimmern. Berlin 1903
kaus.	Kausativ
Kau(tzsch)	EKautzsch. A. = Die Aramaismen im AT. Halle 1902; AP = Apokryphen und Pseudepigraphen des AT, 1-2. Tübingen 1921 Kau. AT = Die Heilige Schrift des AT, 1-2. Tübingen ^{3}1910, ^{4}1922/23;
KB	ESchrader (Hrsg.): Keilinschriftliche Bibliothek. Berlin
Keller	CAKeller: Das Worth Oth als Offenbarungszeichen Gottes. Basel 1946
Kelso	JKelso: The Ceramic Vocabulary of the OT. New Haven 1948
Kêmi	Revue de philologie et d'archéologie égyptiennes et coptes. Paris
Kennedy	JKennedy: An Aid to the Textual Amendment of the OT. Edinburgh 1928
Kent	RGKent: Old Persian Grammar, Texts and Lexicon. New Haven ^{2}1953
Kerak	Die Inschrift von Kerak: ↗ Phoenix 10,54 ff.
KerDogm(a)	Kerygma und Dogma, Göttingen
Kf.	Kurzform
KG	↗ König: Grammatik
KgAO	↗ KAO
KH	FMTBöhl: Kanaanäer und Hebräer. Leipzig 1911 (BWANT 9)
KHC	Kurzer Hand Commentar zum AT. Tübingen
Kittel	RKittel: Geschichte des Volkes Israel. Gotha I $^{5}/^{6}$1923 (^{7}1932), II $^{6}/^{7}$1925, III/1 $^{1}/^{2}$1927, III/2 $^{1}/^{2}$1929
kl.	klein
Klauber	EGKlauber: Assyrisches Beamtentum nach Briefen aus der Sargonidenzeit. Leipzig 1910
kleinas.	kleinasiatisch; ↗ Friedrich
Klinke	RKlinke-Rosenberger: Das Götzenbuch des Ibn-al-Kalbi. Leipzig 1941

Klmw	Die Inschrift des Kilamuwa; ↗ KAI Nr. 24
Klopfst.	MAKlopfenstein: Die Lüge nach dem AT. Zürich 1964
klschr.	(keilschr). keilschriftlich
Kluge	FrKluge-WMitzka: Etymologisches Wörterbuch der deutschen Sprache. Berlin ^{19}1963
km	Kilometer
Koehler	LKoehler. Dtj. = Deuterojesaja stilkritisch untersucht 1923 (BZAW 37); HeMe (HM) = Der hebräische Mensch. Tübingen 1953; KlLi. = Kleine Lichter. Zürich 1945; Th. = Theologie des AT. Tübingen 1936, ^{4}1966; Trtj(s). ↗ LGlahn: Der Prophet der Heimkehr (Kopenhagen-Giessen 1934) 185-253
Kö(nig) (Kg)	EKönig. Gr. = Historisch-kritisches Lehrgebäude des Hebräischen, 1-3. Leipzig 1881-97 (=Lgb); Stil. = Stilistik, Rhetorik, Poetik. Leipzig 1900; Wb. = Hebräisches und aramäisches Wörterbuch zum AT. Leipzig ^{7}1936 (Wiesbaden 1969)
Kö RgWb	FKönig: Religionswissenschaftliches Wörterbuch. Freiburg 1956
koh.	Kohortativ
Kolari	EKolari: Musikinstrumente und ihre Verwendung im AT. Helsinki 1947
Komm.	Kommentare
konkr.	konkret
Kons.	Konsonant, konsonantisch
kontam.	kontaminiert
Koopm.	JJKoopmans: Aramäische Chrestomathie. Leiden 1962
kopt.	koptisch; ↗ Spiegelberg; Crum
korr.	Korrelativ korrigiert
KQT	KGKuhn: Konkordanz zu den Qumrantexten. Göttingen 1960
Kreuzg.	Kreuzung (Kontamination)
Kropat	AKropat: Die Syntax des Autors der Chronik ... Giessen 1909
KTB	HWinckler: Keilinschriftliches Textbuch zum AT. Leipzig ^{3}1909
Ku	EYKutscher.

LJs. = The Language ... of the Isaia Scroll. Jerusalem 1959 (hebr.); MiHe. = Mišnisches Hebräisch. Zaklad Orientalistyki Polskiej Akademi Nauk (Rocznik Orientalyczny, T. XXVIII 1,1964) 35-48; W(a)H. = Words and their History. Jerusalem 1961 (hebr.);
↗ Mittelhebräisch und Jüdisch-Aramäisch im neuen Köhler-Baumgartner, HeWf 158 ff.

Kuhn — GKuhn: Beiträge zur Erklärung des salomonischen Spruchbuches. Stuttgart 1931

Kuhr — EKuhr: Die Ausdrucksmittel der konjunktionslosen Hypotaxe in der ältesten hebräischen Prosa. Leipzig 1929

kult. — kultisch

Kupper — JRKupper: Les nomades en Mésopotamie au temps des rois de Mari. Paris 1957 (= Nom.)

kuš. — kušitisch

Ⓛ — Codex Leningradensis; ↗ BH III f., VIII; Würthwein 31 f, ^{4}39 f.

L (Lat). — (Vetus) Latina; ↗ Würthwein 67 f, ^{4}90 ff.

l — lies

LA — Lesart

Labusch(agne) — CJLabuschagne: The Incomparability of Yahwe. Leiden 1966

Lagr. — MJLagrange: Etudes sur les religions sémitiques. Paris ^{2}1905

Lambdin — ThOLambdin: Egyptian Loan Words in the OT. JAOS 73(1953) 145 ff.

Lambert — WGLambert: Babylonian Wisdom Literature. Oxford 1960

Landberg — Graf CLandberg: Glossaire Datinois, 1-3 Leiden 1920 ff.

Lande — ILande: Formelhafte Wendungen der Umgangssprache im AT. Leiden 1949

Lane — EWLane: Al-Qamūsu, an Arabic-English Lexicon, 1-8. London 1863-1893 (New York 1955)

Lang. — Language

LarW — Lexikon der arabischen Welt, Zürich 1972

lat. — lateinisch

lautmal. — lautmalend

LAW — Lexikon der Alten Welt. Zürich 1965

l.c. — loco citato

Ldsberger, L(an)dsbg — BLandsberger. KultKal. = Der kultische Kalender der Babylonier und Assyrer. Leipzig 1915; F. = Die Fauna des alten Mesopotamien. Leipzig 1934; MSL = Materialien zum sumerischen Lexikon. Rom 1937 ff.

Leander — PLeander: Laut- und Formenlehre des Ägyptisch-Aramäischen. Göteborg 1928

Leš. — Lešonenu (hebr.)

Leslau — WLeslau: Ethiopic and South Arabic Contributions to the Hebrew Lexicon. Berkeley 1958; EDH = Etymological Dictionary of Harari. Berkeley & London 1963;
↗ Lexique Soqotri. Paris 1938

Levy — JLevy. NheCW (ChaldLex) = Neuhebräisches und Chaldäisches Wörterbuch über die Talmudim und Midraschim, 1-4. Leipzig 1876-1889, Berlin ^{2}1924

Lewy — Hrch Lewy. F(r)W. = Die semitischen Fremdwörter im Griechischen. Berlin 1895

Lex.[1] — LKoehler-WBaumgartner: Lexicon in Veteris Testamenti libros. Leiden 1953 (=KBL[1])

LgSem. — Linguistica Semitica, ed. GLevi Della Vida. Roma 1961 (Studi Semitici 4)

lib. — libysch/altberber; ↗Rössler ZA 50, 121 ff. (:: Moscati, CpGr § 5,5)

Liddell-Sc. — HCLiddell-RAScott: Greek-English Lexicon. Oxford ^{9}1940

Lidzb. — MLidzbarski. Eph. = Ephemeris für semitische Epigraphik, 1-3. Giessen 1902/08/15; Johb. = Das Johannesbuch der Mandäer, 1-2. Giessen 1905/16 (Berlin 1966); Krug. = Phönizisch-aramäische Krugaufschriften aus Elephantine. Berlin 1912; NE = Handbuch der nordsemitischen Epigraphik. Weimar 1898 (Hildesheim 1962); Urk. = Altaramäische Urkunden aus Assur. Leipzig 1921

lihj.	lihjanisch; ↗ Winnett; Ryckmans
Lindbl.	JLindblom: Prophecy in Ancient Israel. Oxford 1962 (= Pr.);
	Jes Apk. = Die Jesaja Apokalypse (Jes. 24-27). Lund 1938
Lisān	Al-ʿarab, von Ibn-Mukarram. Kairo 1308/1890
Lisowsky	GLisowsky: Konkordanz zum hebräischen AT. Stuttgart 1958
Lit.	Literatur
Littm.	ELittmann. MW = Morgenländische Wörter im Deutschen. Tübingen ^{2}1924;
	NIE = Nabatean Inscriptions from Egypt, 1-2. (BSOAS 15(1953) 1-28; BSOAS 16(1954) 211-46)
	SI = Safaitic Inscriptions. Leiden 1943;
	T(h)S = Thamud und Safa. Leipzig 1940;
	ELittmann-MHöfner: Wörterbuch der Tigre Sprache. Wiesbaden 1962
Lkš	HTorczyner: The Lakish Letters. London 1938; KAI Nr. 192-199
LLAVT	EVogt: Lexicon Linguae Aramaicae Veteris Testamenti. Roma 1971
loc.	(ה) locale; Lokativ
Lods	ALods: La croyance à la vie future et le culte des morts dans l'antiquité israélite. Paris 1906 (= Vie fut.)
Loe-Bl.	SELoewenstamm-JBlau: Thesaurus of the Language of the Bible, 1-2. Jerusalem 1957/59
Lökkegaard	FLökkegaard: A Plea for El, the Bull ... In: Studia Orientalia J. Pedersen ... Dicata (Copenhagen 1953) 218 ff.
Löw	JLöw: Die Flora der Juden, 1-4. Wien 1924-1934;
	Pfln. = Aramäische Pflanzennamen. Leipzig 1881
Lohse	ELohse: Die Texte aus Qumran. Darmstadt & München 1964
Lokotsch	KLokotsch: Etymologisches Wörterbuch der europäischen Wörter orientalischen Ursprungs. Heidelberg 1927
LPs.	Liber Psalmorum cum Canticis Breviarii Romani ... cura professorum pontificii instituti Biblici edita. Roma 1945.
LS	CBrockelmann: Lexicon Syriacum. Halle ^{2}1928 (1966)
LSS(t)	Leipziger Semitische Studien
Lw.	Lehnwort
LXX	Septuaginta. Göttinger Edition 1936 ff. ↗ VTGr; Brooke-M.
lyd.	lydisch; ↗ Friedrich
M	Mischna; ↗ Mi
M.	Mutter
m.	männlich;
	Meter (über Meer);
	mit;
	mein
MA	WMuss-Arnold: A Concise Dictionary of the Assyrian Language. Berlin 1905
Maag	VMaag: Text, Wortschatz und Begriffswelt des Buches Amos. Leiden 1951
Macl(ean)	AJMaclean: Dictionary of the Dialects of Vernacular Syriac. Oxford 1910 (= D, Dict.)
Macuch	RMacuch: ↗ MdD, MdH
Maier	JMaier: Die Texte vom Toten Meer, 1-2. München/Basel 1960
Maisler	BMaisler: Untersuchungen zur alten Geschichte und Ethnographie Syriens und Palästinas. Giessen 1930
mal(t(es).	maltesisch; ↗ JAquilina: Maltese, a Mixed Language. JSSt 3(1958) 58-79
Mandelk.	SMandelkern: Veteris Testamenti Concordantiae. 1896, ^{2}1937. Jerusalem 1967
Mansoor	MMansoor: The Thanksgiving Hymns. Leiden 1961 (= Hy.)
MAOG	Mitteilungen der Altorientalischen Gesellschaft. Leipzig
Maq.	Maqqēf
Martin	MMartin. Scr(Ch). = The Scribal Character of the Dead Sea Scrolls. Louvain 1948
MartJs	Martyrium Jesajas; ↗ Rost EAP 112 ff.
Masson	EMasson: Recherches sur les plus anciens emprunts sémitiques en grec. Paris 1967
Mayer	MLMayer: Gli Imprestiti Semitici in Greco. In: Rendiconti del Istituto Lombardo di scienze e lettere Milano 94(1960) 311-351

Mayrh(ofer) MMayrhofer. HbAP (mit WBrandenstein) = Handbuch des Altpersischen. Wiesbaden 1964;
IndAr. = Die Indo-Arier im Alten Vorderasien. Wiesbaden 1966

Mcheta Der griechisch-aramäische Bilingue aus Mcheta; ↗ Altheim-Stiehl: AmSpr.

md. mandäisch; ↗ Drower; MdD; MdH; Nöldeke, MG

MdD ESDrower-RMacuch: A Mandaic Dictionary. Oxford 1963

MdH RMacuch: Handbook of Classical and Modern Mandaic. Oxford 1965

mdl. (mündl.) mündlich

MdO PKahle: Masoreten des Ostens. Leipzig 1913

MdW PKahle: Masoreten des Westens. Leipzig 1927/30

medit. mediterran, mittelländisch

Meg. Die fünf Megilloth (HbAT 18)

Meg. Taanit Megilla Taanit; ↗ JMaier: Geschichte der jüdischen Religion (Berlin 1972) 29 f.

meh. mehri; ↗ Leslau: Ethiopic and South Arabic Contributions ..., p. 2

Meissner BMeissner. Btr. = Beiträge zum assyrischen Wörterbuch, 1-2. Chicago 1931/32;
BuA = Babylonien und Assyrien, 1-2, Heidelberg 1920/26

MélSyr. Mélanges Syriens offerts à RDussaud. Paris 1939

Mesa Die Inschrift von König Mesa; ↗ KAI Nr. 181

Messina GMessina: L'aramaico antico. Roma 1934

metaph. metaphorisch (bildlich übertragen)

met(a)th. Metathese (Umstellung)

Meyer EMeyer. GAt. = Geschichte des Altertums, 3/2. Stuttgart 1910 ff.;
Isr. = Die Israeliten und ihre Nachbarstämme. Halle 1906 (Darmstadt 1967);
Jdt. = Die Entstehung des Judentums. Halle 1896

RMeyer RMeyer, Gr. = Hebräische Grammatik, Berlin 1966 ff.;
GNbd = Das Gebet des Nabonid. Berlin 1962

Mf. (Mischf.) Mischform

MF(o)B Mélanges de la Faculté Orientale de L'Université Saint-Joseph de Beyrouth

MG ThNöldeke: Mandäische Grammatik. Halle 1875 (Darmstadt 1964)

MGWJ Monatsschrift zur Geschichte und Wissenschaft des Judentums

mhe. mittelhebräisch: ↗ HAL XI; EYKutscher: HeWf 158 ff.

Mi. Mischna; Die Mischna wird nach der Giessener Mischna abgekürzt Cf. z.B. Traktat Berakot 1912. S. 104 ff. Die jerusalemer/babylonische Versionen werden mit vorgesetztem j/b bezeichnet

Michaud HMichaud. SPA = Sur la pierre et l'argile. Paris 1958

milit. militärisch

min. minäisch; ↗ altsüdarabisch (asa.)

min. minusculum; ↗ Bgstr. 1 § 5l

m.l. mater lectionis (Vokalbuchstabe)

Mlaker KMlaker: Die Hierodulenlisten von Maʿīn. Leipzig 1943

mlt. multi/ae/a (viele)

MO Le Monde Oriental

mo. moabitisch; ↗ Mesa; Kerak

mod. modern

de Moor JCdeMoor: The Seasonal Pattern in the Ugaritic Myth of Baʿlu ... Neukirchen 1971

Moore GFMoore: Judaism in the first Centuries of the Christian Era, 1-3. Cambridge 1927-1930

Morenz SMorenz. Äg.R. = Ägyptische Religion. Stuttgart 1960

Morg(en)st. JMorgenstern. AET = Ark, Ephod and Tent of Meeting. Cincinnati 1945 (= HUCA 17-18)

Moritz BMoritz: (Ar. =) Arabien, Studien zur physikalischen und historischen Geographie des Landes. Hannover 1923;
Sinaikult = Der Sinaikult in heidnischer Zeit. Berlin 1916

Moscati SMoscati. CpGr. = Introduction to the Comparative Grammar of the Semitic Languages. Wiesbaden 1964;
Ep. = L'epigrafia ebraica antica 1935-1950. Roma 1951

Mow. SMowinckel.

	OS = Offersang og Sangoffer. Oslo 1951; PIW = The Psalms in Israel's Worship, 1-2. Oxford 1962; PsSt. = Psalmenstudien, 1-6. Oslo 1921-24 (Amsterdam 1961); Scr. = Skriftene I-IV (Det Gamle Testamente). Oslo 1955 ff. StN (Sternn.) = Die Sternnamen im AT. Oslo 1928
mpe.	mittelpersisch; ↗ pehlevi
MS(S)	Manuskript(e)
mspt.	mesopotamisch
MT	Masoretischer Text
MTB	PKahle: Der masoretische Text des AT und die Überlieferung der babylonischen Juden. Leipzig 1902
Mtg.	JAMontgomery. AIT = Aramaic Incantation Texts from Nippur. Philadelphia 1913; ArBi. = Arabia and the Bible. Philadelphia 1934; Da. = The Book of Daniel. Edinburgh 1927 (ICC); Mtg-G(ehman) = The Book of Kings. Edinburgh 1951 (ICC)
Mü	WWMüller: Die Wurzeln mediae und tertiae *y/w* im Altsüdarabischen. Diss. Tübingen 1962
Mulder	MJMulder: Kanaanitische Goden in het OT. Den Haag 1965
Murt(onen)	AMurtonen: An Etymological Vocabulary to the Samaritan Pentateuch. Helsinki 1960 (= Sam^{M}); Treatise = A philological Treatise on the OT divine Names. Helsinki 1951
Mus.	Le Muséon
Musil	AMusil. AP (ArPe) = Arabia Petraea, 1-3. Wien 1907-08; NH = The Northern Heǧāz. New York 1926; Rwala = Manners and Customs of the Rwala Bedouins. New York 1928
MUStJB	Mélanges de l'Université Saint-Joseph, Beyrouth
mut.	mutatio(nes) (Änderungsvorschläge am Ende eines Stichwortes; mit Bindestrich abgesetzt)
MVA(e)G	Mitteilungen der Vorderasiatischen (-Ägyptischen) Gesellschaft
myk.	mykenisch; ↗ Mayer
n. (N.)	nomen
n. ep.	nomen eponymum; ↗ BHH 422
n. d.	nomen dei/deae
n. f.	nomen femininum
n. fl.	nomen fluminis (Flussname)
n. l.	nomen loci (Ortsname)
n. m.	nomen masculinum
n. p.	nomen populi (Volksname)
n. pr.	nomen proprium (Eigenname)
n. t(err).	nomen territorii (Gebietsname)
n. top.	nomen topographicum (Landschaftsname)
n. tr.	nomen tribus (Stammesname)
n. un.	nomen unitatis (↗ BL 511 z)
n. (N.)	nördlich von (Nord)
nab.	nabatäisch; ↗ Cantineau
Nachk.	Nachkomme
Nachtr.	Nachtrag, Nachträge
naram.	neuaramäisch; ↗ Bgstr. Gl.; Spitaler
nass.	neuassyrisch; ↗ vSoden
NAWG	Nachrichten von der Akademie der Wissenschaften in Göttingen
N.B.	nota bene (Achte !)
NbNb	KTallqvist: Neubabylonisches Namenbuch. Helsinki 1905
NCl	La Nouvelle Clio. Paris
NE	MLidzbarski: Handbuch der Nordsemitischen Epigraphik. Weimar 1898 (Hildesheim 1962)
Neg., neg.	Negation, negativ
NESE	RDegen-WWMüller-WRöllig: Neue Ephemeris für Semitische Epigraphik. Wiesbaden 1972
Neubauer	ANeubauer: La géographie du Talmud. Paris 1868
Neubauer	KWNeubauer: Der Stamm CHNN im Sprachgebrauch des AT. Berlin 1964
Neufeld	ENeufeld: Ancient Hebrew Marriage Law. London/New York 1944
neutr.	neutrisch
Nf.	Nebenform
NFJ	ASchalit: Namenwörterbuch zu Flavius Josephus. Supplement zu: A Complete Concordance to Flavius Josephus (Hrsg. v. KHRengstorf). Leiden 1968

NGWG (NGGW)	Nachrichten der Gesellschaft der Wissenschaften zu Göttingen
NH	AMusil: The Northern Heǧāz. New York 1926
nhe.	neuhebräisch (ivrit)
Nicoll	Nicoll's birds of Egypt by RMeinertzhagen. London 1930
Nielsen	ENielsen: Shechem. Kopenhagen 1955, ²1959
nif.	nifʿal
Nilsson	MPNilsson: Geschichte der griechischen Religion, 1-2. München 1941/50, ²1955/61
Nimr. (Ostr.)	Nimrud Ostrakon. Eine aramäische Namenliste aus Nimrud-Kalaḫ: ↗ Iraq XIX/2, 139 ff.; BASOR 149, 33 ff.
Nisa	Aramäische Ostraka von Nisa (Turkmenistan); ↗ DISO XXIII; Chaumont: Ostraca de Nisa, JA 1968, 11s.
nitp(a).	nitpaʿel
NKZ	Neue kirchliche Zeitschrift
nmd.	neumandäisch; ↗ MdH
nnö	nord-nord-östlich
nö	nordöstlich
Nöld.	ThNöldeke. BS = Beiträge zur semitischen Sprachwissenschaft. Strassburg 1904; MG = Mandäische Grammatik. Halle 1875 (Darmstadt 1964); NB = Neue Beiträge zur semitischen Sprachwissenschaft. Strassburg 1910; NsGr. = Grammatik der Neusyrischen Sprache am Urmiasee und in Kurdistan. Leipzig 1868; SGr. = Kurzgefasste Syrische Grammatik. Leipzig ²1898 (Darmstadt 1966)
Nötscher	FNötscher. AGs. = Das Angesicht Gottes schauen. Würzburg 1924; Auferst. = Altorientalischer und alttestamentlicher Auferstehungs-Glauben. Würzburg 1926 (Darmstadt 1970); Term. (auch ThTerm.) = Zur theologischen Terminologie der Qumran-Texte. Bonn 1956
Nom. S.	Nominal Satz
Noth	MNoth. AbLAk = Aufsätze zur biblischen Landes- und Altertumskunde, 1-2. Neukirchen 1971; (Ex.) = Das zweite Buch Mose, Exodus (ATD 5); GesSt. = Gesammelte Studien zum AT. München 1957, ²1960; GGw. = Geschichte und Gotteswort im AT, 1949. In: Gesammelte Studien ..., S.230 ff.; GI = Geschichte Israels. Göttingen ²1954; Jos. = Das Buch Josua (HbAT I/7); Kg(e) = Könige (BK IX); (Lev.) = Das dritte Buch Mose, Leviticus (ATD 6); N. = Die israelitischen Personennamen. Stuttgart 1928 (Darmstadt 1966); Nu. = Das vierte Buch Mose, Numeri (ATD 7); Syst. (auch ZwSt) = Das System der zwölf Stämme. Stuttgart 1930; Üg(Pt) = Überlieferungsgeschichte des Pentateuch. Stuttgart 1948 (Darmstadt 1960); ÜSt. = Überlieferungsgeschichtliche Studien I. Halle 1943 (Darmstadt 1957); Urspr. = Die Ursprünge des alten Israel... Köln 1961 (= AbLAk, 2,245); WdAT = Die Welt des AT. Berlin ⁴1962
NPCES	PLacau: Les noms des parties du corps en Egyptien et en Sémitique. Paris 1970
npe.	neupersisch
npu.	neupunisch; ↗ pun.; Harris, Gr; Friedrich, Phönizisch-punische Grammatik
nr.	Nummer
NRTh	Nouvelle Revue Théologique
nsar.	neusüdarabisch; ↗ mehri; šḫauri; soqotri; Leslau: Ethiopic and South Arabic Contributions ..., 2 f.
nsem.	nordsemitisch
nsy. (nsyr.)	neusyrisch; ↗ Maclean; Nöldeke NsGr; Spitaler
NT	Neues Testament
ntl.	neutestamentlich
ntr.	neutrisch
NTT	Norsk Teologisk Tidsskrift
NTZ	BReicke: Neutestamentliche

	Zeitgeschichte. Berlin ^{2}1966
nub.	nubisch
nw.	nordwestlich
nwsem.	nordwestsemitisch
Nyberg	HSNyberg: Hilfsbuch des Pehlevi, II Glossar. Uppsala 1931; StHos. = Studien zum Hoseabuch. Uppsala 1935
o.	Osten, östlich (von)
o.ä.	oder ähnlich(es)
Oberm.	JObermann: Ugaritic Mythology. New Haven 1948
obj.	Objekt
obl.	(casus) obliquus (die Kasus ausser Nominativ)
O'Call.	RTOʾCallaghan: Aram Naharaim. Roma 1948
od.	oder
Östrup	JÖstrup: Orientalische Höflichkeit. Leipzig 1929
öteb.	ötebisch; ↗ Hess
ojd.	ostjordanisch (:: wjd.)
Ok.	ThBauer: Die Ostkanaanäer. Leipzig 1926
OLZ	Orientalistische Literaturzeitung
On(omastikon)	EKlostermann (Hrsg.): Eusebius (Pamphili) Werke III,1: Das Onomastikon der biblischen Ortsnamen. Leipzig 1904 (Hildesheim 1960)
Oppenh(eim)	ALOppenheim, Mspt = Ancient Mesopotamia. Chicago 1964
Or.	Orientalia
or.	"orientalische" oder "babylonische" Textüberlieferung; BH XI, XXX ff. (ä deckt tiberisches *Patach* und *Segol*); ↗ Kahle MTB, MdO; Noth WdAT; Würthwein ^{4}24 f.
OrAnt.	Oriens Antiquus
Oratio Man.	Das Gebet Manasses; ↗ Rost EAP 69 f.
OrSuec.	Orientalia Suecana
orthgr.	Orthographie, orthographisch
Os.	Osiris (Zeitschrift)
OS (Ostr.Sam.)	Ostraka von Samaria; Diringer; Moscati; KAI Nr. 183-188
Ostr.	Ostraka
ostsy.	ostsyrisch; ↗ VG 1,19 ff.
OT	Old Testament, Oude Testament
OTMSt	HHRowley (ed.): The OT and modern Study. Oxford 1951
OTSt	Oudtestamentische Studiën. Leiden
Otzen	BOtzen: Studien über Deuterosacharia. Kopenhagen 1964
OudhMed.	Oudheidkundige Mededeelingen
Ox.Pap.	PAH de Boer: Notes on an Oxyrhynchus Papyrus. VT 1,49 ff.
P.	Priesterschrift
	Pausa
P(ag). p.	pagina/page (Seite)
pa.	paʿel
pa(l).	palästinisch
PaB	ASPeake (ed.): The People and the Book. Oxford 1925
Pachtv.	↗ HBauer-BMeissner: Ein aramäischer Pachtvertrag aus dem 7. Jahre Darius I. Berlin 1936; JJKoopmans: Aramäische Chrestomathie (Leiden 1962) Nr. 19
Paik.	Paikuli; ↗ EHerzfeld: Paikuli. Berlin 1924
Pal.	Palästina
pal.	paʿlel; palästinisch
Palache	JLPalache: Semantic Notes on the Hebrew Lexicon. Leiden 1959
pal.-ar.	palästinisch Arabisch; ↗ Bauer Wb
palm.	palmyrenisch; ↗ Cantineau Gr; Rosenthal SprPalm; HHIngholt-HSeyrig-JStarcky: Recueil des Tessères de Palmyre. Paris 1955
P.Anast.	Papyrus Anastasi I; ↗ AOT 101 ff., ANET 475 ff.
Pap.	Papyrus
Park.-Dubb.	RAParker-WHDubberstein: Babylonian Chronology (626a-675). Rhode Island 1956
Parrot	AParrot. Arch. = Archéologie mésopotamienne, 1-2. Paris 1946/53; Temple = Le Temple de Jérusalem. Neuchâtel 1954
pass.	Passiv
pe.	peʿal
Ped.	JPedersen. Eid = Der Eid bei den Semiten. Strassburg 1914; Isr. = Israel, its Life and Culture, 1-2 & 3-4. London 1926/40
PEF	Palestine Exploration Fund

pehl.	pehlevi. Die aramäischen Ideogramme im Mittelpersisch (Pehlevi); ↗ Lex^1, Einleitung § 3b und Addenda; Frah.
Pent.	Pentateuch
PEQ	Palestine Exploration Quarterly
pe(rs).	persisch; ↗ ape. (altpersisch), mpe. (mittelpersisch); Mayrhofer; Kent
pers.	persona(e)
Peterm.	JHPetermann: Brevis Linguae Samaritanae Grammatica ... cum glossario. Karlsruhe 1873 (= Gl)
Peters	NPeters: Das Buch Job. Münster 1928
pf.	Perfekt
ph. (phön.)	phönizisch (meist inklusiv punisch); ↗ Friedrich: Phönizisch-punische Grammatik; Harris Gr.
philist.	philistäisch
PhiloBy. (auch Philo v.B.)	Philo Byblius; ↗ CClemen MVAeG 42, 3, 1939; KMras: EusebiusWerke, Bd. 8. Berlin 1954/56; RGG^3 Bd. 5, 346 f.
Phön.	Phönizien
Phoen(ix)	Phoenix. Leiden
pi.	piʿel
pil.	piʿlel (piʿlal)
pilp.	pilpel
PJb.	Palästinajahrbuch
pl.	Plural
ple.	plene (: : def.)
pleon.	pleonastisch
pl.fr.	pluralis fractus (gebrochener Plural) ↗ VG 1,427 c
Plin.	CPlinii Secundi naturalis historiae libri XXXVII; ↗ P-WKl 4, 928
Ploeger	OPloeger: Das Buch Daniel (KAT XVIII)
pltt.	plurale tantum
PN(N)	Personenname(n)
PNPhPI	FLBenz: Personal Names in Phoenician and Punic Inscriptions. Rome 1972
PNPI	JKStark: Personal Names in Palmyrene Inscriptions. Oxford 1971
PBT	Probleme biblischer Theologie; ↗ Fschr. GvRad
po.	poʿal, poʿlel
Poen.	Poenulus ↗ Sznycer
poet.	poetisch
polp.	polpal
Pope	MHPope: El in the Ugaritic Pantheon. Leiden 1955. (VTSu. 2)
Porath	EPorath: Mishnaic Hebrew (Hebräisch). Jerusalem 1938
poss.	possessiv
pr.	pro (anstatt); Pronomen
praef.	Präfix
praep.	Präposition
PRE	↗ RE
PRec	↗ RTPalm.
prim.	primär
Pritchard	JBPritchard: Hebrew Inscriptions and Stamps from Gibeon. Philadelphia 1959; ↗ ANEP, ANET
priv.	privativ
prob.	probabiliter (wahrscheinlich)
Procksch Gen. $^{2-3}$	OProcksch: Genesis ($^{2-3}$ 1924) (KAT 1)
procl.	proklitisch (: : enkl.)
Prof. (prof.)	Profet (profetisch)
prohib.	prohibitiv (verbietend)
pron.	Pronomen
pr(o)p.	propositum (Vorschlag)
PRU	CFASchaeffer (éd.): Le Palais Royal d'Ugarit, 1 ss. Paris 1959 ss.
PSmith	RPayne Smith: Thesaurus Syriacus, 1-2. Oxford 1879/1901. Suppl. 1927
Ps. Sal.	Die Psalmen Salomos; ↗ Rost EAP 89 ff.
Pt.	Pentateuch
pt.	Partizip
ptcl.	Partikel
Ptol(em).	CPtolemaeus: ↗ Conti 32 ff.; P-WKl. 4, 1224 ff.
pu.	puʿal
pul.	puʿlal
pun.	punisch; ↗ Harris Gr.; Friedrich: Phoenizisch-punische Grammatik
P-W	AFPauly-GWissowa: Real-Enzyklopädie der classischen Altertumswissenschaft. Stuttgart 1894-1972
P-WKl.	Der Kleine P-W. München 1964 ff.
Pyrgi	Die Inschrift von Pyrgi; ↗ Friedr. Ug. VI 233; WRöllig WdO 5(1969) 108-118

Q	Qerē (: : K); ↗ Meyer § 17,2; Würthwein 19 f.
Q	Qumran; ↗ DJD und Lohse für die Abkürzungen der einzelnen Texte, ↗ Lohse S. X
Qas.	Die Inschrift von Qasileh; ↗ BMaisler JNESt 10(1951) 265 ff; Michaud SPA 46ss.
qat(ab).	qatabanisch; ↗ asa.
Qdm	Qedem (Zeitschrift)
Quiring	HQuiring: Die Edelsteine im Schild des jüdischen Hohenpriesters. Sudhoffs Archiv für Geschichte der Medizin und Naturwissenschaft 38(1954) 198-213
RA	Revue d'Assyriologie
Ra.	ARahlfs: Septuaginta. Stuttgart 1935 (↗ G^{Ra})
Ra(m).	Reichsaramäisch; ↗ Rosenthal AF 24 ff.
RAAM	HGese-MHöfner-KRudolph: Die Religionen Altsyriens, Altarabiens und der Mandäer. Stuttgart 1970
RAANL	Rendiconti dei Atti della Academia Nazionale dei Lincei
Rabb.	Rabbinen
Rabin	ChRabin. AWA(r). = Ancient West Arabian. London 1951; ZD = Zadokite Documents. Oxford 1954
RAC	Reallexikon für Antike und Christentum. Stuttgart 1950 ff.
v.Rad	G.v.Rad: Th. = Theologie des AT, 1-2. München 1957/60; 1 ⁶1969, 2 ⁵1968; GSt(ud). = Gesammelte Studien zum AT. München 1958, ³1965
rad. (Rad.)	Radikal
raro	selten
RB	Revue Biblique
RCA	LWaterman: Royal Correspondence of the Assyrian Empire, 1-4. Ann Arbor 1930-36
Rd.	Rand
RdQ	Revue de Qumrân
RE	Realencyklopädie für protestantische Theologie und Kirche, 1-24. Leipzig 1896-1913
Reckd.	HReckendorf: Über Paronomasie in den semitischen Sprachen. Giessen 1909
redupl.	redupliziert
refl.	reflexiv
Reicke NTZ	BReicke: Neutestamentliche Zeitgeschichte. Berlin ²1968
RÉJ	Revue des Études Juives
rel.	relativ
relgesch.	religionsgeschichtlich
RépM(ari)	Répertoire analytique des Archives Royales de Mari (ARM), Vol. XV. Paris 1954
RÉS(B)	Revue d'Études Sémitiques (et Babyloniaca)
Reym(ond)	PhReymond: L'eau, sa vie, et sa signification dans l'AT. Leiden 1958 (VTSu. 6)
RGG³	Die Religion in Geschichte und Gegenwart, 1-6. Tübingen 1957-65
RHPh(R)	Revue d'Histoire et de Philosophie Religieuses
RHR	Revue d'Histoire des Religions
Riessler	PRiessler: Altjüdisches Schrifttum ausserhalb der Bibel. Augsburg 1928 (Heidelberg 1966)
Rin	SRin: Ugaritic and OT Affinities. BZ 7(1963) 22 ff.
Ring(r).	HRinggren. IR = Israelitische Religion. Stuttgart 1963; WaW = Word and Wisdom. Lund 1947
RivStOr	Rivista degli Studi Orientali
RLA	Reallexikon der Assyriologie. Berlin 1932 ff.
RLAeR	HBonnet: Reallexikon der Aegyptischen Religion. Berlin 1952
RLV	Reallexikon der Vorgeschichte, 1-15. Berlin 1924-32
Roberts	BJRoberts: The OT Text and Versions. Cardiff 1951 (= TaV)
Rössler	ORössler: Untersuchungen über die akkadische Fassung der Achämenideninschriften. Berlin 1938
Rosenth.	FRosenthal. AF = Die aramaistische Forschung seit ThNöldeke's Veröffentlichungen. Leiden 1939; SprP = Die Sprache der palmyrenischen Inschriften ... Leipzig 1936
Rossell	WHARossell: Handbook of aramaic magical texts. New York 1953
Rost EAP	LRost: Einleitung in die alt-

testamentlichen Apokryphen und Pseudepigraphen. Heidelberg 1971

rotw. Rotwelschen; ↗ Wolf

Rowl. HHRowley.
Aram. = The Aramaic of the OT. Oxford 1929;
DarM = Darius the Mede. Cardiff 1935;
JJ = From Joseph to Joshua. London 1951
WAI = Worship in Ancient Israel. London 1967

RQ Revue de Qumrân

Rs. Revers (Rückseite: von Tontafeln)

R-Š Ras-Schamra (Ugarit)

RSP LRFisher: Ras Shamra Parallels, Vol. I. Roma 1972 (AnOr 49)

RTP(alm) (auch PRec.) HIngholt-HSeyrig-JStarcky: Recueil des Tessères de Palmyre. Paris 1955

Rud. WRudolph.
Chr. = Die Chronikbücher (HbAT I/21);
EN = Esra und Nehemia (HbAT I/20);
Hosea (KAT XIII/1)
Jeremia^2 & ^{3} (HbAT I/12);
Ruth, Hohes Lied, Klagelieder (KAT XVII/1-3)

Rud.Md. KRudolph: Die Mandäer, 1-2. Göttingen 1961/62

rückb. rückgebildet

Rüthy AERüthy: Die Pflanze und ihre Teile im biblisch-hebräischen Sprachgebrauch. Bern 1942

Rundgren Zum Lexikon des AT. Acta Orientalia 21(1953) 301-345

Ruž. RRužička: Konsonantische Dissimilation in den semitischen Sprachen. BzA VI 4, 1909

Ryckm. GRyckmans: Les noms propres sud-sémitiques, 1-3. Louvain 1934-35

Σ Symmachus; ↗ Würthwein ^{4}56

S Syrische Bibel (Peschitta); ↗ Würthwein 64 ff. ^{4}86 ff.

S^h Syrohexaplaris; ↗ Würthwein 46, ^{4}60

S. Seite
Sohn

s. sein, ihre; sich;
siehe

s. (S.) südlich (von), (Süden)

s. (ss.) sequens (sequentes) (folgend, folgende)

Š ↗ Šw

Saadja Ges = GSaadja: Genesis. Mantua 1562

Saarisalo ASaarisalo: The Boundary between Issachar and Naphtali. Helsinki 1927

sab. sabäisch; ↗ asa. (altsüdarabisch); Conti

Sabb(O) Aramäisches Ostrakon über den Sabbat. Semitica 2,29-39; ↗ DAE 369

Saec. Saeculum (Zeitschrift)

šaf. šafʿel

saf(at). safatenisch; ↗ Grimme TuU; Littmann SI, ThS

SAHG AFalkenstein-W.v.Soden: Sumerische und akkadische Hymnen und Gebete. Zürich 1953

Sal(onen) ASalonen.
ASKw. = Alte Substrat- und Kulturwörter im Arabischen. Helsinki 1952;
Hipp. = Hippologica Accadica. Helsinki 1955;
Ldf(z). = Die Landfahrzeuge des alten Mesopotamien ... Helsinki 1951;
Naut. = Nautica Babylonica. Helsinki 1942;
Türen = Die Türen des alten Mesopotamien. Helsinki 1942;
Wfz. = Die Wasserfahrzeuge in Babylonien. Helsinki 1939

Sam. Der samaritanische Pentateuch Text; ↗ HAL S. XI; Würthwein ^{4}47 ff; Murtonen; BCh

sam. samaritanisch (der Dialekt); ↗ Rosenthal 133 ff; Petermann

Šanda AŠanda: Die Bücher der Könige, 1-2. Münster 1911/12

Sanh.-Pr. Sanherib Prisma; ↗ ANET 287 f.

Saqq. Saqqara (Inschrift und Papyrus); ↗ KAI Nr. 266 f.

sa(r). südarabisch; ↗ Conti

Sardes Sardes Bilingue; ↗ KAI Nr. 260

Sauer GSauer: Die Sprüche Agurs. Stuttgart 1963 (BWANT 84)

SB ↗ BJ

SBAW ↗ SPAW

sbj. Subjekt

SBOT	PHaupt (Hrsg.): The Sacred Books of the OT. Leipzig 1896 ff.
SBPA	↗ SPAW
sbst.	Substantiv
sc.	scilicet (das heisst)
Schaeder	HHSchaeder. Esr. = Esra der Schreiber. Tübingen 1930; IrB(tr). = Iranische Beiträge, Bd. I. Halle 1930
Scharbert	JScharbert. Schm. = Der Schmerz im AT. Bonn 1955; Sol. = Solidarität in Segen und Fluch im AT ... Bonn 1958
Schatz	WSchatz: Genesis 14. Bern/Frankfurt a. M. 1972
Scheft.	IScheftelowitz. I = Arisches im AT. Königsberg 1901; II = Zur Kritik des Buches Esther. MGWJ 7(1903) 117 ff., 308 ff.
Schiaparelli	GSchiaparelli: Die Astronomie im AT. Giessen 1904
Schlatter	ASchlatter: Die hebräischen Namen bei Josephus. Gütersloh 1913 (= HeN)
Schleusner	JFSchleusner: Novus Thesaurus philologico-criticus, 1-3. Glasguae 1820-21, ^{2}1822
Schmidt	HSchmidt: Die Psalmen (HbAT I/15)
Schmidtke	FSchmidtke: Asarhaddons Statthalterschaft in Babylonien. Leiden 1916
Schmökel	HSchmökel. HHH = Heilige Hochzeit und Hohes Lied. Wiesbaden 1966; ↗ KAO
Schnabel	PSchnabel: Berossos und die babylonisch-hellenistische Literatur. Leipzig 1923 (Hildesheim 1968)
SchrAT	Die Schriften des AT. Göttingen
Schröder	PSchröder: Die Phönizische Sprache. Halle 1869
Schürer	ESchürer: Geschichte des jüdischen Volkes im Zeitalter Jesu Christi, 1-3. Leipzig $^{3.4}$1901/09
Schulth(ess)	FSchulthess. Gr. = Grammatik des christlich-palästinischen Aramäisch. Tübingen 1924; HW = Homonyme Wurzeln im Syrischen. Berlin 1900; Lex. = Lexicon Syropalaestinum. Berlin 1903; Zur(ufe) = Zurufe an Tiere im Arabischen. Berlin 1912
Schw.	Schwester
Schwab	MSchwab: Vocabulaire de l'angélologie d'après les manuscrits hébreux. Paris 1897
Schwally	FSchwally: Der heilige Krieg im alten Israel. Leipzig 1901 (= HKr.); Id. = Idioticon des christlich-palästinischen Aramäisch. Giessen 1893
Schwarz.	ASchwarzenbach: Die geographische Terminologie im Hebräischen des AT. Leiden 1954
SchwThU	Schweizerische Theologische Umschau. Bern (auch SThU)
ScrHieros	Scripta Hierosolymitana. 1955 ff.
Seb.	Sebir; ↗ BL 78p.q; Würthwein 19
Sec.	Secunda = der griechische Umschrifttext der 2. Kolumne von Origenes Hexapla; ↗ Würthwein ^{4}58 f.; Brönno; Kahle KG 157 ff.; Eissfeldt KlSchr 3, 9 ff.
sec.	sekundär secundum (gemäss, entsprechend)
Seeligm.	ILSeeligmann: The Septuagint Version of Isaiah. Leiden 1948
Seetzen	UJSeetzen: Reisen durch Syrien, Palästina ..., 1-4. Berlin 1854-59
Sef(îre)	Die Inschriften von Sefîre; ↗ ADupont-Sommer: Les inscriptions araméennes de Sfiré. Paris 1958; JAFitzmyer: The Aramaic Inscriptions of Sefîre. Rome 1967; KAI Nr. 222-224
Segal	MHSegal: Sefer Ben Sira. Jerusalem 1953
Segert	SSegert: Zur Habakuk-Rolle. ArchOr 21(1953) 218 ff., 23(1955) 178 ff. 364 ff. 575 ff.
sekd.	sekundär
Sellin	ESellin: Das Zwölfprophetenbuch (KAT XII)
Sem.	Semitica
sem.	semantisch semitisch
sep.	separat
Sept.	Septuaginta

sf.	(mit) Suffix
sg.	Singular
Sgl.	Siegel
šḫ.	šḫauri (neusüdarabisch); ↗ Leslau: Ethiopic and South Arabic Contributions, 2
Sibyl.	Die Sibyllinen; ↗ Rost EAP 84 ff
sic	so
Sil.	Die Siloah Inschrift; ↗ Diringer 81 ff.; Levi della Vida in Fschr. PKahle, 162 ff.; KAI Nr. 189
Sim(ons)	JSimons: Jerusalem in the OT. Leiden 1952; ↗ GTT; ETL
sin(ait).	sinaitisch; ↗ Albright PrSinI
sing.	Singular
Singer	HRSinger: Neuarabische Fragewörter. Erlangen 1958
Sir.	Jesus ben Sirach. Kommentare: RSmend: Die Weisheit des Jesu Sirach erklärt. Berlin 1906, ^{3}1913; NPeters: Das Buch Jesus Sirach. Münster 1913; Neuere Fragmente: JMarcus: A Fifth Manuscript of Ben Sira. JQR 21(1931) 223 ff.; Schirman, Tarbiz 27(1958) 40 ff., 29(1960) 125 ff.; AADi Lella: The Hebrew Text of Sirach. London 1966; FVattioni: Ecclesiastico. Napoli 1968; Sir.$^{Adl.}$ = JMarcus: Adlerfragment 3597. JQR 21(1931) 223 ff.; Sir.^{B} = Sir. Manuscript B; Sir.^{M} = YYadin: The Ben Sira Scroll from Masada. Jerusalem 1965
Skladny	USkladny: Die ältesten Spruchsammlungen in Israel. Göttingen 1961
skr(t).	sanskrit
Sme(nd)	↗ Sir.
Smend jr.	RSmend junior: Die Bundesformel. Zürich 1963
Smith	WRSmith. KaM = Kinship and Marriage in Early Arabia. Cambridge 1885; RS = Lectures on the Religion of the Semites. London ^{3}1927 (ed. StCook mit Zusätzen. 493 ff.)
s.o.	siehe oben
vSoden	W.v.Soden: Grundriss der akkadischen Grammatik. Rom 1952 (auch GAG); AHw. = Akkadisches Handwörterbuch. Wiesbaden 1965 ff.; Syll. = Das akkadische Syllabar. Rom 1948 (^{2}1967)
sö	südöstlich
sogd.	sogdisch; Die aramäischen Ideogramme in den sogdischen Texten; ↗ Gaut.-Benv.; Gershevitch
Soggin	ASoggin. Kgt = Das Königtum in Israel. Berlin 1967
Solá-S.	JMSolá-Solè: L'infinitif sémitique. Paris 1961
soq.	soqotri; ↗ Leslau: Lexique Soqotri
späg.	spätägyptisch
spätgrie.	spätgriechisch
SPag.	Sacra Pagina. Löwen 1959
span.	spanisch
SPAW	Sitzungsberichte der Preussischen Akademie der Wissenschaften. Berlin
spbab.	spätbabylonisch; ↗ GAG
Speiser	EASpeiser: Oriental and Biblical Studies. Philadelphia 1967 (= OrBiSt); Mspt = Mesopotamian Origins. London 1930
Sperber	ASperber: Hebrew Based upon Greek and Latin Transliterations. HUCA 12/13 (1937/38) 103-274; T = The Bible in Aramaic, I-IV, Leiden 1959-1973
spez.	speziell
sphe.	spāthebräisch
Spiegelberg	WSpiegelberg: Koptisches Handwörterbuch. Heidelberg 1938
Spit(aler)	ASpitaler: Grammatik des neuaramäischen Dialektes von Maʿlula. Leipzig 1938
spr.	sprich
SS	GSiegfried-BStade: Hebräisches Wörterbuch zum AT. Leipzig 1893
ss.	sequentes (folgende)
St.	Stadt
(z.St.)	zur Stelle
st.	statt
Stade	BStade. HeGr. = Lehrbuch der hebräischen Grammatik. Leipzig 1879; Th. = Biblische Theologie des

	AT, 1-2. Tübingen 1905/11 (Bd. 2 von ABertholet)
Stamm	JJStamm: Die akkadische Namengebung. Leipzig 1939 (Darmstadt 1968); Erl.Vgb. = Erlösen und Vergeben im AT. Bern 1940; HEN = Hebräische Ersatznamen. In Fschr. BLandsberger, 413 ff.; HFN = Hebräische Frauennamen. VTSu. 16, 301 ff.
Starcky	JStarcky: Palmyre. Paris 1952; ↗ RTPalm.
Stat.	Statistik
Steuern(agel)	CSteuernagel: Übersetzung und Erklärung der Bücher Deuteronomium und Josua ... (GHK I/3); Einl. = Lehrbuch der Einleitung in das AT. Tübingen 1912
SThU	Schweizerische Theologische Umschau. Bern
Stier	FStier: Das Buch Ijjob. München 1954
StMar.	Studia Mariana (éd. AParrot). Leiden 1950
StOr (StudOr)	Studia Orientalia ed. Societas Orientalis Fennica
Strabo	↗ LAW 2932
Strack-Billerbeck	HLStrack-PBillerbeck: Kommentar zum NT aus Talmud und Midrasch, 1-4. München 1922-28
StTh	Studia Theologica. Lund
Su(pl).	Supplement
s.u.	siehe unten
südar.	südarabisch
Suidas	↗ LAW 2947
sum.	sumerisch
superl.	superlativisch
s.v.	sub voce (unter dem Stichwort)
sw.	südwestlich
Šw.	Schwā: mob(ile) med(ium) qui(escens)
sy.	syrisch; ↗ Nöldeke SGr; Brock. SGr
syPs.	↗ SyrApPs.
Syr.	Syria (Zeitschrift); Syrien
SyrApPs.	Fünf apokryphe syrische Psalmen; ↗ ZAW 48, 7; Sanders DJD IV(1965) 53 ff.
syrBar.	Die syrische Baruch Apokalypse; ↗ Rost EAP 94 ff.
sy(r)-pa(l).	syrisch-palästinisch (cf. auch cp.)

Szny(cer)	MSznycer. Poen. = Les passages puniques ... dans le Poenulus de Plaute. Paris 1967
Θ	Theodotion; ↗ Würthwein ^{4}56 f.
T (Tg.)	Targum; Würthwein ^{4}80 ff.; Sperber T. Talmud; ↗ babylonischer Talmud, palästinischer Talmud
T^o	Targum Onkelos; ↗ Würthwein 63, ^{4}84 f.
T.	*Tell* (Schutt- und Trümmerhügel)
T.	Tochter
Taan(ach)	Keilschriftbriefe aus Taanach; ↗ AOT 371; ANET 490; KGalling; Textbuch zur Geschichte Israels (Tübingen ^{2}1968) 14
Täubler	ETäubler: Biblische Studien: die Epoche der Richter. Tübingen 1958
Tāǧ	Tāǧ ʾal ʿarūs. Cairo 1307/1889
Tallqv.	KLTallqvist. APN = Assyrian Personal Names. Helsinki 1914; (Ak)GE = Akkadische Götterepitheta. Helsinki 1938; NbNb = Neubabylonisches Namenbuch ... Helsinki 1905; NTw. = Sumerisch-akkadische Namen der Totenwelt. Helsinki 1934
Tarb(iz)	Tarbiz. Jerusalem
Tax.	Taxilainschrift; ↗ KAI Nr. 273
Telegdi	STelegdi: Essai sur la phonétique des emprunts iraniens en araméen talmudique. JA 226 (1935) 177 ff.
term.	terminologisch
Test. 12 Patr. (Testt.)	Die Testamente der 12 Patriarchen; ↗ Rost EAP 106 ff.
textl.	textlich
Textus	Textus. Annual of the Hebrew University Bible Project. Jerusalem 1960 ff.
Tf.	Textfehler
T.Halaf	EFWeidner (Hrsg.): Die Inschriften von Tell Halaf. Berlin 1940, S. 69-78
tham.	thamudisch; ↗ Littmann ThS; v.d.Branden; Winnett
THAT	EJenni-CWestermann (Hrsg.): Theologisches Handwörterbuch zum AT, I. München-Zürich 1971
ThBl	Theologische Blätter

theol. (thlg.)	theologisch
ThLZ	Theologische Literaturzeitung
ThQ	Theological Quarterly Theologische Quartalschrift
ThR	Theologische Rundschau
ThSt	Theological Studies
ThStKr	Theologische Studien und Kritiken
ThWAT	GJBotterweck-HRinggren (Hrsg.): Theologisches Wörterbuch zum A.T. Stuttgart-Berlin-Köln-Mainz 1970ff.
ThWb(NT)	Theologisches Wörterbuch zum N.T. Stuttgart
ThZ	Theologische Zeitschrift, Basel
tib.	tiberiensische Textüberlieferung (:: or.); ↗ Noth WdAT 267 ff, Würthwein [4]26 f..
tigr.	tigre; ↗ Littmann-Höfner: Wörterbuch der Tigre-Sprache; äthiopisch; Ulldff SLE
tigrin.	tigrinia; ↗ Brockelmann VG I 31; Ulldff SLE
Tiktin	HTiktin: Kritische Untersuchungen zu den Büchern Samuel. Göttingen 1922
TiqqS.	Tiqqun-Soferim; ↗ Würthwein 20; Geiger 308 ff.; BL 76 l
TOB	Traduction oecuménique de la Bible. Paris 1972-
Torcz(yner)	HTorczyner (= Tur-Sinai). Bdl. = Die Bundeslade und die Anfänge der Religion Israels. Berlin [2]1930; Entst. = Die Entstehung des semitischen Sprachtypus. Wien 1916; HSchr. = Die heilige Schrift, 1-4. Jerusalem 1954-59; Job = The Book of Job. Jerusalem 1957
Torrey	CCTorrey. Dtj. (auch SIs, SecIs.): The Second Isaiah. Edinburgh 1928; ESt. = Ezra Studies. Chicago 1910; Notes = Notes on the Aramaic Parts of Daniel. Transactions of the Connecticut Academy 15(1909) 241 ff.; VitProph. = Vitae Prophetarum-The Lives of the Prophets. Philadelphia 1946
tp(l)	temporal
trad.	traditionell (seit Gesenius od. noch früher)
tr(ib).	tribus (Stamm)
trop.	tropos (feste Wendung)
trs.	transitiv
Trsjd.	Transjordanien
trskr.	Transkription (Umschrift, umschriftlich)
trsp.	transponendum (umzustellen)
Trtj.	Tritojesaja; ↗ LGlahn-LKoehler: Der Prophet der Heimkehr (Giessen 1934) 185-253
tt.	terminus technicus
TU	Texte und Untersuchungen zur Geschichte der altchristlichen Literatur. Leipzig 1883 ff.
türk.	türkisch
Tur-S(inai)	↗ Torczyner
txt.	Text; ↗ Tf.
typ.	(Bildungs-) Typus
tyr.	tyrisch
u.	und unser
u.a.	und andere
u.ä.	und ähnlich
üb.	über
ÜG(Pt)	MNoth: Überlieferungsgeschichte des Pentateuch. Stuttgart 1948 (Darmstadt 1960)
UF	Ugarit-Forschungen, Internationales Jahrbuch für die Altertumskunde Syrien-Palästinas. Neukirchen
Ug	Ugaritica. Paris
ug.	ugaritisch; ↗ HAL § I 2 f.; Gd UM, UT; Aistleitner; Driver CML; Dahood UHPh; PRU; RSP
ug.-klschr.	↗ BASOR 160, 21 ff.; Gd UT § 3,5
UHPh	MDahood: Ugaritic-Hebrew Philology. Rome 1965
Ulldff.	EUllendorff: An Amharic Chrestomathy. Oxford 1956 (= Amh.Chrm.); EthBi = Ethiopia and the Bible. London 1968 SLE = The Semitic languages of Ethiopia. London 1955
UM	CHGordon: Ugaritic Manual. Rome 1955
UMBP	University of Pennsylvania Museum Publications
umschr.	in Umschrift
unerkl.	unerklärt
unsem.	unsemitisch
u.ö.	und öfter

urspr. ursprünglich
Uruk Die aramäischen Keilschrifttexte aus Uruk; ↗ CHGordon AfO 12(1937/39) 105 ff.; ADupont-Sommer RA 39(1942/44) 35 ff.; Lex.[1] XXII
usw. und so weiter, etc.
UT CHGordon: Ugaritic Textbook. Rome 1965

V Vulgata; ↗ Biblia Sacra Iuxta Latinam Vulgatam Versionem (RWeber ed.). Stuttgart 1969; Biblia Sacra Iuxta Vulgatam Clementinam. Roma 1956
V. Vater
Volk, Völker
v. von
v(s). Vers
VAB Vorderasiatische Bibliothek
Vä. Väter
Var. Variante
de Vaux RdeVaux. Inst. = Les Institutions de l'AT, 1-2. Paris 1958/60;
Lebensordnungen = Das AT und seine Lebensordnungen, 1-2. Freiburg-Basel 1960/62, [2]1964/66;
Patr. (HP) = Die hebräischen Patriarchen und die modernen Entdeckungen. Düsseldorf 1959;
Sacr. = Les sacrifices de l'AT. Paris 1964
vb. (fin.) Verbum (finitum)
Vbdg. Verbindung
VbD(om) Verbum Domini (Zeitschrift)
vdBr. A. van den Branden: Les inscriptions thamoudéennes. Louvain 1950
vdPloeg J. van der Ploeg: Le rouleau de la guerre. Leyde 1959
vdWoude AS van der Woude: Die messianischen Vorstellungen der Gemeinde von Qumran. Assen 1957
vel oder
Verbdg Verbindung
VerbS Verbalsubstantiv
Vergote JVergote: De verhouding van het Egyptisch tot de Semitische talen. Brussel 1965
verk. verkürzt
Versch. Verschiedenes
verw. verwandt

VG CBrockelmann: Grundriss der vergleichenden Grammatik der semitischen Sprachen, 1-2. Berlin 1908/1913 (Hildesheim 1966)
VHehn Kulturpflanzen und Haustiere in ihrem Übergang aus Asien. Berlin [8]1911
Vinc(ent) AVincent: La religion des Judéo-Araméens d'Eléphantine. Paris 1937 (= Rel.)
Vinnikov JNVinnikov: Slovar Arameiskich Nadpisei-A Dictionary of Aramaic Inscriptions. Moskau-Leningrad (Akademia Nauk SSSR) 1958-65
Vita Adae et Evae; ↗ Rost EAP 114 ff.
VitProph. Vitae Prophetarum; ↗ Torrey
VL(at) (VetLat) Vetus Latina; ↗ Würthwein 67 ff, [4]90 ff.
vocal. vokalisiert
vok. (vocat.) Vokativ
Vol. Volume (Band)
volkset. volksetymologisch
Volz PVolz (Esch.): Die Eschatologie der jüdischen Gemeinde ... Tübingen [2]1934;
Dtj. = Jesaia II (KAT IX);
Jer. = Der Prophet Jeremia (KAT X);
StTJr = Studien zum Text des Jeremia. Leipzig 1920
vorex. vorexilisch
Vorf. Vorfahre (:: Nachkommen)
Vriezen ThCVriezen: Onderzoek naar de Paradijsvoorstelling bij de oude Semietische Volken. Wageningen 1937 (= Par.)
Vrs(s). Versio(nes) (die alten Übersetzungen)
VT(Su.) Vetus Testamentum (Supplements)
VTGr ARahlfs: Septuaginta, id est Vetus Testamentum Graece ..., 1-2. Stuttgart 1935
v.u. von unten
Vycichl WVycichl: Ägyptische Ortsnamen in der Bibel. ZÄS 76(1940) 79-93

W. *Wadi* (arabisch)
w. (W.) westlich (West)
Wagner MWagner: Die lexikalischen und grammatikalischen Aramaismen im alttestamentlichen Hebräisch. Berlin 1966 (BZAW 96)

WaH	↗ Kutscher
Wahlptk	Wahlpartikel
Walde-H.	AWalde-JBHofmann: Lateinisches etymologisches Wörterbuch. Heidelberg ^{3}1938
WaM	Words and Meanings; ↗ Fschr. DWThomas
Waschow	HWaschow: Viertausend Jahre Kampf um die Mauer. Postberg 1938
Watzinger	CWatzinger: Denkmäler Palästinas, 1-2. Leipzig 1933/35
Wb.	Wörterbuch
Wbg-M (Wernb.-M.)	PWernberg-Möller: The Manual of Discipline. Leiden 1957
WbMy.	HWHaussig: Wörterbuch der Mythologie, I. Stuttgart 1965
WbNT	WBauer: Griechisch-deutsches Wörterbuch zu den Schriften des NT. Giessen 1928, Berlin ^{5}1963
WdAT	MNoth: Die Welt des AT. Berlin ^{4}1962
WdO	Die Welt des Orients (Zeitschrift)
Wegner	MWegner: Die Musikinstrumente des alten Orients. Münster 1950
Wehr	HWehr: Arabisches Wörterbuch für die Schriftsprache der Gegenwart. Leipzig 1952. Supplement Wiesbaden 1957
weish.	weisheitlich
Wellh(ausen)	JWellhausen: Reste arabischen Heidentums. Berlin ^{2}1897 (Hildesheim 1961) (= RaH); Die kleinen Propheten. Berlin ^{3}1898; Proleg.^{6} = Prolegomena zur zur Geschichte Israels. Berlin ^{6}1905
Wendel	AWendel: Das Opfer in der altisraelitischen Religion. Leipzig 1927
Westendorf	WWestendorf: Koptisches Handwörterbuch, Heidelberg 1967 ff.
Westerm.	CWestermann. Gen. = Genesis (BK I); Jes. = Das Buch Jesaja, Kapitel 40-66 (ATD 19)
Widgr.	GWidengren. ISK(u) = Iranisch-semitische Kulturbegegnung in parthischer Zeit. Köln 1960; SK(gt) = Sakrales Königtum im AT und im Judentum. Stuttgart 1955
Wiedemann	AWiedemann. Äg. = Das alte Aegypten. Heidelberg 1920
Wildbg.	HWildberger: Jesaja (BK X)
Winnett	FVWinnett: A Study of Lihyanite and Thamudic Inscriptions. Toronto 1937
Wiseman	DJWiseman: Chronicles of Chaldaean Kings. London 1956
Wissm.-Hö.	IWissmann-MHöfner: Beiträge zur historischen Geographie des vorislamischen Südarabien. Wiesbaden 1953
wjd.	westjordanisch (:: ojd.)
WKAS	Wörterbuch der klassisch-arabischen Sprache. Wiesbaden 1957 ff.
WMANT	Wissenschaftliche Monographien zum Alten und Neuen Testament. Neukirchen
Wolf	SAWolf: Wörterbuch des Rotwelschen. Mannheim 1956
Wolff	HWWolff: Dodekapropheton 1, Hosea (BK XIV/1); Dodekapropheton 2, Joel und Amos (BK XIV/2)
Wright	GEWright: Biblische Archäologie. Göttingen 1958
wsem.	westsemitisch
Wtsp.	Wortspiel
WuD	Wort und Dienst, Jahrbuch der theologischen Schule Bethel. NF 1953 ff.
WüGs	BRothenberg: Die Wüste Gottes. München-Zürich 1961
Würthwein	EWürthwein: Der Text des AT. Stuttgart 1952, ^{4}1973
Wuthn.	HWuthnow: Die Semitischen Menschennamen in griechischen Inschriften und Papyri. Leipzig 1930
Wvar.	Wurzelvariante
WZKM	Wiener Zeitschrift für die Kunde des Morgenlandes
WZUH	Wissenschaftliche Zeitschrift der Universität Halle

Yadin	YYadin. Finds = The Finds from the Bar Kokhba Period in the Cave of Letters. Jerusalem 1963; GnAp. = NAvigad-YYadin:

	The 1 Q Genesis Apocryphon. Jerusalem 1956; S(cr)W. = The Scroll of the War ... Oxford 1962; Sir.^{M} = The Ben Sira Scroll from Masada. Jerusalem 1965
Yeivin	ShYeivin: A Decade of Archeology. Istanbul 1960 (= Dec.)
Young	GDYoung: Concordance of Ugaritic. Rome 1956
Z.	Zeile
z.	zu, zum, zur
ZA	Zeitschrift für Assyriologie
ZÄS	Zeitschrift für Ägyptische Sprache und Altertumskunde
ZATU	WBaumgartner: Zum AT und seiner Umwelt. Leiden 1959
ZAW	Zeitschrift für die alttestamentliche Wissenschaft
ZDMG	Zeitschrift der Deutschen Morgenländischen Gesellschaft
ZDPV	Zeitschrift des Deutschen Palästina-Vereins
Zimm.	WZimmerli. Ezechiel (BK XIII/1-2); Koh. = Prediger (ATD 16)
Zimmern	HZimmern: Akkadische Fremdwörter. Leipzig ^{2}1917
Zkr	Die Zakir Inschrift; KAI Nr. 202
Znǧ.Pan.	Die Inschriften von Panammuwa von Zenǧirli; ↗ KAI Nr. 214 f.
ZNW	Zeitschrift für die neutestamentliche Wissenschaft
Zorell	FZorell: Lexicon hebraicum et aramaicum Veteris Testamenti. Roma 1954, ^{2}1962
ZS	Zeitschrift für Semitistik
Z(eit)schr.	Zeitschrift
z.T.	zum Teil
ZThK	Zeitschr. für Theologie und Kirche
ZüBi	Zürcher Bibel = Die Heilige Schrift des Alten und des Neuen Testaments. Zürich 1931 ff.
zus.	zusammen
Z(u)shg	in Zusammenhang (mit)
zw.	zwischen
vZyl	AH van Zyl: The Moabites. Leiden 1960

אֲרַם צוֹבָה, *Tubiḫi* EA 179, 15, VAB II 1279, äg. *Dbḫ* (ETL 221); GTT § 766, Noth ZDPV 68, 23. †

טַבָּח: טבח, BL 479l; mhe.; pun. DISO 99; ja. iam. (Dan PEQ 1965, 110, ZDPV 84, 42ff) sy. md. (MdD 172b) טַבָּחָא; ar.: טַבָּחִים: — 1. **Schlächter** u. **Koch** f. Fleisch (trägt auch auf), G μάγειρος, 1S 9$_{23f}$; — 2. pl. **Leibwächter** u. **Scharfrichter**, ↗ ba.; שַׂר טַבָּחִים ↗ נְבוּזַרְאֲדָן, T רַב קְטוֹלַיָּא Generalprofoss (Mtg.-G. 562.568), G ἀρχιμάγειρος Oberkoch (!) Gn 37$_{36}$ 39$_{1}$ 40$_{3f}$ 41$_{10.12}$ = רַב טַבָּחִים 2K 25$_{8-20}$ (7 ×) Jr 39$_{9}$-52$_{30}$ (17 ×); ↗ טַבָּחָה.

***טַבָּחָה**: f. v. טַבָּח 1; ja.^{t} (pl.) טַבָּחָן: טַבָּחוֹת: **Köchin** (f. Fleisch) neben רַקָּחוֹת u. אֹפוֹת 1S 8$_{13}$. †

טִבְחָה: f. v. I טֶבַח (BL 601b): טִבְחָתִי: — 1. **Schlachtung** Jr 12$_{3}$, צֹאן ט׳ Schlachtvieh Ps 44$_{23}$, cj Ez 21$_{20}$ (l טִבְחַת חֶרֶב pr. אִבְחַת); — 2. das **Geschlachtete**, **Schlachtfleisch** 1S 25$_{11}$. †

טִבְחַת: n.l.; טבח, BL 510v: 1C 18$_{8}$ = III טֶבַח. †

I **טבל**: mhe. (טְבוּל יוֹם der am selben Tag Untergetauchte) ja.$^{tb(g?)}$ sam. (BCh. 2, 476); ar. *muṭabbal* feucht, *ṭamala* einfärben, imprägnieren:

qal: pf. טָבַל, טָבַלְתָּ; impf. יִטְבֹּל, תִּטְבְּלֵנִי: — 1. etw. **eintauchen** in בְּ Gn 37$_{31}$ Ex 12$_{22}$ Lv 4$_{6.17}$ 9$_{9}$ 14$_{6.16.51}$ Nu 19$_{18}$ Dt 33$_{24}$ 1S 14$_{27}$ 2K 8$_{15}$ Rt 2$_{14}$ (Brot in Essig); jmd Hi 9$_{31}$; c. מִן־הַדָּם Lv 4$_{17}$ u. מִן־הַשֶּׁמֶן 14$_{16}$ etw. in Blut/Öl eintauchen; — 2. **untertauchen** in בְּ 2K 5$_{14}$ = רחץ $_{10.12}$. †

nif: pf. נִטְבְּלוּ: **eingetaucht werden** Jos 3$_{15}$. †

II* **טבל**: äth. tigr. (Wb. 615b) *ṭablala* einwickeln. Der. טְבוּלִים.

טְבַלְיָהוּ: n.m., (I טבל BDB, Kö) ? l טָב לְיָהוּ (Lex.[1]) „bei J. beliebt"; „gut für J." (Rud.); 1C 26$_{11}$. †

טבע: mhe., prägen DJD 2, 20, 5; ja.^{tg} cp. sy. md. (MdD 176a), akk. *ṭebû* versinken; Nf. טמע mhe. ja. cp. versinken, äth. tigrin. *ṭamʿa* eintauchen, tigr. (Wb. 610a) abwischen, schonen; :: mhe. ja.^{tg} ar. prägen, ↗ טַבַּעַת:

qal: pf. טָבְעוּ, טָבַעְתִּי; impf. יִטְבַּע: — 1. **einsinken** in בְּ Jr 38$_{6}$ Ps 9$_{16}$ 69$_{3.15}$; cj טֹבֵעַ e. Ertrinkender pr. בְּעִי Hi 30$_{24}$ (Du., Hö., Fohrer); metaph. (zerstörte Tore) in d. Erde sinken Kl 2$_{9}$; — 2. (Steine in die Stirn) **eindringen** 1S 17$_{49}$. †

pu: pf. טֻבְּעוּ: **versenkt werden** Ex 15$_{4}$. †

hof: pf. הָטְבְּעוּ/בָּעוּ: **versenkt werden/sein** Pr 8$_{25}$ (Berge) Hi 38$_{6}$ (Fundamente); Jr 38$_{22}$ (Füsse stecken in Schlamm; רַגְלְךָ BL 252r, al. hif. ↗ G). †

Der. טַבַּעַת, ↗ טֵבֵת.

טַבָּעוֹת: n.m.; טַבַּעַת, carit. Noth 39, 239: Heimkehrer Esr 2$_{43}$ Neh 7$_{46}$. †

טַבַּעַת; Sam.^{M99} *ṭabbēt*: mhe. טבע, pl. טְבָעִים; ph. טבע Gewicht, kl. Münze; ja.^{gb} טבעא; ja. sy. denom. טבע pa. siegeln > ar. *ṭabaʿa*; ar. *ṭābiʿ* Siegel (Frae. 192f); Lw. < äg. *ḏbʿt* (EG 5, 566, Lambdin 151); akk. *ṭimbuʾu*, *ṭimb*(*ū*)(*t*)*tu* (VAB 2, 1531) wsem. Lw. (Zimmern 20); Mosc. Bibl. 30, 324ff. 331ff, SSchott WZKM 34, 178f. Ellb. 75: טַבַּעְתּוֹ, טַבָּע(וֹ)ת, cs. טַבְּע(וֹ)ת, טַבְּעֹתָ(י)ו/תֵיהֶם: — 1. Ring: a) **Siegelring** (↗ חוֹתָם) d. Pharao Gn 41$_{42}$ (↗ Vergote 116ff, Ward JSSt 5, 145f), d. pe. Königs Est 3$_{10.12}$ 8$_{2.8.10}$; b) als **Frauenschmuck** Ex 35$_{22}$ Nu 31$_{50}$ Js 3$_{21}$; — 2. **Ring** z. Halten u. Tragen Ex 25$_{12.14f.26f}$ 26$_{24.29}$ 27$_{4.7}$ 28$_{23f.26-28}$ 30$_{4}$ 36$_{29.34}$ 37$_{3.5.13f.27}$ 38$_{5.7}$ 39$_{16f.19-21}$. †

Der. טַבָּעוֹת.

טַבְרִמּוֹן: n.m.; aram. טָב (= he. טוֹב) + ↗ רִמּוֹן n.d., eig.* *Ram*(*m*)*ān*, ↗ Stamm 294f, 352: V.v. בֶּן־הֲדַד 1K 15$_{18}$. †

טֵבֵת: mhe. ja.^{tb}; ph. n.m. (PNPhPI 126); nab. palm., md. טאבית (MdD 173b), Lw. < akk. *Ṭebētu* (*ṭebû* = טבע, Monat d.

Einsinkens im Schlamm, od. v. Tiefstand d. Sonne?), Name d. 10. Monats = Dez./Jan.; aLW 112: Est 2_{16}. †

טַבַּת: n.l.; im mittleren Jordantal b. אָבֵל מְחֹלָה (? l עַד pr. עַל) Abel 2, 474, GTT § 567/68 :: Glueck 4, 217: Ri 7_{22}. †

טָהוֹר, selten טָהֹר (90 ×): טהר; mhe. DSS, ja. ug. *ṭhr* u. *ẓhr* (UT § 5, 11) Edelstein UT nr. 1032; ? pun. DISO 100; Grdf. *ṭahur* (BL 554u); ↗ צהר, זהר: cs. טְהוֹר u. Pr 22_{11} Q u. וּטְהָר־ Hi 17_9 (BL 538i), טְהוֹרִים, f. טְהֹ(ו)רָה, טְהוֹרוֹת: — 1. **rein, lauter, gediegen**: Gold (THAT 1,650) Ex $25_{11\cdot39}$ (8 ×) $28_{14\cdot22\cdot36}$ 30_3 $37_{2\cdot26}$ (9 ×) $39_{15\cdot25\cdot30}$ 1C 28_{17} 2C 34 9_{17} Hi 28_{19}; קְטֹרֶת Ex 30_{35} 37_{29}; aus lauterm Gold: Leuchter Ex 31_8, Tisch Lv 24_6; — 2. **kultisch rein** (:: טָמֵא Lv 10_{10} Dt 12_{15} Hi 14_4; akk. *ellu* AHw. 204; BHH 1580, THAT 1,646ff): Mensch Lv 7_{19}, Tier Gn 7_2, Vogel Lv 14_4 Gn 8_{20} Dt 14_{11}, Opfer Mal 1_{11}, Wasser Ez 36_{25}, Quelle Lv 11_{36}, Same 11_{37}, Gefäss Js 66_{20}, Turban Zch 3_5, Ort (akk. *ašru ellu*) Lv 4_{12}; הַטּ׳ wer (G, V was Lex.[1]) rein ist Dt 12_{15}, כֹּל לֹא ט׳ jeder nicht Reine 2C 30_{17}; בְּיוֹם הַטָּ׳ wann etw. rein ist Lv 14_{57}; — 3. **moralisch rein**: Augen Hab 1_{13}, Hände Hi 17_9, Worte Ps 12_7 Pr 15_{26}, Herz Ps 51_{12}, יִרְאַת י״ טָ׳ Ps 19_{10} — 1S 20_{26} l טֹהָר (טהר pu.).

טהר: mhe. ja.[b(?)]; ar. *ṭaha/ura*, soq. *ṭahir* rein; äth. tigr. (Wb. 606a) ? < he. (Nöld. NB 36, Ulldff. EthBi. 123):

qal: pf. טָהֵר, טָהֲרָה/הֵרָה, טָהַרְתִּי; impf. יִטְהַר, אֶ/תִּטְהַר, תִּטְהָרִי; imp. טְהָר 2K 5_{10} (↗ Kuhr 46[3]): **rein sein** (c. מִן v. kult. Verunreinigung, Hermisson WMANT 19,84ff, THAT 1,646ff) Lv 11_{32} 12_{7f} $13_{6\cdot34\cdot58}$ $14_{8f\cdot20\cdot53}$ $15_{13\cdot28}$ 16_{30} 17_{15} $22_{4\cdot7}$ Nu $19_{12\cdot19}$ 31_{23f} Ez 24_{13} 36_{25} Ps 51_9 Pr 20_9; v. Krankheit 2K $5_{10\cdot12\cdot14}$; moralisch Jr 13_{27} Hi 4_{17} (מִן gegenüber). †

pi: pf. טִהַר, וְטִהַרְתָּ, טִהַרְתִּים, טִהֲרוּ; impf. אֲטַהֵר, וַיְטַהֲרוּ, תְּטַהֲרֵם; imp. טַהֲרֵנִי; inf. טַהֵר, טַהֲרוֹ/רָם; pt. מְטַהֵר: — 1. **rein fegen**: כֶּסֶף Mal 3_3, שָׁמַיִם Hi 37_{21}; — 2. (מִן v. kult. Verunreinigung) **f. rein erklären** (Jenni 41, 83, THAT 1.648): Kranke Lv $13_{6\cdot13\cdot17\cdot23\cdot28\cdot34\cdot37\cdot59}$ $14_{7\cdot11}$; Haus 14_{48}; d. Volk Lv 16_{30} Jr 33_8 Ez $36_{25\cdot33}$ 37_{23} Neh 12_{30}; Sünder Ps 51_4; Leviten Nu $8_{6f\cdot15\cdot21}$ Mal 3_3; Neh 13_{30}; Altar Lv 16_{19} Ez 43_{26}; Tempel 2C $29_{15f\cdot18}$ 34_8; Tempelanbau Neh 13_9; Tore u. Mauern Jerusalems Neh 12_{30}; d. Land Ez $39_{12\cdot14\cdot16}$ 2C $34_{3\cdot5\cdot8}$. †

pu: cj pf. טֹהַר **f. rein erklärt w.** 1S 20_{26} bβ; — Ez 22_{24} l הֻמְטָרָה (מטר hof.). †

hitp: pf. הִטֶּהָרוּ, הִטַּהֲרוּ (BL 355m), הִטַּהַרְנוּ; impf. וַיִּטַּהֲרוּ (Neh 12_{30} —טָּ—, BL 355k); imp. הִטַּהֲרוּ; pt. מִטַּהֵר מִטַּהֲרִים: **sich** (kultisch) **reinigen** (THAT 1,648) Gn 35_2 Lv $14_{4\text{-}31}$ (12 ×) Nu 8_7 Jos 22_{17} (מִן von) Js 66_{17} (in fremdem Kult) Esr 6_{20} Neh 12_{30} 13_{22} 2C 30_{18}. †

Der. טֹהַר, טָהֳרָה, טָה(וֹ)ר, *טְהָר, *מִטְהָר.

טֹהַר, Sam.[BCh 3,56] *ṭār*: טהר (BL 569n); mhe., asa. (Conti 159a): טָהֳרָה: — 1. Reinheit, **Klarheit** d. Himmels Ex 24_{10}; — 2. (kult.) **Reinigung** (Ell. Lev. 158[3]) Lv $12_{4\cdot6}$ (Dam. 10, 10). †

[**טְהָר***: טהר, BL 470l: מִטְּהָרוֹ: Ps 89_{45}: c. 17 MSS l מְטַהֲרוֹ, Brönno 188 (↗ *מִטְהָר). †]

טָהֳרָה, Sam.[BCh] *ṭarra*: f. v. טֹהַר, BL 601b; mhe. טָהֳרָה, DSS טה(ו)רה; pun. טהרת DISO 100: טָהֳרַת, טָהֳרָתוֹ: — 1. (kult.) **Reinheit**, טָהֳרַת קֹדֶשׁ 2C 30_{19}. — 2. **Feststellung d. kult. Reinheit** Lv $13_{7\cdot35}$ $14_{2\cdot23\cdot32}$ 15_{13} Nu 6_9 Ez 44_{26} Neh 12_{45}; — 3. **Reinigung** 1C 23_{28}; — Lv 12_{4f} דְּמֵי טָהֳרָה Reinigungsblut (? l דְּ׳ ־רָהּ). †

טוב: Sem., ausser äth.; טוב mhe. pi. Feld meliorieren, hif. Gutes tun; ja.[g(?)] sy. md. (MdD 171b) nur pa. u.pe. pt.; טאב ba. sy.; טיב äga. ar. akk.; יטב he. aram. (cp. יטוב, ↗ Schulth. Gr. § 151, 2a):

qal: pf. טוֹב (v. adj. nicht sicher z.

scheiden, ↗ 5, BL 392y :: Bgstr. 2, 143b), טוֹבוּ; impf. יִיטַב; inf. טוֹב (auch = adj.) u. טוּב Pr 11$_{10}$ (BL 399, al. sbst.), abs. טוֹב Ri 11$_{25}$ (al. sbst. wiederholt, GK § 133a, Moore ICC): „gut sein" in allen Spielarten: — 1. **fröhlich sein** 1S 25$_{36}$, כְּטוֹב לֵב־אַמְנוֹן wenn A. guter Dinge ist 2S 13$_{28}$, Est 1$_{10}$ Ri 16$_{25}$Q (K כִּי־) ↗ I טוֹב 1; — 2. **beliebt sein** 1S 2$_{26}$, süss (Liebe) HL 4$_{10}$, schön (Zelte) Nu 24$_{5}$; — 3. טוֹב בְּעֵינֵי **es erscheint gut, rätlich** (cf. ישׁר qal 2; akk. *ṭāb eli* BWL 314) 2S 3$_{19.36}$ 15$_{26}$ 19$_{38}$, c. לְ c. inf. Nu 24$_{1}$; — 4. **erträglich, behaglich sein für** טוֹב לָנוּ Nu 11$_{18}$, לְמַעַן טוֹב לָכֶם Dt 5$_{30}$, טוֹב לוֹ עִמָּךְ ihm ist wohl bei dir 15$_{16}$; — 5. **wertvoll sein**: הֲטוֹב אַתָּה מִן bist du besser als Ri 11$_{25}$, טוֹב לִי es ist heilsam für mich Ps 119$_{71}$. †

hif: pf. הֲטִיבוֹתָ: **recht handeln**; du hast wohl getan c. כִּי 1K 8$_{18}$ 2C 6$_{8}$, c. inf. c. לְ 2K 10$_{30}$, הֵיטִיב :: הֵרַע Zef 1$_{12}$; cf. יטב hif. 3b. †

Der. I u. II טוֹב, טוּב, טוֹבָה; n.m. c. טוֹב־, טָב־, טֵב־.

I טוֹב, (Adj. z. ↗ טוב; 390 ×; ↗ טוב pf.!, BL 392y): mhe.; ug. *ṭb*, sbst. *ṭbn* (UT nr. 1028), טָב, ↗ ba., DISO 98, md. (MdD 172a), aram. ar. *ṭajjib*, *ṭā'ib*, tigr. (Wb. 620a) *ṭājeb*, akk. *ṭābu*: **gut** (in allen Spielarten d. Bedeutung) THAT 1,652ff: — 1. **fröhlich**: טוֹב לֵב guter Dinge (GK § 128y, :: vb. ↗ טוב qal 1) Ri 16$_{25}$Q Pr 15$_{15}$ Est 5$_{9}$; הָיָה בְטוֹב guter Dinge sein Koh 7$_{14}$; — 2. **angenehm, erwünscht**: מְנוּחָה Gn 49$_{15}$, קִרְבַת אֱלֹ׳ Ps 73$_{28}$, מוֹשַׁב עִיר 2K 2$_{19}$, דֹּדִים süss HL 1$_{2}$; פָּתַר טוֹב deutet günstig Gn 40$_{16}$; ט׳ לְמַאֲכָל angenehm z. essen Gn 2$_{9}$ 3$_{6}$, ט׳ לִרְאוֹת Koh 11$_{7}$, ט׳ עֲבֹד Ex 14$_{12}$; ט׳ לִפְנֵי הַמֶּלֶךְ es ist dem König genehm Neh 2$_{5}$; ט׳ בְּעֵינֵי es wäre mir lieb 1S 29$_{6}$, הַטּ׳ בְּעֵינֶיךָ was dir beliebt 2S 19$_{28}$, ט׳ עַל (↗ ba.) es **beliebt** einem Neh 2$_{5.7}$; לְט׳ לִפְנֵי אֱלֹ׳ f. e. Gott Wohlgefälligen Koh 2$_{26b}$, (cf. a, :: חוֹטֶא missfällig, Galling ZAW 50, 288f, cf. טָבַלְיָהוּ); — 3. **in Ordnung, brauchbar**: דֶּבֶק Js 41$_{7}$, שָׁנִים ertragreich Gn 41$_{35}$, בְּהֵמָה Lv 27$_{10}$, אֶרֶץ טוֹבָה Ex 3$_{8}$ (u. 17 ×) כֶּרֶם טוֹב 1K 21$_{2}$, עֵץ 2K 3$_{19.25}$, Feigen Jr 24$_{2f.5}$; ט׳ הַדָּבָר es gilt 1K 2$_{38}$ 18$_{24}$; — 4. **qualitativ gut, zweckmässig**: ט׳ דְּבָרְךָ du hast recht (Lande 66) 1S 9$_{10}$ 1K 18$_{24}$; עֵצָה 2S 17$_{7.14}$, טוֹב כִּי es ist gut wenn 2S 18$_{3}$, הֲט׳ לְךָ hast du etw. davon? Hi 10$_{3}$; — 5. **schön**: Neugeborenes Ex 2$_{2}$ (G ἀστεῖος), Mädchen Ri 15$_{2}$, Kinder 1K 20$_{3}$, טוֹבַת מַרְאֶה v. Angesicht Gn 26$_{7}$, ט׳ תֹּאַר 1K 1$_{6}$, ט׳ רֳאִי 1S 16$_{12}$; אַדֶּרֶת Jos 7$_{21}$, Städte Dt 6$_{10}$; שֵׂיבָה טוֹבָה Gn 15$_{15}$; — 6. **freundlich, gütig**: a) טוֹבִים לָנוּ freundl. gegen uns 1S 25$_{15}$, דִּבֶּר ט׳ עִם gütig reden mit Gn 31$_{24.29}$, הָיָה לְט׳ zeigt sich freundl. 2C 10$_{7}$; b) v. J. י׳ הַטּוֹב 2C 30$_{18}$ u. טוֹב י׳ Jr 33$_{11}$ Nah 1$_{7}$ Ps 145$_{9}$ (u. 18 ×); — 7. **gut in Wesen u. Wert** אֶרֶץ Ex 3$_{8}$, שֶׁמֶן Koh 7$_{1}$, זָהָב Gn 2$_{12}$ (כסף DJD 2, 20, 5 u. 22, 1f, p. 112), מִרְעֶה Ez 34$_{14}$, חֶלְקָה 2K 3$_{19}$, עֵץ 3$_{19}$ (cf. Ri 9$_{11}$); טוֹבַת שֶׂכֶל klug 1S 25$_{3}$, köstlich יַיִן || דֹּדִים HL 1$_{2}$ (ug. *jn ṭb* :: *dlṭb* UT nr. 1028; ? Dahood Fschr. Tisserant I, 89f), יוֹם ט׳ Festtag 1S 25$_{8}$; אִישׁ wacker 2S 18$_{27}$, pl. 1K 2$_{32}$; Gottes רוּחַ Ps 143$_{10}$, seine מִשְׁפָּטִים 119$_{39}$; — 8. **sittlich gut** (THAT 1,658f): a) טוֹב das Gute Hos 8$_{3}$, מַה־טוֹב was gut ist Mi 6$_{8}$, הַטּ׳ בְּעֵינֵי das nach jmds Urteil Rechte (↗ יָשָׁר) Gn 16$_{6}$ Nu 36$_{6}$ Dt 6$_{18}$ (u. 23 ×); הַדֶּרֶךְ הַטּוֹבָה der rechte Weg 1K 8$_{36}$ (:: דֶּרֶךְ הַטּוֹב d. W. zum Glück Jr 6$_{16}$); הַטּ׳ d. Gutgesinnte 2C 19$_{11}$ (ins. עֹשֵׂה, Rud.); b) הַטּוֹב :: הָרָע Dt 30$_{15}$ (Leben u. Tod) 2S 14$_{17}$ Js 5$_{20}$ 7$_{15f}$ Am 5$_{14f}$ Mi 3$_{2}$ Ps 52$_{5}$ Koh 12$_{14}$; דֶּרֶךְ לֹא טוֹב unguter Weg Js 65$_{2}$ Ps 36$_{5}$ Pr 16$_{29}$ (Litotes, Lande 60ff); רַע אוֹ ט׳ Gn 24$_{50}$, לְמֵרַע וְעַד ט׳ 2S 13$_{22}$, אִם ט׳ וְאִם רָע Jr 42$_{6}$; רָעִים וְטוֹבִים Pr 15$_{3}$; c) טוֹב וָרָע c. ידע Gn 2$_{17}$ 3$_{5.22}$, ↗ Komm., Humb. Et. sur le récit du paradis, 1940, 83ff, Gordis JBL 76, 123ff, JCoppens, De kennis van goed en kwaad, Antwerpen 1944,

Stoebe ZAW 65, 188ff, Westerm. Gen 328-333; c. לֹא ידע Kinder Dt 1_{39}, d. Alte 2S 19_{36} יָדַע מָאוֹס בָּרָע וּבָחוֹר בַּטּוֹב (בֵּין ט׳ לְרָע) Js 7_{15} Kleinkinder; ט׳ וָרָע = alles Mögliche (Merismus, ↗ Brongers OTSt. 14,100ff) 2S 14_{17} c. שׁמע; דִּבֶּר ··· לְמֵרַע וְעַד טוֹב 2S 13_{22}; — 9. Versch.: a) בַּטּוֹב לוֹ wo es ihm gefällt Dt 23_{17} (ThR 1, 16f); b) עָשָׂה ט׳ es sich wohl sein lassen (gr. εὖ πράττειν) Koh 3_{12}, רָאָה ט׳ 3_{13}; c) ט׳ Glück: אֵי־זֶה ט׳ wie es um d. Glück steht Koh 2_3, מָצָא ט׳ (sein) Glück finden Pr 16_{20} 17_{20} 18_{22}; — Mut. Hos 14_3 ↗ IV טוב u. Ps 39_3 ↗ טבב; Ps 69_{17} u. 109_{21} l כְּטוֹב pr. כִּי טוֹב; Pr 15_{15} l טוּב; Neh 6_{19} l טֹבֹתָיו „Gerüchte über ihn"; 2C 17_8 dl וְטוֹב אֲדֹנִיָּה.
Der. טוֹבָה; n.m. טָבַלְיָהוּ, אִישׁ טוֹב.

II טוֹב (trad. I, ↗ Barr CpPh. 142f): ar. *ṭīb*, asa. *ṭjb* (ZAW 75, 309) Wohlgeruch: **Wohlgeruch**: קָנֶה הַטּוֹב (? l הַטּ׳) Jr 6_{20} **Kahnbartgras** *Cymbopogon* (Löw 1, 692ff), akk. *qanū ṭābu*; שֶׁמֶן הַטּוֹב akk. *šamnu ṭābu* wohlriechendes Öl 2K 20_{13} (Js 39_2 u. Ps 133_2 הַשֶּׁמֶן הַטּוֹב); יֵין הַטּוֹב m. Würzstoff versetzter Wein HL 7_{10}. †

III טוֹב: n.terr.: aram. Staat od. Landschaft im n. Trjd.; ? *Dubu* EA, VAB 2, 1295; äg. *Tuby* (Maisler 43ff), Τούβιος 1 Mkk 5_{13}; gntl. Τουβιανός 2 Mkk 12_{17}; Abel 2, 10 (= *eṭ-Ṭajibe* 15 km. ö. Deraʿa), GTT § 257, O'Call. 126, Noth ZDPV 68, 27f: אֶרֶץ טוֹב Ri $11_{3.5}$, אִישׁ טוֹב Regent v. Ṭ. (אִישׁ $_3$ :: Noth) 2S $10_{6.8}$. †

IV טוֹב: Ps 39_3 ↗ טבב, cj טִבָּה; Hos 14_3 ? l טוּבֵנוּ, IV טוב Wort, Rede (Rud. 247f). †

טוּב: טוב, BL 452u; mhe. ja.[tg], Lkš טב (DISO 99), in nn.pr. Güte (Stamm HEN 418b): טוּבְךָ, Sec. τουβαχ, Brönno 115; Gutes, ↗ טוֹבָה: — 1. a) **das Beste,** was e. Ort/Land od. e. Mensch hat Gn 24_{10} $45_{18.20.23}$ Dt 6_{11} 2K 8_9 Js 1_{19} Ps 65_5 128_5 Esr 9_{12} Neh 9_{25}; פִּרְיָהּ וְטוּבָהּ Jr 2_7 Neh 9_{36}; b) **Wohlstand** Pr 11_{10} Hi 20_{21} 21_{16}; c) **Schönheit** Hos 10_{11} Zch 9_{17} (|| יָפְיוֹ; al. Güte), J.s Ex 33_{19} (= כָּבוֹד $_{22}$; *pulchritudo Dei!* ↗ נֹעַם), Sir 42_{14} (MIV25 טוב); d) **Fröhlichkeit** (טוּב qal 1 טוב 1): טוּב לֵב / לֵבָב Dt 28_{47} Js 65_{14} Sir 51_{18}, בטוב (DJD 4,80 להיטיב) z. Vergnügen; — 2. **d. v. J. geschenkte Glück: Besitz, Segen, Heil** (Sir 44_{11} || נחלה): d. Landesertrag Js 63_7 Jr 31_{12} (Korn, Wein, Öl u. Vieh) $_{14}$ (|| דֶּשֶׁן) Hos 3_5 (al. Güte) Ps 25_7 (Sündenvergebung) 27_{13} 31_{20} 145_7 Neh 9_{35}, cj Ps 69_{17} u. 109_{21} l כְּטוּב; — Ps 119_{66} dl. † Der. אֲבִיטוּב, אֲחִיטוּב.

טוֹבָה u. טֹבָה: eig. f. v. טוֹב, sbst., schwer v. adj. zu scheiden; mhe., aam. äga. טבה (DISO 99): טוֹבָתִי, טוֹבוֹת, טוֹבָתְיו: Gutes — 1. **Gutes, das man tut** a) Neh 2_{18b}, דֶּרֶךְ הַטּ׳ d. rechte Wandel 1S 12_{23}; Gutes c. עָשָׂה Nu 24_{13} (ט׳ אוֹ רָעָה), Ex 18_9 Ri 8_{35} 9_{16} 1S 24_{19} 25_{30} 1K 8_{66} Jr 33_9 2C 7_{10} 24_{16}; Freundschaft durch Vertragsschluss 2S 2_6, akk. *ṭābūtu*, שָׁלוֹם וְט׳ Dt 23_7, (akk. *ṭūbtu u sulummū* Moran JNESt. 22, 173ff, Hillers BASOR 176, 46f; 181,31ff) c. גָּמַל 1S 24_{18}, הֵיטִיב Jr 18_{10}; m. Gutem vergelten שִׁלֵּם 1S 24_{20}, הֵשִׁיב 2S 16_{12}, Gutes m. Bösem Gn 44_4 1S 25_{21} Ps 35_{12} 38_{21} 109_5 Pr 17_{13}, pass. c. שֻׁלַּם Jr 18_{20}; b) **Güte, Wohlwollen**: Gottes Ps 65_{12} 68_{11}; pl. c. דִּבֶּר u. II אֵת freundl. Worte 2K 25_{28}/Jr 52_{32}, c. אֶל Jr 12_6; sg. Versprechen c. עַל Jr 32_{42} 1C 17_{26} od. אֶל 2S 7_{28}, Fürbitte c. עַל Jr 18_{20}; — 3. **das widerfahrene Gute, Glück, Heil** Ps 106_5 Sir 6_{11}, טובת חיים Gut d. Lebens 41_{13}; רָאָה c. יוֹם ט׳ Koh 7_{14} (:: יוֹם רָעָה); c. erleben Hi 9_{25} Koh 5_{17} 6_6, c. אָכַל בְּ 5_{10}, Hi 21_{25}, c. שׂבע Koh 6_3, c. בִּקֵּשׁ Neh 2_{10}, c. דָּרַשׁ Dt 23_7 Esr 9_{12}, חָסֵר Koh 4_8, אִבֵּד 9_{18}, נָשָׁה Kl 3_{17}; gutes Ende Gn 50_{20} Dt 28_{11} 30_9 Jr 14_{11} 21_{10} 24_{5f} 39_{16} 44_{27} Am 9_4 Ps 86_{17} Esr 8_{22} Neh 5_{19} 13_{31} 2C 18_7; — Neh 6_{19} l טֹבוֹתָיו.

טוֹבִיָּה: n.m.; mhe.; < טוֹבִיָּהוּ; G Του/ωβια(ς), auch Τοβιας Wuthn. 116; > טובי 4Q Gr Tob. mhe. aram[b] (RM. GNbd 29); טוביה AOB

608, = Τουβιας d. Zenonpap.; d. Tobiaden in Araq el-Emir RB 1920, 188ff, Reicke NTZ 35f; BHH 1996f, keilschr. *Ṭābija* APN 236a m. Beischr. טבי Delap. 66: — 1. Heimkehrer Zch $6_{10.14}$; — 2. Heimkehrer Esr 2_{60} Neh 7_{62}; — 3. הָעֶבֶד הָעַמֹּנִי (:: Albr. Fschr. Alt 1953 4^5 1 וְעָ׳ als n.pr.!) Gegner d. Nehemia, wohl Beamter d. Sanballat (Rud. EN 109) Neh $2_{10.19}$ 3_{35} 4_1 $6_{1.12.14.17.19}$ $13_{4.7f.}$ †

טוֹבִיָּהוּ: n.m. טוב + י״, „J. ist gut" (Noth 153); Lkš טביהו, > טוֹבִיָּה, u. Τωβειτ (↗ OFritzsche, Exgt. Hdb. II (1853) 21f): Levit 2C 17_8. †

טוה: mhe.; akk. *ṭaw/mû* spinnen, ar. *ṭawā*, ?md. (MdD 176b) falten, äth. *ṭawaja*, tigr. (Wb. 618a) umdrehen; ↗ ba. טְוָת fastend:

qal: pf. טָווּ: **spinnen** Ex $35_{25f.}$ † Der. מַטְוֶה.

טוח: mhe. ja.[b]; ug. *ṭḥ* UT nr. 1035, Aistl. 1117 (über)tünchen; ? pun. מטח Verputz (DISO 148); ar. *ṭjḥ* beschmutzen, äth. *ṭēʿ/ʾa* (Dillm. 1247) bestreichen; ↗ טחח:

qal: pf. טָח, טָחוּ, טַחְתֶּם; inf. טוּחַ; pt. טָחִים/חֵי: — 1. Hauswand mit עָפָר Lv 14_{42}, mit תָּפֵל Ez $13_{10.12.14f}$ **verputzen**; mit Gold, Silber überziehen 1C 29_4; — 2. jmdm etw. **darüberstreichen** Ez 22_{28}. †

nif: inf. הִטּ(וֹ)חַ (Bgstr. 2, 147 i): **überstrichen werden** Lv $14_{43.48}$. †

Der. טִיחַ, טֻחוֹת.

ט(וֹ)טָפֹת, Sam.[M145] *ṭāṭāfot*: pltt.?, GSV sg.; mhe. טוֹטֶפֶת weibl. Kopfputz, pl. Phylakterien, ja.[t] טוֹטַפְתָּא, Armband, Kopfputz?, Phylakterien?; ja.[b] Phylakterien; md. (MdD 177a) *ṭuṭipta*; < **ṭauṭaf* < **ṭafṭaf* (BL 482c, cf. ar. *ṭafṭāf* Besatz u. Saum v. Kleid); etym. Speiser JQR 48, 208ff, Keller 65f טפף od. נטף tropfen, ar. *ṭāfa* rund sein (Ruž. 129); Merkzeichen an d. Stirn (BHH 525) T^O 2S 1_{10}, auch am Arm, **Phylakterien** Ex 13_{16} Dt 6_8 11_{18}. †

טול: mhe. hif., hitp. ja.[tg] pa. ? umhergehen, (eig. √ ?), mhe. טלטל, ja.[gb] טלטל schütteln, forttragen, ar. *ṭwl* lang sein, *ṭalṭala* werfen, asa. *ṭl* Länge, äth., tigr. (Wb. 618a, Lesl. 23) *ṭawwala* verlängern:

hif: pf. הֵטִיל, וְהֵיטַלְתִּי (BL 396t); impf. וַיְטִילֵהוּ, אֲטִילְךָ, וַיָּטִלוּ, וַיָּטֶל; imp. הֲטִילֻנִי: **weit werfen**: חֲנִית 1S 18_{11} 20_{33}, Menschen c. אֶל Jon $1_{12.15}$, c. עַל Jr 16_{13} 22_{26} Ez 32_4; Gott einen Wind Jon $1_{4f.}$ †

hof: pf. הוּטְלוּ (BL 208r); impf. יוּטַל/יֻ: **hingeworfen w.** Jr 22_{28} Ps 37_{24} Hi 41_1 Pr 16_{33}. †

pilp. (BL 395m): pt. מְטַלְטֶלְךָ: ausschütteln (Driv. JSSt. 13, 48f) Js 22_{17}. † Der. טַלְטֵלָה.

***טוף**: ja. sy. md. (MdD 178a), > ar. *ṭwf* (Frae. 220) überfliessen, he. צוף; aLw. Der. II טַף, טָפַת.

טור: mhe. Stützmauer DJD 3, 247, nr. 95, nab. Mauer (?) DISO 100, sy. *ṭᵉjārā* Hürde, *ṭaurā* Raum (örtl. u. zeitl.), ar. *ṭaur* Mal (*vicis*), asa. *mṭwr* Umfriedung (ZAW 75, 309); ↗ טִירָה: ט/טוּרִים: **Lage, Reihe**: 3 Lagen גָּזִית u. 1 L. Zedernbalken 1K 6_{36} u. 7_{12} (↗ Noth 128), Säulen $7_{2f.18}$, שְׁקֻפִים 7_4, Zierat $7_{20.42}$/2C 4_{13} u. 1K 7_{24}/2C 4_3, Edelsteine Ex 28_{17-20} 39_{10-13} Ez 46_{23}. †

טוש: mhe., ja.[tg] sy. md. (MdD 178) טוס flattern, pal.-ar. im Flug schweben (Blau VT 5, 342), ar. *ṭjš* sich hin u. her bewegen; ? aLw Wagner 113:

qal: impf. יָטוּשׁ über d. Boden **flattern** Hi 9_{26}, cj Nu 11_{31} וַיָּטַשׁ pr. וַיִּטֹּשׁ (Driv. PEQ 90, 57f). †

טחה: mhe.[2], טוח Schussweite (?); pehl. טחי (DISO 100) erreichen, ar. *ṭḥw* (weit) werfen, akk. *ṭeḫû* sich nähern, angrenzen:

pil. (BL 420 k): pt. כִּמְטַחֲוֵי קֶשֶׁת (Sam.[M99] *mṭuwwi*) soweit wie e. Bogenschütze schiesst = **Bogenschussweite** (al. sbst. Wurf, Zorell) Gn 21_{16}. †

טְחוֹן: טחן; ar. *ṭāḥūn* Handmühle: **Handmühle** (BRL 386f, BHH 1246, בַּחוּרִים ט׳ נָשָׂאוּ Kl

5_{13} inc. (V *adulescentibus impudice abusi sunt!*) ?, Jüngl. müssen d. H. tragen (?), :: בַּח׳ obj., nehmen sie zum Mahlen (Driv. Fschr. Berth. 143f, Rud.) 1 לְטְ׳ inf. †

טֻחוֹת: ? טוח, טחה od. חחה, pt. pass. od. sbst. ?, inc.! ↗ Komm., Mow. ActOr. 8, 1938, 2ff, techn. Offenbarungsmittel, eig. n.d. äg. Thot = Saturn, Dalgl. 67ff, 123ff: — 1. בַּטֻּחוֹת Ps 51_8 || בְּסָתֻם, **im Verborgenen, Inneren** (Eingeweide, Nieren, Gewissen), **im Dunkel**; cj. מִטְ׳ mehr als (Duhm, Gkl); — 2. בַּטְ׳ || ↗ לַשֶּׂכְוִי Hi 38_{36}: meist nach 1: eher d. **Ibis** (BHH 757), d. Vogel d. Thot (*ḏḥwtj*) Dho. RB 120, 209, Hö. 95f, Tur-S. 533f, Fohrer Hiob 508f :: Albr. YGC 212ff. †

טחח: Nf. v. טוח:

qal: pf. טַח (1 טָחוּ) überstrichen, **verklebt sein** (Augen) Js 44_{18} c. מִן sodass nicht. †

טחן: mhe. ja., ug. *ṭḥn*, Assbr. 8 u. pehl. äga. (DISO 100), cp. sy. md. (MdD 176b); ar. asa. *ṭḥn*, > tigr. (Wb. 609a) *ṭaḥana*, äth. *ṭeḥena*, har. fein sein (Mehl, EDH 152); akk. *ṭênu* mahlen:

qal: pf. טָחֲנוּ; impf. תִּטְחַן; imp. טַחֲנוּ; inf. ↗ טְחוֹן, טָחוֹן; pt. טֹחֵן: — 1. **zerreiben, mahlen** Nu 11_8 Ri 16_{21} Js 47_2 Kl 5_{13} (↗ טְחוֹן); — 2. **zermalmen** Ex 32_{20} Dt 9_{21}, metaph. bedrücken Js 3_{15}; — Hi 31_{10} ↗ nif. †

cj **nif**: impf. תִּטָּחֵן pr. תִּטְחַן; Hi 31_{10} **beschlafen werden** TV, ar. *taḥīnat* Beischlaf, Kl 5_{13} cf. טְחוֹן V, Rabb. (cf. μύλλειν, (*per*)*molere*). †

Der. טְחוֹן, טַחֲנָה, טֹחֲנָה.

טַחֲנָה: טחן, BL 601c: **Mühle** Koh 12_4 (? GVpt.) ? metaph. ↗ Komm. †

***טֹחֲנָה**: טחן, pt. f.; ar. *ṭāḥinat* Backenzahn: טֹחֲנוֹת: d. Mahlende = Müllerin, metaph. **Backenzahn** Koh 12_3. †

***טחר**: ja.[b] peal, sy. pa. d. Darm pressen, mhe[2]. טחור an Hämorrhoiden leidend; ar. *ṭaḥara* d. Darm entleeren, (Kot) ausstossen; Grdb. wohl: rein sein (tigr. Wb. 609a, har. Dict. 153). Der. טְחֹרִים.

טְחֹרִים: טחר, BL 468z; pltt.; ja.[tg] טְחוֹרִין, sy. auch *ṭᵉ/ṭuḥāra* Hämorrhoiden: טְחֹרֵי, טְחֹרֵיהֶם: **Geschwüre** am After, **Hämorrhoiden** 1S $6_{11.17}$; sonst Q perpetuum f. עפלים (I עֹפֶל) Dt 28_{27} 1S $5_{6.9.12}$ $6_{5.11}$, טְחֹרֵי זָהָב $6_{4.17}$ (Geiger 408, Gordis 86). †

טִיחַ: טוח, BL 451p; mhe.: **Lehmstrich** Ez 13_{12}. †

טִיט: mhe., < akk. *ṭīṭu* < *ṭiṭṭu*, (PHaupt JBL 26, 32), von 500 an *ṭiddu*, JSSt. 12, 105!); < **ṭitt* < **ṭint* (BL 198 j, VG 1,156 d); טין pehl u. Sard. (DISO 100), טִינָא ja. cp. sy. (pl. auch *ṭiṭṭe*) md. (MdD 179b) ↗ ba., ar. *ṭīnu* Lehm, Ackerboden (Frae. 8; Tünche < aram.); cf. tigr. *ṭjn* versanden (Wb. 620a), lehmige Schlammfläche DvdMeulen, Hadhramaut (1948) 74.88; Kelso § 3: — 1. **nasse Lehmerde, Schlamm,** Jr 38_6 (am Boden der Zisterne, Reymond 139) Js 57_{20}, טִיט חוּצוֹת 2S 22_{43}/Ps 18_{43} Mi 7_{10} Zch 9_3 10_5 Ps 40_3 69_{15} Hi 41_{22}; — 2. **Töpferlehm** Js 41_{25} Nah 3_{14} (II חֹמֶר). †

***טִירָה**: ↗ טור mhe. Einfassung ? (d. Ofens, AuS 4,98); mhe.[2] (?) sy. *ṭᵉjārā*, ar. *ṭawār* Umfriedigung; Nf. ↗ צִרָה Mi 2_{12}: טִירַת, טִירֹתָם, טִירוֹת (Hier. *turoth*; Sperber 226, Ez 46_{23} ? = טוּר), טִרֹתָם: — 1. durch Steinwall geschütztes **Zeltlager** (AuS 6, 41) Gn 25_{16} Nu 31_{10} Ez 25_4 Ps 69_{26} (||אֹהָלִים) 1C 6_{39}; — 2. a) **Steinlage** den Wänden entlang Ez 46_{23b} (= טוּר $23a$); b) **Mauerkrone, Zinne** HL 8_9 (↗ Rud. 182). †

טַל: I טלל; mhe.; ja. cp. sy. md. (MdD 275b) טַלָּא; ug. *ṭl*//*rbb*, *Ṭlj*, *Ṭalaia* T. v. Baal UT nr. 1037, WbMy. I, 312, denom. ug. *ṭll* (Tau) fallen, mhe[2]. טלול befeuchtet, sam. Tau fallen lassen BCh 2, 539b; ? pun. n.pr. כטל „Taugleich" Eph. 3, 127; ar. *ṭall*, äth. tigr. (Wb. 606b) *ṭal*, *ṭalla* feucht

s.: טַלֶּךָ, טַלָּם: **Tau, sanfter Regen** (AuS 1, 93ff.311ff. 514ff, BHH 1934, JPOS 16, 316ff, IEJ 4, 120ff): טַל שָׁמַיִם (ug. *ṭl šmm*) Gn $27_{28\cdot39}$, טַל אוֹרֹת (ꟻ אוֹרָה) Js 26_{19}; Himmelsgabe Zch 8_{12}, verweigert (כלא, 1 טַלָּם, T מָטָר) Hg 1_{10}, träufeln ערף Dt 33_{28}, רעף Pr 3_{20}; :: חֹרֶב Ri 6_{37}, טַל וּמָטָר 1K 17_1; עָב טַל Js 18_4, אֶגְלֵי טַל Hi 38_{28}, שִׁכְבַת טַל Tauschicht Ex 16_{13f}; יָרַד Nu 11_9, נָפַל 2S 17_{12}, יָלִין בַּקָּצִיר hängt nachts auf d. Zweig Hi 29_{19}; טַל חֶרְמוֹן Ps 133_3; ꟻ Dt 32_2 Ri 6_{38-40} 2S 1_{21} Hos 6_4 13_3 14_6 Mi 5_6 Ps 110_3 (1 כְּטַל ꟻ Komm.) Pr 19_{12} HL 5_2 (|| רְסִיסֵי לָיְלָה); — Dt 33_{13} 1 תָּחַת|| מֵעָל. †
Der. אֲבִיטַל, חֲמוּטַל (?).

טלא: mhe. flicken, ja. mhe.[1] מַטְלִית, mhe.[2] טלאי Flickstück; ? äga. (DISO 100), Segert ArchOr. 24, 392.398f; tigr. (Wb. 606a) *ṭālā* rot, rötlich; Gradw. 54f:
qal: pt. pass. טָלוּא, טְלֻאִים/אוֹת: — 1. **gefleckt** Schafe Gn $30_{32f\cdot35\cdot39}$; — 2. בָּמוֹת טְלֻאוֹת aus Decken gefertigte **bunte Polster** f. d. sakrale Prostitution (Eissf. Kl. Schr. II 102f; Zimm. 356) Ez 16_{16}. †
pu: pt. מְטֻלָּאוֹת (Schuhe) m. Flecken besetzt, **geflickt** Jos 9_5, mhe. †

טְלָאִים: n.l. (ꟻ G), 1S 15_4, 1 טֶלָאם). †

cj **טֶלָ(א)ם**: n.l. im Negeb, cj pr. טְלָאִים 1S 15_4, pr. חֲוִילָה 15_7 u. pr. עוֹלָם 27_8; = טֶלֶם Jos 15_{24} (Abel 2, 477f, GTT § 682). †

טָלֶה: BL 584a.b; mhe. ja.[t] טליא Lamm; טַלְיָא, טְלִי ja. sam. Knabe, ja.[t] auch Lamm, cp. sy. md. (MdD 174b) äga. palm. (DISO 101) Knabe, Diener; ja. טַלְיְתָא, sy. *ṭlītā*, ταλιθα Mk 5_4 (Rüger ZNW 59, 118f), Mädchen; ar. *ṭalan*, *ṭalw* junge Gazelle, asa. *ṭlj* (ZAW 75, 309); äth. *ṭalī*, tigr. (Wb. 608a) *ṭalīt* Ziege; Grdb. jung od. gefleckt טלא: cs. טְלֵה, טְלָאִים Js 40_{11} (< *טְלָיִים BL 588, 1QIsa טלים): **Lamm** Js 40_{11} 65_{25}, טְלֵה חָלָב 1S 7_9 Sir 46_{16} Milchlamm. †

טַלְטֵלָה: טול, BL 482e: **weiter Wurf** Js 22_{17}. †

I **טלל**: denom. v. aram. טְלָלָא, טוּלָא, wie he. III צלל u. ba. II טלל, v. צֵל, Grdf. *ẓll*; palm. (DISO101) ja. cp. sy. md. (MdD 180a) pa. af. Schatten geben, bedachen: מַטְלְלָא, תַּטְלִילָא äga. ja. sy. u. מַטְלַלְתָּא, מְטַלְתָא palm. sy. Bedachung, > ar. *ṭalal* Schiffsdeck; aLw 114:
pi: impf. וִיטַלְלֶנּוּ (BL 220m): **mit Dach versehen** (Jenni 270) Neh 3_{15}. †
Der. חֲמוּטַל (?).

II **טלל**: ar. *ṭalla* verletzen, *ṭalal* Trümmer, Ruine:
hif: pt. מטלים 1Q Js[a] 50_6 pr מֹרְטִים: **verletzen**, || מַכִּים :: Hempel ZAW 76, 327, Guill. JBL 76, 43: denom. v. ꟻ טַל. †

***טלם**: aram. (aLw 114ab) = he. II צלם; Grdf. *ẓlm*, ar. *ẓalama* schwarz, hell sein.
Der. I, II טֶלֶם, טַלְמוֹן.

I **טֶלֶם**: n.l.; טלם; = II; ꟻ טֶלָ(א)ם, b. זִיף im Negeb, Abel 2, 477f, GTT § 317, 10. 11: Jos 15_{24}. †

II **טֶלֶם**: טלם; n.m., = I, „Glanz" (Noth 223) od. „Schwarz" (Wagner aLw 114a): Esr 10_{24}. †

טַלְמוֹן: טלם; n.m.; demin.; v. II טֶלֶם, BL 500u; ug. *ṭlmjn* UT nr. 1038, ꟻ I צַלְמוֹן, aLw 114b: Esr 2_{42} / Neh 7_{45} 11_{19} 12_{25} 1C 9_{17}. †

טמא: mhe. nif. unrein werden, pi. verunreinigen, Gn Ap XX 15 pa. inf. טמיא ja. sy. pa. verunreinigen, sam. schwach, krank sein (BCh. 2, 448b), md. (MdD 180b); ägar. *ṭamj* Nilschlamm, asa. *ṭmʾ* Schmutz (ZAW 75, 309); ꟻ טמה; Stade 1, 134ff, BHH 2052, THAT 1,664ff:
qal: pf. טָמֵא, טָמְאָה, טָמֵאת, טָמְאוּ; impf. יִטְמָא, יִטְמְאוּ; inf. טָמְאָה (BL 316d): **kultisch unrein w.**: a) Menschen Lv 11_{24-40} $12_{2\cdot5}$ $13_{14\cdot46}$ 14_{46} 15_{5-27} 17_{15} 22_6 Nu 19_{7-22} Hg 2_{13}, c. בְּ durch Lv 5_3 15_{32} $18_{20\cdot23}$ 19_{31} 22_8 Ez 22_4 23_{17} Ps 106_{39}; יִטְמָא לוֹ ist f. ihn u. Lv 22_5; b) Sachen Lv 11_{32-38} 14_{36} $15_{4\cdot9\cdot20\cdot24}$, אֶרֶץ Lv $18_{25\cdot27}$; לְטָמְאָה sodass

Unreinheit entsteht Ez 22$_{3}$ 44$_{25}$; — Mi 2$_{10}$ l לְמַעַט מְאוּמָה. †

nif: pf. נִטְמֵאת, נִטְמְאָה/מָאָה, נִטְמָא, נִטְמְאִים > נִטְמֵאתֶם (BL 375); pt. נִטְמָאִים (BL 541j): **sich verunreinigen** Hos 5$_{3}$ 6$_{10}$ Ez 20$_{30}$, c. בְּ durch Lv 11$_{43}$ 18$_{24}$ Ez 20$_{43}$ 23$_{7 \cdot 30}$, c. לְ hinsichtlich 20$_{31}$; e. Frau macht sich (durch Ehebruch) unrein Nu 5$_{13f \cdot 20 \cdot 27 \cdot 29}$ Jr 2$_{23}$ Ez 23$_{13}$; — Hi 18$_{3}$ נִטְמִינוּ (or. ־מֵ־!) ↗ טמה. †

pi: טִמְּאוּהָ, טִמְּאוֹ, טִמֵּאתֶם, טִמֵּאת, טִמֵּא; impf. וַיְטַמְּאֵהוּ, יְטַמְּאֻנוּ, תְּטַמְּאוּ, תְּטַמֵּא; inf. טַמֵּא, abs. Lv 13$_{44}$ (BL 327p): — 1. **entehren**: Mädchen Gn 34$_{5 \cdot 13 \cdot 27}$, Frau Ez 18$_{6 \cdot 11 \cdot 15}$ 23$_{17}$ 33$_{26}$ GnAp. XX 15; שֵׁם י׳ (verunehren) Ez 43$_{7f}$, Schwester u. Schwiegertochter Ez 22$_{11}$; — 2. **entweihen**: מִשְׁכָּן Lv 15$_{31}$ Nu 19$_{13}$, מִקְדָּשׁ Lv 20$_{3}$ Nu 19$_{20}$ Ez 5$_{11}$ 23$_{38}$, מַחֲנֶה Nu 5$_{3}$, אֶרֶץ Lv 18$_{28}$ Nu 35$_{34}$ Dt 21$_{23}$ Jr 2$_{7}$ Ez 36$_{17f}$; — 3. **kultisch verunreinigen**: sich selbst Lv 11$_{44}$, נָזִיר Nu 6$_{9}$, jmd Ez 20$_{26}$, בָּמוֹת 2K 23$_{8 \cdot 13}$, תֹּפֶת 23$_{10}$, מִזְבֵּחַ 23$_{16}$, פְּסִילִים Js 30$_{22}$, בֵּית י׳ Jr 7$_{30}$ 32$_{34}$ Ez 9$_{7}$ Ps 79$_{1}$ 2C 36$_{14}$; — 4. **für unrein erklären** (Jenni 41) Lv 13$_{3-59}$ 20$_{25}$. †

pu: pt. מְטֻמָּאָה **verunreinigt w.** Ez 4$_{14}$. †

hitp: impf. יִטַּמָּא (GK § 74b, Bgstr. 2, 156b), יִטַּמְּאוּ/מָּאוּ: **sich Verunreinigung zuziehen**: c. לְ an Lv 11$_{24}$ 21$_{1 \cdot 3 \cdot 11}$ Nu 6$_{7}$ Ez 44$_{25}$, c. בְּ durch Lv 11$_{43}$ 18$_{24 \cdot 30}$ Ez 14$_{11}$ 20$_{7 \cdot 18}$ 37$_{23}$; abs. Lv 21$_{4}$ Hos 9$_{4}$. †

hotp: pf. הֻטַּמָּאָה (BL 285j :: Bgstr. 2, 99^{g} :: Torr. Dtj. 284): **v. Verunreinigung betroffen werden** Dt 24$_{4}$. †

Der. טָמֵא, טֻמְאָה.

טָמֵא: (88 ×, 46 × Lv); טמא : טָמֵא Sam.^{M100} *ṭēmi*, mhe. ja.^{tg}, sam. (BCh. 2, 448b), md. (MdD 180b): טְמֵאָה, טְמֵאִים, טְמֵאָה, טִמְאַת (BL 597g); adj.: — 1. **unrein** (:: טָהוֹר, Hermisson WMANT 19,84ff, THAT 1,664ff) Lv 10$_{10}$ 11$_{47}$ Dt 12$_{15-22}$ 15$_{22}$ Ez 22$_{26}$ 44$_{23}$ Hi 14$_{4}$ (טָהוֹר מִטָּמֵא, ↗ Komm.) Koh 9$_{2}$; טָמֵא Ruf des צָרוּעַ Lv 13$_{45}$; טְמֵאַת הַשֵּׁם Frau mit beflecktem Ruf Ez 22$_{5}$; — 2. **kultisch unrein**: Tiere (Ped. Isr. 1/2, 482ff, Ell. Lev. 150f:: Kornfeld, Kairos 1965, 134ff) Lv 5$_{2a}$ 7$_{21}$ 11$_{29}$ 27$_{11.27}$ Nu 18$_{15}$ Dt 14$_{7f.10.19}$; ט׳ לְכָל־דָּבָר e. irgendwie Unreiner 2C 23$_{19}$, כָּל־טָמֵא irgend etwas Unreines Lv 7$_{19 \cdot 21}$ Ri 13$_{4}$; יוֹם הַטָּמֵא wenn etw. unrein ist Lv 14$_{57}$; טְמֵא נֶפֶשׁ durch e. Leiche verunreinigt Lv 22$_{4}$ Hg 2$_{13}$ = טָמֵא לָנֶפֶשׁ Nu 5$_{2}$ 9$_{10}$. ↗ $_{6f}$; ט׳ einer, d. unrein ist Js 35$_{8}$ 52$_{1}$ Kl 4$_{15}$, etw. das unrein ist Js 52$_{11}$ Ez 4$_{13}$ Hos 9$_{3}$ Hg 2$_{14}$; טְמֵא שְׂפָתַיִם m. unr. Lippen Js 6$_{5}$; Sachen Lv 15$_{17}$ Nu 19$_{22}$; — 3. sonst: Lv 13$_{11-55}$ u. 14$_{40f}$ (Aussatz); 15$_{2 \cdot 25f \cdot 33}$ (geschlechtlicher Ausfluss); Lv 11$_{4-38}$ 14$_{44f}$ 15$_{25f.33}$ 20$_{25}$ Nu 6$_{12}$ 19$_{13 \cdot 15 \cdot 17 \cdot 19f}$ Dt 26$_{14}$ Jos 22$_{19}$ u. Am 7$_{17}$ (Land), Js 64$_{5}$ Ez 22$_{10}$; — Lv 5$_{2b}$ (cf 3f); Jr 19$_{13}$ l טְמֵאִים. †

***טֻמְאָה**, Sam.^{M100} *ṭēmåt*-: טמא, BL 601b; mhe., ja.^{t}(<he. ?): טֻמְאָתוֹ, טֻמְאַת, pl. cs. טֻמְאֹת: **Zustand kultischer Unreinheit**: Männer Lv 5$_{3}$ 7$_{20f}$ 14$_{19}$ 15$_{3 \cdot 31}$ 16$_{16 \cdot 19}$ 22$_{3 \cdot 5}$ Nu 19$_{13}$ Ez 36$_{25 \cdot 29}$ 39$_{24}$, Frauen Lv 15$_{25f \cdot 30}$ 18$_{19}$ Nu 5$_{19}$ 2S 11$_{4}$ Ez 22$_{15}$ 24$_{13}$ 36$_{17}$ Kl 1$_{9}$, Heiden Esr 6$_{21}$ 9$_{11}$, Speisen Ri 13$_{7 \cdot 14}$, Sachen Ez 24$_{11}$ 2C 29$_{16}$; רוּחַ הַטֻּ׳ Geist d. Unreinheit Zch 13$_{2}$. †

[***טמה**: נִטְמִינוּ Hi 18$_{3}$; ? trad. טמא nif.: für unrein gelten (or. נִטְמֵינוּ); MT tendenziös; ? l נִטַּמּוֹנוּ 3 MSS sind verstopft, „vernagelt", ↗ טמם nif., ↗ Komm., Guill. 3, 4. †]

***טמם**: mhe. ja. sy. md. (MdD 180b) verstopfen, verschliessen; pilp. mhe. ja. טמטם (Fusspuren) verschütten ‖ שֹׁרֶשׁ Sir 10$_{16}$; cj nif. Hi 18$_{3}$, ↗ טמה. †

טמן: mhe. DSS 4 ×, > (dissim. Ruž. 100) :: Nöld. NB 140, ja.$^{t?,b}$(<he. ?) cp. sam. (BCh 2, 464b) md. (MdD 180b) טמר, > ar. *ṭamara* verscharren (Frae. 137), akk. *ṭ/tamāru*; ↗ צפן:

qal: pf. טְמַנְתִּיו/תָּם, טָמְנוּ/מָנוּ, טָמַנְתִּי, טָמַן; impf. וָאֶטְמְנֵהוּ, וַתִּטְמְנֵם, וַיִּטְמְנֵהוּ, וַיִּטְמֹן;

imp. טָמְנֵהוּ; inf. טְמוֹן, טָמְנוֹ; pt. טָמוּן, טְמוּנָה, טְמֻנִים, טְמוּנֵי, Sir 41_{15} Rd מטמין (Ϝ Sir[M]) pr. מצפין: — 1. **verbergen**: Jr 13_{6f} 43_{10} Hi 3_{16} 20_{26}, c. בְּ in Ex 2_{12} Jos 2_{6} 7_{21f} Pr 19_{24} (d. Faule die Hand in d. Schüssel) = 26_{15}, Jr 13_{4f} 43_{9} Hi 3_{133} 40_{13a} Sir 41_{14}; c. תַּחַת unter Gn 35_{4}; טְמוּנֵי חוֹל im Sand Versteckte Dt 33_{19}; בַּטָּמוֹן im Verborgenen Hi 40_{13b} (al. sbst. Versteck Tur-S. 454, Gefängnis Hö.); — 2. **versteckt anbringen**: Netz Ps 9_{16} 31_{5} 35_{7f}, Falle 64_{6} 140_{6} 142_{4} Jr 18_{22} Fangstricke Hi 18_{10}. †

nif: imp. הִטָּמֵן: **sich versteckt halten** Js 2_{10}. †

hif: impf. וַיַּטְמִנוּ; impf. qal BL 296b (als hif. vocal.!) BM § 68, 2a: **versteckt halten**: 2K $7_{8\,a.b.}$ †

Der. מַטְמוֹן.

טֶנֶא, Sam.[M100] *ṭānae*: Lw. < äg. *dnjt* Lambdin 159; mhe. טְנִי Korb; sam. טנא (Cowl. SL 782, 2 v. u.) Korb: טַנְאֲךָ: **Korb** Dt $26_{2.4}$ $28_{5.17}$; **Esschüssel** Sir $34/31_{14}$. †

טנף: mhe. pi., ja. pa. beschmutzen, verunreinigen, sy. md. (MdD 181a), > ar. *ṭanafa* II (Frae. 23); akk. *ṭanāpu* schmutzig w., ? aLw 115:

pi. (Jenni 232): impf. אֲטַנְּפֵם: **beschmutzen** (frisch gewaschene Füsse) HL 5_{3}. †

טעה: mhe. irren, umherirren; palm. (DISO 102) ja. irren cp. sam. sy. md. (MdD 171a) umherirren, ar. *ṭaġā*[w] Mass u. Grenze überschreiten, *ṭāġin* der den rechten Weg verlässt, Tyrann; ja. טָעוּתָא, DJD I 21, 31, > äth. *ṭāʿōt* Idol (Ulldff. EthBi. 122); aLw 116 :: he. תעה:

cj **qal**: pt. f. טֹעִיָּה (pr. עֹטְיָה, Rud.) **herumstreunen** HL 1_{7}. †

hif: pf. הִטְעוּ: **irreführen** (mhe. ja.) Ez 13_{10}, 4Qps Da. af. אטעו (RB 63, 414). †

טעם: mhe.; Assbr. 8 (KAI 284), äga. (DISO 102), ja.cp. sy. md. (MdD 174b) טְעֵם kosten, schmecken; ar. *ṭaʿima*; äth. *ṭaʿama* tigr. (Wb. 619a) *ṭeʿema* süss s.; akk. *ṭēmu* Verstand, Ϝ טַעַם:

qal: pf. טָעַם, טָעֲמָה; impf. יִטְעַם, יִטְעֲמוּ; imp. טַעֲמוּ; inf. טְעֹם: — 1. d. Geschmack v. Speisen versuchen, **kosten** 2S 19_{36} Hi 12_{11} 34_{3} (לֶאֱכֹל b. Essen, Dahood, Bibl. 43, 350); — 2. Speise geniessen, **essen** 1S $14_{24.29.43}$ 2S 3_{35} Jon 3_{7}; — 3. durch Erfahrung **spüren**, merken, lernen Ps 34_{9} Pr 31_{18}. †

Der. טַעַם, מַטְעַמִּים.

טַעַם, Sam.[M99] *ṭēm*: mhe. auch: Grund, Ursache; ba. äga. nab. (DISO 102), ja. sy. md. (MdD 174b) טאמא Geschmack, äth. *ṭāʿem*, tigr. (Wb. 619a) *ṭaʿam* Wohlgeschmack; ar. *ṭaʿām* Mahlzeit, Geschmack, Verstand; aram. auch Befehl, Entscheid < akk. *ṭēmu* (Zimmern 10): טַעַם, טַעֲמוֹ, טַעְמֵךְ: — 1. **Geschmack** (v. Speise) Ex 16_{31} Nu 11_{8} Hi 6_{6}; עָמַד טַעֲמוֹ s. Geschmack ändert sich nicht Jr 48_{11} (Wein ‖ רֵיחַ); — 2. **Empfindung, Verstand** 1S 25_{33} Ps 119_{66} Hi 12_{20}; הֵשִׁיב טַעַם verständig antworten (Ϝ ba. ja. sy. תוב af.) Pr 26_{16}; סָרַת טַ׳ ohne Verstand Pr 11_{22}, שִׁנָּה טַעְמוֹ sich verstellen, Wahnsinn vortäuschen 1S 21_{14} Ps 34_{1}; בְּלֹא טַ׳ unwillkürlich Sir 25_{18} u. mhe. — 3. **Befehl, Erlass** (akk. Lw. s.o.) Jon 3_{7}. †

I **טען**: mhe. qal Klage erheben, argumentieren, nif., ja.[t] itpe. (schwer) krank sein, ja. pa. pass. durchbohrt sein; ar. *ṭaʿana*, ug. *ṭʿn* durchbohren (Aistl. 1123; CML 151a:: UT nr. 1040: II טען); Grdb. stechen (Ku. Tarb. 17, 125[1]):

pu: pt. pl. cs. מְטֹעֲנֵי (BL 355l): **durchbohrt** Js 14_{19}. †

II **טען**: mhe. ja. cp. sy. md. (MdD 175a), äga. palm. (DISO 102) טען, akk. *ṣēnu*, (CAD Ṣ 131b), äth. tigr. (Wb. 645b) *ṣaʿana*, har. *ṭā/ēna* (EDH 154b) beladen; sy. טען, ar. u. asa. *ẓʿn* weggehen; Grdf. *ẓʿn* (Palache 36):

qal: imp. טַעֲנוּ (Lasttiere) **beladen** (aLW 118; echt hebr. צען) Gn 45$_{17}$. †

I טַף (z. Ausspr. ↗ II אַף): טפף (Ges. 554) trippeln, Js 3$_{16}$ Pferd (:: Koehler ThZ 6, 387f); mhe. äth. Kleinkinder; cf. mhe. טפלים, ja. (ja.[gb] pl.) sam. sy. טַפְלָא u. ar. *ṭifl* Kinder, md. (MdD 175a) Familie: טַף, טַפְּנוּ, טַפְּכֶם: — 1. kleine **Kinder** Dt 1$_{39}$ (neben בָּנִים); כָּל־זָכָר בַּטָּף Nu 31$_{17}$; — 2. die nicht od. wenig Marschfähigen d. wandernden Stammes: a) הַטַּף neben Männern (Frauen u. Alte also inbegriffen) Gn 43$_8$ 47$_{12}$ (לְפִי הַטָּ׳ nach der Kinderzahl :: Driv. ↗ II).$_{24}$ 50$_{8.21}$ Ex 10$_{10.24}$ 12$_{37}$ Nu 14$_{31}$ 32$_{16f.24}$ Ri 18$_{21}$ 2S 15$_{22}$ Esr 8$_{21}$; b) Männer, Frauen u. ט׳ (= Kinder u. Alte) Dt 2$_{34}$ 3$_{6.19}$ 20$_{14}$ 29$_{10}$ 31$_{12}$ Jr 40$_7$ 41$_{16}$ 43$_6$; c) Frauen u. הַטַּף (= Kinder u. Alte, 1Q 28a 1, 4) Gn 34$_{29}$ 45$_{19}$ 46$_5$ Nu 14$_3$ 31$_9$ 32$_{26}$ Jos 1$_{14}$ 8$_{35}$ Ri 21$_{10}$ Est 3$_{13}$ 8$_{11}$; d) Männer, Frauen, בָּנִים u. טַף Nu 16$_{27}$ 2C 20$_{13}$; neben Frauen, Söhnen u. Töchtern 2C 31$_{18}$; הַטַּף בַּנָּשִׁים Nu 31$_{18}$; neben Greis, Jüngling, Jungfrau u. Frauen Ez 9$_6$. †

II טַף: II טפף (trad. zu I); mhe. טִפָּה, ja. טִפָּא: **Tropfen** (Driv. Syr. 33, 70ff) Gn 47$_{12}$ (:: I 2). †

I טפח: mhe. pi. ja. mit d. Händen klatschen, schlagen, mhe.[2] klatschen, sich ausbreiten, sy. pa. breit schlagen, ar. *faṭaḥa* ausbreiten u. *ṭafaḥa* übervoll s., äth. *ṭafḥa* in die (flachen) Hände klatschen, tigr. (Wb. 621a) eben, weit sein; akk. *ṭepû* (v Soden Or. 16, 72ff) auflegen; Barth WU 26:

pi. (Jenni 243f): pf. טִפַּחְתָּה: (d. Himmel) **ausbreiten** Js 48$_{13}$. †
Der. טֶפַח, טֹפַח, I טְפָחָה, מִטְפַּחַת.

II טפח: ar. *ṭafaḥa* vollwertige Kinder gebären, akk. *ṭuppû* Kinder aufziehen; Barth WU 26; Driv. Fschr. Bertholet, 1950, 138f:

pi. (Jenni 244): pf. טִפַּחְתִּי: **gesunde Kinder gebären** (trad.: auf d. Händen tragen) Kl 2$_{22}$ || רִבָּה †
Der. טִפֻּחִים.

טֶפַח, or. ↗ טפח (MTB 72): I טפח; mhe.; ? akk. *ṭappu* Fuss-Sohle: **Handbreite** (= 4 Finger = 7,5 cm; Jr 52$_{21}$; BHH 1159; 1QM 5, 13, Yadin ScrW. 282) 1K 7$_{26}$ 2C 4$_5$. †

טֹפַח, Sam.[M100] *ṭāfā*: I טפח, = טֶפַח: **Handbreite** Ex 25$_{25}$ 37$_{12}$ Ez 40$_{5.43}$ 43$_{13}$. †

I *טְפָחָה: I טפח: טְפָחוֹת, ? pl. z. ט/טֶפַח (GB): **Handbreite**, ? als Zeitmass gering, wenig (EHommel, BWANT I 23, 160f) Ps. 39$_6$. †

II *טְפָחָה: arch. tt. ign.: 1K 7$_9$: טְפָחוֹת: akk. (*a*)*dappu* (AHw 10b) waagrechter Querträger :: מַסָּד Fundament, cf. akk. *ištu uššīšu adi gabadibbišu* AHw 271a; Dachrinne G (?) :: Galling Fschr. Rud. 73f; Kragstein ?, Auflage (Noth Kge. 131f). †

טִפֻּחִים: II טפח, BL 480; ? pltt.: **Gesundheit u. Schönheit** Neugeborener, עֹלְלֵי טִ׳ Kinder solcher Beschaffenheit Kl 2$_{20}$. †

טפל: Nf. v. תפל; mhe. ja.[b] bestreichen ja.[g] + *šqr* (cf. Ps 119$_{69}$), ja.[bg] itpeel sich m. jmdm befassen; akk. *ṭapālu* (GD) MAOG 11, 1-2. 46f beschmutzen, schmähen, ar. *ṭufāl*, jemenit. *ṭaffāl* (Rabin AWAr 27) Dreck, Lehm:

qal: pf. טָפְלוּ; impf. וַתִּטְפֹּל; pt. טֹפְלֵי: übertünchen; metaph. a) שֶׁקֶר עַל **anschmieren** Ps 119$_{69}$ Hi 13$_4$ Sir 51$_5$; b) **zuschmieren** (Sünde; c. עַל) Hi 14$_{17}$. †

טִפְסָר Jr 51$_{27}$ u. *טַפְסָר Nah 3$_{17}$: mhe.[2] ט׳?, ja.[tg] טַפְסְרָא, ug. (klschr.) *ṭupšarru* (PRU 3, S. 236), pehl. (DISO 102) *dpsr*; Lw. < akk. *ṭupšarru* < sum. *dubsar* „Tafelschreiber" (v Soden Syll. 5[2], Meissner MAOG 11, 1, 10f.48[1]: טַפְסְרַיִךְ (BL 234p): „Schreiber", d.i. **Beamter**, Jr 51$_{27}$ militärisch, Nah 3$_{17}$ in d. Verwaltung. †

I **טפף**: ar. *ṯff* II tänzeln (Pferd), *ṭaffāf* beweglich, *ṭafīf* unvollständig, mangelhaft:

qal: inf. טָפֹף: **trippeln, tänzeln** Js 3_{16}. †
Der. I טַף.

II ****טפף**: Nf. v. טוף; טפא ja. cp. sy. md. (MdD 178a, 181b II), ar. *ṭfw*; Der. II טַף.

טפש: mhe. pu. pt. töricht (auch Sir 42_6 Rd) u. ja.[tg] pa. töricht machen, cp. sy. u. ar. *ṭafisa* schmutzig, md. (MdD 182b) unrein sein, akk. *ṭapāšu* (?) fett sein; Grdb. fett > töricht sein (Palache 37 :: Rundgr. OrSuec. 10, 117ff: ar. *ṭafaša* entschlüpfen):

qal: pf. טָפַשׁ: **unempfindlich, fühllos sein** Ps 119_{70}, fett sein, schwellen cj Hi 33_{25} יִטְפַּשׁ pr. רֻטֲפַשׁ. †

טָפַת: n.f. (Stamm HFN 325); טוף, BL 510v; Noth 226: טִפָּה „Tropfen"; aLw 118a: G[L] Ταβααθ = טַבַּעַת ?; Tochter Salomos 1K 4_{11}. †

טרד: mhe. beständig tropfen, vertreiben (Greenfield HUCA 29, 210ff,) ja. vertreiben, ja.[b] belästigen, pt. pass. beschäftigt sein m. etw., cp. sy. md. (MdD 182b) vertreiben, ar. *ṭarada* VIII ständig etw. tun, fliessen; akk. *ṭarādu* älter schikken, jünger auch vertreiben, cf. Sir 35/32_9 m. Fragen behelligen (51_{17}), DJD IV 82,9 c. נפש antreiben, ar. hetzen:

qal: pt. טֹ(ו)רֵד: **ständig tropfen** דֶּלֶף ט׳ ständig tropfendes undichtes Dach Pr 19_{13} 27_{15} metaph. f. keifendes Weib; *טרתי Sir 51_{20} (11QPs[a] DJD IV 80/82, 9 < *טְרַדְתִּי) c. נפש erregen, cf. GVL. †
Der. n.f. מַטְרֵד (?).

טרה: ar. *ṭaruʾa/uwa/ija* frisch s. (?) ug. *ṭrj* (Aistl. 1125, CML 151a); äth. tigr. (Wb. 612a; Leslau 23) *ṭeraj* frisch. Der. טָרִי.

טְרוֹם: Nf. v. טֶרֶם (Baumg., Fschr. Eissf. II 29f): conj. **noch ehe** Rt 3_{14K} (Q טֶרֶם). †

טרח: mhe.[2] ja. sich bemühen, mhe.[1] hif. ja.[gb] belästigen; ja.[t] belasten ar. *ṭaraḥa* werfen:

hif: impf. יַטְרִיחַ: **belasten** m. בְּ Hi 37_{11}. †
Der. טֹרַח.

טֹרַח, Sam.[M100] *ṭārā*: טרח; DJD I 22, II 7; mhe. ja.[tg] טָרְחָא ja.[b] טירחא: טָרְחֲכֶם: **Last** Dt 1_{12} Js 1_{14}. †

***טָרִי**: טרה, BL 470n; ar. *ṭarīj*, ug. (?) u. äth. tigr. s.o.: f. טְרִיָּה: **frisch** Ri 15_{15} (Knochen) Js 1_6 (Wunde). †

טֶרֶם: Nf. טְרוֹם Rt 3_{14K}; ? טרם (:: Koehler ZAW 58, 229f; טרה): Neg. noch nicht, > conj. **ehe** u. > praep.: — 1. **noch nicht** טֶרֶם (He Sy § 145bα): a) c. pf. Gn 24_{15} 1S3_7 (? l יֵדַע); b) c. impf. Gn $2_{5.5}$ 19_4 24_{45} Ex 9_{30} 10_7 Jos 2_8 (al. sec. 2) 1S $3_{3.7}$; — 2. **(noch) ehe** טֶרֶם Ex 12_{34} Nu 11_{33} Jos 3_1 Js 65_{24} Ps 119_{67} Rt 3_{14Q}; — 3. בְּטֶרֶם a) praep. **vor** Js 17_{14} u. 28_4 (al. Nom.-Satz: bevor . . . da ist), c. inf. (txt?, ↗ ילד Mut) בְּטֶ׳ לֶדֶת חֹק ? ehe d... Zef 2_2 (Gerlem. Zeph. 1942, 25f; cj ↗ דחק, BH); b) conj. **bevor** c. pf. (immer pass.) Ps 90_2 Pr 8_{25} 11QPs[a] Sir 51_{13} בטרם תעיתי pr. וחפצתי בה (DJD IV 80,11); c. impf. Gn 27_4 45_{28} Ex 1_{19} (ca 40 ×), c. pleon. לֹא (GK § 152y) Zef 2_{2b}. cj a; — 4. מִטֶּרֶם c. inf. **noch ehe** Hg 2_{15}.

I **טרף**: mhe; ja.[b] m. Gewalt wegnehmen, sy. md. (MdD 182b) wegreissen, ar *ṭarafa* am Auge verletzen; Grdb. zerreissen, sbj. Raubwild (Palache 37), Galling VT 4, 420f:

qal: pf. טָרַף/טָרֹף, טֹרֶף Gn 37_{33} 44_{28} (↗ pu.); impf. יִטְרֹף, אֶ/יִטְרָף Gn 49_{27} (BL 303g :: GK § 29u); inf. טְרֹף, לִטְרָף־, טָרֹף; pt. טֹרֵף, טֹרְפֵי: (v. Raubwild) „reissen", **zerreissen** Gn 37_{33} (↗ pu.) 44_{28} 49_{27} Ex 22_{12} Dt 33_{20} Ez $19_{3.6}$ $22_{25.27}$ Hos 5_{14} 6_1 Mi 5_7 Nah 2_{13} Ps 7_3 17_{12} 22_{14} 50_{22} Hi 16_9 (Gottes Zorn) 18_4, cj Ps 76_5 (l אַרְיֵה טֹרֵף, Ehrl.); — Am 1_{11} l וַיִּטֹּר. †

nif: impf. יִטָּרֵף: **zerrissen w.** (von Raubwild) Ex 22_{12} Jr 5_6. †

cj **pi**: pt. *מְטָרֵף (pr. מִטֶּרֶף) **reissend** Gn 49_9. †

pu. (qal pass.): pf. טֹרַף/רָף (GK § 52e, 113w): **zerrissen werden** Gn 37$_{33}$ 44$_{28}$. †

hif: imp. הַטְרִיפֵנִי: (abgeschwächt) **geniessen lassen**, neu beschenken mit (Galling s.o.) Pr 30$_{8}$. †

Der. טֶרֶף, טְרֵפָה.

II **טרף**: ar. *ṭarufa* frisch sein, amh. Spross (Lesl. 23); Der. טָרָף.

טֶרֶף, Sam. [M 101] *ṭāref*; mhe.: I טרף: טֶרֶף, טַרְפֵּךְ/פּוֹ: — 1. **Raub** (d. Raubwildes) Nu 23$_{24}$ Js 5$_{29}$ 31$_{4}$ Am 3$_{4}$ Nah 2$_{13f}$ 3$_{1}$ Ps 104$_{21}$ 124$_{6}$ Hi 4$_{11}$ 29$_{17}$ 38$_{39}$; טָרַף טֶ׳ Ez 19$_{3.6}$ 22$_{25.27}$; — 2. Gerissenes > **Nahrung** (↗ Palache 37) Mal 3$_{10}$ Ps 111$_{5}$ Hi 24$_{5}$ Pr 31$_{15}$; — Gn 49$_{9}$ l *מְטָרֵף; Ps 76$_{5}$ pr. מֵהַרְרֵי־טָרֶף l *מְאַרְיֵה טֹרֵף (Ehrl.), :: Junker BZAW 66, 164f. †

טָרָף: II טרף; ja. Blatt; amh. (Lesl. 23); Koehler ZAW 58, 230, Speier ThZ 2, 153f (:: wieder zu I: Galling VT 4, 420f): **frisch** (Zweig) Gn 8$_{11}$, frisches Schoss Ez 17$_{9}$. †

טְרֵפָה, Sam.[M101] *ṭērīfa*: I טרף; BL 465i, Eilers WdO 3, 134; mhe. nicht rituell getötetes, auch verletztes Tier; ja.[b] < he.?: v. Raubwild **zerrissenes Tier** Gn 31$_{39}$ Ex 22$_{12}$ Nah 2$_{13}$; Essen verboten, d. Fett z. anderem Gebrauch erlaubt (> jiddisch *tre(i)fe* unrein, verboten; rotw. 332) Ex 22$_{30}$, נְבֵלָה וּטְרֵפָה (Assonanz!; Kö. Stil. 290) Lv 7$_{24}$ 17$_{15}$ 22$_{8}$ Ez 4$_{14}$ 44$_{31}$. †

י

י: יוֹד, äga. DISO 106, ↗ Nöld. BS 124ff; G Ps 119 u. Kl Ιωδ, meist Ιωθ sec. ח, ט; Hier. *iod/th*, gr. ιωτα; Nf. v. יָד, ph. (Harris Dev. 61) äth. *jaman* = יָמִין. Bild e. Hand (Driv. SWr. 162); später Zahlzeichen für 10, יא etc. = 11ff, aber 15 = טו u. 16 = טז, ↗ ט. Bezeichnet d. stimmhaften Halbvokal *j* (*Jordan, Juda*, engl. *you*, BL 169a, Bgstr. 1, 43u). Im Anlaut oft aus urspr. *w* (↗ ו); im Anlaut (יִצְחָק: Ισαακ, ↗ יִשַׁי) vereinzelt auch im Inlaut (לְיִקְּהַת Pr 30$_{17}$) jünger *ji* > *ī* (VG 1, 187 gα, Bgstr. 1, 104t): Ebenso wird יְ (< **ji* u. **jw*) > *ī*: מִי/בִּידֵי (: יָד), Sec. ιδαββερ (Brönno 72, BM § 22, 4b). י ist auch Nom.-präf. (BL 487q, Koehler WdO 1, 404f): יַחְמוּר, יָגְבְּהָה, יִשְׁבַּח, ? auch יהוה. Es dient als m.l. für *ī, ē, ae* (BM § 9, 2.3). Innerhe. wechselt es a) mit ה: II יגה; b) mit נ (BL 379 tu, BM § 78, 7c): ↗ יצב, יצג, יצת, ישג, ירש, יתן, יְמוּאֵל; ausserhe. anlautend mit ו (BL 191h): יַעַר, schon kan. (Böhl Spr. § 32d); m. ת als 1. Rad. ↗ יאב.

יאב: ? äga. DISO 103, sy. *j'eb*, aLw 119; cf. תאב, אבה:

qal: pf. יָאַבְתִּי, 11QPs[a] (DJD IV, pl. IX 4) תאבתי: c. לְ **verlangen** nach Ps 119$_{131}$. †

יאה: md. MdD 183b יאא; ar. *ja'ja'* schön s.; ? äth. *jawha* mild behandeln (Dillm. 1073); schön ja. sy. יָאֵיָא, GnAp. יאין, יאא XX 3-5.8; pun. יא (DISO 103); mhe. ja.[g] יאות recht, ja.[g] יָאוּתָא, יָאיוּתָא Schönheit:

qal: pf. יָאֲתָה: **sich ziemen, gebühren** Jr 10$_{7}$. †

יְאוֹר: ↗ יְאֹר.

יַאֲזַנְיָה: n.m. < יַאֲזַנְיָהוּ, ↗ יְזַנְיָה(וּ): — 1. Haupt der Rekabiten Jr 35$_{3}$; — 2. שַׂר הָעָם Ez 11$_{1}$. †

יַאֲזַנְיָהוּ: n.m.; אזן (qal pr. hif. Noth 36) + יְ׳, „J. erhörte" (Noth 198) > יַאֲזַנְיָה, יְזַנְיָה(וּ), אֲזַנְיָה; Dir. 181.229, יזנאל 188; Lkš 1, 2 äga. AP ידניה יאזניה, 1 × יאדניה; asa. *I'dn* (ZAW 75, 309): — 1. Offizier d. K.s Zedekia בֶּן־הַמַּעֲכָתִי 2K 25$_{23}$, = יְזַנְיָהוּ Jr 40$_{8}$; ? s. Siegel auf *T. en-Naṣbe* gefunden (Badé ZAW 51, 150ff, ANEP

277, DOTT 222; — 2. בֶּן־שָׁפָן einer der götzendienerischen Ältesten in Jerus. Ez 8_{11} (↗ Zimm. 218); — 3. Kriegshauptmann Jr 42_1, l עזריה G. †

יָאִיר, Sam.[M68] *jā'er*: n.m., G[B] Ιαειρ, G[A] Ιαηρ; יאר Dir. 261. 274, Ιαειρος NT, Wuthn. 55; klschr. *Ia'iru* (APN 91a); Kf. m. הֵאִיר, „J. erstrahle/te" (Noth 204): — 1. Manassit (manass. Sippe?) Nu 32_{41a}, S. v. שְׂגוּב 1C 2_{22}; — 2. חַוֹּת יָאִיר (↗ I חַוָּה 2) n.l. in Gilead Nu 32_{41b} Dt 3_{14} Jos 13_{30} Ri 10_{4b} (↗ 3.) 1K 4_{13} 1C2_{23} cj 2K 15_{25}, BHH 796; — 3. einer der „kleinen Richter" Ri 10_{3-5} (Noth PJb 37, 79f); — 4. V. v. מָרְדְּכַי Est 2_5. † Der. יָאִרִי.

I **יאל**: < *ואל, Nf. v. I אול:

nif: pf. נוֹאֲלוּ/אָלוּ, נוֹאַלְנוּ: **sich als Tor** (אֱוִיל) **erweisen** Nu 12_{11} Js 19_{13} Jr 5_4 50_{36} Sir 37_{19} cj Ez 19_{15} (? l נוֹאֲלָה). †

II **יאל**: < *ואל; Nf. v. II אול; mhe.[2] הואיל da, weil:

hif: pf. הוֹאִיל, הוֹאַלְתָּ/נוּ; impf. יֹאֵל, וַיּוֹאֶל; imp. הוֹאֶל, הוֹאֶל־, הוֹאִילוּ: d. Anfang machen (BL 294b, meist Ausdruck d. Höflichkeit od. Bescheidenheit): — 1. **auf etw. erpicht sein**: הוֹאִיל הָלַךְ (HeSy § 133b) Hos 5_{11}; — 2. **sich** (m. Selbstüberwindung) **entschliessen, verstehen zu** (Lande 106): a) c. impf. הוֹאַלְנוּ וַנֵּשֶׁב hätten wir uns doch dazu verstanden zu bleiben Jos 7_7; m. 2 impf. וְיֹאֵל ··· וִידַכְּאֵנִי sich entschlösse, mich zu zermalmen Hi 6_9; b) imp. c. imp.: הוֹאֶל קַח entschliess dich u. nimm 2K 5_{23}, הוֹאֶל נָא וָלֵךְ 6_3 Ri 19_6 2S 7_{29} Hi 6_{28}; c) c. inf. c. לְ Gn $18_{27.31}$ Ex 2_{21} Jos 7_{12} Ri $1_{27.35}$ 17_{11} (Eissf.VT 5, 236f :: Lex.[1]) 1S 12_{22} 17_{39} (al. cj וַיִּלֶא: לאה) 1C 17_{27}; cj Js 38_{20} (ins. הוֹאִיל); — 3. **anfangen zu** c. pf. (GK § 120g, Joüon § 177d) הוֹאִיל ··· בֵּאֵר Dt 1_5; — 1S 14_{24} l וַיֹּאֶל (I אלה). †

יְאֹר u. יְאוֹר 6 ×, Sam.[M103] *jār* (?); Hier. *jrw*: mhe.[2] Strom, Nil; < äg. *jrw*, urspr. d. Nil, dann jeder Fluss (Fitzm. GnAp 98, EG 1, 146f, Lambdin 151, Vycichl ZÄS 76, 81f), kopt. *eioor*, ειερο u.ä. Spiegelberg 28, *jaar*, klschr. *jaru'u* (VAB VII 788): כַּיְ/בַּיְ/הַיְאֹר (BL 220m), כִּיא(וֹ)ר, יְאֹרִים, הַיְאֹרָה, loc. יְאֹרֵי (Ez 29_3 l יְאֹרִי G), יְאֹרֵיהֶם, יְאֹרָיו, יְאֹרֵי: Schwarzb 64f, Reymond 88ff: — 1. d. **Nil** יְאֹר מִצְרַיִם Am $8_{8b\beta}$ cj$b\alpha$ pr. כָּאֹר, 9_5; הַיְאֹר Gn $41_{1-3.17}$ Ex 1_{22} 2_5 4_9 $7_{17f.20f.24.28}$ $8_{5.7}$ 17_5 Js 19_{7f} $23_{3.10}$? Jr 46_{7f} Ez 29_9 Zch 10_{11}; שְׂפַת הַיְ׳ Ex 2_3 7_{15} (äg. Janssen JbEOL 14, 68); — 2. = **Strom** Da 12_{5-7} (Tigris); Js 33_{21b} Var. z. נְהָרִים, $_{21a}$? l יְאֹר pr. אַדִּיר (Gkl ZAW 42, 179); — 3. pl. d. **Arme** u. **Kanäle** d. unteren **Nils** Ex $7_{19.25}$ 8_1 Js 7_{18} Ps 78_{44}; יְאֹרֵי מָצוֹר 2K 19_{24} // Js 37_{25} 19_6 die Nile = der Nil 2K 19_{24} Js 19_6 33_{21} 37_{25} Ez $29_{3-5.10}$ 30_{12} Nah 3_8; — 4. wasserführende **Stollen** e. Bergwerks Hi 28_{10}. †

יָאִרִי: gntl. v. יָאִיר: 2S 20_{26}. †

יאשׁ: mhe. hitp., ja.[gb] itpa. verzweifeln; ar. *ja'isa*, äth. *'ēsa*, asa. *'s* (ZAW 75, 309):

nif: pf. נוֹאָשׁ; pt. נ(וֹ)אָשׁ: — 1. c. מִן **verzweifeln an, ablassen v.** 1S 27_1; pt. Verzweifelter Hi 6_{26}; — 2. pt. neutr. > interj. **„verflucht"** Js 57_{10} Jr 2_{25} 18_{12}. †

pi. (ja.[t] pa.): inf. יַאֵשׁ (BL 355k): **verzweifeln lassen** (לֵב) Koh 2_{20}. †

יֹאשׁ: n.m. ↗ יוֹאָשׁ.

יֹאשִׁיָּה: n.m.; äga. (AP); < יֹאשִׁיָּהוּ: Zch 6_{10}. †

יֹאשִׁיָּהוּ, יאושיהו Jr 27_1 (cf. צאוננו Ps 144_{13}, נאוד Ri 4_{19}), ↗ DSS, Martin ScrCh 1, 264f, Ku. LJs 5,93: n.m.; > יֹאשִׁיָּה; etym. ? a) *אשׁה hif. heilen, ar. *'asā* (Noth 212); b) ישׁה hif. hervorbringen HBauer ZAW 48, 77; c) אושׁ geben, ug. *' šn* Gabe UT nr. 117 || *jtnt* Aistl. 443, Dah. UHPh 16; asa. Conti 101b, Wellh. RaH 6; nab. Cant. 2, 57f: **Josia K. v. Juda** 1K 13_2 2K $21_{24.26}$ $22_{1.3}$ 23_{16-34} Jr 1_{2f} 3_6 $22_{11.18}$ $25_{1.3}$ 26_1 27_1 35_1 $36_{1f.9}$ 37_1

45$_{1}$ 46$_{2}$ Zef 1$_{1}$ 1C 3$_{14f}$ 2C 33$_{25}$ 34$_{1.33}$ 35$_{1-26}$ 36$_{1}$ Sir 49$_{1.4}$; RGG 3, 869f, BHH 890. †

יְאָתָה Jr 10$_{7}$: ↗ יאה.

יְאִתּוֹן (הָ) Ez 40$_{15}$: ↗ Q (הָ)אִיתוֹן.

יְאָתְרַי, G Ιεθρει, V *Iethrai*: n.m.: 1C 6$_{6}$, ? l אֶתְנִי $_{26}$. †

יבב: mhe.^{2} pi. u. ja.^{tg} sy. pa. klagen, mhe.^{1} יְבָבָה „e. Art Schofarton"; md. (MdD 188a) pfeifen; ar. *habbaba* wehen, tigr. (Wb. 16a) brausen, meckern, äth. *jababa* jubeln:

pi. (Jenni 247): impf. וַתְּיַבֵּב: **klagen** Ri 5$_{28}$ (gew. l נבט :וַתַּבֵּט, ↗ T, BH). †

Der. יוֹבָב (?).

יְבוּל, *יְבֻל: I יבל, BL 473c; mhe.^{2}, ug. *jbl* (Aistl. 1129, UT nr. 1064); jaud. יבל Ertrag (DISO 103); akk. *biltu*, ↗ ba. בְּלוֹ; וִיבֻלָהּ, יְבוּלָהּ: (Boden-) **Ertrag** Lv 26$_{4.20}$ Dt 11$_{17}$ 32$_{22}$ Ri 6$_{4}$ Ez 34$_{27}$ Hg 1$_{10}$ Zch 8$_{12}$ Ps 67$_{7}$ 85$_{13}$; c. גֶּפֶן Hab 3$_{17}$, cj c. עֵץ Ps 105$_{33}$; v. menschl. Arbeit Ps 78$_{46}$; — Hi 20$_{28}$ l I od. II יָבָל. †

יְבוּס: n.l., = יְרוּשָׁלַיִם: Ri 19$_{10f}$ 1C 11$_{4f}$; u. Jos 18$_{28}$ (↗ יְבוּסִי); trad. d. urspr. Name (√בוס Ges. Thes. 189) v. d. Hyksos BRL 297f, al. heth. BHH 806; Abel 1, 320, Alt RLV 6, 153, Simons 247^{1}; nur spät belegt, rückb. aus יְבוּסִי. †

יְבוּסִי u. יְבֻסִי (5 ×): gntl. zu ↗ יְבוּס: **Jebusiter** exc. 2S 5$_{8}$ Zch 9$_{7}$ u. 1C 11$_{6}$ immer הַיְ: — 1. die vorisr. Bewohner v. Jerus., Böhl KH 65f: Jos 15$_{63}$ Ri 1$_{21}$ 2S 5$_{6}$ 1C 11$_{4}$; עִיר הַיְ׳ Ri 19$_{11}$; S. v. כְּנַעַן Gn 10$_{16}$ 1C 1$_{14}$; in Reihen Gn 10$_{16}$ 15$_{21}$ Ex 3$_{8.17}$ 13$_{5}$ 23$_{23}$ 33$_{2}$ 34$_{11}$ Nu 13$_{29}$ Dt 7$_{1}$ 20$_{17}$ Jos 3$_{10}$ 9$_{1}$ 11$_{3}$ 12$_{8}$ 24$_{11}$ Ri 3$_{5}$ 1K 9$_{20}$ Esr 9$_{1}$ Neh 9$_{8}$ 1C 1$_{14}$ 2C 8$_{7}$; — 2. Einzelner ↗ אָרְנָן 1C 21$_{15.18.28}$ 2C 3$_{1}$ u. אֲרַוְנָא 2S 24$_{16.18}$; — 3. Versch.: עֶקְרוֹן כִּיבוּסִי Zch 9$_{7}$ Jansma OTSt. 7, 67f); כֶּתֶף הַיְבוּסִי n.l. Jos 15$_{8}$ 18$_{16}$ ↗ כָּתֵף 3b; — Jos 18$_{28}$? l יְבוּס G. †

יִבְחָר: n.m.; II בחר, „J. erwählte (ihn)" (Noth 209, als Wunsch; Driv. HVS 143f): S. Davids 2S 5$_{15}$ 1C 3$_{6}$ 14$_{5}$. †

יָבִין: n.m.; ? בין, בנה Cazelles VT 8, 320, = *Ibni-Adad*, K. v. *Ḫaṣūrā* (RépMari 148): K. v. חָצוֹר Jos 11$_{1}$ Ri 4$_{2.7.17.23f}$ Ps 83$_{10}$; BHH 791. †

יָבֵישׁ: — 1. 1S 11$_{3}$ u.ö. n.l., = ↗ III יָבֵשׁ — 2. 2K 15$_{13f}$ n.m. (?), = ↗ II יָבֵשׁ.

I **יבל**: Nöld. NB 198: mhe. (?) hif. ug. *jbl*, EA *ubil* (pt. Böhl Spr. § 13g): Mari Huffm. 154f **jbl*; aam. äga. pehl. qal (DISO 103), (h)af.; ba. הֵיבֵל, sam. BCh. 2, 483.499a יו/ייבל, ja. אוֹבֵיל, ja.^{g} איבל, sy. *ʾaubel*, md. af. אויל (MdD 188a; pe. imp.); ar. *wbl* (?) führen, asa. bringen; akk. (*w*)*abālu*, *babālu*, *tabālu* (v Soden Gr § 21 c.e. 103bd):

hif. (BL 377e): impf. יוֹבִילוּן, יֹ(וֹ)בִילוּ (BL 300u), יוֹבִלוּהָ, יוֹבִלֵנִי, אוֹבִלֵם: **bringen**: als Gabe Js 23$_{7}$ Jr 31$_{9}$ Ps 60$_{11}$ 108$_{11}$; als Tribut (ug.) Zef 3$_{10}$ Ps 68$_{30}$ 76$_{12}$, pr. hof: cj יוּבְלוּ Hos 12$_{2}$; als Beute Hos 10$_{6}$; d. Braut geleiten (l תּוּבֵלְנָה) Ps 45$_{16}$. †

hof: impf. יוּבַל/בָל, אוּבָל, יוּבָלוּ: **gebracht werden**: als Gabe Js 18$_{7}$, Schlachtopfer Js 53$_{7}$ Jr 11$_{19}$; geleitet werden Js 55$_{12}$, ins Grab Hi 10$_{19}$ 21$_{32}$, d. Braut Ps 45$_{15}$; — Hi 21$_{30f}$ (וּמִי) יֻצַּל (נצל) od. יוּבָל; Hos 10$_{6}$ 12$_{2}$ u. Ps 45$_{16}$ ↗ hif. †

Der. יְבוּל יוּבָל ?, II אֵבֶל אָבֵל, n.m. II יָבָל u. אוֹבִיל (?)

II ***יבל**: ar. *wabala* stark regnen, *wabl*, *wābil* Platzregen; Der. I. יָבָל (?), I יוֹבֵל, I יוּבַל, יַבֶּלֶת.

I ***יָבָל**: II יבל; ja.^{t} sy. יַבְלָא; > äg. *jbr* (EG 1, 63) Fluss; ↗ יוּבַל, II אָבֵל: יִבְלֵי: **Wasserlauf** יִבְלֵי מַיִם, Js 30$_{25}$ 44$_{4}$ Sir 50$_{8}$, cj Ps 18$_{5}$ (|| נַחֲלֵי; pr. חֶבְלֵי) u. Hi 20$_{28}$ (|| נִגָּרוֹת, Platzregen?) Reymond 70. †

II **יָבָל**: n.m.; G^{A} Ιωβελ, G^{L} Ιωβηλ; asa. Conti 162a; ↗ אוֹבִיל: S. v. לֶמֶךְ, Br. v. יוּבָל u. תּוּבַל קַיִן, Ahnherr d. Beduinen, Gn 4$_{20}$. †

יִבְלְעָם: n.l. in Manasse: G Ιεβλααμ = Βαλαμων Jud 8₃; äg. *Ibrʿm* ETL 201; *Yabarama* (Albr. Voc. 36); ? בלע, ↗ II בִּלְעָם; *Bir Belʿame* 2 km sw. *Ǧenin* Abel 2, 357, GTT § 337, 23, BHH 866; Vit. Proph. Βελεμωθ Heimat d. Hosea: **Jibleam** Jos 17_{11} cj 21_{25} (pr. גַּת־רִמּוֹן) Ri 1_{27} 2K 9_{27} cj 15_{10} (pr. קֻבְלֹ־עָם) 1C 6_{55}. †

יַבֶּלֶת: ? II יבל od. II אבל; BL 477a; mhe. Warze, akk. *ublu*: **Warze** (G, Löw 1, 699 :: Ell. Lev. 299) Lv 22_{22}. †

יבם: mhe. pi., ja. sy. pa. denom. v. יָבָם die Schwagerehe vollziehen; ug. (Dahood Bibl. 46, 313f); ar. *wabama* erzeugen; ↗ יָבָם u. יְבָמָה:

pi. (Jenni 270): pf. יִבְּמָהּ; imp. יַבֵּם; inf. יַבְּמִי (sf. obj. BL 343y): c. acc. m. d. Witwe d. Bruders **d. Schwagerehe vollziehen** Gn 38_8 Dt $25_{5.7}$. †

יָבָם: mhe. ja.^tg, sy.. יַבְ/בְּמָא; ? ug. *jbm l3lm* UT nr. 1065, CML 166b, :: Aistl. 1130: יְבָמָהּ/מִי: **Bruder des** verstorbenen **Ehemanns,** ungefähr = Schwager Dt $25_{5.7}$; ↗ KHRengstorf MiJebamot 1929; Albr. BASOR 70, 19⁶; Goitein JPOS 13, 159ff; Ped. Isr. 1/2, 77ff, Rowl. HThR 40, 77ff, Rud. KAT XVII 1/3, 60ff, Driv.-Mi.AL 181ff, de Vaux Inst. 1, 63ff; BHH 1746f. †

***יְבָמָה** od. *יְבֶמֶת (Rengst. Mi Jebamot S. 3), Sam.^M103 sf. *jābamtu*: f. v. יָבָם; mhe., ja.^tg יְבִמְתָּא, sy. *jibamtā*; ug. Anat *jbmt l3mm* (1 × *jmmt*) „Schwägerin" CML 166b, al. Erzeugerin Albr. BASOR 70, 19⁶; WbMy. 1, 240: יְבִמְתּוֹ/תֵּךְ (BL 600j, cf. בְּהֵמָה): — 1. **Witwe d. Bruders** Dt $25_{7.9}$; — 2. Witwe d. Bruders des Gatten Rt 1_{15} (allgemein = Schwägerin? Rud. 42). †

יַבְנְאֵל: n.l. eig. n.m. (d. Gründers), בנה + אֵל (↗ בנה 6) „Gott baue" (Noth 212f) od. eher „baute"; cf. יְבַנְיָה; äga. n.m. יבנה APO nr. 81, 2, 1; ug. *Ibn-3l* UT nr. 483, *Jabni-ilu* EA 328₄, amor. Huffm. 177; Stamm 139f: — 1. w. d. N-grenze Judas Jos 15_{11}, G^A Ιαβνηλ, G^A Ιεμνα(ι), 1 Mak 5₅₈ 10₆₉ 15₄₀ Ιαμνεια, Jud 2₂₈ Ιεμναα: *b* > *m*: > יַבְנֵה = *Jebna* 20 km s. Jaffa: Philisterstadt, in jüd. Zeit **Jamnia** Abel 2, 352f, GTT § 1119, Schürer 2, 126f, BHH 791, KHRengstorf Fschr. Caskel 233 ff: Jos 15_{11f}; — 2. in Naftali Jos 19_{33}, Abel 2, 353, Saarisalo 125f. †

יַבְנֵה, Ⓑ ־נֶה: n.l. בנה = יַבְנְאֵל 1: 2C 26_6. †

יְבַנְיָה, G^A Ιεβνα, G^B Βαναιαμ: n.m. 1C 9_{8a} u. יִבְנִיָּה 1C 9_{8b}; בנה + J (Noth 27¹) „J. hat geschaffen"; יַבְנְאֵל: 2 Benjaminiten. †

יְבֻסִי: ↗ יְבוּסִי.

יַבֹּק, Sam.^M103 *jibbaq*, G Ιαβοκ; ja.^tg יוּבְקָא n. fl. *נבק, ar. *nabaqa* hervorsprudeln od. בקק spalten (Schwarzb. 202); = *nahr ez-Zerqā*, ö. Zufluss d. Jordan, Abel 1, 174f, Steuernagel ZDPV 47, 221, Noth PJb 37, 53f BHH 790: Gn 32_{23} Nu $21_{24.cj26}$ Ri $11_{13.22}$; נַחַל יַבֹּק Dt 2_{37}, יַבֹּק הַנַּחַל 3_{16} Jos 12_2. †

יְבֶרֶכְיָהוּ, 1QJs^a יברכיה: G^A Βαραχιας = ↗ בֶּרֶכְיָה(וּ), ברך + ״ „J. segne" (Noth 28, 195) od. segnete; n.m.: V. d. זְכַרְיָה Js 8_2. †

יִבְשָׂם, or. (MTB 78) u. G^L יַבְשָׂם, G^BA יבשן: n.m; בשם (BL 488r, Noth 223 „duftend") Issacharit 1C 7_2. †

יבשׁ: mhe., ja. cp. sam. (BCh. 2, 483b) sy. md. (MdD 188b); ar. *jabisa*, äth. tigr. *jabsa* (Wb. 507b):

qal: pf. יָבֵשׁ (or. יָבַשׁ, MdO 183), יָבְשָׁה, יָבֵשׁוּ/בֵשׁוּ; impf. יִיבַשׁ/בָשׁ, וַתִּיבַשׁ, יָבֵשׁוּ; inf. בִּיבֹשׁ (1QJs^a 27_{11} ebenso def., ? *-baš*, Wbg-M. JSSt. 3, 251) u. יְבֹשֶׁת (BM § 65, 1a), יָבֹ(וּ)שׁ: — 1. **vertrocknen** (Wasser) Gn 8_7 Jr 50_{38} Hos 13_{15} (l וַיַּבֵשׁ, ↗ hif.) Hi 12_{15} 1K 17_7 Js 19_5 Jl 1_{20} Hi 14_{11}; — 2. **trocken werden** (Erdboden) Gn 8_{14}; — 3. **eintrocknen**: Brot Jos $9_{5.12}$, Hand 1K 13_4 (Mk 3_1), זְרוֹעַ Zch 11_{17}, Knochen Ez 37_{11}, cj חִכִּי Ps 22_{16}, עוֹר Kl 4_8; — 4. **verdorren**: חָצִיר Js 15_6 40_{7f} Ps 129_6, מִזְרָע Js 19_7, קָצִיר 27_{11}, Pflanzen Js 40_{24} Jr 12_4 Ez $17_{9.10}$ 19_{12} Jon

47 Ps 90$_{6}$ 102$_{5.12}$ Hi 8$_{12}$, נְאוֹת Jr 23$_{10}$, צֶמַח Ez 17$_{9}$, עֵצִים Jl 1$_{12}$, שֹׁרֶשׁ Hos 9$_{16}$ Hi 18$_{16}$, רֹאשׁ הַכַּרְמֶל Am 1$_{2}$, חֶלְקָה 4$_{7}$; Fische cj Js 50$_{2}$ (l תִּיבַשׁ 1QJs^{a}, G). †

pi. (Jenni 104): impf. תְּיַבֵּשׁ, תְּיַבֶּשׁ־, וַיְיַבְּשֵׁהוּ < וַיְיַבְּשֵׁהוּ* (BL 382c): — 1. **austrocknen**: יָם Nah 1$_{4}$; — 2. **ausdorren**: יוֹנַקְתּוֹ Hi 15$_{30}$, גֹּרֶם Pr 17$_{22}$. †

hif: pf. ה(ו)ב(י)שׁ (:: בוש hif. 2!), הוֹבִישָׁה, הוֹבַשְׁתִּי, ה(ו)בִשׁוּ; impf. אוֹבִישׁ: — 1. (Wasser) **vertrocknen lassen** Jos 2$_{10}$ 4$_{23}$ 5$_{1}$ Js 44$_{27}$ Jr 51$_{36}$, cj Hos 13$_{15}$ (l יֹבִישׁ; ⸗ qal) Zch 10$_{11}$ Ps 74$_{15}$; — 2. (Pflanzen) **verdorren lassen** Js 42$_{15}$ Ez 17$_{24}$ 19$_{12}$; — 3. intr. (BL 294b) **vertrocknen**: Pflanzen Jl 1$_{10.12.17}$; metaph. Freude Jl 1$_{12b}$, Menschen Js 30$_{5Q}$ (K ⸗ באשׁ). †

Der. I-III יָבֵשׁ, יַבָּשָׁה, יַבֶּשֶׁת.

I יָבֵשׁ: יבשׁ; mhe.: יְבֵשִׁים/שׁוֹת, יְבֵשָׁה: **vertrocknet, dürr**: עֵץ Ez 17$_{24}$ 21$_{3}$ Js 56$_{3}$, קַשׁ Nah 1$_{10}$ Hi 13$_{25}$; Gebeine Ez 37$_{2.4}$; getrocknete Trauben (:: לַח) Nu 6$_{3}$; נַפְשֵׁנוּ יְבֵשָׁה (Kehle נֶפֶשׁ 1) wir verschmachten Nu 11$_{6}$. †

II יָבֵשׁ (1 ×) u. יָבֵישׁ (2 ×): n.m.; = ? I; בֶּן־יָ׳ 2K 15$_{10.13f}$ V. d. K. שַׁלֻּם; al. Sippe (Mtg-G. 455) od. n.l. „Trockenort" (Schwarzb. 202). †

III יָבֵשׁ 1S 11 (4 ×), sonst יָבֵישׁ loc. יָבֵשָׁה u. בְּיָבֵשָׁה (BL 527 o) 1S 31$_{13}$: n.l. in Trsjd., meist ⸗ יָ׳ גִּלְעָד; genaue Lage strittig; Glueck 4, 214f. 268ff :: Kuschke ZDPV 74, 22ff, Noth 75, 21ff; Abel 2, 352, GTT § 671, BHH 790: **Jabes** Ri 21$_{8-14}$ 1S 11$_{1-10}$ 31$_{11-13}$ 2S 2$_{4f}$ 21$_{12}$ 1C 10$_{11f}$. †

יַבָּשָׁה: יבשׁ, BL 479n (cf. חָרָבָה); mhe., ja. יַבֶּשְׁתָּא, sy. *jabšā* Erde, md. (MdD 184a) trockenes Land: — 1. **trockenes Land** Ex 4$_{9}$ 14$_{16.22.29}$ 15$_{19}$ Jos 4$_{22}$ Neh 9$_{11}$ Js 44$_{3}$; — 2. **Festland** (:: יָם; ⸗ יַבֶּשֶׁת, palm. יבשׁ DISO 103 u. asa. ZAW 75, 309 *jbs*) Gn 1$_{9f}$ Jon 1$_{9.13}$ 2$_{11}$ Ps 66$_{6}$, ? l Hi 41$_{24}$ c. ΘS, Peters 485, Tur-S. 575). †

יַבֶּשֶׁת: יבשׁ, BL 607c; mhe. trockene Früchte, Gemüse, ⸗ יַבָּשָׁה: **trockenes Land** Ex 4$_{9}$ Ps 95$_{5}$. †

יִגְאָל, Sam. BCh. 3,173 *jēgāēʾel*; n.m. Kf. < יִגְאָלְיָה* o.ä. „J. erlöse/te" (Noth 200), cf. גאליהו Dir. 127.341: — 1. Kundschafter aus Issachar Nu 13$_{7}$; — 2. S. v. נָתָן Recke Davids 2S 23$_{36}$ G^{B} Γααλ, G^{L} u. 1C 11$_{38}$ יוֹאֵל אֲחִי נָתָן, ⸗ Rud. 102; — 3. Nachk. v. זְרֻבָּבֶל 1C 3$_{22}$, G^{BA} יוֹאֵל (⸗ 2: G^{L}), ? = גאליה Sgl. a. Beth Zur (Albr. OTMSt. 21). †

יגב: etym. ?; ? ar. *ǧabba* schneiden (Ges., Yeivin Leš. 24, 40ff):

qal: pt. יֹגְבִים: ? **Ackerbauer** 2 K 25$_{12}$ Jr 52$_{16}$, || כֹּרְמִים, wie אִכָּרִים 2C 26$_{10}$ Js 61$_{5}$ Jl 1$_{11}$ (Schwarzb. 90f); MSS or. גָּבִים, G^{A} γηβειν, G γεωργούς, ⸗ Mtg-G. 568, Rud. Jer. 296. †

Der. יָגֵב.

יָגֵב*: יגב: יְגֵבִים: **Acker** (ST) Jr 39$_{10}$ || כְּרָמִים ⸗ Schwarzb. 91, BH, Rud. 225. †

יָגְבְּהָה Ⓛ, sonst ־בְהָה, BL 208t; Sam.^{M81} *Jigba*, ⸗ BCh. 3, 173a; G^{B} (^{Ri}) Ιεγεβαλ, V *Iegbaa*: **Jogbeha**, n.l. in Gad; גבהּ; *ch.* *Aǧbēhat* 11 km nw. Amman Abel 2, 365, Noth PJb. 37, 80f: Nu 32$_{35}$ Ri 8$_{11}$. †

יִגְדַּלְיָהוּ: n.m.; יְ׳ + גדל (Noth 206); äga. > יגדל (AP), klschr. *Igdal-jama*, BEUP 9, 27. 60; V. d. Profeten חָנָן Jr 35$_{4}$. †

I יגה: sy. af. *ʾaugī* wegstossen äth. *wagʾa*, tigr. (Wb. 448b) sich kümmern; ar. *waǧija* wunde Füsse haben (Pferd), asa. *ʾgw* sich mühen (ZAW 75, 309):

nif: pt. נוּגוֹת (dissim. < *no-, BL 443k :: Bgstr. 2, 128^{g}: Tf): **bekümmert** Kl 1$_{4}$; — Zef 3$_{18}$ l כְּיוֹם מוֹעֵד G (:: Gerleman 63). †

pi: impf. וַיֹּגֶה: ? < וַיְיַגֶּה* (BL 220n: Rud. 232): **betrüben, peinigen** Kl 3$_{33}$ ⸗ hif. †

hif: pf. הוֹגָה, הוֹגָהּ; impf. תּוֹגְיוּן (BL 412a); pt. מוֹגַיִךְ: **peinigen, betrüben** (THAT 1,840) Js 51$_{23}$ (Jenni 85) Hi 19$_{2}$ Kl 1$_{5.12}$ (prp. הוֹגַנִי GS, ⸗ pi. Rud. 207) 3$_{32}$; — Js 59$_{13}$ l הָגוֹ הגו (I הגה). †

Der. תּוּגָה, יָגוֹן.

II יָגָה, Nf. v. II הגה; sy. af. wegstossen: **hif**: pf. הֹגָה (ohne Ausdruck d. Obj.s) ? l הָגָהוּ: **wegschaffen** 2S 20_{13}. †

יָגוֹן: I יגה, BL 498f; mhe.; ? pun. DISO 103: יְגוֹנָם: **Qual, Kummer**: בְּיָגוֹן Gn 42_{38} 44_{31}; רָעָה יָ׳ וַאֲנָחָה Js 35_{10} 51_{11}; עָמָל וְיָ׳ Jr 20_{18}; וְיָ׳ Ps 107_{39}; צָרָה וְיָ׳ 116_3 :: שִׂמְחָה Est 9_{22}; Jr 8_{18} 31_{13} 45_3 Ez 23_{33} Ps 13_3 31_{11}. †

יָגוּר: n.l. im Negeb; ? ja.[tg] sy. יָגְרָא, ↗ ba. יְגַר Steinhaufen (Krauss ZAW 28, 262); ? = גּוּר בַּעַל 2C 26_7; ↗ Abel 2, 353, GTT § 317, 3, Noth 93: Jos 15_{21}. †

יָגוֹר: יגר, BL 466n; pt. qal BL 318 pq: **angsterfüllt** Jr 22_{25} 39_{17}. †

*יָגִיעַ: יגע, BL 470n; cf. יָגֵעַ: יְגִיעֵי: — 1. **erschöpft** Hi 3_{17}; — 2. c. אֶל **besorgt** um Sir 37_{12B} (B Rd יעכר nif.). †

*יְגִיעַ od. *יְגִיעַ BL 470n.471s: יגע, mhe.², Sam. [BCh 3.147] *jāgae* (= יָגָע!): cs. יְגִיעַ, יְגִיעֲךָ/עֵךְ, יְגִיעוֹ, יְגִיעֵי; c. מִן: מִיגִיעוֹ: — 1. **Mühe, Arbeit** Js 55_2 Ps 78_{46} Hi $39_{11.16}$; c. כַּפַּיִם (↗ 2a) Gn 31_{42}; — 2. a) **Arbeitsertrag, Erwerb** Dt 28_{33} Js 45_{14} Jr 3_{24} 20_5 Ez 23_{29} Hos 12_9 Ps 109_{11}; c. כַּפַּיִם (↗ 1.) Hg 1_{11} Ps 128_2 Hi 10_3; b) **Besitz** Neh 5_{13} (‖ בַּיִת) Sir 14_{15} (‖ חַיִל), cj (יְגִיעֵנוּ) Kl 5_5. †

*יְגִיעָה: יגע, f. z. *יְגִיעַ; mhe.: יְגִיעַת: **Ermüdung**, c. בָּשָׂר Koh 12_{12}. †

יָגְלִי: ? l יָגְלִי, Sam.[M85] *jigli*, G Εγλι: n.m., ? BL 488r; „J. offenbare" (Noth 244): Nu 34_{22}. †

יגע: mhe.; ar. *waǧiʿa* Mühe haben, leiden; akk. *egū* ermüden, nachlässig sein (AHw 191a): **qal**: pf. יָגַעְתָּ, יָגַעְתְּ, יָגְעָה, Js 47_{12} (Mf. v. *יָגַעְתְּ u. יָגַעַתְּ; BM § 17, 1 :: BL 360r, Bgstr. 1, 154), יָגָעְנוּ; impf. אִיגַע, תִּיגַע, יִיגָע, יְיגְעוּ/יִגְעוּ: — 1. **müde werden** (Jenni 71f) 2S 23_{10} Js $40_{28.30f}$ Jr 45_3; יָגַעְתִּי בְּאַנְחָתִי habe mich müde geseufzt Ps 6_7, בְּקָרְאִי mich müde geschrien Ps 69_4; — 2. **sich abmühen** Js 49_4 57_{10} 65_{23} Jr 51_{58} u. Hab 2_{13} (u. 1QpHab, ↗ Segert ArchOr. 22, 452f) Sir 11_{11}, Hi 9_{29} Pr 23_4 (c. inf.); — 3. **sich mühen um**: c. acc. Js 47_{15}, c. בְּ Jos 24_{13} Js 43_{22} 47_{12} 62_8; — Kl 5_5 l יְגִעֵנוּ. †

pi: impf. תְּיַגַּע: — 1. **müde machen** Koh 10_{15} (הַכְּסִיל מָתַי יְיַגְּעֶנּוּ); — 2. **jmd. bemühen** (Jenni 99) Jos 7_3; — 2S 5_8 ↗ נגע qal 3. †

hif: pf. הוֹגַעְתִּיךָ/תַּנִי, הוֹגַעְנוּ, הוֹגַעְתֶּם: jmd **ermüden** Js 43_{23f} Mal 2_{17}. †

Der. *יָגֵעַ, יָגָע, יְגִיעָה, *יָגִיעַ *יְגִיעַ.

יָגָע: יגע: **Arbeitsertrag** Hi 20_{18} (cj יְגָעוֹ/גְעוֹ). †

יָגֵעַ: יגע; mhe.²: יְגֵעִים: — 1. **müde** Dt 25_{18} 2S 17_2; — 2. **sich abmühend** (Wort od. Ding דָּבָר) Koh 1_8; — 3. **geplagt**, cj Ps 88_{16} (l יָגֵעַ pr. גּוֹעַ). †

יגר: ar. *waǧira* fürchten; ? ph. in יגר אשמון Harris Gr. 106, Baud. AE 250, PNPhPI 321); ↗ III גור:

qal: pf. יָגֹרְתִּי: **sich fürchten** (vor Künftigem; THAT 1,768) Dt 9_{19} 28_{60} Ps 119_{39} Hi 3_{25} 9_{28}. † Der. יָגוֹר.

יְגַר: Gn 31_{47}: aram. יְגַר שָׂהֲדוּתָא = he. גַּל עֵד ↗ ba.: **Steinmal.** †

I יָד (1600 ×), Sam.[M104] *jaed*: Sem. Nöld. NB 113ff, VG 1, 333, Dho. EM 138ff, Palache 38f; äg. *d* (NPCES 11ff); mhe. ph. jaud. pehl. äga. nab. u. palm. (DISO 103f), ba. ja. sy. cp. md. (MdD 184a, 341a: דא(י)ע); mhe., ug. *jd*, *bd* < **bjd*; EA *badiu* Gl. z. *ina qātišu* (Böhl Spr. § 37m, Aistl. 1138) :: UT nr. 633: *d* (auch äg.!) ph. pun. יד, *ביד > בד, *bad* > *bod* (ph. cum n.d., *Budibaal* u.ä., Friedr. § 63a, 80a, 252c); Rabinowitz JSSt. 6, 111ff; he. ↗ II אד u. IV בַּד, cf. sy. *ʾīd*, ja.[g] איד, sam. אד (BCh. 2, 479a), ar., *jad*, pl. *ʾaidin* dial. *ʾa/īd*, äth. *ʾed*; asa. *jd*, *ʾd*; akk. *idu*, du. *idān*, pl. m. *idū*; pl. f. *idātu*: יָדוֹ u. יֶדְךָ/דֵךְ (Sec. c. בְּ: βιεδ u. βιαδαχ Brönno 109f), יֶדְכֶם/כֶן u. יֶדְהֶם (BL 547, Sperber 226), du. יָדַיִם (pun. *iadem*), יְדֵי (יָדֵ) 2K 12_{12Q}, K יַד, Gsbg 154), וּ/כִּ/בִּידֵי, auch מִידֵי (BL 201e Mal 2_{13} G μειδηχεμ du. pr. sg. VTGr XIII 333f), יָדָיו (יָדוֹ) Lv 16_{21} +

3 ×, gew. K יָדוֹ BL 252r :: Gsbg-Orl. XXVI f.: nur orthgr.) u. יָדֵיהוּ Hab 3$_{10}$ (BL 253v :: BM § 46, 3c., Albr. BASOR 92, 22[27]; txt. ?), יָדֶיךָ u. יָדְךָ 2S 3$_{34}$ Jr 40$_{4}$ (BL 252r) יְדֵיהֶם/כֶם (יֶדְכֶם) Ps 134$_{2}$, BL 252r); יָדוֹת mhe. Griffe u.ä. (cf. sy. u. md. MdD 341a *ʾīdahātā*), יְדוֹת, יְדוֹתָיו/תֶיהָ/תָם; *אָדָם (MT אָדָם) Ps 17$_{4}$ 68$_{19}$ Pr 12$_{27}$ (v. d. Weiden BiblOr 23, 104) f., m. Ex 17$_{12}$, sonst Albrecht ZAW 16, 74f, zu Ez 2$_{9}$ (↗ Zimm. 10), THAT 1,667ff: **Vorderarm, Hand**: — 1. körperlich: a) (Vorder-) **Arm** Ex 17$_{11}$ Js 49$_{2}$ Jr 38$_{12}$ HL 5$_{14}$; b) **Hand** Gn 3$_{22}$; אֶבֶן יָד in die Hand passender Stein, Wurfstein Nu 35$_{17}$, מַקֵּל יָד Handstock Ez 39$_{9}$, כְּלִי עֵץ־יָד Handgerät, Werkzeug aus Holz Nu 35$_{18}$; נָתַן יָדוֹ d. Hand reichen 2K 10$_{15}$; יַד שְׂמֹאלוֹ s. linke Hand Ri 3$_{21}$, יַד יְמִינָם ihre rechte Hand 7$_{20}$ ↗ יָמִין; חֹזֶק יָד starke H. Ex 13$_{3.14.16}$? spez. linke H. (Dahood Bibl. 46, 315f; יֶשׁ־לְאֵל יָדוֹ ↗ IV אֵל; c) b. Tier: Vorderfuss Ps 22$_{21}$ (כֶּלֶב, metaph. od. sec. 4c ?) Js 6$_{6}$ (שָׂרָף); d) du. Hände Gn 27$_{22}$; יָדַיִם רָפוֹת Hi 4$_{3}$ cf. Js 13$_{7}$, שִׁפְלוּת יָדַיִם Koh 10$_{18}$, Ez 1$_{8}$ (1Q וידי); cj c. עשׂה d. Hände pflegen 2S 19$_{25}$ G^{L} (↗ BH); c. ריב Dt 33$_{7}$ er, seine Hände streiten = mit s. H. (GK § 144l :: Driv. Fschr. Rob. 71[131]: acc.); קַח בְּיָדְךָ nimm m. dir Jr 38$_{10}$, שִׂים יָדַיִם לְ Hand legen an 2K 11$_{16}$ / 2C 23$_{15}$; בֵּין יָדֶיךָ auf d. Schultern, d. Rücken (ug. *bn jdm* UT nr. 1072, al. auf d. Brust, Gray LoC² 27; ar. *baina jadaihi*) Zch 13$_{6}$; e) **Penis** ug. (UT nr. 1072, Aistl. 1139), ar. *wdj: penem exseruit equus*; mhe.² auch אֶצְבַּע u. אֵבֶר; Delcor JSSt. 12, 234ff; cf. OWeinreich, Antike Heilungswunder, 1909, 20ff; THAT 1,669f) Js 57$_{8}$, c. חזה unzüchtiger Ritus, 57$_{10}$ חַיַּת יָדֵךְ „Belebung deiner Kraft" (Volz, Fohrer); וינקו ידים על האבנים 1QJs^{a} 65$_{3}$, ↗ לְבֵנָה 3. u. ינק, od. נקה nif; יוציא ידו מתוחת בגדו 1QS 7, 13; — 2. verbale Verbindungen: a) c. נתן d. Hand reichen, Handschlag (Ped. Eid 48, 62) 2K 10$_{15}$ Ez 17$_{18}$ (bei Bundesschluss, Schmitt ZAW 76, 326) Kl 5$_{6}$, zu Versprechen Esr 10$_{19}$, zu Unterwerfung 1C 29$_{24}$, zu Kapitulation (lat. *manum/us dare*) Jr 50$_{15}$, לי׳ 2C 30$_{8}$; b) c. שׁלח hinstrecken Gn 3$_{22}$; c) הֵרִים erheben 14$_{22}$, נשׂא, z. Schwur (Zimm. 443, THAT 1,670) Ez 20$_{5f}$, z. Gebet Ps 28$_{2}$ 134$_{2}$ (BHH 521; akk. *nīš qāti* Gebet, AHw. 797a); d) z. Handauflegung gew. סמך Lv 1$_{4}$, שׁית Gn 48$_{17}$ (Ell. Lev. 34, mhe. שׂים); e) c. קבץ עַל händeweis sammeln Pr 13$_{11}$; f) נָתַן יָדוֹ בְ Ex 7$_{4}$ u. הָיְתָה יָדוֹ בְּ Gn 37$_{27}$ sich vergreifen an; g) שִׁית יָד עִם gemeinsame Sache machen Ex 23$_{1}$; h) הִגִּיעַ יָדוֹ Lv 5$_{7}$ u. הִשִּׂיגָה יָדוֹ 5$_{11}$ d. Kosten aufbringen; כְּמַתְּנַת יָדוֹ soviel er geben kann Dt 16$_{17}$; i) נָתַן עַל יָד jmd etw. anvertrauen Gn 42$_{37}$; k) הוֹצִיא עַל יָד in jemds Obhut bringen Esr 1$_{8}$, cf. אֶל־יַד Est 2$_{3.8}$; l) מִיַּד c. קנה kaufen Gn 33$_{19}$, c. רצה annehmen Mal 1$_{13}$; — 3. nominale Verbindungen: יָד עַל־פֶּה Hand vor d. Mund (Gestus d. Schweigens u. Staunens; äg. Couroyer RB 67, 197ff, ANEP 695) Hi 21$_{5}$, לְפֶה Pr 30$_{32}$; יָדוֹ בַכֹּל s. Hand ist gegen jeden Gn 16$_{12}$; יָד לְיָד d. Hand darauf Pr 11$_{21}$ 16$_{5}$; יַד . . . אִתְּךָ hat d. Hand im Spiel 2S 14$_{19}$; בְּיָד רָמָה m. erhobener Hand Ex 14$_{8}$ Nu 33$_{3}$ zuversichtlich (al. unter d. Schutz v. J.s H.) :: Nu 15$_{30}$ vorsätzlich, trotzig; יָדוֹ עַל־כֵּסְיָהּ Ex 17$_{16}$ ↗ נֵס; — 4. **Hand Gottes** (Häussermann BZAW 58, 22ff, Hempel GuM. 17, Zimm. Ez. 47ff, THAT 1,672f; akk. *qāt ili*, AHw. 909b); n.m. בידאל Nimr. 3, > ph. בד in d. H. Gottes od. durch Vermittlung von (Friedr. § 63a): a) (הָיְתָה) יַד י׳ c. בְּ: J.s H. kommt (strafend) über Ex 9$_{3}$ Dt 2$_{15}$ Ri 2$_{15}$, c. עַל Ez 3$_{14}$, יַד הָאֱל׳ 2C 30$_{12}$; מִפְּנֵי יָדְךָ Jr 15$_{17}$, יַד אֱל׳ הַטּוֹבָה Esr 7$_{9}$; יָדְךָ זֹּאת Ps 109$_{27}$, יָדִי || גְּבוּרָתִי Jr 16$_{21}$, עָשָׂה יָד גְּדוֹלָה בְּ zeigt e.

starke H. gegen Ex 1431; b) הָיְתָה אֶל 1K 1846 u. עַל 2K 315 Ez 13 kam über (z. Inspiration) = נָפְלָה עַל Ez 81, כְּחֶזְקַת הַיָּד עָלַי als J.s H. mich packte / auf mir lastete Js 811, :: יָצְאָה בְּ trifft schwer Rt 113; בִּכְתָב מִיַּד י׳ עָלַי auf Grund e. mir zuteil gewordenen Offenbarung (Rud., :: Hö. Galling: meiner v. J.s H. stammenden Schrift) 1C 2819; כְּיַד י׳ הַטּוֹבָה עַל dank der gütigen über ihm waltenden H. J.s Esr 79 818, Neh 28; — 5. יָד, יָדַיִם metaph.: a) **Seite**: Land רַחֲבַת יָדַיִם geräumig Gn 3421; α) עַל־יַד/יְדֵי neben (ug. *jd* nebst, gemäss): cj עַל־יַד הַשַּׁעַר (pr. בְּעַד; al. בְּיַד) 1S 418; עַל־יָדוֹ 2C 1715, bei mehreren Neh 32a.b.12, neutr. daneben (Rud. EN 114) = עַל־יְדֵיהֶם Hi 114, עַל־יְדֵי אֱדוֹם Edom entlang Nu 343, אִישׁ עַל־יָדוֹ jeder auf s. Seite = an s. Ort Nu 217; לְיַד אָבִי zur Seite m. V.s. 1S 193, cj 413; β) bei Wasserlauf: **Ufer** (Reymond 262, Schwarzb. 75f): יַד נַחַל Dt 237, יַד הַנָּהָר Da 104, יְדֵי אַרְנוֹן Ri 1126; — b) **Teil, Bereich** (ug. akk. *qātu*): α) אִישׁ יָדוֹ jeder s. Teil Jr 63, אֵין בְּיָדִי ich habe nicht im Sinn 1S 2412; β) **Besitz**: בְּיָדִי 1S 98, בְּיָדוֹ Koh 513, בְּיָדָם Gn 354; מָטָה יָדוֹ ist wirtschaftlich in Schwierigkeit Lv 2535; הֵשִׁיב יָד s. Macht wieder aufrichten 2S 83; γ) **Kraft** Dt 3236 Da 127 (l כְּכְלוֹת יַד נֹפֵץ), יָדַיִם לָנוּס Kr. z. fliehen Jos 820; אֵין יָדַיִם לוֹ ,,hat weder Hand noch Fuss'' (Volz, Dho.; al. sec. 1. = Krüppel) Js 459; בְּיַד als verstärktes בְּ **durch**, b. דִּבֶּר Ex 935 Lv 1011, b. צִוָּה 836, b. קָרָא Zch 77; — c) **Gewalt** Js 282, לֶהָבָה Js 4714, בְּיַד לָשׁוֹן Pr 1821; יַד כֶּלֶב Ps 2221, מִתַּחַת יַד אֲרָם 2K 135, יְדֵי חֶרֶב Jr 1821; נָתַן בְּיַד in jmds Gewalt geben Ri 47, הִגִּיר Jr 1821, שִׁלַּח Hi 84; abs. נָתַן בְּיַד preisgeben 2C 2520 (gew. cj בְּיָדוֹ) Sir 116 (Smend 103); לֹא בְיָד ohne menschliches Zutun 2S 236 Hi 3420 (ba. לָא בִידַיִן Da 234), = בְּאֶפֶס יָד Da 825; אֲשֶׁר בְּיָדֵ(י)נוּ die unter unserem Befehl stehen Nu 3149, לְיַד הַמֶּלֶךְ zur Verfügung d. K.s Neh 1124, כְּיַד הַמֶּלֶךְ entsprechend königlicher Freigebigkeit 1K 1013 Est 17 218; בְּיַד unter der Leitung Ex 3821 Nu 78, עַל יְדֵי הַמֶּלֶךְ n. Anweisung d. K.s 1C 252; עַל יְדֵי כְלֵי דָוִיד unter Führung d. Instrumente D.s 2C 2927, עַל יְדֵי שִׁיר z. Besorgung d. Gesanges 1C 616; — 6. Versch.: a) יָד **Denkmal** (v. d. Woude THAT 1,669): 1S 1512, יָד אַבְשָׁלוֹם 2S 1818; יָד וָשֵׁם Js 565; Wegmal Ez 2124; — b) יָדַיִם d. 2 Klappen od. Fangnetze d. פַּח (mhe. יָד Axtstiel; Vogt Bibl. 43, 81f) Ps 1419; — c) **Platz**: יַד מִחוּץ לַמַּחֲנֶה = Abort Dt 2313; — 7. pl. יָדוֹת (mhe. ug. akk.) a) **Halter** (= Achsen) d. Räder, d. Radachsen d. מְכוֹנָה 1K 732f, ihre ,,Handstücke'' (?) 735 (Noth Kge. 159), Armlehnen 1019, Zapfen z. Verzahnen d. Bretter Ex 2617 3622; — b) **Teil** α) multiplicativ: חָמֵשׁ יָדוֹת d. Fünffache Gn 4334, עֶשֶׂר יָדוֹת 10 × mehr 2S 1944 Da 120; תֵּשַׁע הַיָּדוֹת die 9 Teile = jeder 10. Mann (cf. Gn 4724 2K 117, Rud. 182) Neh 111; β) militärische **Abteilung**: der Palast- u. Tempelwache 2K 117; — 8. c. praep.: α) c. בְּ ↗ 4a.b.c; β) c. לְ ↗ 4c; γ) c. אֶל/עַל ↗ 4c; δ) c. מִן ↗ 1, 4a; — Js 105 l בְּיוֹם; Jr 419 l בּוֹר גָּדוֹל; Ez 2514 ? l בְּעַד; Ps 773 ? ins. פֵּרַשְׂתִּי ante יָדַי; Hi 1523 l פִּידוֹ; 2010 l וִילָדָיו; Pr 65 l מִצַּיָּד; Kl 46 l יְלָדִים.

cj II יָד: II ידד; BL 453w; ar. *wadd*, asa. n.d. *Wadd* (WbMy 1, 476f.549f); Schedl ZAW 76, 174: **Liebe** Ps 164, מִיָּדָם (l מִיַּדָּם) um ihretwillen. †

יִדְאֲלָה, G^A Ιαδηλα, MSS SV ׳יִדְ׳: דאל ?, ar. *du'il, da'l* Schakal; n.l. in Zebulon, nahe בֵּית־לֶחֶם 2, Abel 2, 351, GTT § 183; Jos 1915. †

יִדְבָּשׁ, G^A Ιγαβης: n.m., דבש, BL 488r, ,,Honigsüss'' (Noth 223): 1C 43. †

I **ידד**: Nf. v. I ידה:

qal: pf. יַדּוּ (BL 429k): c. גּוֹרָל עַל: **werfen**, d. Los über Jl 43 (l עַל) Ob11 Nah 310 (4Qp.Nah יורו: I ירה hif.). †

*II **ידד**: Fitzgerald CBQ 29, 368ff (= ZAW 80, 104f): ug. *jd*, aam. מודד (DISO 144, 1QJs[a] 143_{1} מודד pr. MT בּוֹדֵד, ↗ בדד), sy. pa. etpa. (PSmith 1553f); ar. *wadda* lieben, asa. *mwd* Freund (Conti 134b), äth. *waddada* lieben (Lesl.23); akk. *namaddu* (AHw. 725b).

Der. II יָד, יְדִדוּת, *יָדִיד, n.f. יְדִידָה, n.m. מֵידָד, יְדִידֹת, יְדִידְיָה.

יְדִדוּת: II ידד, Barth 414f: Liebe > **Liebling** (GK § 83c); Jr 12_{7}. †

I **ידה**: ug. *jdj* (de Moor 243) ar. *wadāj* u. äth. *wadaja* werfen, tigr. (Wb. 445b) tun, machen (Lesl. 24); cf. akk. *nadū*; ↗ I ידד u. I נדד:

qal: imp. יְדוּ (4 MSS יְרוּ); pt. יודי: — 1. **werfen**: d. Los Sir 14_{15}; — 2. c. אֶל **schiessen** Jr 50_{14}. †

pi. (Jenni 199f): impf. וַיַּדּוּ (< *וַיְיַדּוּ, BL 443k); inf. יַדּוֹת: — 1. (Steine) **werfen** c. בְּ gegen Kl 3_{53}; — 2. ? **niederwerfen**, (? ar. *ʾaudāj* Guill. 1, 26 vernichten) Zch 2_{4} (↗ Komm.). †

II **ידה**, ca. 100 ×, 66 × Ps: mhe. u. DSS hif. preisen, bekennen > danken (Buhl Fschr. Baud. 77, ThWbNT V, 199-220, Palache 38), mhe. hitp. ja.[tg] itpe. bekennen; palm. (DISO 104) u. ja. sam. cp. sy. md. (MdD 189a); ar. *wdj* X (< ja. sy.) bekennen:

hif: pf. הוֹדוּ, הוֹדִינוּ; impf. אוֹ/יוֹדֶה, יוֹדוּ, נוֹדֶה, יוֹדְךָ/דֶךָּ, אוֹדֶךָ, אוֹדֶנּוּ, אֲהוֹדֶנּוּ u. אֲהוֹדֶה (BL 229f), יוֹדְ/דוּךָ, Sec. ωδεχ u. αιωδεχχα (Brönno 98); inf. הודות 2C 7_{3} (abs., Bgstr. 2, 161[c]): — 1. Menschen (als obj.) **preisen**: Gn 49_{8} (Wtsp. m. יְהוּדָה) Ps 45_{18} 49_{19} Hi 40_{14}; † — 2. **Gott preisen** (CWestermann, Lob Gottes in d. Ps. 1953, 7; THAT 1,674ff); gern im imp. הודו: a) c. acc. Gn 29_{35} (etym. v. יְהוּדָה) 2S 22_{50} Js 12_{1} 38_{18f} Jr 33_{11} Ps 7_{18} 9_{2} (l אוֹדְךָ) 18_{50} 28_{7} $30_{10.13}$ 35_{18} 42_{12} 43_{4f} 52_{11} 57_{10} $67_{4.6}$ 76_{11} 86_{12} 88_{11} 108_{4} 109_{30} 111_{1} $118_{19.21.28}$ 119_{7} $138_{1f.4}$ 139_{14} 142_{8} 145_{10} 2C $6_{24.26}$; cj Js 38_{15} (אֹדְךָ); m. 2. sachl. Obj. Ps 42_{6} 71_{22}; c. שֵׁם 1K $8_{33.35}$ Js 25_{1} Ps 44_{9} 54_{8} 99_{3} 106_{47}; c. פֶּלֶא י׳ Ps 89_{6}; b) c. לְ Js 12_{4} Ps 6_{6} 33_{2} 75_{2} 79_{13} 92_{2} 100_{4} 105_{1} $136_{2f.26}$ Esr 3_{11} Neh 12_{46}, 1C 16_{7f} 29_{13} 2C 5_{13}; הודו לַי׳ כִּי טוב Ps 106_{1} 107_{1} $118_{1.29}$ 136_{1} 1C 16_{34}; הודו לַי׳ חַסְדּוֹ Ps $107_{8.15.21.31}$; u. כִּי לְעוֹלָם חַסְדּוֹ Ps 136_{1-26} 1C 16_{41} 2C $7_{3.6}$ 20_{21}; c. לְשֵׁם Ps 106_{47} 122_{4} 140_{14} 1C 16_{35}; c. לְזֵכֶר Ps 30_{5} 97_{12}; cj GS PS 74_{19} (l תּוֹדֶךָ pr. תּוֹרְךָ; — 3. **Sünde bekennen** (Zushg. v. Beichte u. Doxologie Horst ZAW 47, 50ff = Gottes Recht, 1961, 162ff, Fichtner BZAW 62, 108f) Pr 28_{13}; c. עַל Ps 32_{5}; — 4. **Lobpreis u. Dank,** d. הודו, **anstimmen**: c. לַתְּפִלָּה beim Gebet Neh 11_{17}, לְהַלֵּל לְהודות 12_{24} 1C 16_{4} 23_{30} 25_{3} 2C 31_{2}. †

hitp: pf. הִתְוַדָּה (BL 377c), הִתְוַדּוּ; impf. יִתְוַדּוּ, וָאֶתְוַדֶּה; inf. הִתְוַדּוֹתוֹ; pt. מִתְוַדֶּה/דִּים: **bekennen, beichten** (BHH 213, THAT 1,681): Sünde Lv 5_{5} (abs. :: G Sam.) 16_{21} 26_{40} Nu 5_{7} Da 9_{20}, ||הִתְפַּלֵּל: Da $9_{4.20}$ Esr 10_{1}; c. לַי׳ gegenüber J. 2C 30_{22}, c. עַל hinsichtlich Neh 1_{6} 9_{2f}. †

Der. I הוֹד, *הוֹדָה, תּוֹדָה, n.m. הוֹדַוְיָה(וּ), יְדוּתוּן, יְדּוֹ.

III ***ידה**: ↗ יְדָיָה.

יְדּוֹ: n.m.; Kf. (BL 503h) v. II ידה od. ידע (Noth 181); Mosc. Ep. 112, 8; Ιαδης, Ιαδ(δ)-αῖος Wuthn. 55: — 1. Manassit (G Ιαδδαι, V *Iaddo*) 1C 27_{21}; — 2. Judäer m. fremder Frau Esr 10_{43}K (Q ↗ יַדַּי, G Esdr[A]). †

יָדוֹן: n.m.; Kf. ידניה (AP 37_{1}, Rud. 116, = יאדניה AP 37_{17} < יַאֲזַנְיָה) oder ar. *waduna* mager sein (Noth 226); cf. Seeligmann HeWf 269[1]: Judäer Neh 3_{7}. †

יַדּוּעַ: n.m., Lkš 3, 20; Kf. v. ידע + n.d. (BL 480t, Noth 38, 181 :: Kö: „sehr bekannt"; ↗ יְדָעְ; palm. *jdjʿ* (PNPI 90b): asa. *jdʿ* (Conti 162b): — 1. Neh 10_{22}; — 2. Hohepr. $12_{11.22}$; Jos. Antt. XI 8, 4f Ιαδδους (Rud. 193). †

יְדוּתוּן, 2 × יְדִיתוּן, יְדֻתוּן (G Ιδιθουν/ων/ωμ; dissim. ?) 1C 16_{38} u. Ps 62_1 G^A Σ Hier., Ps 39_1 77_1 u. Neh 11_{17} nur K: n.m.; ? II ידה (BL 501v): — 1. Musikmeister Davids Neh 11_{17} 1C 9_{16} $16_{38.41f}$ $25_{1.3.6}$ 2C 5_{12} 29_{14}; Seher d. Königs 2C 35_{15}; — 2. in Ps-Überschrift Ps 39_1 62_1 77_1 c. לְ od. עַל: unerkl., n.m. (= 1. od. II אֵיתָן 2 (1C 25_1 :: 15_{19}), Albr. RI 142, :: musikal. tt. Mow. PsSt. IV 16f (II ידה), OS 496; Gkl-Begr. 458, Rud. Chr. 123, BHH 807. †

יַדַּי: n.m.; palm. ידי = 'Ιαδδαιου Kf., PNPI 90b: Esr 10_{43}Q, ↗ K יַדּוֹ. †

יְדִיד: II ידד; Hier. *Idid*: mhe. (?); ug. *jdd*; amor. *Iadidum* (Huffm., 209), ph. Ιεδουδ (Friedr. § 76b. 85 :: ↗יָחִיד): יְדִיד, יְדִידוֹ, יְדִידוֹת, יְדִידֶיךָ: — 1. **Liebling** Js 5_1 (= Freund ?) Ps 127_2; יְדִיד י׳ Dt 33_{12}; יְדִידֶיךָ d. Frommen Ps 60_7 108_7; — 2. adj. **lieblich** Ps 84_2 מִשְׁכְּנוֹתֶיךָ; — ? Jr 11_{15}, gew. cj לִידִידָתִי GS, ? l דּוֹדֵךְ (Rud.). †
Der. n.f. יְדִידָה, n.m. יְדִידְיָה.

יְדִידָה; Hier. V. *Idida*; G^A Εδιδα: n.f., f. v. יָדִיד, „Geliebte" (Stamm HFN 325): M. d Josia 2K 22_1. †

יְדִידְיָה: n.m.; יָדִיד + י׳; ug. *jdd3l*, asa. ודדאל (Ryckm. 2, 52): Beiname Salomos 2S 12_{25} (de Boer Fschr. Vriezen 25ff, Eissf. Fschr. WThomas 78f). †

יְדִידֻת: ידד + *ōt*, BL 506t, MSS יְדִידֻת/דות; **Liebe**, שִׁיר יְדִ׳ Liebeslied Ps 45_1. †

יְדָיָה: n.m.; III ידה + י׳; ar. *jdj* „Wohltat erweisen" (Noth 182): — 1. Neh 3_{10}; — 2. 1C 4_{37}. †

יְדִיעֲאֵל: n.m.; ידע + אֵל, „der, den Gott kennt" (Noth 35^3, 181); palm. *jdj'bl* (PNPI 90b) abab. *Iādiḫilu, -ēl* spbab.; amor. *Iādi-ilu* (Ok. 55); asa. ידעאל (Conti 162b): — 1. Benjaminit 1C $7_{6.10f}$ (↗ Rud. 66f); — 2. Krieger Davids 11_{45} 12_{21}; — 3. Korachit 26_2. †

יְדִיתוּן: 1C 16_{38} u.ö. ↗ יְדוּתוּן.

יִדְלָף: n.m.; I od. II דלף, cf. דַּלְפוֹן: S. v. נָחוֹר Gn 22_{22}. †

I **ידע**: mhe.; ug. *jd'*; ph., Lkš., aam. u. äga. (DISO 104), ja. cp. sy. md. (MdD 188b); akk. *e/idū*, auch *wadū* (AHw 187b); asa. *jd'*; ar. *'aida'a*, nsar. (Lesl. 24), har. *ēda*; urspr. פ״ו BL 377i, Bgstr. 2, 130n :: Wvar. Nöld. NB 202f; EBaumann ZAW 28, 22ff, Huffm. BASOR 181. 31ff, 184. 36ff: im Vertragsstil: anerkennen:

qal (c. 800 ×): pf. יָדַע, יָדַעְתָּ/דַעַתְּ, יָדַעְתְּ, יָדַעְתָּ(ה) Ps 140_{13} u. Hi 42_2 (Q ־תִּי, K def. BL 382), יָדְעוּ/דָעוּ, יְדַעוּן Dt $8_{3.16}$, Sam. ידעו (? aram., Wagn. S. 137), יְדַעְתֶּם, יְדַעְתִּיו/תִּין, יְדַעְתּוֹ/תָּנִי, יְדָעֻנוּ, יְדָעוֹ, יְדָעֲנוּךָ/נוּם; impf. יֵדַע/דָע, (< *jaida', LKoehler OLZ 20, 172f :: BL 378p: < *jida'*; cf. kan. *jilaku* u. *nisab* in EA, Dho. Rec. 503f :: BM § 78, 3a: < *ja-*), יִיָּדַע Ps 138_6 (l יֵדַע Bgstr. 2, 126c :: BL 382: txtf.), אַל־יֵדַע 1S 21_3, וְאֵדְעָה, אֵדְעָה/דְעָה, Rt 4_4 (K אֵדַע), תֵּדְעִי, תֵּדְעִין (BL 300q), תֵּדְעוּהָ, אֵדָעֲךָ, יֵדָעֻנוּ, תֵּדְעוּן; imp. דַּע, דֶּע, לְדַעְתּוֹ; inf. דַּעַת, דֵּעָה (u. ↗ דֵּעָה), דַּעְתּוֹ, לָדַעַת, דְּעֵהוּ; pt. יוֹדֵעַ, יֹדַעַת, יֹדְעִים, יֹדְעֵי Ps 119_{79} (1Q וְיֹדְעִים, K ידעי, יֹדְעוּ), וְיָדוּעַ: allgemein wahrnehmen; THAT 1,682ff: — 1. **merken** Lv 5_3, לֹא יָדַע ohne es zu merken Jr 50_{24} Ps 35_8 Hi 9_5 u. לֹא תֵדַע ohne dass du Pr 5_6 ? auch HL 6_{12} (? obj. נַפְשִׁי S) = unversehens (ABea Canticum 1952, 53); יָדַע כִּי merken dass Gn 3_7, c. מַה Ex 2_4 1S 22_3; יָדַע שְׁלוֹם פ׳ erfahren, wie es jmd geht Est 2_{11}, zu spüren bekommen Js 9_8 Hos 9_7 (↗ Rud. 173), Hi 21_{19}; sich etw. merken Rt 3_4 (מָקוֹם); — 2. (durch Mitteilung) **erfahren** Lv 5_1 2S 24_2, c. בְּ von Jr 38_{24}, c. כִּי dass Neh 13_{10}; erfahren = erleben Js 47_8 Koh 8_5; c. כִּי Hi 5_{24}; — 3. (durch Wahrnehmen u. Überlegen) **erkennen** (THAT 1,687): c. כִּי Ri 13_{21}, c. עִם לְבָבְךָ Dt 8_5, c. בְּ an Gn 15_8; erkennen, dass ich J. bin (Zimm. Ich bin Jahwe, 1953; THAT 1,697f) Ex 6_7 Ez 6_7 (u.

oft); דַּע וּרְאֵה כִּי erkenne u. sieh, dass 1S 12_{17} 24_{12} 1K 20_{7} 2K 5_{7} Jr 2_{19}, c. מִי Jr 44_{28}, c. אִם ob Jr 5_{1}, c. acc. 1S 23_{22}, c. מִן partitivum 23_{23}; — 4. **sich kümmern um** (THAT 1,690), c. acc. Gn 39_{6}, c. obj. נַפְשִׁי Hi 9_{21}, c. בְּ Ps 31_{8}; — 5. **kennen** (lernen): a) jmd Gn 29_{5} (persönlich), Ex 1_{8} (geschichtlich); etw. Hi 28_{7} Js 47_{8} (erleben); c. לֹא nicht wissen wollen von Dt 33_{9}; c. בְּשֵׁם Ex 33_{12}, c. פָּנִים אֶל־פָּנִים Dt 34_{10}; Gott kennt Ps 50_{11} 69_{6} Hos 5_{3}; b) daher: יֹדְעִים Bekannte, Vertraute Hi 19_{13}; יְדוּעִים (pl.) bekannt mit (VG 1, 358, Ped. Isr 1/2, 518), sachkundig Dt $1_{13.15}$, יְדוּעַ חֹלִי m. Krankh. vertraut Js 53_{3} (THRobinson ZAW 73, 268: 1QJs[a] יודע); — 6. sexuell erkennen, sexuell verkehren, **begatten** (mhe. ja. sy., sy. חכם, ar. *ʿarafa*, ug. *ḫss* Aistl. 1060, akk. *idū*, CH §130 v. d. Frau, AHw. 188a, *lamādu*; γιγνώσκειν, *feminae notitiam habere*, *cognoscere*, THAT 1,689.691) Gn 4_{1} 1K 1_{4}, päderastisch Gn 19_{5}, v. d. Frau (akk.!) 19_{8} Nu 31_{17}; — 7. theol. **sich kümmern um jmdn** (THAT 1,691f): a) Gott subj. sich jmds annehmen 2S 7_{20} Nah 1_{7} Ps 144_{3} (|| חשב), יְמֵי תְמִימִים 37_{18}; **ersehen** (↗ בחר!) Gn 18_{19} Jr 1_{5} (|| הִקְדִּישׁ) Hos 13_{5} Am 3_{2} (Sekine ZAW 75, 152f :: Lex.[1]); b) Gott obj. (Botterweck Gotterkennen im AT 1951, Zimm. Erkenntnis G.s in Ez. 1954, akk. *mūdū ilāni* AHw. 666b; ↗ דַּעַת 3): Jr 2_{8} 4_{22} Hos 2_{22} 5_{4} Hi 18_{21}; לֹא יָדַע 1S 2_{12} Ex 5_{2} Ps 79_{6}; — 8. e. Sache **verstehen** (THAT 1,690), ↗ הִכִּיר 5: a) c. acc. Pr 30_{18} Am 5_{16} (נְהִי), שָׂפָה Ps 81_{6}, סֵפֶר Js 29_{11} (↗ Lkš 3_{8f}), בִּינָה 29_{24}, חָכְמָה Pr 1_{2}; c. צַיִד jagdkundig Gn 25_{27}, c. הַיָּם seetüchtig 1K 9_{27}; יָדַע לְ sich verstehen auf ? עַל־מִפְלְשֵׂי־עָב Hi 37_{16}; b) c. inf. verstehen etwas zu tun, *savoir* 1S 16_{18} (cf. קרא ספר Lkš 3_{9f}; Ell. ZDPV 62, 67f :: KAI 2, 192), c. inf. c. לְ Jr 4_{22}; c. impf. Hi 32_{22}; c. impf. u. וְ Hi 23_{3}; c. pt. (HeSy. § 103a, ↗ Rud.) 1S 16_{16} Neh 10_{29}; — 9. **wissen**; erkannt haben (cf. οἶδα, *novi*, THAT 1,687f): Js 40_{21}, c. acc. etw. 1S 20_{39} 2S 15_{11}, „es" 3_{26}, c. כִּי dass Gn 12_{11}, c. אֲשֶׁר dass Est 4_{11}, = c. אֵת אֲשֶׁר Dt 29_{15}, c. מַה Koh 8_{7}; c. טוֹב וָרָע (↗ I טוֹב 8c); c. inf: d. Einsicht haben um מָאוֹס · · · וּבָחוֹר Js 7_{15}; יָדַע · · · בֵּין · · · לְ unterscheiden können (↗ hif. 4) 2S 19_{36} Jon 4_{11}; c. 2 acc. 2C 12_{8}; מִי יוֹדֵעַ wer weiss; bab. *minde* (GAG § 121 e): c. impf. = vielleicht 2S 12_{22} Jl 2_{14} Jon 3_{9}, c. אִם ob Est 4_{14}, c. הֲ · · · אוֹ = keiner weiss, ob . . . oder Koh 2_{19}; — 10. **wissen, Einsicht haben**: יֹדְעִים (|| חֲכָמִים) Hi 34_{2} Koh 9_{11}, יוֹדֵעַ verständig Sir 40_{29}, Koh 3_{21} ↗ הֲ 2a, Hi 13_{2}; c. neg. ohne Einsicht sein Js 1_{3} 44_{9} 45_{20} 56_{10} Ps 73_{22} 82_{5}; — Ex 2_{25} (↗ nif.); Js 44_{8} l וּמִבַּלְעָדַי, dl בַּל יָדַעְתִּי (Koehler Dtj. 23); Ez 19_{7} inc. (II ידע ?, al. רעע וַיָּרַע, hif. u. אַלְמְנוֹת Paläste, ↗ Zimm. 418); 38_{14} l תֵּעוֹר G (עור nif.); Hos 2_{22} l וּבְדַעַת; Ps 104_{19} l pi. יִדַּע; 147_{20} l יִדְּעֵם; Pr 10_{32} l יוֹדִעוּן od. יַבִּיעוּן (נבע).

nif: pf. נוֹדַע, נוֹדְעָה, נוֹדַעְנוּ; impf. יִוָּדַע/דֵעַ, תִּוָּדְעִי, וְאִוָּדַע; inf. הִוָּדְעִי; pt. נוֹדָע — 1. **sich kund tun**, **offenbaren** (↗ גלה 2, THAT 1,693f) Ex 6_{3}, cj 2_{25} (l וַיִּוָּדַע) Ez 20_{5} (לְ).9 (אֶל) 35_{11} (בְּ) 36_{32} (לְ) 38_{23} Ps 9_{17} 48_{4} (לְ als); cj Hab 3_{2}; יַד י׳ Js 66_{14}; — 2. **sich sehen lassen** Rt 3_{3}; — 3. **gemerkt**, **kund werden** Gn 41_{31} 2S 17_{19} Pr 12_{16}; bemerkt werden 1S 22_{6} (cj נוֹעָד Gressm. SchrAT II 1^{2} 7*); c. כִּי merken, dass Gn 41_{21} ertappt werden Pr 10_{9} (:: Dahood Greg. 43, 63; III ידע kommt zum Schwitzen); — 4. **bekannt werden / sein**: Ex 2_{14} 21_{36} 33_{16} Lv 4_{14} Dt 21_{1} Ri 16_{9} 1K 18_{36} Js 19_{21} 61_{9} Jr 28_{9} Nah 3_{17} Zch 14_{7} Ps 76_{2} 77_{20} 79_{10} 88_{13} Pr 31_{23} Rt 3_{14} Koh 6_{10} Est 2_{22}; etw. wird bekannt 1S 6_{3} (:: WThomas JThSt. 11, 52: Vergebung wird zuteil, G) Neh 4_{9}; — 5. **sich selber erkennen, z. Einsicht kommen** Jr 31_{19} (cj הִוָּסְרִי,

יסר); — Ps 74$_{5}$ l יִגְּדְעוּ (Gkl); 147$_{20}$ l יְדִעֵם; Pr 12$_{16}$ l יוֹדִעַ; 14$_{33}$ l תֵּרוֹעַ (רעע nif.); 28$_{2}$ ↗ דעך. †

pi: pf. יִדַּעְתָּה (l Q u. Or. יִדַּעְתָּ הַשַּׁחַר): **wissen lassen** (Jenni 235) Hi 38$_{12}$, cj Ps 104$_{19}$ יִדַּע ΑΣ. †

pu: pt. מְיֻדָּע Rt 2$_{1K}$ (Q מוֹדָע, Rud.), מְיֻדַּעַת, מְיֻדָּעָיו/עַי/עָי, מְיֻדָּעִי Js 12$_{5K}$ (Q מוֹ׳ hof.): — 1. **Bekannter, Vertrauter** 2K 10$_{11}$ Ps 31$_{12}$ 55$_{14}$ (|| אַלּוּף) 88$_{9.19}$ Hi 19$_{14}$ Rt 2$_{1K}$; — 2. f. neutr. (GK § 122q) **Bekanntes** Js 12$_{5}$. †

[**po**: pf. יוֹדַעְתִּי 1S 21$_{3}$: l נוֹעַדְתִּי (: יעד :: Gd. JbKlasFo. 2, 59: pf. Jifil, Friedr. § 146]. †

hif: (ca. 70 ×); pf. הוֹדִיעַ, הוֹדַעְתָּ/דַעְתָּ, הוֹדִיעַנִי, הוֹדַעְתֶּם, הוֹדַעְתָּם/תַּנִי; impf. יוֹדִיעַ, יוֹדִיעֶנּוּ, תּוֹדִיעֵנִי, נוֹדִיעָה, יֹדִעוּ, אוֹדִיעַ, וַיֹּדַע, הוֹדִיעוּ, אוֹדִיעֲךָ; imp. הוֹדַע, יֹדִיעֵם, לְהוֹדִיעֵנִי, הוֹדִעֵנִי; inf. ה(וֹ)דִיעַ, ה(וֹ)דִיעֵנִי; pt. מוֹדִ(י)עִ(י)ם, מוֹדִיעֲךָ/עָם; THAT 1,693ff: — 1. c. 2 acc. jmd etw. **wissen lassen** Gn 41$_{39}$ Ex 33$_{12f}$ 1S 14$_{12}$ 16$_{3}$ 2S 7$_{21}$ Js 5$_{5}$ 40$_{13f}$ Jr 11$_{18}$ (es) 16$_{21}$ Ez 16$_{2}$ 20$_{4.11}$ 22$_{2}$ 43$_{11}$ Ps 16$_{11}$ 25$_{4.14}$ 32$_{5}$ 39$_{5}$ 51$_{8}$ 143$_{8}$, cj 147$_{20}$ (l יְדִעֵם) Pr 1$_{23}$ 22$_{21.19(?)}$, cj 12$_{16}$ Hi 13$_{23}$ 38$_{3}$ 40$_{7}$ 42$_{4}$ Da 8$_{19}$; — 2. c. acc. **kundtun, mitteilen** Ex 18$_{16.20}$ (לְ) Nu 16$_{5}$ Dt 4$_{9}$ 1S 10$_{8}$ (לְ) Js 12$_{4}$ 64$_{1}$ (לְ) Ez 39$_{7}$ Ho 5$_{9}$ Ps 77$_{15}$ 78$_{5}$ 89$_{2}$ 98$_{2}$ 103$_{7}$ (לְ) 105$_{1}$ 106$_{8}$ 145$_{12}$ (לְ) Pr 9$_{9}$ Hi 26$_{3}$ 32$_{7}$ Neh 8$_{12}$ (לְ) 9$_{14}$ (לְ) 1C 16$_{8}$ 17$_{19}$; — 3. a) c. acc. jmd (v. etw.) **in Kenntnis setzen**, ihm **mitteilen**: כִּי dass Dt 8$_{3}$, לֵאמֹר Jos 4$_{22}$, בַּמֶּה 1S 6$_{2}$ 28$_{15}$ 1 K 1$_{27}$ (מִי), Hi 10$_{2}$ 37$_{19}$ Js 47$_{13}$ (לְ betreffend); b) c. לְ u. אֶל jmd Mitteilung machen von Js 38$_{19}$; — 4. c. inf. u. לְ a) **lehren** zu Ps 90$_{12}$; הוֹדִיעַ בֵּין ... לְ (↗ qal 9) unterscheiden lehren Ez 22$_{26}$ 44$_{23}$ (c. acc. jmd); b) d. Zeichen geben zu 2C 23$_{13}$; — Ri 8$_{16}$ pr. וַיֹּדַע l וַיָּרַע (:: BarrCpPh. 19f); Hab 3$_{2}$ l תִּוָּדֵעַ. †

hof: pf. הוּדַע (Lv 4$_{23.28}$ pr. הוֹ׳, ? dial., BL 382); pt. מוּדַעַת Js 12$_{5Q}$: — 1. **kundgetan werden** Js 12$_{5}$; cj pr. הוּעַד (עוד hof.) Ex 21$_{29}$ (Cazelles 57f; = ist gewarnt, AGoetze Laws of Eshnunna, NewHaven 1956, 136); — 2. (Sünde) c. אֶל **z. Bewusstsein gebracht w.** Lv 4$_{23.28}$. †

hitp. (BL 377c): impf. אֶתְוַדַּע; inf. הִתְוַדַּע: **sich zu erkennen geben** c. אֶל Gn 45$_{1}$ Nu 12$_{6}$. †

Der. מַדּוּעַ, מֹדַעַת, מוֹדָע, דַּעַת, דֵּעָה, דֵּעַ, דְּעוּאֵל, אֶלְיָדָע, אֲבִידָע, יִדְּעֹנִי: n.m. מַדָּע, יוֹיָדָע, יְהוֹיָדָע, יְדַעְיָה, יָדָע, יְדִיעֲאֵל, יַדּוּעַ, שְׁמִידָע.

cj II *ידע: ar. *wada'a* niederlegen, hinstellen, asa. Conti 135, asin. Albr. PrSinI. 41 *md't*; WThomas JThSt. 6, 226, Ackroyd Fschr. WThomas 10, 14; cf. Emerton ZAW 81, 189f:

hif: pf. הוֹדִיעַ G ἐγνώρισεν irrig I ידע, ↗ Noth Kge. 172: **hinstellen** 1K 8$_{12}$. †

hof: pt. מוּדָעִים pr. מוּעָדִים: **hingestellt w.** Jr 24$_{1}$. †

cj III ידע: = יזע schwitzen, ? dial.-aram.; ug. *jd'* UT nr. 686. 1081, Aistl. 773, Dahood Bibl. 46, 316f; ar. *wada'a* fliessen:

nif: impf. תִּ/יִוָּדֵעַ: **schwitzen** Pr 10$_{9}$ 14$_{33}$. †

Der. III דַּעַת.

יָדָע, or. יָדֵעַ, G Ιαδαε: n.m.; Kf. I ידע + n.d. (Noth 181), ↗ יְדַעְיָה u. יַדּוּעַ; klschr. *Iada'* (APN 90b), ph. ידעמלך (PNPhPI 321), asa. ידע Ryckm. 2, 69: Urenkel v. יְרַחְמְאֵל 1C 2$_{28.32}$. †

יְדַעְיָה: n.m.; I ידע + ׳י, „J. kennt / erkannte" (Noth 181); Dir. 351, amor. *Jadaḫ-AN* (Ok. 55, Huffm. 209), asa. ידעאל (Ryckm. 2, 69): — 1. Priester 1C 9$_{10}$ 24$_{7}$ Esr 2$_{36}$ Neh 7$_{39}$ 11$_{10}$ 12$_{6.7}$ (↗ Rud. 190).$_{19.21}$ (↗ v.$_{7}$); — 2. a. d. bab. Golā Zch 6$_{10.14}$; — 3. cj Priester m. fremder Frau Esr 10$_{29}$ (al. יְעַדְיָה Rud. Galling). †

יִדְּעֹנִי: I ידע + **ānī* (BL 501y) „wissend"; mhe. ?, cf. akk. *mūdū* Gelehrter (PJensen

ZA 35, 124ff, AHw. 666a): אוֹב || יִדְּעֹנִים, אֹבֹת, ↗ GB, Stade Th. 1, 189, Budde KHC Sam. 178; Lods, Croyance à la vie future etc. Paris 1906, 1, 250^5: — 1. **Wahrsage-, Totengeist** Lv 20_{27}; — 2. Inhaber desselben, **Wahrsager** Lv 19_{31} 20_{6} Dt 18_{11} 1S $28_{3.9}$ (l. pl) 2K 21_{6} 23_{24} Js 8_{19} 19_{3} 2C 33_{6}. †

יָהּ u. **יָה**: 1. **Jah** als Nf. v. יְהוָה: verkürzt ↗ י׳ 1c: urspr. Driv. ZAW 46, 21ff; — a) ausserbibl.: Krughenkel aus Jericho, Samaria Eph. 3, 45, Dir. 69.128.132ff; BMAP 3, 25 = יהו 1, 2; Altar v. Lkš. Fschr. IsLevy, 1900, 140ff, 147; — b) im AT isoliert: Ps 68_{19} 77_{12} $115_{17.18a}$ $118_{5a.17-19}$ 122_{4} 130_{3} 135_{3f} 150_{6}; 11QPs[a] 135_{2} יה u. 6 כיה (DJD 4, p. 35); Ex 15_{2} Js 12_{2} u. Ps 118_{14} pr. זִמְרָת יָהּ l זִמְרָתִי יָהּ; בְּיָהּ (↗ בְּ 3) Js 26_{4} u. Ps 68_{5}; יָהּ יָהּ Js 38_{11} (1QJs[a] יה); — c) an od. nach appell. (Gsbg 381ff, Geiger 274ff): ↗ כֵּסְיָהּ Ex 17_{16}; מֶרְחָב יָהּ Ps 118_{5} (mlt MSS Edd מֶרְחַבְיָה, ↗ II); שַׁלְהֶבֶתְיָה HL 8_{6} l שַׁלְהֶבֶת/הֶבוֹת יָהּ; — 2. יָה sonst: fem. d. adj. *-i* als sbst. (BL 502c, RMeyer Gr. § 56, 1a): פְּלִילִיָּה Jr 32_{19}, עֲלִילִיָּה Js 28_{7} Ps 109_{7}, תְּרוּמִיָּה Ez 48_{12}, ↗ בַּקְבֻּקְיָה u. מַאְפֵּלְיָה; ? חֲבַצִּנְיָה; — corr. חֲסִין יָהּ Ps 89_{9} l חֲסָנְךָ.

***יהב**: jaud. (?), aam. pehl. äga. nab. palm. (DISO 105); ba. ja. (יהביה n.m.; ↗ Eissf. Kl.Schr. 2, 83ff), cp. sam. (BCh. 2, 520b) sy. md. (MdD 189b); asa. ar. äth. tigr. (Wb. 14b) *whb*; soq. *weheb* grosszügig. Der. הַב, הַבְהָב, יְהָב (?).

יְהָב: יהב od. II אהב; ja.[tb] יהבא als ar. Wort zitiert; ar. *ʾuhbat* Ausrüstung; VG 1, 242i; aLw 120: **Last** (G μέριμνα, Luther: Anliegen) Ps 55_{23}. †

יהד: denom. v. יְהֻדִי; sy. etpa;

hitp. (BL 291h, Bgstr. 2, 98c): pt. מִתְיַהֲדִים: **sich als Jude ausgeben** (Ehrl., Lex.[1]; al. z. Judentum übertreten, ThWbNT 6, 73, Bardtke 376) Est 8_{17}. †

***יְהֻד**: Jos 19_{45}: ↗ יְהוּד.

יָהְדַי: n.m.; *הדה; ? l יְהְדַי, cf. G[AL]; „J. leite" Noth 196, Barr CpPh. 182: Nachk. v. Kaleb 1C 2_{47} cj $_{46}$ pr. גָּזֵז (Rud.). †

יֵהוּא, G I/Ειου, DJD 2, 224 ʾΪοὺ: n.m., ? dissim. < *יוהוא „er ist J." (Nestle ThStKr., 1892, 573f, Noth 143, HBauer ZAW 51, 93, cf. יֵשׁוּעַ :: Bgstr. 1, 151b: Kf.: **Jehu** — 1. K. v. Isr., klschr. *Ja-u-a*, APN 92b, RGG 3, 574f, BHH 808: 1K 19_{16f} 2K 9_{2}-10_{36} (37 ×) 12_{2} 13_{1} 14_{8} 15_{12} Hos 1_{4} 2C 22_{7-9} 25_{17}; — 2. Profet 1K $16_{1.7.12}$ 2C 19_{2} 20_{34}; — 3. Offizier Davids 1C 12_{3}; — 4. 1C 2_{38}; — 5. 1C 4_{35} (Rahlfs וְהוּא G[B] :: Rud. 40).

יְהוּא Koh 11_{3}: ↗ II הוה.

יְהוֹאָחָז: n.m., אחז + י׳, „J. ergreife od. ergriff" (Noth 179); > יוֹאָחָז; cf. אֲחַזְיָה; klschr. *Jauḫazi* APN 92b: **Joahas** — 1. K. v. Isr. 2K 10_{35} $13_{1.4.7.10.22.25}$ $14_{8.17}$ 2C $25_{17.25}$, = יוֹאָחָז 2K 14_{1}, BHH 867; — 2. K. v. Juda 2K $23_{30f.34}$ 2C 36_{1}, = יוֹאָחָז $36_{2.4}$; BHH 867, Malamat IEJ 18, 140f; — 3. 2C 21_{17} 25_{23} (↗ Rud. 280). †

יְהוֹאָשׁ, G Ιωας: n.m.; י׳ + אושׁ, „J. schenkte" (Noth 171), > יוֹאָשׁ; Lkš יאושׁ, asa. אושׁ ZAW 75, 309: **Joas** — 1. K. v. Juda 2K $12_{1-3.5.7f.19}$ 14_{13}, ↗ יוֹאָשׁ 3; 2. K. v. Isr. 2K $13_{10.25}$ $14_{8f.13.15-17}$, ↗ יוֹאָשׁ 4. BHH 868. †

יָהוּ: ↗ יְהוָה; ? auf Krugstempeln ↗ ba יְהוּד. †

יְהוּד: 1. וִיהֻד Jos 19_{45}; n.l. in Dan; G[AMSS] Ιουδ/θ; G[B] Αζωρ, klschr. *Azuru*, *Jāzūr*, (ZDPV 54, 276ff, Noth Jos. 118), ʾΙουδαία 1 Mak 4_{15}, = *el-Jehūdīje*, 13 km nö. Jafa; (Abel 2, 357, GTT § 336, 13, Eissf. KlSchr. 1, 274ff. Wright ZDPV 84, 1ff; 2. ihe. u. aram. = he. ↗ יְהוּדָה, ↗ ba. †

יְהוּדָה (820 ×), Sam.[M102] *jēʾūda*, G Ιουδα: ba. u. ihe. (BASOR 197, 30, 32) הרי יהד, יְהוּד *Ch. bēt-Lei*, > ar. *Jahūd* (VG 1, 398[1] :: Albr. JBL 46, 172ff), klschr. sec. aram. *Jaudu*, *Jaḫ/kudu* (Mél. Syr. 2, 926, Wiseman 72,

Z. 12); etym. inc. ↗ Noth WdAT 50f, JLewy HUCA 18, 479, Nyberg Stud. z. Hoseab. 1935, 77ff, Eissf. FuF 38, 20ff; RGG 3, 963f, BHH 898: **Juda** — 1. n.terr., d. Stamm Juda; urspr. הַר יְהּ׳ Jos 20$_{7}$ (Alt KlSchr. 1, 5[1], Noth Jos. 125); Ri 1$_{3}$ neben Simeon; בְּנֵי יְהּ׳ 1C 4$_{1}$, שֵׁבֶט יְהּ׳ Jos 15$_{1}$, מַטֵּה בְּנֵי יְהּ׳ Jos 7$_{16}$, מַטֵּה יְהּ׳ Ex 31$_{2}$, אִישׁ יְהּ׳ (coll.) Ri 15$_{10}$, אַנְשֵׁי יְהּ׳ 2S 2$_{4}$; — 2. h. ep., Juda S. v. Jakob Gn 29$_{35}$ 35$_{23}$ 37$_{26}$ 38$_{1ff}$ 43$_{3.8}$ 44$_{14.16.18}$ 46$_{28}$ 49$_{8}$ Rt 4$_{12}$ 1C 2$_{1.3}$; בְּנֵי יְהּ׳ Gn 46$_{12}$ Nu 26$_{19}$ 1C 2$_{3f}$; — 3. Reich u. Staat Juda: Gn 49$_{10}$ (:: Gaster VT 4, 73: pr. מִיְּהּ׳ cj מִיָּדוֹ) Kl 1$_{3}$ (f.!); a) אֶרֶץ יְהּ׳ Am 7$_{12}$ Neh 5$_{14}$, בֵּית יְהּ׳ Js 22$_{21}$ cj Mi 1$_{5}$, אַדְמַת יְהּ׳ Js 19$_{17}$, עָרֵי יְהּ׳ 44$_{26}$, מַלְכֵי יְהּ׳ 1K 14$_{29}$, פַּחַת יְהּ׳ Hg 1$_{1.14}$, אִישׁ יְהּ׳ Js 5$_{3}$ (:: יֹשֵׁב יְרוּשָׁלִַם), אַנְשֵׁי יְהּ׳ 1K 1$_{9}$, בְּנֵי יְהּ׳ Jr 7$_{30}$, יְהּ׳ וְיִשְׂרָאֵל 23$_{6}$; b) d. Land u.s. Bewohner: יְהוּ׳ וִירוּשׁ׳ Js 3$_{1.8}$ (m. 1QJs[a] f. sec. 8aα) 5$_{3}$ 22$_{21}$, אִישׁ יְהּ׳ יְהוּ׳ וִירוּשׁ׳ 1$_{1}$, וְיֹשְׁבֵי יְרוּ׳ 2K 23$_{2}$ Jr 4$_{4}$ 17$_{20}$ 18$_{11}$; Jerus. in Juda Esr 1$_{2}$ (↗ Fschr. Galling 71); ? לִיהּ׳ בְּיִשְׂר׳ 2K 14$_{28}$ (? l לְיִשְׂר׳); Mtg-G. 444. 446; :: Driv. ErIsr. 5, 18[20]: ? d. nsyr. *Jaudu* (Gd. JNESt. 14, 56ff, Segert ArchOr. 24, 400f); — Ιουδαία m. Varr. Act 2$_{9}$ = Γορδυαία, d. jüdisch gewordene Adiabene (Eissf. KlSchr. 4, 99. 115ff. 127ff, Alth.-St. ArAW 2, 70ff); — 4. Provinz Juda Hg 1$_{1.14}$ 2$_{2.21}$ Neh 5$_{14}$; — 5. n.m. (excl. 2.; ? als „bibl." Namen: ↗ Hölscher Fschr. Marti 150f, Noth 60): — 1. Levit Esr 3$_{9}$ u. Neh 12$_{8}$ (l הוֹדַוְיָה Rud.; :: Hö, Galling); — 2. Levit Esr 10$_{23}$; — 3. Benjaminit Neh 11$_{9}$; 4.5. Priester 12$_{34}$; $_{36}$; — ? Jos 19$_{34}$; 2C 25$_{28}$ l דָּוִיד.

I יְהוּדִי: gntl. v. יְהוּדָה (VG 1, 398, BL 501z), ↗ ba. יְהוּדִי, ja. יְהוּדָיָא/יְהוּדָאָה, klschr. *Jaudāi* APN, 93b; md. MdD 184b יאהוטייא: יְהוּדִיִּים K, דִים- Q Est 4$_{7}$ u. 3 × (BL 562u), f. יְהוּדִית u. יְהוּדִיָּה (BL 502c): — 1. zu Juda gehörig, **judäisch, jüdisch**: אִישׁ Zch 8$_{23}$ Est 2$_{5}$, אֲנָשִׁים Jr 43$_{9}$, אִשְׁתּוֹ הַיְּהוּדִיָּה 1C 4$_{18}$; דַּבֵּר יְהוּדִית judäisch reden 2K 18$_{26.28}$ / Js 36$_{11.13}$ u. 2C 32$_{18}$ (:: אֲרָמִית), jüdisch Neh 13$_{24}$ (:: אַשְׁדּוֹדִית); — 2. **Judäer, Jude** 2K 16$_{6}$ (erstmals!) 25$_{25}$ Jr 32$_{12}$ 34$_{9}$ 38$_{19}$ 40$_{11f}$ 41$_{3}$ 44$_{1}$ 52$_{28.30}$ Neh 1$_{2}$ 2$_{16}$ 3$_{33f}$ 4$_{6}$ 5$_{1.8.17}$ 6$_{6}$ 13$_{23}$ Est 3$_{4.6.10.13}$ 4$_{3.7.13f.16}$ 5$_{13}$ 6$_{10.13}$ 8$_{3}$-10$_{3}$ (39 ×). †

II יְהוּדִי: G Ιουδει(ν): n.m., = I: Hofbeamter Jr 36$_{14.21.23}$. †

יְהוּדִית, Sam.[M102] *jā'ūdit*, G[A] Ιουδιν, MSS Ιουδ(ε)ιθ/ηθ, „Judäerin" (Stamm HFN 322), Wuthnow 59: **Judith**, heth. Frau d. Esau Gn 26$_{34}$; Heldin des gleichnamigen Buches, BHH 912. †

יהוה: n.d. **Jahwe/ä**; Baud. Kyr. 1-4, RGG 3, 515f, Eichr. 1, 116ff, Ringr. IR 58ff, THAT 1, 701ff; — 1. Formen: a) (Driv. ZAW 46, 7ff, Albr. JBL 43, 370ff) erste Belege Gn 2$_{4}$ 4$_{26}$. Im MT אֲדֹנָי gesprochen, ↗ אָדוֹן; seit 1. Jh. n. Chr. (Baud. 2, 305f. schon früher: Rud. 231f zu Kl 3$_{31}$). Edd. daher יְהוָֹה, Ⓛ יְהוָה, danach BH[3] u. BHS; gew. verstanden als שְׁמָא, aram. = הַשֵּׁם (Baud. 2, 124f) :: Katz ThZ 4, 467f, Alfrink 5, 72ff: als unaussprechlich verstümmelt. Neben אֲדֹנָי als „Elohim" יֱהוִֹה, יְהוִה u. לֱיהוִה Ps 68$_{21}$ † (Baud. 1, 590); — b) die falsche Aussprache *Jehovah*, seit ca. 1500 allgemein üblich, zuerst 1381 belegt (Eissf. KlSchr. 1, 167[4]), vermischt unzulässig K u. Q. Die Aussprache אֲדֹנָי führt zur Schreibung לַ/כַּ/וַ/בַּיהוה; spr. *ba'adonāi* etc. (od. *bejahwä* etc.), מֵיְהוָה (Kl 2$_{9}$), spr. *mē'adōnāj* od. *mijjahwä*; — c) Dass **jahwä* d. urspr. Form war (Fohrer GiR 63, :: LDelekat, Fschr. Kuhn 23ff: urspr. *jāhō/ū*) zeigt α) d. Wtsp. mit אֶהְיֶה Ex 3$_{14}$, β) d. Umschrift Ιαουαι/ε bei Clemens Alexandrinus Stromata V 6, 34 (Baud. 2, 116f :: Ganschinietz P—W IX 700: Ιαου), γ) d. Umschrift Ιαβε bei Field zu Ex 6$_{3}$ (Baud. 2, 222f); — d) in יהוה -haltigen Namen wird **jahwä* am Wortende zu jahw (cf. יִשְׁבֶּה > juss. יִשְׁבְּ) u. *jāhū, (cf. יִשְׁתַּחֲוֶה > יִשְׁתַּחוּ u. שָׂחוּ Schwimmen < *śaḥw, BL 420k.576g), u. נְתַנְיָהוּ verkürzt > נְתַנְיָה. Am Wortanfang wird *jāhū > *jᵉhū > jᵉhō (dissim. od. rückb. < jō ?): יְהוֹנָתָן > יוֹנָתָן; vor ū dissim. > jē ↗ יֵשׁוּעַ u. יֵהוּא (?). Nach anderen (Baud. 2, 195[5], Hehn 228) wäre יָהוּ selbständiges Wort. Selbständige Kurzformen sind ↗ יָהּ/יָה. — 2. Ausserbibl. Belege (WbMy. 1, 291f; Murtonen, Appearance of the Y.-name outside of Isr., Helsinki, 1951, Cross HThR 55, 225ff); cf. n.t. *Jhwꜣ* (Malamat Syr. Pal. Fischer Weltgesch. 3, 348[19] a) יהוה: Mesa 18, Lkš (neben יה) T. Arad. † b) יהו: äga. (Vincent 25ff), isr. Krugstempel (nun יהד gelesen, BHH 1863); c) יהה: äga. (AP 290a, APO 9f); d) יה: Lkš, äga.; ↗ יָהּ; e) ?ug. *jw* (UT nr. 1084, Aistl. 1151, CML 12[4] de Moor 118f, Gese RAAM 55f :: ThR 13, 159f, Murt. Philolog. Treatise on the OT Divine Names, Helsinki, 1952, 49f); f) ? akk. (KAT[3] 465ff) *jāum-ilu* (:: *jāʾum*, *jāwum* „mein" AHw. 413a!), —*jāma*, ↗ Eissf. KlSchr. 2, 81ff; g) nab. (עבד) אהיו n.d. Cant. 2, 57a, 125b :: Alt KlSchr. 1, 6[1]; h) ? hellenist. gnostisch: *Jao*, grie. Schriftsteller u. Zauberpapyri (Baud. 4, 87, P-W Kl. 2, 1314ff); — 3. Etym. strittig. Freedman JBL 79, 151ff. a) impf: α) ↗ I הוה wehen, fallen, hif. zerstören; β) II הוה sein, Eichr. 1, 117f; hif. ins Leben, Dasein rufen, Albr. VSzC 259ff; γ) III הוה Leidenschaftlich sein/handeln, Goitein VT 6, 1ff; δ) ug. *hwt* reden, Bowman JNESt, 3, 1ff; b) sbst.: Wesen, Koehler WdO 1, 405; c) ekstat. Ruf, ROtto, Gefühl d. Überweltl., 1932, 210. 326, Mow. HUCA 32, 121ff; — 4. Stat. (Vetter ThQ 85, 12ff): ca. 6800 ×; nie in Koh, Est: (aber 4_{14} מִמָּקוֹם אַחֵר), selten in Da ($9_{4.8.14.14}$ ↗ Mtg. 360), häufig in Ps. u. d. historischen Büchern, sehr häufig in Js Jr Ez; — 5. in Verbindungen: a) ׳י אֱלֹהִים Gn 2_{4}-3_{23} (Kombination v. Quellen, ↗ Komm. :: Murt. Treat. 67ff: cs. Verbindung; ↗ Ges. 580a; ׳י הָאֵל׳ 1S 6_{20} (+ 3 ×); ׳י אֱלֹהֵי יִשְׂר׳ Jos 14_{14} u.ä.; b) אֲדֹנָי יְהוִה Dt 3_{24} u. יְהוִה אֲדֹנָי Hab 3_{19} (Ges. 580b, s.o. 1a); c) ׳י צְבָאוֹת, cs. Verbindung (Maag Fschr. Koehler 27ff, Murt. Treat. 74ff, Eissf. Kl Schr. 3, 103ff. :: Lex.[1]) ↗ I צָבָא B; d) ׳י יִרְאֶה Gn 22_{14}, ↗ ראה 10; e) ׳י נִסִּי Ex 17_{15}, ↗ נֵס; f) ׳י צִדְקֵנוּ Jr 23_{6} 33_{16} (צֶדֶק, Rud. 135); g) ׳י שָׁלוֹם Ri 6_{24} (Eissf. KlSchr. 2, 146); h) ׳י שָׁמָּה Ez 48_{35}; — 6. ׳י irrige Auflösung d. sf. 1. sg.: Ri 19_{18} l בֵּיתִי pr. ׳י בֵּית :: l ׳י pr. sf.; Jr 9_{5} אתי l ׳את־י (Kennedy 173, Volz Stud. z. Text d. Jer. (1920) XI, Seeligm. 66).

יְהוֹזָבָד, G Ιωζαβαδ/βεδ/θ u.ä.: n.m.; ׳י + זבד, „J. schenkte" (Noth 46f), cf. זְבַדְיָה; palm. נבוזבד (NE 321); > יוֹזָבָד: — 1. (2C שִׁמְרִית) בֶּן־שֹׁמֵר Mörder d. K.s Joas, 2K 12_{22} 2C 24_{26} = יוֹזָבָד 1; — 2. S. d. עֹבֵד אֱדוֹם, Torhüter 1C 26_{4}; — 3. Offizier d. Josafat 2C 17_{18}. †

יְהוֹחָנָן: n.m.; ׳י + חנן, ↗ חֲנַנְיָה(וּ), > יוֹחָנָן, G Ιωαναν, NT Ἰωάν(ν)ης, ↗ Wuthn. 59; äga. יחנן, יוחנן, יהוחנן, יהוחן n. f. (Stamm HFN 311): **Johannes**; — 1. Enkel d. אֶלְיָשִׁיב Esr 10_{6}, cf. יוֹחָנָן 2; — 2. andere: 10_{28} Neh 6_{18} $12_{13.42}$ 1C 26_{3} 2C 17_{15} (שַׂר d. K.s Josaphat) 23_{1} 28_{12}. †

יְהוֹיָדָע, G Ιωδαε: n.m., ׳י + ידע „J. kümmerte sich (um mich), Noth 181; Dir. 351; > יוֹיָדָע: — 1. V. v. בְּנָיָהוּ 2S 8_{18} 20_{23} $23_{20.22}$ 1K $1_{8.26.32.36.38.44}$ $2_{25.29.34f.46}$ 4_{4} 1C $11_{22.24}$ 12_{28} 18_{17} $27_{5.34}$; — 2. Priester z. Zt. d. עֲתַלְיָה 2K $11_{4.9.15.17}$ $12_{3.8.10}$ 2C 22_{11} 23_{1-18} 24_{2-25}; — 3. Priester z. Zt. d. Jeremia Jr 29_{26}. †

יְהוֹיָכִ(י)ן, G Ιωακειν/μ: n.m.; ׳י + כון hif., „J. stellte sicher hin" (Noth 202); klschr. *Jaʾū/kūkīnu* (MélSyr. 925f): > *Iakinu* APN 316b; > יוכן (= **Jōkīn*, ZAW 47,

16; Dir. 126f): **Jojachin** (BHH 879) K. v. Juda 2K 24$_{6.8.12.15}$ 25$_{27}$ Jr 52$_{31}$ 2C 36$_{8f}$; = יוֹיָכִין Ez 1$_2$ (s. Ära, Zimm. 43f), = יְכָנְיָה Jr 27$_{20}$ 28$_4$, = ↗ יְכָנְיָהוּ Jr 24$_1$ 29$_2$ Est 2$_6$ 1C 3$_{16f}$, = כָּנְיָהוּ (Lkš 3, 15, KAI 2, 193) Jr 22$_{24.28}$ 37$_1$. †

יְהוֹיָקִים, G Ιωακειμ: n.m.; ׳י + הֵקִים „aufrichten, retten" (Noth 200f) als Bitte, :: Koehler ZAW 36, 27f: „vor Gericht aufstehen lassen" :: Stamm HEN 420a; > ↗ יוֹיָקִים u. ↗ יוֹקִים; יקמיהו Mosc. Ep. 54, 8; **Jojakim** K. v. Juda, BHH 880: 2K 23$_{34-36}$ (umbenannt < אֶלְיָקִים v. 34, Noth N. 98f) 24$_{1.5f.19}$ Jr 1$_3$ 22$_{18.24}$ 24$_1$ 25$_1$ 26$_{1.21-23}$ 27$_{20}$ 28$_4$ 35$_1$ 36$_{1.9.28-30.32}$ 37$_1$ 45$_1$ 46$_2$ 52$_2$ Da 1$_{1f}$ 1C 3$_{15f}$ 2C 36$_{4f.8}$; Jr 27$_1$ gew. l צִדְקִיָּהוּ :: Rud. 158f. †

יְהוֹיָרִיב: n.m.; ׳י + ריב, „J. hat Recht geschafft" (Noth 201, Stamm Fschr. Albr. 1971, 452); > יוֹיָרִיב, II יָרִיב u. רִיבַי: Priester Neh 12$_{6.19}$ 1C 9$_{10}$ u. 24$_7$ (G^B I(ω)αρειμ = הֵרִים ?), ↗ בֶּן־יוֹיָרִיב Neh 11$_{10}$ (↗ Rud. 184). †

יְהוּכַל: n.m. Jr 37$_3$, Dir. 119, BA 31, 11 = יוּכַל Jr 38$_1$ (G Ιωαχαλ): ׳י + יָכֹל „J erweise/erwies sich mächtig" (Noth 111^4. 207); ? יוּכַל Kf. u. יְהוּכַל rückb. (BL 229g; cf. יְהוֹסֵף). †

יְהוֹנָדָב, G Ιωναδαβ: n.m.; ׳י + נדב, „J. zeigte sich freigebig" (Noth 193); > יוֹנָדָב u. נָדָב; cf. klschr. *Kammusu-nadbi* (APN 111b ↗ כְּמוֹשׁ): — 1. 2S 13$_5$ = יוֹנָדָב (1.) 13$_{3.32.35}$; — 2. S.v. רֵכָב 2K 10$_{15.23}$ Jr 35$_{8.14.16.18}$, = יוֹנָדָב (2.) 35$_{6.10.19}$. †

יְהוֹנָתָן, G Ιωναθαν/θας: ׳י + נתן, „J. gab (d. Kind)", Noth 170; äga. יה(ו)נתן, יונתן, DJD 2, 297b; > יוֹנָתָן (Freedm. Textus 2, 97) u. mhe. יַנַּי, NT Ἰανναι, Ἰανναῖος Schürer 1, 284f, Noth 39f: **Jonatan**: — 1. S. v. Saul, BHH 883, 1S 14$_{6.8}$ 18$_{1.3f}$ 19$_{1f.4.6f}$ 20$_{1-42}$ (26 ×) 21$_1$ 23$_{16.18}$ 31$_2$ 2S 1$_{4f.12.17.22f.25f}$ 4$_4$ 9$_{1.3.6f}$ 21$_{7.12-14}$ 1C 8$_{33f}$ 9$_{39f}$, = יוֹנָתָן 1; — 2. S.v. אֶבְיָתָר 2S 15$_{27.36}$ 17$_{17.20}$, = יוֹנָתָן 2; — 3. Brudersohn v. David 2S 21$_{21}$ 1C 20$_7$; — 4. דּוֹד Davids u. יוֹעֵץ 1C 27$_{32}$; — 5. Recke D.s 2S 23$_{32}$, = יוֹנָתָן 8; — 6. 1C 27$_{25}$; — 7. הַסּוֹפֵר Jr 37$_{15.20}$ 38$_{26}$; — 8. Levit 2C 17$_8$; — 9. Priester Neh 12$_{18}$; — 10. Ahnherr d. Priesterschaft v. Dan Ri 18$_{30}$, ↗ מְנַשֶּׁה, מֹשֶׁה. †

יְהוֹסֵף: n.m.; rückb. < יוֹסֵף, cf. יְהוּכַל; mhe. Syr. 4, 244f Z. 14. 16; DJD 2, 297b: Ps 81$_6$. †

יְהוֹעַדָּה: n.m., G^A Ιωιαδα, G^B Ιαδα, G^L Ιωδα; ? ׳י + II עדה „J. ist Zier", ? 1 יַעְדָּה (Noth 245, Rud.): Nachk. Sauls 1C 8$_{36}$. †

יְהוֹעַדָּן, 2K 14$_2$, Q יְהוֹעַדָּן — (2C 25$_1$), K עֲדִין od. עֲדִין, G^{AB} Ιωαδειμ: n.f.; ׳י + עדן, „J. ist Wonne" (Noth 165f, Stamm HFN 313; ? asa. עדין Ryckm. 1, 157b): M.d.K.s אֲמַצְיָהוּ 2K 14$_2$ 2C 25$_1$. †

יְהוֹצָדָק, G^L Ιωσεδεκ: n.m.; ׳י + צדק (pr. hif.!, Noth 189. 36), „J. handelt gerecht"; > יוֹצָדָק: V. d. Hohenpriesters יְהוֹשׁוּעַ; Hg 1$_{1.12.14}$ 2$_{2.4}$ Zch 6$_{11}$ 1C 5$_{40f}$, = ↗ יוֹצָדָק Esr 3$_{2.8}$ 5$_2$ 10$_{18}$ Neh 12$_{26}$. †

יְהוֹרָם, G Ιωραμ: n.m.; ׳י + רום, „J. ist erhaben" (Noth 145); äga. (Aimé-G.), > יוֹרָם: **Joram**: — 1. K. v. Juda, BHH 884: 1K 22$_{51}$ 2K 1$_{17}$ 8$_{16.25.29}$ 12$_{19}$ 2C 21$_{1.3-5.9.16}$ 22$_{1.6.11}$ = יוֹרָם 1; — 2. K. v. Israel, BHH 884: 2K 1$_{17}$ 3$_{1.6}$ 9$_{15.17.21-24}$ 2C 22$_{5-7}$, = יוֹרָם 2; — 3. 2C 17$_8$. †

יְהוֹשֶׁבַע: 2K 11$_2$, G^{BL} Ιωσαβεε, G^A -σαβεθ, n.f., = יְהוֹשַׁבְעַת 2C 22$_{11}$ G -σαβεε; ׳י + II שֶׁבַע/שְׁבָעָה, „J. ist Fülle, Glück" (Noth 146f, Koehler ZAW 55, 165f, Stamm HFN 312f), cf. אֱלִישֶׁבַע: T. d. jud. K.s יוֹרָם. †

יְהוֹשַׁבְעַת: ↗ יְהוֹשֶׁבַע.

יְהוֹשׁוּעַ, Dt 3$_{21}$ Ri 2$_7$, sonst יְהוֹשֻׁעַ: n.m., Sam.^{M102} *jē'ūša*, G Ιησου(ς) (ZAW 71, 116), auch Ιωσηε, Ωσηε; ׳י + I שׁוע, „J. ist Hilfe" (Noth 154f :: Albr. AfO 3, 125b: ar. *ġauṯ* Hilfe :: Kö.: ar. *wasi'a*, I שׁוע Freigebigkeit); > יוֹשׁוּעַ > יֵשׁוּעַ (dissim., VG 1, 255, GB, :: Bgstr. 1, 151b), hellenistisch dafür Ἰάσων (Schürer 1, 194): **Josua**, exc. יוֹכֶבֶד erster j.-haltiger Name im AT (Gressm. Mose 432); Dir. 351, ?? EA 256, 18 *Jašuia* (↗ Albr. BASOR 89, 12[27]; Rowley JJ 191b, RGG 3, 872f, BHH 894: — 1. בִּן־נוּן Ex $17_{9f.13f}$ 24_{13} 32_{17} 33_{11} Nu 11_{28} $14_{6.30.38}$ 26_{65} $27_{18.22}$ $32_{12.28}$ 34_{17} Dt 1_{38} 3_{28} $31_{3.7.14.23}$ 34_{9} Jos 1_{1}-24_{31} Ri $1_{1}.2_{6-8.21.23}$ 1K 16_{34} 1C 7_{27}; = יֵשׁוּעַ Neh 8_{17} (↗ Rud. 150, Sam. יהושוע), = הוֹשֵׁעַ Nu $13_{8.16}$ (Umnennung, Eissf. Fschr. WThomas 77) Dt 32_{44} (Sam. יהושוע); — 2. בֵּית הַשִּׁמְשִׁי 1S $6_{14.18}$; — 3. בֶּן־יְהוֹצָדָק Heimkehrer — früher u. d. spätere Hohepriester Hg $1_{1.12.14}$ $2_{2.4}$ Zch $3_{1.3.6.8f}$ 6_{11}, = יֵשׁוּעַ Esr 2_{2} 3_{8}; — 4. Stadtkommandant v. Jerusalem 2K 23_{8}.

I יְהוֹשָׁפָט, G Ιωσαφαθ/τ: n.m., ׳י + שׁפט, „J. hat z. Recht geholfen" (Noth 187); > יוֹשָׁפָט: **Josafat**; — 1. K. v. Juda (BHH 886, Yeivin ErIsr 7, 6ff), 1K 15_{24} 22_{2-52} 2K 1_{17} $3_{1.7.11f.14}$ 8_{16} 12_{19} 1C 3_{10} 2C17_{1}-21_{2} 22_{9}; — 2. V. v. Jehu 2K $9_{2.14}$; — 3. מַזְכִּיר Davids 2S 8_{16} 20_{24} 1K 4_{3} 1C 18_{15}; — 4. Beamter Salomos 1K 4_{17}. †

II יְהוֹשָׁפָט: n.t. ׳עֵמֶק יְה, **Tal Josafat**, im Kidrontal, Begräbnisort, dann Stätte d. Endgerichts, ↗ גֵּי הִנֹּם; Mtg.-G. 530f, Dalm. JG 93f; Jl $4_{2.12}$. †

יָהִיר: יהר; mhe. ja.[tb] übermütig, stolz, ja.[b] יְהִירְתָא, ja.[b] יוהרא Hochmut, asa. Burg- u. Hausname (ZAW 75, 309): **anmassend, stolz** (:: Humb. Hab. 47.74): Hab 2_{5} (גֶּבֶר), Pr 21_{24} (זֵד). †

יַהֵל: Js 13_{20}; < יַאֲהֵל, ↗ I אהל.

יְהַלֶּלְאֵל: n.m. I הלל + אֵל, „El leuchtet auf" (Noth 205); — 1. Judäer 1C 4_{16}; — 2. Levit 2C 29_{12}. †

יָהֲלֹם Ⓛ Ex 28_{18} Ez 28_{13} u. יַהֲלֹם Ex 39_{11}, Ⓑ überall ׳יַהֲ: e. Edelstein, Etym. u. Bedeutung inc. (↗ Quiring 202, Zimm. 673, JSHarris ZAW 78, 83). †

יַהַץ, Sam.[M103] *jēṣṣa*, G Ιασσα: n.l. in Moab, ar. *wahṣat* Landstück: Js 15_{4} Jr 48_{34}; יַהְצָה 48_{21} Jos 13_{18} 21_{36} 1C 6_{63}, יָהְצָה Nu 21_{23} Dt 2_{32} Ri 11_{20}; יהץ Mesa 19f, nahe דִּיבֹן verschieden localisiert: Abel 2, 354, Noth ZAW 60, 40.45, GTT § 337. 42, Rud. Jer. 285, Kuschke Fschr. Hertzb. 92. †

*יהר: mhe. hitp., ja.[b] itp. sich brüsten, md. (MdD 190a) glänzen, ↗ II נהר: :: Guill. 1, 26: ar. *jhr* X d. Verstand verlieren, *wahrat* Furcht: Der. יָהִיר.

יוֹאָב, 1 × יֹאָב: n.m., ׳י + אָב, „J. ist V." (Noth 69, 141f); ? klschr. *Jābu*, APN 90b: **Joab**: — 1. Feldherr Davids (BHH 867) 1S 26_{6} 2S 2_{13}-24_{9} 1K 1_{7}-11_{21} 1C 2_{16}-27_{34} Ps 60_{2}; — 2. 1C 4_{14}; — 3. Esr 2_{6} 8_{9} Neh 7_{16}. †

יוֹאָח: n.m.; ׳י + אָח, „J. ist Bruder (Noth 69. 141f); ? klschr. *Jaḫi*: — 1. (G[BA] Ιωας, G[L] Ιωαχ) מַזְכִּיר Hiskias 2K $18_{18.26.37}$ Js $36_{3.11.22}$; — 2. (G Ιουαχ) מַזְכִּיר Josias 2C 34_{8}; — 3.-5. 1C 6_{6}; 26_{4}; 2C 29_{12}. †

יוֹאָחָז, G Ιωαχ; n.m.; < יְהוֹאָחָז: V. d. יוֹאָח 2: 2C 34_{8}. †

יוֹאֵל, G Ιωηλ: n.m.; ׳י + אֵל, „J. ist Gott" (Noth 140 :: BDB 222a, Baud. AE 291: II יאל, ar. *wāʾil*): — 1. d. Profet Jl 1_{1} (BHH 869); — 2. S. Samuels 1S 8_{2} 1C 6_{18} cj 13; 3.-15. 1C 6_{21}; $5_{4.8}$; $15_{7.11.17}$; 23_{8}; 26_{22}; 4_{35}; 5_{12}; 7_{3}; 11_{38} (2S 23_{36} יִגְאָל); 27_{20}; 2C 29_{12}; Esr 10_{43} Neh 11_{9}. †

יוֹאָשׁ, יֹאָשׁ 2C 24_{1}, G Ιως: n.m., < יְהוֹאָשׁ; ? יאוש Lkš, äga. Torcz. Lachish letters. 1938, 38; KAI 2, 190; ? ph. יאש (PNPhPI 320): **Joas**: — 1. V. Gideons Ri $6_{11.29-31}$ 7_{14} $8_{13.29.32}$; — 2. S. d. K.s Ahab 1K 22_{26} 2C 18_{25}; — 3. K. v. Juda (BHH 868) 2K 11_{2} 12_{20f} $13_{1.10}$ $14_{1.3.17.23}$ 1C 3_{11} 2C 22_{11}-25_{25} (7 ×) 2C 24_{1}, ↗ יְהוֹאָשׁ 1; — 4. K. v. Israel (802-787; klschr. *Iaʾasu* [māt] *Samerinaia* „v. Land d. Samarier", Stele d. Adad-Nirari III Z.8, Iraq 30, 142, 8. 144f.148f) (BHH 868) 2K 13_{9}-14_{27} (7 ×) 2C 25_{17-25} (5 ×) Hos 1_{1} Am 1_{1}; — 5. Nachk.

v. שֵׁלָה, G^{B} Ιωαδα 1C 4$_{22}$; — 6. G^{A} Ιωρα, Krieger Davids 1C 12$_{3}$. †

יוֹב: n.m.; Gn 46$_{13}$ l I יָשׁוּב, Sam. G, 1C 7$_{1}$ (T יוֹב). †

I **יוֹבָב**, Sam.^{BCh} *jūbab*: n.p., S.v. יָקְטָן in S.-Ar., ? sab. n.t. *Jhjbb* (Rijckm. 1, 111. 408b), ? ar. *jihāb, jahfūf* Wüste: Gn 10$_{29}$ 1C 1$_{23}$. †

II **יוֹבָב**: יבב, ar. *wabba* sich z. Kampf rüsten (Noth 226); ? klschr. *Jābibi* APN 90b; — 1. K. v. Edom Gn 36$_{33f}$ 1C 1$_{44f}$, später m. Ιωβ = אִיּוֹב gleichgesetzt (Schürer 3, 406); — 2. K. v. מָדוֹן Jos 11$_{1}$; — 3. —4. Benjaminiten 1C 8$_{9}$; 8$_{18}$. †

I **יוֹבֵל** u. יֹבֵל; sam.^{M103} *jūbel*: II יבל stossen; mhe. Jobeljahr; pun. יבל Widder (DISO 103); ja. יוֹבְלָא Jobeljahr, יובלא Widder; ar. *jubla*; bRhasch 26a: יוֹבְלִים: — 1. **Widder**: קֶרֶן יו׳ Widderhorn (Blasinstrument) Jos 6$_{5}$, שׁוֹפְרוֹת יוֹבְלִים 6$_{6}$ u. שׁ׳ הַיּ׳ Widderhornposaunen 6$_{4.8.13}$; מְשֹׁךְ הַיֹּבֵל d. W. blasen Ex 19$_{13}$; — 2. שְׁנַת הַיּוֹ׳ das (durch Blasen d. Whs eröffnete) **Erlassjahr** Lv 25$_{13.28.40.50.52.54}$ 27$_{17f\ 23f}$, > הַיֹּבֵל Erlassjahr Lv 25$_{15.28.30f.33}$ 27$_{18.21}$ Nu 36$_{4}$, > יוֹבֵל Lv 25$_{10-12}$ (:: שְׁמִטָּה Dt 15$_{1}$), als Periode v. 50 Jahren Jub 1$_{14}$ 23$_{8-12}$ etc. Test Levi 17; V *annus jubil(a)ei, jubil(a)eus (annus)* angelehnt an lat. *jubilare* v. Hirten- u. Kriegsruf > **Jubeljahr**, Lokotsch nr. 959; HGrundmann in „Jubel" Fschr. JTrier, 1954, 477ff; A Jirku, D. isr. Jobeljahr, 1929, HSchmidt RGG 3, 799f, RNorth, Sociology of the Bibl. Jubilee, 1954, Milik VbDom. 28, 162ff (BiOr 14, 254f), Ell. Lev. 351ff, de Vaux Inst. 1, 267ff, BHH 868; in Qumran; KQT 85c, DJD 3, 306b, Enz. Jdt. 9, 496ff. †

cj II **יוֹבֵל**, G^{B} Ri 9$_{26}$ Ιωβηλ pr. II עֶבֶד 1: n.m.; ? „Widder" od. י׳ + בֵּל „J. ist Herr" ↗ Baud. Kyr. 3, 92[3]; 4, 32. †

I **יוּבַל**: I יבל, BL 488r; mhe. (Dalm.), 1QH 8, 7.10; 4QPsDan (X) ירדנא יובל (RB 63, 412); sy. *jablā*, cf. יָבָל u. אֻבָל: **Wasserlauf, Kanal** (Schwarzb. 60f, Reymond 70, 129) Jr 17$_{8}$. †

II **יוּבָל**: n.m.; S.v. לֶמֶךְ, Br. v. יָבָל u. תּוּבַל קַיִן, V. d. Musikanten ↗ I יוֹבֵל 1, cf. Κιννύρας Erfinder d. ↗ כִּנּוֹר: Gn 4$_{21}$. †

יוֹזָבָד: n.m., < יְהוֹזָבָד: — 1. בֶּן־שִׁמְעָת, Mörder d. K.s יוֹאָשׁ 2K 12$_{22}$, Ⓑ יוֹזָכָר (↗ Mtg-G. 433); 2C 24$_{26}$ זָבָד (G^{B} Ζαβελ, G^{A} Ζαβεθ, G^{L} Ζαβαθ = יְהוֹזָבָד 1; — 2. Krieger Davids 1C 12$_{5}$; — 3. — 4. Manassiten 1C 12$_{21}$; — 5. Priester m. ausländischer Frau Esr 10$_{22}$; 6.-10. Leviten Esr 8$_{33}$ (or. יוֹנָדָב); 10$_{23}$; Neh 8$_{7}$; 11$_{16}$; 2C 31$_{13}$ 35$_{9}$. †

יוֹזָכָר: n.m. י׳ + זכר „J. gedachte (des Kindes od. s. Eltern)" (Noth 186f): 2K 12$_{22}$ Ⓑ pr. ↗ יוֹזָבָד 1. †

יוֹחָא u. יֹחָא; n.m.; Kf. < יוֹחָנָן: — 1. 1C 8$_{16}$, G^{B} Ιωαχα(ν), G^{AL} Ιεζια; — 2. 1C 11$_{45}$, G^{B} Ιωαζαε. †

יוֹחָנָן: n.m.; < יְהוֹחָנָן, G Ιω(χ)αναν, auch Ιωναν, Ιωαχας, NT Ιωαναν, meist Ιωαννης; > יוֹחָא; ja.^{gb} יוֹחָנָא, יחנה Dam. 5, 18 > Ιαννης 2 Tim 3$_{8}$ (BHH 802): — 1. שַׂר חֲיָלִים 2K 25$_{23}$ Jr 40$_{8.13.15f}$ 41$_{11.13-16}$ 42$_{1.8}$ 43$_{2.4f}$; — 2. Hohepriester Neh 12$_{22f}$. cj 11, = יהוחנן AP 30$_{18}$, Jos. Antt. XI 7 1 (Rud. EN 192f); — 3.-8. 1C 3$_{15}$; 3$_{24}$; 5$_{35f}$; 12$_{5}$; 12$_{13}$; Esr 8$_{12}$. †

יוּטָּה Jos 15$_{55}$, G^{B} Ιταν, G^{A} Ιεττα, Onom. Ιετταν; u. יֻטָּה Jos 21$_{16}$ G^{B} Τανυ: n.l. in Juda; נטה qal 2, Siedlung (ebener Ort, Noth Jos. 146); *Jaṭṭa*, 10 km s. Hebron, PJb 9, 30, Noth Jos. 98, GTT § 337, 8 :: Abel 2, 366f. †

יוֹיָדָע: n.m.; < יְהוֹיָדָע: — 1. Neh 3$_{6}$; — 2. Priester Neh 12$_{10f.22}$ 13$_{28}$. †

יוֹיָכִין: n.m.; < יְהוֹיָכִין: K. v. Juda Ez 1$_{2}$. †

יוֹיָקִים: n.m.; < יְהוֹיָקִים: Hohepriester Neh 12$_{10.12.26}$, cj 11$_{10}$ (↗ Rud. 184). †

יוֹיָרִיב: n.m., < יְהוֹיָרִיב: — 1. Esr 8$_{16b}$

(? = יָרִיב 16a, ꜰ Rud. 80); — 2. Priester Neh 11$_{5.10}$ (ꜰ Rud. 184); — 3. Priester Neh 12$_{6.19}$ (? = 1., Rud. 192). †

יוֹכֶבֶד, Sam.^{M27} *jūkābed*, G Ιωχαβεδ, n.f.; י׳ + כבד, „J. ist Wucht", Kö., cf. akk. *Adad-kabit* „A ist mächtig", HBauer ZAW 51, 92f :: Noth 111; Stamm HFN 315; ? d. älteste j.-haltige Name, ꜰ Rowley JJ 159f: Mutter von Mose u. Aaron Ex 6$_{20}$ u. Nu 26$_{59}$ (P!). †

יוּכַל: n.m.; Jr 38$_{1}$ = ꜰ יְהוּכַל 37$_{3}$, Beamter d. Zedekia. †

I **יוֹם** (2225×), mhe. Sam.^{M113} *jom/jūm*, Hier. *hajum*; ug. *jm* pl. *jmm*; Sil. u. Lkš (**jām* EHO 50, 53) ph. (pl. ימת, ימם), mo. (pl. ימן), aram. *jaum-* aam. jaud. äga. nab. palm. (DISO 107f), ja. cp. יוֹמָא, sy. *jaumā*, pl. *jaumātā*, ja. יְמָמָא, sg. (*j*)*īmāmā* Tag :: Nacht md. *jum*(*a*) (MdD 190b) *jōma* (MG § 21), nmd. *juma* (MdH 580); ar. *jaum*, asa. *j*(*w*)*m*, pl. *jwmm*, *jmt*, *jwmmt*, äth. tigr. (Wb. 508b); akk. *ūmu*. pl. *ūmē*, auch *ūmāti*; Grdf. gew. *jaum*, pl. *jam-*, sec. שָׁנִים (BL 618n VG 1, 474, Nöld. NB 134f): cs. יוֹם, יוֹמְךָ/מָם, du. יוֹמַיִם/מָיִם, pl. יָמִים, יְמֵי, מִ/כִּ/וּ/בִּימֵי, יָמָיו (Jr 17$_{11}$ Q יָמָיו, K יָמוֹ), יְמֵיכֶם; יָמִין Da 12$_{13}$; pl. cs. יְמוֹת (mhe. bes. als Jahreszeit יְמוֹת חַמָּה, ph. sy. asa.) Dt 32$_{7}$ Ps 90$_{15}$, loc. יָמִימָה; m.: THAT 1, 707ff: — 1. **Tag, helle Tageszeit** (:: Nacht) Hos 4$_{5}$ bei Tag adv. (:: Rud. 96) Hi 3$_{3}$ Neh 4$_{16}$, יוֹם וָלַיְלָה Gn 8$_{22}$ cj Jr 33$_{25}$ u. Ps 1$_{3}$, לַיְלָה וָיוֹם 1K 8$_{29}$ Js 27$_{3}$ Est 4$_{16}$, מַחֲצִית הַיּוֹם Mittag Neh 8$_{3}$, רְבִעִית הַיּוֹם Viertelstag 9$_{3}$; עַד־חֹם הַיּוֹם 1S 11$_{11}$ bis d. T. heiss wurde; || חֹם הַשֶּׁמֶשׁ 11$_{9}$; רוּחַ הַיּוֹם Gn 3$_{8}$ (Spätnachmittagswind GTV, AuS 1, 616f) > הַיּוֹם HL 2$_{17}$ (Rud. 135); — 2. **Tag** v. 24 Stunden: Gn 1$_{5}$, יוֹם תָּמִים e. voller Tag Jos 10$_{13}$, שְׁלֹשֶׁת יָמִים 3 Tage lang Est 4$_{16}$, יוֹם יוֹם (ug.) Tag um Tag, jeden Tag Gn 39$_{10}$ Ex 16$_{5}$ Ps 61$_{9}$ Pr 8$_{30}$, = יוֹם וָיוֹם Est 3$_{4}$; יוֹם בְּיוֹם Neh 8$_{18}$ 2C 30$_{21}$ = לְיוֹם בְּיוֹם 2C 24$_{11}$; לְעֶת־יוֹם בְּיוֹם 1C 12$_{23}$, = כְּיוֹם בְּיוֹם wie jeden Tag 1S 18$_{10}$; שְׁנַיִם לַיּוֹם 2 auf den Tag Ex 29$_{38}$; לִשְׁלֹשֶׁת יָמִים am 3. Tag Am 4$_{4}$; דְּבַר יוֹם בְּיוֹמוֹ was für jeden Tag nötig ist Ex 5$_{13.19}$ 16$_{4}$ Lv 23$_{37}$ 1K 8$_{59}$ 2K 25$_{30}$ Jr 52$_{34}$ Da 1$_{5}$, בִּדְבַר יוֹם בְּיוֹם wie es jeder Tag erfordert 2C 8$_{13}$, = לִדְבַר־יוֹם בְּיוֹמוֹ 8$_{14}$; כָּל־הַיּוֹם (akk. *ūm-akkal*, GAG § 62h) den ganzen Tag Js 62$_{6}$, immer 28$_{24}$, כָּל־יוֹם jeden Tag Ps 140$_{3}$, = בְּכָל־יוֹם 7$_{12}$; — 3. **besondere Tage**: יוֹם הַגֶּשֶׁם Ez 1$_{28}$, יוֹם הַשֶּׁלֶג 2S 23$_{20}$, יוֹם קָרָה Nah 3$_{17}$ Pr 25$_{20}$, יוֹם קָצִיר 25$_{13}$, יוֹם הַשַּׁבָּת Ex 20$_{8}$, יְמֵי הַמַּעֲשֶׂה die Werktage Ez 46$_{1}$; יוֹם טוֹב Festtag Est 8$_{17}$, יוֹם טוֹבָה Glückstag (THAT 1,713) Koh 7$_{14}$, יוֹם צָרָה Gn 35$_{3}$, יוֹם רָעָה Koh 7$_{14}$ u. יוֹם אֵיד Dt 32$_{35}$ Hi 21$_{30}$ Unglückstag, = יוֹם נָכְרוֹ u. יוֹם אֵידוֹ Ob $_{12f}$; יוֹמוֹ der ihm bestimmte (Todes —) Tag (BL 518^{1}; ꜰ בֵּן 8) 1S 26$_{10}$ Hi 18$_{20}$ (? G עֲלֵימוֹ Hö.) Ps 37$_{13}$; בְּלֹא יוֹמוֹ vorzeitig Hi 15$_{32}$, בֵּית אִישׁ יוֹמוֹ reihum im Hause eines jeden Hi 1$_{4}$; יוֹמוֹ s. Geburtstag (ar. *jaumun ǧāʾa*) Hi 3$_{1}$ = יוֹם הֻלֶּדֶת Gn 40$_{20}$ = יוֹם הִוָּלְדָהּ Hos 2$_{5}$; יוֹם יְרוּשָׁ׳ Ps 137$_{7}$ (s. Schicksalstag, Ob $_{12-14}$), יוֹם מוֹתוֹ sein Todestag Jr 52$_{34}$; geschichtl. יוֹם יִזְרְעֶאל Hos 2$_{2}$, יוֹם מִדְיָן Js 9$_{3}$, ꜰ 4; אֹרְרֵי־יוֹם Hi 3$_{8}$ (Hö. 17; al. 1 יָם Gkl Sch Ch. 59, ꜰ Komm. u. ארר); יוֹם + אֲשֶׁר (THAT 1, 712) Dt 4$_{32}$ 2K 21$_{15}$; — 4. **Tag Jahwes**: eschat. Gressm. Esch. 141ff. :: Mow. PsSt 2, 229ff, Ped Isr. 3/4, 546, ꜰ Eichr. 1, 310ff, v. Rad 2, 133ff, Zimm. 166ff, MWeiss HUCA 37, 29ff; BHH 1923, THAT 1, 723ff cf. יְמֵי הַבְּעָלִים Hos 2$_{15}$, יְ׳ הַשָּׁמַיִם Dt 11$_{21}$ Ps 89$_{30}$, Sir 45$_{15}$ Bar 1$_{11}$ (KAI 266, 3 יומי שמין) akk. *ūm ili*, Landsbg D. kult. Kalender d. Bab. u. Ass., 1915, 12: יוֹם חַג יְ׳ Hos 9$_{5}$, יוֹם לַיהוה Js 2$_{12}$ Ez 30$_{3}$ Zch 1$_{41}$, יוֹם יהוה Am 5$_{18.20}$ Js 13$_{6.9}$ Ez 13$_{5}$ Jl 1$_{15}$ 2$_{1.11}$ 3$_{4}$ 4$_{14}$

Ob 1$_5$ Zef 1$_{7.14}$ Mal 3$_{23}$, יוֹם עֶבְרַת י׳
Zef 1$_{18}$, יוֹם עֶבְרָה Pr 11$_4$, יוֹם חֲרוֹן אַפּוֹ Js
13$_{13}$ Kl 1$_{12}$, יוֹם נָקָם Js 34$_8$ 61$_2$ 63$_4$, יוֹם נְקָמָה
Jr 46$_{10}$, יוֹם אַף י׳ (↗ אַף 3) Zef 2$_{2f}$ Kl 2$_{22}$,
יוֹם אַפּוֹ 2$_1$; cf. Zef 1$_{8.15f}$ Ez 36$_{33}$ 39$_{8.11.13}$
Zch 14$_7$ Mal 3$_{2.17.19.21}$ Jl 2$_2$, cj Js 10$_5$ בְּיוֹם
זַעְמִי; יָמָיו s. (Straf-)Tage Hi 24$_1$; d. pro-
fetische Einleitungsformel: בַּיּוֹם הַהוּא
(↗ 10b ζ) Am 2$_{16}$ etc. (ZAW 55, 137) u.
הִנֵּה יָמִים בָּאִים ↗ 5d; — 5. יָמִים: a) שִׁבְעַת
יָמִים 7 Tage Gn 8$_{10}$, י׳ אֲחָדִים einige Tage
27$_{44}$, יָמִים אוֹ עָשׂוֹר wenigstens 10 T. 24$_{55}$,
עוּל י׳ einige Tage altes Kind Js 65$_{20}$;
b) יָמִים acc. tpl. (GK § 118k, ar. *ʾajjāman*,
sy. *jaumātā*) **einige Tage, e. Zeit lang**
(THAT 1, 720) Gn 40$_4$, Lv 25$_{29b}$
(: עַד־תּוֹם שְׁנַת 29a, ↗ Ell. Lev. 356), Da
8$_{27}$ 11$_{33}$ Neh 1$_4$, שִׁבְעַת יָמִים 7 Tage lang
Ex 13$_6$, שִׁבְעַת הַיָּמִים diese 7 Tage 13$_7$;
אוֹ־יֹמַיִם אוֹ־חֹדֶשׁ אוֹ־יָמִים e. Monat od. länger
Nu 9$_{22}$; כָּל־הַיָּמִים f. alle Zeit Dt 4$_{40}$, c. לֹא
niemals 1S 2$_{32}$; c) מִיָּמִים nach einiger Zeit
Ri 11$_4$ 14$_8$ 15$_1$, ↗ קֵץ 9; d) eschat.: הִנֵּה
יָמִים בָּאִים 1S 2$_{31}$ 2K 20$_{17}$/Js 39$_6$ Am 4$_2$
8$_{11}$ 9$_{13}$ Jr 7$_{32}$ (+ 13 × in Jer.); ↗ 4; — 6.
יָמִים **m. näherer Bestimmung**: a) c. gen.
יְמֵי עוֹלָם Am 9$_{11}$, יְמוֹת עוֹ׳ Dt 32$_7$; יְמֵי c.
נְעוּרֶיהָ Hos 2$_{17}$, c. רָע böse Tage (GK
§ 128w) Ps 49$_6$, c. קֶדֶם (THAT 1, 721)
2K 19$_{25}$; b) c. vb. יְמוֹת עִנִּיתָנוּ soviele
Tage, wie du uns beugtest Ps 90$_{15}$,
יְמֵי הֱיוֹת solange er ... war 1S 22$_4$, יְמֵי
הִתְהַלַּכְנוּ 25$_{15}$; c) **(Lebens-)Zeit**: יְמֵי שְׁנֵי
חַיֶּיךָ Gn 47$_8$, יְמֵי שְׁנוֹתֵינוּ Ps 90$_{10}$; מִיָּמֶיךָ solange du lebst 1S 25$_{28}$, je seit du lebst Hi
38$_{12}$, לֹא ... מִיָּמַי keinen meiner Tage 27$_6$
(:: Dho. Hö.: 1 יֶחְפַּר (II חפר)); **Regierungszeit** סֵפֶר דִּבְרֵי הַיָּמִים 2S 21$_1$, יְמֵי דָוִד 1K
14$_{19}$, ↗ סֵפֶר 2b; d) לַיָּמִים d. bestimmte Zeit, d.
Endzeit Da 10$_{14}$ (G Θ לְיָ׳ auf ferne Zeit); —
7. Dauer: **e. Jahr** (THAT 1, 722); a) זֶבַח
הַיָּמִים 1S 1$_{21}$ 2$_{19}$ 20$_6$, Karat. 31 זבח ימם, d.
jährliche Opfer, (:: FSNorth VT 11, 446ff,
Dahood Bibl. 44, 72: Jahreszeit von 4
Monaten) ausdrücklich Ri 19$_2$ 1S 27$_7$, angenommen auch für Ri 17$_{10}$ 1S 29$_3$ (G
שְׁנָתַיִם pr. שָׁנִים) 1K 17$_{15}$, auch für Gn 24$_{55}$
40$_4$ Lv 25$_{29}$ (s.o. 5b); b) מִיָּמִים יָמִימָה v.
Jahr zu Jahr, alljährlich (MHaran VT
19, 11) Ex 13$_{10}$ Ri 11$_{40}$ 1S 1$_3$ 2$_{19}$;
יָמִים וְאַרְבָּעָה חֳדָשִׁים 1 Jahr u. 4 Monate 1S 27$_7$, עֲשֶׂרֶת כֶּסֶף לַיָּמִים Ri 17$_{10}$
u. d. 7a erwähnten Stellen; c) יָמִים als
Appos. hinter d. Zeitraum (GK § 131d):
מִקֵּץ שְׁנָתַיִם יָמִים nach 2 vollen Jahren Gn
41$_1$, בְּעוֹד שְׁנָ׳ יָ׳ Jr 28$_{3.11}$; חֹדֶשׁ יָ׳ Gn 29$_{14}$ u.
יֶרַח יָ׳ (akk. *araḫ ūmāti*) Dt 21$_{13}$ 2K 15$_{13}$ e.
(voller) Monat, שְׁלֹשָׁה שָׁבֻעִים יָ׳ 3 Wochen
lang Da 10$_2$; — 8. dual. יוֹם אוֹ יוֹמַיִם ein,
zwei Tage Ex 21$_{21}$, מִיּוֹמַיִם nach 2 Tagen
Hos 6$_2$, לֶחֶם יוֹמָיִם Brot f. 2 Tage Ex 16$_{29}$;
— 9. הַיּוֹם (acc. tpl. HeSy. § 100b): a)
am betreffenden Tag 1S 1$_4$ (:: Morgenstern
HUCA 14, 43ff: am Neujahrstag, wie Hi
1$_6$ 2$_1$), eines Tages 1S 14$_1$ 2K 4$_8$ Hi 1$_6$, ::
הַלַּיְלָה tagsüber Neh 4$_{16}$; b) diesen Tag
(lat. *hoc die* > *hodie*) **heute** Gn 4$_{14}$ 22$_{14}$ 1S
9$_{12bβ}$ (bα ↗ 10); הַיּוֹם הַזֶּה gerade heute 2S
18$_{20}$, vor יוֹמָם וָלַיְלָה nun Neh 1$_6$; — 10. c.
praep; a) בְּיוֹם (ar. AFischer ZDMG 56,
800ff): α) c. vb. fin. rel. (GK § 130d) am
Tage wo: c. צַר לִי wo ich in Not bin Ps
102$_3$, c. דִּבֶּר als er rief Ex 6$_{28}$, c. אֶקְרָאֶךָ als
ich dich anrief Kl 3$_{57}$; β) c. inf. (THAT 1,
711) בְּיוֹם עֲשׂוֹת י׳ am T., wo J. machte
Gn 2$_4$ + ca 70 ×, c. inf. nif. בְּיוֹם הִבָּרְאָם
Gn 5$_2$ + 8 ×; Gn 21$_8$; γ) בְּיוֹם הַטָּמֵא u. בְּיוֹם
הַטָּהוֹר wann etw. unrein / rein ist Lv 14$_{57}$
(THAT 1, 711); b) בַּיּוֹם: α) tagsüber
(:: בַּלַּיְלָה) Gn 31$_{40}$; β) gar bald Pr 12$_{16}$
(Gems. 112) Neh 3$_{34}$ (:: Rud. Galling); γ)
בַּיּוֹם הַהוּא (THAT 1, 715) unbestimmt, an
jenem Tag, damals Gn 15$_{18}$ Ex 14$_{30}$ 32$_{28}$
Nu 9$_6$ Jos 10$_{28}$ Ri 3$_{30}$ 1S 3$_2$ u.ö.; δ) am
selben Tag, gleichzeitig Gn 15$_{18}$ Jos 10$_{18}$
(Esr 8$_{34}$ Rud. EN 84; al sec. γ, BH,

Galling); ε) בַּיּוֹם הַזֶּה (THAT 1, 714f) an diesem Tag Gn 7_{11} Ex 19_{1} Lv 16_{30}; בְּעֶצֶם הַיּוֹם הַזֶּה eben an d. T., heute Gn 7_{13} Ex 12_{17} Dt 32_{48} Jos 5_{11}; ζ) בַּיּוֹם הַהוּא eschat. (Gressm. Mess. 83ff :: Munch The Expression Bajjōm hāhū, 1936, ↗ Rud. OLZ 40, 621f, THAT 1, 724) Js 4_{2} 5_{30} 7_{21} Am 9_{11} u.ö. cf. עֵת 4; c) c. כְּ: α) כְּיוֹם בְּיוֹם wie jeden Tag 1S 18_{10}; β) כַּיּוֹם heute, jetzt Gn 25_{31} Js 58_{4} u.ö.; erst Gn $25_{31.33}$ 1S 2_{16} 1K 1_{51} 22_{5} 2C 18_{4}; כַּיּוֹם הַזֶּה heute, jetzt Gn 50_{20} Dt 2_{30} u.ö., Da 9_{7} (or. כְּהַיּוֹם); כַּיּוֹם הַהוּא c. לֹא hatte nicht seinesgleichen Jos 10_{14}; כְּהַיּוֹם (BL 227 x): eben jetzt 1S 9_{13}, ? l 9_{12}; c. הַזֶּה wie es jetzt der Fall ist Dt 6_{24} Jr 44_{22} Esr $9_{7.15}$ Neh 9_{10}; eines Tages Gn 39_{11}; d) לְיוֹם c. gen. am Tage von Js 10_{3} Hab 3_{16} Ps 81_{4} Hi 21_{30}; לְיוֹם בְּיוֹם jeweils jedesmal (:: GV al. Tag f. Tag) 2C 24_{11}; e) מִיּוֹם v. d. Tag an wo, **seit**: α) c. inf. Ex 10_{6} Dt 9_{24}; β) c. vb. fin.: מִיּוֹם דִּבַּרְתִּי seitdem ich Jr 36_{2}; γ) לְמִימֵי 2K 19_{25} Js 37_{26} (מִימֵי) seit; f) c. עַד: עַד־הַיּוֹם Gn 19_{37}f, עַד הַיּוֹם הַהוּא Neh 8_{17}, עַד הַיּוֹם הַזֶּה (↗ Noth Kge. 180) Gn 26_{33} u.ö. bis heute; עַד־עֶצֶם הַיּוֹם הַזֶּה bis zu eben diesem Tag Lv 23_{14} (+ 2 ×). — Ps 102_{4} l מֵעַי; ? Ez 30_{16} ↗ Spiegelberg OLZ 31, 3f, Zimm. 727.

II יוֹם, (? zu I, wie) akk. II *ūmu*: — 1. **Wind, Sturm** HL 2_{17} 4_{6} c. יָפוּחַ (:: Rud. 135); ? Zef 2_{2} (↗ Komm.); — 2. **Atem**, קְשֵׁה הַיּוֹם Hi 30_{25} (|| אֶבְיוֹן, gew. „wer schwere Zeit hat"), cf. קְשַׁת־רוּחַ 1S 1_{15}, G ἡμέρα (!) „m. stockendem Atem" (Seeligm.). †

יוֹמָם (150 ×), Sam.[M] 113 *jūmam*: יוֹם + *ām*, Rest d. Mimation (VG 1, 474, BM § 41, 6) od. Adv.-endung (BL 529y); ja. יְמָמָא, sy. *ʾīmāmā*, md. *ʿūmāmā* (MdD 344a); Nöld. NB 133: — 1. = יוֹם cj Hi 24_{18} bei Tagesgraun; — 2. **tagsüber, bei Tag**: יוֹמָם :: לַיְלָה Ex 13_{21}, (cj Ps 88_{2}), יוֹמָם וָלַיְלָה Ex 13_{21} Lv 8_{35} (17 ×) לַיְלָה וְיוֹמָם Dt 28_{66} Js 34_{10} Jr 14_{17}; בְּעוֹד יוֹמָם während es noch Tag war Jr 15_{9}, יוֹמָם am hellen Tag Ez $12_{3.4}$ (:: בָּעֶרֶב).$_{7}$; Nu 10_{34} Js 60_{19} Hi 24_{16}; — Jr 33_{25} l יוֹם; ? Ez 30_{16} (Zimm. 727 :: Spiegelberg OLZ 31, 3f); Ps 13_{3} l יוֹם יוֹם (ug.); Neh. 9_{19} l בְּיוֹם (Rud.).

יָוָן, Sam.[M] 104 *jāban*; G Gn $10_{2.4}$ Ιωυαν, sonst Ἑλλάς, Ἕλληνες; (nicht ug. *jmʾn* UT nr. 1102) sy. denom. *jaunī* u. *jaunen* griech. sprechen; ape. *Jaunā* (Mayrh. HbAP 156); grie. Ἰά(ϝ)ονες (ESchwyzer Gr. Gram. I 225.313f :: Albr. AJA 54, 172[39]) > Ἴωνες; ass. nb. *Jawanu* VAB 3, 146; äg. *wjnn*; äga. יון (BMAP 40[72]); palm. CIS II 3924; ar. *Jūnānī*, asa. *jwn*[m] (ZAW 75, 310); rotw. (nr. 1669) > *Gauner*: ↗ *יְוָנִי: Lit.: Dho. Syr. 13, 35f, Recueil 174ff; F Schmidtke D. Völkertafel (1926) 60ff, Hö. Erdk. 35, Brandst. 66f, BHH 806: יְוָנִים: **Jāwān**: — 1. (n.m.) 4. Sohn v. יֶפֶת Gn 10_{2} 1C 1_{5}, V. v. אֱלִישָׁה, תַּרְשִׁישׁ, כִּתִּים u. רֹדָנִים Gn 10_{4} 1C 1_{7}; — 2. n.p.: d. kleinasiat. Griechenland Js 66_{19} Ez 27_{13}; dann d. Griechen überhaupt, בְּנֵי הַיְּוָנִים Jl 4_{6}, Zch 9_{13}; d. Reich Alexanders u. d. Diadochen Da 8_{21} 10_{20} 11_{2}; 4QpNah 2f d. Seleukidenreich (Maier 1, 180; 2, 162); Beziehungen z. Orient schon vor Alex.: Myers ZAW 74, 178ff; Ez 27_{19} dl ↗ Zimm. 631 :: Millard JSSt. 7, 201ff. †

יָוֵן: BL 464c: mhe. יָוֵן; יְוֵנִי schlammig, md. (MdD 185b) *jaunā* (*jūnā*): cs. יְוֵן (BL 552 o): **Schlamm** (Schwarzb. 139), טִיט הַיָּוֵן Ps 40_{3}, יְוֵן מְצוּלָה 69_{3}. †

יוֹנָדָב: n.m.: < יְהוֹנָדָב: — 1. = יְהוֹנָדָב 1; — 2. = יְהוֹנָדָב 2. †

I יוֹנָה: I אנה (Stade Gr. § 259a); ug. *jnt*, Aistl. 1185; mhe.[2] auch יון, ja. יוֹנְתָא, ja.[b] יוֹנָא, ja.[g] יַוְנָא, sy. *jaunā* f. u. m.; md. *jaunā* f. (MdD 185b): יוֹנַת, יוֹנָתִי, יוֹנִים (BL 515l), יוֹנֵי: — 1. **Taube** (*columba*, Bodenh. AL 171.173, AuS 7, 247ff.256ff, BHH 1934, Schnackenburg ZAW 76, 78): Gn 8_{8-12}; Opfertier (Ell. Lev. 37) בֶּן־יוֹנָה Lv 12_{6},

(ה)י׳ בְּנֵי Lv 1 14 5 7 15 14.29 Nu 6 10, als Ersatztier Lv 5 11 12 8 14 22.30; Js 60 8 (Haustier) Jr 48 28 (in Felsen) Ez 7 16; töricht Hos 7 11, ängstlich 11 11 u. Ps 55 7; ihr Girren, Bild für den ächzenden Leidenden Js 38 14 59 11 Ez 7 16 Nah 2 8 (cf. Symbol für Isr. Ps 74 19, ↗ I תּוֹר, Mow. ANVAO 1953, 1, 38f); Ps 68 14 m. Edelmetall überzogenes Beutestück (Schäfer-Andrae, Kunst d. AO, 1925, 512); — 2. Kosewort f. d. Geliebte HL 2 14 5 2 6 9, ihre Augen 1 15 4 1 5 12; — 3. ? in Ps.-Überschrift עַל־יוֹנַת אֵלֶם רְחֹקִים Ps 56 1, ? l עַל־יְוָנַת אִיִּים Gkl-Begr. 457 :: Mow. OS 496f: T. als Opfertier; — 2K 6 25 ↗ חֲרָאִים. † Der. II יוֹנָה.

II **יוֹנָה**: n.m.; = I; äga. י(ו)ניא; d. Profet **Jona** (BHH 881) 2K 14 25 Jon 1-4. †

III **יוֹנָה**: חֶרֶב הַיּוֹנָה Jr 46 16 50 16, ↗ ינה.

***יְוָנִי**: gntl. v. יָוָן: klschr. *Jamani* K. v. Asdod (APN 91b), nbab. *Jamanai* (API 24, 23, MVAeG 35, 1, 43f, § 6, mhe., ja. sy. md. (MdD 185b) יַוְנָיָא griechisch; -*īt* sy. md. geschickt, kunstvoll: יְוָנִים (BL 562u): Grieche Jl 4 6, cj יְוָנִית auf griech. (↗ I יוֹנָה 3) Ps 56 1. †

יוֹנֵק u. יֹנֵק (1 ×): ינק pt.; mhe.[2] ja.[tg], ja.[b] יניק sy. md. (MdD 186b) יַנְקָא, äga. DISO 109: יוֹנְקִים/קֵי: — 1. **Säugling, Kind** Nu 11 12 Dt 32 25 1S 15 3 22 19 Js 11 8 Jr 44 7 Ps 8 3 Kl 2 11 4 4, יוֹנְקֵי שָׁדָיִם Brustkinder Jl 2 16 HL 8 1; — 2. **Schössling** Js 53 2 (|| שֹׁרֶשׁ), Rüthy 46f, ? l יוֹנֶקֶת. †

יוֹנֶקֶת: f. v. יוֹנֵק; mhe. (nur pl.!): י(ו)נְקֹתָיו, י(ו)נְקוֹתֶיהָ: — 1. sg. coll. **Sprösslinge, Nachkommenschaft** cj Js 66 12 l יוֹנַקְתּוֹ; — 2. **Schössling** Ez 17 22 Hos 14 7 Ps 80 12 Hi 8 16 14 7 15 30; ? l Js 53 2 כַּיּוֹנֶקֶת. †

יוֹנָתָן: n.m., < יְהוֹנָתָן; äga.: — 1. S. Sauls 1S 13 2-14 49 19 1 1C 10 2, ↗ יהו׳ 1; — 2. S. v. אֶבְיָתָר 1K 1 42f, ↗ יהו׳ 2; — 3. Jr 40 8 (? dittgr. BH, :: Rud.); — 4.-8. Esr. 8 6; 10 15; Neh 12 14.35; 1C 23 2f; 11 34 ↗ יְהוֹ׳ 5; — Neh 12 11 l וְיוֹחָנָן.

יוֹסֵף, Sam.[M 27] *jūsef*, G Ιωσηφ, auch Ιωσηπ(ος); ph. יסף (PNPhPI 128.323); äga. OLZ 30, 1043f; יסף hif., Kf. „(J.) füge / fügte hinzu" (Noth 212) ↗ יוֹסִפְיָה; Gn 30 23f ↗ יְהוֹסֵף: Josef: I n.m.: — 1. S. v. Jakob u. Rahel Gn 30 24-50 26 Ex 1 5f.8 13 19 Nu 27 1 32 33 36 12 Jos 17 1f 24 32 Ps 105 17 1C 2 2 Sir 49 15; angeblich äg. Bezeugung (Meyer Isr. 292 :: Albr. Voc 34; ↗ GB, Rowley JJ 35), Noth GI 112, Rowley JJ 116ff, BHH 886, RGG 3, 859; — 2. V. v. יִגְאָל Nu 13 7; — 3. Esr 10 42; — 4. Priester Neh 12 14; — 5. בֶּן־אָסָף 1C 25 2.9; — II n. tr. et p.: — 1. d. **Stamm Josef** (↗ Noth GI 59f.87f, WdAT 65f, Kaiser VT 10, 1ff) Gn 49 22.26 Dt 27 12 33 13.16 Ez 47 13 (l לְיוֹ׳ חֲבָלִים) 48 32 1C 5 2; — 2. d. **Nordreich = Israel** Ez 37 16.19 Am 6 6 Ps 80 2, ↗ 81 6; בְּנֵי יו׳ Nu 1 10.32 26 28.37 34 23 36 1 Jos 14 4 16 1.4 17 14.16 18 11 1C 5 1 7 29; בֵּית יו׳ (Caspari, Fschr. GJacob 38f) Jos 17 17 18 5 Ri 1 22f.35 2S 19 21 1K 11 28 Am 5 6 Ob 18 Zch 10 6; מַטֵּה יו׳ Nu 13 11; מַטֵּה בְנֵי יו׳ Nu 36 5; שְׁאֵרִית יו׳ Am 5 15; אֹהֶל יו׳ Ps 78 67; בְּנֵי יַעֲקֹב וְיוֹ׳ 77 16. †

יוֹסִפְיָה: n.m.; יסף hif. (:: Bgstr. II § 14h: qal) + י׳ (↗ יוֹסֵף): Esr 8 10. †

יוֹעֵאלָה: n.m.; (? יעל BDB 418b), ? l יַעֲלָה c. MSS: 1C 12 8. †

יוֹעֵד, G[B] Ιωαδ: n.m.; י׳ + עֵד, „J. ist Zeuge" (Noth 162f): Neh 11 7 (VitProph. 23 d. נביא v. 1K 13; contam. m. יֶעְדּוֹ ?). †

יוֹעֶזֶר: n.m.; י׳ + עֵזֶר, „J. ist Hilfe" G[B] Ιωζαρα, G[A] Ιωζααρ, ? = ־עָזָר; DJD 2, 17B4, יהועזר Dir. 186, BA 24, 110: 1C 12 7. †

יוֹעֵץ u. *יוֹעֶצֶת: יעץ pt.: **Ratgeber** (BHH 1551, THAT 1,750) 2S 15 12 Js 1 26 3 3 19 11 (des Pharao, Var. חַכְמֵי), 41 28 (d. Gegenpartei vor Gericht, Begr. Dtj. 40), cj 47 13 (l יוֹעֲצַיִךְ) Mi 4 9 (= J.?) Nah 1 11 (יוֹ׳ בְּלִיַּעַל) Hi 3 14 12 17 Pr 11 14 12 20 15 22 24 6 (? „Rat", Gemser 113) Esr 4 5 7 28 8 25 1C 26 14 27 32f 2C 22 4 25 16; *יוֹעֶצֶת Beraterin 2C 22 3; פֶּלֶא יוֹעֵץ

,,der Wunderbares rät" od. ,,Wunder v. e. Ratgeber" Js 9_5 (GK § 128l) :: Mow. ZAW 73, 297f ,,der immer Rat weiss"; ↗ Wildberger ThZ 16, 314ff, BK X/1,381f. †

יוֹעָשׁ: n.m.; ׳י + עושׁ, ,,J. half" (Noth 175f); ? Dir 46 יעשׁ: — 1. Benjaminit 1C 7_8; — 2. Beamter Davids 1C 27_{28}. †

יוֹצֵאת: יצא 4, pt. f.: Abgang, **Fehlgeburt** (Rinder) Ps 144_{14}. †

יוֹצָדָק, G Ιωσεδεκ: n.m.; < יְהוֹצָדָק: V. d. Hohenpriesters Josua: Esr $3_{2.8}$ 5_2 10_{18} Neh 12_{26}, ? = יְהוֹ׳ Hg 1_1 etc. †

יוֹצֵר, 1 × יֹצֵר: יצר pt.; mhe. (auch Schöpfer), ug. pl. (Gilde) *jṣrm*, ph. יצר (DISO 110): יֹצְרֵי, יוֹצְרִים Js 44_9: — 1. **Töpfer** (AuS 7, 208ff, Kelso § 7, ↗ ba. פֶּחָר) Js 41_{25} Jr $18_{4a.b.6a.b}$ Kl 4_2; pl. 1C 4_{23} (königl. Gilde); נֵבֶל יוֹצְרִים T.-krug Js 30_{14}; חֹמֶר הַיּוֹצְרִים Töpferlehm Js 29_{16}; בֵּית הַיּוֹ׳ (Kelso § 12) Jr 18_{2f}; יוֹ׳ חָרֶשׂ Geschirrmacher 19_1 (יוֹ׳ aus 18_{2f} u. del ?) כְּלִי (הַ)יּוֹצֵר Töpfergeschirr, irdenes Geschirr 19_{11} 2S 17_{28} Ps 2_9; — 2. **Giesser**; הַשְׁלִיךְ אֶל־הַיּוֹצֵר Zch 11_{13} der Einschmelzstelle des Tempels übergeben (Torrey JBL 55, 247ff, Eissf. KlSchr. 2, 107ff). †

יוֹקִים: n.m.; Kf. v. יוֹיָקִים G^{BL}; יוקם Dir. 193, ↗ יוכן < ↗ יוֹיָכִין (Albr. ZAW 47, 16) 1C 4_{22}. †

יוֹרֶא Pr 11_{25}: ↗ II ירה hof. (BL 444k) satt getränkt werden. †

I **יוֹרֶה**: I ירה, BL 488r: י(ו)רִים: **Schütze** 1C 10_{3a} 2C 35_{23}; ↗ מוֹרֶה. †

II **יוֹרֶה**: II ירה; ar. *warīj* Wolken m. grossen Regentropfen (Guill. 1, 10); al. < *יַרְוֶה (רוה hif.); mhe.², ug. *jr* (Aistl. 1233): **Frühregen**, Ende Okt.-Anfang Dez. (AuS 1, 122, Reymond 18) :: מַלְקוֹשׁ Dt 11_{14} Jr 5_{24}, cj Jl 2_{23b} cf. II מוֹרֶה, 2_{23a}; — Hos 6_3 ↗ II ירה hif. (Rud. 132). †

יוֹרָה, G^B Ουρα, G^A Ιωρα, Esr 2_{18}: n.m.; l c. MT חָרִיף Neh 7_{24} (Rud. 8). †

יוֹרַי, G^B Ιωρεε, G^L Ιωαρειμ: n.m.; ? Kf. (Noth 40f) v. *יוֹיָרִים (↗ יוֹיָרִיב): Gadit 1C 5_{13}. †

יוֹרָם, 1 × יֹרָם: n.m., < יְהוֹרָם; pun. ירם (PNPhPI 129): **Joram** (BHH 884) — 1. K. v. Juda 2K $8_{21.23f}$ 11_2 1C 3_{11}; ↗ יְהוֹרָם 1; — 2. K. v. Israel 2K $8_{16.25.28f}$ $9_{14.24.29}$ 2C $22_{5.7}$; ↗ יְהוֹרָם 2; — 3. Levit 1C 26_{25}; — 4. cj Br. d. תִּבְנִי 1K 16_{22G} (↗ Mtg-G. 283f); — 5. S. d. תֹּעִי, K. v. חֲמָת 2S 8_{10}, G Ιεδδουραν l ↗ II הֲדוֹרָם 1 1C 18_{10}. †

יוּשַׁב חֶסֶד: n.m., 1C 3_{20}, l יָשׁוּב (G^A, Holladay 109), חֶ׳ dl? (Noth 245). †

יוֹשִׁבְיָה, or. יוּשַׁב־ (MTB 78): n.m., ׳י + ישׁב hif. ,,J. lasse wohnen" (Noth 202f); äga. ישׁביה (AP): Simeonit 1C 4_{35}; ↗ יוֹשַׁוְיָה. †

יוֹשָׁה: n.m.: ? Kf. (Noth 38) v. יוֹשִׁיָּהוּ, ↗ G^{BA} Ιωσια(ς), G^L Ιωας: Simeonit 1C 4_{34}. †

יוֹשַׁוְיָה: n.m.; < יוֹשִׁבְיָה GT, (Rud. 102, :: Noth 245): Recke Davids 1C 11_{46}. †

יוֹשָׁפָט: n.m.; < יְהוֹשָׁפָט: — 1.-2. 1C 11_{43}; 15_{14}. †

יוֹתָם, G NT Ιωαθαμ: n.m.; ׳י + תמם, ,,J. ist / zeigt sich vollkommen" (Noth 189f): ? Sgl. v. אילת: ליתם Mosc. 54, 9, DOTT 224f: **Jotam**: — 1. S. Gideons Ri $9_{5.7.21.57}$; — 2. K. v. Juda (BHH 897) 2K $15_{5.7.30.32.36.38}$ 16_1 Js 1_1 7_1 Hos 1_1 Mi 1_1 1C 3_{12} 5_{17} 2C $26_{21.23}$ $27_{1.6f.9}$; — 3. Kalibbit 1C 2_{47}. †

יוֹתֵר u. יֹתֵר: יתר pt.; mhe. u. ja.^{t}(?), ja. יַתִּירָא mehr als: — 1. **was übrig bleibt** 1S 15_{15}; — 2. was zu viel ist, adv. (BL 632m) **allzu sehr, übermässig** Koh 2_{15} (:: ↗ Hertzb. 80) 7_{16} (|| הַרְבֵּה); — 3. c. präp. (mhe. בְּיוֹתֵר besonders) a) c. לְ **Vorzug, Vorteil**: מַה יּוֹ׳ לֶחָכָם was hat d. W. voraus Koh 6_8 (↗ מָה c), מַה־יֹּתֵר לָאָדָם 6_{11} (? l יִתְרוֹן, Galling) 7_{11}; b) c. מִן mehr als: c. מִמֶּנִּי mehr als mir Est 6_6, c. מֵהֵמָּה über all dies hinaus, überdies Koh 12_{12}; c) c. שֶׁ ausserdem dass 12_9, od. es ist nachzutragen, dass (Hertzb. 216f); ↗ יֶתֶרֶת. †

יְזוּאֵל 1C 12_{3K}: ↗ יְזִיאֵל.

***יזז**: ar. *wazza* aufstacheln: ↗ יָזִיז.

יְזִיאֵל, 1C 12$_{3Q}$ G^{AL}, K יְזוּאֵל: n.m.: ? יזה = נזה „besprengt (? = entsühnt) v. El" (Noth 245f, JLindblom, Servant Songs, Lund 1951, 41). †

יְזִיָּה, G^{BA} Αζ(ε)ιας, G^{L} Ιαζιας: n.m., נזה qal (od. hif., ↗ G), „J. besprengt" (Noth 245f) ↗ יְזִיאֵל: Esr 10$_{25}$. †

יָזִיז: n.m., יזז: 1C 27$_{31}$. †

יִזְלִיאָה, G^{A} Εζλια, G^{L} Ιεζελια: n.m.; ? ar. ʾ/*jazalī* langlebig (Noth 246) od. זלה + ׳י: 1C 8$_{18}$. †

I **יזן**: Jr 5$_{8Q}$ מְיֻזָּנִים pu., K מוּזָנִים hof.; Sir 36/33$_{6}$ cj כסוס מזין (MS Adler. 15) :: Lex.[1], MGWJ 78, 4f: ar. *nazāʷ*: **in Brunst sein**. †

II ***יזן**: ar. *wazana* wägen; Der. מֹאזְנַיִם.

יְזַנְיָה: Jr 42$_{1}$, n.m.; äga., AP יזנ(יה); ↗ יְזַנְיָהוּ: c. G u. 43$_{2}$ l עֲזַרְיָה. †

יְזַנְיָהוּ: G Ιεζονιας: n.m., < יַאֲזַנְיָהוּ MSS u. 2K 25$_{23}$, Dir. 229, הֶאֱזִין + ׳י „J. erhörte", Noth 198, Rud. 228: Jr 40$_{8}$. †

***יזע**: mhe. זוע hif. (v. Oliven); ug. (*w*)*dʿ* (Aistl. 773, UT nr. 686) schwitzen, ar. *wadaʿa* rinnen, äth. *wazā*, amh. *wazza* schwitzen (Nöld. NB 195, Lesl. 24); ↗ III ידע. Der. יֶזַע, זֵעָה.

***יֶזַע**, יָזַע, Hier. *jeze*: יזע; äth. *waz*; **Schweiss**, ↗ זֵעָה, schweissfördernde Kleider Ez 44$_{18}$. †

יִזְרָח (הַ) 1C 27$_{8}$: l הַזַּרְחִי. †

יִזְרַחְיָה: G^{AL} Ιεζ(ε)ρια, G^{B} Ζαρεια: n.m.; זרח + ׳י, „J. geht (als Licht) auf" (Noth 184.205) cf. זְרַחְיָה: Issacharit 1C 7$_{3}$; Levit Neh 12$_{42}$. †

I **יִזְרְעֶאל**: n.m., זרע + אֵל (יִזְרַע Borée 99; od. hif., Noth 36.213) „G. mache fruchtbar": — 1. S. d. Prof. Hosea Hos 1$_{4}$ 2$_{24}$; — 2. 1C 4$_{3}$. †

II **יִזְרְעֶאל** G^{A} Ιεζραε/ηλ: n.l., = I; loc. יִזְרְעֶאלָה: **Jesreel**: — 1. in Issachar: *Zerʿīn*, Abel 2, 364f, BRL 307f, Alt KlSchr. 3, 260f, BHH 857; Jos. Antt. Αβισαρος (NFJ 26), 'Ιεζαρηλα etc. (NFJ 58 c). > Εσδρ(α)ηλων/μ Jud 3$_{9}$ 4$_{6}$ 7$_{3}$; *civitas Stradela*: Jos 19$_{18}$ 1S 29$_{11}$ 2S 2$_{9}$ 4$_{4}$ 1K 4$_{12}$ 18$_{45f}$ 21$_{1}$ 2K 8$_{29}$ 9$_{15.16f.30}$ 10$_{1.6f.11}$ 2C 22$_{6}$, עֵמֶק יִזְ׳ (Noth WdAT 56) Jos 17$_{16}$ Ri 6$_{33}$ Hos 1$_{5}$, auch in 1S 29$_{1}$ 2S 4$_{4}$, חֵלֶק יִזְ׳ 2K 9$_{10.36f}$, cj 1K 21$_{23}$ pr. חֵל; יוֹם יִזְ׳ Hos 2$_{2}$ u. דְּמֵי יִזְ׳ 1$_{4}$ (Wolff 27f; ↗ יִזְרְעֵאלִי; — 2. in Juda G^{B} Ιαριηλ; Lage ?, Abel 2, 365, GTT § 709; Jos 15$_{56}$ 1S 25$_{43}$. †

יִזְרְעֵאלִי: gntl. v. II יִזְרְעֶאל 1: „aus Jesreel"; f. יִזְרְעֵאלִית, > יִזְרְעֵלִית 1S 30$_{5}$ 2S 2$_{2}$; — 1. Nabot 1K 21$_{1.4.6f.15f}$ 2K 9$_{21.25}$; — 2. אֲחִינֹעַם, Fr. Davids 1S 27$_{3}$ 30$_{5}$ 2S 2$_{2}$ 3$_{2}$ 1C 3$_{1}$. †

יְחֻבָּה 1C 7$_{34}$: K יַחְבָּה (1 MS Q), l QGV וְחֻבָּה. †

יחד: mhe. ni., ja. pa. allein lassen, bestimmen, hitpa. allein zusammen sein (Mann und Frau) aam. haf. (DISO 106) vereinigen, 1QS nif. refl.; ug. kan. ↗ יַחַד; ar. *waḥada* allein s.; äth. *weḥda*, tigr. (Wb. 433a) *waḥada* wenig s.; ↗ אחד:

qal: impf. תֵּחַד (Bgstr. 2, 125b): **sich vereinigen** Gn 49$_{6}$ c. בְּ, Js 14$_{20}$ c. אֵת, cj יֵחַד sich gesellen Hi 3$_{6}$ (↗ II חדה, || בּוֹא), zusammen kommen Ps 122$_{3}$ l יַחַד, Gkl. †

pi. (Jenni 188): imp. יַחֵד; impf. תיחד: (לְבָב) ausschliessend bestimmen, **konzentrieren** (mhe.) Ps 86$_{11}$; Sir 34/31$_{14}$ l תיחד: חדה nif. zusammen stossen mit (Vogt Bibl. 48, 18). †

Der. יָחִיד, יַחְדָּו, יַחַד.

יַחַד: יחד; mhe.; ug. *jḥd* || ʾ*ḥd* (UT nr. 1087); pun. *yad* (Poen. 932, Szny. 65ff); kan. EA *iaḫudunni* CAD 7, 321a (Gl.z. *anakuma* „ich", = *יַחְדוֹן, Rec. Dho. 502, cf. akk. *edānu*, ar. *waḥdānī*): יָחַד; Jr 48$_{7K}$, Q MSS יַחְדָּו: — 1. sbst. Vereinigung, **Gemeinschaft** 1C 12$_{18}$ (Rud. 105), oft in DSS (Talmon VT 3, 133f); Gesamtheit Dt 33$_{5}$ (al. sec. 2); — 2. > adv. (= יַחְדָּו): a) vorangestellt: **miteinander, allzumal** Hos 11$_{8}$ Mi 2$_{12}$ Ps 4$_{18}$ 49$_{3.11}$ 98$_{8}$ Hi 3$_{18}$ 16$_{10}$ 17$_{16}$ 19$_{12}$ 21$_{26}$ (d. eine wie d. andere) 24$_{4}$ (↗ חבא pu.) 31$_{38}$; b) nachgestellt: שְׁנַיִם יַחַד 2 zusammen

1S 1$_{11}$; **insgesamt** Js 27$_{4}$ 44$_{11}$ Jr 48$_{7}$ Ps 40$_{15}$ 62$_{10}$ 74$_{6}$ 88$_{18}$ 141$_{10}$ (l יָחַד, cjg. c. 10a), ins. 70$_{3}$ (BH); Hi 34$_{15}$ 38$_{7}$ 40$_{13}$ Esr 4$_{3}$ („wir allein", Rud.); **miteinander** (kämpfen) 1S 17$_{10}$; c. נֶאֱסַף 2S 10$_{15}$ 14$_{16}$ 21$_{9}$ Js 22$_{3}$, c. נִשְׁפַּט 43$_{26}$, c. עָמַד 50$_{8}$, c. נוֹסַד Ps 2$_{2}$ 31$_{14}$, c. יָשַׁב 133$_{1}$; **zu gleicher Zeit** Js 42$_{14}$ 45$_{8}$ Hi 6$_{2}$; — Hos 11$_{7}$?; Ps 33$_{15}$ 49$_{11}$ u. Hi 34$_{29}$ ↗ II חדה; Ps 74$_{6}$? l פִּתּוּחֵי הַיָּחִד Schnitzwerk d. Einzigen (Widgr. SKgt 108[10]; cf אֶחָד Dt 6$_{4}$, Eichr. I 145); Ps 74$_{8}$ ↗ נִין; Hi 10$_{8}$ l אַחַר. †

יַחְדָּו (90 ×), יַחְדָּיו Jr 46$_{12.21}$, 48$_{7}$Q יַחְדָּו: c. pl. sf. sec. לְפָנָיו, BL 530a (:: de Moor VT 7, 350ff); unveränderlich, ohne Rücksicht auf genus u. num.; adv. = יַחַד 2: — 1. vorangestellt: **zusammen, miteinander** Js 11$_{7.14}$ 31$_{3}$ 41$_{1}$ 52$_{8}$ 66$_{17}$ Jr 46$_{12}$ Zch 10$_{4}$ Kl 2$_{8}$; **insgesamt** Dt 12$_{22}$ 33$_{17}$ 1S 30$_{24}$ Js 9$_{20}$ 10$_{8}$ Jr 51$_{38}$ Hi 24$_{17}$; **ebenso** Ex 26$_{24}$; — 2. nachgestellt: **zusammen** Ex 19$_{8}$ Js 1$_{28}$ Am 1$_{15}$, c. יָשַׁב Gn 13$_{6}$ Dt 25$_{5}$; c. הָלַךְ Gn 22$_{6.8.19}$ Am 3$_{3}$; c. נצה nif. Dt 25$_{11}$; c. נוֹעַץ Js 45$_{21}$; **insgesamt** Ps 19$_{10}$ 37$_{38}$; **zugleich** Js 40$_{5}$ (:: Dahood CBQ 20, 46f) 46$_{2}$ 48$_{13}$ Jr 6$_{11}$ Ps 4$_{9}$; — Js 45$_{16}$ cj נֶחֱרָיו (חרה nif.); Jr 31$_{13}$ u. Ps 83$_{6}$ l יִחְדּוּ (I חדה); ? Ps 74$_{8}$, ↗ נִין; Pr 22$_{18}$ l בְּיָתֵד (↗ Gemser).

יַחְדּוֹ, or יִחְדּוֹ (MTB 78), K יחדי, G^{B} Ιδαι, G^{A} Ιεδδαι; Var. יַעְדּוֹ: n.m.; Kf. I חדה, ↗ יַחְדִּיאֵל u. יֶחְדְּיָהוּ, „X freue sich" (Noth 210; BL 503h): Gadit 1C 5$_{14}$. †

*יַחְדִּיאֵל: n.m.; ↗ יַחְדּוֹ, HBauer ZAW 48, 74[1]: Manassit 1C 5$_{24}$. †

יֶחְדְּיָהוּ: n.m.; ↗ יַחְדּוֹ, HBauer ZAW 48, 74[1]; — 1. Levit 1C 24$_{20}$; — 2. Aufseher üb. Davids Eselinnen 1C 27$_{30}$. †

יַחְוְאֵל, Q ↗ יְחִיאֵל (G^{B} Ιειηλ), K יְחוּאֵל ?: n.m.; חיה = חוה + אֵל, „G. erweise / erwies sich lebendig" od. kaus. (Noth 206, Baud. AE 475); cf. יחועלי Dir. 46, ph. יחומלך (PNPhPI 127): Levit 2C 29$_{14}$ = יְחִיאֵל 5. †

יַחֲזִיאֵל: n.m.; אֵל + חזה „G. schaue / schaute" (Noth 198f, HBauer ZAW 48, 74[1]) ↗ יַחְזְיָה, חֲזָיאֵל, cf. *Jaḫzibada* EA u. *Jaḫuzil/adda* APN 273, Huffm. 192; ph. יחזבעל (PNPhPI 127): — 1. 1C 12$_{5}$, G^{BA} Ιεζ(ι)ηλ; — 2. 1C 16$_{6}$; — 3. 1C 23$_{19}$ 24$_{23}$; — 4. 2C 20$_{14}$ (2.-4. G Οζιηλ = עֻזִּיאֵל); — 5. Esr 8$_{5}$ (G^{A} Αζιηλ). †

יַחְזְיָה: n.m.; ↗ יַחֲזִיאֵל: Esr 10$_{15}$. †

יְחֶזְקֵאל, G Ιεζεκιηλ: n.m.; < *יְחַזֵּקאֵל חזק (qal pr. pi.!) + אֵל „G. stärke/kte" (Noth 36, 202): > יחזק Dir. 241: **Ezechiel** (V), **Hesekiel** (G^{B} 1C 24$_{16}$), BHH 709: — 1. d. Prof. Ez 1$_{3}$ 24$_{24}$ Sir 49$_{8}$; — 2. 1C 24$_{16}$. †

יְחִזְקִיָּה, G Ἐζεκίας: n.m., < ↗ יְחִזְקִיָּהוּ: **Hiskia**: — 1. K. v. Juda (= חִזְקִיָּהוּ 1) Hos 1$_{1}$ Mi 1$_{1}$; — 2. Esr 2$_{16}$ = חִזְקִיָּה Neh 7$_{21}$ 10$_{18}$. †

יְחִזְקִיָּהוּ, G Ἐζεκίας: n.m.; ihe. KAI 190, 1; contam. < ↗ חִזְקִיָּהוּ (Noth 246, Ku LJs 78f) u. *יְחַזְקִיָּהוּ (↗ יְחֶזְקֵאל); 1Q Js^{a} יחוזקיה: **Hiskia**; — 1. K. v. Juda (BHH 729) 2K 20$_{10}$ Js 1$_{1}$ (1QJs^{a} ח׳ korr. > יח) Jr 15$_{4}$ 1C 4$_{41}$ 2C 28$_{27}$-33$_{3}$; — 2. Efraimit 2C 28$_{12}$. †

יַחְזֵרָה: n.m.; *חזר, ? ar. *ḥadira* vorsichtig, od. *ḥazara* schlau sein (Noth 228), al. aram. חזר (↗ I חדר zurückkehren, Kö.): Priester 1C 9$_{12}$ = אַחְזַי Neh 11$_{13}$ (Rud. Chr. 84). †

יְחִיאֵל, G Ιειηλ u.ä.: n.m.; חיה, ↗ יַחְוְאֵל Q u. יְחִיָּה; „Möge er leben, o Gott!" (:: Noth 206); klschr. *Iaḫi-ilu* BzA VI 5, 100a, Huffm. 191f: — 1. Levit 1C 15$_{18.20}$ 16$_{5}$; — 2. Levit 23$_{8}$ 29$_{8}$; — 3. am Hof Davids 27$_{32}$; — 4. Bruder d. K.s Joram 2C 21$_{2}$; — 5. Levit 29$_{14Q}$ = יַחְוְאֵל; — 6. Levit 31$_{13}$; — 7. Tempelfürst 35$_{8}$; — 8. Priester Esr 8$_{9}$; — 9. 10$_{2}$; — 10. 10$_{21}$; — 11. 10$_{26}$; — gntl. יְחִיאֵלִי 1C 26$_{21f}$. †

יָחִיד, Hier. *iaid*: יחד = אֶחָד; amor. *Jaḫadu* (Huffm. 210); ug. *jḥd* einsam (Aistl. 1153, UT nr. 1087); ph. Ιεουδ b. Philo By. (↗ Eissf. Sanchunjaton etc. 1952, 19[3],

KlSchr. 3, 409f); mhe. einer, Privatmann (:: viele, Gemeinschaft), einzig, יְחִידִי einzeln, allein; ja. יחידי/דאה, sy. md. (MdD 185a); asa. *wḥd*, ar. *waḥīd*; akk. (*w*)*ēdu* ein, einzig: יְחִידִים, יְחִידָה, יְחִידָתִי: — 1. **einzig**; d. einzige Sohn Gn 22$_{2.12.16}$; אֵבֶל(הַ)יָּ׳ Trauer um d. einzigen (Sohn), Baud. AE 89f, cf. akk. *Ḫabil-wēdum*, d. Einzige ist tot (Stamm 297), Jr 6$_{26}$ Am 8$_{10}$ Zch 12$_{10}$ Pr 4$_{3}$, G ἀγαπώμενος / πητός; f. d. einzige Tochter Ri 11$_{34}$, (G μονογενής, auch Ps 22$_{21}$); ? cj Ps 74$_{6}$ pr. ℱ יַחַד — 2. **einsam, verlassen** (cf. ug.) Ps 25$_{16}$ (|| עָנִי) 68$_{7}$, יְחִידָתִי d. Seele (als leidend u. klagend) Ps 22$_{21}$ 35$_{17}$; einzigartig Dam. 20, 1.14 מורה היחיד u. 20, 32 אנשי היחיד ? l יחד, ℱ Rabin ZD 37, 41. †

יְחִיָּה: n.m.; יְ׳ + חיה, ℱ יְחִיאֵל, ? äg. יחיי, ? חיהו[.. T. Qasile (Mosc. 113.10): Hüter d. Lade 1C 15$_{24}$. †

יָחִיל Kl 3$_{26}$ (l יחיל — יחל hif.) gut ist es, schweigend zu hoffen (Rud. 231). †

יחל: mhe.[2], sy. *ʾauḥel* (LS 301a) verzweifeln, ar. *waḥila* im Schlamm stecken, in d. Klemme sein (Guill. 1, 9) unentschlossen sein (Driv. Bibl. 19, 67), asa. *wḥl* stunden (ZAW 75, 310):

pi. (Jenni 249f.257f): pf. יִחֲלְתִּי, יִחֲלוּ, יִחַלְתָּנִי, יִחַלְנוּ, יִחֵלוּ (BL 382); impf. וַיְיַחֵל, וַיְחֶל Gn 8$_{10}$ (Bgstr. 2, 129 k, GK § 69u) אֲיַחֲלָה, יְיַחֲלוּ, יְיַחֵלוּן; imp. יַחֵל; pt. מְיַחֲלִים: — 1. **warten** (THAT 1,727ff): a) abs. Gn 8$_{10}$ u. 12 (l וַיְיַחֵל) Ps 71$_{14}$ Hi 13$_{15}$ 14$_{14}$, ausharren Hi 6$_{11}$; b) c. לְ warten auf 1S 13$_{8K}$ (Q וַיּוֹחֶל), Js 42$_{4}$ Ez 13$_{6}$, cj Mi 1$_{12}$ (l יִחֲלָה) 56 Ps 31$_{25}$ 33$_{18.22}$ 69$_{4}$ (l מְיַחֵל) 119$_{43.74.81.114.147}$ 147$_{11}$ Hi 29$_{21.23}$ 30$_{26}$; c. אֶל Js 51$_{5}$ Ps 130$_{7}$ 131$_{3}$; — 2. **hoffen lassen** (? l יִחַלְתִּי) Ps 119$_{49}$. †

[**nif**: pf. נוֹחֲלָה Ez 19$_{5}$ (|| אָבְדָה l נוֹאֲלָה) (יאל nif. Zimm. 418); impf. וַיִּיָּחֶל Gn 8$_{12}$ l וַיְיַחֵל.]

hif: pf. הוֹחַלְתִּי/חָלְתִּי; impf. אוֹחִיל/לָה, תּוֹחֵל; imp. הוֹחִילִי: sich wartend verhalten (BL 294b), **warten** (THAT 1,727ff): 1S 10$_{8}$ 13$_{8Q}$ (K ℱ qal 1) Hi 32$_{16}$ (fragend!) Kl 3$_{21}$, cj 3$_{26}$ (l [דּוּמָם] l יֹחִילוּ, ℱ Rud.), cj Ri 3$_{25}$ (l וַיּוֹחִילוּ); c. לְ gegenüber 2K 6$_{33}$ Mi 7$_{7}$ Ps 38$_{16}$ 42$_{6.12}$ 43$_{5}$ 130$_{5}$ Hi 32$_{11}$, cj וְהוֹחֵל Hi 35$_{14}$ u. Ps 37$_{7}$ Kl 3$_{24}$; — 2S 18$_{14}$ l אָחִילָה c. לְכֵן (:: Dho., Echter: zuwarten, Zeit verlieren); Jr 4$_{19}$ l אֲחוּלָה. †

Der. יָחִיל, תּוֹחֶלֶת, n.m. יַחְלְאֵל.

יַחְלְאֵל, Sam.[M102] *jēllāʾel*, G[A] Αλοηλ u. Αλληλ: n.m.; ph. יחלבעל (PNPhPI 127) l יַחַל לְאֵל (Lex.[1]) od. Noth 204: II חלה „Gott zeige sich freundlich": S. v. Zebulon Gn 46$_{14}$ Nu 26$_{26}$ — Gntl. יַחְלְאֵלִי Sam.[M102] *jēllaʾēli*, G Αλληλει: Nu 26$_{26}$. †

יחם: Nf. v. חמם; ja.[tg] pa. brünstig machen; ar. *waḥima* (Schwangere) Gelüste haben, *waḥam* Brunst:

qal: (BL 436[1], Bgstr. 2, 125[a]: חמם qal!); impf. וַיֵּחַמְנָה, וַיֶּחֱמוּ (*j* ℱ BM II § 63, 4b): **brünstig sein** Gn 30$_{38f}$. †

pi: pf. sf. יֶחֱמַתְנִי; inf. יַחֵם, sf. 3. pl. f. יַחֲמֵנָה ־מְּנָה Gn 30$_{41b}$ (Ⓑ, BL 252p): — 1. **in Brunst sein** (GK § 52k) Gn 30$_{41a}$ 31$_{10}$; c. acc. in Brunst empfangen Ps 51$_{7}$; — 2. **brünstig machen** Gn 30$_{41b}$. †

Der. חֵמָה.

יַחְמוּר: III חמר rot sein; BL 488r, Gradw. 20, Eil. WdO 3, 85; mhe., ja. sy. יַחְמוּרָא (LS 241b); ? ug. *jḥmr* Aistl. 1155 (:: UT nr. 879, CML 139a); ar. *jaḥmūr* Reh (-bock); n.m. Ιαμουρ Eph. 2, 124, Wuthn. 56: **Rehbock** Dt 14$_{5}$ 1K 5$_{3}$. †

יַחְמַי: n.m.; II חמה, Kf. „(Gott) schützt" (Noth 38.196); asa. *Iḥmʾl* (ZAW 75, 310) *jḥmʾl* (Ryckm. 1,230 b), äg. *Jaḥm(a)* Albr. Voc. 36: Issacharit 1C 7$_{2}$. †

*יחף: mhe[2]. hitp., ja.[t] pe., ja.[g] pa. barfüssig werden, sy. *wᵉḥef*, ar. *ḥafija*; Nöld. NB 186f. Der. יָחֵף.

יָחֵף: יחף; mhe., ja.[t] יַחְפָּא, sy. *ḥefjāj*, md.

(MdD 147a) היפיא; ar. *ḥāfin* (JPOS 7, 6): **barfuss** 2S 15$_{30}$ Js 20$_{2.4}$, מִיָּחֵף dass er nicht barfuss wird (? sbst., ↗ Rud. 18) Jr 2$_{25}$. †

יַחְצְאֵל, Sam.$^{BCh.3.173a}$ *jēṣṣāʾel*, G^B Ασιηλ u. Σαηλ, G^A Ιασιηλ: n.m.; חצה + אֵל zuteilen od. ar *ḥaẓija* IV begünstigen (Noth 204); > יחץ Dir. 171f: S. v. Naftali Gn 46$_{24}$ Nu 26$_{48}$; ↗ יַחְצִיאֵל; Gntl. יַחְצְאֵלִי Nu 26$_{48}$. †

יַחְצִיאֵל, G^B Ιεισιηλ, G^A Ιασιηλ: n.m., = יַחְצְאֵל (MSS, Noth 27^1): 1C 7$_{13}$. †

[יחר: ? *וַיִּיחֶר 2S 20$_{5K}$ ↗ אחר hif.]

יחשׂ: יחס mhe. pi., ja.^{gb} pa. d. Genealogie nachweisen, mhe. hitpa. u. ja.^{tg} sich herleiten von; ar. *wḥš* X Anschluss suchen (Schulth. ZAW 30, 61); denom.:

hitp: pf. הִתְיַחֲשׂוּ; inf. הִתְיַחֵשׂ, הִתְיַחְשָׂם; pt. מִתְיַחְשִׂים: **sich** zur Feststellung d. Abstammung **in d. Geschlechtsregister eintragen lassen** Esr 2$_{62}$ 8$_3$ Neh 7$_{5.64}$ 1C 5$_1$ (לַבְּכֹרָה).$_{7.17}$ 9$_1$; inf. הִתְיַחֵשׂ > sbst. **Registrierung, Stammbaum** Esr 8$_1$ cj Neh 7$_5$ (pr. הַיַּחַשׂ Rud. 140) 1C 4$_{33}$ 5$_7$ 7$_{5.7.9.40}$ 9$_{22}$ 2C 12$_{15}$ (cj זֶה לְהִתְי׳ Rud. 234, al. dl.) 31$_{16}$ (↗ Rud. 306).$_{17-19}$. †
Der. יַחַשׂ.

יַחַשׂ: יחשׂ; mhe. יחס u. יְחָסִין, יוֹחָסִין, auch יחס, ja. יחוסא: **Stammbaum, Register** סֵפֶר הַיַּ׳ Neh 7$_5$, cj הִתְיַחֵשׂ (Ehrl., Rud. 11^2 140 :: Hö; Galling). †

יַחַת, יָחַת: n.m.; ? (? BDB 367a: יחת, pr. יַחְתֶּה): 1.-5.: 1C 4$_2$; 6$_{5.28}$; 23$_{10f}$; 24$_{22}$; 2C 34$_{12}$. †

יָחַת: 1. ↗ חתת nif.; — 2. ↗ נחת qal.

יטב: Nf. v. טוב, BL 378j; Lkš, jaud. aam. u. äga. DISO 106; ba. ja.^{tg} sam. cp. sy. md. (יטף, MdD 192a) *jṭb*; ar. in *ʾaiṭib bihi* (Guill. 1, 26); THAT 1,652ff:

qal: impf. (vertritt auch das v. טוב) יִ(י)טַב, תֵּיטְבִי Nah 3$_8$ (Mf. v. qal u. hif. od. Tf. ?, Bgstr. 2, 128^h, 1QpN התיטיבי); וַיִּיטְבוּ: — 1. יִיטַב לוֹ/לָהּ: **es geht ihm/ihr gut** Gn 12$_3$ 40$_{14}$ Dt 4$_{40}$ 5$_{16.29}$ 6$_{3.18}$ 12$_{25.28}$ 22$_7$ Jr 7$_{23}$ 38$_{20}$ 40$_9$ 42$_6$ Rt 3$_1$, cj יִיטַב Ps 49$_{19}$; c. יִיטַב מִן er ist od. fährt besser Nah 3$_8$ (s.o.); — 2. a) יִיטַב בְּעֵינֵי Wort, Plan **gefällt** Gn 34$_{18}$ 41$_{37}$ 2S 18$_4$ 1K 3$_{10}$ Est 1$_{21}$ 5$_{14}$; es gefällt Gn 45$_{16}$ Lv 10$_{19f}$ Dt 1$_{23}$ 1S 24$_5$ Ps 69$_{32}$ (c. מִן besser als), v. d. Zustimmung d. Volkes Jos 22$_{30.33}$ 2S 3$_{36}$; (David) ist beliebt 1S 18$_5$, Frau gefällt Est 2$_{4.9}$; b) יִיטַב לִפְנֵי **es ist genehm, beliebt** Neh 2$_5$; c. vb. fin. beliebt zu tun Neh 2$_6$; c. אֶל cj 1S 20$_{13}$ c. cj inf. לְהָבִיא; — 3. יִיטַב לֵב **wird/ist fröhlich** Ri 18$_{20}$ 19$_{6.9}$ 1K 21$_7$ 2K 25$_{24}$ Rt 3$_7$ Koh 7$_3$ (ist „guter Dinge"); וִיטִיבְךָ Koh 11$_9$ gew. cj וְיִטַב, l יֵטַבְךָ Dahood Bibl. 43, 363; dat. comm., ug. UT § 6, 21. †

hif. (BL 402u): pl. הֵיטִיב, הֵיטַבְתָּ, וְהֵיטִבֹתִי (Mf. פ״י u. ע״ו, BL 403, Bgstr. 2, 128^h), הֵיטִיבוּ, הֵיטַבְנוּ, וְהֵיטִבְךָ; impf. יֵיטִיב (יֵיטִיב Hi 24$_{21}$ missverstandene Pleneschreibung, Bgstr. 2, 128^h), יֵיטֵב, וַיֵּיטֶב, תֵּיטִבִי, וַיֵּיטִיבוּ; imp. הֵיטִיבָה, הֵיטִיבִי; inf. הֵיטֵ(י)ב, לְהֵיטִיבִי, הֵיטִיבְךָ, הֵ(י)טִיב; pt. מֵיטִ(י)בִי, מֵיטִבִים, מֵ(י)טִ(י)ב: — 1. הֵיטִיב c. לְ **freundlich, gütig handeln** an Gn 12$_{16}$ Ex 1$_{20}$ Nu 10$_{29}$ Jos 24$_{20}$ Ri 17$_{13}$ 1S 25$_{31}$ Ez 36$_{11}$ Ps 51$_{20}$ 119$_{68}$ 125$_4$; — 2. c. acc. **jmd. Gutes erweisen** Dt 8$_{16}$ 28$_{63}$ 30$_5$ 1S 2$_{32}$ Jr 18$_{10}$ 32$_{40f}$ Zch 8$_{15}$ Hi 24$_{21}$; c. עִם **es jmd. gut gehen lassen** Gn 32$_{10.13}$ Nu 10$_{32}$; — 3. **etw. gut machen**: a) Worte Dt 5$_{28}$ 18$_{17}$ Ps 36$_4$ = gut, kunstvoll reden; b) etw. herrichten: Lampen Ex 30$_7$, d. Kopf schmücken 2K 9$_{30}$; c. דֶּרֶךְ recht wandeln Jr 7$_{3.5}$ 18$_{11}$ 26$_{13}$ (:: es fein anstellen 2$_{33}$), 35$_{15}$ bessern; c) מַצֵּבוֹת schöne M. aufstellen Hos 10$_1$; c. לֶכֶת, צַעַד stattlich schreiten Pr 30$_{29}$; c. חֶסֶד u. מִן Treue schöner betätigen als Rt 3$_{10}$; abs. c. מִן Nah 3$_8$, ↗ qal; c. פָּנִים e. heiteres Gesicht machen Pr 15$_{13}$; c. לִבּוֹ sich gütlich tun Ri 19$_{22}$; c. cj גְּוִיָּה dem Leib wohltun Pr 17$_{22}$; c. שֵׁם u. מִן e. herrlicher machen 1K 1$_{47}$, c. לְ+חָרָה mit Recht zürnen Jon 4$_{4.9}$; d) c. inf. od. vb. fin. = adv.: c. נַגֵּן schön spielen Js 23_{16} Ez 33_{32} Ps 33_{3}, לְנַגֵּן 1S 16_{17}; לִרְאוֹת richtig sehen Jr 1_{12}; cj לְהָרַע כַּפֵּיהֶם הֵיטִיבוּ verstehen schlecht zu handeln Mi 7_{3} (m. Wtsp.); — 4. **recht, gut handeln** (:: הָרֵעַ) Gn 4_{7} Lv 5_{4} Js 1_{17} 41_{23} Jr 4_{22} 10_{5} 13_{23} Zef 1_{12}; — 5. adv. הֵיטֵב (Solá-Solé 88) **gut, gründlich** Dt 9_{21} 13_{15} 17_{4} 19_{18} 27_{8} 2K 11_{18}; — 1S 20_{13} ↗ qal; Mi 2_{7} ? l דְּבָרָיו יִיטְבוּ, od. יֵיטִיב gibt freundliche Worte; Ps 49_{19} ↗ qal; Pr 15_{2} l תַּטִּיף; Koh 11_{9} ↗ qal. †

Der. מֵיטָב, n.l. יָטְבָתָה, יָטְבָה; n.m. מְהֵיטַבְאֵל.

יָטְבָה, G* Ιετεβα: יטב (cf. Mtg-G. 522f): = Ιωταπατα, mhe. יוֹתְפַּת, יטבת (Schürer 1, 611); = *Ch. Ǧefāt* 14 km n. Nazareth, Abel 2, 366 :: GTT § 957 l יֻטָּה; = יָטְבָתָה Mtg-G. 521: Heimat d. Mutter d. K.s Amon 2K 21_{19}. †

יָטְבָתָה, Sam.[M105] *jeṭibta*, G^A (I)εταβαθαν; יטב ↗ יָטְבָה: 2. Wüstenstation hinter עֶצְיֹן גֶּבֶר Nu 33_{33f} Dt 10_{7} (G^B Θαιβαθα), = *ʿAin Ṭāba*, 40 km n. Aqaba, Abel 2, 366, GTT § 438 (:: WüGs 151f: *Ṭāba* 10 km s. אֵילַת). †

יֻטָּה: n.l. Jos 21_{16}: ↗ יוּטָּה. †

יְטוּר: 1. Sam.[BCh 3,173a] *jēṭor* (n.m.), G Ιετ(τ)ουρ: S. v. Ismael Gn 25_{15} 1C 1_{31}; gew. = 2., nab. (Cant. Nab. 2, 103) Ιατουρος im Hauran, Ιαθουρει :: DJD 2, 227; ar.; — 2. n.p., G^{BA} (I)τουραιων, in Trjd. 1C 5_{19}, Ἰτουραῖα Lk 3_{1}, Ἰτουραῖοι im Antilibanon: **Ituräer** (Schürer 1, 707ff, Abel 1, 297, GTT § 121, 10, BHH 788). †

יַיִן (ca. 140 ×): mhe., OS ין (= *jēn*, RMeyer Gr. 1, 29), Dir. 356a, DISO 109; ug. *jn* UT nr. 1093, Aistl. 1183; ar. u. äth. *wain* (auch Rebe, ar. u. amh. auch Trauben, Ulld. 123b), asa. *wjn*, *jjn* Weinberg (Mü. 113f, ZAW 75, 310); akk. *īnu* (< kan. ?; AHw. 383b, CAD 7, 152.157) > οἶνος, *vinum*, georgisch Salonen ASKw 3f; < heth. *wijāna* Rebe, Rabin Or. 32, 137f, RLA 3, 307a; Lex.[1] 1027b unsem., klas., :: sem. ↗ תִּירוֹשׁ; :: Wolff Hos. 103, ↗ Rud. Hos. 20.110; ug. beide im selben Text AfO 20, 214a; VHehn 65ff.85ff., FStaehelin Fschr. Wackernagel 1923, 152, BHH 2149: יָיִן, יֵין, יֵינוֹ/נְךָ: **Wein**: — 1. trop. לֶחֶם וָיַיִן Gn 14_{18} Ri 19_{19} Neh 5_{15}; דָּגָן וְיַיִן Kl 2_{12} (prp. וְאַיִן, :: Rud.); בָּשָׂר וָיַיִן Da 10_{3}; יַיִן וְשֵׁכָר Lv 10_{9} Nu 6_{3} Dt 14_{26} 29_{5} Ri $13_{4.7.14}$ 1S 1_{15}; יַיִן || שֵׁכָר Js 24_{9} 28_{7} 29_{9} 56_{12} Mi 2_{11} Pr 20_{1} 31_{6}; יַיִן וְחָלָב Js 55_{1}; שֶׁמֶן וָיַיִן Pr 21_{17} 2C 11_{11}; יַיִן וְקַיִץ Jr 40_{12}; חָלִיל וָיַיִן Js 5_{12}; יַיִן וְקַיִץ וְשֶׁמֶן Jr 40_{10}; — 2. Verbindungen: a) יֵין לְבָנוֹן Hos 14_{8}, י׳ חֶלְבּוֹן Ez 27_{18}; b) יֵין הָרֶקַח (appos., GK 131c, ? l יַיִן, 6 MSS) HL 8_{2}, יֵין הַטּוֹב (HeSy. § 76e, :: II טוֹב) bester W. HL 7_{10}, יֵ׳ מַלְכוּת königl. W. Est 1_{7} (Bardtke 281f), יֵ׳ מִשְׁתָּיו sein Tafelwein Da 1_{5}, יֵ׳ תַּרְעֵלָה Taumelwein Ps 60_{5}, cj יֵ׳ חֶמֶר schäumender W. Ps 75_{9}, יֵ׳ עֲנוּשִׁים W. d. Gebüssten Am 2_{8}, יֵ׳ חֲמָסִים W. d. Gewalttat Pr 4_{17}; c) חֹמֶץ יַיִן Gegorenes v. W., Weinessig Nu 6_{3}; בֵּית הַיָּיִן HL 2_{4} = בֵּית מִשְׁתֵּה הַיַּיִן Est 7_{8}, = Festhaus (Würthwein ThR 32, 205); — 3. W. (= Rausch) Gn 9_{24} 1S 25_{37}; macht fröhlich 2S 13_{28} Ps 78_{65} 104_{15} Pr 31_{6} Koh 10_{19}; cf. תִּירוֹשׁ, erfreut Götter u. Menschen Ri 9_{13}; andere Folgen Gn 49_{12}, cf. 43_{34}, Js 24_{11} $28_{1.7}$ Jr 23_{9} Hos 7_{5} Ps 60_{5} Pr 23_{31}; Wein zechen Js 5_{11} Pr $23_{20.30}$ Koh 2_{3}; הֵסִיר יֵ׳ durch absichtl. Erbrechen 1S 1_{14} Sir $31/34_{21}$, cf. Erm.-Ra. 288; — 4. W. im Kult: Ex 29_{40} Dt 14_{26} 1S 10_{3}, c. נסך Hos 9_{4}, c. נָסִיךְ Dt 32_{38}; verboten für d. Priester Lv 10_{9} Ez 44_{21}, für d. נָזִיר Nu $6_{3.20}$ Jr 35_{6}; ↗ HSchmidt, D. Alkoholfrage im AT, 1926, Vincent 294ff; — Hab 2_{5}, הַיַּ׳ בּוֹגֵד: 1QpHab VIII 3: הון יבגוד, ? Corr, ↗ Ell. HK 53.197, Albr. BASOR 91, 40[11], Humb. Hab. 46f, Segert ArchOr. 22, 444f, Rabin VT 5, 152f.

יַךְ: 1. ↗ נכה hif.; — 2. 1S 4_{13} l c. QG יַד. †

יְכָנְיָה Jr 27_{20}, Q יְכָנְ׳, K ?; n.m., = יְהוֹיָכִין. †

יכח: mhe. hif. zurechtweisen, beweisen, mhe.[2] hitp. (ettapa. ?) disputieren, ja. af.

zurechtweisen, ja.[b] beweisen, ja[tg(?)] ettaph. disputieren, sich gerecht erweisen; verw. נכח; äth. *wkḥ* Streit wecken, ar. *wakaʿa* (*ḥ*: ʿ !)tadeln, *wkḥ* IV sich enthalten, X sich weigern; Grbd. richtig stellen, Nöld. NB 190f, im Prozess, Horst, Gottesrecht 289, Seeligm. HeWf. 266ff; :: Lesl. 24, Guill. 1, 9: streiten:

nif: impf. נִוָּכְחָה; pt. נוֹכָח, נֹכַחַת: — 1. **sich** (im Rechtsstreit) **auseinandersetzen** Js 1$_{18}$, עִם mit Hi 23$_{7}$; — 2. **sich als im Recht erweisen** Gn 20$_{16}$. †

hif: pf. הֹ(וֹ)כִ(י)חַ, הוֹכַחְתָּ, sf. הוֹכַחְתִּיו; impf. יוֹכִיחַ, יוֹכַח, וַיּוֹכַח, אוֹכִיחַ, יוֹכִיחוּ, sf. אוֹכִיחֲךָ, אוֹכִיחֲךָ, יוֹכִחֶךָ, יוֹכִחֵנִי, יוֹכִחֶנּוּ, תּוֹכִחֲךָ; inf. הוֹכֵחַ, cs. הוֹכִיחַ u. הוֹכַח; imp. הוֹכַח; pt. מוֹכִיחַ, מוֹכִיחִים (THAT 1,730ff): — 1. **zurechtweisen**: a) abs. Hi 32$_{12}$ 40$_{2}$ Pr 9$_{7}$ 24$_{25}$, cj Pr 10$_{10}$c. G וּמוֹכִיחַ עַל־פָּנִים יַשְׁלִים Gemser; b) c. acc. Gn 21$_{25}$ Lv 19$_{17}$ Js 11$_{3}$ Hos 4$_{4}$ Hab 1$_{12}$ Ps 50$_{21}$ Pr 28$_{23}$ Hi 6$_{25f}$ 15$_{3}$ 32$_{12}$; c. לְ Js 11$_{4}$ Pr 9$_{8}$ 15$_{12}$ 19$_{25}$; c. עַל Ps 50$_{8}$; c) c. עַל jmd. etw. **vorhalten** Hi 19$_{5}$, etw. verfechten gegen 13$_{15}$; c. בְּ jmd. überführen Pr 30$_{6}$; c. אֶל rechten mit Hi 13$_{3}$; c. בְּ etw. **ahnden** 2K 19$_{4}$/Js 37$_{4}$; **züchtigen, strafen** (exc. Jr 2$_{19}$ u. Ps 141$_{5}$) nur v. Gott: c. acc. pers. 2S 7$_{14}$ Ps 6$_{2}$ 38$_{2}$ 105$_{14}$ Pr 3$_{12}$ Hi 5$_{17}$ 13$_{10}$ 22$_{4}$ 1C 16$_{21}$; abs. Ps 94$_{10}$ 1C 12$_{18}$; — 2. **entscheiden** (Boecker 45ff) Gn 31$_{42}$; c. בֵּין 31$_{37}$, cf. Hi 9$_{33}$; **schlichten**, Recht schaffen Js 2$_{4}$ Mi 4$_{3}$ (|| שׁפט); c. לְ u. עִם gegen Hi 16$_{21}$, strafen 1C 12$_{18}$; abs. Gn 31$_{37}$; מוֹכִיחַ (soweit nicht sec. 1 verbal zu verstehen) **Schiedsrichter** (Segal, Magnes Anniversary Vol., 1938, 31ff) Js 29$_{21}$ u. Am 5$_{10}$ (c. בַּשַּׁעַר), Strafprediger Ez 3$_{26}$, Mahner Pr 25$_{12}$; pr. Hab 1$_{12}$ לְהוֹכִיחַ 1Qp.Hab. למוכיחו (→ Ell. HK 50, Segert ArchOr. 21, 105f); — 3. **bestimmen, zuteilen** Gn 24$_{14 \cdot 44}$. †

hof: pf. הוּכַח: **gemahnt werden** Hi 33$_{19}$, cj Ps 73$_{14}$ (וְהוּכַחְתִּי). †

hitp: impf. יִתְוַכָּח (BL 377c) **sich auseinandersetzen mit** c. עִם Mi 6$_{2}$. †

Der. תּוֹכֵחָה, תּוֹכַחַת.

יְכָלְיָה 2C 26$_{3}$: n. f.; l → Q יְכָלְיָה, G[B] Χαλια (Ra.), יְכָלְיָהוּ 2K 15$_{2}$, G[B] Χαλεια, G[L] Ιεχελια, K יכיליה ?; ? כול hif. „J. wird versorgen" (Šanda); ? יָכוֹל „J. kann / vermag Stamm HFN 311) asa. יכלאל Ryckm. 1, 225b: M. d. K.s Azaria/Uzzia. †

יָכִין, G Ιαχειν/μ: n.m.; כון hif., Kf. „(J) mache / machte fest" (Noth 202): ph. in nn. pr יכן־ (Harris); ug. *jkn*, *Jakunni/u* (PRU 3, 261), klschr. *Jakinu* (APN 91b, 316b); pun. יכן (PNPhPI 128); asa. *jkn* Torname (ZAW 75, 310); klschr. Sgl *Jakin -ilu* (de Vaux Patr. 20): — 1. S. v. Simeon Gn 46$_{10}$ Ex 6$_{15}$ Nu 26$_{12}$; = יָרִיב 1C 4$_{24}$; gntl. → יָכִינִי; — 2. Priester Neh 11$_{10}$ 1C 9$_{10}$ 24$_{17}$; — 3. Name e. Tempelsäule 1K 7$_{21}$ (Ιαχουν/μ) 2C 3$_{17}$, → בֹּעַז. †

יָכִינִי, G Ιαχινι: gntl. v. יָכִין: Nu 26$_{12}$. †

יכל (ca. 200 ×): mhe. fast nur pt. יָכוֹל, יְכוֹלָה etc.; ph. (תכל Karat. II 5), äga. nab. (DISO 107); ba. יְכִל, ja. (יְכֵיל) sam. BCh. 2, 479b; cp. *jekil* u. *jekol*; cf. äga. ba. ja. äth. tigr. (Wb. 389a), asa. soq. ar. כהל:

qal: pf. יָכֹ(וֹ)ל, יָכְלָה, וְיָכָלְתָּ (Ex 18$_{23}$), יָכֹלְתִּי, יָכְלוּ/כֹלוּ, יְכָלְתִּיו (BL 340e); impf. יוּכַל/כָל, וַיּוּכַל, וַתּוּכַל, אוּכַל/כָל, יָכְלוּ, יוּכְלוּן, יוּכְלוּ, תּוּכְלוּ, נוּכַל, נוּכְלָה; inf. cstr. יְכֹלֶת (BL 382), יָכוֹל: — 1. **fassen, ertragen**: a) etw. Js 1$_{13}$, jmd Ps 101$_{5}$; b) fähig sein zu c. acc. Hos 8$_{5}$ (נִקָּיוֹן) Hi 42$_{2}$ (כֹּל); — 2. **können, vermögen**: a) c. vb. fin. אוּכַל נִכָּה (GK § 120c) Nu 22$_{6}$, אוּכַל וְרָאִיתִי bin fähig zu sehen Est 8$_{6}$; b) c. inf. α) יוּכַל תֵּת fähig zu geben Ps 78$_{20}$ Gn 24$_{50}$ u.ö.; β) c. לְ c. inf. אוּכַל לָקוּם Gn 31$_{35}$ u.ö.; bes. neg. לֹא־יָכְלוּ לַעֲשׂוֹת Nu 9$_{6}$ Rt 4$_{6}$ (Verzichterklärung, Boecker 160) u.ö., cj Ri 1$_{19}$; γ) m. vorangestelltem inf. הַשְׁקֵט לֹא יוּכָל ist nicht fähig zu Js 57$_{20}$, Hab 1$_{13}$ Hi 4$_{2}$; δ) abs.

„es" können, dürfen Gn 29_8 Ex 8_{14} (+ 10 ×), fertig bringen Jr 3_5; cj אֵין יָכֹל ... דָּבָר vermag nichts Jr 38_5 (↗ Rud.); cf. δύναμαι vertragen 1Kor 3_2; ε) לֹא תוּכַל לֶאֱכֹל du **darfst** nicht Dt 12_{17}, abs. בְּלֹא יוּכְלוּ יִגְּעוּ was sie nicht durften, berühren sie (Budde KHC, Rud.) Kl 4_{14}; לֹא יָכְלוּ דַּבְּרוֹ brachten es nicht über sich mit ihm zu reden Gn 37_4; — 3. **überlegen sein, siegen**: a) abs. Gn 30_8 32_{29} Jr 20_7 Hos 12_5; ? hineinragen (אַתִּיקִים) Ez 42_5 (l יוּכְלוּ, Ell., Fschr. Alt I 89 :: Löw.-Bl. I p. 12.116: Raumfressen, אכל 3); c. לֹא nichts erreichen Js 16_{12}, c. בַּל Ps 21_{12}; c. מִן nicht standhalten gegen Hi 31_{23}; b) c. acc. obsiegen über Ps 13_5; c) c. לְ Gn 32_{26} Nu 13_{30} Ri 16_5 Jr 1_{19} 20_{10} 38_{22} Ob $_7$ Ps 129_2 Est 6_{13}; d) etw. fassen, verstehen c. לְ Ps 139_6; — Pr 30_1 pr. וָאֻכָל l ? וָאֵכֶל (כלה) ↗ Komm.

Der. n.f. m. יְכָלְיָהוּ (?), יוּכַל.

יְכָלְיָהוּ: n.f., יָכֹל „J. erwies sich mächtig" (b. d. Geburt; Noth 190, Stamm HFN 331): 2K 15_2, ↗ יְכִילְיָה 2C 26_3: M. d. K.s עֻזִּיָּה/עֲזַרְיָה. †

יְכָנְיָהוּ Jr 24_1 ־יָה Ⓑ, יְכָנְיָה 28_4 29_2 Est 2_6 1C 3_{16f}, יְכוֹנְיָה Jr 27_{20} (Q — יְכָנְ); ↗ כון, כנן u. יְהוֹיָכִין; ph. יכנשלם (PNPhPI 128) K. v. Juda, Sgl יוכן Dir. 126f (:: Albr. ZAW 47, 16, JBL 51, 81[13]; Mtg.-G. 557f). †

ילד (ca. 600 ×): mhe., ja. (יְלַד), sam. (BCh. 2, 455a), cp. sy. (*ʾīled*), md. (meist *jdl*, MdD 189a); ug. ph. äga. nab. (DISO 107); asa. (Conti 137a) ar. äth. *walada*, tigr. (Wb. 430a) *walda*, akk. *walādu* (THAT 1,732ff):

qal: pf. יָלַד, יָלְדָה/יָלָדָה, יָלַדְתִּי, יָלְדוּ/יָלָדוּ, 2. f. יְלִדְתִּיךְ, 1 sg. יְלִדְתִּנִי Jr 15_{10} (22_7 Q ־תָּנִי), יְלִדְתְּךָ/דְתִּךְ; impf. יֵלֵד (*< *jailid* BM § 78, 3a :: BL 378p, Bgstr. 2, 130n), יֵלְדוּ, וָאֵלֵד Pr 27_1, יֵלֵד, וַתֵּלֶד, תֵּלֵד, תֵּלַדְנָה/ן, וַיֵּלְדוּ, יֵלֵדוּן; inf. לָלֶדֶת, לְלֵדָה u. לִדְתִּי, לָלַת 1S 4_{19} (< *ladt, BL 382), לִדְתָּנָה Hi 39_2 (BL 252p), יְלֹד; pt. יֹלֵד, יֹלֶדֶת (יֹלַדְתְּ) Gn 16_{11} Ri $13_{5.7}$, Mf. m. וְיָלַדְתְּ :: BM § 57, 2a), יוֹלַדְתּוֹ/תֵּךְ, יוֹלֵדָה, הַיְלוֹדִים, יְלוּד, יָלוּד, הַיּוֹלְדוֹת, יוֹלַדְתְּכֶם: — 1. (Kinder) **gebären** Gn 3_{16}, עֵת לֶדֶת Hi 39_1 (? Gl. < v. 2 ?); (Junge) werfen צֹאן Gn 30_{39}, אַיֶּלֶת Jr 14_5, Eier legen Jr 17_{11}; יָלוּד Neugeborenes (τεχθείς Mt 2_2) 1K 3_{26f}, pl. 1C 14_4, יְלוּד אִשָּׁה Hi 14_1 15_{14} 25_4† (1Q Hod 5 ×; Rüger ZNW 59, 113); — 2. **erzeugen** (v. Mann, cf. *pario*; ↗ hif., :: Jr 30_6) Gn 4_{18} 10_8 Pr 17_{21} 23_{22} 1C 1_{10}, pt. הַיֹּלְדָהּ Erzeuger Da 11_6 (? l יַלְדָּהּ, ↗ Komm.); — 3. metaph. יָלַד אָוֶן Hi 15_{35}, יָלַד שֶׁקֶר Ps 7_{15}, מֹשֶׁה gebiert d. Volk Nu 11_{12}, צוּר (= Gott) Dt 32_{18}; יָלַדְנוּ רוּחַ Js 26_{18} (↗ Komm.); תֵּלְדוּ קַשׁ 33_{11}, מַה־יֵּלֶד יוֹם was ein (al. der) Tag mit sich bringt Pr 27_1; Gott den König Ps 2_7 (THAT 1,735); — Zef 2_{2a} ? l תִּדָּחֲקוּ :: Gerlem., ↗ Komm.

nif: pf. נוֹלַד, נוֹלְדוּ (MSS 1C 3_5 u. 20_8 pr. נוּלְדוּ ? Mf. < nif. u. pu., od. Tf. BL 382); impf. יִוָּלֵד, אִוָּלֵד־, יִוָּלְדוּ/לֵדוּ (2S 3_{2Q} K pu. ?); inf. הִוָּלְדוֹ, הִוָּלֵד; pt. נוֹלָד, הַנּוֹלַד־לוֹ (BL 188p) Gn 21_3, נוֹלָדִים: **geboren werden** Gn 10_1 Lv 22_{27} (Tiere, 35 ×); וַיִּוָּלֵד לְאַהֲרֹן אֶת־נָדָב dem A. wurde N. geboren Nu 26_{60} (↗ אֵת 4b), Gn 4_{18} 21_5 46_{20}; יוֹם הֻוָּלְדָהּ Tag ihrer Geburt Hos 2_5, יוֹם אִוָּלֶד בּוֹ Hi 3_3, שְׁלוֹשָׁה נוֹלַד לוֹ 3 wurden ihm geboren 1C 2_3 (GK § 145l; rel. Satz, Rud.10), כָּל־נָשִׁים וְהַנּוֹלָד מֵהֶם sf. m. (GK 135 o) Esr 10_3; metaph. Volk Js 66_8, עַם נוֹלָד das noch geboren wird = künftig (cf. Ps 78_6 u. nif. ברא u. היה); — Hi 11_{12} l יִלָּמֵד :: Horst, BK XVI/1,165.

pi. (Jenni 210f) : inf. יַלֶּדְכֶם; pt. מְיַלֶּדֶת, מְיַלְּדוֹת: **gebären helfen** Ex 1_{16} (Dam. 11, 13); pt. f. **Hebamme** Gn 35_{17} 38_{28} Ex $1_{15.17-21}$, ass. *Muallid(a)tu* = Ištar (ZATU 297[4]; cf. Μύλιττα n. d. f. Hdt I 131. 199). †

pu. (? pass. qal, BL 287 o, Bgstr. 2, 87c): pf. יֻלְּדוּ/לָּדוּ, יֻלַּדְתִּי, יֻלְּדָה, יֻ/יוּלַּד/לָּד, יֻלַּדְתֶּם; pt. יֻלָּד (BL l.c., GK 150s :: Bgstr. 2, 96f: pf.), הַיּוּלָּד Ri 13_8: **geboren werden**

Gn 4$_{26}$ (+ 23 ×), עַל־בִּרְכֵּי Gn 50$_{23}$, Hi 5$_{7}$ (Peters, Horst, ? l יוֹלֵד zu עָמָל (Hö.) od. = acc. (Budde); metaph. d. Berge Ps 90$_{2}$ (ar. *muwalladāt* Produkte).

hif: pf. הוֹלִידָה, הוֹלִידוּ, הוֹלַדְתָּ, הוֹלִיד; impf. וַיּוֹלֶד, יוֹלִיד; imp. הוֹלִידוּ; inf. הוֹלִידוֹ, הוֹלֵד; pt. מוֹלִיד, מוֹלְדִים: — 1. **erzeugen** (ↆ qal 2) Gn 5$_{3}$ (ca. 40×), הוֹלִיד מִן mit e. Frau erzeugen 1C 8$_{9}$; — 2. **gebären lassen** Js 66$_{9a.b}$; Regen die Erde Js 55$_{10}$; metaph. אָוֶן 59$_{4}$ (hervorbringen) Hi 38$_{28}$ (THAT 1, 735).

hof: inf. הֻלֶּדֶת u. הוּלֶּדֶת (Ⓑ הוּל׳ BL 379t), הולד DJD I 19, 3, 3: **geboren werden** (immer m. יוֹם) Gn 40$_{20}$ Ez 16$_{4f}$. †

hitp: impf. וַיִּתְיַלְדוּ (BL 328a): denom. **sich in d. Familienverzeichnisse,** סֵפֶר *תּוֹלֵדוֹת, **eintragen** u. damit anerkennen **lassen** Nu 1$_{18}$, ↗ הִתְיַחֵשׂ. †

Der. יָלִיד*, יַלְדוּת, יִלּוֹד, יַלְדָּה, יֶלֶד, וָלָד, לֵדָה, מוֹלֶדֶת, *תּוֹלֵדוֹת, n.m. אֲחִילוּד (?), מוֹלִיד.

יֶלֶד, Sam.[M106] *jāled*, pl. *jālīdem* (ↆ יָלִיד): ילד: mhe.; ug. *jld*, pun. nab. palm. (DISO 107); ar. *walad* Sohn, Tierjunges; akk. (*w*)*ildu*; ↆ וָלָד: יֶלֶד, יְלָדִים, יַלְדֵי (4 ×) u. יִלְדֵי Js 57$_{4}$ † (BL 566d), יְלָדָיו (יְלָדוֹ Hi 38$_{41}$, BL 252r), יַלְדֵיהֶם: — 1. **Knabe**, männliches Kind: a) Gn 4$_{23}$ 21$_{8.14-16}$ 37$_{30}$ 42$_{22}$ 44$_{20}$ Ex 2$_{3.6-10}$ 2S 6$_{23}$ 12$_{15.18f.21f}$ 1K 3$_{25}$ 14$_{12}$ 17$_{21-23}$ 2K 4$_{18.26.34}$ Js 9$_{5}$ Jl 4$_{3}$ Rt 4$_{16}$ Koh 4$_{13.15}$; b) pl. Knaben, Kinder Gn 30$_{26}$ 32$_{23}$ 33$_{1f.5-7.13f}$ Ex 1$_{17f}$ 21$_{4}$ 1S 1$_{2}$ 2K 2$_{24}$ 41 Js 2$_{6}$ 8$_{18}$ 29$_{23}$ 57$_{4f}$ Zch 8$_{5}$ Hi 21$_{11}$ Rt 1$_{5}$ Kl 4$_{10}$ Da 1$_{4.10.13.15.17}$ Esr 10$_{1}$ Neh 12$_{43}$; d. **Leibesfrucht** d. Frau (Sam. ולדה) Ex 21$_{22}$; c) יֶלֶד זְקֻנִים im Alter erzeugter Sohn, Alterskind Gn 44$_{20}$ (= בֶּן־ז׳ 37$_{3}$), יֶלֶד שַׁעֲשׁוּעִים Schosskind Jr 31$_{20}$, יַלְדֵי זְנוּנִים Hos 1$_{2}$, יִלְדֵי פֶשַׁע Js 57$_{4}$; — 2. הַיְלָדִים „**d. Jungen**", beratende Körperschaft :: הַזְּקֵנִים 1K 12$_{8.10.14}$ / 2C 10$_{8.10.14}$ (Malamat JNESt. 22, 247, BA 28, 41ff); — 3. **Tierjunges**: Kuh u. Bär Js 11$_{7}$, Rabe Hi 38$_{41}$, Hinde u. Steinziege 39$_{3}$. †

יַלְדָּה, Sam.[M106] *jālīda*: f. v. יֶלֶד; mhe.; akk. *ilittu* Nachkommenschaft: יְלָדוֹת: — 1. **Mädchen**, weibliches Kind, pl. Zch 8$_{5}$; — 2. **heiratsfähiges Mädchen** Gn 34$_{4}$ Jl 4$_{3}$. †

יַלְדוּת: ילד, BL 505 o; mhe., ja.[b] ילדותא: יַלְדֻתֶךָ/דוּתֶיךָ (Ⓑ ־תֶךָ, BL 253b): — 1. **Kindheit** Koh 11$_{9f}$; — 2. **Jungmannschaft** (?) Ps 110$_{3}$ (ↆ BH, Stoebe, Fschr. Baumgtl. 188f), :: cj כְּטַל יְלִדְתִּיךָ (LPs 233). †

ילה: ar. *wala*/*iha* verstört, v. Sinnen sein (AFischer Islamica 1, 390ff), äth. Lesl. 24; tigr. (Wb. 428a) wehklagen :: ↆ להה:

qal: impf. וַתֵּלַהּ (BL 378 o): **besorgt, bekümmert sein** Gn 47$_{13}$. †

יִלּוֹד: ילד; < **jallōd* < **jallād* (BL 479j), < **jullād* (Bgstr. 2, 87c), pt. qal pass. (BM § 68, 3c); mhe.; ar. f. *wallādat*: יִלֹּ(וֹ)דִים: **geboren** Ex 1$_{22}$, c. לְ jmdem 2S 12$_{14}$; m. Ortsangabe Jos 5$_{5}$ 2S 5$_{14}$ Jr 16$_{3}$. †

יָלוֹן: n.m.; G[B] Αμων; etym. ?; ug. n.m. *jlj*, ? ar. *walī* + *ān*: Kalibbit 1C 4$_{17}$. †

יָלִיד, Sam.[M106] oft f. יֶלֶד: ילד; ja.[t] יְלִידָא; f. ar. *walīdat*: יָלִיד, יְלִידֵי: Willesen Stud. Theol. 12 (1958) 192ff: — 1. **Sohn** (ↆ 2); v. עֲנָק Nu 13$_{22.28}$ Jos 15$_{14}$, v. רָפָה 2S 21$_{16.18}$ u. רָפָא 1C 20$_{4}$; — 2. יְלִיד בַּיִת **im Haus(halt) geborener Sklave** (de Vaux Inst. 1, 128, „Leibeigene d. NN", Galling VT Su. XV 157, Sauer ZDMG 116, 237; akk. (*w*)*ilid bītim* (Driv.-M. BL 1, 222), ar. *muwallad* (Enz. Isl. 3,859), > Mulatte (Littm. MW 68), gr. οἰκέτης: Gn 14$_{14}$ 17$_{12f.23.27}$ (:: מִקְנַת כֶּסֶף), Lv 22$_{11}$ (:: קִנְיַן כֶּסֶף) Jr 2$_{14}$. †

ילל: mhe.[2] pi., ja. pa. ja.[t] auch af.; äga. (DISO 107), md. (MdD 192a) af. sy.; ar. *walwala*; äth. *wailawa* schreien, *waile* wehe, amh. *walale* Schmerzensschrei (Lesl. 24); akk. *alālu* Arbeitsruf u. -lied, denom. *alālu* Freudenlied singen, *šūlulu* jauchzen

(AHw. 34ab, BASOR 103, 12f); lautmalend, ↗ II אלל, II הלל:

hif: pf. הֵילִיל; impf. (BL 229f. 382) אֲ/יְיֵלִיל, אֵילִילָה, תְּ/יְיֵלִילוּ u. יְהֵילִילוּ Js 52$_5$ (1QJs[a] והוללו, po. ?), תְּהֵילִילוּ; imp. הֵילֵל, הֵילִילִי, הֵילִ(י)לוּ Q Jr 48$_{20}$; Js 23$_1$ הֵילִילוּ 1QJs[a] איל׳ (RMeyer ThLZ 1950, 723): **heulen**, **wehklagen**, || זעק Js 14$_{31}$ 65$_{14}$ Jr 25$_{34}$ 47$_2$ 48$_{20.31}$ 49$_3$ Ez 21$_{17}$ Hos 7$_{14}$ Zch 11$_2$; ||ספד Jr 4$_8$ Jl 1$_{13}$ Mi 1$_8$; c. עַל Jl 1$_{5.11}$ Jr 51$_8$; Js 13$_6$ 15$_{2f}$ 16$_7$ 23$_{1.6.14}$ Jr 48$_{39}$ Ez 30$_2$ Am 8$_3$ Zef 1$_{11}$; ? Js 52$_5$ וְהֵילִילוּ, 1QJs[a] יהוללו, ? III הלל z. Gespött machen hier abs. höhnen (cf. Torr. Dtj. 407). †
Der. יְלָלָה, יְלֵל.

יְלֵל: ילל: < **jilil* (BL 468w): **Geheul**, יְלֵל יְשִׁימוֹן Dt 32$_{10}$ d. Gehörshalluzinationen d. Wüste (cf. WHauer, Religion, 1923, 78.212). †

יְלָלָה: ילל; mhe.[2], ja.[t], aam. (DISO 107): יִלְלַת, יְלָלָתָהּ: **Geheul**, **Wehgeschrei** Js 15$_8$ Jr 25$_{36}$ Zef 1$_{10}$ Zch 11$_3$. †

יָלַע Pr 20$_{25}$: ↗ I לעע.

*ילף: md. (MdD 192a); ar. *wlf* III anhangen, vertraut sein, tigr. (Wb. 432a) *walfa* sich gewöhnen an; ↗ I אלף; Der. יַלֶּפֶת.

יַלֶּפֶת: ילף; BL 607c; G λιχήν Flechte, V *impetigo* Räude; jüd. Trad. = חֲזָזִית, äg. Flechte, ar. *ḥazāz*, sy. *ḥazāzīt*, ↗Lex.[1]: **Hautflechte** Lv 21$_{20}$ 22$_{22}$. †

ילק: ? ar. *waraqa* Blätter bekommen, *ʾauraq* aschfarben (Guill. 1, 26); Der. יֶלֶק.

יֶלֶק: ילק; יֶלֶק: **Heuschrecke** wegen Wiedergabe in mhe.[2] mit sy. *zāḥlā* kriechende H. noch ungeflügelt (Koehler ZDPV 49, 332): Jr 51$_{14.27}$ Jl 1$_4$ 2$_{25}$ Nah 3$_{15f}$ Ps 105$_{34}$. †

יַלְקוּט: לקט, BL 488r: **Hirtentasche** (f. Schleudersteine u.a.), erklärt durch d. Gl. כְּלִי רֹעִם (Stoebe VT 6, 409) 1S 17$_{40}$. †

יָם (390 ×): mhe. (auch b. geringem Umfang) untere Stufe d. Kelter, Becken d. Mühle des bodenfesten Untersteins (AuS 4, 209), DJD 3, 244 || אשיח, cf. Sir 50$_3$ u. mo. אשוח, DISO 27); ug. *jm.* (f. *jm mlʾt* AfO 20, 214b), ph. ים; aram. יַמָּא ba. ja. cp. sy. md. (MdD 186a), pehl. äga. u. palm. ימא (DISO 107); > ar. *jamm* (Frae. 231), ? sy.-ar. Seite (Barth. 917); > akk. *kusa/i jāmi* (< wsem., AHw. 514a); äg. *jm*, kopt. *(e)jom*: cs. gew. (־)יָם (BL 564); יָם יָפוֹא Esr 3$_7$, יָם הַמֶּלַח Gn 14$_3$, m. הָעֲרָבָה Dt 4$_{49}$, הַנְּחֹשֶׁת 2K 25$_{13}$ u. מִצְרַיִם Js 11$_{15}$ :: יַם־סוּף Ex 13$_{18}$ u.ö.; loc. יָמָּה; יַמָּה, יַמִּים, m.: — **See**, **Meer**, d. offene Meer, wie d. grösseren Binnengewässer, auch grössere Ströme, Reymond 163ff, BHH 1181: — 1. allgemein: sg. יָם · · · אֶרֶץ · · · שָׁמַיִם Ex 20$_{11}$, שְׂפַת הַיָּם Gn 22$_{17}$, חוֹל הַיָּם 32$_{13}$, דְּגַת הַיָּם 1$_{26}$, דְּגֵי הַיָּם 9$_2$, לְשׁוֹן הַיָּם Jos 15$_5$, מַעֲמַקֵּי יָם Js 51$_{10}$, cj גַּלֵּי הַיָּם Ps 107$_{29}$, cj עַמְלְצֵי יָם 74$_{14}$; עָלָה הַיָּם Jr 51$_{42}$, גָּדוֹל כַּיָּם Kl 2$_{13}$; — 2. pl. יַמִּים **Meer** Da 11$_{45}$; = מִקְוֵה הַמַּיִם Gn 1$_{10}$, שֶׁפַע יַמִּים Dt 33$_{19}$, חוֹל יַמִּים Jr 15$_8$, חוֹף יַמִּים Gn 49$_{13}$, בְּלֵב יַמִּים Ps 46$_3$; — 3. bestimmte Meere: a) d. **Mittelmeer** u.s. Teile: הַיָּם הַגָּדוֹל מְבוֹא הַשֶּׁמֶשׁ Jos 1$_4$ הַיָּם הַגָּדוֹל Nu 34$_{6f}$ (ימא רבא Gn Ap. 16$_{12}$ 21$_{11}$ ↗akk. *tiamtu rabītu ša šulmi šamši*, Fitzm. GnAp. 132); Jos 23$_4$ cj 15$_{12}$ u.47 Ez 47$_{10.19}$ 48$_{28}$, יָם פְּלִשְׁתִּים Ex 23$_{31}$, יָם יָפוֹ(א) Esr 3$_7$ 2C 2$_{15}$, הַיָּם הָאַחֲרוֹן (:: הַקַּדְמוֹנִי, ↗ b) Dt 11$_{24}$ 34$_2$ Jl 2$_{20}$ Zch 14$_8$; אִיֵּי הַיָּם Is 11$_{11}$ 24$_{15}$ Est 10$_1$; b) **d. Tote Meer** (*mare mortuum*, Noth WdAT 15, ar. *baḥr Lūṭ*, BHH 2015) יָם הַמֶּלַח Gn 14$_3$ (GnAp 21,16 ימא רבא דן די מלחא, ↗ Fitzm. GnAp.[2] 153) Jos 18$_{19}$; יָם הָעֲרָבָה Dt 3$_{17}$ 4$_{49}$ 2K 14$_{25}$, הַיָּם הַקַּדְמוֹנִי (:: הָאַחֲרוֹן, ↗ a) Ez 47$_{18}$ Jl 2$_{20}$ Zch 14$_8$; יָם Js 16$_8$ / Jr 48$_{32}$; c) d. **galiläische Meer**, d. See Genezareth (Abel 1, 494ff, BHH 546) יָם כִּנֶּרֶת Nu 34$_{11}$, יָם כִּנְרוֹת Jos 12$_3$; d) יַם־סוּף d. **Schilfmeer**, loc. יָמָּה סוּף (BL 527n, BM § 14,2b, Bgstr. 1, 65p) Ex 10$_{19}$, ↗ I סוּף; e) יָם־מִצְרַיִם Js 11$_{15}$; ? l Zch 10$_{11}$

(Wellh.) d. Schilfmeer; al. d. Mittelmeer (GTT § 69) od. d. Nil (cj pr. יָם צָרָה, Duhm, ↗ 5); f) מִיָּם עַד יָם Am 8_{12} Zch 9_{10} Ps 72_{8}, cj Mi 7_{12}, Sir 44_{21}: geograph. v. Toten- bis z. Mittelmeer, od. v. Eufrat z. Mittelmeer (bab., Gressm. Mess. 19), mythisch (Hö. Erdk. 29); — 4. weil יָם oft = Mittelmeer (3a) = Westmeer, wird יָם > **Westen** (:: מִזְרָח): יָמָּה nach W. Gn 13_{14}, מִיָּם v. W. her 12_{8}, פְּאַת יָם W.seite Ex 27_{12}, פְּאַת דֶּרֶךְ־הַיָּם Ez 41_{12}; רוּחַ יָם W.wind Ex 10_{19} > W.seite Ez 42_{19}; מִזְרָחָה וָיָמָּה Zch 14_{4}, יָם וְדָרוֹם W. u. Süd Dt 33_{23}; מִיָּם לְ westl. v. Jos 8_{9}; — 5. wie ar. *baḥr* u. *jamm* v. grossen Strömen: Nil Js 19_{5} Nah 3_{8}, cf. נַהֲרֵי כוּשׁ Js 18_{1}, pl. d. Nilarme Ez 32_{2}; Eufrat Jr 51_{36} (cf. Lucian, Dea Syria 13); מִדְבַּר־יָם Js 21_{1} = akk. *māt tāmti(m)*, Dho. Rec. 301ff.765 :: Mtg. ArBi. 80[9]: metaph. die ar. Sandwüste, :: Galling Fschr. Weiser 55: dl יָם c. G u.l. מִדְבָּר (cf. b); — 6. kosmologisch (Reym. 167ff): קַרְקַע הַיָּם Am 9_{3}, c. שָׁרְשֵׁי Hi 36_{30}, בְּלֶב־יָם Pr 23_{34}; יָם d. gottfeindliche Macht, Eissf. KlSchr. 3, 256ff, Kaiser 140ff; ↗ תְּהוֹם u. 7; — 7. יָם n.d. ug. *Jm*, spr. **Jammu* UT nr. 1106, Aistl. 1173, Kaiser 44ff, (:: HBauer ZAW 51, 92: = יוֹם !), ? amor. *jm* (Huffm. 210); ↗ Albr. RI 166f, Eissf. KlSchr. 3, 258ff, Hdb. Or. I 8, 1, 1, 84f, WbMy. 1, 289f: am ehesten Ps 74_{13} Hi 7_{12} 26_{12}; fraglich Js 51_{10} 57_{20} Hi 3_{8} (pr יוֹם !) 9_{8} (↗ בָּמָה 1), ↗ יְמוּאֵל; — 8. kultisch: d. **eherne Meer** (BRL 342, Albr. RI 166, 242[72], Parrot Temple 32ff, BHH 372, Noth Kge 155f) 1K $7_{24f.44}$ Jr 27_{19} 52_{20} 1C 18_{8} 2C $4_{2\cdot4\cdot6\cdot10\cdot15}$ †; — Zch 10_{11} ↗ צָרָה; Nah 3_{8b} pr. מִיָּם l מַיִם; Ps 8_{9} l מָיִם pr. יַמִּים; 65_{6} pr. וָיָם l אִיִּים; 106_{7} pr. עַל־יָם l עֶלְיוֹן; 107_{3} pr. וּמִיָּם l וּמִיָּמִין; Hi 36_{30} pr. שָׁרְשֵׁי הַיָּם l רָאשֵׁי הָרִים; Kl 2_{13} כַּיָּם, ↗ Rud.: ? כַּיֹּם dermalen.

יְמוּאֵל: n.m.; ug. *Jmꜣl* Aistl. 1174; äg. *jmꜥl* (ZDPV 65, 25); יָם 7 od. יוֹם + אֵל (Jirku ZAW 66, 151[8]), = נְמוּאֵל Nu 26_{12} 1C 4_{24}; cf. לְמוּאֵל: Simeonit Gn 46_{10} Ex 6_{15}. †

יְמִימָה: n.f.; ar. *jamām(at)* Taube, demin. *jumaimat*, äg. Turteltaube, *Turtur Senegalensis Aegyptiacus* Lex.[1]: T. Hiobs Hi 42_{14}. †

I יָמִין (ca 140 ×), Sam.[M106] *jammen*, *jammīna*: ימן, denom.; Sec. cs. *imin* (Brönno 163f); ug. *jmn* u. äg. *jmn* (UT nr. 1107); Sil. 3 u. äga. ימן, nab. palm. ימין (DISO 109); mhe. יְ/יָמִין u. יַמִּין; ja. cp. sy. md. (MdD 186b) יַמִּינָא, auch adj.; asa. *jmn*, ar. *jamīn*, äth. *jamān*; akk. *imnu*, *imittu*: יְמִין, יְמִינוֹ, מִימִין, בִּימִין; fem.; BHH 1564: — 1. **rechte Seite**: יַד יְמִינוֹ s. rechte Hand Gn 48_{17}, שׁוֹק הַיָּמִין d. rechte Keule Ex 29_{22}, יֶרֶךְ יְמִינוֹ Ri 3_{16}, עֵין יָמִין rechtes Auge 1S 11_{2}; > יְמִינוֹ s. rechte Hand Gn 48_{13}, Gottes Js 62_{8} Ps $16_{8.11}$, יְמִין עֶלְיוֹן Ps 77_{11}; יָדַע בֵּין יְמִינוֹ לִשְׂמֹאלוֹ rechts u. links unterscheiden können Jon 4_{11}; — 2. adv.: הַיָּמִין nach rechts (:: הַשְּׂמֹאל) Gn 13_{9}, = עַל־יָמִין 24_{49}, מִימִין rechts von 48_{13}, עַל־יְמִינוֹ rechts von ihm 1C 6_{24}, cj Zch 6_{13}, לִימִינְךָ auf deiner rechten Seite Ps 45_{10}, לַיָּמִין auf d. rechte Seite Neh 12_{31}, מִיָּמִין 1K 7_{39}, 2K 12_{10} l Q מִיָּמִין (K בַּיָּ, ↗ בְּ 13); — 3. besonders geschätzt (Fschr. Hempel 35[19]): (Gott) schwört bei s. Rechten Js 62_{8}, daher יְ׳ > Schwur (auch ar., VT 9, 257) יְמִין שָׁקֶר Ps $144_{8\cdot11}$; > **Glück**, ar. *jumn*, asa. *sʿd jmnhw* Glück s. Rechten, *Jemen* > *Arabia felix*, ↗ n.m. יִמְנָה; יְ׳ hält d. Losorakel Ez 21_{27}, Pfeile 39_{3}, Becher Hab 2_{16}, שֹׁחַד Ps 26_{10}; rechts steht der Beschützer Js 63_{12} Ps 109_{31}, d. Ankläger Zch 3_{1} Ps 109_{6}; rechts sitzt d. Geehrte Ps 110_{1} (Christus Eph 1_{20}), d. Königsmutter 1K 2_{19}; Gott hält d. Schützling an d. rechten Hand Ps 73_{23} 80_{18} (אִישׁ יְמִינֶךָ); — 4. d. rechte Seite ist d. südliche: יָמִין **Süden, südlich** (↗ I u. II תֵּימָן u. Jemen): יְ׳ Hi 23_{9} u. אֶל־הַיְ׳ südwärts

Jos 17$_7$, אֶל־יָמִין 1S 23$_{24}$ u. מִימִין 23$_{19}$ u. מִימִין לְ 2K 23$_{13}$ südlich von; מִיָּמִין auf d. Südseite 1K 7$_{39}$ Ez 16$_{46}$; צָפוֹן וְיָ׳ Nord und Süd Ps 89$_{13}$ (:: Eissf. BZ 12f, WbMy. 1, 258: 2 Berge, l אֲמָנָה); — 2S 24$_5$ l וּמִן.

Der. II יָמִין, בִּנְיָמִין, תֵּימָן.

II **יָמִין**: n.m.; = I 3 „Felix" (Noth 224): — 1. S. v. Simeon Gn 46$_{10}$ Ex 6$_{15}$ Nu 26$_{12}$ 1C 4$_{24}$; gntl. יָמִינִי Nu 26$_{12}$; — 2. Nachk. v. יְרַחְמְאֵל 1C 2$_{27}$; — 3. Levit Neh 8$_7$; ↗ יְמִינִי u. יָמִינִי. †

יְמָנִי: Ez 46 u. 2C 3$_{17}$ c. הַ: Q הַיְמָנִי, K הַיְמִינִי: adj. **recht** (:: שְׂמָאלִי). †

יְמִינִי: gntl. v. בִּנְיָמִין: — 1. בֶּן־יְמִינִי **Benjaminit** 1S 9$_{21}$ Ps 7$_1$ 1C 27$_{12K}$ לְבֶנְיָ׳ (Q לְבֶן יְמִינִי), c. art. בֶּן־הַיְמִינִי (BL 501c) Ri 3$_{15}$ 2S 16$_{11}$ 19$_{17}$ 1K 2$_8$, pl. בְּנֵי יְמִינִי Ri 19$_{16}$ 1S 22$_7$; — 2. בֵּן ersetzt durch אִישׁ: אִישׁ יְמִינִי 2S 20$_1$ Est 2$_5$; — 3. Versch.: pleon. אֶרֶץ יְמִינִי 1S 9$_1$ (? d. eine dl.); בֶּן־אִישׁ יְ׳ 1S 9$_4$, abk. f. (coll.) בֶּן־יְ׳ BDB 412a; cf. *Jamīn*, Rép. Mari 127. †

יִמְלָא 2C 18$_{7f}$ (palm. Eph. 3, 134 :: PNPI 91a < מלך √) u. יִמְלָה 1K 22$_{8f}$: n.m., מָלֵא, „(Gott) fülle" od. Kf. v. מלך, ↗ יַמְלֵךְ (Noth 246; :: Lex.[1] WdO 1, 404: Fülle): V. d. Profeten Micha. †

יַמְלֵךְ, G^B Ιεμολοχ: n.m.; Kf. v. מלך hif. + n.d. „(Gott) verleihe/lieh Herrschaft"; amor. *Jamlik-ilu* (Huffm. 230), äga. Aimé-G. 46, 1, nab. ימלך (Cant. Nab. 2, 104a), palm. ימלכו (PNPI 91a), > ↗ יִמְלָא; > Ιαμ(β)λιχος (Wuthn. 56, P-W Kl. 2, 1305ff): Simeonit 1C 4$_{34}$. †

יֵמִם, Sam. האימים, M 67 *īmem* (↗ אֵימִים!), G Ιαμιν, Hier. *Jamin*: T u. jüd. Trad. Maultiere, V(S) heisse Quellen (? ar. *wamiha* heiss sein, Zorell, Salonen Hipp. 71); Gkl. Mä. 36, Lökkegard, Fschr. Ped. 226; :: Lex.[1]: Vipern (Lisān 16, 134), ar. *jamm* Geister in Schlangengestalt (↗ Wellh. RaH. 152f, JHenninger, Geisterglaube b. d. vorislam. Arabern (Stud. Instit. Anthropos 18, 1963, 286f): Gn 36$_{24}$. †

ימן: denom. v. יָמִין, mhe.[1] pu. pt. rechts liegend, geschickt; mhe.[2] hif., ja.[b] af. rechts gehen, stehen, d. Rechte tun; ar. glücklich sein, asa. IV rechts gehen:

hif: impf. תַּאֲמִינוּ, אֵימִנָה Js 30$_{21}$ (? l תֵּימ׳, :: BL 382); imp. הֵימִינוּ; inf. לְהֵמִין; pt. מַיְמִינִים 1C 12$_2$ (dial.?): — 1. **rechts halten, gehen** (:: שמאל hif.) Gn 13$_9$ Js 30$_{21}$ Ez 21$_{21}$, cj Hi 39$_{24}$ (l לֹא יֵימִין וְלֹא יַשְׂמְאִיל): c. מִן rechts ausweichen 2S 14$_{19}$; — 2. pt. **rechtshändig** (:: מַשְׂמִאילִים) 1C 12$_2$; cj Neh 4$_{17}$ (l הֵימִינוּ, Rud.) zur Rechten halten; ↗ יָמִין, יְמָ(י)נִי, תֵּימָן. †

יִמְנָה, Sam.$^{M\ 134}$ *jamne*: n.m.; ימנה Mosc.Ep. 38, 3 (:: Michaud SPA 62f); Kf. מנה pi. „(G.) teile / lte zu", od. v. יָמִין 3 (Noth 224): — 1. Gn 46$_{17}$ Nu 26$_{44a\alpha}$; $_{a\beta}$ gntl., l הַיִּמְנִי (Sam. $^{BCh.\ 173}$) *jamni*) 1C 7$_{30}$; — 2. 2C 31$_{14}$. †

יְמָנִי: יָמִין, sec. שְׂמָאלִי (Barth Fschr. Nöld. 794), K Ez 46 2C 3$_{17}$ יְמִינִי, f. יְמָנִית; mhe., DJD I 29, 2, 2; — 1. **rechts**, בֹּהֶן יָד אֹזֶן, בֹּהֶן רֶגֶל, אֶצְבַּע Ex 29$_{20}$ Lv 8$_{23f}$ 14$_{14\cdot16f\cdot25\cdot27f}$; Seite Ez 46Q; rechts stehend עַמּוּד 1K 7$_{21}$ 2C 3$_{17Q}$; — 2. **südlich** 1K 6$_8$ 7$_{39}$ 2K 11$_{11}$ Ez 47$_{1f}$ 2C 4$_{10}$ 23$_{10}$. †

יִמְנָע, G Ιμανα: n.m.; מנע, Kf. „(Gott) halte zurück, verteidige" (Noth 197) od. asa. *mnʿ* mächtig (Conti 179a); 1C 7$_{35}$. †

ימר: ? Nf. od. nur orthogr. Var. z. מור (BL 403):

hif: pf. הֵימִיר (Var. הֵמִיר) **vertauschen** Jr 2$_{11a\cdot b}$. †

hitp: impf. תִּתְיַמָּרוּ Js 61$_6$, ? l c. 1QJs^a תתיאמרו (cf. ΘA u. Ps 94$_4$): ↗ II אמר, Talmon Textus 4, 116f :: Nötscher VT 1, 299. †

יִמְרָה, G^{AL} Ιεμ(β)ρα, G^B Ιμαρη: n.m.; ? מרה; ? l בְּנֵי יִמְנָה (cf. v. 30, Rud.): 1C 7$_{36}$. †

? **ימשׁ**: **hif**: imp. הֲמִשֵׁנִי (BL 437) Ri 16$_{26}$:

1Q הַמְשֵּׁנִי ‎√I מוש; Nf. v. משש; K הֵימִשֵׁנִי, Nf. ימש od. nur orthogr. Var. ?. †

ינה: mhe. hif. übervorteilen, ärgern (m. Worten); ja.[t] af. unterdrücken, übervorteilen, ja.[g] ärgern, ja.[b] übervorteilen, aam. haf. (DISO 109); ar. *wanāʾ* schwach sein:

qal: pt. f. יוֹנָה, יוֹנִים s.u.: **gewalttätig sein**, bedrücken: חֶרֶב Jr 46$_{16}$ u. 50$_{16}$ (GK § 126w), cj 25$_{38}$, עִיר Zef 3$_{1}$; — Ps 123$_{4}$ Q גְּאֵי יוֹנִים (↗ גֵּאֶה) l K Vrss. לַגְּאֲיוֹנִים (גַּאֲיוֹן); Ps 74$_{8}$ נִינָם ? impf. sf. (BL 338n), ↗ hif. u. Komm. †

hif: pf. הוֹנָה, הוֹנוּ; impf. יוֹנֶה, תּ(וֹ)נוּ, תּוֹנֶנּוּ; inf. הוֹנֹתָם; pt. מוֹנַיִךְ: **bedrücken** Ex 22$_{20}$ Lv 19$_{33}$ 25$_{14.17}$ Dt 23$_{17}$ Js 49$_{26}$ Jr 22$_{3}$ Ez 18$_{7.12.16}$ 22$_{7.29}$ 45$_{8}$ 46$_{18}$; cj Ps 74$_{8}$ l נוֹנֵם (Echter, ↗ qal). †

יָנוֹחַ, G Ιανωκα; n.l.; נוח (BL 488r): loc. **יָנוֹחָה**: — 1. in Efraim, *Ch.-Jānūn*, 12 km. s. Nablus, Abel 2, 354, GTT p. 166: Jos 16$_{6f}$; — 2. in N.-Galiläa; *Jānūḥ* 10 km. n. Tyrus, Abel 2, 354, Wallis ZDPV 77, 44f, :: GTT § 932, Saarisalo 111ff: *T. en-Nāʿimeh*: 2K 15$_{29}$. †

יָנוּם, K יָנִים: n.l. ign. v. Juda: bei Hebron, Abel 2, 354, Noth Jos. 97: Jos 15$_{53}$. †

***יְנִיקָה**: ינק, BL 471o; ja. יְנִיקָא Jüngling, ja.[gb] Kind, ja.[t] ינוקא auch Schössling: יְנִיקוֹתָיו: **Pflanzenschoss** Ez 17$_{4}$ (? l יוֹנְקוֹתָיו v. 22, Rüthy 46f). †

ינק: mhe; mhe. u. äga. נוק; ug. *jnq*; aam. äga. (DISO 109), ja. sam. cp. sy. md. (MdD 192b) ינק; akk. *enēqu* (AHw. 217b), äg. *ś-nq* (NPCES 103); ar. mhe. *nāqat* Kamelstute, ja.[t] יַנְקְתָא:

qal: pf. יָנַקְתְּ; impf. אִ/יִינַק, תִּינְקִי, יִינְקוּ, תִּינָקוּ; pt. ↗ יוֹנֵק u. ↗ יוֹנֶקֶת: **saugen** Js 60$_{16}$ 66$_{11}$ Hi 3$_{12}$ 20$_{16}$; metaph. einsaugen Dt 33$_{19}$; — Js 53$_{2}$ יוֹנֵק Schössling (|| שֹׁרֶשׁ, ? l יוֹנֶקֶת Morgenstern VT 11, 315); 66$_{12}$ l c. G וִינַקְתֶּם (יוֹנֶקֶת 1); 1QJs[a] 65$_{3}$ וינקו ידים pr. וּמְקַטְּרִים, Tsevat HUCA 24, 109f; pi. entleeren od. nif. sich entleeren, ידים du. ↗ יָד 2e. †

hif: pf. הֵינִיקָה, הֵינִיקוּ; impf. תֵּינִיק, וַתֵּינֶק, וַיֵּנִקֵהוּ, וַתְּנִיקֵהוּ Ex 2$_{9}$ (BL 378j, ? l ′וַתֵּ); imp. הֵינִקֵהוּ; inf. הֵינִיק; pt. ↗ מֵינֶקֶת (Hier. *menecha*), מֵינִקְתָּהּ, מֵינִיקוֹת, מֵינִיקֹתַיִךְ: — 1. **säugen, stillen** Gn 21$_{7}$ Ex 2$_{7.9}$ 1S 1$_{23}$ 1K 3$_{21}$, Tiere Gn 32$_{16}$ Kl 4$_{3}$; — 2. **einschlürfen lassen** Dt 32$_{13}$. †

Der. יוֹנֵק, יוֹנֶקֶת, יְנִיקָה, מֵינֶקֶת.

יַנְשׁוּף u. Js 34$_{11}$ יַנְשׁוֹף: נשף, BL 488r; ? akk. *enšūpu* AHw. 220a: e. unreiner Vogel, G **Ibis**, als Tier d. Thot (Morenz: *Mullus* (Rothbart) Fschr. Klauser, 1964, 253); al. Ohreneule *Asiootus* (Aharoni Os. 5, 470, Nicoll 355f) od. Bienenfresser (Lex.[1]) *Merops apiaster*, ar. *naššāf*: Lv. 11$_{17}$ Dt 14$_{16}$ Js 34$_{11}$. †

I **יסד**: ug. *jsd*; mhe.[1] pi. aufbauen, mhe.[2] anordnen, ja.[t] pe. pa. sy. *satta* (LS 502a) Rebensteckling; asa. *mwśd* Grund (ZAW 75, 310), ar. *wisād*, ja. אִסָּדָא Kissen; ? akk. *išdu* Fundament (AHw. 393b); Humbert HeWf. 135ff, THAT 1, 736ff:

qal: pf. יָסַד, יָסַדְתִּי, יְסָדָהּ, יְסַדְתּוֹ, וִיסַדְתִּיךְ (s.u.); inf. לְ/וִיסוֹד (2C 31$_{7}$ לְיִסּוֹד, Ⓑ לִיסוֹד Mf. v. inf. qal u. pi. od. Tf. BL 383), יָסְדִי; pt. יֹסֵד: — 1. **festgründen**: a) אֶרֶץ Js 48$_{13}$ 51$_{13.16}$ Zch 12$_{1}$ Ps 24$_{2}$ 78$_{69}$ 102$_{26}$ 104$_{5}$ Hi 38$_{4}$ Pr 3$_{19}$; תֵּבֵל Ps 89$_{12}$, אֲגֻדָּה Am 9$_{6}$; b) d. Grundmauern d. Tempels legen Js 54$_{11}$ 2C 24$_{27}$ Esr 3$_{12}$ (? l בְּיִסּוֹדוֹ, ↗ יְסוֹד) 2C 31$_{7}$ (s.o.); c) Grundstein legen Js 28$_{16}$ (l יֹסֵד); — 2. **bestimmen, zuweisen** Js 23$_{13}$ Hab 1$_{12}$ (|| שָׂם), Ps 104$_{8}$ (מָקוֹם), 119$_{152}$. †

nif: impf. תִּוָּסֵד; inf. sf. הִוָּסְדָהּ (BL 252l): **gegründet werden** Ex 9$_{18}$ (äg. trop., Couroyer RB 67, 42ff) Js 44$_{28}$ (metaph. Menschen, Dam. 2, 7). †

pi. (Jenni 211f): pf. יִסַּד, יִסְּדוּ; impf. יְיַסְּדֶנָּה; inf. יַסֵּד: — 1. Grundmauern legen, **gründen** (THAT 1, 736): עִיר Jos 6$_{26}$ 1K 16$_{34}$, צִיּוֹן Js 14$_{32}$, בַּיִת 1K 5$_{31}$ Zch 4$_{9}$ Esr 3$_{10}$; — 2. **bestimmen** Est 1$_{8}$, cj (יִסַּד) Esr 7$_{9}$ u. 2C 3$_{3}$ (↗ Rud.

202); — 3. **einsetzen** בֶּאֱמוּנָתָם 1C 9_{22}; — Js 28_{16} l יֹסֵד (1QJsa מיסד); ? Ps 8_3 c. ↗ עֹז. †

pu: pf. יֻסַּד; pt. מְיֻסָּד, מְיֻסָּדִים, f. cs. מְיֻסְּדוֹת Ez 41_{8K} (s.u.): **fundamentiert werden** 1K 6_{37} 7_{10} Hg 2_{18} Zch 8_9 HL 5_{15} Esr 3_6; *מְיֻסָּדוֹת Fundamentlager (Q מוּסְדוֹת, ↗ *מוּסָדָה) Ez 41_8. †

hof: inf. הוּסַד (Esr 3_{11}, od. pf. HeSy. § 145a); pt. מוּסָד: **fundamentiert werden** Js 28_{16} (מוּסָד, BL 379t, dl.) Esr 3_{11}; — 2C 3_3 l יִסַּד, ↗ Rud. †

Der. יְסוֹד, יְסוּדָה, מוֹסָד, מוּסָד, מוֹסָדָה, מוּסָדָה (d. Wechsel v. *ū* u. *ō* dial. ? BL 490d) מַסַּד.

II יסד: Nf. v. סוד (VG 1, 275, Humb. HeWf. 136f, umgekehrt in DSS auch e. סוד Fundament.):

nif: pf. נוֹסְדוּ; inf. הִוָּסְדָם: **sich zusammentun, sich verschwören**, c. עַל gegen Ps 2_2 31_{14}. †

יְסֻד Esr 7_9: l יִסַּד (G^L) u. davor נִיסָן (Rud. 67). †

יְסוֹד: יסד; mhe. (pl. יְסוֹדוֹת), ja.tg יְסוֹדָא (<he.): יְסֹדֹתֶיהָ, יְסוֹדֶיהָ, יְסֹדוֹ: **Grundmauer, Sockel** Ex 29_{12} Lv $4_{7.18.25.30.34}$ 5_9 8_{15} 9_9 Ez 13_{14} 30_4 Hab 3_{13} Ps 137_7 Hi 4_{19} 22_{16} Kl 4_{11}, cj Mi 1_6 יְסֹדֹתֶיהָ u. Esr 3_{12} בְּיִסְּדוֹ in s. Bestand (Rud. 30); metaph. יְסוֹד עוֹלָם Pr 10_{25}; — שַׁעַר הַיְסוֹד 2C 23_5 Grundtor (?) = שַׁ׳ סוּר 2K 11_6, prp. צוּר Galling PJb 27, 51ff, :: Mtg-G. 424, Rud. Chr. 270. †

יִסּוֹד 2C 31_7: ↗ יסד qal.

*יְסוּדָה: יסד: יְסוּדָתוֹ: **Gründung** Ps 87_1, cj Js 40_{21} (מִיסוּדַת, Koehler Dtj. 9). †

יִסּוֹר: I יסר, < **jassōr* (BL 479j): **Tadler, Nörgler** (?) Hi 40_2, ? l יָסוּר (סוּר, ↗ Komm.). †

יְסוּרַי Jr 17_{13}: l וְסוּרֶיךָ (סוּר, Rud.). †

יִסְכָּה: n.f. etym. ?, Rabb: < סכי schauen: Fr. v. הָרָן Gn 11_{29}. †

יְסַמַכְיָהוּ: n.m.; סמך (BL 303g) + י״ „J. stütze/tzte" (Noth 176. 196): 2C 31_{13}. †

יסף: mhe. hif.; ph. mo. aam. äga. nab. (DISO 109), ba. ja. cp. sy. md. (MdD 333a) af.; asa. *wśf* (VT 6, 196), soq. *sef* (Lesl. 24); ? akk. *waṣābu, ṣibtu* Zins; *uṣṣupu* MélFacOrBeyrouth 5, 346ff:

qal (30 ×): יָסַפְנוּ, יֶסְפוּ, יָסַף/יָסָף; imp. סְפוּ; inf. סְפוֹת Js 30_1 u. לִסְפּוֹת Nu 32_{14} l (לְ)סֶפֶת (Mesa 21, BL 379q); pt. יוֹסֵף 1S 27_{4K} (Q pf.), יֹסְפִים: — 1. **hinzufügen** Lv 26_{21} Dt 5_{22} (↗ Vermes, Fschr. PKahle 236), 2K 19_{30} / Js 37_{31} 26_{15} (↗ Driv. QTL 12); c. עַל Lv 22_{14} $27_{13.15.19.27}$ Dt 19_9 1S 12_{19} Js 29_1 30_1 Jr 7_{21} 45_3 2C 9_6; יָסַף שִׂמְחָה hat Freude über Freude Js 29_{19}; — 2. **fortfahren zu tun, weiterhin tun** (↗ hif. 3): a) c. inf. Gn 8_{12}; b) c. לְ c. inf. Gn 38_{26} Lv 26_{18} Nu 32_{15} Dt 5_{25} 20_8 Ri 8_{28} 13_{21} 1S 7_{13} 15_{35} 27_4 2S 2_{28} 2K 6_{23}; וְלֹא יָסָפוּ u. taten es nicht wieder Nu 11_{25} (? l c. V,T יָסֻפוּ hörten nicht auf).

nif: pf. נוֹסְפָה, נוֹסַף; pt. נוֹסָף, נוֹסָפוֹת; c. עַל **hinzugefügt werden** Ex 1_{10} Nu 36_{3f} Jr 36_{32} (v. ihm selber od. v. Späteren) Pr 11_{24}, cj 9_{11} (l וְיִוָּסְפוּ); נוֹסָפוֹת weiteres (Unheil) Js 15_9. †

hif. (170 ×): pf. הֹ(ו)סַפְתִּי, הֹסִיף; impf. יוֹסֵף, יֹ(ו)סִ(י)ף (? ev. qal BM § 78, 3d), תּוֹסֵף, תּוֹסֵף, וַתּוֹסֶף, תֹּ(ו)סִיף, וַיֹּ(ו)סֶף (BL 232j), תּוֹסְףְּ Pr 30_6 (BL 383, or. תּוֹסֵף), אֹ(ו)סֵף, אֹ(ו)סִ(י)ף (Juss. BL 279l) Dt 18_{16} Ez 5_{16} Hos 9_{15}, אֹסְפָה, תֹּ/יֹ(ו)סִ(י)פוּן, וַיֹּאסֶף 1S 18_{29} u. תֹּאסִפוּן Ex 5_7 contam. c. אסף); inf. הֹ(ו)סִיף; pt. מוֹסִיפִים: — 1. **hinzufügen** Gn 30_{24} Dt 4_2 Pr 10_{22}, cj Hi 27_{19}; c. עַל zu Lv 5_{16} Nu 5_7 2K 20_6 Koh 3_{14}; c. אֶל zu 2S 24_3; הִנְנִי יוֹסֵף Js 38_5 ↗ הִנֵּה 9b; — 2. c. עַל **steigern, vermehren** Js 1_5 Ps 71_{14} 115_{14} Esr 10_{10} 1C 22_{14} 2C 28_{13}, עַל עֹל es schwer machen 1K $12_{11.14}$; חָכְמָה עַל übertreffen an Koh 2_9; — 3. **nochmals, weiter tun** (↗ qal 2): a) m. vb. fin. וַיּוֹסֶף וַיִּקַּח nahm nochmals Gn 25_1, וַיּ׳ וַיִּשְׁלַח Ri 11_{14}, so Gn 38_5 1S 19_{21} Js 52_1 Hos 1_6 Pr 23_{35} Js $47_{1.5}$; b) c. inf. **fortfahren** zu Gn 4_{12} 8_{10} Nu

22_{26} Am 7_8 8_2; c. לְ c. inf. וַתּוֹסֶף לָלֶדֶת Gn 4_2 Ex 5_7 Jos 7_{12}; ell. Pr 19_{19} (↗ Komm.); c) c. neg. **nicht mehr, nicht weiter tun**: c. inf. לֹא אֹסֵף אַהֲבָתָם Hos 9_{15}; c. לְ c. inf. Gn 8_{21}; abs. Ex 11_6 Jl 2_2 Hi 20_9 40_{32}; — 4. **etwas noch mehr tun**: c. inf. וַיּוֹסִפוּ · · · שְׂנֹא Gn $37_{5.8}$, 1S 18_{29} 2S 3_{34}; — 5. **Schwurformel**: כֹּה יַעֲשֶׂה וְכֹה יוֹסִיף (Gott) tue mir dies u. das (Ped. Eid 117f; asa. VT 6, 196[4]) 1S 3_{17} 2S 3_9 1K 2_{23} 2K 6_{31} Rt 1_{17}; — 2S 6_1 וַיֹּסֶף u. Ps 104_{29} ↗ אסף (BL 371u); Pr 9_{11} l וְיִוָּסְפוּ, Koh 1_{18} l יוֹסֵף.

Der. יוֹסֵף, יוֹסִפְיָה, אֶבְיָסָף, אֲבִיאָסָף (?), אֶלְיָסָף.

I יסר: ug. *jsr*, *wsr*; mhe. יִסּוּרִין Qualen, mhe.[2] pi. ja.[g]; äga. (Aḥqr VI 80 יתסר, al. אסר); ar. *šwr* IV raten, asa. ZAW 75, 310; akk. *esēru*: (AHw. 249b); THAT 1, 738ff:

qal: pt. יֹסֵר: **unterweisen** Ps 94_{10} (l הַיֹּסֵר), Pr 9_7; — Js 8_{11} pr. יִסְּרֵנִי l יְסִירֵנִי 1QJs[a]; Hos 10_{10} pr. וְאֶסֳּרֵם (BL 208r) ↗ pi. †

nif: impf. יִוָּסֵר, תִּוָּסְרוּ; imp. הִוָּסְרִי/רוּ: **sich unterweisen, belehren lassen** Lv 26_{23} Jr 6_8 31_{18} Ps 2_{10} Pr 29_{19}; ↗ nitp. †

pi. (Jenni 217f): pf. יִסַּר, יִסַּרְתִּי, יִסְּרוּ, יִסְּרוּנִי, יִסַּרְתִּוֹ, יִסַּרְתַּנִי, יִסְּרוֹ/רַנִי; impf. תְּיַסְּרֵךְ, תְּיַסְּרֵנִי/רֶנִּי, אֲ/יְיַסֵּר; imp. יַסֵּר, יַסְּרֵנִי; inf. יַסְּרָה Lv 26_{18} (BL 329j), יַסְּרוֹ, יַסֶּרְךָ; pt. מְיַסֶּרְךָ (BL 345m): — 1. **züchtigen, zurechtweisen** (THAT 1, 739) Lv $26_{18.28}$ Dt 21_{18} 22_{18} 1K $12_{11.14}$ Jr 2_{19} 10_{24} 30_{11} 31_{18} 46_{28}, cj Hos 10_{10} (l וַאֲיַסְּרֵם) Ps 6_2, 16_7 (? l יִסְּרַנִי, Gkl, GK § 117ff) 38_2 39_{12} 94_{12}, cj 105_{22} (l לְיַסֵּר) 118_{18} Pr 19_{18} 29_{17} 2C $10_{11.14}$ Sir 7_{23}; — 2. **unterweisen, erziehen** Dt 4_{36} 8_5 Pr 31_1 (THAT 1, 740); — 3. **anleiten** Js 28_{26} Hos 7_{15} (> G, ↗ Rud. 152) Hi 4_3 (od. II יסר ?). †

[**hif**: impf. אַיְסִרֵם Hos 7_{12} (GK § 70b), cj אֲיַסְּרֵם, al. אֲסִירֵם (סור hif.), ↗ Rud. 151). †]

nitp: (↗ BL 283s, Bgstr. 2, 108[b]; mhe. DSS hitp.): pf. נִוַּסְּרוּ < נִתְוַסְּרוּ* (? l nif. נוֹסְרוּ): **sich warnen lassen** Ez 23_{48}. †

Der. מוּסָר, יָסֹר, יִסּוֹר.

II יסר: ja. אשר stark sein (Driv. Rud. Hos. 152):

pi: pf. יִסַּרְתָּ/תִּי: **stärken** || חִזֵּק Hos 7_{15} Hi 4_3 (od. I 3 ?). †

יָסֹר: I יסר, 1C 15_{22}: (trad. inf. abs.) sbst, c. ↗ מַשָּׂא BL 470j: Aufseher (Galling, ATD, Echter), Unterweiser (Rud. 118). †

*יָע (od. *יָעֶה ?): יעה; mhe., ja.[g] pl. יעיא; ? ar. *wiʿāʾ* Gefäss: יָעִים, יָעָיו: **Feuerschaufel** z. Reinigung d. Altars (AuS 7, 207, BA 4, 30), in Listen v. Kultgeräten Ex 27_3 38_3 Nu 4_{14} 1K $7_{40.45}$ 2K 25_{14} Jr 52_{18} 2C $4_{11.16}$. †

יַעְבֵּץ: ? עבץ (ug. *ʿbṣ* Ranzen, Aistl. 1989, UT nr. 1805 :: CML 142a[11]; ar. *ʿifāṣ* Hirtentasche, Geldbeutel), Mulde ?: — 1. n.l. ign. in Juda 1C 2_{55} (↗ סֹפְרִים); — 2. n.m. (or. יַעְבֹּץ MTB 78), erkl. m. עֹצֶב, h. ep. v. 1, 1C 4_{9f}; ↗ Rud. 33. †

יעד: mhe. (?) pi. (DSS qal), mhe. וַעַד Treffen, Treffpunkt, nitpa. (= hitpa.) sich treffen (mit ו ! z.B. נתועדו); sy. *waʿdā* Bestimmung, Frist, *waʿʿed* einladen, ba. עִדָּן; ar. *waʿada* versprechen, III Zeit abmachen, VIII sich verabreden, asa. versprechen; THAT 1, 742ff:

qal: pf. יְעָדוֹ/דָהּ, impf. וַיִּעָדֶנָּה: **bestimmen**; — 1. e. Frau zuweisen Ex 21_{8f} (Hoftijzer VT 7, 388ff); — 2. a) c. מוֹעֵד e. Frist ausmachen 2S 20_5; b) jmd. an e. Ort bestellen Jr 47_7; — Mi 6_9 l וּמוֹעֵד. †

nif: pf. נֹ(וֹ)עַדְתִּי, נוֹעֲדוּ/עָדוּ; impf. וַיִּוָּעֲדוּ; pt. נוֹעָדִים; — 1. **sich einfinden, treffen bei**: c. אֶל Nu 10_{3f} Neh 6_{10}; c. עַל 1K 8_5 2C 5_6; c. בְּ loci Neh 6_2 (:: VT 17, 367f), b. אֹהֶל מוֹעֵד; abs. Hi 2_{11}; — 2. **sich versammeln gegen** c. עַל Nu 14_{35} 16_{11} 27_3 Jos 11_5, cj 1S 22_6 pr. נוֹדַע; — 3. **sich verabreden** Am 3_3 Ps 48_5; — 4. (Gott) sich treffen lassen, **sich**

offenbaren c. לְ Ex 25_{22} 29_{42f} $30_{6.36}$ Nu 17_{19}. †

hif: impf. יוֹעִידֵנִי, יַעְדֵנִי: — 1. **bestellen** cj 1S 21_{3} (l הוֹעַדְתִּי); — 2. **vorladen** Jr 49_{19} 50_{44} Hi 9_{19}. †

hof: pt. מֻעָדוֹת: **beordert** (Schwert) Ez 21_{21} (:: WThomas JThSt. NF 3, 1952, 55); — Jr 24_{1} l עֹמְדִים (:: WThomas l.c. מוּעָדִים, II ידע); Pr 25_{19} pr. מוּעֶדֶת l מֹעֶדֶת (מעד). †

Der. עֵת ,עֵדָה I ?, מוֹעָדָה, מוֹעֵד, מוּעָד; n.f. נוֹעַדְיָה.

cj **יַעְדָה** pr. יַעְרָה 1C 9_{42} c. MSS G^AL: n.m.; עדה, Kf. v. יְהוֹעַדָּה 8_{36}: „J. schmückt" (Noth 204): Nachk. Sauls. †

יֶעְדִּי Q יֶעְדוֹ, K יֶעְדִי: n.m.; עדה (Noth 204 ↗ יַעְדָה) 2C 9_{29}, T. = עִדּוֹ 2, 2C 12_{15}, Seher; ↗ Rud. Chr. 225.235, BHH 759. †

יעה: ar. *waʿā* sammeln, fassen; asa. יעי wegraffen (Mü. 114, cf. אסף):

qal: pf. יָעָה wegfegen Js 28_{17} (Hagel, || שטף). †

Der. *יָעֶ.

יְעוּאֵל, Q (1C 9$_{6}$ nur GT) יְעִיאֵל: n.m.; saf. *wʿj* stark sein (Ryckm. 1, 80), ar. *waʿij* stark od. ar. *wʿj* heilen (Rud. EN 78): — 1. 1C 9_{6}; — 2. 9_{35}; — 3. 11_{44} 2C 26_{11} 29_{13}. †

יְעוּץ: n.m. (trib.): יעץ; S. v. Benjamin 1C 8_{10}. †

יְעוּר: n.m., 1C 20_{5K}, ↗ Q יָעִיר. †

יְעוּרִים Ez 34_{25}: ↗ I יַעַר. †

יְעוּשׁ: Gn $36_{5.14}$ u. 1C 7_{10Q}, K יְעִישׁ: n.m.; עוש, Kf. „(Gott) helfe" (Noth 196[5], Barr CpPh. 182), OS יעש Dir. 352, ar. *jġṯ* (Ryckm. 2, 73), n.d. *Jaġūṯ*, nab. יעות (Cant. Nab. 2, 104b), palm. יעת (PNPI 91b); Wellh. RaH 21, WbMy. 1, 478, cf RKlinke: Das Götzenbuch 1941, 82[69]; — 1. Edomiter Gn $36_{5.14.18}$ 1C 1_{35}; — 2. 1C 7_{10} 8_{39}; — 3. 1C 23_{10f}; — 4. S. v. Rehabeam 2C 11_{19}. †

יעז: ? Nf. v. עזז:

nif: pt. נוֹעָז: **frech** (Hier. T.) Js 33_{19}, cj לוֹעֵז ?, נִלְעַג לָשׁוֹן ||. †

יַעֲזִיאֵל, 1C 15_{18}: n.m.; *עזה (Noth 27[1]) + אֵל „Gott ernähre/rte" (Noth 203); = וַעֲזִיאֵל 15_{20} (Noth 27[1], ↗ Rud. 116); G Or. וְעֻזִיאֵל (MTB 79) ↗ יַעֲזִיָּהוּ. †

יַעֲזִיָּהוּ, G Οζεια: n.m.: ↗ יַעֲזִיאֵל, 1C 24_{26f}. †

יַעְזֵיר, 1C 6_{66} 26_{31}, sonst יַעְזֵר; pun. n.m. יעזר (PNPhPI 128); עזר hif. „(Gott) möge helfen" (Noth 146): n.l., in Trsjd., amor. Stadtstaat Nu 21_{32}, Gad zugeteilt Nu 32_{35} Jos 13_{25}, später zu Moab gehörig Js 16_{8f} Jr 48_{32}; in Gilead Jos 13_{25} 1C 26_{31}; im ammonitischen Grenzgebiet 1M 5_{8} ((Ιαζηρ); Lage?, ↗ Abel 2, 356f, GTT § 300a, ZAW 60, 31ff, ZDPV 76, 124ff, 77, 46ff, Rud. Jer 286, BHH 805, Kuschke Fschr. Hertzb. 99ff: Nu cj 21_{24} $32_{1.3}$ Jos 21_{39} 2S 24_{5} Js 16_{8f} (בְּכִי יַ״), ↗ Rud. Jer. 260, Fschr. Driv. 137) Jr 48_{32} (dl יָם). †

***יעט**, Js 61_{10} יְעָטָנִי || הִלְבִּישַׁנִי, ↗ עטה. †

יְעִיאֵל: n.m., K ↗ יְעוּאֵל; 1.-10: 1C 5_{7}; 9_{6} (GT); 9_{35Q}; 11_{44Q}; $15_{18.21}$ 16_{5} (?, ↗ BH, Rud.); 2C 20_{14}; 26_{11Q}; 29_{13Q}; 35_{9}; Esr 8_{13} (↗ Rud.) 10_{43}. †

יָעִיר, QG,K יָעוּר: n.m.; Kf. v. VI עיר, ug. *ġr* schützen (Rössler ZA 54, 164f, Stamm HEN 421 a), klschr. *Jaʾīru* APN 91a, asa. יער (Ryckm. 2, 73): V. d. אֶלְחָנָן 1C 20_{5}, cj 2S 21_{19}. — ? Js 50_{4}, cj דָּבָר נְעִים, ↗ עות), al. dl. †

יְעִישׁ: n.m.; 1C 7_{10K}, ↗ יְעוּשׁ. †

יַעְכָּן, G^A Ιαχαν, G^L Ιωαχα: n.m. (trib.?), עכן, ↗ עָכָן: Gadit 1C 5_{13}. †

יעל; mhe. 1Q Hod 6, 20 profitieren; תועלת, Sir 30_{23} 41_{14} תעלה Nutzen; ar. *wʿl* V auf Höhe steigen, I (auch asa., Conti 138) überragen:

hif: pf. הוֹעִיל; impf. יוֹעִיל, אוֹעִיל, יוֹעִלוּ(י)עִ(ו)י, יוֹעִילֻךָ; inf. הוֹעִיל, abs. הוֹעֵל; pt. מוֹעִיל: — 1. **helfen, nützen** (THAT 1, 746ff): Götzen 1S 12_{21} Js 57_{12} Jr $2_{8.11}$ 16_{19}, cj Ps 16_{2f} l בַּל יֹעִלוּ קְדֹשִׁים (Junker BZAW 66, 169),

Götterbilder Js 44_{9f} Hab 2_{18}, Zauber Js 47_{12}, falsche Profeten Jr 23_{32}, Worte Jr 7_{8} Hi 15_{3}, Gebete Hi 30_{13}, Reichtum Pr 11_{4}, אוֹצְרוֹת רֶשַׁע Pr 10_{2} Sir 5_{8}; Js 30_{5f} 48_{17}, Jr 12_{13}; c. לְ mithelfen zu Hi 30_{13}; — 2. **Nutzen haben** (mhe.) Jr 12_{13} Hi 21_{15} 35_{3}. †
Der. II יָעֵל.

I **יָעֵל**: ? עלה, BL 488; mhe., ug. *jʿl*, ja.^{tg} sy. יַעְלָה, tham. (Littm. ThS 150); ar. *waʿ(i)l*, asa. ZAW 75, 310, saf. ועל n.m. (Ryckm. 1, 80), äth. *weʿelā*: יַעֲלֵי, יְעֵלִים: **Steinbock**, *Capra Nubiana*, Bodenh. AL 93, AM 102, Lex.[1], BHH 1860, od. **Felsenziege** *Capra Sinaitica* (Hö. Hi. 97): Ps 104_{18} Hi 39_{1} (fem! BL 512c); n.t. צוּרֵי הַיְּעֵלִים 1S 24_{3} (bei עֵין גֶּדִי); ↗ יַעֲלָא, I *יַעֲלָה, יַעְלָם (?). †

II **יָעֵל**: n.f.; = I, Stamm HFN 329: Fr. v. חֶבֶר הַקֵּינִי Ri $4_{17f \cdot 21f}$ $5_{6 \cdot 24}$. †

יַעֲלָא, Neh 7_{58} ↗ יַעְלָה. †

***יַעֲלָה** (*יְעֵלָה Zorell), f. v. יָעֵל; mhe.[2], klschr. *Jaʾlā* APN 91b: יַעֲלַת: **Steinbockweibchen** Pr 5_{19}. †

יַעְלָה, Esr 2_{56} = יַעֲלָא Neh 7_{58}, cj 1C 12_{8} (pr. יוֹעֵאלָה, Rud.): n.m. = יַעֲלָה (Noth 230), od. Kf. v. יעל. †

יַעְלָם, Sam.^{M102} *jēllam*, G Ιεγλομ (Flashar, ZAW 28, 212), V *Ihelom/n*: n.m.; I יָעֵל + *am* (BL 504j) od. I od. II עלם: S. v. Esau Gn $36_{5 \cdot 14 \cdot 18}$ 1C 1_{35} cj Ps 55_{20} n.p. ar. neben יִשְׁמָעֵאל u. יֹשֵׁב קֶדֶם (Ehrl. Gkl). †

יַעַן (ca. 90 ×): ar. *ʿnj* meinen planen; III ענה; urspr. sbst. Beschäftigung, Plan > praep. BL 635b; ↗ מַעַן: — 1. **wegen**: a) c. sbst. Ez 5_{9} Hg 1_{9b}; b) c. inf. 2K 19_{28} Am 5_{11} Js 30_{12} Jr 7_{13}; c) יַעַן מֶה warum? Hg 1_{9a}; — 2. conj. **weil**: a) יַעַן c. pf. Nu 20_{12} 1S 15_{13} Hos 8_{1}; b) יַעַן אֲשֶׁר (ca. 30 ×): Gn 22_{16} Dt 1_{36} Ri 2_{20} Ps 109_{16}, cj 1S 3_{13}; c) יַעַן כִּי (6 ×) Nu 11_{20} Js 3_{16}; d) יַעַן (וּ)בְיַעַן darum weil: c. inf. Ez 36_{3}, c. pf. Lv 26_{43} Ez 13_{10}; — 2S 24_{6} l וְעִיּוֹן; Ez 12_{12} l לְמַעַן.

***יָעֵן**, Kl 4_{3} כִּי עֵנִים l Q MSS G כַּיְעֵנִים (BL 221p), K Tf.: **Strauss**, ↗ יַעֲנָה. †

יַעֲנָה: **Strauss** GSV, ↗ *יָעֵן; etym. trad. (Ges., Driv. PEQ 87, 137f) sy. *jaʿnā* u. *jaʿīn* gierig, ar. *waġana* V im Kampfe kühn sein; :: Lex.[1], Tur-S. Job 6[2]; Zorell: ar. *waʿnat* steiniges Gelände, d. Strauss als Wüstentier, ar. *abu eṣ-ṣaḥārā* Vater d. gelbroten (Wüste): בַּת הַיַּעֲנָה (↗ I בַּת 2) Lv 11_{16} u. Dt 14_{15} unrein, pl. בְּנוֹת הַיַּעֲנָה (GK § 87q) Js 13_{21} 34_{13} 43_{20} Jr 50_{39} Mi 1_{8} Hi 30_{29}; *Struthio camelus* (z. Vorkommen ↗ Mtg. ArBi. 17[30], Bodenh. AM 59.118, Hö. Hi. 98f :: Feliks BHH 1883): als Bewohner v. Ruinen Js 13_{21} 34_{13} Jr 50_{39} u. dürren Gegenden Js 43_{20} Hi 30_{29} vielmehr e. Eulenart; G Js 13_{21} Jr 50_{39} Mi 1_{8} Σείρηνες wie f. d. תַּנִּים (↗ Schleusner[2] III 31, Kaupel, BiZ 23, 158ff, H Rahner, Griech. Mythen in christl. Deutung, 1945, 449ff. †

יַעְנַי: n.m.; Kf. v. I ענה „(Gott) erhöre/rte" (Noth 27[1] 198) od. יַעֲנָה (Lex.[1]): 1C 5_{12}. †

I **יעף**: cp. (?) pe. ar. *waʿ/ġafa*; ↗ II עוף:
qal: pf. יָעֵפוּ; impf. יִיעַף, וַיִּיעָף, יִעֲפוּ/עָפוּ Hab 2_{13} (1QpHab ↗ Segert ArchOr. 22, 452f): **müde werden** Js 40_{30f} 44_{12} Jr 2_{24} $51_{58 \cdot 64}$ Hab 2_{13} Gott Js 40_{28}; — Ri 4_{21} 1S $14_{28 \cdot 31}$ 2S 21_{15} pr. וַיָּעַף ↗ יָעֵף. †
Der. יָעֵף, ↗ עָיֵף.

II **יעף** Nf. v. I עוף; ar. *wġf* rennen, eilen:
hof: pt. מֻעָף, MS מוּעָף: Da 9_{21} c. בִּיעָף (↗ יְעָף) in raschem Flug GΘVS Rabb.; trad. = I, stark ermüdet (Dan. od. Gabriel ?) :: Zolli Bibl. 27, 127f: sec. asa. ar. aufsteigen, glänzen. †
Der. *יְעָף.

יָעֵף: I יעף: יְעֵפִים: **ermüdet** Ri 8_{15} 2S 16_{2} Js 40_{29} 50_{4}, cj pr. וַיָּעַף Ri 4_{21} u. 1S $14_{28 \cdot 31}$ u. 2S 21_{15}. †

***יְעָף**: II יעף; BL 470l, aramais. Wagner 122: **Flug** (trad. Müdigkeit) Da 9_{21}, ↗ Komm. †

יעץ: mhe. pun. (?) u. äga. (!יעט) DISO 110; asin. PrSinI. 43; ar. *waʿaẓa* ermahnen, *wāʿiẓ* Prediger, asa. *ʿẓt* Ordnung (ZAW 75, 310); Fichtner ZAW 63, 16ff; Nf. עוץ:

qal: pf. יָעַצְתִּי ,יָעֲצוּ ,יָעֲצָה/צְנִי ,יָעַץ/עָץ; impf. אִיעֲצָה (Ps 32_8, ↗ Mut.), אִיעָצְךָ/צֵךְ; pt. יוֹעֲצָיו ,יֹעֲצֵי ,יֹעֲצֵךְ ,יֹעֲצִךְ ,יֹ(וֹ)עֵץ, יְעוּצָה: — 1. **raten, beraten** (THAT 1,748ff): a) c. acc. Ex 18_{19} Nu 24_{14} 2S $17_{15a.b}$ Jr 38_{15} Ps 16_7 2C 10_8; c. לְ Hi 26_3; b) c. עֵצָה e. Rat geben 2S 16_{23} 17_7 1K 1_{12} $12_{8.13}$; c) c. oratio recta 2S 17_{11}, c. עַל betreffend 17_{21}; d) pt. ↗ יוֹעֵץ; — 2. **planen, beschliessen**: abs. Js $14_{24.27}$; etw. (oft c. עַל gegen): עֵצָה Js 14_{26} 19_{17} Jr $49_{20.30}$ 50_{45} Ez 11_2 (c. בְּ); זִמּוֹת Js 32_7, רָעָה Js 7_5, נְדִיבוֹת 32_8, בֹּשֶׁת Hab 2_{10} (c. לְ); Js 19_{12} 23_{8f} Mi 6_5 Ps 62_5; c. inf. 2C 25_{16b}; — ? Ps 32_8, cj (G) (עצה) אֲעֻצָה od. אָעֻצָה (עצץ), ar. *ʿaḍḍa* fest richten, Driv. JThSt. 32, 256). †

nif: pf. נוֹעַץ ,נוֹעֲצוּ; impf. יִוָּעֵץ ,וַיִּוָּעֲצוּ, נִוָּעֲצָה, pt. נוֹעָצִים: — 1. **sich beraten lassen** pt. Pr 13_{10}; — 2. **sich beraten**: c. יַחְדָּו Js 45_{21} Ps 71_{10} 83_6 (c. לֵב im Herz) Neh 6_7; c. אֵת mit 1K $12_{6.8}$ Js 40_{14} 2C $10_{6.8}$ c. עִם 1C 13_1 2C 32_3, c. אֶל 2K 6_8 2C 20_{21}; — 3. nach Besprechung **anraten** 1K $12_{6.9}$ 2C $10_{6.9}$; — 4. **beschliessen**: c. inf. 2C $30_{2.23}$ 32_{31}, c. vb. fin. 1K 12_{28} 2C 25_{17}. †

hitp: impf. יִתְיָעֲצוּ: c. עַל **sich beraten** Ps 83_4, cj 2_2 (l יִתְיָעֲצוּ). †

Der. I עֵצָה, יוֹעֵץ, *מוֹעֵצָה.

***יעק**, Nf zu ↗ עוק; Der. מוּעָקָה.

יַעֲקֹב, יַעֲקוֹב Lv 26_{42} Jr 30_{18} 46_{27b} 51_{19}; G Ιακωβ, NT Ιακωβ(ος), Ιακωβος DJD 2, 217, Ιακω(β) u.ä. Wuthn. 56, Ιακω(ν) IEJ 3, 127f; palm. יעקוב (PNPI 91a); ↗ יַעֲקֹבָה: n.m.p.: **Jakob**, umbenannt > יִשְׂרָאֵל Gn 32_{28f} 2K 17_{34}, cj Hos 12_3; ug. *Abdi-Jaqubbu*, *Iaqub-bʿl* (PRU 3, 241. 261); < klschr. *Ja(ḫ)qub-ila* (Freedman IEJ 13, 125f) > *Jaqubi* (Mari, Noth Fschr. Alt I 142f, Albr. JAOS 74, 231, de Vaux RB 72, 9); *Jaqqub-eda* (Kupper Nom. 237) ? äg. *Jʿqbʾr* (Meyer Isr. 281f); erkl.: Gn 25_{26} 27_{36} Hos 12_4; etym.: ↗ עקב asa. (Conti 211b), äth. tigr. (Wb. 468a) schützen „(Gott) beschütze/te" (Noth 45f. 177.197; Vriezen OTSt. 1, 64ff; Caspari Fschr. GJacob 24ff: עָקֵב; Ginsb. JBL 80, 339ff :: ar. *Jaʿqūb* Steinhuhn Lex.[1]; als bibl. Name: Hö. Fschr. Marti 152f; palm. NE 289, RTPalm. p. 173 (יעקוב); RGG 3, 517ff, „e.typisch . . . westsem. Name" (Noth) BHH 797: — 1. n.m.: S. Isaaks, Gn 25_{26}-49_{33}, in Ex-Jos 35 ×, 1S 12_8 Hos $12_{3.13}$ (Ackroyd VT 13 245ff) Ob_{10} Mi 7_{20} (|| אַבְרָהָם), zus. m. Abr. u. Isaak 2K 13_{23} Gn 50_{24} u.ö.; ↗ Hoftijzer: Die Verheissung an d. 3 Erzväter (1956) 6ff; — 2. n.p. (=↗ Isr. II; Abgrenzung gegen 1 oft schwierig): Dt 32_9 Js 9_7 Jr 10_{25} Am 7_2 etc. || יִשְׂרָאֵל Nu 23_7 Js 14_1 Mi 3_8 etc.; || יְהוּדָה Js 65_9; || אֶפְרַיִם Hos 10_{11}; אֱלֹהֵי יַעֲקֹב 2S 23_1 Js 2_3 Mi 4_2, אֵל י׳ Ps 146_5, אֱלוֹהַּ י׳ 114_7; c. בְּנֵי Jr 30_{18} Mal 2_{12}, c. אָהֳלֵי 1K 18_{31} 2K 17_{34} Mal 3_6 1C 16_{13}, c. בֵּית Jr 2 4 5_{20} Ez 20_5 etc.; c. גְּאוֹן Am 6_8 8_7 Nah 2_3, c. חֵלֶק Jr 10_{16} 51_{19}, c. כְּבוֹד Js 17_4, c. מִשְׁכְּנוֹת Ps 87_2, c. נְאוֹת Kl 2_2, c. פֶּשַׁע Mi 3_8, c. קְדוֹשׁ Js 29_{23}, cj Ps 22_4, c. שְׁאָר Js 10_{21}, c. שְׁאֵרִית Mi 5_{6f}; עַבְדִּי יַעֲקֹב Jr 46_{27f} Ez 28_{25} 37_{25}; — wechselt textl. öfter m. יְשֻׁר׳; — Nu 24_{18b} l יעקב c. אֹיְבָיו$_{18a}$.

יַעֲקֹבָה, G^B Ιωκαβα, G^A Ιακαβα, G^L Ιεκεβα: n.m. יַעֲקֹב + *ā* (Noth 38): Simeonit 1C 4_{36}. †

יַעֲקָן; Gn 36_{27} u. 1C 1_{42} MSS G^A וַעֲקָן, l וְיַ׳: n.m.; ? עקן, od. יעק, ar. *wʿq* schnell sein (Kö) od. עקק Moritz ZAW 44, 92 mit n.m. u. n.tr.): Nachk. v. Esau 1C 1_{42}, churr. Gn 36_{27}; n.l. בְּאֵרוֹת בְּנֵי יַעֲ׳ Wüstenstation Dt 10_6, = בְּנֵי יַעֲ׳ Nu 33_{31f}, Abel 2, 262f. †

I **יער**: I-II יַעַר, I *יַעְרָה.

II **יער**: ar. *jaʿara* blöken; Der. II יַעְרָה.

I **יַעַר**, Hier. *iar*: mhe.², ug. *jʿr*, n.l. *jʿrt*; pun. יר, Augustin *jar lignum* (DISO 110, Schröder 19¹; mo. pl. יערן Park (:: al. e. Vorstadt); ja.ᵗ sy. יַעְרָא Gestrüpp; ar. *waʿr* u. äth. *warʿ* steiniges waldiges vulkanisches Gelände: הַיַּעְרָה loc. יַעְרוֹ יַעֲרוֹ/רָה יָעַר, יְעָרִים (יְעוֹרִים) Ez 34$_{25}$, ↗ Baumg. Fschr. Eissf. II 29, Wbg-M. RdQ 2, 448ff): — 1. **Dickicht, Gehölz, Wald** (BRL 533f, AuS 1, 73f.254ff, Noth WdAT 31f, BHH 2133) Dt 19$_{5}$ Jos 17$_{15}$ (בֵּרֵא).$_{18}$ 2S 18$_{8.17}$ Js 21$_{13}$ 29$_{17}$ 32$_{15.19}$ 44$_{23}$ Jr 21$_{14}$ 26$_{18}$ Ez 21$_{2f}$ (↗ BH, Zimm. 461) Hos 2$_{14}$ Mi 3$_{12}$ 7$_{14}$ Zch 11$_{2}$ Ps 50$_{10}$ 83$_{15}$ 104$_{20}$; יַעַר אֶפְרַיִם Waldland v. E. 2S 18$_{6}$; יַעַר חֶרֶת 1S 22$_{5}$, יַעַר מִצְרַיִם Jr 46$_{23}$, יַעַר בְּתוֹךְ 2K 19$_{23}$ / Js 37$_{24}$ (:: יַעַר כַּרְמֶל שָׂדֶה Mi 7$_{14}$); יַעְרוֹ וְכַרְמִלּוֹ :: כַּרְמֶל Js 10$_{18}$; יַעַר v. עֵצִים, עֵץ 2S 18$_{6}$ Js 56$_{9}$ Ez 39$_{10}$; Js 7$_{2}$ 10$_{19}$ 44$_{14}$ Ez 15$_{2.6}$ Ps 96$_{12}$ Jr 10$_{3}$ Koh 2$_{6}$ HL 2$_{3}$ 1C 16$_{33}$; אַרְיֵה מִיַּעַר Jr 5$_{6}$, ↗ 12$_{8}$ Am 3$_{4}$, בַּהֲמוֹת יַעַר Mi 5$_{7}$, דֻּבִּים מִן־הַיַּעַר 2K 2$_{24}$, חֲזִיר מִיַּעַר Ps 80$_{14}$; סִבְכֵי הַיַּעַר Js 9$_{17}$ 10$_{34}$; יָשְׁנוּ בַּיְּעָרִים Ez 34$_{25}$, שֹׁכְנִי יַעַר Mi 7$_{14}$, cj בֵּית Js 22$_{8}$, בֵּית הַיַּעַר Jr 4$_{29}$; בְּעָבֵי יְעָרִים בֵּית יַעַר הַלְּבָנוֹן 1K 7$_{2}$ 10$_{17.21}$ 2C 9$_{16.20}$; — 2. angelegter **Park** Koh 2$_{6}$ = ↗ פַּרְדֵּס v. 5 (Hertzb. 87f); — 3. in nn. l. et. t. (cf. ug. *jʿrt, ja-ar-ti* UT nr. 1126): a) ↗ קִרְיַת יְעָרִים; b) הַר יְעָרִים Jos 15$_{10}$ Bergzug n. Jerus., ↗ כְּסָלוֹן, Alt PJb 24, 28f; c) שְׂדֵה יַעַר „Waldgefilde" od. Gef. v. יַעַר, n.l. = קִרְיַת־יְעָרִים 1S 7$_{1}$; — Ps 132$_{6}$? 1 יָעִר, Johnson SKsh.21. †

II **יַעַר**: I יער; ar. *ʾarj* Honig (Guill. 4, 7), äth. *maʿār*, tigr. (Wb. 135b: *maʿar*) Honigwabe: יַעְרִי: **Honigwabe** (AuS 7, 294; genauer: Bienenröhrenstapel, ↗ ZAW 50, 170) 1S 14$_{26}$, cj $_{25}$ (l דְּבַשׁ יַעַר G ? דבשׁ Gl., Barr CpPh. 144), ins. Ps 118$_{12}$ (G); metaph. HL 5$_{1}$ (|| דִּבְשִׁי); ↗ I יַעְרָה. †

I ***יַעְרָה**: ja.ᵗ; n.un. v. II יַעַר: cs. יַעְרַת: **Honigwabe** 1S 14$_{27}$. †

cj II ***יַעְרָה**: II יער: Ps 29$_{9}$, Driv. JThSt. 32, 255; ar. *jaʿr* Ziege, tigr. (Wb. 435b) *warʿē* Bergziege :: Strauss ZAW 82, 96 יְעָרוֹת: **Zicklein** || אַיָּלוֹת. †

יַעְרָה, or. יִעְרָה (MTB 78): n.m.; cf. pun. יערא (PNPhPI 128); 1C 9$_{42}$, c. MSS G l יַעְדָּה. †

יַעְרֵי, ר min., ZAW 39, 160: n.m.; ? l יָעִיר GS: 1C 20$_{5}$QG; (:: Lex.¹: יִשַׁי): 2S 21$_{19}$. †

יַעֲרֶשְׁיָה: ערשׁ, „J. pflanze" (Noth 203, ↗ Rud.) 1C 8$_{27}$. †

יַעֲשָׂו, Q יַעֲשָׂי, K ־שׂוֹ, V *Jasi* (G καὶ ἐποίησαν!) Kff. l יַעֲשִׂיאֵל, עשׂה (Noth 206): Esr 10$_{37}$. †

יַעֲשִׂיאֵל: n.m.; I עשׂה + אֵל, „G. mache/chte" (Noth 206), > עֲשִׂיאֵל (Noth 27¹) u. ־יַעֲשָׂו/י: — 1. 1C 11$_{47}$; — 2. 1C 27$_{21}$. †

יפא: ↗ יפה; Der. III פֵּאָה.

יִפְדְיָה: n.m., פדה + י, „J. erlöse/te" (Noth 200 :: GᴮS: יפריה: פרה hif.) 1C 8$_{25}$. †

יפה, ↗ יפא: mhe. pi. schmücken, hif. מהופין schön finden Sir 13$_{21}$; sy. *pʾj* (VG 1, 277) schön sein, af. kaus.; ar. u. asa. (Mü. 112) *wpj* heil sein; ? äth. (Lesl. 24); tigr. (Wb. 450a) vollendet sein:

qal: pf. יָפִית, cj יָפִית (pr. יָפְיָפִיתָ Ps 45$_{3}$, dittgr., Vrss. יָפוֹ יָפִיתָ od. יְפִיפִיתָ); impf. וַיִּיף, וַתִּיף Ⓑ, Ⓛ וַיִּיף, Mf. qal u. pi.) Ez 31$_{7}$, וַתִּיפִי; **schön, rein werden** Ez 16$_{13}$ 31$_{7}$, cj Ps 45$_{3}$ HL 4$_{10}$ 7$_{2.7}$. †

pi: impf. יְיַפֵּהוּ: **schmücken** Jr 10$_{4}$. †

hitp: impf. תִּתְיַפִּי: **sich schön machen** Jr 4$_{30}$. †

Der. יָפוֹ, יְפֵה־פִיָּה, יֳפִי, n.l. יָפֶה.

יָפֶה: יפה, BL 584a; mhe., kan. *japu* (EA 138, 126 m. Gl. *ḫamudu*, Böhl Spr. 82f, CAD 7, 325a; Leander ZDMG 74, 65²); יָפָה, יְפַת, יְפֵה, sf. יָפָתִי (BL 240t), יָפוֹת, יְפוֹת; (THAT 1, 656): — 1. **schön**: אִישׁ Gn 39$_{6}$ 1S 16$_{12}$ 17$_{42}$ 2S 14$_{25}$ HL 1$_{16}$; אִשָּׁה Gn 12$_{11}$ (יְפַת־מַרְאֶה, GK § 128 x).$_{14}$ 29$_{17}$ Dt 21$_{11}$ 1S 25$_{3}$ 2S 13$_{1}$ 14$_{27}$ 1K 1$_{3f}$ Am 8$_{13}$ Hi 42$_{15}$ Pr 11$_{22}$ Est 2$_{7}$ HL

18.15 41.7 59 61.4.10; יָפָתִי (Kosewort) 210.13; עֵינַיִם פָּרוֹת Gn 412.4.18; 1S 1612; Bäume Jr 1116 Ez 313.9; Berg Ps 483 (? 1 יָפַת); מַרְאֶה u. תֹּאַר Gn 2917; קוֹל Ez 3332; יָפָה כַלְּבָנָה HL 610; — 2. = טוֹב: **recht** Koh 311, angenehm 517; יְפֵה־פִיָּה Jr 4620 ⸗ יְפֵיפִיָּה. †

יְפֵיפִיָּה, MSS u. mhe.; MT יְפֵה־פִיָּה: יפה, BL 483m; ja.[g] Engelname: **sehr schön** Jr 4620 (Kuh); cj יְפֵיפֶה Jr 1116 pr. יְפֵה פְרִי. †

יָפוֹ (3 ×) u. יָפוֹא (1 ×, ⸗ Ku. LJs 130f): n.l.; ph. יפי (Harris Gr. 107), klschr. *Japu, Jāpu, Jappū*, äg. *ypw* ETL 201, Albr. Voc. 36; G. grie. Ιοππη, ar. *Jāfā*; יפה „Schönstadt" (Borée 65): **Jaffa**, Abel 2, 355f, GTT § 336, BHH 803: Jos 1946 Jon 13 2C 215, יָם יָפוֹא Esr 37. †

יפח: ? ar. *wabaḥa* schelten (Torcz. ZDMG 70, 558); ⸗ I פוח u. נפח:

hitp: impf. תִּתְיַפֵּחַ: nach Atem ringen, **ächzen** Jr 431. †

Der. *יָפֵחַ (?).

יָפֵחַ: יפח ?: cs. וִיפֵחַ (BL 552o); gew. l יְפִיחוּ (II פוח): l וִיפֵחַי (Ehrl. Seeligm.), **Zeuge** || עֵדֵי (ug. *jpḥ* UT nr. 1129) Ps 2712. †

***יֳפִי**: יפה, BL 577h.k.; mhe. יוֹפִי, mhe.[2] יופיות ,יופיפות (?) cs. יְפִי, יָפְיֵךְ, יָפְיוֹ; (?) יוֹפִי: **Schönheit**: v. אִשָּׁה Js 324 Ez 1614f.25 273f.11, עֲלָיִךְ* יְפִי חָכְמָתֶךָ 287 (erweitert urspr. ⸗ Zimm. 664), Ps 4512 Pr 625 3130 Est 111 Sir 98; v. מֶלֶךְ Js 3317 Ez 2812.17; v. עֵץ Ez 318; v. אֲדָמָה Ps 502 Kl 215; v. צִיּוֹן Zch 917 (|| טוּב). †

I **יָפִיעַ**: n.l., Zebulon, II יפע; „hochgelegener Ort"; ? = *Jāfā* sw. Nazareth, Abel 2, 355, GTT § 329 :: Noth Jos. 115, Alt PJb 20, 38[1]; BHH 803: Jos 1912. †

II **יָפִיעַ**: n.m., BL 470n; Kf. v. I יפע, „(Gott) erstrahle/te" (Noth 204) od. II יפע „Hochgewachsen"; amor. *Japaḫ* (Huffm. 212), asa. יפע (Ryckm. 2, 73f): — 1. K. v. Lakisch Jos 103; — 2. S. Davids 2S 515 1C 37 146. †

יַפְלֵט: n.m.; פלט, Kf. „(Gott) rette/tete" (Noth 199); ug. *Jplṭn* (PRU 2, 221b): Asserit 1C 732f; ⸗ יַפְלֵטִי. †

יַפְלֵטִי: gntl. v. יַפְלֵט, > n.l. גְּבוּל יַפְלֵטִי, an S.-Grenze v. Efraim; Noth Jos. 101, GTT § 324A: Jos 163. †

יְפֻנֶּה, Sam.[BCh. 3.173] *jēfaenni*; n.m., ? פנה pu. Kf. „G. wird gewendet = versöhnt" (Kö.), ? qal (Noth 199): — 1. G Ιεφοννη, V. v. Kaleb Nu 136 146.30.38 2665 3212 3419 Dt 136 Jos 146.13f 1513 2112 1C 415 641; — 2. or. יְפֻנָּה, G[B] Ιφινα: Asserit 1C 738. †

I **יפע**: mhe.[2] u. DSS hif. (KQT 91, Moriarty CBQ 14, 62, Maier 2, 149f) u. ja.[t] pe. af. erscheinen; ug. *jpʿ*, n.m. *Ipʿbʿl* (UT nr. 1133, Aistl. 1215-17); akk. *(w)apū* sichtbar sein u. *šupū* sichtbar machen:

hif: pf. הוֹפִיעַ, הוֹפַעְתָּ; impf. תּוֹפַע, וַתּוֹפַע; imp. הוֹפִיעָה; Schnutenhaus ZAW 76, 8f; THAT 1, 753ff: — 1. **leuchten lassen** Hi 103 3715 (al. 2: leuchten), ausstrahlen חמה Wärme Sir 432 Rd u. [M V] 18 (B מביע); — 2. aufgehen, **strahlend erscheinen** Dt 332 (|| זרח) Ps 502 802 941 Hi 34; (103 u. 3715 ⸗ 1.); ? hell werden, leuchten Hi 1022 (⸗Komm.) :: Driv. VT Su. 3, 76f: cj III יפע hif. dunkle Wolken zeigen, ar. *jafʿ* Regenwolke; — 3. **sich** erweisen, **entpuppen** als Sir 1215. †

Der. *יִפְעָה; n.m. II יָפִיעַ.

II **יפע**, (gew. z. I, Nöld. NB 203f): ar. *jafaʿa* wachsen, emporsteigen, *jafaʿ* Anhöhe, hohes Gebäude (Driv. Bibl. 35, 158); asa. יפע sich erheben (Conti 164):

Der. n.m. II יָפִיעַ (?), n.l. I יָפִיעַ, מֵיפַעַת.

***יִפְעָה**: I יפע: יִפְעָתֶךָ: **strahlender Glanz** Ez 287.17 (THAT 1, 755 :: Driv. l.c.: II יפע). †

יֶפֶת, Sam.[M108] *Jēfet*, G Ιαφεθ: **Jafet** 3. S. v. Noah Gn 532, Anherr d. kleinasiat. u.ö. angrenzenden Völker Gn 102-5, cf. Ἰάπετος, V. d. Prometheus u. Atlas, Dho. Rec.

167ff.762; F. Schmidtke, d. Japhetiden d. Völkertafel, 1926; Hö. Erdk. 53f, Brandst. 63ff, BHH 802: Gn 5$_{32}$ 6$_{10}$ 7$_{13}$ 9$_{18.23}$ (erkl. m. III פתה).$_{27}$ 10$_{1f.21}$ ins. $_{5}$ 1C 1$_{4f}$ Jud 2$_{25}$ (ὅρια ʾΙάφεθ neben Κιλικία). †

I יִפְתָּח, G^A Ιεφθα: n.l. in d. שְׁפֵלָה, פתח, Kf. < יִפְתַּח־אֵל, ↗ II; Abel 2, 365, GTT § 318 C 4; Jos 15$_{43}$. †

II יִפְתָּח, G Ιεφθαε: n.m.: פתח „(Gott) öffnet/te", Dank b. Erstgeburt (Noth 179 :: 200); klschr. *Japtiḫ-Adda* EA, amor. *Japtaḫu* (Huffm. 256), asa יפתחאל. Ryckm. 2, 74: **Jefta** Ri 11$_{1}$-12$_{7}$ 1S 12$_{11}$; BHH 810f, zu 11$_{30-40}$ ZATU 152ff. †

יִפְתַּח־אֵל: n.l. in Zebulon: ↗ I יִפְתָּח; c. גֵּי, *W. al Mālik* sw. *Sahl el-battōf* (Abel 1, 398, GTT p. 191, Noth Jos. 115); später Ιωτάπατα Jos. Antt. BJ III 7$_{3}$, Schürer 1, 611f: Jos 19$_{14.27}$. †

יצא: Lkš. mhe.; ug. *jṣʾ*, kan. EA (Böhl Spr. § 32l), ph. (DISO 110); aram: m. צ nur kaus. (שֵׁיצִי) ↗ ba, ja. cp. sy. md. (MdD 193a); m. ע äga. (↗ מוֹצָא, DISO 110), ja. sy. md.; asa. *wḍʾ* u. *wẓʾ* (Conti 136b.139b); äth. *waḍʾa*; akk. (*w*)*aṣū*; Grdf. *wḍʾ* VG 1, 128.133f:

qal (ca. 750 ×): pf. יָצָא, יָצְאָה, יָצָאתָ, יָצָאתִי u. יָצָתִי (Hi 1$_{21}$; BL 443i), יָצְאוּ/צָאוּ; impf. (BL 442h, EA. *te-i-ṣa, ji-ṣa-am*) יֵצֵא, וַיֵּצֵא, יֵצְאוּ/צֵאוּ, וַתֵּצֶאנָ(ה); imp. צֵא, צְאָה, צְאוּ/צֵא, צְאֶינָה HL 3$_{11}$? l צְאֶנָה (BL 443i :: Bgstr, 2, 157c); inf. צֵאת, לָצֵאת, cs. לְצֵאת 1K 6$_{1}$, בְּצֵאתוֹ, צֵאתְךָ, יָצ(ו)א; pt. י(ו)צֵא, יוֹצְאָה (> יֹצְאָה Koh 10$_{5}$, BL 598, so oft mhe.) u. יֹצֵאת (> יוֹצֵת Dt 28$_{57}$), יֹצְאִים (pun. *juṣim*, Friedr. § 29b = *יצים), יֹצְאֵי; THAT 1, 755ff: — 1. **hervor/herauskommen**: צֵאת שֶׁמֶשׁ (akk. *ṣīt šamši*, ug. *ṣʾt špš*) Ri 5$_{31}$, Gn 19$_{23}$, כּוֹכָבִים Neh 4$_{15}$, Neugeborenes Gn 25$_{26}$ Hi 1$_{21}$, יֹצְאֵי יְרֵכוֹ Abkömmlinge s. Lende Gn 46$_{26}$, גּוֹרָל Nu 33$_{54}$, Pflanzen 1K 5$_{13}$ Js 11$_{1}$, הַיֹּצֵא הַשָּׂדֶה was auf d. Feld hervorkommt Dt 14$_{22}$; Fluss entspringt Gn 2$_{10}$, cj מֵימֶיהָ יֹצְאִים Nah 2$_{9}$, Urteil Hab 1$_{4}$, תּוֹרָה (akk. *ṣīt pī*) Js 2$_{3}$ 51$_{4}$, Befehl Est 1$_{17}$ (cf. Lkš 2$_{1}$), אָלָה Zch 5$_{3}$, חֶרֶב Ez 21$_{9}$; — 2. **heraus/hinausgehen** Gn 9$_{10}$ 34$_{24}$, c. אֶל 19$_{6}$, c. מִן 24$_{50}$, c. מֵאֵת 44$_{28}$, c. מִלִּפְנֵי cj 2S 24$_{4}$; cj Ps 81$_{6}$ c. עַל־אֶרֶץ מִצְרָיִם (? l מֵאֶרֶץ G V$_{10}$ מֵעַל אֶ׳); — 3. hervorkommen, **auftreten** (Koehler ThZ 3, 471) Zch 5$_{5}$ 6$_{1}$ 1S 17$_{4}$ 2S 16$_{5}$; — 4. **ausziehen, wegziehen**: a) abs. sich aufmachen Ex 17$_{9}$, fortlaufen Sir 33$_{32}$, צֵא „hinaus" Js 30$_{22}$ (> Interj. BL 653c :: Driv. ZAW 52, 53); b) c. מִלִּפְנֵי Gn 4$_{16}$, c. מֵאֵת 44$_{28}$, c. מֵעִם Ex 8$_{26}$, c. לִקְרַאת Gn 14$_{17}$; c) militär. **ausziehen** Dt 20$_{1}$ 1C 20$_{1}$ Pr 30$_{27}$ (Heuschrecken); הַיֹּצֵאת אֶלֶף (Stadt) die m. 1000 auszieht Am 5$_{3}$; König יָצָא לִפְנֵי vor d. Heer 1S 8$_{20}$ 2C 1$_{10}$ (↗ hif. 1) יֹצְאֵי צָבָא Wehrfähige 1C 5$_{18}$; יָצָא מַחֲנֶה Feldlager beziehen Dt 23$_{10}$, יֹצְאֵי שַׁבָּת die am Sabbath als Wache aufziehen 2K 11$_{7}$, c. אֶל sich ergeben 1S 11$_{3}$ 2K 18$_{31}$/Js 36$_{16}$; d) צֵאת וָבוֹא urspr. militärisch: יֹצְאֵי שַׁעַר עִירוֹ; Gn 34$_{24a.b}$ (:: בָּאֵי שׁ׳ ע׳ 23$_{10.18}$ = זִקְנֵי הָעִיר; akk. *āṣē abul ālišu* Sanh. Pr. III 22, ↗ Speiser BASOR 144, 20ff; ↗ 5c) Jos 14$_{11}$ 1S 29$_{6}$, od. v. Alltag d. Bauern (Koehler HeMe. 147f); dann allgemein v. Tagewerk Dt 31$_{2}$ 2K 11$_{8}$ 19$_{27}$/Js 37$_{28}$ Ps 121$_{8}$ (Dam. XX 27); v. König (nicht) aus u. ein wissen 1K 3$_{7}$, = d. alltäglichen Geschäfte besorgen (Noth) :: c. לִפְנֵי הָעָם 2C 1$_{10}$ = führen, ↗ hif. 1; 1C 11$_{2}$; kultisch v. Tempel Ex 28$_{35}$ Lv 16$_{17}$ Ez 46$_{8-10}$ 2C 23$_{7b}$; יָצוֹא וָשׁוֹב hin u. herfliegen (Raben) Gn 8$_{7}$; — 5. trop.: a) יָצָא מִן abstammen v. Gn 10$_{14}$ 17$_{6}$ 1C 1$_{12}$ †; b) יָצְאָה נַפְשׁוֹ ihm schwanden d. Sinne HL 5$_{6}$, בְּצֵאת נַפְשָׁהּ als ihre Seele entfloh Gn 35$_{18}$, תֵּצֵא רוּחוֹ s. Odem entflieht Ps 146$_{4}$; וַיֵּצֵא לִבָּם d. Mut sank ihnen Gn 42$_{28}$; יָצְאוּ יְלָדֶיהָ ihre Frucht geht ab Ex 21$_{22}$; c) צֵאת הַשָּׁנָה Jahresanfang Ex 23$_{16}$ (:: תְּשׁוּבַת הַשָּׁ׳ Jahresende

1S 7$_{17}$; Begr. Chron. 88f, Noth ZDPV 74, 142f :: Auerbach VT 3, 186f); d) בְּצֵאת הַיַּיִן als d. Rausch gewichen war 1S 25$_{37}$; עַד־אֲשֶׁר יֵצֵא מֵאַפְּכֶם bis es euch z. Hals heraushängt Nu 11$_{20}$; (Arbeit) herauskommen Ex 32$_{24}$, gelingen Pr 25$_{4}$; (Turm) vorspringen Neh 3$_{25}$ (? 1QM 9, 11, Yadin ScrW 300f; akk. ZA 36, 233f); יָצָא אֶל (Grenze) erstreckt sich bis Jos 15$_{3}$, (↗ Noth 82); כֶּסֶף wird ausgegeben 2K 12$_{13}$; וַתַּעֲלֶה וַתֵּצֵא מֶרְכָּבָה kostete b. Export 1K 10$_{29a}$, cj $_{29b}$ (? l וַיֵּצֵאוּ); — 6. Versch. a) davonkommen 1S 14$_{41}$; fertig werden m. etw. Da 10$_{20}$; endigen Pr 22$_{10}$ (|| שׁבת), unglücklich endigen Ez 26$_{18}$; (f. d. urspr. Besitzer) frei werden Lv 25$_{28.30}$ (Ell. Lev. 355^{33}); b) c. עַל־אֶרֶץ (z. Inspektion) bereisen Gn 41$_{45}$ (cf. $_{46b}$) (:: Echter: stieg über [alle im] Land...empor); c) c. חָפְשִׁי freigelassen Ex 21$_{2.5}$ ↗ חָ׳ 1; c. אַחֲרֵי verfolgen 1S 17$_{35}$ 24$_{15}$; c. acc. entgehen (↗ Hertzbg. 141) Koh 7$_{18}$; (als Preis) zu stehen kommen auf 1K 10$_{29}$; c. בְּ einem zukommen Sir 10$_{28}$ 38$_{17}$; — Jr 10$_{20}$ l וְצֹאנִי (:: Rud.); 48$_{9}$ l *תִּצֶּא = תִּצֶּה (נצה); Zch 2$_{7a}$ l עֹמֵד pr. יֹצֵא; Ps 41$_{7}$ l יֹצֵא, 73$_{7}$ l יֵצַח (צחח); Pr 25$_{8}$ l תֹּצֵא לָרֹב unter d. Menge bringen (Gemser).

hif. (ca. 280 ×): pf. הוֹצִיא, הוֹצֵאתָ, הוֹצִיאֲךָ, הוֹצִיאַנִי/אָנִי, הוֹצֵאתֶם, הוֹצִיאוּ, הֹ(וֹ)צֵאתַנִי/תָנִי, הוֹצֵאתִיךָ; impf. יֹ(וֹ)צִ(י)א, תוֹצִיא/צֵא, וַיּוֹצִאָהּ, וַיֹּצֵא, וַיּוֹצִא (BL 443i), וָאוֹצִיאֵם, וָאוֹצִ(י)אָה, אוֹצִ(י)אָה, וַתּוֹצֵא, וַיּוֹצִ(י)אוּם, וַיֹּצִאֻהוּ; imp. הוֹצֵא, Gn 8$_{17}$ הַוְצֵא, Q הַיְ (BL l.c.), הוֹצִיא Js 43$_{8}$ (BL 333e), הוֹצִיאִי, הוֹצִיאֵם, הוֹצִאֻהוּ; inf. הוֹצִיא, הוֹצִיאֲךָ, הוֹצִיאָם, לְהוֹצִיאֵהוּ Jr 39$_{14}$ (? l לְהוֹצִאוֹ); pt. מוֹצִיא, l מוֹצֵא für מוֹצֵא־ Ps 135$_{7}$ u. 119$_{162}$ (BL 443i, GK § 53o), מוֹצֵאת (HL 8$_{10}$), מוֹצִיאִים, מוֹצִיאֵי: — 1. **herausgehen lassen, herausführen** a) Personen aus d. Haus Gn 15$_{5}$ 45$_{1}$, aus d. Land 15$_{7}$, ausliefern Jos 2$_{3}$, den Angeklagten Ri 6$_{30}$ (Boecker 21ff), fortschicken Esr 10$_{3.19}$, Tochter weggeben, verheiraten Sir 7$_{25}$; aus Netz befreien Ps 31$_{5}$, לַמֶּרְחָב Ps 18$_{20}$; z. Hinrichtung führen Gn 38$_{24}$ Ri 6$_{30}$ 1K 21$_{10}$ Hos 9$_{13}$; Kinder a. jmds Schoss wegnehmen Gn 48$_{12}$ (מֵעִם); Truppen ins Feld führen 2S 5$_{2}$ Js 43$_{17}$ Ez 38$_{4}$, הוֹצִיא וְהֵבִיא (eig. militärisch, ↗ qal 4d) e. Land regieren 1C 11$_{2}$; b) (Tiere u. Sachen) Tiere Gn 8$_{17}$; Sterne herausführen Js 40$_{26}$ Hi 38$_{32}$; Feuer Ez 28$_{18}$ u. Wasser Nu 20$_{8}$ hervorbrechen lassen; Blut herauspressen Pr 30$_{33}$; Geschenke aus Gefäss hervornehmen Gn 24$_{53}$; c. עַל־יַד Geräte jmdm übergeben Esr 1$_{8}$; Schwert aus d. Scheide Ez 21$_{8}$, Hand aus Bausch Ex 4$_{7}$; Speise hervorbringen Gn 14$_{18}$, aus d. Maul reissen Jr 51$_{44}$; Fluch ausgehen lassen Zch 5$_{4}$; c) Gott als sbj. (125 ×, ↗ Humb. ThZ 18, 357), d. Göttl. Rettungstat Mi 7$_{9}$, bes. d. Herausführung aus Äg.: seit Dt 1$_{27}$ statt d. älteren הֶעֱלָה; — 2. **hervorbringen**: d. Erde Pflanzen Gn 1$_{12.}$ $_{cj\ 11}$; Stab treibt Blüten Nu 17$_{23}$; Schmied e. כְּלִי Js 54$_{16}$, מִלִּים Hi 8$_{10}$, cf. 15$_{13}$ Koh 5$_{1}$, ans Licht bringen Jr 51$_{10}$, c. לָאוֹר Mi 7$_{9}$ Hi 12$_{22}$, c. אוֹר 28$_{11}$; — 3. Versch. הוֹצִיא רוּחוֹ s. Unmut auslassen Pr 29$_{11}$, הו׳ דִּבָּה in Verruf bringen Nu 13$_{32}$ 14$_{36f}$ Pr 10$_{18}$, = הו׳ שֵׁם רַע עַל Dt 22$_{14.19}$; הו׳ דְּבָרָיו weitersagen Neh 6$_{19}$; הו׳ מִשְׁפָּט d. Recht (d. Wahrheit ?) hinaustragen Js 42$_{1.3}$ (:: Begr. Dtj. 161f: d. Urteil bekannt machen); הו׳ כֶּסֶף עַל Abgaben eintreiben durch Umlegen 2K 15$_{20}$; — HL 8$_{10}$ ↗hof.; 2C 1$_{17}$ l hof.; 23$_{14}$? l וַיְצַו (2K 11$_{15}$).

hof: pf. הוּצָאָה; pt. מוּצֵאת Gn 38$_{25}$ (BL 612 ×) מוּצָאִים/אוֹת; — 1. **herausgeführt werden**: z. Hinrichtung (↗ hif. 1) Gn 38$_{25}$, ins Exil Ez 14$_{22}$ cj 12$_{4}$ (l כְּמוּצָאֵי), Ez 44$_{5}$ mit וּלְכָל־מוּצָאֵי u. entsprechendem מוּבָאֵי „die hineingehen dürfen" u. „die hinausgebracht werden müssen" (Ehrl. BH,

Fohrer :: Zimm. 1114), Am 4_{3} (l תּוֹצֶאנָה) u. Nah 2_{8} (l וְהוּצְאָה), aus d. Exil zurück Ez 38_{8}; ausgeliefert werden Jr 38_{22}; — 2. ausgezahlt werden 2S 18_{22} (l מוּצֵאת pr. מוֹ׳); HL 8_{10} cj כְּמוּצֵאת שָׁלוֹם wie eine, die man gegen Bezahlung hergibt (Rud.); — Ez 47_{8} (l הַמַּיִם הַחֲמוּצִים). †

Der. יוֹצֵא, יָצִיא, מוֹצָא, מוֹצָאָה, צֹאן ?, תּוֹצָאוֹת; צֶאֱצָאִים.

יצב: ja.[t](?) pa. festsetzen; ar. *waṣaba* fest sein (Guill. 4, 7); Wvar. v. נצב (Nöld. NB 183f, JLewy Or. 28, 352[6] :: BL 379 u. Bgstr. 2, 129m, Kö.: נצב urspr.); ↗ יצג:

hitp: (alle übrigen Stammformen zu נצב ?); pf. הִתְיַצְּבוּ; impf. יִתְיַצֵּב/צָּב יִתְיַצֵּב, וַתֵּתַצַּב, אֶתְיַצְּבָה (BL 325f), וַתִּתְיַצֵּב l Ex 2_{4} Sam. :: Blau VT 7, 387, *hitaf'al*); imp. הִתְיַצְּבוּ, הִתְיַצֵּב/צָּבָה; inf. הִתְיַצֵּב: — 1. **sich (fest) hinstellen** Ex 2_{4} 14_{13} 19_{17} 34_{5} Nu 11_{16} 22_{22} $23_{3.15}$ Dt 31_{14} 1S 3_{10} $10_{19.23}$ $12_{7.16}$ 17_{16} 2S 18_{30} 23_{12} Jr $46_{4.14}$ Hab 2_{1} (עַל) Zch 6_{5} Ps 5_{6} 36_{5} 94_{16} Hi 33_{5} 38_{14} (c. cj לָבוּשׁ, al. cj וְתִצְטַבַּע, ↗ Komm., Gradw. 62) 1C 11_{14} 2C 20_{17}, cj וְתִתְיַצְּבִי Ez 26_{20}, c. לִפְנֵי Ex 8_{16} 9_{13} Dt 9_{2} Jos 24_{1} Pr 22_{29} Sir 8_{8} 46_{3}, 2C 11_{13} (c. עַל dienend vor); — 2. **sich einfinden** Dt 31_{14} Ri 20_{2}, c. עַל vor Hi 1_{6} 2_{1}; c. מִנֶּגֶד sich abseits stellen 2S 18_{13}; — 3. **widerstehen** Jos 1_{5} Hi 41_{2}, c. עִם gegen 2C 20_{6}, c. בִּפְנֵי Dt 7_{24} 11_{25}; abs. bestehen 2S 21_{5}; — Ps 2_{2} l יִתְיָעֲצוּ. †

יצג: Formen wie v. נצג, ↗ יצב; Sellin Fschr. Nöld. 707f:

hif. (BL 379t): pf. הִצַּגְתִּיו, הִצִּיגַנִי; impf. וַיַּצֵּג, תַּצִּיג, אַצִּיגָה, וַיַּצִּגוּ; imp. הַצִּיגוּ; inf. הַצֵּג (inf. cs., BL 332t, Solá-S. § 24bis); pt. מַצִּיג: — 1. **hinlegen, abstellen** Gn 30_{38} Dt 28_{56} Ri 6_{37} 1S 5_{2} 2S 6_{17} Jr 51_{34} Hos 2_{5} 1C 16_{1}, cj 2S 15_{24} (l וַיַּצִּגוּ); unterbringen Ri 8_{27}; (jmd) dalassen Gn 33_{15}; — 2. Versch.: a) c. לִפְנֵי vorführen Gn 43_{9} (↗ Rabinowitz, cf. ZAW 74, 87) 47_{2}; b) לְמָשָׁל d. Spott preisgeben Hi 17_{6}; c) מִשְׁפָּט zur Geltung bringen Am 5_{15}; d) אוֹתוֹ לְבָד ihn für sich aufstellen Ri 7_{5}. †

hof: impf. יֻצַּג, pt. מצגת: **hinterlegt werden** Ex 10_{24}, niedergelegt werden Sir 30_{18}. †

I **יִצְהָר**: II צהר (BL 488r): יִצְהָרְךָ: Glanz > **Öl**, Olivensaft; arch. = שֶׁמֶן, Koehler ZAW 46, 218ff, Maag Amos 192f, AuS 4, 255f: — 1. in Reihe m. דָּגָן u. תִּירוֹשׁ: ד׳ תּ׳ י׳ Nu 18_{12}; ד׳ תּ׳ י׳ Dt 7_{13} 11_{14} 12_{17} 14_{23} 18_{4} 28_{51} Jr 31_{12} Hos $2_{10.24}$ Jl $1_{(10)}$ 2_{19} Hg 1_{11} Neh 5_{11} 10_{40} $13_{5.12}$ 2C 31_{5} 32_{28} (cf. EA 324, 13; ARM I 73, 15; VIII 13, R 11ff; Noth AbLAK II 254); תּ׳ י׳ Jl 2_{24} Neh 10_{38}; — 2. Verbindungen: זֵית י׳ 2K 18_{32}; בְּנֵי י׳ d. Gesalbten Zch 4_{14} (:: Rignell, Nachtgesichte des Zch., 1960, 169ff: nach d. kultischen Funktion); cj Hi 20_{17} pr. נַהֲרֵי; ↗ II יִצְהָר. †

II **יִצְהָר**, Sam.[M172] *jaṣār*, G Ισσααρ: n.m. II צהר, Kf. „(Gott) glänzt" (Noth 205, :: Lex.[1]): S. v. קְהָת Ex $6_{18.21}$ Nu 3_{19} 16_{1} 1C 5_{28} $6_{3.23}$ cj 7 $23_{12.18}$; † — Gntl. יִצְהָרִי Nu 3_{27} 1C 24_{22} $26_{23.29}$. †

I **יָצוּעַ***: יצע: mhe. (?) DSS; ? ug. Gray LoC[2] 43[7]: יְצוּעַי, יְצוּעֶיָ: **Lagerstadt** Gn 49_{4} (l יְצוּעַי) Ps 63_{7} 132_{3} Hi 17_{13} 1C 5_{1} Sir 34/31_{18} 47_{20}. †

II **יָצוּעַ**: 1K $6_{5.10}$K: ↗ יָצִיעַ Q. †

יִצְחָק, Sam.[M172] *jēṣāq*, G Ισα(α)κ, Ostr. (RB 65, 410): צחק, Kf. < *יצחקאל, „G. lacht" (↗ I יִפְתָּח), ug. *ʾl jṣḥq* UT nr. 2118 (Noth 210; Stamm Fschr. A. Schädelin, 1950, 33ff); erkl. Gn 17_{17} 18_{12f} :: 21_{6}: **Isaak** S. v. Abraham, V. v. Jakob u. Esau, Gn 17_{19}-50_{24} Ex 2_{24} $3_{6.15f}$ 4_{5} $6_{3.8}$ 32_{13} 33_{1} Lv 26_{42} Nu 32_{11} Dt 1_{8} 6_{10} $9_{5.27}$ 29_{12} 30_{20} 34_{4} Jos 24_{3f} 1K 18_{36} 2K 13_{23} 1C $1_{28.34}$ 16_{16} 29_{18} 2C 30_{6}; ↗ יִשְׂחָק, VG 1, 238f, GB 781b; Meyer Isr. 253ff, Noth ÜSt 113ff, BHH 775. †

יִצְחַר, 1C 4_{7}, n.m.; 1 Q G[B] ↗ וְצֹחַר, K ? יִצְחַר (V, T). †

יָצִיא*: 2C 32_{21}Q מִיצִיאֵי cs. pl. + מִן, K

אוֹ — ist Tf.; BQ מיצאי; מִיצְאֵי = ? (Echter); יצא, BL 471p; mhe. יְצִיאָה Ausgang, akk. *ṣīt libbišu*; 3Q 15, VII 14 יציאת המים Wasserausfluss (DJD III 291f): **hervorgegangen** מִיצִיאֵי מֵעָיו einige seiner leiblichen Söhne 2C 32$_{21Q}$ (מִן 8c: part.), Js 37$_{38}$ u. 2K 19$_{37Q}$ dafür בָּנָיו. †

*יָצִיעַ: 1K 6$_{5.10}$ Q, K II יָצוּעַ: יצע; mhe. יָצִיעַ Hausanbau: tt. archt. ign., gew. Anbau :: Noth Kge 111f: Schicht; — 1K 6$_{6}$ l הַצֵּלָע G. †

cj יָצֹל: n. fl., G Ιασολ, pr ↗ אָצַל: Zch 14$_{5}$, Zufluss d. Kidron v. Ölberg, *W. Jaṣūl*. †

יצע: mhe. hif., ja.[g] pa. (?) af. (Decken) ausbreiten (< he.); ar. *waḍaʿa*, asa. *wḍʿ* (Conti 140a) hinlegen:

hif: impf. יַצִּיעַ, אַצִּיעָה: **sich d. Lager aufschlagen** Js 58$_{5}$ Ps 139$_{8}$. †

hof: impf. יֻצַּע: z. Lager ausgebreitet werden Js 14$_{11}$ Est 4$_{3}$. †

Der. I *יָצוּעַ, יָצִיעַ, מַצָּע.

יצק: mhe.; ug. *jṣq*, ? ph. יצק Gussbild (DISO 110): ↗ II צוק:

qal: pf. יָצַק, יָצַקְתָּ, יָצְקָם; impf. (BL 379s.t.) וַתִּ/וַיִּצֹק (Gn 28$_{18}$ 2S 13$_{9}$), וַיִּצֶק 2K 22$_{35}$, וַיִּצְקוּ 2K 4$_{40}$ :: אֶצָּק־ Js 44$_{3}$ (1QJs[a] אצוק; ? = *אֶצַּק, Wbg-M. JSSt. 3, 251); imp. יְצֹק u. צַק; inf. צֶקֶת; pt. יָצוּק, יְצֻקוֹת, יְצֻ/צוּקִים: — 1. (Speise) **ausschütten** vor 2S 13$_{9}$ 2K 4$_{40f}$; — 2. (Flüssigkeit) **ausgiessen**: שֶׁמֶן Gn 28$_{18}$ 35$_{14}$ Ex 29$_{7}$ Lv 21$_{6}$ 8$_{12}$ 14$_{15.26}$ Nu 5$_{15}$ 1S 10$_{1}$ 2K 4$_{4}$ (עַל in) 9$_{3.6}$, דָּם Lv 8$_{15}$ 9$_{9}$, מַיִם 1K 18$_{34}$ 2K 3$_{11}$ Js 44$_{3}$ Ez 24$_{3}$; metaph. דָּבָר Ps 41$_{9}$ (l יָצְקוּ בִי); רוּחַ Js 44$_{3b}$; — 3. tt. (Metall) **giessen** (BRL 379, BHH 1207) Ex 25$_{12}$ 26$_{37}$ 36$_{36}$ 37$_{3.13}$ 38$_{5.27}$ 1K 7$_{24.30.46}$, gew. cj 15 (וַיִּצֹק pr. וַיָּצַר :: Noth 143), 2C 4$_{3.17}$; metaph. יָצוּק fest Hi 41$_{15.16a.b}$; — 4. **sich ergiessen**: עָפָר Hi 38$_{38}$, דָּם 1K 22$_{35}$; — Hi 28$_{2}$ l hof. יוּצַק; 29$_{6}$ ↗ Komm. †

hif: impf. וַיַּצִּקוּ, וַיַּצִּקֻם; pt. מוֹצֶקֶת 2K 4$_{5Q}$ (? K מְיַצֶּקֶת, SBOT IX 190 od. מֵי׳, BL 383); 1. **ausleeren** Jos 7$_{23}$; — 2. **einfüllen** 2K 4$_{5}$; — 2S 15$_{24}$ l וַיַּצִּגוּ. †

hof: pf. הוּצַק; impf. יוּצַק; pt. מֻ/מוּצָק, מוּצָק: — 1. **ausgeleert, ausgegossen werden**: שֶׁמֶן Lv 21$_{10}$, נָהָר Hi 22$_{16}$ (= ergiesst sich über c. acc.); metaph. חֵן Ps 45$_{3}$; — 2. tt. **gegossen werden** 1K 7$_{16.23.33}$ Hi 37$_{18}$ 2C 4$_{2}$, cj Hi 28$_{2}$ (l יוּצַק); pt. metaph. (↗ qal 3) = fest gegründet Hi 11$_{15}$. †

Der. יְצֻקָה, I מוּצָק, *מוּצָקָה.

*יְצֻקָה: יצק, BL 472v: יְצֻקָתוֹ: (Metall-) **Guss** 1K 7$_{24}$ (↗ Noth Kge. 144). †

יצר: mhe., ug. *jṣr* gestalten, formen; ph. יצר Töpfer (DISO 110); akk. *eṣēru* zeichnen, bilden (AHw. 252); ↗ III צור:

qal: pf. יָצַר/צָר, יְצָרוֹ, יְצַרְתָּם/תִּיו; impf. (BL 379t) אֶצָּרְךָ (Q) אֶצּוֹרְךָ, יִצְּרֵהוּ, וַיִּ(י)צֶר, K ple. Bgstr. 2, 84q) Jr 1$_{5}$; pt. יֹ(וֹ)צֵר, יֹצְרוֹ/רֵנוּ, יֹצְרִי „mich" (BL 343y) Js 49$_{5}$, יֹצְרֵךְ, יֹצְרִים/רֵי: als Töpfer **formen, bilden** (Kelso § 7.9.12-15); THAT 1, 761ff: — 1. v. Menschen: gestalten a) פֶּסֶל Js 44$_{9}$ Hab 2$_{18a.b}$, אֵל Js 44$_{10}$, Metall m. d. Hammer 44$_{12}$; b) metaph. bereiten: עָמָל Ps 94$_{20}$; ↗ יוֹצֵר; — 2. v. Gott: **schaffen, formen**, (d. konkrete ältere Wort für בָּרָא, THAT 1, 763) Menschen Gn 2$_{7f}$ Js 42$_{6}$ (al. !נצר) 43$_{7}$ 45$_{9}$ Jr 1$_{5}$, Tiere Gn 2$_{19}$, Licht Js 45$_{7}$, הָרִים Am 4$_{13}$, אֶרֶץ Js 45$_{18}$ Jr 33$_{2}$, יַבֶּשֶׁת Ps 95$_{5}$, לִוְיָתָן 104$_{26}$, Auge 94$_{9}$, לֵב 33$_{15}$, רוּחַ אָדָם Zch 12$_{1}$, עָם Js 27$_{11}$ 43$_{1.21}$ 44$_{2.21.24}$ 45$_{11}$ 64$_{7}$, Geschicke 2K 19$_{25}$ Js 22$_{11}$ 37$_{26}$ 46$_{11}$, (cf. akk.), Schritte Hi 18$_{7}$ (l יָצַר צְעָדָיו Driv. ExpT 57, 122), Jahreszeiten Ps 74$_{17}$, רָעָה Jr 18$_{11}$, Alles Jr 10$_{16}$ 51$_{19}$; — Am 7$_{1}$ (יֹצֵא; al. יֵצֶר). †

nif: pf. נוֹצַר: **geformt werden** Js 43$_{10}$ Sir 11$_{14}$ 33$_{10}$ 49$_{6}$. †

pu: (d.i. pass. qal, Bgstr. 2, 87c): pf. יֻצָּרוּ **geformt werden** Ps 139$_{16}$; ↗ Komm.; Dahood AnBibl. 10, 34f: l יְמֵי־ם || גָּלְמִי ↗ II מ encl.). †

hof: (d.i. pass. qal, ↗ pu.): impf. יוּצַר

Bgstr. 2, 88d): **geformt werden** (v. Gott) Js 54$_{17}$, ↗ pu., Ps 139$_{16}$. †
Der. I u. II יֵצֶר, יְצָרִים, יִצְרִי, יֹצֵר.

יֹצֵר, יוֹצֵר: יצר pt.; mhe.; ug., ph.; — 1. **Töpfer** (Kelso § 7.10, BHH 2007) 2S 17$_{28}$ Js 29$_{16}$ 30$_{14}$ 41$_{25}$ 49$_{5}$ Jr 18$_{2\text{-}4\cdot6}$ 19$_{1\cdot11}$ Ps 2$_{9}$ Kl 4$_{2}$ 1C 4$_{23}$; (in Königsdienst), **Bildner** v. פֶּסֶל Hab 2$_{18a\cdot b}$ (l יִצְרוֹ, Segert ArchOr. 22, 456f); **Giesser** (z. Einschmelzen v. Metallgeräten zu Barren) 2K 12$_{10\text{-}13}$ (Torrey JBL 55, 24ff, Eissf. KlSchr. 2, 107ff, de Vaux Inst. 1, 314f) Zch 11$_{13}$. †

I **יֵצֶר**: יצר; mhe. u. DSS; ja. יִצְרָא, sy. *jaṣrā* Trieb (< he., Nöld. ZDMG 40, 722): — 1. **Gebilde** Js 29$_{16}$ Hab 2$_{18b}$ (Segert, ArchOr. 22, 458f) Ps 103$_{14}$ (al. zu 2.), cj Js 45$_{9}$ (l הֶחָרִיב יֵצֶר, Begr. Dtj. 43), Götterbilder cj pl. יְצָרִים 45$_{16}$; — 2. **Sinn, Streben** (↗ mhe.): Gn 6$_{5}$ 8$_{21}$ Dt 31$_{21}$ Js 26$_{3}$ (l יִצְרוֹ Hexapla: ιεσρο) 1C 28$_{9}$ 29$_{18}$; ↗ II יֵצֶר (?). †

II **יֵצֶר**, Sam. M109 *jāṣar*: n.m, יצר f *יְצַרְיָה o.ä., „J. schuf" (Noth 172): Gn 46$_{24}$ Nu 26$_{49}$ 1C 7$_{13}$; — Gntl. יִצְרִי 1C 25$_{11}$, cj v. 3 (? l וְיִצְרִי pr. וּצְרִי). †

יְצֻרִים: יצר: יְצֻרַי: abstr. pl. v. *יָצוּר; Glieder od. innere Organe (S) ?, ? Gestalt (Delekat VT 14, 49[3]): Hi 17$_{7}$. †

יצת (Formen wie v. נצת, BL 379t): mhe. hif.; ↗ צות:

qal: impf. יִצַּתּוּ, וַתִּצַּת (BL 383), תִּצַּתְנָה: — 1. c. בְּ etw. **anzünden** Js 9$_{17}$; — 2. בָּאֵשׁ etw. im Feuer **verbrennen** Js 33$_{12}$ Jr 49$_{2}$ 51$_{58}$. †

nif: pf. נִצְּתוּ, נִצְּתָה: — 1. **sich entzünden** (metaph.) חֲמַת י׳ 2K 22$_{13\cdot17}$ Sir 16$_{6}$; — 2. **verbrannt werden** Neh 1$_{3}$ 2$_{17}$, Jr 2$_{15}$ (Q נִצְּתוּ, K נִצְּתָה 3. pl. f. BL 315o, od. נצה nif. sg. GK § 145k; prp. נצה nif., ↗ Jr 9$_{9}$, Rud.), cj Nah 1$_{6}$ (l נִצְּתוּ pr. נִתְּצוּ), cj Jr 51$_{30}$ l נִצְּתוּ pr. הִצִּיתוּ; — Jr 9$_{9}$ l נִצּוּ (↗ נצה nif.). †

hif: pf. הִצִּית, הִצַּתִּי, הִצִּיתוּ; impf. וַיַּצֶּת־, וַיַּצִּ(י)תוּ, תַּצִּיתוּ; imp. הַצִּיתוּהָ 2S 14$_{30Q}$ (K הוציתיה o.ä., Bgstr. 2, 130m); pt. מַצִּית: — 1. c. בָּאֵשׁ **in Brand stecken** Jos 8$_{8\cdot19}$ Ri 9$_{49}$ 2S 14$_{30\cdot31}$, (stehendes Getreide) Jr 32$_{29}$; — 2. הִצִּית אֵשׁ **Feuer legen**: c. עַל Jr 11$_{16}$, c. בְּ Jr 17$_{27}$ 21$_{14}$ 43$_{12}$ 49$_{27}$ 50$_{32}$ Ez 21$_{3}$ Am 1$_{14}$ Kl 4$_{11}$; — Jr 51$_{30}$ l.c. GTV נִצְּתוּ. †

יקב: (?) mhe.[2] pi. aushöhlen, sonst ↗ נקב; Nöld. NB 187f, BL 379t: Der. יֶקֶב.

יֶקֶב: יקב; mhe.; ar. *waqb* Vertiefung, Loch: יֶקֶב, יִקְבֶךָ Ⓑ ־בְךָ, GK § 93k, BL 581), יִקְבֵי, יְקָבִים: **d. Kelteranlage** f. Wein u. Öl, meist 2 in d. Felsen gehauene u. durch e. Rinne verbundene Becken, ↗ גַּת ἡ ληνός, u. יֶקֶב ὑπολήνιον (AuS 4, 291ff, BRL 538f, BHH 939): — 1. d. **untere**, d. Sammelbecken (:: גַּת) Js 5$_{2}$ (חָצֵב) Jr 48$_{33}$ Jl 2$_{24}$ 4$_{13}$ Hg 2$_{16}$ Pr 3$_{10}$; — 2. wie sonst גַּת, d. **obere**, d. Tretbecken, bzw. d. Gesamtanlage, יְקָבִים Js 16$_{10}$ Hi 24$_{11}$; גֹּרֶן || י׳ Nu 18$_{27\cdot30}$ Dt 15$_{14}$ 16$_{13}$ 2K 6$_{27}$ Hos 9$_{2}$; — 3. in nn. l.: a) י׳ זְאֵב (:: Borée 92[1]) am Jordan Ri 7$_{25}$, ↗ בֵּית בָּרָה; b) יִקְבֵי הַמֶּלֶךְ b. Jerus. Zch 14$_{10}$ (Dalm. JG 135, Simons 208[2]). †

***יְקַבְצְאֵל** Ⓑ, Ⓛ et al. וּבִיקַּבְ׳ (dag. dir.?), al. וּבִיקַבְ׳ et וּבִקְ׳, (Ginsburg, OT Diligently Revised, 1926, IV 740); קבץ pi. + אֵל; > ↗קַבְצְאֵל (Jos 15$_{21}$; cf. Noth 27[1]) > Κασβεηλ G; eig. n. pers: Neh 11$_{25}$, im Negeb, Abel 2, 411, GTT § 803. †

יקד: mhe.[2]; aam. u. äga. (DISO 110), ba. ja. cp. sy. md. (MdD 193a); ar. *waqada* brennen, asa. *mqdn* (ZAW 75, 310) Altarherd; akk. *qādu* anzünden; ? aLW:

qal: impf. יֵקַד (BL 383), וַתִּיקַד; pt. יֹקֶדֶת: **brennen** Dt 32$_{22}$ Js 10$_{16}$ 65$_{5}$. †

hof: (:: Bgstr. 2, 126d: qal ?): impf. תּוּקַד: **angezündet** werden Lv 6$_{2\cdot5f}$ Jr 15$_{14}$ 17$_{4}$. †

Der. מוֹקֵד, יְקוֹד, יָקָד.

יְקֹד u. cj *יְקוֹד Ps 37$_{20}$ (cs., 1QJs[a] 10$_{16}$ beidemal def., ↗ Wbg-M. JSSt. 3, 251):

יקד, BL 468a: **Brand** Js 10_{16} u. cj Ps 37_{20} (1 כִּיקֹד כָּרִים [כּוּר] pr. כִּיקַר). †

יָקְדְעָם, G^B Ιαρικαμ, G^A Ιεκδααμ, V *Jercaam*: n.l. im Negeb; cf. יָקְנְעָם u. יָרְקְעָם: ? עם + vb. יקד; ? < יָרְקְעָם 1C 2_{44}, cf. G^BV (Borée 99, Abel 2, 365, GTT § 319 Ce, Noth Jos² 98 :: Rud. Chr. 18): Jos 15_{56}. †

יקה: ar. *waqiha* gehorchen, asa. *wqh* befehlen, pass. gehorchen (Conti 140a); akk. *utaqqū* (*wqī*, vSoden GAG § 93d, 106 o) gehorsam achten auf, warten; gehorchen. Der. *יְקָהָה.

יקה: ug. *jqj* UT nr. 1143, CML 165a schützen, hegen (:: Aistl. 874: fürchten); ar. *wqj* (sich) schützen, asa. (Conti 140a), äth. schützen, tigr. (Wb. 439) nützen. Der. יָקֶה (?).

יָקֶה, or. יָקֶא: n.m., יקה? (BL 465f); „vorsichtig" (Noth 228), ? sab. יקהמלך (Ryckm. 1, 226); ƒ Gemser 103, Sauer 96f: Pr 30_1. †

***יְקָהָה**, od. יְקָהָה: יקה: cs. יִקְּהַת, לִיקְּהַת (Ⓑ לִיקְ׳, BL: 600j, Bgstr. 1, 105t): **Gehorsam** (:: Horst OLZ 33, 1: Befehl; aber betr. Ilmuqah ƒ WbMy. 1, 492, RAAM 242f, u.ö.) Gn 49_{10} (GSV תִּקְוַת); — Pr 30_{17}, G γῆρας (gew. לְזִקְנַת), 1 לַהֲקַת od. לְהִיקַת Alter, äth. *lehqa* alt, ar. *lahaqa* weissharig sein (WThomas OTMSt. 243, Gemser 114), ƒ 23_{22}; ƒ *לַהֲקָה. †

יָקוּד: יקד, BL 472 ×; ar. *waqūd*: **Feuerstelle** Js 30_{14}. †

[**יָקוֹט**, Hi 8_{14}: קוט od. קטט ?; pr. אֲשֶׁר־יָקוֹט 1 קִשְׁרֵי קַיִט Sommerfäden (Saadia, ƒ קַיִץ), al. קְשָׁרִים; ƒ Tur-S. Job 150. †]

יְקוּם: קום, BL 488r; ja.ᵗ: הַיְקוּם (BL 262c): **Bestand** (an Lebendigen) Gn $7_{4.23}$ Dt 11_6. †

יָקוּשׁ Ps 91_3 u. Pr 6_5, **יָקוֹשׁ** Hos 9_8; יקשׁ, BL 472 u. 470k; ug. pl. **jqšm* (Eissf. FuF. 28, 83b; UT nr. 1145): יְקוּשִׁים: **Vogelsteller** (Gilde) Jr 5_{26} Hos 9_8 Ps 91_3 Pr 6_5. †

יְקוּתִיאֵל: n.m.; *קות + אֵל, „El ernährt" (Noth 203.35f), ƒ יְקַתְאֵל: Nachk. v. Juda 1C 4_{18}. †

cj **יקח**: ar. *waqiḥa* unverschämt sein: **hif**: impf. 1 וַיַּקַּח pr. וַיִּקַּח: sich unverschämt benehmen, **sich vermessen** Nu 16_1 (Driv. WdO 1, 235f, Noth Num. 104, cf. Barr CpPh. 17f. 271). †

יָקְטָן, Sam. ^BCh. 3,173^ *Jiqṭan*; ? pun. יקט (PNPhPI 129); (n.m.) n.p.; ar. *juqẓān* wachsam (ƒ יקץ, ƒ ט aramais.): V. v. חֲצַרְמָוֶת Stammvater d. Stämme Jemens; ƒ מֵשָׁא, יָקְשָׁן; Meyer Isr. 244, Mtg. ArBi. 37ff, GTT § 136: Gn $10_{25f.29}$ 1C $1_{19f.23}$. †

יָקִים: n.m.; קום hif.; Kf. (Noth 200f: aufrichten) „(J) liess wiedererstehen", ƒ יְקַמְיָה (Stamm HEN 420 :: Koehler ZAW 36, 27f: „lässt im Gericht aufstehen"); amor. *Jaqim* (Syr. 19, 111, RépMari 146, Huffm. 259): — 1. 1C 8_{19}; — 2. 1C 24_{12}. †

יַקִּיר: יקר, BL 479 o; mhe. geehrt, ja., schwer, ja. pehl. äga. (DISO 110), ba. sam. (BCh. 2, 488a) sy. md. (MdD 187a); ? aLw.; **teuer, wert** Jr 31_{20} (בֵּן). †

יְקַמְיָה, or. יְקַמְיָה (MTB 78), G^B Ιεχεμειας, G^A Ιεκομιας: n.m.; קום, ƒ יָקִים, (Noth 200: ? 1 יָקִ׳); יקמיהו Dir. 210, Mosc. 54, 8; asa. יקמאל (Conti 230b): — 1. 1C 2_{41}; — 2. 1C 3_{18}. †

יְקַמְעָם, or. יְקַמְעָם (MTB 78), G^B Ικεμιας u. Ιοκομ, G^A Ιεκεμια: n.m.; ƒ יְקַמְיָה: „ʿAm (: II עַם!) rette/tete" (Noth 76f.200, :: Stamm HEN 419): Priestergeschlecht 1C 23_{19} 24_{23}. †

יָקְמְעָם, (or. יָקְמְעָם) 1C 6_{53} u. יָקְמֳעָם (BL 111m) 1K 4_{12}: n.l.; קום + II(?) עַם (Borée 100): — 1. 1K 4_{12} = ƒ יָקְנְעָם, in Zebulon Jos 21_{34}, Abel 2, 365f, GTT § 337, 37, Noth Jos. 115 (:: GTT § 1607^271^) = *T. Qaimūn* 28 km s. Haifa; — 2. Levitenstadt in Efraim 1C 6_{53}, G Ι(ε)κμααν, = קִבְצַיִם Jos 21_{22} (Noth Jos. 128), ? = *Qūṣēn* w. Nablus, Abel 2, 73.417, GTT § 337, 16, Mazar VT Su. 7, 198. †

יָקְנְעָם, G Ιεκνα(α)μ: n.l., Levitenstadt in Zebulon; äg. *ʿnqnʿm* (ETL 202), ZDPV 61, 55; Jos 12$_{22}$ 19$_{11}$ 21$_{34}$ = יָקְמְעָם 1. †

יקע: ? Nf. v. נקע :: Nöld. NB 198; Joüon Bibl. 7, 285f; ar. *qaʿqaʿa* knacken (b. Fussvertreten), *waqaʿa* fallen, II verwunden (Kamelrücken); äth. tigr. (Wb. 439a) *waqʿa* schlagen:

qal: impf. תֵּקַע u. וַתֵּקַע (BL 378o): — 1. **sich m. e. Ruck abwenden** (aus Liebesüberdruss) Jr 6$_{8}$ Ez 23$_{17f}$; — 2. (Hüftgelenk) **verrenken** Gn 32$_{26}$ (G ναρκάειν unbeweglich, gefühllos werden). †

hif: pf. הוֹקַעֲנוּם; impf. וַיֹּקִיעוּם; imp. הוֹקַע: (tot ?) **m. gebrochenen Gliedern aussetzen** (al. pfählen, rädern, ↗ Kapelrud, Fschr. Mow. 119f) Nu 25$_{4}$, נֶגֶד הַשָּׁמֶשׁ ↗ (G παραδειγματίζειν), 2S 21$_{6}$ c. לי׳, u. $_{9}$ c. לִפְנֵי י׳ (G ἐξηλιάζειν), e. Leiche cj 1S 31$_{10}$ (l הוֹקִעוּ pr. תָּקְעוּ); akk. *ina zaqīpi zuqqupu* u.a. am Pfahl aufspiessen (CAD Z 54b. 58), ba. זקף (J Jelitto, Peinliche Strafen d. Bab. u. Ass., 1913, 14ff, Barrois 2, 84f, de Vaux Inst. 1, 244f cf. תלה; GKuhn ZAW 39, 272f; BHH 1435). †

hof: pt. מוּקָעִים: (tot) **m. gebrochenen Gliedern ausgesetzt sein** (G ἐξηλιασμένοι) 2S 21$_{13}$; cf. $_{14}$ G^{LBA}. †

[**יָקְפָּאוֹן**] Zch 14$_{6}$: l וְקִפָּאוֹן. †]

יקץ: Nf. v. קיץ; ug. *jqġ* (UT nr. 1144, Rössler ZA 54, 161. 169), ar. *jqẓ*, meh. Gt. *watqaʿaṭ* (WZKM 24, 93^{h}) aufwachen; ? akk. *aqāṣu* hartnäckig sein (AHw. 28a):

qal: impf. (qal. ↗ קיץ hif.) וַיִּ(י)קַץ (Ⓑ וַיִּקַץ 1K 3$_{15}$), וַיִּיקַץ, וָאִיקָץ, יִקְצוּ, Hab 2$_{7}$ (1QpHab: ויקיצו: קיץ hif.; Segert ArchOr. 21, 231): **aufwachen** (↗ עור) Gn 41$_{4.7.21}$ 1K 3$_{15}$ 18$_{27}$; c. מִשְּׁנָתוֹ Gn 28$_{16}$ Ri 16$_{14.20}$, מִיֵּינוֹ Gn 9$_{24}$; Hab 2$_{7}$ (Feinde) u. Ps 78$_{65}$ (Gott) = tätig werden, ↗ RB 60, 315f, Wdgr. SKgt. 66f. † Der. יָקְטָן.

יקר: ug. ↗ יָקָר; mhe. schwer sein, hif. teuer werden, mhe.^{2} pi. ehren; ja.^{tg} schwer, ^{tb} teuer sein, pa.^{tg} u. ja. af. verehren, sam. (BCh. 2, 651a) cp. sy. md. (MdD 193a); ar. *waqura* würdevoll sein, II ehren, akk. (*w*)*aqāru* wertvoll sein:

qal: pf. יָקַרְתִּי, יָקְרָה; impf. יֵ(י)קַר, וַיֵּיקַר (Sec. Ps 49$_{9}$ ουικαρ), תֵּיקַר; THAT 1, 795: — 1. **schwierig sein** Ps 139$_{17}$; — 2. **Gewicht**, **Wert haben** bei יָקַר יְקָר מֵעַל Zch 11$_{13}$; — 3. **selten** (mhe. יוֹקֶר Teuerung), **kostbar sein** Ps 49$_{9}$, c. בְּעֵינֵי (akk. (*w*)*aqāru ina pāni*) 1S 26$_{21}$ 2K 1$_{13f}$ Js 43$_{4}$ Ps 72$_{14}$; — 4. **geehrt sein** 1S 18$_{30}$. †

hif: impf. אוֹקִיר (1QJs^{a} אוקר); imp. הֹקַר: kostbar, **rar machen** Js 13$_{12}$ (אֱנוֹשׁ), c. רֶגֶל* **selten besuchen** Pr 25$_{17}$, cj Pr 25$_{27}$ (G pr. חֵקֶר, Gemser 93). †

Der. יַקִּיר, יָקָר, יְקָר.

יָקָר: יקר; mhe. wertvoll, geehrt; ug. adj. in n.m. *Jaqarum* K. v. Ug. (UT nr. 1144a, PRU III p. XLIf, 260b), amor. *Jaqaru* (Huffm. 214), akk. (*w*)*aqru*: יְקָרָה, יִקְרַת (↗ Mut.), יְקָרִים, יְקָר(וֹ)ת: — 1. **selten** 1S 3$_{1}$ (דְּבַר י׳), Hi 28$_{16}$, אֶבֶן יְקָרָה (akk. *abnu aqartu*) **Edelstein** 2S 12$_{30}$ 1C 20$_{2}$, coll. 1K 10$_{2.10f}$ Ez 27$_{22}$ 28$_{13}$ Da 11$_{38}$ 1C 20$_{2}$ 29$_{2}$ 2C 3$_{6}$ 9$_{1.9f}$ 32$_{27}$, :: אֲבָנִים יְקָרוֹת kostbare (Bau-) Steine 1K 5$_{31}$ 7$_{9-11}$; — 2. a) **kostbar**, **wertvoll** Ps 36$_{8}$ 116$_{15}$ Pr 1$_{13}$ 6$_{26}$ (נֶפֶשׁ יְקָרָה d. liebe Leben, ↗ Gemser) 12$_{27}$ (l הוֹן יָקָר) 24$_{4}$; metaph. Kl 4$_{2}$ (בְּנֵי צִיּוֹן); c. מִן kostbarer als Pr 3$_{15}$ Koh 10$_{11}$; פִּנַּת יִקְרַת מוּסָד Js 28$_{16}$ kostbarer Gründungseckstein (GK § 130f); 1QS VIII, 7 פנת יקר, ↗ Lindbl. Fschr. Mow. 132; Galling Stud. 132^{1} (gegen Lex.^{1}); b) adv. (?) b. הלך herrlich Hi 31$_{26}$ — 3. **edel** (:: זוֹלֵל) Jr 15$_{19}$; — Zch 14$_{6}$ l קָרוּת; Ps 37$_{20}$ l כִּיקֹד כָּרִים; 45$_{10}$? l לִקְרָ(א)תֶךָ (II קרה) pr. בְּיִקְּרוֹתֶיךָ (dag. dir., BL 212k, Ⓑ בִּיקְ׳); Pr 17$_{27}$ l K וְקַר pr. Q יְקַר. †

יְקָר: יקר, BL 470l, aLw. 121; ? ug. *qrt* Ehre (CML 143b :: UT nr. 2278); pehl. palm. (DISO 110), GNbd A 5, אִי/יְקָרָא ja. Ehre, ^{tg}Wert, cp. sam. (BCh. 2, 488a) sy. md. (MdD 356a): cs. יְקָרוֹ ,יְקַר: — 1. **Kostbarkeit**: a) כְּלִי הַיְ׳ kostbares Gerät (GK § 128p) Pr 20$_{15}$; אֶדֶר יְ׳ herrlicher Preis Zch 11$_{13}$; יְקָר תִּפְאֶרֶת גְּדוּלָּתוֹ Est 1$_4$ d. kostbare Pracht u. Grösse; b) coll. Kostbarkeiten Jr 20$_5$ Ez 22$_{25}$ Hi 28$_{10}$; — 2. **Ehrung** Est 6$_{6.7.11}$ 8$_{16}$; c. עָשָׂה 6$_3$; c. נָתַן 1$_{20}$. †

יקשׁ: Nf. v. נקשׁ u. קושׁ (ℱ Dahood ALBiOr. IV 32.36): ug. *jqšm* ℱ יָקוּשׁ; ar. *waqaš* kleine Holzstücke:

qal: pf. יָקֹשְׁתִּי ,יָקְשׁוּ; pt. יוֹקְשִׁים: **Vogel m. Stellholz** (מוֹקֵשׁ) **fangen** (AuS 6, 336f, Gerleman, Bull. Soc. Roy. des Lettres de Lund 1945/46, IV, 1ff, BRL 286ff, BHH 792) Jr 50$_{24}$ Ps 124$_7$ 141$_9$ (11QPs יקושו pr. pf.). †

nif: pf. נוֹקַשְׁתִּי ,נוֹקְשׁוּ; impf. תִּוָּקֵשׁ: **gefangen werden, sich verstricken lassen** Dt 7$_{25}$ Js 8$_{15}$ 28$_{13}$ Pr 6$_2$, cj Ps 9$_{17}$ u. Pr 12$_{13}$ (נוֹקַשׁ) u. Koh 9$_{12}$ (l נוֹקָשִׁים), Sir 9$_5$ 31/34$_7$ 41$_2$. †

pu: pt. יוּקָשִׁים (ohne מְ, ? pass. qal., BL 287 o :: Bgstr. 2, 96^f Tf): **gefangen** Koh 9$_{12}$. †

Der. מוֹקֵשׁ ,יָקוּשׁ ,יָקוֹשׁ; n.m. יָקְשָׁן (?).

יָקְשָׁן, Sam.[M109] *Jiqšan*, G Ιεξαν, Ιεκταν: (n.m.) n.p., יקשׁ ?: S. v. Abraham u. קְטוּרָה, V. v. שְׁבָא u. דְּדָן; ? = יָקְטָן, Meyer Isr. 318, Hö. Erdk. 18 :: Mtg. ArBi. 44: Gn 25$_{2f}$ 1C 1$_{32}$. †

יָקְתְאֵל: n.l., cf. n.m. יְקוּתִיאֵל: — 1. G^A Ιεχθαηλ, in Juda b. Lakiš, Abel 2, 366, GTT § 318 B6; Jos 15$_{38}$; — 2. G^A Ιεκθοηλ, G^B Καθοηλ, neuer Name f. ℱ סֶלַע 2b (Petra) in Edom :: PEQ 98, 123ff; 2K 14$_7$. †

I **ירא** (ca 320 ×): mhe. nur pt. qal., hitp. sich fürchten, gefürchtet werden, mhe.[2] Sir 4$_{30}$ 12$_{11}$; ar. *wa'ara*, jmd erschrecken, tigr. (Wb. 435b) drohen:

qal: pf. יָרֵא ,יָרְאָה ,יָרֵאתִי ,יְרֵאתֶם ,יָרֵאנוּ, יְרֵאוּהוּ/וּנִי; impf. וָאִירָא ,תִּירְאִי/רְאִי ,(וַ)יִּירָא, וַתִּירֶאנָה ,תִּירְאוּן ,וְיִרָאוּן ,וַיִּירְאוּ/רְאוּ ,יִרְאוּ, וַיִּירָאֻנִי ,תִּירָא/אוּם ,יִ(י)רָאוּךָ ,יִרָאֲךָ ,וַנִּירָא, אִירָאֶנּוּ; imp. יְרָא ,יִירְאוּ u. יְראוּ (Jos 24$_{14}$); inf. יְרֹא ,לֵרֹא (1S 18$_{29}$ l לִירֹא > לְרֹא GK § 69n), meist יִרְאָה (BL 317g); pt. ℱ יָרֵא ,יְרֵאֵי: — 1. **fürchten**: c. acc. Gn 32$_{12}$ Ex 9$_{20}$ 2S 3$_{11}$ 1K 1$_{51}$, cj Hi 41$_{26}$ (l אֹתוֹ ··· יִירָא), c. מִפְּנֵי 1K 1$_{50}$; — 2. **Gott fürchten** (Eichr. 2, 184ff, SPlat, Furcht G.s, 1963; Oosterhoff, De Vreze d. Heren, Utrecht, 1949, THAT 1, 765ff), erschauern vor, in Ehren halten, cf. akk. *palāḫu* (AHw 812b): a) J. Ex 14$_{31}$ Dt 6$_2$ Jos 22$_{25}$ 24$_{14}$ (40 ×); c. אֱלֹהִים Gn 22$_{12}$ (ev. ? pt.) 42$_{18}$ Ex 1$_{17}$ Ps 52$_8$ (cj c. 3 MSS S וְיִשְׂמְחוּ) 55$_{20}$; inf. c. אֵת Dt 4$_{10}$ 5$_{29}$ (17 ×), cj Jos 4$_{24}$ (l יִרְאָתָם); c. מִלִּפְנֵי Koh 3$_{14}$ 8$_{12f}$ (THAT 1, 776); b) Götter Ri 6$_{10}$ 2K 17$_{7.35.37f}$; c) Heiligtum Lv 19$_{30}$ 26$_2$; d) Vater u. Mutter Lv 19$_3$ (Ell. 256); — 3. **sich fürchten**: a) abs. Gn 3$_{10}$ Dt 20$_3$ cj 1K 19$_3$ Jr 17$_8$ (1 K יִרָא); b) אַל־תִּירָא fürchte dich nicht! (bei Theophanie, Offenbarungsformel, Koehler Schweiz. Theol. Ztschr. 1919, 33ff; aram. אל תזחל Zkr A 13, KAI 202; akk. *lā tapallaḫ* AHw. 812b; äg.; THAT 1, 771ff) Gn 15$_1$ 21$_{17}$ (fem.) 26$_{24}$ cj 28$_{13G}$ 46$_3$ Jos 8$_1$ Ri 6$_{23}$ Lk 1$_{30}$ 2$_{10}$; prof. Beruhigungsformel (Lande 92ff) Dt 20$_3$ 31$_6$ Jos 11$_6$ 2K 6$_{16}$; c) sich fürchten zu: α) c. לְ c. inf. Gn 19$_{30}$ Nu 12$_8$ 2S 1$_{14}$, β) c. מִן c. inf. Ex 3$_6$ 34$_{30}$ 1S 3$_{15}$; — Hab 3$_2$ l רָאִיתִי; Zef. 3$_{15}$ l תִּרְאִי Ⓑ (ראה); Ps 49$_6$? l תִּרְאֶה u. 49$_{17}$ תֵּרֶא u. 64$_5$ יֵרָאוּ, 56$_4$ l אֶקְרָא (v. 10).

nif: impf. תִּוָּרֵא; pt. נוֹרָא ,נוֹרָאָה, נוֹרְאוֹת ,נוֹרְאֹתֶיךָ: — 1. **gefürchtet, in Ehren gehalten werden** (Gott) Ps 130$_4$; — 2. pt. a) **gefürchtet** עַם Js 18$_{2.7}$, גּוֹי Hab 1$_7$; b) **fürchtenswert, furchtbar**; יְ׳ Ex 15$_{11}$ (c. תְּהִלֹּת an) Zef 2$_{11}$ Ps 76$_{13}$ 96$_4$ 1C 16$_{25}$ cj Ps 76$_5$, אֵל Dt 7$_{21}$ 10$_{17}$ Ps 89$_8$ Da 9$_4$ Neh 1$_5$ 9$_{32}$, אֱלוֹהַּ Hi 37$_{22}$, אֲדֹנָי Neh 4$_8$, יְ׳ עֶלְיוֹן Ps 47$_3$, אֱלֹהִים Ps 66$_5$ 68$_{36}$ 76$_8$ (אַתָּה!); אִישׁ אֱלֹ׳ Ri 13$_6$; Gottes שֵׁם Dt 28$_{58}$ Mal 1$_{14}$ Ps 99$_3$ 111$_9$; יוֹם יְ׳ Jl 2$_{11}$ 3$_4$ Mal 3$_{23}$,

מָקוֹם Gn 28_{17}; J.s Tun Ex 34_{10} Ps 66_{3} Sir 43_{2}; c) נוֹרָאוֹת Gottes furchtbare Taten (GK § 122q): Dt 10_{21} 2S 7_{23} Js 64_{2} Ps 65_{6} (acc. mit furchtbaren Taten; (GK § 117gg) 106_{22} 145_{6} 1C 17_{21}; d. Königs Ps 45_{5}; d) **furchterregend**: מִדְבָּר Dt 1_{19} 8_{15}, קֶרַח Ez 1_{22}, אֶרֶץ Js 21_{1}; e) adv. (GK § 118p) in furchtbarer Weise Ps 139_{14} (G θαυμαστῶς, Dho.; cj נוֹרֵאתָ Gkl. Echter). †

pi: pf. יִרְאֻנִי; inf. יְרָאֲנִי, יְרָאָם; pt. מְיָרְאִים: **einschüchtern, Angst machen** 2S 14_{15} (Gordis JSSt. 11, 38f) Neh6_{9} (Jenni 83) $_{14.19}$ 2C 32_{18}. †

Der. יָרֵא, יִרְאָה, מוֹרָא.

II ירא: ↗ I ירה qal hif.; — III ירא ↗ II ירה hof.

יָרֵא: I ירא, auch pl. BL 318p; mhe.: cs. יְרֵא, יְרֵאִים, יִרְאֵי, יְרֵאָיו, f. יִרְאַת, or. יְרֵאַת (MTB 73, 597g): — 1. **in Furcht vor**: a) c. acc. c. אֵת α) vor Menschen Gn 32_{12} Da 1_{10}; β) vor Gott: אֱלֹהִים (THAT 1, 776) Gn 22_{12} 42_{18} Ex 18_{21} Ps 66_{16} Hi $1_{1.8}$ 2_{3} Koh 7_{18} 8_{12} Neh 7_{2}; vor י׳ (THAT 1, 774) 1K $18_{3.12}$ 2K 4_{1} 17_{32} Jr 26_{19} Jon 1_{9} Ps $34_{8.10}$ 112_{1}, cj Ps 90_{11} (1 וּמִי יָרֵא [רֹאֶה] תֹּךְ); b) c. gen: יְרֵא י׳ Js 50_{10} Ps 25_{12} $128_{1.4}$ Pr 14_{2}; pl. יִרְאֵי י׳ (mhe. יִרְאֵי שָׁמַיִם; NT σεβόμενοι/φοβούμενοι θεόν, Schürer 3, 174; im AT noch nicht Proselyten, Johnson, SKsh. 124[3], THAT 1, 774f) Mal 3_{16} Ps 15_{4} 22_{24} $115_{11.13}$ 118_{4} 135_{20}; אִשָּׁה יִרְאַת י׳ Pr 31_{30} (pr. urspr. נְבוֹנָה, Rüger WdO 5, 96ff); c. sf. Ps 22_{26} 25_{14} 31_{20} 33_{18} 60_{6} 85_{10} $103_{11.13.17}$ 111_{5} cj 119_{38} (1 לִירֵאֶיךָ?)$_{.74.79}$ 145_{19} 147_{11}; c. שֵׁם sf. Mal 3_{20} Ps 61_{6}, c. דְּבַר י׳ Ex 9_{20}, מִצְוָה Pr 13_{13}; c) c. מִן Dt 7_{19} Jr $42_{11.16}$; — 2. **furchtsam** Dt 20_{8} Ri 7_{3} 1S 23_{3}. †

יִרְאָה: I ירא; inf. f. (BL 317g) > sbst.; mhe.: יִרְאַת, יִרְאָתוֹ: — 1. **Furcht**: יִרְאַת שָׁמִיר F. vor Dornen Js 7_{25}, יִרְאָתְךָ F. vor dir Dt 2_{25}, יָרֵא יִרְאָה Jon $1_{10.16}$ Ez 30_{13}, cj יִרְאָתָם die F., die sie haben [יִרְאָה]אֶת Jos 4_{24}; — 2. **Gottesfurcht** (G ↗ Seeligm. 103, JHänel, Rel. d. Heiligkeit, 1931, 16ff, = „Religion" Pfeiffer IEJ 5, 41ff) יִרְאַת אֱל׳ Gn 20_{11} 2S 23_{3} Neh 5_{15}, cj 2C 26_{5}; יִרְאַת י׳ Js 11_{2f} 33_{6} Ps 19_{10} 34_{12} 111_{10} Pr $1_{7.29}$ 2_{5} 8_{13} 9_{10} 10_{27} 14_{26f} $15_{16.33}$ 16_{6} 19_{23} 22_{4} 23_{17} 2C 19_{9}; יִרְאַת שַׁדַּי Hi 6_{14}, י׳ אֲדֹנָי Hi 28_{28}; י׳ אֱלֹהֵינוּ Neh 5_{9}, c. sf. vor (ihm) Ex 20_{20}, Js 63_{17} Ps 5_{8}, Jr 32_{40}, cj c. שִׁמְךָ Mi 6_{9}; abs. יִרְאָה Hi 15_{4}, יִרְאָתְךָ deine G. Hi 4_{6} 22_{4}; עִבְדוּ בְּיִר׳ Ps 2_{11}, יִר׳ וָרַעַד 55_{6}; — ? Ez 1_{18}; Ps 19_{10} l אִמְרַת :: THAT 1, 778; 90_{11} ? l וּמִי יָרֵא (רֹאֶה) תֹּךְ; 119_{38} l לִירֵאֶיךָ. †

יִרְאוֹן: n.l. in Naftali; G[A] Ιαριων, = *Jārūn*, 15 km sw. Hulesee (Abel 2, 351, GTT § 335, 12): Jos 19_{38}. †

יִרְאִיָּה: n.m. ראה + י׳ (Noth 198), < יִרְאִיָּה Noth 27[1]): Jr 37_{13f}. †

ירב cp. sy.:: naram. (Bgstr. Gl. 74, Spitaler 171f); Nf. v. רבב u. רבה, HeWf, 333. Der. יָרֵב (?) יְרֻבַּעַל (?).

יָרֵב, G[B] Ιαρειμ: מֶלֶךְ יָרֵב Hos 5_{13} 6_{10}, d. ass. König, „d. Grosse", ug. *mlk rb* (UT nr. 2297), הַמֶּלֶךְ הַגָּדוֹל 2K 18_{19}, ass. *šarru rabū*: adj. v. ירב, (Barr CpPh 123), od. v. ריב „König Streithahn", daraus deform. od. Wtsp. (Rud. 124). †

יְרֻבַּעַל, יְרֻבַּעַל; G[B] Αρβααλ < *Ια-: n.m., erkl. Ri 6_{31f} (!); ירב ? Nf. v. ריב, „Baal streite (für mich)", Baud. Kyr. 3, 91f od. v. רבה „B. zeige sich gross" (Noth 206f); asa. saf. רבאל (Ryckm. 2, 122); ? = Ἰερομβαλος Phil. v. Bybl. § 2, = ירמבעל, Eissf. KlSchr. 2, 186[3] :: R. Duss. RHR 105, 247; 118, 154; Albr. VSzC 447, RI 128: **Jerubbaal**, zweiter Name Gideons (Eissf. Fschr. WThomas 78) Ri 6_{32} 7_{1} $8_{29.35}$ 9_{1-57} 1S 12_{11}; deform. ↗ יְרֻבֶּשֶׁת 2S 11_{21}; BHH 820. †

יָרָבְעָם, spr. *Jārob'ām* (cf. יָשָׁבְעָם, al. *Jorob-* ZAW 34, 234f), or. יָרָ׳ MTB 78, GV Ιεροβοαμ; Dir. 226: n.m., ? עָם Onkelgott od. ? deform. < יְרֻבַּעַל, „Baal zeige sich gross" (Noth 206f ↗ Stamm HEN 418f:: Albr. RI 230[59] „gebe Wachstum" :: Stamm Fschr. Albr. 1971, 443: ריב/רוב „Onkel-(gott) hat Recht geschafft": **Jerobeam**: — 1. d. 1. König v. Isr. (BHH 819, Seebass WdO 4, 163ff.) 1K 11₂₆-22₅₃, 2K 3₃-23₁₅ 2C 9₂₉-13₂₀; — 2. Jerobeam II, (BHH 820) 2K 13₁₃ 14₁₆.₂₃.₂₇-₂₉ 15₁.₈ Hos 1₁ Am 1₁ 7₉-₁₁ 1C 5₁₇. †

יְרֻבֶּשֶׁת: n.m., G^L Ιεροβααλ, G^BA Ιεροβοαμ; deform. < יְרֻבַּעַל (בֹּשֶׁת pr. בֹּשֶׁת, ? via *Bes*, n.d. aeg., H. Bonnet, Reallex. d. aeg. Religionsgesch. 101ff, Casp. ZAW 35, 173f) 2S 11₂₁. †

ירד (ca. 360 ×): mhe.; ug. *jrd*, (impf. *ʾrd*, imp. *rd*) (UT nr. 1150, Aistl. 1238); Lkš, ph. mo. (DISO 111); aram.; mhe. יורדת Bach v. e. Berg fliessend; sy. *jardā* Kanal, akk. *(w)arādu (w)arittu* > ja.^tb אֲרִתָּא; ar. *warada* u. asa. *wrd* ankommen; äth. tigr. (Wb. 435b) z. Wasser hinabsteigen:

qal: pf. יָרַד/יָרֵד, 2. f. יָרַדְתִּי Rt 3₃K (BL 310k); impf. (BL 378 o) וַיֵּרֶד/רַד יֵרֵד u. וָאֵרֵד, (וַ)תֵּרֶד, תֵּרֶד/רַד/רֶד (BL 233j), יֵרְדוּ, אֵרְדָה אֵרֲדָה (Gn 18₂₁, BL 208s), נֵרְדָה נֵרֵד, תֵּרַדְנָה; imp. רֵד, רְדָה, רְדָה, רְדִי/דוּ; inf. (מִ/לָ/בְּ)רֶדֶת,(,) בְּרִדְתִּי (Sec. βρεδεθι, Brönno 57 :: BM 3, 70), מִיָּרְדִי Ps 30₄Q, יֹ(ו)רֵד, יֹרְדָה, יֹ(ו)רְדִים/דוֹת; pt. יָרֹד; יֹ(ו)רְדֵי (c. מִן Ps 30₄ Sec. μεϊωρδη): — 1. wie ug. meist **hinab-**, gelegentlich **hinaufgehen**: וְיָרַדְתִּי עַל־הֶהָרִים Ri 11₃₇ ebenso 1₉ 15₈ 2S 5₁₇ 2K 2₂ 6₁₈ 1C 11₁₅; יֹרֵד בַּבֶּכִי Js 15₃ weinend auf u. nieder (?), al. in Tränen zerfliessend): Grbd. **steigen** als vox media, Eissf. BZ 3³, Driv. ZAW 69, 74ff, Galling ZThK 53, 136, akk. Wilson JSSt 7, 173f, äth. Parallele, Lesl. ZAW 74, 322f; Barr CpPh. 174f :: Rud. z. Rt 3₃; — 2. **hinabgehen**: a) herabkommen: הַגֶּשֶׁם וְהַשֶּׁלֶג Js 55₁₀, בָּרָד Ex 9₁₉, מָן, טַל Nu 11₉, שֶׁמֶן Ps 133₂a, אֵשׁ 2K 1₁₀; b) hinabsteigen: z. Quelle Gn 24₁₆, z. Fluss Ex 2₅, cj Ri 3₂₈ (l רְדוּ); hinabgehen: nach Äg. Gn 12₁₀; vom Berg Ex 19₁₄, v. Altar Lv 9₂₂ (↗ Ell. Lev. 130), zu d. Toren Ri 5₁₁, in d. Garten HL 6₂; abs. cj Ri 5₁₃ (l יָרַד) 1S 25₂₃; niedersinken z. Schlachtung Jr 48₁₅ untersinken (Stein) Ex 15₅, herabhangen (זָקָן) Ps 133₂b (↗ Komm., u. a.), Schiff besteigen c. בְּ Jon 1₃, (akk. VAB VI 295), c. מִן aussteigen Ez 27₂₉, יוֹרְדֵי הַיָּם d. Meer befahren Js 42₁₀ (txt?) Ps 107₂₃ Sir 43₂₄; v. Bett aufstehen 2K 1₄; — 3. J. kommt herab in Theophanie (↗ Schnutenhaus ZAW 76, 5f, J Jeremias WMANT 10 passim) Gn 11₅ Ex 3₈ 19₁₁.₁₈.₂₀ Nu 11₁₇.₂₅ 2S 22₁₀ Js 31₄ 63₁₉ Ps 18₁₀ 144₅ Neh 9₁₃; — 4. d. Tote: c. שְׁאֹלָה Gn 37₃₅ Nu 16₃₀.₃₃ Ez 31₁₅-₁₇ 32₂₇ Ps 55₁₆ Hi 7₉, c. עָפָר Ps 22₃₀, c. שַׁחַת 30₁₀ Hi 33₂₄, c. מָוֶת Pr 5₅; ↗ יוֹרְדֵי־בוֹר (cf. ug. *jrdm ʾrṣ*) Js 38₁₈; c. אֶל־אַבְנֵי בוֹר Js 14₁₉; c. דוּמָה Ps 115₁₇; — 5. Versch.: herabkommen: Böses מֵאֵת י' Mi 1₁₂; מֵאֵת fortziehen Gn 38₁, c. אֶל demütig kommen Ex 11₈, הַיֹּרֵד בַּמִּלְחָמָה 1S 30₂₄Q (K ↗ hof.) der am Kampfe teilnimmt (:: הַיֹּשֵׁב עַל הַכֵּלִים); (Grenze) zieht sich hinunter nach Nu 34₁₁f; (belagerte Stadt) fällt Dt 20₂₀; (Mauer) stürzt ein Dt 28₅₂; (Kämpfende) fallen 1S 26₁₀ Hg 2₂₂; herunter müssen, fallen Js 5₁₄ Ez 30₆; (Wald) sinkt zu Boden Js 32₁₉ Zch 11₂; (Schatten) senkt sich 2K 20₁₁ Js 38₈; (Tag) neigt d. Ende zu Ri 19₁₁ (l יָרַד pr. רַד :: Driv. ↗ רוד); תֵּרַד עֵינִי דִּמְעָה m. Auge zerfliesst in Tränen Jr 13₁₇ Kl 1₁₆ 3₄₈, pl. Jr 9₁₇ 14₁₇; c. מַיִם Ps 119₁₃₆ Kl 1₁₆ 3₄₈; — 1S 20₁₉ l תִּפָּקֵד; ? 2K 12₂₁ ↗ Mtg-G. 433; Ez 31₁₂ l וַיִּדְּדוּ (נדד).

hif: pf. הוֹרִד, הוֹרִידוּ, הוֹרַדְתֶּם/נוּ, וַיֹּרִדֵהוּ, וַיֹּ(ו)רֶד; impf. הוֹרַדְתִּיךָ, הוֹרִדֵהוּ, הוֹרֵד, תּוֹרֵד, וַתּוֹרִדֵם, יוֹרִידוּ, וַיּוֹרִידוּם; imp. הוֹרֵד, הוֹרִדֻמוֹ (BL 339v, 256p), הוֹרִידִי/דוּ; inf. הוֹרִיד, הוֹרִדִי; pt. מוֹרִיד: — 1. **hin** /

herabbringen Gn 37$_{25}$ Dt 1$_{25}$; hinabführen Dt 2$_{14}$ Ri 7$_{4}$, herabnehmen Gn 24$_{18}$ Nu 4$_{5}$, hinunterlassen Jos 2$_{18}$ (l הוֹרַדְתִּינוּ) 1S 19$_{12}$; c. מִן 1K 5$_{23}$, c. מֵעַל 2K 16$_{17}$; in d. Scheol hinabsteigen lassen (↗ qal 4) Gn 42$_{38}$; — 2. **hinabstürzen** Ps 56$_{8}$ 59$_{12}$, cj Hi 30$_{19}$ (l הוֹרִדַנִי) עֹז, Bollwerk Am 3$_{11}$ Pr 21$_{22}$, מִשְׁכָּן abbrechen Nu 1$_{51}$, Schiffe versenken Js 43$_{14}$ (cj בְּרִיחֶם, ↗ VI בַּר, Dahood SPag. 1, 275f :: Komm.); — 3. Regen fallen lassen Ez 34$_{26}$, Geifer triefen lassen 1S 21$_{14}$, Tränen fliessen lassen Kl 2$_{18}$, Kopf hängen lassen Kl 2$_{10}$; c. תַּחַת Völker unterwerfen 2S 22$_{48}$; — Js 10$_{13}$?, cj וְאָרִד (: רדה); Am 3$_{11}$? l הוּרַד; Ez 32$_{18}$? ↗ Zimm. 775).

hof: pf. הוּרַד (Ⓑ 1S 30$_{24K}$, Q ↗ qal. 5), הוּרַדְתָּ; impf. תּוּרַד: — 1. **hinabgebracht werden** Gn 39$_{1}$, in die Scheol (↗ hif. 1) Js 14$_{11.15}$ Ez 31$_{18}$; מִשְׁכָּן abgebrochen werden Nu 10$_{17}$; — 2. metaph.: **gestürzt werden** Zch 10$_{11}$ (עֹז), cj Am 3$_{11}$ pr. hif. †

Der. יֶרֶד, מוֹרָד (?).

יֶרֶד, יָרֶד: Sam.^{M110} jāred, G Ιαρεδ/τ, NT Ιαρετ: n.m., ? DJD III 118, 18.1; asa. *Wrd* (ZAW 75, 310; ? < akk. *(w)ardu* Sklave, *Wardum* (↗ GB!, Ranke 177); eig. Kf. (+ n.d., Stamm 262f), „Sklave v.", aber bei 1. von ירד her diffam. verstanden: — 1. S. v. מַהֲלַלְאֵל, V. v. חֲנוֹךְ Gn 5$_{15f.18-20}$ 1C 1$_{2}$; GnAp. 3, 3 = ↗ עִירָד Gn 4$_{18}$, S. v. חֲנוֹךְ; — 2. S. d. äg. Fr. d. מֶרֶד 1C 4$_{18}$ (↗ Rud. Chr. 35). †

יַרְדֵּן: Ps 42$_{7}$ Hi 40$_{23}$, sonst הַיַּרְדֵּן u. הַיַּרְדֵּנָה (177 ×): n. fl.; mhe. ja.^{t} יַרְדְּנָא, ja.^{g} 'יר; Sam.$^{BCh\ 3,173}$ *Jardan*, sy. *Jord^{e}nan*, md. (MdD 187a, KRud. 1, 62ff) *Jardna*, ar. *al-Urdunn* (EnzIsl. 4, 1115f), G Ἰορδάνης, gr. Ιαρδανος (PW IX 748); äg. *yrdn* (ETL 201) = **Jarduna* (Albr. Voc. 36), ? „diese *ʿpr* (Hebräer?) vom Gebirge d. Jrd[n]", Galling Tb. 30, ANET 255a; ? Etym., ↗ Koehler ZDPV 62, 115ff, Schwarzb. 202: **Jordan**, Abel 1, 161ff.474ff, GTT § 137, Noth ZDPV 72, 123ff, BHH 884: יַרְדֵּן יְרֵ/רחוֹ Nu 26$_{3.63}$; || נָהָר Hi 40$_{23}$, = Fluss ?, al. dl.; ↗ עֵבֶר 1, מַעְבָּ/בָּרָה, כִּכָּר 3.

I ירה: mhe.; ug. **jrw* werfen, schiessen (UT nr. 1153); asa. *wrw* werfen, kämpfen (Mü. 112), ar. *warra* werfen; äth. *warawa*, tigr. (Wb. 435a) *warwara* (Lesl. 25) werfen:

qal: pf. יָרָה, יָרִיתִי; impf. וַנִּירָם Nu 21$_{30}$ (BL 337n, ? l וַנִּירֵם); imp. יְרֵה; inf. יָרֹה, לִירוֹא 2C 26$_{15}$ (BL 443k), לִירוֹת; pt. יֹרֶה, י(וֹ)רִים: — 1. **werfen**: Los Jos 18$_{6}$, Streitwagen ins Meer Ex 15$_{4}$ (= רמה 15$_{21}$); — 2. **schiessen**: a) c. acc. Pfeile 1S 20$_{36f}$ Pr 26$_{18}$, c. בְּ Steine 2C 26$_{15}$; b) c. בְּ auf jmd. Nu 21$_{30}$ Ps 11$_{2}$ 64$_{5}$; Ex 19$_{13}$; 2K 13$_{17}$; c) גַּל Steinhaufen aufwerfen Gn 31$_{51}$, אֶבֶן פִּנָּה Eckstein setzen Hi 38$_{6}$ (Duhm Hi. 182, cf. I רמה, akk. *nadû* VAB VII 529, AHw. 707a gr. καταβάλλειν, καταβολή, lat. *fundamentum iacere*; Der. יְרוּ in nn.l. (יְרוּאֵל/שָׁלֵם).

nif: impf. יִיָּרֶה (BL 444k): **erschossen werden** Ex 19$_{13}$ (Bgstr. 2, 63f). †

hif: pf. הוֹרָנִי (GK § 59f); impf. יוֹרֶה, יֹרֵהוּ, יֹרוּ, אוֹרֶה, תּוֹרְךָ/רֶךָּ, וַיֹּרֵם, (וַ)יּוֹרוּ; pt. מוֹרֶה, מוֹרִים, הַמּוֹרָאִים 2S 11$_{24}$ וַיֹּראוּ (Q וַיֹּרוּ הַמּוֹרִים, BL 444k): — 1. **werfen** (↗ qal 1): יורו (d. Los) werfen 4QpNah 3$_{10}$ pr. יַדּוּ, Menschen לַחֹמֶר Hi 30$_{19}$ (cj הֹרִדַנִי); —2. **schiessen**: abs. 1S 31$_{3}$ 2S 11$_{20.24}$ 2K 13$_{17}$; c. acc. auf Ps 64$_{5.8}$; c. לְ 2C 35$_{23}$, c. אֶל Jr 50$_{14}$ (var. z. יְדוּ: I ידה); c. חִצִּים 1S 20$_{20.36}$ 2K 19$_{32}$ / Js 37$_{33}$ Ps 64$_{8}$, בַּקֶּשֶׁת 1S 31$_{3}$ 1C 10$_{3}$; pt. Schütze ↗ מוֹרֶה. †

Der. I מוֹרֶה, יְרוּאֵל, יְרוּשָׁלַםִ, יְרִיאֵל.

II ירה: Nf. v. I רוה; Rud. Hos. 132:

hif: impf. יוֹרֶה (gew. cj יַרְוֶה): **tränken** Hos 6$_{3}$; metaph. c. צֶדֶק regnen lassen 10$_{12}$ (↗ Rud. 201). †

hof: impf. יוֹרֶא: MSS יוֹרֶה; **getränkt werden** Pr 11$_{25}$. †

III ירה: mhe. hif., ja. af.; asa. *wrj* IV, amh. *warra* IV verkünden (Lesl. 25), tigr. (Wb.

435b) *warā* verkünden, drohen; ? ar. *wrj* III geheim halten :: Lex.[1] *rwj*; GÖstborn, Tōrā in the OT, Lund, 1945;

hif: pf. הֹ(וֹ)רֵיתִיךָ, הוֹרֵתָנִי, הוֹרֵהוּ, הוֹרֵיתִי; impf. תֹּרֶךָ, יֹ(וֹ)רֵנִי/רֵם, וַיֹּרֵנִי, יוֹרֶה, תֹּרְךָ (?), אוֹרְךָ, יוֹרוּ(ךָ); imp. הֹ(וֹ)רֵנִי, הוֹרוּנִי; inf. הוֹרוֹת; pt. מוֹרֶה (Js 9$_{14}$ u. Hab 2$_{18}$: מוֹרֶה שֶּׁקֶר cs. ? :: GK § 116f: acc.), מוֹרַי, מוֹרֶיךָ: — 1. **unterweisen, lehren**: sbj. Priester 2K 12$_{3}$ Ez 44$_{23}$ 2C 15$_{3}$, אָב Pr 4$_{4}$; Freunde Hi 6$_{24}$, Erfahrene 8$_{10}$, בְּהֵמוֹת 12$_{7f}$, Gott Ex 24$_{12}$ Js 28$_{26}$ (den Landmann), Ps 119$_{102}$; Gn 46$_{28}$; — 2. **jmd. etw. lehren**: a) c. 2 acc. Dt 17$_{10}$ 24$_{8}$ Js 28$_{9}$; Gott sbj. Ex 15$_{25}$ (↗ 3!) 1K 8$_{36}$ Ps 27$_{11}$ 86$_{11}$ 119$_{33}$; b) etw. בְּ 1S 12$_{23}$ Ps 25$_{8.12}$ 32$_{8}$ Hi 27$_{11}$ Pr 4$_{11}$; c) c. acc. c. בֵּין ··· לְ den Unterschied zw. Ez 44$_{23}$ †; d) m. d.Fingern (Mow. PsSt 1, 24) Pr 6$_{13}$, cj Jr 5$_{31}$; c. מִן Js 2$_{3}$ / Mi 4$_{2}$; c. אֶל 2C 6$_{27}$; — 3. besondere Objekte: חֻקִּים Lv 10$_{11}$, הַתּוֹרָה Dt 17$_{11}$; מִשְׁפָּטִים Dt 33$_{10}$ (c. לְ jmdn; 4QTest [Lohse 250,17] יאירו, ↗ VT 8, 217f.436f); מוֹרֶה שֶּׁקֶר Js 9$_{14}$ Hab 2$_{18}$ (1QpHab XII 11 מרי, ↗ Segert, ArchOr. 22, 457f); עֵץ (Heilkunst, Gressm. Mose 122f) Ex 15$_{25}$; — 4. abs. allgemein üb. Kultisches u. Technisches Ex 35$_{34}$ Lv 14$_{57}$ Mi 3$_{11}$ Hab 2$_{19}$ 2C 15$_{3}$, cj Jr 5$_{31}$; — 5. das Gelehrte steht in e. Satz: אֵיךְ Ex 4$_{12.15}$, מָה Ri 13$_{8}$, אֶת־אֲשֶׁר 2K 17$_{28}$; — Js 59$_{13}$ הֹרוֹ dittgr. od. Var. z. הגו ?; Ps 45$_{5}$? l תֵּרָא (: ראה, ↗ Komm.). †
Der. III מוֹרֶה, תּוֹרָה.

ירה: ar. *wariha* (Guill. 1, 27):
qal: impf. תִּרְהוּ (l תְּ׳!; Bgstr. 2, 126d), ↗ Barr CpPh. 6f.): **vor Schreck gelähmt sein** Js 44$_{8}$ (|| פחד). †

יְרוּאֵל, G Ιεριηλ, ↗ n. tr. יְרִיאֵל, cf. פְּנוּאֵל u. פְּנִיאֵל: n.l.: I ירה + אֵל ,,Gründung Els'', asa. Conti 140b; in Juda zw. תְּקוֹעַ u. עֵין־גֶּדִי; ↗ Gkl. Gen. 241; DJD II 143: מִדְבַּר יְ׳ 2C 20$_{16}$ (Abel 1, 436f, GTT § 993/4). †

יָרוֹחַ, G^{B} Ιδαι, G^{A} Αδαι G^{L} Αρουε, V Iara: n.m., ↗ יְרֹחָם; *II ירח ,,weich'', BL 466n (Noth 226); ? od. ,,Erbarmt'', רחם; ? palm. ירחי, Ιαραῖος (Wuthn. 56): S. v. אֲבִיחַיִל, (↗ Rud. Chr. 47) 1C 5$_{14}$. †

? יָרוּם [gew. als impf. qal v. רום verstanden]: ירם, adj. u. pass. pt. v. ורם (BL 471u), **erhaben** (Dahood, Bibl. 46, 323f) Js 52$_{13}$ (> G) Ps 18$_{47}$ (|| בָּרוּךְ; 2S 22$_{47}$ וְרָם) Ps 61$_{3}$; ? ? auch 27$_{6}$ Da 11$_{12}$ (Q וְרָם). †

יָרוֹק: II ירק, BL 466n; mhe. gelb, grün, יְרוֹקָה u. ja. יָרוֹקָא; md. (MdD 187b) Grünes; **grünende Pflanze** (Gradw. 30) Hi 39$_{8}$. †

יְרוּשָׁא: n.f. 2K 15$_{33}$, < יְרוּשָׁה 2C 27$_{1}$, ירש; ,,d. in Besitz Genommene'' (Noth 232, Stamm HFN 327). †

יְרוּשָׁלַםִ, יְרוּשָׁלֵם: so immer exc. Jr 26$_{18}$ Est 2$_{6}$ 1C 3$_{5}$ 2C 25$_{1}$ יְרוּשָׁלַיִם u. 32$_{9}$ יְרוּשָׁלַיְמָה, Q perpetuum, nur scheinbar du. (VG 1, 393, BL 518a.c), DSS oft ירושלים (Freedman, Textus 2,97f); auf das K יְרוּשָׁלֵם führen: G Ιερουσαλημ (NT auch Ἱεροσόλυμα, grie. auch Σόλυμα), äg. Ächtungstexte *ʾwšʾmm* = *(*U*)*rušalimum* (Alt KlSchr. 3, 51f, Albr. BASOR 83, 34), klschr. *Urusalim* EA, *Ursalimmu* (Sanh.-Prisma III 8, Borée 53), äga. ירושלם, ba. יְרוּשְׁלֶם, nab. (NE 210) u. sy. *ʾU/Orišlem*, ar. *Urišalamu*, md. *ʿurašlam* (MdD 346a), Etym. *ירו (I ירה qal, Ges. 628f) ,,Gründung d. (n.d.) Šalem'' (Vincent 657ff, WbMy. 1, 306f, Stolz, BZAW 118, 181ff, Gese RAAM 170): **Jerusalem**, ar. (*madīnat*) *el-Quds* (= קֹדֶשׁ), Abel 2, 360ff; Dalm. JG (1930); Simons (1952), Vincent-Steve 1954/56, BRL 297ff, Alt KlSchr. 3, 243ff, Fohrer ThWbNT VII 291ff, ILande, 3000 Jahre Jerus., 1964, BHH 820ff: fem., m. Ps 122$_{3}$ 125$_{2}$; Stat: fehlt in Gn-Dt, Jon, Nah, Hab, Hg, Pr, Hi, Rt; zuerst in Jos 15$_{8.63}$ 18$_{28}$ Ri 1$_{7f.21}$ 19$_{10}$; wichtig 2S 5$_{6-9}$ (/ 1C 11$_{4-7}$), 1K 5-9, 2K 14$_{13}$ 23$_{20}$ 25$_{8-21}$ Ez 8$_{3}$ Da 9$_{25-27}$ Neh 2$_{11}$-3$_{22}$ 6$_{1}$-7$_{3}$; ↗ יְבוּס, II שָׁלֵם.

I *ירח: Grdf. *wrḫ* (akk. ar. äth.), ↗ ארח Der. I-II יָרֵחַ, יֶרַח n.l. יְרֵחוֹ (?).

II ירח: ar. *wariḫa* weich sein. Der. יָרוֹחַ u. יְרֹחָם (?).

I יֶרַח: ירח; mhe.[2] (?); Sam. [BCh 3,173] *jērae*; Gzr (ירח u. ירחו, ↗ KAI 2, 181f, Segert JSSt. 7, 212ff); ug. *jrḫ*; Lkš, ph. äga. nab. palm. Hatra (DISO 111); ba. יְרַח, ja. sam. (BCh. 2, 466) cp. sy. יַרְחָא, md. (MdD 185a) *jahrā*; asa. *wrḫ*, äth. *warḫ*, tigr. (Wb. 433) *wrḫ* (*ḫ* > *ḥ* Ulldff SLE 37); akk. (*w*)*arḫu*, *waraḫ šamnu*, ass. (*w*)*arḫu samnu* 8. Monat (> mhe. מַרְחֶשְׁוָן, μαρ(ε)σουάνης, Jos. Antt. I 3, 3 (v. Soden AHw. 63a, Akk. Syllabar, 1948, 7, Caquot, Syr. 32, 264); Mari: *waraḫ līlātim* (AHw. 552b): יַרְחֵי, יְרָחִים: **Monat** (jünger ↗ חֹדֶשׁ) Ex 2$_{2}$ 1K 6$_{37f}$ 8$_{2}$ Zch 11$_{8}$ Hi 3$_{6}$ 7$_{3}$ 29$_{2}$ 39$_{2}$; יֶרַח יָמִים e. voller Monat Dt 21$_{13}$ 2K 15$_{13}$; יְרָחִים || שֶׁמֶשׁ Dt 33$_{14}$ Jahreszeiten (?; al. יֶרַח + מ encl. od. dl); d. kan.-althe. Monatsnamen: אָבִיב, אֵתָנִים, בּוּל, זִו u. צח, BHH 1232f; ↗ II יֶרַח. †

II יֶרַח: יֶרַח, Sam. [M110] *jāra*, G Ιαραδ: n.m.; = I (↗ II חֹדֶשׁ); amor. *Eraḫ* (WZKM 56, 180[2], Huffm. 170) äga. ירחו (RHR 128, 31 z. יָרֵחַ Dup.-S.), palm. ירחי (PNPI 91b): S.v. ↗ יָקְטָן Gn 10$_{26}$ 1C 1$_{20}$. †

יָרֵחַ, Sam.[M110] *jērā*, Hier. *jare/e*): I יֶרַח; mhe.[2]; ug. *jrḫ* Mond(Gott) UT nr. 1151, n.d. in *ʿbdjrḫ* 1801, Aistl. 1970, amor. *Ḫabdu-eraḫ* (Huffm. 189); ph., ? äga. (DISO 111); amor. *jariḫ* (Huffm. 214); asa. *wrḫ*; akk. (*w*)*arḫu*, aass. ZA 38, 249[5], *Jaraḫ* / *Eraḫ* (WbMy. 1, 91), äg. *jʿḥ*: וְיָרֵחַ: **Mond**: vor שֶׁמֶשׁ Ps 104$_{19}$, יָ׳ וְכוֹכָבִים Ps 8$_{4}$ Hi 25$_{5}$, nach שֶׁמֶשׁ Gn 37$_{9}$ Dt 4$_{19}$ 17$_{3}$ Jos 10$_{12f}$ 2K 23$_{5}$ Js 13$_{10}$ 60$_{19f}$ (יְרֵחֵךְ) Jr 8$_{2}$ 31$_{35}$ Ez 32$_{7}$ Jl 2$_{10}$ 3$_{4}$ 4$_{15}$ Hab 3$_{11}$ Ps 72$_{5}$ 89$_{38}$ 121$_{6}$ 136$_{9}$ 148$_{3}$ Hi 31$_{26}$ Koh 12$_{2}$, cj Zef 1$_{5}$ (l לְיָרֵחַ pr. לַיְ׳); — Ps 72$_{7}$ l דַּי (Koehler KlLi. 58f). †

יְרִיחוֹ, יְרֵחוֹ, Jos, 2S 2K, Jr; יְרִיחֹה 1K 16$_{34}$ u. יְרֵחוֹ Nu, Dt, Esr, Neh, 1C, 2C; Sam.[BCh 3, 173b] *jarijju*, mhe. יְרִיחוֹ: < **Ja-rīḫā* (HBauer ZAW 48, 75 :: Borée 66f), G Ιεριχω, Strabo XVI 2, 41 Ιεριχοῦς; äga. (RHR 128, 28 Z. 2); ar. (ʾ*a*)*rīḥā*; ? z. יָרֵחַ „Mondstadt" ?; ? amor. *jariḫ* — (Huffm. 214f): **Jericho** = *T. es-Sulṭān*, 2, 5 km. nw. (ʾ*a*)*rīḥā*, BRL 290ff, BHH 816ff, HJFranken OTSt. 14, 189ff: בִּקְעַת יְ׳ Dt 34$_{3}$ u. עַרְבוֹת יְ׳ Jos 4$_{13}$ 5$_{10}$ 2K 2$_{4}$ Jr 39$_{5}$ 52$_{8}$ (Noth ZAW 60, 18f) d. Felder v. Jer. GTT p. 50; עִיר הַתְּמָרִים יְ׳ 2C 28$_{15}$ (GTT § 515/16), ↗ יַרְדֵּן יְ׳ Nu 26$_{3}$ u.ö.; מֵי יְ׳ Jos 16$_{1}$, בְּנֵי יְ׳ Esr 2$_{34}$ Neh 7$_{36}$, אַנְשֵׁי יְ׳ Neh 3$_{2}$.

יְרֹחָם: n.m.; trad. רחם pu. „er finde Erbarmen" (Ges.), al. zu יָרוֹחַ (Noth 226) od. z. יָרֵחַ; ↗ II יֶרַח: 1.-8.: 1S 1$_{1}$; Neh 11$_{12}$; 1C 6$_{12 \cdot 19}$; 8$_{27}$ (= יְרֵמוֹת 8$_{14}$?); 9$_{8 \cdot 12}$; 12$_{8}$; 27$_{22}$; 2C 23$_{1}$. †

יְרַחְמְאֵל: n.m.; רחם pi. + אֵל, „G. erbarme/mte sich (seiner)" (Noth 199); amor. *Jarḫam-ilu* (Ok. 29, 69, Noth ZA 50, 204, Huffmon 261: aram. רחימ אל, klschr. *Raḫīm-ilī* (Eph. 2, 206, 3, 302): — 1. S. v. K. יְהוֹיָקִים Jr 36$_{26}$; — 2. (edom. od. ar.) Stamm im Negeb, später in Juda aufgegangen: **Jerachmeel**, hier Nachk. v. יְהוּדָה, 1C 2$_{9 \cdot 25 \cdot 27 \cdot 33 \cdot 42}$; GTT § 130, Rud. Chr. 18f, BHH 811; gntl. יְרַחְמְאֵלִי; — 3. 1C 24$_{29}$ Levit. †

יְרַחְמְאֵלִי: gntl v. יְרַחְמְאֵל 2; **Jerachmeeliter**, coll., נֶגֶב הַיְ׳ 1S 27$_{10}$, עָרֵי הַיְ׳ 30$_{29}$ ↗ Rud. Chr. 18f, GTT § 130, BHH 811. †

יַרְחָע, G[B] Ιωχηλ, G[A] Ιεθθι, G[L] Ιερεε: n.m.: עֶבֶד מִצְרִי 1C 2$_{34f}$, ↗ Rud. Chr. 19f. †

ירט: ar. *waraṭa* II hinabstürzen:
qal: pf. יָרַט; impf. יִרְטֵנִי: — 1. u. עַל־יְדֵי in jmds Hände stossen (|| הִסְגִּיר) Hi 16$_{11}$; — 2. ? intr. abschüssig sein (דֶּרֶךְ) Nu 22$_{32}$ (txt ?). †

יְרִיאֵל, G[L] Ιαρουηλ: n.m.; ראה + אֵל, „G.

sehe/sah (mich)" (Noth 198f) (od. wie ↗ יְרוּאֵל): Sippe in Issachar 1C 7$_2$. †

I *יָרִיב: ריב, BL 488r: יְרִיבַי, יְרִיבֶךָ: **Rechtsgegner** (↗ Seeligm. HeWf. 256) Js 49$_{25}$ Ps 35$_1$; — Jr 18$_{19}$ l רִיבִי. †

II יָרִיב: n.m.; Kf. v. ריב + n.d., „(G.) streite/stritt" (Noth 201 :: Stamm, Fschr. Albr. 1971, 452: „Er hat Recht geschafft" cf. יְרֻבַּעַל); äga. u. CIS II 70 יריבי; asa. *jrb* (Ryckm. 1, 196): — 1. 1C 4$_{24}$, ↗ יָכִין; — 2. Esr 8$_{16a}$ = יוֹיָרִיב $_{16b}$ (Rud.) u. Esd.; — 3. Esr 10$_{18}$. †

יְרִיבַי: n.m.; ריב Kf. (Noth 38. 201), ↗ II יָרִיב: 1C 11$_{46}$. †

יְרִיָּה, or. יְרִיָה: n.m.; < ↗ יְרִיָּהוּ: 1C 26$_{31}$. †

יְרִיָּהוּ, or. יְרִיָהוּ (MTB 78): n.m.; ראה + י׳, „J. sehe/sah" (Noth 198); > יְרִיָּה; ↗ יְרִיאֵל: 1C 23$_{19}$ 24$_{23}$. †

יְרִיחֹה 1K 16$_{34}$: ↗ יְרִחוֹ.

יְרִימוֹת: n.m.; ירם (BL 471r); „Dickbauch" (Noth 39.226, :: Lex.[1]; ↗ יְרֵמוֹת): 1.-5.: 1C 7$_7$; 12$_6$; 24$_{30}$ = יְרֵמוֹת 23$_{23}$; 25$_4$; 27$_{19}$; — 6. S. Davids 2C 11$_{18}$; — 7. 31$_{13}$. †

יְרֵימוֹת 1C 7$_8$ Ⓑ: ↗ יְרֵמוֹת 5.

יְרִיעָה: mhe., ja.^{tg} יְרִיעֲתָא > sy. *jāriʿtā* (Nöld. ZDMG 29, 64): יְרִיעָתִי, יְרִיעֹ(וֹ)ת, יְרִיעוֹתֵיהֶם: — 1. **Zeltdecke** (AuS 6, 30): aus Ziegenhaar Ex 26$_7$, schwarz HL 1$_5$; c. נטה Ps 104$_2$; Ex 26$_{1-13}$ 36$_{8-17}$ (43 ×), Nu 4$_{25}$ Js 54$_2$ Jr 49$_{29}$ 1C 17$_1$; — 2. **Zelt**: a) f. d. Lade 2S 7$_2$; b) Wohnzelt Jr 4$_{20}$ 10$_{20}$ (הֵקִים) Hab 3$_7$.

יְרִיעוֹת: n.f.; ירע, ירא, „Furchtsam" (Noth 39.229; Stamm HFN 325 :: Richter ZAW 34, 110): 1C 2$_{18}$ (↗ Rud.). †

*ירך: akk. *(w)arku* Hinterseite, *(w)arkū* hinten liegend / befindlich; ↗ יְרֵכָה, יָרֵךְ.

יָרֵךְ: ירך; mhe., ja.^{tg} יַרְכָּא; ? ug. *jrk* (Aistl. 1242), ar. *warik*, tigr. (Wb. 434b, Lesl. 25) *warkat* Hüfte: cs. יֶרֶךְ (BL 552p), יְרֵכִי, יְרֵכְךָ, יְרֵכָיִם: — 1. d. fleischige Teil d. **Oberschenkel** (:: מָתְנַיִם): Gesässgegend Ex 28$_{42}$, Sitz d. Hinkens Gn 32$_{32}$, d. Verfalls Nu 5$_{21f.27}$, d. Zeugens Gn 46$_{26}$ Ex 1$_5$ Ri 8$_{30}$, cj (יְרֵכֶיךָ) Pr 3$_{13}$ (cf. I כֶּסֶל Sir 47$_{19}$), erotisch HL 7$_2$; תַּחַת יָ׳ Gegend d. Geschlechtsteile b. Schwur Gn 24$_{2.9}$ 47$_{29}$ Sitz d. Schwertes Ex 32$_{27}$ Ri 3$_{16.21}$ Ps 45$_4$ HL 3$_8$, d. Schlagens Jr 31$_{19}$ Ez 21$_{17}$; כַּף (הַ)יָּ׳ Hüftpfanne Gn 32$_{26.33}$, שׁוֹק עַל־יָ׳ Ri 15$_8$, יָ׳ וְכָתֵף Ez 24$_4$; — 2. metaph. **Seite** (Dho. EM 98) a) d. Altars Lv 1$_{11}$ 2K 16$_{14}$, d. מִשְׁכָּן Ex 40$_{22.24}$ Nu 3$_{29.35}$; b) Fuss d. Leuchters (neben קָנֶה Schaft) Ex 25$_{31}$ 37$_{17}$ Nu 8$_4$. †

*יְרֵכָה (Kö; nicht יַרְכָה, ↗ BL A186y): f.v. יָרֵךְ; ? ug. *jrkt* (Aistl. 1243, Ugaritica VI, 174 D3), akk. *(w)arkatu*: יַרְכְּתֵי, יַרְכָתַיִם/תָיִם, יַרְכָתוֹ, 1K 6$_{16}$ (GK § 95i, v. *יַרְכָּה ?, Noth Kge. 99; K ירכותי!); Ez 46$_{19}$ K *יַרְכָתָם, Q תַיִם —: — 1. **Hinterseite** (:: Täubler 123f: Flanke) Gn 49$_{13}$, schmale Rückseite d. Baues (:: צֶלַע Langseite) Ex 26$_{22f.27}$ 36$_{27f.32}$ 1K 6$_{16}$ Ez 46$_{19}$; — 2. **Hinterteil**: a) entlegenster Teil e. Gebirges Ri 19$_{1.18}$ 2K 19$_{23}$ Js 37$_{24}$, d. Erde Jr 6$_{22}$ 25$_{32}$ 31$_8$ 50$_{41}$; d. Nordens Js 14$_{13}$ Ez 38$_{6.15}$ 39$_2$ u. Ps 48$_3$ = im äussersten Norden :: Eissf. BZ 14f: d. äusserste Höhe, Gipfel (:: ALauha Zaphon etc., 1943, 40f); b) hinterster, innerster Teil יַרְכְּתֵי בוֹר Js 14$_{15}$ (|| שְׁאוֹל) u. Ez 32$_{23}$, (= ירך 3Q 15 I 7, DJD III 239), Höhle 1S 24$_4$, Haus 1K 6$_{16}$ Am 6$_{10}$ Ps 128$_3$, Schiff (= Heck, akk. *arkāt eleppi*, Salonen Wfz. 76f) Jon 1$_5$. †

ירם: Nf. v. רום (Dahood Bibl. 46, 323) od. ar. *warima* anschwellen; ug. n.m. *jrm* u. *jrmn jrmbʿl/ʾl* (UT nr. 1156/57). Der. יָרוּם, n.m. יְרֵמוֹת, יְרֵמַי, יְרֵ/יְרִ(י)מוֹת, n.l. יַרְמוּת.

יַרְמוּת: n.l.; ירם, Bodenanschwellung, Noth Jos. 146 :: HBauer ZAW 51, 95: = n. t. *Jar(i)mut* EA, äg. *Jʾm(w)t*, **Jarumtu* Albr. BASOR 125, 25ff. JAOS 42, 320f): — 1. in Juda in d. שְׁפֵלָה, = *Ch. Jarmuq* b. Zakarija, Abel 2, 356, GTT § 318A: kan. Königsstadt Jos 10$_{3.5.23}$ 12$_{11}$ 15$_{35}$, Neh 11$_{29}$

(G Ιεριμουθ u.ä.); — 2. Levitenstadt in Issachar Jos 21_{29} (G^A Ιερμωθ, G^B Ρεμμαθ) ? רָאמוֹת 1C 6_{58}, רֶמֶת Jos 19_{21} (:: Noth Jos, 129, Rud. Chr. 62), BHH 804. †

יַרְמוּת Esr 10_{29}, ⓑK, ↗ יְרֵמוֹת 4.

יְרֵמוֹת: n.m.; ירם (BL 594v. 506t); ↗ יְרֵ/רִימוֹת u. יְרֵמַי; — 1. 1C 8_{14} (l יְרֹחָם v. 27); — 2. Esr 10_{26}; — 3. Esr 10_{27}; — 4. Esr 10_{29} (ⓑK, Q G^A וְרָמוֹת, S u. Esd. וירמות, ↗ Rud.); — 5. 1C 7_8 (ⓑ יְרִימוֹת); — 6. 1C 23_{23} = יְרִימוֹת 24_{30}; — 7. 1C $25_{4.22}$. †

יְרֵמַי: n.m.; Kf. v. יְרֵמוֹת, (Noth 38.226) od. יִרְמְיָה(וּ) (Nöld., Kö.): Esr 10_{33}. †

יִרְמְיָה, G Ιερεμιας: n.m.; < יִרְמְיָהוּ; — 1. d. Profet, im Titel u. Jr 27_1 $28_{5f.10.12.15}$ 29_1 Esr 1_1 Da 9_2; — 2.-6. 1C 5_{24}; 12_5; 12_{11}; Neh 10_3 $12_{1.12}$; 12_{34}. †

יִרְמְיָהוּ, G Ιερεμιας: n.m.; Lkš 1_4, Dir. 352; ״ + I רמה, „J. gründete" (:: Noth 201: הֵרִים); :: v. Soden UF 2, 272; רים; > יִרְמְיָה: **Jeremias**: — 1. d. Profet (BHH 811ff) Jr 1_1-51_{64}; 2C 35_{25} $36_{12.21f}$; ↗ יִרְמְיָה 1; — 2. Schwiegervater v. K. Josia 2K 23_{31} 24_{18} Jr 52_1; — 3. Jr 35_3; — 4. 1C 12_{14}.

ירע: ? äga. (DISO 111) benachteiligen; ar. *jariʿa* u. *waraʿa* zagen, asa. *wrʿ* kaus. Schrecken verbreiten; ↗ ריע u. רעע, Guill. JThSt.NF 16, 293f, ZAW 77, 103:

qal: pf. יָרְעָה: **zittern, zagen** Js 15_4 (bα l יָרֵעוּ pr. יָרִיעוּ bβ 1QIs^a ירע, ↗ Rud. Fschr. Driv. 134, Gsbg. Er Isr 5, 63). †

Der. n.f. יְרִיעוֹת.

יִרְפְּאֵל: n.l., ? urspr. n.m.; רפא + אֵל, „El heilt/e", iam. CIS II 77; ↗ רְפָאֵל (> Engelnamen, BHH 1550) u. רְפָיָה; amor. *Jarpa/Irpa-Addu* (Noth JSSt. 1, 325f), asa. n.l. *jrfʾ* (Mlaker 37), n.m. Ryckm. 1, 202; ↗ Baud. AE 323, Hempel Heilg. 264f: in Benjamin (Abel 2, 351, GTT § 327 II 8): Jos 18_{27}. †

I ירק: Nf. v. רקק; ja.^b (?) ausspucken, äth. *waraqa*; ar. *rīq* Speichel:

qal: pf. יָרַק, יָרְקָה; inf. יָרֹק: (ins Gesicht) **speien** (Rechtsgestus d. Verwerfung) Nu 12_{14} Dt 25_9 (cf. Mt 26_{67} 27_{30} Joh 9_6, Bauer WbNT s.v. ἐμπτύω). †

II ירק: mhe.[1] hif. grün, blass werden, mhe.[2] gelb machen, ja.^g af.,^b qal grün werden, sy. (LS 309b); md. (MdD 193b); aam. pehl. (DISO 111); lib. (ZA 50, 132); ug. *jrq* Gelbes (Gold; UT nr. 1160, Aistl. 1247); akk. (*w*)*arāqu* grün, gelblich werden (Meissn. Btr. 2, 27); ? amor. *jrq* (Huffm. 215); asa. *wrq* Gold (Conti 141a); ar. > *auraq* aschfarben, *warāq* Grünes, äth. grün, Gold; tigr. (Wb. 434b) Silber (Lesl. 25); d. Grün od. Gelb werden d. Pflanzenwelt (Gradw. 27ff); Der. יֶרֶק, יָרָק, יָרוֹק, יְרַקְרַק (?), יָרְקְעָם, יֵרָקוֹן, יַרְקוֹן.

יָרָק, Sam.^M110 *jēreq*: II ירק; mhe. ja. (?); ar. *waraq* Blatt, akk. (*w*)*arqu*; ↗ יֶרֶק: **Grünzeug**, **Gemüse** Dt 11_{10} 1K 21_2 Pr 15_{17}. †

יֶרֶק: II ירק; mhe. ja. (?) sy. md. (MdD 187b) Gemüse; akk. (*w*)*arqu, urqu*; ↗ יָרָק: cs. יֶרֶק (BL 573 x): **Grünes** (Pflanzen) Gn 1_{30} 9_3 Ex 10_{15} Nu 22_4 2K 19_{26} Js 15_6 37_{27} Ps 37_2. †

יַרְקוֹן: Wadi od. n. fl.; II ירק (BL 500q): מֵי הַיַּרְקוֹן Jos 19_{46} in Dan, ? n. fl. od. n.l.: הַיַּ׳ = *Nahr el-ʿōğa* (Abel 2, 53.433) :: Noth Jos. 121, GTT § 336, 16; וְהָרַקּוֹן dittgr. ?; ↗ יֵרָקוֹן. †

יֵרָקוֹן: II ירק (BL 498c) „Gelbheit", gelb werden, 1. Getreidekrankheit, 2. Gesichtsblässe; mhe. Getreidekrankheit, ? e. Krankheit ja.^t יַרְקָנָא (:: יָרְקָנָא grüner Edelstein), ja.^g ירקונא Getreidekrankheit, sy. u. md. (MdD 187b) *jarqana* > ar. *jarqān* Pflanzenkrankheit; akk. *jarqānu* e. Gartenpflanze (AHw. 412a, aram. Lw.), *aw/murriqānu* Gelbsucht (AHw. 92a) > sy. *mrjqn* (LS 310a, Zimmern 49); Gradw. 31ff; — 1. **Getreidekrankheit** (AuS 1, 326; 2, 333) Rost od. Mehltau immer || שִׁדָּפוֹן

Dt 28$_{22}$ 1K 8$_{37}$ / 2C 6$_{28}$ Am 4$_{9}$ Hg 2$_{17}$; — 2. **Blässe** (d. Gesichts) Jr 30$_{6}$. †

יָרְקְעָם: (Nachk. Kalebs) n.l. in Juda; II ירק + עָם (cf. amor. *Wariq*, Huffm. 215) od. רקע + *m*. encl.; קָ ↗ BL 208r; ? *Ch. Raqqa* zw. זִף u. יוּטָּה, Abel 2, 365, = יָקְדְעָם Jos 15$_{56}$ (Borée 99 :: Rud. Chr. 18): 1C 2$_{44}$. †

יְרַקְרַק: II ירק (BL 483l); mhe. erkl. sehr grün, ja.[t] יְרַקְרִיקָא unreiner Vogel: **grünlichgelb, fahl** (Gradw. 30ff); — 1. krankhafte Verfärbung d. Haut, auch v. Textilien u. Leder (Stockflecken ?), Merkmal v. צָרַעַת, Lv 13$_{49}$, an Häusern (Schwamm?) 14$_{37}$; — 2. v. Gold m. starkem Silberzusatz, חָרוּץ ׳יְ (|| כֶּסֶף), ug. *jrq ḫrṣ*, akk. *ḫurāṣu arqu*, asa. *wrq*, äth. *waraq* Gold, tigr. (Wb. 434a) Silber, äth. *waraqrūq* v. d. Taube (GB 321a): Ps 68$_{14}$ (d. Flügel d. Taube). †

I **ירשׁ** (ca. 230 ×): mhe., ug. *jrṯ* (UT nr. 1161, Aistl. 1248); mo. aam. äga. u. nab. ? ירשׁ, nab. u. ija. ירת (DISO 111), ja. ירת, sy. *īret*, cp. *jrwt* (Schulth. Gr. § 137b), sam. ירת (BCh. 2, 484a); ar. *wariṯa*, asa. *wrṯ*, soq. *ʾeret* erben; äth. tigr. (Wb. 434a) *war(a)sa*; akk. *rašū* in Besitz nehmen > mhe. hif. נ/רשׁה, ja. sy. md. (MdD 437b) רשׁא; spbab. *jāritu* Erbe u. *jārītūtu* aram. Lw. (Or. 35, 13):

qal: pf. יָרַשׁ, יְרַשְׁנוּ, וִירִשְׁתֶּם u. וִירִשְׁתָּם (BL 193v), וִירֵשׁוּךָ/הָ (BL 383); impf. יִ(י)רַשׁ וַיִּירַשׁ, תִּירַשׁ, יִירְשׁוּ (ירשו 4QpPs 37$_{11}$), תִּירָשׁוּן, נִירַשׁ, נִירֲשָׁה (Ps 83$_{13}$, BL 208r), יִירָשְׁךָ/שֶׁךָ, אִ/תִּירָשֶׁנָּה, יִירָשְׁם/שׁוּם, וַיִּירָשׁוּהָ; imp. (↗ Bgstr. 2, 127e) רַשׁ, רֵשׁ, יְרֵשָׁה (BL 379s), רְשׁוּ; inf. רֶ/רֶשֶׁת, רִשְׁתּוֹ, יְרֵשֵׁנוּ Ri 14$_{15}$ ↗ pi. (לרשת u. לירוש Dam.); pt. יוֹ(ו)רֵשׁ, יֹרֶשֶׁת; THAT 1, 778ff: — 1. **in Besitz nehmen**, bekommen (Mesa 7): אֶרֶץ Gn 15$_{8}$ Dt 1$_{8}$ Js 14$_{21}$ Am 2$_{10}$ Ps 37$_{11}$ (89 ×, 47 × Dt); אֲדָמָה Lv 20$_{24}$ Dt 28$_{21.63}$ 30$_{18}$ 31$_{13}$ 32$_{47}$; נַחֲלָה Nu 27$_{11}$ 36$_{8}$; אֲחֻזָּה Lv 25$_{46}$; e. Gebiet Dt 33$_{23}$ Ri 11$_{22}$ Am 9$_{12}$, עִיר Ri 3$_{13}$ Ob 20, בַּיִת Ez 7$_{24}$ Neh 9$_{25}$, מִשְׁכָּנוֹת Hab 1$_{6}$; e. Sache Ob 17 Ps 105$_{44}$, erben (mhe.) Nu 36$_{8}$; abs. Dt 1$_{21}$ 2$_{24}$; — 2. jmd. **beerben** (de Vaux Inst. 1, 89ff, THAT 1, 780): Gn 15$_{3.4a.b}$ Js 54$_{3}$, c. עִם zus. mit Gn 21$_{10}$; יוֹרֵשׁ **Erbe** 2S 14$_{7}$ (Boecker 22) Jr 49$_{1}$; — 3. jmd beerben, aus s. Besitz verdrängen (Pr 30$_{23}$ ↗ hif. 2), = **enteignen** Dt 2$_{12}$ (+ *10 × Dt), vertreiben Nu 21$_{32}$ Ri 11$_{23}$; יֹרְשִׁים Eroberer Jr 8$_{10}$; Mi 1$_{15}$ (Wtsp. m. מָרֵשָׁה); Ri 18$_{7}$ ↗ עֶצֶר; — Js 63$_{18}$ l צִעֲרוּ רְשָׁעִים (↗ מִצְעָר).

nif: impf. יִוָּרֵשׁ: enteignet, um d. Besitz gebracht werden, **verarmen** Gn 45$_{11}$ Pr 20$_{13}$ 23$_{1}$ 30$_{9}$ (cj אוֹרֵשׁ hof., Fschr. Horst 167). †

pi. (Jenni 212): impf. יְיָרֵשׁ; inf. לְיָרְשֵׁנִי Ri 14$_{15}$ (l ״, al. qal): **in Besitz nehmen** Dt28$_{42}$; Ri 14$_{15}$ wie qal 1 od. ? l הַלְהֹרִישֵׁנִי (רוש hif.). †

hif: pf. הוֹרִישׁ, הוֹרַשְׁתֶּם, הוֹרִישׁוּ, הוֹרַשְׁתָּם/תִּים; impf. יוֹרִישׁ, וַיּ(ו)רֶשׁ, תּוֹרִישׁוּ, יֹ(ו)רִשֶׁנָּה, יוֹרִישְׁךָ, וַיֹּרִשֵׁם, תּוֹרִשֵׁמוֹ (BL 336d :: Cross-Freedm. JNESt. 14, 246f: מ encl.), אוֹרִשֶׁנּוּ; inf. לְהוֹרִישָׁם; pt. מוֹרִשָׁם; — 1. **in Besitz nehmen** Nu 14$_{24}$ 33$_{53}$ Jos 8$_{7}$ 17$_{12}$ Ri 1$_{19a.27}$; cj Ob 17 (l מוֹרִישֵׁיהֶם G, Wtsp.!); — 2. **enteignen**, **vertreiben** (↗ qal 3) Ex 15$_{9}$ Ri 1 $_{19b}$ 11$_{24a}$ (dl sf.).b (50 ×); — 3. **vererben**: c. לְ pers. Esr 9$_{12}$, c. 2 acc. erben lassen Sir 15$_{6}$, = z. Besitz geben 2C 20$_{11}$ (Sünden) = entgelten lassen Hi 13$_{26}$; — 1S 2$_{7}$ l מֵרִישׁ (: רושׁ).

Der. יְרֵשָׁה, יְרֻשָּׁה, רֶשֶׁת, מוֹרָשׁ, מוֹרָשָׁה.

II **ירשׁ**: ? ug. *mrṯ* e. Weinprodukt (UT nr. 1558, CML 161b :: Aistl. 1684), ar. *mrṯ* II zerreiben: Koehler ZAW 46, 219f zus. m. I :: Tur-S. Job 314:

qal: impf. תִּירוֹשׁ treten, **keltern** Mi 6$_{15}$. † Der. תִּירוֹשׁ.

יְרֵשָׁה, Sam.[BCh 3,87] *jārišše*: I ירשׁ: **Besitz** Nu 24$_{18.18}$ (Sam.[2MSS] ירושה). †

יְרֻשָּׁה, Sam.[M111] *jarišša*: I ירשׁ, BL 467r; mhe., ja.[tg] יְרוּתְתָא, sy. יָרְתוּתָה: יְרֻשַּׁת, מִירֻשָּׁתְךָ, יְרֻשַּׁתְכֶם, יְרֻשָּׁתוֹ (BL 643s, Bgstr. 1, 142f): **Besitz** (Fschr. Horst 206ff) Dt $2_{5.9.19}$ 3_{20} Jos 1_{15} 12_{6f} 2C 20_{11}; אֶרֶץ יְרֻשָּׁתוֹ d. Land, d. s. Besitz ist Dt 2_{12}; מִשְׁפַּט הַיְרֻשָּׁה Besitzrecht Jr 32_{8}; — Ri 21_{17} l אֵיךְ תִּשָּׁאֵר; Ps 61_{6} l אֲרֶשֶׁת. †

יִשְׂחָק: n.m., שׂחק; = ↗ יִצְחָק (↗ צ): Jr 33_{26} Am $7_{9.16}$ (‖ יִשְׂרָאֵל) Ps 105_{9}. †

יְשִׂימְאֵל, Var. יְשִׁימְאֵל: n.m.; שׂים + אֵל, „El stellte/le hin" (Noth 36.202); klschr. *Jasam* (APN 92b): 1C 4_{36}. †

יִשְׂרָאֵל, Sam.[M113] *jišrāʾel*, G Ισραηλ (ji > i, VG 1, 187 gα, Bgstr. 1, 104t): n.m., n.p. äg. Merneptah-Stele AOT 25, ANET 378a, Galling Tb² nr. 15, p. 40⁷, Albr. Voc. 34: *jsrjr*; ug. e. Handwerker *jšrʾl* (PRU V Nr. 69, 3 = UT nr. 1164); asa. *Jšrʾl* (Conti 165a); mo. Mesa 7.14; klschr. *Sirʾilai* (*a*), (eig. gntl. m. aram. Endg.) AOT 341, ANET 279a; Etym.: (GADanell, Studies in the Name Isr. Uppsala, 1946, 22ff, Sauer ZDMG 116, 239f): a) erkl. m. I שׂרה עִם/אֶת kämpfen wider Gn 32_{29} Hos 12_{4f}; b) id., Gott sbj. „El streitet", noch Eissf. OLZ 58, 331; c) II שׂרה herrschen, sich als Herrscher erweisen (Noth 207ff); d) ar. *šarija* strahlen (HBauer ZAW 51, 83); e) *Jašir-el*, ar. *wšr* heilen (Albr. JBL 46, 165ff.63, 221⁹⁶); u.a. ↗ RGG 3, 936, BHH 782; — m. (Nu 21_{1}), fem. (als Land, ZAW 16, 57f) 1S 17_{21} 2S 24_{9} †; — **Israel**: I. n.m., d.h. ep. v. II (↗ Mow. Fschr. Eissf. 2, 130): = יַעֲקֹב u. S. Isaaks Gn 32_{29} 50_{2} Ex 6_{14} Nu 1_{20} 26_{5} 2K 17_{34} Ps 105_{23} Rt 4_{11} 1C 1_{34} u.ö.; m. Abraham u. Isaak zus. Ex 32_{13} 1K 18_{36} 1C 29_{18} 2C 30_{6}; — II. n.p. (↗ Noth WdAT 86f, THAT 1, 782ff); — 1. יִשְׂר׳ je nach Zusammenhang verschieden: a) Gesamtisrael Dt 34_{10} 2K 24_{13} Js 1_{3} u. nif. 1, Ri 20_{6b} etc., ↗ Noth Syst. 104ff; כָּל־יִשְׂר׳ Esr 2_{70} 10_{5} 1C 9_{1f}, בִּיהוּדָה וּבִנְיָמִין 2C 11_{3}; b) d. Nordreich Hos 1_{1} 2S 3_{10} 1K 14_{19}; c) d. Südreich 2C 11_{3} 21_{2} (Seb.[MSS] G יְהוּדָה, Hö. Galling :: Rud.); — 2. בֵּית יִשְׂר׳: a) Gesamtisr. Ex 40_{38} 1S 7_{2} Js 46_{3}; b) d. Nordreich 1K 12_{21} Hos 5_{1}, cj 10_{15} (G), Am 5_{1}; c) d. Südreich Js 5_{7} Jr 10_{11} Mi 3_{9}; — 3. בְּנֵי יִשְׂר׳ Ex 1_{1} Lv 1_{2} Ri 2_{4}; — 4. אִישׁ יִשְׂר׳: a) irgend e. Einzelner Nu 25_{8} 1S 17_{25} 1C 16_{3}; b) e. bestimmter Einzelner Ri 7_{14}; c) coll. Ri 7_{23}, כָּל־אִישׁ יִשְׂר׳ Dt 27_{14} 1S 17_{19}; — 5. כְּנַעַן = אֶרֶץ יִשְׂר׳ 1S 13_{19} 2K 6_{23} Ez 27_{17}; גְּבוּל יִשְׂר׳ 1K 1_{3} Mal 1_{5}; הַר יִשְׂר׳ Jos $11_{16.21}$; — 6. הָעָם יִשְׂר׳ (Rud. EN 86) Jos 8_{33} 1K 16_{21} Esr 9_{1}; — 7. שִׁבְטֵי יִשְׂר׳ Ez 48_{31}; אַלְפֵי יִשְׂר׳ Nu 10_{36}; מַחֲנֵי יִשְׂר׳ 2S 1_{3}; גִּבּוֹרֵי יִשְׂר׳ Zef 3_{13}; שְׁאֵרִית יִשְׂר׳ HL 3_{7}; אַשְׁמַת יִשְׂר׳ Kl 2_{3}; תִּפְאֶרֶת יִשְׂר׳ Kl 2_{1}; קֶרֶן יִשְׂר׳ Esr 10_{10}; — Dt 32_{8} l אֵל (GLS, 4Q ↗ Skehan BASOR 136, 12ff); Jr 33_{7} u. 36_{2} l יְרוּשָׁלַםִ (Rud.); Hos 8_{6} ? l מַה = מִיִּשְׂר׳ מִישֹׁר אֵל יִשְׂר׳ (Nyberg, Rud. 158) :: Tur-S. (↗ Pope 35); Ps 73_{1} l לַיָּשָׁר אֵל :: Würthwein, Wort u. Existenz, 1970, 167.

Der. יִשְׂרְאֵלִי.

יְשַׂרְאֵלָה: 1C 25_{14}; n.m.: l אֲשַׂרְאֵלָה v. 2. †

יִשְׂרְאֵלִי: gntl. v. יִשְׂרָאֵל II; aram., klschr. *Sirʾilai* (*a*) m. aram. Endg AOT 341, ANET 279a; f. יִשְׂרְאֵלִית: Lv 24_{10f}; אִישׁ הַיִּשְׂרְאֵלִי 24_{10} (Driv. VT 15, 387¹); sonst in diesem Sinn אִישׁ מִבְּנֵי יִשְׂר׳, אִישׁ יִשְׂרָאֵל ↗ 4, Nu 25_{8} (= אִישׁ עִבְרִי(ת) ;עִבְרִי(ת) v. 6) u. Ex 2_{11} 2S 17_{25}. †

יִשָּׂשכָר, G Ισσαχαρ: Q perpet. יִשָּׂכָר BenNaft. (Würthw. 31) יִשְׂשָׂכָר; K ? ↗ Sam.[M111] *jašišākar*; Ginsburg-Orl. 250ff, XXXII, XLIII; Etym. (erkl. m. שָׂכָר Gn $30_{16.18}$): I אִישׁ + שָׂכָר Lohnarbeiter (Bgstr. 1, 105t) od. יֵשׁ שָׂכָר (= II אִישׁ) :: < *jistakar (iftaʿal, Albr. ZAW 44, 234⁴) od. šafʿel (De Langhe, Textes de Ras Shamra 1939, 85f) „El gibt Lohn", (asa. ישׂכראל Ryckm. 1, 250f.404): **Issachar**: — 1. (n.m.) h. ep. v. 2; 5. S. v. Jakob u. Lea Gn 30_{16-18} 35_{23} 46_{13} Ex 1_{3} Nu 1_{8} 1C 2_{1} 7_{1}; s. Söhne

Gn 46$_{13}$ Nu 1$_{28}$ 26$_{23}$ Jos 19$_{17}$ 1C 12$_{33}$; — 2. n.tr. (Noth WdAT 64f, GI 76): Gn 49$_{14}$ (!) Dt 27$_{12}$ 33$_{18}$ Jos 17$_{10f}$ 19$_{17}$ Ri 5$_{15}$ 1K 4$_{17}$ Ez 48$_{25}$ 1C 12$_{41}$ 27$_{18}$ 2C 30$_{18}$, c. מַטֵּה Nu 1$_{29}$ 2$_{5}$ 13$_{7}$ Jos 21$_{6.28}$ 1C 6$_{47.57}$, c. מַטֵּה בְנֵי Nu 10$_{15}$ 34$_{26}$ Jos 19$_{23}$, c. מִשְׁפְּחוֹת Nu 26$_{25}$ 1C 7$_{5}$, c. גְּבוּל Ez 48$_{26}$, c. בֵּית 1K 15$_{27}$, c. נְשִׂיא Nu 7$_{18}$, c. שַׁעַר Ez 48$_{33}$, c. אִישׁ (8.) Ri 10$_{1}$; — 3. n.m. (Hö. Fschr. Marti 150) 1C 26$_{5}$, S.v. עֹבֵד אֱדֹם. †

יֵשׁ, (ca. 130 ×), יֶשׁ־, Sam.^{M111} *ješ*; Hier. *is*: Nf. v. II אִישׁ Pr 18$_{24}$ (?) u. אִשׁ (↗ Bgstr. 1, 105t) 2S 14$_{19}$ Mi 6$_{10}$ (Tf. BL 634u), ug. *ỉṯ*, *iši* (PRU III 193, 25, UT nr. 418, Aistl. 469); ph. *jš* (DISO 111); aram. אִית u. אִיתַי ↗ ba. אִיתַי, DISO 12; ja. cp. sam. sy. md. (MdD 15b.348b); akk. *išū* haben, in EA wie יֵשׁ VAB II 1430, AHw. 402b; c. neg. akk. *lā išū*, *laššu* (AHw. 539), aram. (↗ ba. אִיתַי, DISO 138): לִישׁ/ת, ar. *laisa*; Grdf. *jiṯai*?, cf. יִשַׁי u. אִישַׁי (Bauer ZAW 48, 77); VG 1, 75m, BL 634u, BLA 254l-n, Garbini SNO 171f, Rosenthal Spr. 83f: יֶשׁ־ יֶשׁ־ Esr 10$_{2}$, הֲיֶשׁ־ u. וְיֶשׁ־, יֶשְׁנוֹ/נָה ,יֶשְׁךָ/כֶם Dt 29$_{14}$ + 3 ×; HeSy. § 12: — 1. sbst. Vorhanden sein: **Besitz** Pr 8$_{21}$ Sir 42$_{3}$ (|| נַחֲלָה); — 2. **es ist vorhanden, es gibt**: יֵשׁ דָּבָר es gibt etw. Koh 1$_{10}$, so 2$_{21}$ 5$_{12}$ Gn 24$_{23}$ 42$_{1f}$ Nu 13$_{20}$ Ri 18$_{14}$ Js 44$_{8}$ Jr 5$_{1}$ 37$_{17}$ Ps 14$_{2}$ 53$_{3}$ 73$_{11}$ Pr 19$_{18}$ 20$_{15}$ 23$_{18}$ 24$_{14}$ Hi 5$_{1}$ 9$_{33}$ 11$_{18}$ 33$_{23.32}$ Rt 3$_{12}$ Kl 1$_{12}$ 3$_{29}$ Koh 2$_{13}$ 4$_{8}$ 6$_{1}$ 7$_{15}$ 8$_{6}$ 9$_{4}$ 10$_{5}$ Esr 10$_{2}$ 2C 15$_{7}$ 1K 18$_{10}$ Pr 14$_{12}$ 16$_{25}$; יֵשׁ חֲמִשִּׁים es gibt fünfzig Gn 18$_{24}$ 47$_{6}$ Ps 58$_{12}$ Koh 6$_{11}$ 8$_{14}$ Esr 10$_{44}$, cj Hi 19$_{29}$ (l יֵשׁ דַּיָּן, T) Dt 29$_{17}$ 2K 5$_{8}$ Jr 14$_{22}$ 31$_{16f}$; יֵשׁ יהוה J. ist zugegen Gn 28$_{16}$ Ex 17$_{7}$ (:: אַיִן); יֶשׁ־יוֹם es kommt d. Tag Jr 31$_{6}$; c. prolept. sf. (aram.; BLA § 74a) יֶשְׁנוֹ עַם אֶחָד Est 3$_{8}$, c. בְּ es ist an (? l יְשֵׁנָה) 1S 14$_{39}$ 23$_{23}$; als Antwort auf הֲיֵשׁ: ja, 1S 9$_{11f}$ 2K 10$_{15}$ (וָיֵשׁ u. wenn es so ist) Jr 37$_{17}$; — 3. nach vorangehendem sbst.: a) abs. לֶחֶם יֵשׁ Brot ist da 1S 21$_{5}$ Js 43$_{8}$ Ri 19$_{19}$ (לְ für); b) c. אֵת bei Gn 44$_{26}$ 2K 2$_{16}$ 3$_{12}$ (l אִתּוֹ) Jr 27$_{18}$ Pr 3$_{28}$, c. עִם Ri 6$_{13}$ 2K 10$_{23}$ 2C 16$_{9}$; c) neutr.: יֵשׁ אֶת־נַפְשְׁכֶם; ihr seid willens Gn 23$_{8}$, cj 2K 9$_{15}$ (ins. אֶת־), 2K 10$_{15}$ (l יָשָׁר od. dl. אֶת־); יש עוד es ist noch mehr vorhanden Sir 43$_{30}$; — 4. יֵשׁ c. pt.: es gibt solche die = manche: יֵשׁ מְפַזֵּר Pr 11$_{24}$ manche zerstreuen, 12$_{18}$ 13$_{7}$ 18$_{24}$, = יֵשׁ אֲשֶׁר Nu 9$_{20f}$ Neh 5$_{2-5}$, יש מהם manche von ihnen Sir 44$_{8}$; — 5. יֵשׁ m. sf. als subj. u. pt. (= „cop.") יֶשְׁךָ־נָּא מַצְלִיחַ du gibst Gelingen Gn 24$_{42}$, 24$_{49}$ 43$_{4}$ Dt 13$_{4}$ 29$_{14}$ Ri 6$_{36}$; — 6. יֵשׁ לְ dat. poss.: a) לוֹ er besitzt Gn 33$_{9.11}$ 39$_{4f.8}$ 43$_{7}$ 44$_{19f}$ Ri 19$_{19}$ 1S 17$_{46}$ 2S 19$_{29}$ 1K 17$_{12}$ 2K 4$_{2}$ Jr 41$_{8}$ Hi 14$_{7}$ 25$_{3}$ 28$_{1}$ 38$_{28}$ Koh 4$_{9}$ Rt 1$_{12}$; rel. יֶשׁ־לִי was ich habe 1C 29$_{3}$ (Rud: cj שֶׁלִּי); יֶשׁ־לְאֵל יָדִי (↗ IV אֵל) Gn 31$_{29}$ Mi 2$_{1}$; b) לְ c. inf. (ich) habe zu (GK § 114k), soll 2K 4$_{13}$, vermag 2C 25$_{9}$; c) c. Neg. (ba. לָא אִיתַי) אֵין יֵשׁ 1S 21$_{9}$ (cj pr. אַיִן, al. אֵי־) Ps 135$_{17}$; — 7. יֵשׁ c. adv. loci: a) c. פֹּה hier ist Ri 4$_{20}$ 1S 21$_{9}$; b) c. בְּ in, an Nu 22$_{29}$ 1S 9$_{11}$ 20$_{8}$ 2S 14$_{32}$ Ps 7$_{4}$ Hi 6$_{6.30}$ Jon 4$_{11}$ Mal 1$_{14}$; c) c. תַּחַת an Stelle v. Hi 16$_{4}$, unter 1S 21$_{4}$; — Jr 23$_{26}$ l הַשְׁמִי (: שֵׁם); Pr 13$_{23}$? l רָשׁ.

Der. אֲבִישַׁי (?), יִשַׁי, ? יְשִׁיָּה(וּ).

cj יִשְׁאָל: Esr 10$_{29}$ Or^{K} pr. וּשְׁאָל: n.m., שׁאל (Noth 209 :: König Wb. 475b).

ישׁב (1090 ×): Grdf. *jṯb*: mhe.; ug. *jṯb* (impf. 1. sg. *ʾṯb* = **ʾaṯibu*; inf. *ṯbt*, UT § 9, 48 nr. 1177), kan. *nišab* (EA, E 21, Dho. Rec. 503f); mo. ph. aam. jaud. ישב; äga. pehl. nab. (מותב) palm. Uruk יתב (DISO 111f), ja. sam. cp. sy. md. (MdD 193b) יְתֵב; ar. *waṯaba* v. Sitz aufspringen (↗ Barr CpPh. 174), asa. *wṯb* IV hinlegen, himj. sitzen, äth. *ʾawsaba* heiraten; akk. *(w)ašābu*:

qal (ca. 770 ×): pf. יָשַׁבְתָּ, יָשַׁב/שָׁב; יָשְׁבוּ/שָׁבוּ; impf. (BL 378p.r) יֵשֵׁב, יֵשֶׁב, תֵּישַׁבְנָה*, יֵשְׁבוּ/שֵׁבוּ, וָאֵשְׁבָה/שֵׁבָה, וַיֵּשֶׁב/שֵׁב Ez 35$_{9}$K (Q תָּשֹׁבְנָה √ שׁוב); imp. שֵׁב, שֶׁב־,

שֵׁבוּ ,שְׁבוּ ,שְׁבָה; inf. cj *שֵׁבָה Js 30_{15}, (לָ)שֶׁבֶת, cs. לְשֶׁבֶת (Gn 16_{3}), שִׁבְתִּי, abs. יָשֹׁב־ 1S 20_{5} (Tf ?); pt. יֹ(ו)שֵׁב, הַיֹּשְׁבִי Ps 123_{1} (BL 526l; 11Q DJD 3, III 15 היושב), f. יֹשְׁבָה, יֹ(ו)שֶׁבֶת, יֹ(ו)שֶׁבֶת, cs. *יוֹשַׁבְתִּי K, Q יוֹשֶׁבֶת Jr 10_{17} u. Kl 4_{21} (BL 526l), יֹשְׁבִים, יֹ(ו)שְׁבֵי (1C 2_{55}, K *יָשְׁבוּ, rel.), יֹ(ו)שְׁבוֹת: — 1. **sich hinsetzen** Gn 27_{19}; c. לְ auf Kl 2_{10}, c. לְ an Pr 9_{14}, c. עַל auf 1K 2_{19}, c. לְ wartend auf Ex 24_{24}, cj Nu 10_{36} (l שְׁבָה :: RSmend FRLANT 84, 58[10], JMaier, D. altisr. Ladeheiligtum, 1965, 10f); c. dat. eth. וַתֵּשֶׁב־לָהּ sie setzte sich hin Gn 21_{16}; — 2. **sitzen** Dt 6_{7} (:: הלך) Ps 1_{1} (:: הלך u. עמד) Ps 139_{2} (:: קום), Sitzung halten Jr 39_{3} (Eissf. KlSchr. 4, 187) Esr 10_{16} (יְשִׁיבָה **mhe.** nhe. Sitzung, Akademie); Sir 51_{29}; c. loc. Gn 18_{1} (פֶּתַח, BL § 22a), c. בְּ in 19_{1}, c. עַל auf 1K 22_{10}, c. אֶל־הַשֻּׁלְחָן bei Tisch 13_{20}; Tauben sitzen HL 5_{12}; יֹשֵׁב יהוה: הַכְּרֻבִים: der auf d. K. sitzt (thront) 1S 4_{4}; c. לְ loci Ps 9_{5} 29_{10} Js 32_{6} 47_{1}; יָשַׁב עַל־הַמִּשְׁפָּט bei e. Gericht d. Vorsitz haben Js 28_{6}; — 3. Versch.: a) יָשַׁב עַל כִּסֵּא מְלוּכָה (akk. *ina kussē šarrūti ašābu*) d. Königsthron besteigen 1K 1_{46} 2_{12} Jr 22_{4} Est 1_{2}, הַיֹּשְׁבִים d. Thronenden Js 10_{13} Ex $15_{14f.}$ (:: Cross-Freedm. JNESt. 14, 248f: gew. Bewohner),; b) Löwen kauern Ps 17_{12}; c. אֹרֵב Ri 16_{9} u. בַּמַּאְרָב Ps 10_{8} im Hinterhalt liegen; c): bereit sitzen (זוֹנָה) Jr 3_{2}; עִם zusammensitzen mit Ps 26_{4}; c. לִפְנֵי Schüler sein 2K 4_{38}; c. בְּ u. n.l. besetzt halten 1S 13_{16}, 1K 11_{16}; c. לְחוֹף müssig am Strand sitzen Ri 5_{17}; d): abs. dasitzen Jr 8_{14}, הַיֹּשְׁבִים d. Anwesenden Rt 4_{4} (Rud. 59); שִׁבְתּוֹ Ex 21_{19} (erzwungene) Untätigkeit (G, :: Cazelles 53f, Fensham VT 10, 333f); — 4. **sitzen bleiben**: daheim bleiben Lv 12_{4f} 2K 14_{10} Hos 3_{3}; bleiben Gn 24_{55}, (Sachen) 49_{24}; יָשַׁב לוֹ er bleibt 22_{5}; c. לְ **warten auf** Ex 24_{14}; c. מִן sich fern halten v. Pr 20_{3}; — 5. **wohnen**: Gn 13_{6}, cj Hos 14_{8} (l יֵשְׁבוּ) Ps 133_{1}; sicher wohnen Mi 5_{3}, יוֹשֵׁב Bewohner coll. Gn 4_{20} 34_{30}, pl. 36_{20}; יֹשְׁבֵי בְּאֶרֶץ Js 9_{1} u. יֹשְׁבֵי־בָהּ Jr 12_{4} (Ϝ GK § 130a); יֹשֶׁבֶת Einwohnerschaft (HeSy. § 16f) Jr 46_{9} 48_{18f}, יֹשְׁבוֹת 1S 27_{8} (Ϝ Wellh., Text d. Bücher Sam., 1871, 139f); — 6. **bewohnt**, **bevölkert sein** (:: I חרב): a) Stadt Js 13_{20} Jr 17_{25} Ez 26_{20} (cj תֵּשְׁבִי), Zch 7_{7} 9_{5}; b) Landschaft Jl 4_{20} Jr 17_{6} Ez 29_{11}; c) Haus Hi 15_{28}; — Gn 49_{24} l וַתִּשָּׁבֵר (G); Jos 17_{7} l c. G n.l. יָשׁוּב (Noth 103f); Js 30_{7} pr. הֵם שֶׁבֶת l ? הַמָּשְׁבָּת das geschweigte Rahab (Gkl-SchCh. 38f :: Fohrer: die stillgelegte); Am 6_{3} l שְׁנַת Ps 50_{20} l בֹּשֶׁת; 1C 4_{22} l Q וַיָּשֻׁבוּ.

nif: pf. נוֹשָׁבָה, נוֹשְׁבוּ/שָׁבוּ (Jr 22_{6} נוֹשָׁבָה, K 3 f. sg., l Q pl., Bgstr. 2, 15; BM 2, 14); pt. נוֹשָׁבוֹת, נוֹשָׁבֶת: **bewohnt sein** Land Ex 16_{35} Jr 6_{8}, Stadt Jr 22_{6} Ez 12_{20} 26_{19} 36_{10}, Trümmer Ez 38_{12}; pt. נושבת Wohnland Sir 43_{4}; — Ez 26_{17} l נִשְׁבַּתְּ (G שבת, nif. 2f). †

pi. (Jenni 93f): pf. יִשְּׁבוּ: טִירוֹת (Zeltlager) **aufschlagen** Ez 25_{4}. †

hif. (ca. 40 ×): pf. הוֹשַׁבְתִּי, הֹשִׁיב, הוֹשַׁבְתִּיךָ/תִּים, הוֹשִׁבַנִי; impf. וַיּוֹשִׁיבֵנִי 1K 2_{24} וַיֹּשִׁבוּם, אוֹשִׁיבְךָ, l.c. Q ־בְּנֵי (BL 384c), ־בָּנַי Ⓑ וַנּוֹשֶׁב; imp. הוֹשֵׁב; inf. הוֹשִׁיב; pt. מוֹשִׁיב, cs. מוֹשִׁיבִי Ps 113_{9} (BL 526l); — 1. **sitzen lassen**, **setzen**: a) 1K $21_{9f.12}$ Ps 113_{8} (l לְהוֹשִׁיבוֹ) Hi 36_{7}; b) König auf d. Thron 1K 2_{24} Hi 36_{7} 2C 23_{20}; — 2. (Stadt) **besiedeln** Js 54_{3} Ez 36_{33}; — 3. **wohnen lassen** (Mesa 13) Gn $47_{6.11}$ Lv 23_{43} 1S 2_{8} (עִם zusammen mit) 1S 12_{8} 2K $17_{6.24.26}$ Jr 32_{37} Ez 26_{20} 36_{11} Hos 12_{10} Ps 4_{9} 107_{36} 143_{3} Kl 3_{6} 2C 8_{2}; Ϝ n.m. יוֹשַׁבְיָה; — 4. **zurücklassen** 1S 30_{21} (l וַיֹּשִׁיבֵם); — 5. (Jenni 85) a) e. **Hausstand** (בַּיִת) **gründen lassen** Unverheiratete **Ps** 68_{7}, d. Unfruchtbare Ps 113_{9} (Albr. Fschr. Mow. 2f); b) e. Ausländerin ansässig machen, **heiraten** (s.o. äth.) Esr $10_{2.10.14.17f}$ Neh $13_{23.27}$; — Hos 11_{11} עַל = אֶל u. Zch 10_{6} l וַהֲשִׁבוֹתִים.

hof: pf. הוּשַׁבְתֶּם Js 5_8 (1QJsª Vss qal); impf. תּוּשַׁב (1QJsª תשב); — 1. **bewohnt werden** Js 44_{26}, cj (תּוּשַׁבְנָה) Ez 35_9; — 2. denom. v. יוֹשֵׁב eingesessen, **Grundbesitzer sein** Js 5_8 (Alt ZÄS 75, 19). †
Der. מוֹשָׁב, שֶׁבֶת, תּוֹשָׁב; n.m. יוֹשִׁבְיָה; יֶשֶׁבְאָב, II יָשׁוּב.

יֹשֵׁב בַּשֶּׁבֶת Ⓑ, Ⓛ בַּשֶּׁבֶת, Gᴮ Ιεβοσθε, Gᴬ Ιεσβααλ; n.m. deform. < *יִשְׁבֹּשֶׁת < יִשְׁבַּעַל (↗ אִישְׁבֹּשֶׁת u. אֶשְׁבַּעַל), Noth ZDMG 81, 21[4], Mazar VT 13, 315[2]; *בֹּשֶׁת; — ↗ Caspari ZAW 35, 171ff: Recke Davids 2S 23_8 = יָשָׁבְעָם 1C 11_{11}. †

יֶשֶׁבְאָב, or. ׳: (MTB 78): n.m.; יֹשֵׁב, „d. Vater bleibe am Leben" (Noth 247, ↗ Rud. 160 :: Stamm HEN 419f: שׁוּב „J. hat d. Vater zurückgebracht"): 1C 24_{13}. †

יִשְׁבָּח, Gᴬ Ιεσαβα: II שׁבח pi.; Kf. „(Gott) beruhige" (Noth 211); äg. **Jasabaḥu* (Albr. Voc. 39): V. v. אֶשְׁתְּמֹעַ 2 im Negeb, 1C 4_{17}. †

cj **יִשְׁבַּעַל**: n.m.; pun. ישבעל (PNPhPI 129.327); יֵשׁ + בַּעַל: cj 2S 23_8 pr. יֹשֵׁב בַּשֶּׁבֶת, u. 1C 11_{11} (auch 12_2 ?) 27_2 pr. יָשָׁבְעָם (Rud. Chr. 96, Mazar VT 13, 315[2]): „B. existiert" (Baud. Kyr. 3, 91) ↗ יִשְׁוִי (?), אֲבִישַׁי ,יִשַׁי: Recke u. Heeresoberst Davids. †

יָשָׁבְעָם, Aussprache wie יָרָבְעָם; Gᴮᴺᴬ Σοβο(κ)αμ: n.m.; שׁוּב + II עַם, „d. Onkel ist wiedergekehrt" (Stamm HEN 419); Krieger Davids 1C 12_7 (Rud. Chr. 104); — 1C 11_{11} 27_2 l יִשְׁבַּעַל. †

יִשְׁבָּק, Gᴬ Ιεσβοκ, Gᴮ Σοβακ: n.m.; שׁבק, ar. *sabaqa* zuvorkommen, übertreffen, ↗ שׁוֹבֵק; klschr. *Jasbuq* n. tr. (Meyer Isr. 314, Albr. Fschr. Alt I, 9[4]): S. v. Abraham u. קְטוּרָה Gn 25_2 1C 1_{32}. †

יָשְׁבְּקָשָׁה, Gᴮ Ιειβασακα < *Ιεσβακασα (Ra.), V *Iesbacassa*. 1C $25_{4.24}$: n.m. (?) S. v. Heman = Sängerklasse, < יוֹשֵׁב (בְּ)קָשָׁה „im Unglück sitzend (Rud. 167). †

I **יָשׁוּב**, Sam.ᴹ²²⁰ *jēšob*, Gᴮ Ιασουβ: n.m.; Kf. שׁוּב „(Gott) wende sich zu" (Noth 199, Holladay 109f. cf. שׁוּבָאֵל, :: Stamm HEN 419 „er (d. Verstorbene) ist wiedergekehrt", cf. יָשָׁבְעָם); ug. *Jašub-ilu* (PRU 3, 262, UT nr. 2661); amor. *Jašub* + n.d. (Huffm. 226), äga. ישובי; — 1. S. v. Issachar Nu 26_{24} 1C 7_1 Q (K יָשִׁיב, T יוֹב = Gn 46_{13}); — 2. Esr 10_{29} (m. ausländ. Frau). †
Der. יָשׁוּבִי.

cj II **יָשׁוּב**, Gᴮ Ιασσει/ηβ, Gᴬ Ιασηφ, Sam. יסוף: cj pr. יָשִׁבֵי: n.l. ? ישׁב „bewohnt" (BL 472w); OS ישׁב (Dir. 54): = *Jāsūf* 13 km. s. Nablus (Abel 2, 318.475, GTT § 324Af, Noth 103f) Jos 17_7. †

יָשֻׁבִי, Sam.ᴹ²²⁰ *jēšūbi*: gntl. v. I יָשׁוּב 1, Sippe in Issachar Nu 26_{24}; — 1C 4_{22} l וַיָּשֻׁבוּ. †

יִשְׁוָה, Sam.ᴮᶜʰ· ³, ¹⁷³ᵇ *jašbe*: n.m.; Gn 46_{17} u. 1C 7_{30} vor יִשְׁוִי; S. v. אָשֵׁר Nu 26_{44} nur in Sam. S; dittgr. od. Var. zu ↗ יִשְׁוִי. †

יְשׁוֹחָיָה, Gᴮ Ιασουια: n.m.; unerkl., Tf? Simeonit 1C 4_{36}. †

יִשְׁוִי, Sam.ᴮᶜʰ· ³, ¹⁷³ᵇ *jašbi*: ? שׁוה; ↗ Noth 227[17]; Gᴮ Ιεσσιου ? < יִשְׁיוֹ, Mazar VT 13, 315[2]; :: Wieder JBL 84, 160f: *שׁוה herrschen, ug. *ṯwj* (UT nr. 2662, Aistl. 2851); ↗ יִשְׁוָה: — 1. S. v. Ašer Gn 46_{17} Nu 26_{44} 1C 7_{30}; — 2. (G Ιεσσιου) S. v. Saul 1S 14_{49} (cf. Komm.); — 3. gentl. v. 1. Nu 26_{44}. †

I **יֵשׁוּעַ**, or. *Jēšōᶜe* (MTB 78): n.m.; mhe.; G Ιησου, > NT Ιησους, ↗ WbNT; ? Dir. 220 ישע; c. יְהוֹשֻׁעַ < יוֹשׁוּעַ (Bgstr. 1, 151b): — 1. יְהוֹשׁוּעַ בִּן נוּן Neh 8_{17} (↗ Rud. EN 150), DJD I, 22 I 12; — 2. Esr 2_2 3_8 = יְהוֹשֻׁעַ בֶּן־יְהוֹצָדָק, d. spätere Hohepriester; — 3. בְּנֵי ׳ Heimkehrergeschlecht Esr 2_6 Neh 7_{11}; — 4. בֵּית ׳ Priestergeschlecht d. Heimkehrerliste Esr 2_{36} Neh 7_{39} (? = 3.); — 5. בְּנֵי ׳ Leviten Esr 2_{40} 3_9 Neh 7_{43} 8_7 9_{4f} 10_{10} $12_{8.24}$; — 6. V. des Esr 8_{33} genannten יוֹזָבָד; — 7. V. d. Neh 3_{19} genannten עֵזֶר; — 8. Priesterklasse 1C 24$_{11}$; — 9. Priester z. Zeit d. Hiskia 2C 31$_{15}$. †

II יֵשׁוּעַ, G^B Ιησου, G^L Σουα: n.l. in S.-Juda; (Abel 2, 364, GTT § 317, 16 :: Alt ZDPV 58, 41[1]): Neh 11$_{26}$. †

יְשׁוּעָה, Sam.$^{BCh\ 3,37}$ *jēšuwwae*; ישע, BL 472v; mhe.[2]: לִישֻׁעָתָה Jon 2$_{10}$ Ps 3$_3$ u. יְשֻׁעָתָה Ps 80$_3$ (BL 528t), יְשׁוּעַת, יְשׁ/יְשׁוּעָתִי, יְשׁ/שׁוּע(ו)ת, יְשׁוּעָתָה/תֵנוּ, יְשׁוּעָתְךָ/תֵךְ: **Hilfe, Heil** (↗ Fichtner, Fschr. Rud. 54f) — I. sg.: 1. a) Gottes Hilfe (:: גְּבוּרָה) יְשׁוּעַת י׳: Ex 14$_{13}$; Gn 49$_{18}$ Ex 15$_2$ Dt 32$_{15}$ 1S 2$_1$ Js 12$_2$ 25$_9$ 33$_2$ 59$_{11.17}$ Jon 2$_{10}$ Ps 3$_{3.9}$ 9$_{15}$ 13$_6$ 14$_7$ 20$_6$ 21$_{2.6}$ 35$_{3.9}$ 62$_{2f.7}$ 67$_3$ 68$_{20}$ 69$_{30}$ 70$_5$ 78$_{22}$ 80$_3$ 89$_{27}$ 91$_{16}$ 96$_2$ 98$_2$ 106$_4$ 118$_{14f.21}$ 119$_{123.155.166.174}$ 140$_8$ 149$_4$ Hi 30$_{15}$ 1C 16$_{23}$ 2C 20$_{17}$; cj Hab 3$_{13}$ לִישׁוּעַת; b) Gottes Heil Js 49$_{6.8}$ 51$_{6.8}$ 52$_{7.10}$ 56$_1$; — 2. menschliche Hilfe 1S 14$_{45}$ (עשה) 2S 10$_{11}$ Js 62$_1$ (Zion); — 3. Hilfe v. Sachen her: Js 26$_1$ u. 60$_{18}$ (Mauern), Hi 13$_{16}$, מַעַיְנֵי הַי׳ Js 12$_3$; — II. pl. 1. **Hilfe** (GK § 124i, Dahood Bibl. 46, 324) Js 26$_{18}$ 33$_6$ Ps 28$_8$ 42$_{6.12}$ 43$_5$ 44$_5$ 53$_7$; — 2. a) **Heilstaten** Ps 74$_{12}$; b) Heil: c. הִגְדִּיל 2S 22$_{51}$/Ps 18$_{51}$; כּוֹס יְשׁוּעוֹת Ps 116$_{13}$ G ποτήριον σωτηρίου 3 Mak 7$_{18}$ (Gressm. Fschr. Sellin, 1927, 56f); — Ps 22$_2$ l מִשַּׁוְעָתִי; 88$_2$ l שַׁוְעָתִי; ? Hab 3$_8$, ↗ Komm. †

ישח: ar. *wasiḫa* schmutzig sein (Ehrmann JNESt 18, 56, Driv. JSSt 10, 114. Der. יֶשַׁח.

*יֶשַׁח: ar. *wasḫ* Schmutz: יֶשְׁחֲךָ: **Kot** (S) Mi 6$_{14}$. †

ישט: mhe. hif. ja.^{tg} sy. cp. md. (MdD 193b) af. ausstrecken; äth. ↗ Lesl. 25; aLw. 122: **hif**: impf. וַיּוֹשֶׁט, יוֹשִׁיט: **entgegenstrecken** Est 4$_{11}$ 5$_2$ 8$_4$, cj Ps 60$_7$ (l הוֹשִׁיטָה) Sir 7$_{32}$ 31/34$_{14}$. †

hof: pt. מושטת: **ausgestreckt** Sir 43$_1$. †

יִשַׁי, אִישַׁי, יִשָׁי, יֶשַׁי 1C 2$_{13}$; alte Nf. (Ku. HeWf. 168) > G NT Ιεσσαι, V Isai; < *יִשַׁי; Kf. < יְשִׁיָּה(ו), Mazar VT 13, 315[2], :: Noth 138 z. אִישׁ c. n.d. „Mann des ?"; Kf. < אֲבִישַׁי HBauer ZAW 48, 77: **Isai, Jesse** (V Ps 72$_{20}$) (BHH 776), V. Davids 1S 16$_{1-22}$ 17$_{12f.17.20.58}$ 20$_{27.30f}$ 22$_{7.9.13}$ 25$_{10}$ 2S cj 17$_{25}$ G^L (↗ נָחָשׁ III 1) 20$_1$ 23$_1$ 1K 12$_{16}$ Js 11$_{1.10}$ Ps 72$_{20}$ Rt 4$_{17.22}$ 1C 2$_{12f}$ 10$_{14}$ 12$_{19}$ 29$_{26}$ 2C 10$_{16}$ 11$_{18}$. †

יָשִׁיב: n.m.; Stamm HEN 419; äga. ישיב; 1C 7$_1$K (Q יָשׁוּב, ↗ אֶלְיָשִׁיב). †

יִשִּׁיָּה, G^B Εισια, G^A Ιεσια: n.m.; < יִשִּׁיָּהוּ: 1.-4. 1C 7$_3$; Esr 10$_{31}$; 1C 24$_{21}$; 23$_{20}$ 24$_{25}$. †

יִשִּׁיָּהוּ, G^B Ιεσουνει (↗ נ: י׳), G^A Ιεσια: n.m., > יִשִּׁיָּה; ? cf. אשיהו ihe. (Phoen. 12, 368); ? נשה II + י׳ „J. liess vergessen" (? Noth 211); Stamm HEN 420f, ↗ מְנַשֶּׁה) :: cf. ug. *jṯ3l* (UT nr. 1176, Aistl. 1263): יֵשׁ: 1C 12$_7$. †

יְשִׁימוֹן u. יְשִׁמוֹן, יְשִׁ(י)מ(ו)ן Dt 32$_{10}$: ישם, BL 500q; ? < *יְשׁוּמוֹן 1QJs^a dissim. (Ku. LJs. 40); aam. ישמן (DISO 112, RDegen, WdO 4,58): **Wüste** (↗ Noth ZAW 60, 27f): —1. appell., nie mit Art., immer verbunden od. || m. מִדְבָּר Dt 32$_{10}$ Js 43$_{19f}$ Ps 68$_8$ 78$_{40}$ 106$_{14}$ 107$_4$; — 2. n.l. od. t. הַיְשִׁימוֹן: a) im Negeb b. זִיף u. III מָעוֹן 1S 23$_{19.24}$ 26$_{1.3}$; b) in Trsjd. b. פְּעוֹר Nu 21$_{20}$ 23$_{18}$ als weiterer Begriff (Noth l.c., GTT p. 22f: ↗ יְשִׁמוֹת u. בֵּית הַיְשִׁימוֹת. †

יְשִׁימוֹת ↗ בַּיִת) בֵּית הַי׳ I B 21) u.

יְשִׁימָוֶת Ps 55$_{16}$: gew. Q יַשִּׁיא מָוֶת, hif. II נשא täuschen, od. hif. שׁוא übel mitspielen (Lex.[1]); eher l K sec. ↗ בֵּית) הַיְשִׁימוֹת) Nu 33$_{49}$: √ ישם (Ges. Th. 638): **Verwüstung**. †

יָשִׁישׁ: ישׁשׁ; mhe.[2](?); ↗ יָשֵׁשׁ: יְשִׁישִׁים: **hochbetagt**, || שָׂב Hi 15$_{10}$, :: נְעָרִים 29$_8$ u. צָעִיר 32$_6$, Träger d. חָכְמָה לְיָמִים 12$_{12}$. †

יְשִׁישַׁי: n.m.; יָשִׁישׁ + *aj* (Noth 38) 1C 5$_{14}$. †

*ישׁם: asa. *wṯmt* magere Weide (ZAW 75, 310), ar. *waṯim* magerer Boden. Der. יְשִׁימוֹן u. יְשִׁמוֹת.

יִשְׁמָא: n.m.; Kf. v. יִשְׁמָעֵאל (Noth 38.198); Dir. 352: 1C 4$_3$.

יִשְׁמָעֵאל: (n.m.) n.tr.; < *יִשְׁמַע־אֵל (GK § 23c): שׁמע + אֵל „El höre/te" (Noth 198, Driv. HVS 143); > יִשְׁמָא; Dir. 203.

210; שמעאל (cf. שְׁמַעְיָה) APE 75 II 7, *Jašmaḫi-el* (Bauer Ok. 30 :: JLewy HUCA 19, 432[143]), akk. *Išme-ilum* (Stamm 72); asa. *jsmʿʾl* (Mlaker 37): **Ismaël** (HwbIsl. 222): — 1. S. v. Abraham u. Hagar Gn 16_{11} (erkl.). 15f $17_{18.20.23.25f}$ $25_{9.12f.16f}$ 28_9 36_3 1C $1_{28f.31}$; h. ep. d. Stammes יִשׁ׳ Gn $25_{13.16}$ 1C $1_{29.31}$ cj Ps 55_{20}; בְּנֵי יִשׁ׳ Gn $25_{13.16}$ 1C 1_{31}, בַּת יִשׁ׳ Gn 28_9 36_3; gntl. ↗ יִשְׁמְעֵאלִי; Meyer Isr. 322ff, BHH 781; — 2. davidischer Prinz, Mörder d. גְּדַלְיָה 2K $25_{23.25}$ Jr $40_{8.14-16}$ 41_{1-18}; — 3.-6. Esr. 10_{22}; 1C 8_{38} 9_{44}; 2C 19_{11}; 23_1. †

יִשְׁמְעֵאלִי: gntl. z. יִשְׁמָעֵאל 1., > יִשְׁמְעֵלִי 1C 27_{30}; pl. יִשְׁמְעֵאלִים (BL 562u); **Ismaëlit** 1C 2_{17} 27_{30}, cj 2S 17_{25}; pl. Gn $37_{25.27f}$ 39_1 Ri 8_{24} Ps 83_7. †

יִשְׁמַעְיָה: n.m.; < יִשְׁמַעְיָהוּ: יִשׁ׳ הַגִּבְעוֹנִי, Benjaminit, einer d. „Dreisig" Davids 1C 12_4 (↗ Rud. 105, Mazar VT 13, 313). †

יִשְׁמַעְיָהוּ: n.m.: äga. יהושמע, BMAP יה(ו)ישמע; ↗ יִשְׁמָעֵאל; > יִשְׁמַעְיָה: Stammesführer v. Zebulon 1C 27_{19}. †

יִשְׁמְעֵלִי 1C 27_{30}: ↗ יִשְׁמְעֵאלִי. †

יִשְׁמְרַי: n.m., Kf. v. *יִשְׁמְרְיָה (Noth 38.196): 1C 8_{18}. †

I **ישן**: mhe., ug. *jšn*; aram. nur in II שְׁנָה, u. akk. in *šittu*; ar. *wasina* schläfrig sein; asa. *snt* Schlaf, soq. *mišin* Schlafplatz, *sinoh* Nachtzeit (Lesl. 25):

qal: pf. יָשֵׁנוּ ,יָשַׁנְתִּי; impf. וַיִּישַׁן/שָׁן, אִישַׁן/שָׁן ,וְאִישָׁנָה Ps 3₆ (GK § 49e), יִשְׁנוּ; inf. לִישׁוֹן; — 1. **einschlafen** Gn 2_{21} 41_5, nach נום שכב 1K 19_5 Ps 3_6 4_9 (1Q 7, 10), nach Js 5_{27}, cj 2S 4_{6G}; — 2. **schlafen** Ez 34_{25} Pr 4_{16} Koh 5_{11}; — 3. **v. Todesschlaf** (cf. κοιμᾶσθαι im NT) Hi 3_{13}, c. מָוֶת Ps 13_4 (1 אִישָׁנָה), c. שְׁנַת עוֹלָם Jr $51_{39.57}$; ↗ I יָשֵׁן 2; — 4. (Gott): als Frage Ps 44_{24}, neg. 121_4 (|| נום), Baal 1K 18_{27}. †

pi: impf.: תְּיַשְּׁנֵהוּ **einschlafen lassen** Ri 16_{19}. †

Der. יָשֵׁן, I u. II שֵׁנָה, שְׁנַת.

II **ישן**: mhe. pi. kaus. hitp. veraltern; ug. *jtn* alt (↗ יָשָׁן); wegen *t* weder I, noch ar. *wasina*:

nif: pf. נוֹשַׁנְתֶּם; pt. נוֹשָׁן, נוֹשֶׁנֶת: — 1. **alt werden** = sich einleben (im Land) Dt 4_{25}; — 2. pt. chronisch: Hautkrankheit Lv 13_{11}, Getreide יָשָׁן נוֹשָׁן alt u. abgelagert 26_{10ab}. Der. יָשָׁן, יְשָׁנָה.

יָשָׁן: II ישן; mhe., OS Wein (Dir. 23ff); ug. (Feigenkuchen, Rosinen) *jtn*: יְשָׁנָה, יְשָׁנִים: — 1. **alt** a) (:: חָדָשׁ), Freund Sir 9_{10}; b) (Bauwerk, DJD 3, 240.272) בְּרֵכָה Js 22_{11}; שַׁעַר Neh 3_6 12_{39} (? Simons 276f, Rud. EN 116: n.l. „Alttor", ↗ יְשָׁנָה); — 2. **vorjährig** Lv 25_{22} 26_{10ab} (sc. קָצִיר, Dho.). †

I **יָשֵׁן**: I ישן (pt., Aro, Fschr. Ldsbgr. 407ff); mhe.: יְשֵׁנָה (MSS or. יְשֵׁינָה HL 5_2), יְשֵׁנִים, c. מִן: מִישֵׁנֵי (BL 552 o.643s, Bgstr. 1, 142f); — 1. **schlafend** 1S $26_{7.12}$ 1K 3_{20} HL 5_2; Baal 1K 18_{27}, Gott Ps 78_{65} (↗ ישן qal 4); — — 2. Todesschlaf, d. **Entschlafenen** (οἱ κοιμηθέντες 1 Thess 4_{14f}) יְשֵׁנֵי אַדְמַת עָפָר Da 12_2, יְשֵׁנֵי אֶרֶץ Ps 22_{30}; — ? Hos 7_6, ↗ Komm., prp. יֶעְשַׁן אַפְּהֶם es raucht ihr Zorn, Gaster VT 4, 78f; HL 7_{10} 1 בִּשְׂפָתַי וְשִׁנָּי (Rud. cf. BH). †

II **יָשֵׁן**, G[B] Ασαν: n.m.; = ? I „Schläfrig" Noth 227); l. יָשֵׁן הַגּוּנִי (↗ G[L] u. 1C 11_{34}, Rud.), Recke Davids 2S 23_{32}. †

יְשָׁנָה: n.l.; f.v. יָשָׁן „Altstadt" od. n.l. אַשְׁנָה ?; äg. *Yšnt* (ETL 201, Albr. Voc. 36); = *Burǧ el-Isāneh* 25 km. n. Jerus. (Abel 2, 364, GTT § 657/58): 2C 13_{19}, cj 1S 7_{12} (↗ יָשָׁן 1b). †

ישע: mhe. nif., hif., 4QpsDa. (RB 63, 413 D 2); mo. (DISO 112); ar. *wsʿ* geräumig, weit sein u. asa. *wsʿ* reichlich versorgen (ZAW 75, 310, NESE 1, 106):

nif: pf. נוֹשַׁעְתֶּם ,נוֹשָׁע, נוֹשָׁעְנוּ; impf. תִּוָּשֵׁעוּן, אִוָּשֵׁעַ/שֵׁעָה, תִּוָּשֵׁעִי, תִּוָּשַׁע, יִוָּשַׁע, נִוָּשֵׁעַ/שֵׁעָה; imp. הִוָּשְׁעוּ (1QJs[a] הושיעו, ↗ Ku. LJs 276); pt. נוֹשָׁע: — 1. **Hilfe empfangen** (THAT 1, 785ff) Nu 10_9

(מִן gegenüber) 2S 22$_{4}$ Js 30$_{15}$ 45$_{17}$ Jr 4$_{14}$ 8$_{20}$ 17$_{14}$ 23$_{6}$ 30$_{7}$ 33$_{16}$ Ps 18$_{4}$ 80$_{4.8.20}$ 119$_{117}$ Pr 28$_{18}$; cj נוֹשָׁעִים Ob 2$_{1}$; — 2. **siegreich sein** Ps 33$_{16}$, cj 1S 14$_{47}$ (G pr. !יַרְשִׁיעַ), pt. siegreich Dt 33$_{29}$ (l נוֹשָׁע, Seeligm. VT 14, 77) Zch 9$_{9}$; — 3. **sich helfen lassen** Js 45$_{22}$; — Js 64$_{4}$ l נִוָּשֵׁעַ. †

hif: pf. הוֹשִׁיעַ, הוֹשַׁעְתָּ, הוֹשִׁיעוּ, הוֹשַׁעְתָּנוּ/תִּים; impf. יוֹשִׁיעַ (יְהוֹשִׁיעַ 1S 17$_{47}$ Ps 116$_{6}$, BL 229f), יוֹשַׁע, וַיּ(וֹ)שַׁע, יוֹשִׁיעֵךְ, וַיּשִׁיעֵן, (BL 336 e), יֹשִׁעֵנוּ, יֹשַׁעֲכֶם Js 35$_{4}$ (BL 345 o, :: sbst. יֶשַׁע, Wbg.-M. ZAW 69, 73), יוֹשִׁיעוּ, אוֹשִׁיעַ/שִׁיעָה, אוֹשִׁיעֵם, יוֹשִׁיעֵנוּ, תּוֹשִׁיעוּן, יוֹשִׁעוּךָ, וַיּוֹשִׁיעוּם; imp. הוֹשַׁע, הוֹשִׁיעָה, הוֹשִׁיעָה נָּא Ps 118$_{25}$ (> ὡσ(ι)αννα, Dalm. Gr. 249, WbNT s.v.; הוֹשַׁע־נָא* auch he. möglich, cf. mhe. (MiBer. 4,4) ↗ נָא, BHH 752), הוֹשִׁיעֵנִי; inf. הוֹשֵׁעַ, הוֹשִׁיעַ, לְהוֹשִׁיעַ, הוֹשִׁיעָה; pt. מוֹשִׁיעַ, מוֹשִׁיעוֹ/עֵךְ, מ(וֹ)שִׁיעַי, הוֹשִׁיעֵךְ; מוֹשִׁיעִים; THAT 1, 785ff: — 1. (bei d. Arbeit) **helfen** Ex 2$_{17}$; — 2. **helfen, retten** (in Not): a) sbj. Menschen Dt 22$_{27}$ (THAT 1, 786) 28$_{31}$ Ri 2$_{16}$ (42 ×); König 2S 14$_{4}$ 2K 6$_{26}$ (THAT 1, 787); b) sbj. Gott Ex 14$_{30}$ Ri 2$_{18}$ 1S 10$_{19}$ Jr 31$_{7}$ (l הוֹשַׁע), cj (לְהוֹשִׁיעַ) Hab 3$_{13}$, (100 ×, Ps 47 ×), c. תְּשׁוּעָה 1C 11$_{14}$ (G u. 2S 23$_{12}$ haben וַיַּעַשׂ, ↗ Rud. Chr. 96); הוֹשִׁיעָה der d. „Zetergeschrei" (צעק) einleitende Notruf, cf. חָמָס, (Boecker 61ff) 2S 14$_{4}$ (10 ×); — 3. **zu Hilfe kommen** c. לְ Ps 72$_{4}$ 86$_{16}$ 116$_{6}$ Pr 20$_{22}$ 1C 18$_{6}$, ↗ Dt 22$_{27}$ 28$_{31}$ Jos 10$_{6}$ Ri 7$_{2}$ 2S 10$_{11}$ Js 59$_{16}$ 63$_{5}$ Ez 34$_{22}$ Ps 98$_{1}$ Hi 40$_{14}$; c. sbj. יָד „m. eigener Hand" (GK § 144l[3]) 1S 25$_{26.33.31}$ יַד ins.; — 4. Versch.: a) אֵל לֹא יוֹשִׁיעַ e. G. der nicht hilft Js 45$_{20}$; b) pt. sbst. ↗ מוֹשִׁיעַ Helfer; pt. vbl. Ri 6$_{36}$ 1S 10$_{19}$ 11$_{3}$ 14$_{39}$ Zch 8$_{7}$ Ps 71$_{1}$ 17$_{7}$ — Ps 60$_{7}$ l הוֹשִׁיטָה.

Der. מְשָׁעוֹת, מוֹשִׁיעַ, יְשׁוּעָה, יֶשַׁע, יֵשַׁע, יִשַׁע; n.m. הוֹשַׁעְיָה, הוֹשֵׁעַ, (?)אֱלִישָׁע, יְשַׁעְיָה(וּ), יִשְׁעִי, מֵישַׁע, מֵישָׁע.

יֵשַׁע: יֵשַׁע; mo. (DISO 112); ↗ יֶשַׁע: יֶשַׁע; cs. יֵשַׁע, יִשְׁעִי/עֲךָ/עֶךָ: **Hilfe, Befreiung, Heil**: a) אֱלֹהֵי יִשְׁעֵךְ Js 17$_{10}$, אֱ׳ יִשְׁעִי Mi 7$_{7}$ Hab 3$_{18}$ Ps 18$_{47}$ 25$_{5}$ 27$_{9}$, אֱ׳ יִשְׁעוֹ Ps 24$_{5}$ אֱ׳ יִשְׁעֵנוּ Ps 65$_{6}$ 79$_{9}$ 85$_{5}$ 1C 16$_{35}$; צוּר יִשְׁ׳ 2S 22$_{47}$ Ps 95$_{1}$; קֶרֶן יִשׁ׳ 2S 22$_{3}$/Ps 18$_{3}$; שְׂשׂוֹן יִשׁ׳ Ps 51$_{14}$; בִּגְדֵי יֶשַׁע Js 61$_{10}$; גְּבוּרוֹת יֵ׳ Ps 20$_{7}$; אֱמֶת יִ׳ deine treue Hilfe 69$_{14}$; יֵשַׁע אֱלֹהִים 50$_{23}$, יֵ׳ יְמִינוֹ 20$_{7}$; b) v. Gott geschenktes Heil Js 51$_{5}$ 2S 22$_{36}$ Ps 12$_{6}$ 18$_{36}$ 85$_{8.10}$ 132$_{16}$; Heil, das d. Mensch (b. Gott) findet 2S 23$_{5}$ Js 45$_{8}$ 62$_{11}$, cj 64$_{3}$ (l לִמְחַכֵּיו Koehler Trtj. 224f) Hab 3$_{13}$ Ps 24$_{5}$ 27$_{1}$ 62$_{8}$; > **Glück** Hi 5$_{4.11}$; — Hab 3$_{13}$ pr. לְיֵשַׁע אֶת־ l לִישׁוּעַת. †

יֶשַׁע*: יֶשַׁע, ישׁע, BL 460i: יֶשַׁעֲכֶם (Js 35$_{4}$): Hi 5$_{4.11}$ (or. BH Var. pr. יֵשַׁע) Js 35$_{4}$ **Hilfe**. †

יִשְׁעִי: יִשְׁעִי, G Ιεσει u.ä.: n.m.; ישׁע, Kf. v. יְשַׁעְיָהוּ (Noth 38, 176); Dir. 219f, Mosc. Ep. 60, 26: ph. ישעא (PNPhPI 129) — 1.-4.: 1C 2$_{31}$; 4$_{20}$; 4$_{42}$; 5$_{24}$. †

יְשַׁעְיָה: n.m.; < יְשַׁעְיָהוּ: 1.-4.: 1C 3$_{21}$; Esr 8$_{7}$; 8$_{19}$; Neh 11$_{7}$. †

יְשַׁעְיָהוּ, 1QJs[a] nur 1$_{1}$ ־יהו, (Ku LJs IX[5]), Fragm. RB 60, 556, 1; G Ησαιας; n.m.; ישׁע qal + יִ׳ (Noth 36.176), al. יֵשַׁע (Lex.[1], Kö.); Dir. 352 ישע, ישעא, ישעיהו; äga. ישעיה; > יְשַׁעְיָה, יִשְׁעִי: **Jesaia**: — 1. d. Profet יְשׁ׳ בֶּן־אָמוֹץ (RGG 3, 600, BHH 850), 2K 19$_{2}$-20$_{19}$ Js 1$_{1}$ 2$_{1}$ 7$_{3}$ 13$_{1}$ 20$_{2f}$ 37$_{2.5f.21}$ 38$_{1.4.21}$ 39$_{3.5.8}$ 2C 26$_{22}$ 32$_{20.32}$; — 2. 1C 25$_{3.15}$; — 3. 1C 26$_{25}$. †

יְשֻׁעָתָה Ps 80$_{3}$: ↗ יְשׁוּעָה.

יִשְׁפָּה: n.m.; שׁפה, BL 488r, „Kahlkopf" (cf. קֹרַח, קָרֵחַ, :: Noth 248: Kf. v. שׁפט); ↗ יִשְׁפָּן: Benjaminit 1C 8$_{16}$. †

יָשְׁפֵה, MSS ־פֶה; sy. *jašfē/ā*; < akk. (*j*)*ašpū* (AHw. 413a, CAD 7, 328), RLA 2, 268a), **ar.** *jašb* > pe. *jašm*, > gr. ἴασπις (Masson 65): **Jaspis** (Bauer, Edelst. 675ff, Quiring 209: aus Indien; Nephrit, Lex.[1], BHH 363, Brown JSSt. 13, 188ff; letzte Herkunft inc.; nur f. Werkzeug!): Ex 28$_{20}$ 39$_{13}$ Ez 28$_{13}$. †

יִשְׁפָּן: n.m.; ? ↗ יִשְׁפָּה, BL 500q :: Noth 38.248: Kf. v. שׁפט: Benjaminit 1C 8$_{22}$. †

ישׁר: mhe. pu. pt. gerade gemacht, mhe.[2] pi.

gerade machen; ug. *jšr* Rechtschaffenheit, ph. ישר recht, glücklich sein, äga. (DISO 112); ar. *jasira* angenehm, leicht sein, asa. *jsr* (Conti 163b); akk. *išāru, ešēru* in Ordnung kommen, sein, kaus. in Ordnung bringen (AHw. 254); asa. *hjsr* (ZAW 75, 310), äga. הושר (DISO 112), ישר/ושר Wvar. ?:

qal: pf. יָשַׁר, יָשְׁרָה; impf. יִישַׁר, וַתִּישַׁר, יִישְׁרוּ, וַיִּשַּׁרְנָה (BL 384c): **gerade, eben, recht sein** (Palache 40): — 1. a) geradeaus gehen (Kühe) 1S 6$_{12}$; b) eben sein (Wege) Sir 39$_{24}$; — 2. recht sein, **gefallen** (cf. טוב qal 3; THAT 1, 790ff): a) c. בְּעֵינֵי Nu 23$_{27}$ Ri 14$_{3.7}$ 1S 18$_{20.26}$ 2S 17$_{4}$ 1K 9$_{12}$ Jr 27$_{5}$ 1C 13$_{4}$ 2C 30$_{4}$; b) c. לְ c. inf. es beliebt Jr 18$_{4}$; — Hab 2$_{4}$ יָשְׁרָה (1QpHab יושרה pt.) txt ?, prp. נַפְשִׁי, ↗ Komm. †

pi. (Jenni 104f): pf. יִשַּׁרְתִּי; impf. יְיַשֵּׁר/שֶּׁר־, אֲיַשֵּׁר, אֲוַשֵּׁר Js 45$_{2}$, Q אֲיַ׳ (K *אושר); 2C 32$_{30}$ וַיְּשְׁרֵם Q וַיִּשְׁרֵם < K וַיְיַשְּׁרֵם (BL 384c); imp. יַשְּׁרוּ; pt. מְיַשְּׁרִים: — 1. (Weg) **ebnen** Js 40$_{3}$ 45$_{13}$ Pr 3$_{6}$ 11$_{5}$, Berge (? הֲדוּרִים) Js 45$_{2}$ (cf. 40$_{4}$); — 2. (Wasser) **gerade leiten** 2C 32$_{30}$; — 3. (THAT 1, 792) a) **geradeaus gehen** Pr 9$_{15}$, c. לֶכֶת Pr 15$_{21}$; b) metaph. פִּקּוּדִים genau **innehalten** Ps 119$_{128}$. †

pu: pt. מְיֻשָּׁר: **plattgeschlagen** (Goldblech) 1K 6$_{35}$. †

hif: impf. *אושר Js 45$_{2}$ K, יַיְשִׁרוּ Pr 4$_{25}$ (BL 384c); imp. הַיְשַׁר Q, *הושר K Ps 5$_{9}$: — 1. (Berge) **ebnen** cj Js 45$_{2}$, (Weg) Ps 5$_{9}$; — 2. (Augen) **geradeaus blicken** Pr 4$_{25}$. †

Der. יָשָׁר, יֹשֶׁר, *יִשְׁרָה, יְשֻׁרוּן, מִישׁוֹר, מֵישָׁרִים; n.m. יֵשֶׁר, אֲחִישָׁר (?).

יָשָׁר (115 ×): ישר; mhe.; ph. äga. (DISO 113): יְשָׁרִים, יְשַׁר, יִשְׁרֵי, יְשָׁרָה, יְשָׁרוֹת: — 1. **gerade, gestreckt** (:: krumm): (Füsse) wagrecht ausgestreckt Ez 1$_{7}$ (v. 23 ↗ mut.); — 2. **eben**: (Weg) Jr 31$_{9}$ Ps 107$_{7}$ Pr 14$_{12}$ 16$_{25}$ Esr 8$_{21}$, (Geleise) Js 26$_{7}$; — 3.-6. ins Ethische übertragen (cf. Ped. Isr. I/II 329, Koehler Th. 153f, Morenz, Äg. Religion, 1960, 120f, THAT 1, 792ff); — 3. **richtig** (Sache): a) (Weg) 1S 12$_{23}$; מִשְׁפָּטִים Neh 9$_{13}$; b) in d. eigenen Augen r. 2S 19$_{7}$ Pr 12$_{15}$; c) in Gottes Augen: c. עשׂה Ex 15$_{26}$ Dt 6$_{18}$ (הַיָּשָׁר וְהַטּוֹב, cf. Rabinowitz VT 11, 68^{N}) 1K 11$_{33}$ Jr 34$_{15}$ (28 ×); — 4. **recht** (Person): a) tüchtig הַטּוֹב וְהַיָּשָׁר מִן d. beste u. tüchtigste unter 2K 10$_{3}$, arbeitsam (:: עָצֵל) Pr 15$_{19}$ (cj חָרֻצִים G); b) rechtschaffen Mi 7$_{2.4}$ Ps 11$_{7}$, ? cj 73$_{1}$ (l לַיָּשָׁר אֵל) Pr 20$_{11}$ Hi 8$_{6}$; Hi 1$_{1.8}$ 2$_{3}$; c) aufrichtig, יִשְׁרֵי לֵב Ps 7$_{11}$ 11$_{2}$ 32$_{11}$ 36$_{11}$ 64$_{11}$ 94$_{15}$ 97$_{11}$, יִשְׁרֵי לֵבָב redlich bedacht 2C 29$_{34}$; יְשַׁר דֶּרֶךְ Pr 29$_{27}$ u. יִשְׁרֵי ד׳ Ps 37$_{14}$ wer redlich wandelt; d) לַיְשָׁרִים d. Aufrichtigen, Frommen Ps 33$_{1}$ — Pr 29$_{10}$ (22 ×) Hi 4$_{7}$ 17$_{8}$, Ehrenname d. Gemeinde (|| עֵדָה) Ps 111$_{1}$; — 5. **gerecht** (↗ צַדִּיק): a) Gott Dt 32$_{4}$ Ps 25$_{8}$ 92$_{16}$, ↗ n.m. אֲחִישָׁר (?); b) דַּרְכֵי י׳ Hos 14$_{10}$, דְּבַר י׳ Ps 33$_{4}$, פִּקּוּדֵי י׳ 19$_{9}$; — 6. das **Rechte** (↗ 3c) Hi 33$_{27}$, הַיָּשָׁר was recht ist 2C 31$_{20}$; כָּל־הַיְשָׁרָה alles Gerade Mi 3$_{9}$; סֵפֶר הַיָּ׳ Buch d. Aufrechten (?) Jos 10$_{13}$ 2S 1$_{18}$ (↗ Eissf. Einl. 176, BHH 279, THAT 1, 792 :: Seeligm. ThZ 19, 396^{23}). — Ez 1$_{23}$ pr. יְשָׁרוֹת l מַשְׁקוֹת (: II נשק); Mi 2$_{7}$ l עִם עַמּוֹ יְשַׁר׳ (Budde ZAW 38, 9); Ps 37$_{37}$ 111$_{8}$ u. 119$_{137}$ l יֹשֶׁר; Pr 16$_{13}$ דֹּבֵר יְשָׁרִים ? l דַּבֵּר ST (Kuhn, Spruchb., 1931, 39); יְשָׁרִים Da 11$_{17}$ ↗ יֹשֶׁר.

יֵשֶׁר: n.m.; ישר; = יֵשֶׁר (cf. G^{BA} Ιωασαρ) od. Kf. (Noth 189); amor. *Jašarum* (Huffm. 212.216): S. Kalebs 1C 2$_{18}$. †

יֹשֶׁר: ישר; mhe.[2] (?), 1QS 11, 2 ישור (↗ Baumg. Fschr. Eissf. 2, 29); ug. *jšr*: יָשְׁרוֹ, יָשְׁרֵהוּ Hi 37$_{3}$ (BL 251g.568j, BM § 52, 1a, gew. z. יֵשֶׁר, or. *jo*-, MTB 80, T.), pl. יְשָׁרִים (:: יָשָׁר!, BL 570q); THAT 1, 792ff: — 1. **Geradheit, Redlichkeit**: a) הלך בְּי׳ 1K 9$_{4}$ Pr 14$_{2}$; אָרְחוֹת י׳ Pr 2$_{13}$ u. מַעְגְּלֵי י׳ 4$_{11}$ rechte Wege/Geleise; Hi 33$_{23}$; b) c. אֲמָרִים Hi 6$_{25}$, cj c. שָׂפָה Pr 10$_{18}$ 17$_{7}$; — 2. **Rechtschaffenheit**: a) || תֹּם Ps 25$_{21}$, cj 37$_{37}$;

c. לְבָב/לֵב Dt 9$_{5}$ Ps 119$_{7}$ Hi 33$_{3}$ (txt ?, ↗ Komm.) 1C 29$_{17}$; b) מֵישָׁר über Gebühr Pr 11$_{24}$, עַל־י׳ wider d. Recht 17$_{26}$; c) adv. (BL 632l) **richtig** Koh 12$_{10}$, aufrichtig Pr 16$_{13}$; — 3. pl. **Abmachung** Da 11$_{17}$ (= מֵישָׁרִים v. $_{6}$, Mtg. 442).

*יְשָׁרָה: ישׁר, f. v. יָשָׁר (↗ אִמְרָה, BL 215k): cs. יִשְׁרַת: **Redlichkeit** 1K 3$_{6}$. †

יְשֻׁרוּן, Sam.[M112] *jāšāron*: n.p. (?), ישׁר + *ūn* (BL 501v); ? amor., Mendenhall BASOR 133, 29[14]: **Jeschurun**, Ehrenname f. Isr. (BHH 858, THAT 1, 791), Dt 32$_{15}$ 33$_{5.26}$ (l כְּאֵל י׳) Js 44$_{2}$ (|| יַעֲקֹב) Sir 37$_{25}$. †

*ישׁשׁ: ar. *waṯwaṯ* schwach (BDB, Lane); Der. יָשֵׁשׁ, יְשִׁישַׁי, יְשִׁישׁ.

יָשֵׁשׁ: ישׁשׁ, ↗ יָשִׁישׁ; mhe.² (?): **altersschwach** 2C 36$_{17}$ (neben זָקֵן, ? l יָנֵק, ↗ Rud.). †

יָתֵד, Sam.[M113, BCh. 3] Dt 23$_{14}$ *jātad*: mhe.; ar. *watid* (VG 1, 173) u. tigr. *watd* (Wb. 439b; < ar. Lesl. 25): יָתֵד, יְתֵדוֹת, cs. יִתְדוֹת, יְתֵדֹתָיו (BL 597g): **Pflock** (AuS 5, 100f; 6, 31f): — 1. a) (hölzerner) Pflock Ri 4$_{21f}$ 5$_{26}$ Js 22$_{23.25}$ 33$_{20}$ 54$_{2}$, cj Pr 22$_{18}$ (l יָתֵד, Amenp. III 16, al. כְּ/בְּ׳); als Aufhänger in der Lehmwand Js 22$_{23.25}$ Ez 15$_{3}$, zum Graben benutzt Dt 23$_{14}$, z. Festhalten d. Gewebes am (wagrechten) Webstuhl Ri 16$_{14}$ (l יָתֵד od. הַיָּתֵד, ? dl) $_{ab}$ (↗ HeSy. § 73c :: GK § 127g: Mf); b) metallener Zeltpflock Ex 27$_{19}$ 35$_{18}$ 38$_{20.31}$ 39$_{40}$ Nu 3$_{37}$ 4$_{32}$; Esr 9$_{8}$ Halt (↗ Rud. 88); — 2. metaph. „Stütze" Führer d. Volkes (ar. *ʾautādu-ʾlbilādi*, στῦλοι Gal 2$_{9}$, cf. RMach, Zaddiq, 1957, 142) Zch 10$_{4}$ (|| פִּנָּה). †

יָתוֹם, Sam.[M113] *jētom*: יתם, **jatum* od. **jatām*; mhe. auch יְתוֹמָה; ja.[tg], meist יַתְמָא sy.; ug. *jtm, jtmt* (UT nr. 1168), ph. יתם (DISO 113); יתם n.m. ihe. äga. (Mosc. Ep. 54, 9; 64, 40), יתומה n.f. äga. (Stamm HFN 327); AP m.f. n.f.; ar. *jatīm* > md. (MdD 187b) u. äth. (Lesl. 25), tigr. (Wb. 508a) *jattam*; soq. f. *aitōmōh*; denom. mhe.¹ pi. sy. pa. kaus., hitpa. mhe.² sy. etpa. Waise werden, beide Eltern verlieren; ar. u. tigr. Grdst.: יְתוֹמִים, יְתוֹמָיו: **Waise, d. vaterlos** gewordene Knabe (KAI 24, 13), mhe. auch f. e. mutterloses Tier; || אַלְמָנָה Ex 22$_{21.23}$ Dt 10$_{18}$ Js 1$_{17.23}$ 9$_{16}$ 10$_{2}$ Jr 49$_{11}$ Mal 3$_{5}$ Ps 68$_{6}$ 109$_{9}$ 146$_{9}$ Pr 23$_{10}$ (cj אַלְמָנָה) Hi 22$_{9}$ 24$_{3}$ Kl 5$_{3}$; || אַלְמָנָה u. גֵּר Dt 14$_{29}$ 16$_{11.14}$ 24$_{19-21}$ 26$_{12f}$ 27$_{19}$ Jr 7$_{6}$ 22$_{3}$ Ez 22$_{7}$ Zch 7$_{10}$ Ps 94$_{6}$; ↗ Dt 24$_{17}$ Jr 5$_{28}$ Hos 14$_{4}$ Ps 10$_{14.18}$ 82$_{3}$ 109$_{12}$ Hi 6$_{27}$ 24$_{9}$ 29$_{12}$ 31$_{17.21}$ (cj עֲלֵי־תָם); ↗ יִתְמָה. †

יְתוּר Hi 39$_{8}$: l יָתוּר (: תור).

יַתִּיר (1 ×) u. יַתִּר (3 ×), or. *Iättār*, G[B] Ιεθερ, Ιεθθαρ u.ä.; n.l. in Juda; יתר; ? = aram. (↗ ba.) יַתִּיר; *ch. ʿattīr* sw. Hebron (Abel 2, 356, PJb 31, 62f): Jos 15$_{48}$ 1S 30$_{27}$, Levitenstadt Jos 21$_{14}$ 1C 6$_{42}$; Der. יִתְרִי. †

יִתְלָה: n.l. in Dan; תלה ?; G[A] Ιεθλα, G[B] Σειλαθα, ? = *שִׁתְלָה (!שתל) = *Šilta*, 7 km. nw. בֵּית־חֹרֹן (Abel 2, 364, GTT 336, 6 :: Albr. JBL 58, 184, Noth Jos. 146; Jos 19$_{42}$. †

יתם: denom. v. יָתוֹם; mhe. pi. caus.; ↗ יִתְמָה. †

יִתְמָה: n.m. (!); יתם + *ā*; ? Kf. (Noth 38); ja. äga. cp. יַתְמָא, palm. יתמא (PNPI 92a), klschr. *Jatamā* APN 92b; asa. *ʾjtm* (Ryckm. 1, 112): Moabiter in Davids Dienst 1C 11$_{46}$. †

I *יתן: ar. *watana* ständig fliessen, asa. *mhwtn* immerwährende (Regengüsse) ZAW 75, 310; ? amor. *Jatnu* (Huffm. 216f):

cj **qal**: l impf. יִתֵּן Js 33$_{16}$ pr. נִתָּן (|| נֶאֱמָן) u. Ps 12$_{12}$ pr. יִתֵּן (נ :י׳) Kennedy 80f, Gemser Spr. 58): **beständig sein.** † Der. I u. II אֵיתָן.

cj II *יתן: (ph.) Nf. v. נתן (Friedr. § 159, DISO 113); ? im AT Cross-Freedm. JBL 72, 32[91], Dahood Bibl. 46, 324f) 2S 22$_{14}$ וַיִּתֵּן [יָ]תִּתָּה (haplgr.!) u. Ps 18$_{33}$ l וְיִתֵּן pr. וַיִּתֵּן. Der. יַתְנִיאֵל, יִתְנָן. †

יַתְנִיאֵל: n.m.; II יתן; he. נְתַנְאֵל (:: Noth 248, Rud. Chr. 170); pun. יתנאל (PNPhPI

192.328ff); keilschr. *Ja-ta-na-e-li* (ib. 329): 1C 26_{2}. †

יִתְנָן: n.l.; ? I., II יתן + *ān* (BL 499m. 500u); im Negeb b. קֶדֶשׁ, G^{A} Ιθναζιφ, G^{B} Ασοριωναιν ? *חצר יתנן, (Abel 2, 345, GTT § 317, 8/9 :: Noth Jos. 88: וְיִת׳ !): Jos 15_{23}. †

I **יתר**: mhe. nif. u. hif., pi. hinzutun; וַתֵּר als überflüssig betrachten, missachten, verzichten; ug. *jtr* (UT nr. 1170/75, Aistl. 1258/61) u. amor. *jatar* (Huffm. 217) in PN übertreffen; pun. (?), äga. palm. (DISO 113); ja.^{tb} qal, cp. sy. md. (MdD 194b) übrig, reichlich sein, ja. af.; ar. *watara* aussergewöhnliches, VI ununterbrochen tun; äth. *watra* immer; akk. (*w*)*atāru* übergross sein:

qal: pt. ↗ יֹתֶרֶת, י(וֹ)תֵר.

nif: pf. נוֹתַר, נוֹתְרָה (1QJs^{a} 1_{8} נתרה, ? II נתר, Wbg.-M. JSSt. 3, 250), נוֹתַרְתִּי; impf. יִוָּתֵר, יִוָּתֶר, וָאִוָּתֵר, יִוָּתְרוּ; pt. נוֹתָר, נוֹתָרִים/רוֹת, נֹתֶרֶת: **übrig gelassen werden / bleiben** Ex 10_{15} Lv 2_{3} Nu 26_{65} Jos 11_{11} Ri 8_{10} Js 1_{8} (78 ×); לא נוֹתַר עֲנָקִים bleiben nicht übrig (HeSy. § 50a) Jos 11_{22}; — Da 10_{13} נוֹתַרְתִּי blieb zurück = überlebte (?) l אֹתוֹ הוֹתַרְתִּי GΘ (Mtg. 411f): 2C 31_{10b} l נוֹתַר G od. ? וְהִנֵּה נוֹתַרְתִּי (Rud.).

hif: pf. הוֹתִיר, הוֹתִרָה, הוֹתַרְתִּי, הוֹתִרְךָ; impf. יוֹתֵר, וַיּוֹתֵר, תּוֹתַר, וַתּוֹתַר, וַיּוֹתִרוּ, נוֹתַר 2S 17_{12} (↗ Budde KHC, al. pf. nif.); imp. הוֹתֵר; inf. הוֹתֵר: — 1. **übrig lassen** Ex 10_{15} 12_{10} 16_{19f} Lv 22_{30} Nu 33_{55} 2S 17_{12} Js 1_{9} Jr 44_{7} Ez 6_{8} 12_{16} 39_{28}, zurücklassen Da 10_{13} (↗ nif.); — 2. **übrig haben** Dt 28_{54} 2S 8_{4} 2K 4_{44} Rt $2_{14.18}$ 1C 18_{4} Sir 10_{27}, cj 2C 31_{10} (↗ nif.); וְהוֹתֵר u. habe übrig > übergenug (BL 633p) Ex 36_{7} 2K 4_{43} 2C 31_{10}; — 3. c. acc. **Überfluss schenken** Dt 28_{11} 30_{9}; — 4. **Vorrang haben**, **Erster sein** (elatives hif. wie akk. *šūturu*, Speiser Gen. 364, Or BiSt. 474[26]) Gn 49_{4}; — Ps 79_{11} c. ST l הַתֵּר (: נתר hif.). †

Der. הוֹתִיר, יוֹתֵר, I יֶתֶר, יִתְרָה, יִתְרוֹן, מוֹתָר, יֹתֶרֶת; n.m. אֶבְיָתָר, III יֶתֶר, יִתְרָא, יִתְרוֹ, יִתְרָן, יִתְרְעָם; n.l. יַתִּיר.

II *יתר (v. I. z. trennen, Joüon MFB 6, 174): ↗ II יֶתֶר, מֵיתָר; ar. *watara*; Wbg-M. JSSt. 11, 125.

I **יֶתֶר**, Sam.^{M113} *jātar*, Sec. ιεθερ: mhe. יֶתֶר, יוֹתֵר mehr als, Sir ^{M} 11,8 יתר Überfluss pr. יותר 40_{18}Rd, ↗ hif. 3: I יתר; ? jaud. (DISO 113): יתרו: — 1. **Rest**, was man übrig lässt Jl 1_{4}; — 2. **Rest**, was übrig bleibt Ex 10_{5} 23_{11} Lv 14_{17} (39 ×), cj Esr 9_{8} (|| פְּלֵיטָה), יֶתֶר דִּבְרֵי was sonst noch zu sagen ist 1K 11_{41} — 2K 24_{5} (34 ×) 2C 13_{22}-36_{8} (10 ×); י׳ זְקֵנֵי Jr 29_{1} Rest (?, ↗ Rud.); — 3. adv. (BL 632l), **übermässig** (יתרא Aḥqr 96): וַתִּגְדַּל יֶ׳ Da 8_{9}; גָּדוֹל יֶ׳ מְאֹד gar sehr gross Js 56_{12}; עַל־יֶ׳ über d. Mass Ps 31_{24}, cj Pr 17_{26} (l יֶתֶר pr. יֹשֶׁר); — Pr 17_{2} l יֹשֶׁר. †

II **יֶתֶר**: II יתר; mhe. ja.^{tb} sy. md. (MdD 188a) יִתְרָא, ar. *watar*, äth. *watr* Bogensehne; tigr. (Wb. 439b) Seilpfosten; ? äg. *w'rt* Fangseil: יְתָרִים, יְתָרָם: — 1. die noch feuchte **Sehne** e. geschlachteten Tieres (d. sich b. Trocknen zus. zieht u. festhält, AuS 5, 67) Ri 16_{7-9}; — 2. **Bogensehne** (AuS 6, 330f, Kelso 21, 3) Ps 11_{2} Hi 30_{11} (l K יִתְרוֹ), cj Hab 3_{9}G; — 3. **Zeltstricke** (? AuS 6, 31.43) Hi 4_{21} (al. Lebensfaden, l יְתֵדָם). †

III **יֶתֶר**: n.m.; I יתר, übertreffen od. qal (Noth 193); asa. ותר, ותראל (Ryckm. 2, 55); Stamm HEN 422b: — 1. G Ιοθορ: Ex 4_{18} = ↗ יִתְרוֹ, gntl. יִתְרִי; — 2. S. v. Gideon Ri 8_{20}; — 3. V. v. עֲמָשָׂה 1K $2_{5.32}$ 1C 2_{17}, = יִתְרָא 2S 17_{25}; — 4.-6.: 1C 2_{32}; 4_{17}; 7_{38} = יִתְרָן 7_{37}. †

יֹתֵר: n.m. ↗ יוֹתֵר.

יַתִּר: n.l. ↗ יַתִּיר.

יִתְרָא, G Ιεθερ: n.m. I יתר, Kf. m. -*ā* (Noth 38) = יֶתֶר 3; 2S 17_{25}. †

***יִתְרָה**: Js 15_{7} u. יִתְרַת (MSS יִתְרַת, BL 510v) Jr 48_{36}: **Erübrigtes**. †

יִתְרוֹ, G Ιοθορ: n.m.; I יתר ,,gab Überfluss" (Noth 38.173, :: Stamm HEN 422 b), F יִתְרְעָם: **Jetro** (BHH 866), Schwiegerv. v. Mose Ex 3$_{1}$ (כֹּהֵן מִדְיָן) 4$_{18}$ 18$_{1f.5f.9f.12}$; = III יֶתֶר 1; F חֹבָב Nu 10$_{29}$, רְעוּאֵל Ex 2$_{18}$. †

יִתְרוֹן: I יתר (BL 500q); cp. *jtrwn*, ja.^{tb} sy. md. (MdD 191b) יוּתְרָנָא Vorzug, Gewinn; aLW 123: c. כְּ Koh 2$_{13}$ כִּיתְרוֹן Ⓛ MSS, Ⓑ כִּי׳: — 1. was herauskommt, **Ergebnis** Koh 1$_{3}$ (בַּעֲמָלוֹ bei s. Mühsal :: Dahood, Bibl. 47, 265: ,,von") 2$_{11}$ 3$_{9}$ 5$_{8}$ (:: Ehrl.: l יִ׳ עָרִיץ Gewaltmensch).$_{15}$ 7$_{12}$ 10$_{10}$; — 2. **Gewinn, Vorteil** Koh 10$_{11}$, c. מִן vor 2$_{13}$. †

יִתְרִי: gntl. v. III יֶתֶר 1.: — 1. עִירָא הַיּ׳ 2S 23$_{38}$ u. 1C 11$_{40a.b}$, G Αἰθειραῖος, Ηθηρει, Ιεθερει u.ä; ? l הַיַּתִּירִי (Ell. PJb. 31, 62f), F n.l. יַתִּיר (:: Mazar VT 13, 319[1]); — 2. הַיִּתְרִי, G^{L} Εθρι, coll. Geschlecht aus קִרְיַת יְעָרִים 1C 2$_{53}$. †

יִתְרָן: n.m., I יֶתֶר + *ān* (demin.; cf. אַחְיָן (BL 500u, Stamm HEN 423a); klschr. *Itrānu* APN 108a; asa. *Wtrm* (Ryckm. 2, 55): — 1. S. d. Choriters דִּישָׁן (Meyer, Isr. 341ff) Gn 36$_{26}$ 1C 1$_{41}$; — 2. 2C 7$_{37}$, G^{A} יֶתֶר, G^{B} Θερα, ? = III יֶתֶר 6; 1C 7$_{38}$ (Noth 248 :: Rud. 74). †

יִתְרְעָם: n.m.; I יתר; klschr. *Atar-ḫamu* APN 47a, asa. *Wtr'l* (Ryckm. 2, 55) ,,d. Stammesgott (F II עם) ist überragend" :: Noth 197, Stamm HEN 423a, Barr CpPh. 183: Sohn Davids 2S 3$_{5}$ 1C 3$_{3}$. †

יֹתֶרֶת u. יוֹתֶרֶת, Sam.^{M113} *jutāret*: f. v. יוֹתֵר; ? mhe. der überschüssige (Finger): הַיּוֹתֶרֶת עַל־הַכָּבֵד d. Überschüssige, der b. Rind, Schaf u. Ziege, nicht aber b. Menschen sich vorfindende **Leberlappen**: *Lobus caudatus*, (Ell. Lev. 52; GFMoore, Fschr. Nöld. 761ff, Rost ZAW 79, 1967, 35-41 wichtig b. d. Leberschau, Meissner BuA 2, 267ff, BHH 1061): Ex 29$_{13.22}$ Lv 3$_{4.10.15}$ 4$_{9}$ 7$_{4}$ 8$_{16.25}$ 9$_{10.19}$. †

יְתֵת, Sa.^{M113} *jātat*, G^{B} Ιεθερ, G^{A} Ιεβερ; n.m.; edom. אַלּוּף Gn 36$_{40}$ 1C 1$_{51}$. †

כ

כ, ךְ: כַּף; sam. *kāf* (Peterm. Gr. §1); Ps 119 u. Kl χαφ, gr. κάππα, ar. *kāf*, äth. *kaf*; Bild einer Handfläche (Driv. SWr. 163). Später = 20, כא = 21. כּ ist d. stimmlose palatale Explosivlaut, כ Spirant (VG 1, 44, BL 165). F ג; Griech. meist χ; כָּלֵב Χαλεβ, לֶמֶךְ Λαμεχ; älter כ: Κάρμηλος, Κῦρος (Kahle CG 180, Ku. JSSt. 10, 32; κχ öfter für כ mit dag. f., aber auch רֵכָב Ρεκχα 2S 4$_{5f.9}$G^{B} :: Ρηχαβ G^{A}, Αγχους f. אָכִישׁ; Hier. meist *ch*, selten *c* (ZAW 4, 64f). Wechselt innerhe. mit ק: כרסם; ausserhe. a) mit F ג; b) mit ק (VG 1, 156, RTP 169); I. II כִּנָּם, חרך, כנע, III כרה, נהק, צחק; c) mit ug. *ḥ*: לֶתֶךְ; d) mit akk. *ḫ*: תמך, äg. *ḫ* F Lidzb. Krug. Nr. 48; e) m. *š* בכה, כָּבֵד, כָּרֵשׁ (Lesl. Soq. 24).

כְּ, Hier. *cha*: urspr. Deuteinterj., HeSy § 109; Sem., sy. nur in Derr. (Nöld. SGr. § 364), md. nur in *kd* u. *kma* (MdD 225b.218a); Sam.^{M114} *ka*; asa. auch als Richtungspräp. (Höfner 147); akk. *kī* u. *akkī* < *ana kī* (v. Soden § 114f); äth. tigr. (Wb. 394a) *kama*; < *ka* (BL 650p); F כַּאֲשֶׁר, כְּמוֹ: Formen (BL 650p-z): כַּיּוֹם u. כְּהַיּוֹם (BL 227w), כַּיהוָה, כַּאדֹנָיו, כַּאֲבוֹתָם; כָּזֶה; כַּמֶּה/מָה 1S 2$_{2}$, כַּאבִּיר Js 10$_{13}$ (Q כַּבִּיר, l K כְּאַבִּיר), כַּגְּבִרְתָּהּ, כִּבְרִיתִי, כֶּאֱמֹר, כֵּאלֹהִים Js 24$_{2}$ (GK § 127i); sf. כָּכֶם, כָּהֶםהֵמָּה, כָּהֶם 2K 17$_{15}$ P, כָּהֵן/הֵנָּה, sonst v. כְּמוֹ; Vergleichungsptkl. **wie**, die poetisch auch fehlen kann (THAT 1, 453ff). — 1. drückt Identität aus: a) כֻּלּוֹ כְּאַדֶּרֶת שֵׂעָר ganz wie e. behaarter Mantel Gn 25$_{25}$, וְאָהַבְתָּ לְרֵעֲךָ כָּמוֹךָ wie dich selbst Lv 19$_{18}$ (ƒ Maass, Fschr. Baumgtl. 109ff, Vriezen ThZ 22, 1ff), אֵין קָדוֹשׁ כַּי׳ 1S 2$_{2}$ = ausser ? (BHartm. ZDMG 110, 234 :: Labusch. 12ff); כְּלוֹא הָיוּ wie solche, die nicht gewesen waren = als ob sie nicht gewesen wären Ob$_{16}$; b) mit 2 × כְּ (HeSy. § 126a): α) d. bezeichnete Sbj. voraus: כָּעָם כַּכֹּהֵן d. Volk wie d. P. Js 24$_{2}$, כְּחֵלֶק הַיֹּרֵד ··· וּכְחֵ׳ הַיֹּשֵׁב 1S 30$_{24}$, כָּמוֹנִי כָמוֹךָ ich wie du 1K 22$_{4}$, Gn 44$_{18}$; β) das Verglichene voraus: כַּצַּדִּיק כָּרָשָׁע d. Gottlose wie d. Gerechte Gn 18$_{25}$, כַּקָּטֹן כַּגָּדוֹל d. Grosse wie d. kleine Dt 1$_{17}$ (al. umgekehrt); כְּ ··· כֵּן Ps 127$_{4}$ Sir 31/34$_{26}$; — 2. Übereinstimmung in Mass: a) **ebensoviel wie**: כָּכֶם אֶלֶף פְּעָמִים 1000 × soviel wie ihr Dt 1$_{11}$; b) > **ungefähr** (wie): כְּפֶשַׂע (sic l.) nur wie e. Schritt 1S 20$_{3}$, כְּעֶשֶׂר שָׁנִים etwa 10 Jahre Rt 1$_{4}$; כְּאֵיפָה 2$_{17}$, כַּחֲצֹת הַלַּיְלָה um d. Mitte d. N. Ex 11$_{4}$, כַּחֲצִי ··· לֹא nicht halb so viel Ez 16$_{51}$; präzis כָּעֵת חַיָּה Gn 18$_{10}$, ƒ II חַי 4; כְּמִשְׁלֹשׁ חֳדָשִׁים Gn 38$_{24}$ ƒ מִשְׁלֹשׁ; — 3. Übereinstimmung in d. Art: in der gleichen Art wie: כֵּאלֹהִים Gn 3$_{5}$, כְּעֵץ Ps 1$_{3}$, אִישׁ כָּמֹנִי Gn 44$_{15}$, כְּטִיט חוּצוֹת Ps 18$_{43}$; כָּזֹאת so etwa, solches Js 66$_{8}$; > **entsprechend, gemäss** כִּדְמוּתֵנוּ Gn 1$_{26}$, כִּלְבָבוֹ nach s. Sinn 1S 13$_{14}$, כְּשֵׁם nach d. Namen Gn 4$_{17}$; — 4. Präpositionen a) sind in כְּ einbeschlossen (GK § 118s-w): כְּהַר wie am Berg Js 28$_{21}$, כַּחֲלוֹם wie im Traum Js 29$_{7}$, כְּיוֹם wie am Tag Js 9$_{3}$ Kl 2$_{7}$; נַהַם כַּכְּפִיר Gebrüll gleich dem e. Löwen Pr 20$_{2}$; b) anders bei festem Ausdruck: כְּבָרִאשֹׁנָה Ri 20$_{32}$, כְּבַתְּחִלָּה Js 1$_{26}$, ƒ Gn 38$_{24}$ Lv 26$_{37}$ 1K 13$_{6}$ Js 59$_{18}$ 63$_{7}$ Jr 33$_{7.11}$ 2C 32$_{19}$; ? 1S 14$_{14}$; — 5. scheinbar überflüssig, betonend (כְּ veritatis, GK § 118 x): אַתָּה כְּאַחַד מֵהֶם genau so wie Ob$_{11}$, כְּאִישׁ אֱמֶת gerade e. zuverlässiger Mann Neh 7$_{2}$; כִּמְעַט ƒ מְעַט 6; — 6. Stilgewordenes visionales כְּ (Bentzen Da. 50): = „etwas wie": כְּמַרְאֵה־גָבֶר einer, der wie e. Mann aussah Da 8$_{15}$, כְּמַרְאֵה אָדָם 10$_{18}$, cj כִּדְמוּת בֶּן־אָדָם 10$_{16}$ (ƒ דְּמוּת u. מַרְאֶה, ba. Da 7$_{4.6.8f.13}$); — 7. כְּ vor inf. (= כַּאֲשֶׁר m. vb. fin.): a) vergleichend: כֶּאֱכֹל wie ... verzehrt Js 5$_{24}$, כְּהָנִיף als schwänge einer Js 10$_{15}$; b) temporal: כְּבוֹא als er kam Gn 12$_{14}$, כִּשְׁמֹעַ wie er hörte 27$_{34}$ כִּרְאוֹתוֹ sobald er sehen wird 44$_{31}$, כְּבֹאִי falls ich komme 44$_{30}$, cj כְּפֹרַחַת Gn 40$_{10}$; vor sbst. m. verbalem Sinn: כְּתֹם־ wenn er vollendet ist Js 18$_{5}$, כְּחֶזְקָתוֹ als er verstärkt war 2C 12$_{1}$, cf. Js 8$_{11}$ (Ⓑ u. 1QJs[a] כְּ st. בְּ); ƒ כַּאֲשֶׁר, כְּשֶׁ ƒ שֶׁ 2 d: — Js 28$_{20}$ l מֵהִתְכַּנֵּס; Jr 6$_{23}$ l כָּל־אִישׁ (Rud.); 17$_{2}$ l זִכְרוֹן בָּהֶם; Am 5$_{6}$ l בָאֵשׁ; Ps 119$_{14}$ l מֵעַל; ? Hi 20$_{18}$, 21$_{12}$ l בְּתֹף; 31$_{33}$ l מֵאָדָם; Koh 8$_{1}$ כְּהֶחָכָם ƒ Eissf. ZAW 63, 108[1]: כֹּה הֶ׳. — Der. n.m. מִיכָא, מִיכָאֵל, מִיכָה, מִיכָהוּ, מִיכָיָהוּ, מִיכָיְהוּ; כַּאֲשֶׁר.

כאב: mhe.[2] כאב, ja.[tb] ? כאב, ? כיב, sy. md. (MdD 211b) *kēb* Schmerz leiden, ar. *ka'iba* traurig sein; Scharbert Schm. 41ff:

qal: impf. יִכְאַב/אָב; pt. כֹּאֵב, כֹּאֲבִים: **Schmerzen haben** Gn 34$_{25}$ (Wundfieber) Ps 69$_{30}$ Pr 14$_{13}$, c. עַל Hi 14$_{22}$, c. לְ Sir 13$_{5}$; †

hif: pf. הִכְאַבְתִּיו; impf. יַכְאִיב, תַּכְאִיב; pt. מַכְאִיב: — 1. **Schmerz zufügen** c. acc. jmd Ez 13$_{22a\beta}$, cj $_{a\alpha}$ (הַכְאִיב) 28$_{24}$ Hi 5$_{18}$ cj Pr 31$_{2}$ (pr. יִכְאַב l כְּאָב) Sir 4$_{3}$; — 2. metaph. (Feld m. Steinen) **verwüsten** 2K 3$_{19}$. †

Der. מַכְאֹב, כְּאֵב.

כְּאֵב: כאב, BL 579r; mhe.[2], ja.[tb] sy. כֵּאבָא, md. (MdD 211b); äga. כיב (DISO 118): כְּאֵבִי: **Schmerz**: גָּדַל ist heftig Hi 2$_{13}$, 16$_{6}$ יֵחָשֵׂךְ wird gehemmt (al. hier Mitleid; ƒ Horst Hiob 246f) Ps 39$_{3}$, Js 17$_{11}$ 65$_{14}$ Js 15$_{18}$; — Ps 39$_{3}$ l כְּבֵדִי (Gkl). †

כאה: sy. *k''*, ar. *k'j* schelten, *kā'a, ka'ka'a*

furchtsam sein; ? äth. *hakaja* träg sein (Lesl. 25):

nif: pf. נִכְאָה: **erschreckt zurückweichen** Da 11_{30}; 1QJs^{a} 66_2 נכאי pr. נְכֵה, ↗ Ku. LJs. 200; — Ps 109_{16} נִכְאֵה l נְכֵא נִכּוּ = נִכְאוּ u. Hi 30_8 (נָכֶה :) הַלֵּבָב (: נכה nif.); †

[**hif**: inf. הַכְאוֹת Ez 13_{22} l הַכְאִיב.]

כָּאֲרִי Ps 22_{17}: ?? MSS כַּאֲרִי, 1 MS כארו Vrss; ? = כָּרוּ I כרה (G) od. IV כרה; ↗ Komm. †

כַּאֲשֶׁר (ca. 550 ×): כְּ + אֲשֶׁר (cf. כְּ u. כְּשֶׁ Koh 5_{14} 12_7); ihe. KAI 200, 6; aram. כזי, כְּדִי, כַּד (↗ ba. כְּדִי), akk. *kī ša* (v. Soden § 116d): Konj. — 1. **sowie, dementsprechend dass** (↗ אֲשֶׁר II e): a) כַּא׳ צִוָּה Gn 7_9, c. אָמַר 34_{12}, c. נִשְׁבַּע Dt 2_{14} (**↗ Hulst** NTT 18, 337ff [ZAW 77, 104]); steigernd כְּכֹל אֲשֶׁר **ganz wie** Gn 7_5 2K 18_3 u.ö.; b) elliptisch (ohne Wiederholung d. Vbs.) כַּא׳ (נָסוּ) Ex 5_{13}, כַּא׳ (כְּלִיתֶם) בִּהְיוֹת בָּרִאשֹׁנָה Jos 8_6; c) in Formel d. Ergebung כַּא׳ שָׁכֹלְתִּי שָׁכָלְתִּי Gn 43_{14}, Est 4_{16}; d) כַּא׳ ··· כֵּן wie ... so Nu 2_{17} Js 31_4, **je mehr .. desto mehr** Ex 1_{12}; — 2. begründend: demgemäss dass = **weil** Nu 27_{14} 1S 28_{18} 2K 17_{26} Mi 3_4; — 3. voraussetzend: **wie wenn**: כַּא׳ לֹא הָיִיתִי אֶהְיֶה Hi 10_{19}, Zch 10_6 Sir 44_9; — 4. zeitlich: a) **als**, c. pf. Gn $32_{3.32}$ Ex 32_{19}; b) **nachdem** Ri 16_{22}, pleon. אַחֲרֵי כַּא׳ Jos 2_7 (↗ Noth 24); c) c. impf. **dann, wenn** Koh 4_{17} 5_3; — Js 26_9 l כָּאוֹר G (Gaster VT 8, 218[6]); 51_{13} ? l כְּאַשֶׁר (Budde, Kautzsch AT[4] :: Westerm. ATD 19,193 Mi 3_3); l כִּשְׁאֵר.

כבד: mhe. qal schwer sein, pi. ehren, hif. schwer werden, machen; ja.^{t}(?) af. erzürnen; ug. *kbd* (UT nr. 1187), kan. *kabātu* (EA, VAB 2, 1431, AHw. 416b) ph. כבד (DISO 114); ar. III in Schwierigkeiten sein, asa. *kbd* Last; äth. tigr. (Wb. 411b) schwer sein; bab. *kabātu*, ass. *kabādu* (v. Soden Gr. p. XXV) drückend schwer sein, D ehren; THAT 1, 794ff:

qal: pf. כָּבֵד (or. כָּבֹד, MdO 184; ↗ adj. כָּבֵד), וְכָבַד Js 24_{20} (BL 312t), כָּֽבְדָה/בֵֽדָה, כָּֽבְדוּ; impf. יִכְבַּד/בָּֽד, וַתִּכְבְּדִי, יִכְבְּדוּ, נִכְבַּד: — 1. **schwer lasten**: יָד Ri 1_{35} 1S $5_{6.11}$ Ps 32_4 Hi 23_2 33_7, שֵׂעָר 2S 14_{26}, עֲבֹדָה Ex 5_9 Neh 5_{18}, מִלְחָמָה Ri 20_{34} 1S 31_3, חַטָּאת Gn 18_{20}, פֶּשַׁע Js 24_{20}, כַּעַשׂ Hi 6_3; beschwerlich fallen (Gäste) 2S 13_{25}, c. מִן zu schwer sein für Ps 38_5; — 2. **schwer, stumpf sein**: עֵינַיִם Gn 48_{10}, אֹזֶן Js 59_1, לֵב Ex 9_7; — 3. **gewichtig, geehrt sein** Hi 14_{21} Ez 27_{25}; — Js 66_5 l יִכָּבֵד. †

nif: (fehlt mhe., oft in DSS): pf. נִכְבַּד, נִכְבַּדְתָּ/תִּי; impf. אֶכָּבֵד Hg 1_{8K} (Q אֶכָּֽבְדָה), אִכָּֽבְדָה/בֵֽדָה; imp. הִכָּבֵד; inf. הִכָּֽבְדִי; pt. נִכְבָּד, נִכְבָּדִים/דוֹת, נִכְבְּדֵי u. נִכְבַּדֶּיהָ (BL 548z), נִכְבְּדֵיהֶם: — 1. als gewichtig empfunden werden, **geehrt werden** Gn 34_{19} Nu 22_{15} Dt 28_{58} 1S 9_6 22_{14} 2S $23_{19.23}$ Js 3_5 23_{8f} 43_4 49_5 Nah 3_{10} Ps 149_8 1C $11_{21.25}$, Sir 10_{20}; נִכְבָּד מֵאֶחָיו angesehener als 1C 4_9; — 2. sich ehren lassen, **Ansehen geniessen** 2K 14_{10}, cj (l לְהִכָּבֵד) 2C 25_{19}; in Ehren stehen 2S 6_{22}; — 3. **sich würdig aufführen** 2S 6_{20}; — 4. (Gott) **sich in s. Herrlichkeit zeigen** (THAT 1, 801) Ex $14_{4.17f}$ Lv 10_3 Js 26_{15} Ez 28_{22} 39_{13}; Hg 1_8 (al.: Ehre erlangen), cj Js 66_5; — 5. נִכְבָּדוֹת Herrliches Ps 87_3; — Pr 8_{24} l נִבְכֵי (: נֵבֶךְ, ↗ Landes BASOR 144, 32f ? מַעְיָנוֹת Gl. :: Dahood Bibl. 49,363). †

pi: pf. כִּבְּדוּ, כִּבַּדְתּוֹ/תָּֽנִי, כִּבְּדוּנִי, כִּבְּדֻנוּךָ; impf. יְכַבֵּד, תְּכַבְּדוּ, אֲכַבְּדֵהוּ, תְּכַבֵּֽדְךָ Pr 4_8 (BL 345k), יְכַבְּדָֽנְנִי Ps 50_{23} (BL 339s); imp. כַּבֵּד, כַּבְּדוּהוּ; inf. כַּבֵּד, כַּבֶּדְךָ; pt. מְכַבֵּד, מְכַבְּדוֹ, מְכַבְּדַי/דֶיךָ: — 1. stumpf, **unempfindlich machen** (↗ qal 2): לֵב 1S 6_6; — 2. **ehren** (Jenni 83; THAT 1,797.801): a) Menschen: Ri 9_9 13_{17} 1S 15_{30} 2S 10_3 Ps 15_4 1C 19_3; Vater u. Mutter (:: קלל, ug., Alt KlSchr. 3, 153[5]) Ex 20_{12} Dt 5_{16} Mal 1_6 Sir 3_8, metaph. Stadt Kl 1_8; = reich belohnen Nu $22_{17.37}$ 24_{11} (↗

Gevirtz VT 11, 141[5]; cf. pu. 1. u. כָּבֵד Gn 13$_{2}$); b) Gott ehren Ri 9$_{9}$ (pl. !) 1S 2$_{30}$ Js 24$_{15}$ 25$_{3}$ 29$_{13}$ 43$_{20}$ 58$_{13}$ Ps 22$_{24}$ 50$_{23}$ 86$_{9}$ (לְשִׁמְךָ).$_{12}$ (שִׁמְךָ) Pr 3$_{9}$ 14$_{31}$ Da 11$_{38}$ (↗ לֶאֱלֹהַּ מָעֻזִּים); c. 2 acc. ehren mit Js 43$_{23}$; c) Gott bringt Menschen z. Ehren 1S 2$_{29}$ (c. מִן mehr als) Ps 50$_{15}$ (l וַאֲכַבְּדֶךָ, Gkl.) 91$_{15}$; — 3. etw. **in Ehren halten**: שַׁבָּת Js 58$_{13}$, מָקוֹם 60$_{13}$ Pr 4$_{8}$. †

pu: impf. יְכֻבָּד; pt. מְכֻבָּד: — 1. **geehrt werden** Pr 13$_{18}$ 27$_{18}$ (= reich werden?, ↗ pi. 2. a); — 2. pt. (GK § 116, 2) **ehrwürdig** Js 58$_{13}$. †

hif: pf. הִכְבִּיד, הִכְבַּדְתָּ, הִכְבַּדְתִּים; impf. וַיַּכְבֵּד; inf. (st. vb. fin. GK § 113ff, HeSy. § 46b) הַכְבֵּד; pt. מַכְבִּיד: — 1. schwer machen, **lasten lassen**: עַל 1K 12$_{10.14}$ / 2C 10$_{10.cj\ 14}$ (↗ Rud.) Js 47$_{6}$ Sir 30$_{13}$, ins. עַל Neh 5$_{15}$ (THAT 1, 796; :: Rud.), ↗ עַבְטִיט Hab 2$_{6}$ (pt., Jenni 85; 1QpHab יכביד, ↗ Segert ArchOr. 22, 449), נְחֻשְׁתּ Kl 3$_{7}$; רָעָתוֹ schweres Unglück auf sich bringen Sir 8$_{15}$; — 2. stumpf machen, **verstocken**: לֵב Ex 8$_{11.28}$ 9$_{34}$ 10$_{1}$, אֹזֶן Js 6$_{10}$ Zch 7$_{11}$; — 3. **zu Ehren bringen** (:: Driv. Fschr. Eilers 40f) Js 8$_{23}$ (:: הֵקַל); — 4. **zahlreich machen** Jr 30$_{19}$ (|| הִרְבָּה, :: צער); — 2C 25$_{19}$ l לְהִכָּבֵד. †

hitp: imp. הִתְכַּבֵּד, הִתְכַּבְּדִי; pt. מִתְכַּבֵּד: — 1. **sich mehren** Nah 3$_{15}$ (כַּיֶּלֶק, ↗ hif. 3); — 2. **gross tun** (THAT 1, 797) Pr 12$_{9}$ Sir 3$_{10}$ 10$_{26}$; — 3. **geehrt werden** (mhe. BL 291j, Bgstr. 2,98b) Sir 10$_{31}$ Var. †

Der. I u. II כָּבֵד, כֹּבֶד, כְּבֵדֻת, כָּבוֹד, כְּבוּדָּה.

I כָּבֵד: כבד; mhe. schwer, mhe.[2] Schwere; **ug.** *ṯql* (= שֶׁקֶל) *kbd* (UT nr. 1187, Aistl. 1274 **III**) vollgewichtig; akk. schwer, gewichtig, karische Gl. κυβδα (Harris Gr. 110): cs. כְּבַד **u.** Js 1$_{4}$ כֶּבֶד (BL 552p), כְּבֵדִים, כִּבְדֵי (THAT 1, 795f): — 1. **schwer, lastend** 2S 14$_{26}$, עַל 1K 12$_{4.11}$ 2C 10$_{4.11}$, יָדַיִם Ex 17$_{12}$, סֶלַע Js 32$_{2}$, ↗ Ps 38$_{5}$ Ex 19$_{16}$ 1S 4$_{18}$; — 2. **drückend**: רָעָב Gn 12$_{10}$ 41$_{31}$ 43$_{1}$ 47$_{4.13}$, דֶּבֶר Ex 9$_{3}$, בָּרָד 9$_{18.24}$, Tross 1K 10$_{2}$ 2K 6$_{14}$ 18$_{17}$ Js 36$_{2}$ 2C 9$_{1}$, מִסְפֵּד Gn 50$_{10f}$; — 3. **gewichtig**: a) reich (↗ כבד pi. 2.a) Abr. Gn 13$_{2}$; b) zahlreich (↗ כבד hif. 4): מַחֲנֶה Gn 50$_{9}$, עַם Nu 20$_{20}$, מִקְנֶה Ex 12$_{38}$, עָרֹב 8$_{20}$, אַרְבֶּה 10$_{14}$; Sir 16$_{17}$; — 4. **schwierig** Ex 18$_{18}$ Nu 11$_{14}$ 1K 3$_{9}$; — 5. stumpf, **verstockt**: לֵב Ex 7$_{14}$ Sir 3$_{26}$; — 6. **schwerfällig**: לָשׁוֹן Ez 3$_{5f}$, פֶּה Ex 4$_{10}$; — 7. Versch: schuldbeschwert כֶּבֶד עָוֹן Js 1$_{4}$; כָּ׳ מִן schwerer als Pr 27$_{3}$. † Der. ↗ II.

II כָּבֵד: = I, d. schwere Organ; Holma NKt. 75ff; mhe.; ug. *kbd* (UT nr. 1187, Aistl. 1274, AfO 20, 215b); ja., sam. (BCh. 2, 494a) sy. md. (MdD 195a) כַּבְדָּא, ar. *kab(i)d*, äth. tigr. (Wb. 412a) *kabd*, auch Bauch, Herz (Lesl. 25); soq. *šibde*; akk. *kabīdu, kabattu* (AHw. 272b, 416a): כְּבֵדוֹ/דִי; ? m. Kl 2$_{11}$, f. mhe. sy., ar. m. u. f. (Rosenberg ZAW 25, 331): — 1. **Leber** (Dho. EM 128ff, BHH 1060, Rost ZAW 79, 35ff) Ex 29$_{13.22}$ Lv 3$_{4.10.15}$ 4$_{9}$ 7$_{4}$ 8$_{16.25}$ 9$_{10.19}$ Pr 7$_{23}$ Kl 2$_{11}$; cj Gn 49$_{6f}$ (l כְּבֵדִי pr. כְּבוֹדִי) m. L. = m. Seele (G. u. || נֶפֶשׁ) Ps 7$_{6}$ 16$_{9}$ 30$_{13}$ 57$_{9}$ 108$_{2}$ (Gkl Ps. 26, Nötscher VT 2, 358ff :: Ped. Isr. 1/2, 519); — 2. **Leberschau**: רָאָה בַּכָּ׳ Ez 21$_{26}$ (Klauber, Polit-rel. Texte d. Sargonidenzeit, 1913, XXXVff, Meissner BuA. 2, 267ff, Borger JbEOL 18, 323ff). Zimm. Ez. 490, BHH 1060. †

כֹּבֶד: כבד; mhe. כֹּ׳ רֹאשׁ Ernst, 4QpNah II 4 כבוד: — 1. **Schwere, Wucht** כֹּ׳ מִלְחָמָה Js 21$_{15}$, כֹּ׳ מַשָּׂאָה 30$_{27}$ (? l adj. כְּבַד schwer an W., ↗ כָּבוֹד I 2); — 2. (schwere) **Menge** Nah 3$_{3}$ Pr 27$_{3}$. †

כְּבֵדֻת, Sam.[M115] *kābūdot* (pl. !): כבד, Gulk. 111: **Beschwer**, בִּכְבֵדֻת mühsam Ex 14$_{25}$. †

כבה: mhe. erlöschen, pi. u. ja.[b] pa. auslöschen; ar. *kabā^{w}* glimmen, II Feuer unter Asche verbergen; äga. ? verbergen (DISO 114); cf. כפה:

qal: pf. כָּבוּ; impf. תִּ/יִכְבֶּה: **erlöschen**:

אֵשׁ Lv 6_{5f} Js 66_{24} Jr 17_{27} Ez 21_{4} Pr 26_{20}, לַהֶבֶת Ez 21_{3}, נֵר 1S 3_{3} Pr 31_{18} (בַּלַּיְלָה Zeichen v. Armut) פִּשְׁתָּה Js 43_{17}, זֶפֶת Js 34_{10}; metaph. חֵמָה Gottes 2K 22_{17} Jr 7_{20} 2C 34_{25}; = sterben Js 43_{17}, cj Ez 32_{7} (בִּכְבוֹתְךָ, metaph.: Volk). †

pi: pf. כִּבּוּ; impf. יְכַבֶּנָּה, וַיְכַבּוּ, תְּכַבֶּה; inf. כַּבּוֹת, כַּבּוֹתְךָ; pt. מְכַבֶּה: — 1. **auslöschen**: נֵר 2C 29_{7}, 2S 21_{17} (metaph.: d. Königs), פִּשְׁתָּה Js 42_{3}, גַּחֶלֶת 2S 14_{7} (metaph.); — 2. **löschen** metaph.: אַהֲבָה HL 8_{7}; trop. וְאֵין מְכַבֶּה (Jenni 83) ohne dass einer löscht Js 1_{31} Jr 4_{4} 21_{12} Am 5_{6}; Ez 32_{7} l בִּכְבוֹתְךָ (↗ Zimm. 764). †

כָּבוֹד u. 2 × כָּבֹד (ca. 200 ×) Sec. χαβωδ Brönno 162f), G χαβωθ 1S 4_{21} (Kahle CG 180); mhe. Ehre, pun. כבד (DISO 114): כְּבוֹד, כְּבוֹדוֹ: — I. untheol.: — 1. **Schwere, Last** Js 22_{24} Nah 2_{10} (? praem. לְכֻדוּ לָכֶם al. cj כְּבֵדִים); — 2. a) **Besitz** Gn 31_{1} (עָשָׂה erwerben) Js 10_{3} 61_{6} 66_{12}; b) **Ansehen, Gewichtigkeit** Gn 45_{13} Koh 10_{1} (Herzb. 183; al. Ehre); זִיז כְּבוֹדָהּ (II זִיז) ihre volle Brust Js 66_{11}; כְּבוֹדוֹ coll. s. Edeln Js 5_{13} 8_{7}; c) (schwere) **Menge** (↗ כבד hif. 4, I כָּבֵד 3.b, כֹּבֶד) Hos 9_{11} (al. 4.); — 3. **Herrlichkeit, Pracht**; כְּ׳ יַעְרוֹ Js 10_{18}, כְּ׳ הַלְּבָנוֹן 35_{2} 60_{13}, e. Baumes Ez 31_{18} (|| גֹּדֶל); כְּ׳ מַלְכוּת Est 1_{4}; הָיָה כָ׳ Js 11_{10}, לְכָ׳ Js 4_{2} (|| לִצְבִי) Ex $28_{2.40}$ (|| לְתִפְאֶרֶת); כָּ׳ eines Hauses Ps 49_{17f}, d. Tempels Hg $2_{3.7.9}$; — 4. **Auszeichnung, Ehrung** (:: קָלוֹן Hab 2_{16}, כְּלִמָּה Ps 4_{3}): a) **Ehrengabe** Nu 24_{11} 1S 6_{5}, כִּסֵּא כָ׳ 1S 2_{8} Js 22_{23} Jr 14_{21} 17_{12}, מַרְכְּבוֹת כ׳ Js 22_{18}; cj דִּבְרֵי כ׳ ehrende Worte Pr 25_{27}; b) כָּ׳ || עֹשֶׁר 1K 3_{13} Pr 3_{16} Koh 6_{2} 2C 1_{11f} Est 1_{4}, כָּ׳ וְהָדָר Ps 8_{6}; חֵן וְכָ׳ Ps 84_{12}, חַיִּים צְדָקָה וְכָ׳ Pr 21_{21}; גָּלָה כָ׳ 1S 4_{21f} Hos 10_{5}, שָׁכַב בְּכ׳ Js 14_{18}, עָלַז בְּכ׳ Ps 149_{5}; (txt ?); c) **Ehre**: abs. Pr 15_{33} 20_{3} 26_{1}, v. Isr. Js 10_{3} 17_{3} Mi 1_{15}, Jakob Js 17_{4}, Zion 62_{2}, Assur 10_{16}, Moab 16_{14}; d) trop. נָתַן כָּ׳ Ehre erweisen Pr 26_{8}, = עָשָׂה כָ׳ 2C 32_{33} (einem Toten); יַרְבֶּה כָ׳ (sc. לוֹ) den ehrt er hoch (πλουτιεῖν 2 Mak 7_{24}) Da 11_{39}; לְךָ לְכָ׳ מִן es bringt dir E. von 2C 26_{18}; — II. theol. (THAT 1, 798ff): — 1. **J. d. Ehre geben** (↗ I 4c): a) c. שִׂים Jos 7_{19} Js 42_{12} Ps 66_{2b} (11Q Ps 151_{2}, ZAW 75, 75), c. נָתַן Jr 13_{16} Mal 2_{2} (לִשְׁם י׳), c. הָבוּ Ps 29_{1} 96_{7} 1C 16_{28}, כֻּלּוֹ אֹמֵר כָּ׳ Ps 29_{9}; b) J. ist jmds כָּ׳: Ps 3_{4} 57_{9} (c. cj אַתָּה) 62_{8}; כְּ׳ מַלְכֻתְךָ Ps 145_{11f}, כְּ׳ הוֹדֶךָ 145_{5}; כְּ׳ אֱלֹהִים ist הַסְתֵּר דָּבָר Pr 25_{2}; י׳ ist לְכָ׳ für Jerusalem Zch 2_{9}; Gott schafft Isr. לִכְבוֹדִי Js 43_{7}; Isr.s כָּ׳ Jr 2_{11} u. Ps 106_{20} (Tiqq.S. כְּבוֹדִי, ↗ Gsbg 356.360, Geiger 309. 316) Js 4_{5} Zch 2_{12} Ps 73_{24} 112_{9}; — 2. כְּבוֹד יהוה **J.s Kabod / Herrlichkeit**; Koehler Th. 110ff; BStein, D. Begriff K. J. u. s. Bedeutung, 1939, Eichr. 2, 11ff, v. Rad 1, 238ff, RGG 3, 273ff, Ringgr. IR 80f, BHH 707, THAT 1, 802ff:a) tt. Stat.: ca. 30×, Ez 10×, G immer δόξα. Die scheinbar älteste Stelle 1K 8_{11} ist identisch mit Ex 40_{34f} (Noth Kge. 180); etym. Macht, Autorität u. Ehre Gottes, anderseits oft mit Lichterscheinungen verbunden (urspr. Gewitter- od. Vulkangott ?); b) m. d.tt. verwandt: כְּ׳ אֵל Ps 19_{2}, אֵל הַכָּ׳ 29_{3}; מֶלֶךְ הַכָּ׳ Ps 24_{7-10}; כְּ׳ מַלְכוּתְךָ Ps 145_{11}; כְּ׳ אֱלֹהִים Pr 25_{2}; כְּ׳ הוֹדֶךָ Ps 145_{5}; כְּבוֹדוֹ || שֵׁם י׳ Js 59_{19}; כְּ׳ אֱלֹהֵי יִשְׂרָ׳ Ez 8_{4} 9_{3} 10_{19} 11_{22} 43_{2}; כְּ׳ שְׁמוֹ Ps 29_{2} 66_{2a} 79_{9} 96_{8} 1C 16_{29}, שֵׁם כְּבוֹדוֹ Ps 72_{19a} Neh 9_{5}; כְּ׳ תְּהִלָּתוֹ Ps 66_{2b} (l כְּ׳); c. נִקְדַּשׁ Ex 29_{43}; c) כָּ׳ als Erscheinungsform J.s; den Ältesten Dt 5_{24} Js 24_{23} (כָּבוֹד auch in 1QJs[a], gegen cj יִכָּבֵד od. כְּבוֹדוֹ/דִי); Mose sieht ihn Ex $33_{13-18.22}$, Isr. Ex 16_{7} 24_{17}; ist im Heiligtum zu sehen Ps 26_{8} 63_{3}, cj Js 59_{19} u. Ps 102_{16} (l יִרְאוּ pr. וְיִירְאוּ); in d. Wolke Ex 16_{10}; Nu 14_{22} Js 60_{2} 66_{18} Ps 97_{6}; d) כְּ׳ י׳ erscheint beim 1. Opfer Lv $9_{6.23}$, z. Schutz f. Mose u. Aaron Nu 14_{10} 17_{7}, b. Korahs Aufstand 16_{19}, eröffnet d. Heilszeit

Js 40$_5$, beschützt die Heimkehrer Js 58$_8$, erstrahlt über d. erlösten Zion 60$_1$; b. Ez.: erscheint v. Norden her 4$_4$, verlässt d. Tempel 3$_{12}$, steht in d. בִּקְעָה 3$_{23}$, erhebt sich zur Tempelschwelle 10$_4$ (אֶל = עַל), füllt d. Hof 10$_4$, stellt sich auf d. Cherubim 10$_{18}$, geht über d. Ölberg 11$_{22f}$, kommt in d. Tempel 43$_4$ u. füllt ihn 43$_5$ 44$_4$, erfüllt d. אֹהֶל מוֹעֵד Ex 40$_{34f}$; e) Wesen u. Wirken im weiteren Sinn: ist nur J. eigen Js 42$_8$ 48$_{11}$, höher als d. Himmel Ps 113$_4$, wohnt auf Erden Ps 85$_{10}$, wohnt auf d. Sinai Ex 24$_{16}$, füllt d. ganze Erde Js 6$_3$ (? l מְלֹאָהּ), Nu 14$_{21}$ u. Ps 72$_{19}$ (l יִמָּלֵא, GK § 121e) ist über d. Erde 57$_{6.12}$, cj Js 4$_{5.6a\alpha}$ עַל כָּל כְּ׳ י׳ חֻפָּה וְסֻכָּה über allem als Schutz u. Schirm (ZüBi.), wird unter d. Völker gebracht Ez 39$_{21}$, den Völkern verkündet Js 66$_{19}$; עֵינֵי כְבוֹדוֹ Js 3$_8$, מַרְאֵה כ׳ Ex 24$_{17}$; noch Js 35$_2$ Hab 2$_{14}$ Ps 104$_{31}$ 138$_5$; — Ps 73$_{24}$ כָּ׳ תִּקָּחֵנִי trad. in Ehren annehmen, ? ↗ Komm.; Pr 25$_{27}$ ↗ חֵקֶר mut.; 1C 17$_{18}$ l לְכַבֵּד (↗ Rud.). Der. אִיכָבוֹד.

כְּבוּדָּה: כבד; BL 467r: **wertvolle Habe** Ri 18$_{21}$; — Ez 23$_{41}$ l רְבוּדָה; Ps 45$_{14}$ l יְכַבְּדוּךְ. †

כָּבוּל: n.l.; äg. *kbr* ETL 217: — 1. in Asser, G Χωβα, Χαβα/ωλων, Jos. Vita 43f, NFJ 48; = *Kābūl* s.o. Akko, Abel 2, 287, GTT § 874 IX: Jos 19$_{27}$; — 2. אֶרֶץ כָּבוּל (G ὅριον = גְּבוּל; *g*: *k* in EA, Böhl Spr. § 7d; Jos. Antt. VIII 5, 3 Χαβαλων), abschätzig 1K 9$_{13}$: = כְּ־בַל (wie nichts, Mtg.-G. 205.213), od. „gefesselt" akk. ar. *kbl* (Noth Kge. 211): Gebiet v. 20 Städten in Galiläa, v. Salomo an Hiram abgetreten 1K 9$_{11-13}$, umgekehrt 2C 8$_2$ (Alt KlSchr. 2, 84f). †

כַּבּוֹן, G Χαβρα; n.l.; ? כבן od. כבב (Borée 59); in Juda b. Lakiš (GTT § 318 B 10): Jos 15$_{40}$. †

כַּבִּיר: I כבר; viel, gross; äga. u. pehl. כביר (DISO 114, Alth. Am. Spr. 271), sy. md. (MdD 195a); ar. *kabīr*; ? grie. Καβειροι Lewy Fw. 212ff, Meyer GAt II 2, 119f, RGG 3, 1080f :: OKern Rel. d. Griechen 1, 1926, 235ff, Nilsson Gesch. d. griech. Rel. I^2, 1955, 670: כַּבִּירִים; nur in Js Hi: **stark, gewaltig**: e. Gewaltiger Hi 34$_{17}$, pl. 34$_{24}$; מַיִם Js 17$_{12}$ 28$_2$, רוּחַ Hi 8$_2$, אֵל 36$_{5a}$ u. כֹּחַ לֵב 36$_{5b}$ txt? (↗ Komm.); ntr. Grosses, viel 31$_{25}$; כַּבִּיר ... יָמִים hochbetagt 15$_{10}$ (acc. adv., GK § 131q), לֹא כ׳ unansehnlich (Litotes, Lande 60ff); 1QJs^a 16$_{14}$ 17$_{12}$ dafür כבוד, ↗ Ku. LJs 185; — Js 10$_{13}$ ↗ K אַבִּיר. †

***כָּבִיר**: II כבר: cs. כְּבִיר: **Geflecht**: כְּ׳ עִזִּים G. aus Ziegenhaaren 1S 19$_{13.16}$, als Mückennetz (AuS 6, 200), κωνώπιον Jud 10$_{21}$. †

***כבל**: mhe. fesseln, ja.^{t} md. (MdD 202b); ar. *kabala* binden, flechten; akk. *kabālu* binden, fesseln: Der. כֶּבֶל; n.l. כָּבוּל; cf. כבן, II כבר.

כֶּבֶל: כבל; mhe., ihe. (DJD 2, 43, 5); äga. (DISO 114); ja.^{tb} כַּבְלָא, sy. *kabla*, md. (MdD 205b) *k/qublā*, ar. *ka/ibl* (? Frae. 243), äth. *ka(n)balo* (Dillm. 423.845a); aLw. 125: כַּבְלֵי: **Fessel** Ps 105$_{18}$ 149$_8$ (|| זִקִּים). †

***כבן** mhe. ja.^{t}(?) sy. umgürten, bekleiden; ar. *kabana* säumen: Der. n.l. כַּבּוֹן (?), n.m. מַכְבֵּנָה, מַכְבַּנַּי.

כבס, ↗ כבשׁ Mi 7$_{19}$: mhe. pi. waschen; ug. *kbs/šm* Gilde d. Walker (UT nr. 1193, Aistl. 1281); ? amor. *kibs*, Huffm. 220; pun. כבס NE 293, > Hesych κούβηζος Walker (Mayer 340); ar. *kabasa* vollpfropfen, kneten; soq. eintauchen; akk. *kabāsu* treten, festtreten (AHw. 415f):

qal: pt. כּוֹבֵס: **walken**, Tücher durch Treten, Kneten u. Schlagen sauber machen (AuS 5, 145ff, BHH 2134), כבוס gewaschen, in reinen Kleidern, Dam. XI 22; שְׂדֵה כוֹבֵס „Walkerfeld" (Jenni 163) sö. Jerus., bei עֵין רֹגֵל (AuS 5, 152 ::

Eissf. JSSt 5, 37: Feld d. Walkerkorporation, :: Maag KAO 692: Feld, wo gewalkte Tücher z. Trocknen u. Bleichen ausgespannt wurden: 2K 18_{17} / Js 36_{2}, Js 7_{3}. †

pi: pf. כִּבֵּס/בֶּס u. כִּבֶּס (BL 329h), כִּבְּסוּ, כִּבַּסְתֶּם; impf. יְכַבֵּס, תְּכַבְּסִי, תְּכַבְּסֵנִי; imp. כַּבְּסִי, כַּבְּסֵנִי; pt. מְכַבְּסִים: — 1. (Gewand) **walken**, reinigen (:: רחץ Körper waschen) Gn 49_{11} Ex $19_{10.14}$ Lv 6_{20}-17_{16} (27 ×) Nu $8_{7.21}$ $19_{7f.10.19.21}$ 31_{24} 2S 19_{25}; — 2. (metaph.) **reinigen**: לֵב Jr 4_{14}, (Schuld) abwaschen 2_{22} (בַּנֶּתֶר), Mi 7_{19} (יִכְבֹּשׁ l od. = יְכַבֵּס), Ps $51_{4.9}$, בּוֹרִת מְכַבְּסִים (Jenni 163) Mal 3_{2}. †

pu: pf. כֻּבַּס: **gewaschen werden** Lv 13_{58} 15_{17}. †

hotp. (BL 285j): pf. הֻכַּבֵּס (< hutk.) c. acc. (GK § 121b) **abgewaschen werden** Lv 13_{55f}. †

I כבר: mhe. DJD I 36, 1 vermehren (?), מכברם „Makbiram" ? Hazor, BA 20, 36f; sy. md. (MdD 202b), jaud. viel sein (DISO 115), amor. *Jakba/urum* (Bauer Ok. 77a, Noth ZA 39, 218f, Fschr. Alt I 152), nab. n. pr. (Cant. Nab. 2, 105b); asa. *kbr*; ar. *kabura*, äth. tigr. (Wb. 409b) geehrt sein; akk. *kabāru* gross, dick sein (AHw. 415a); ? Grdb. flechten (GB, Palache 40, cf. גדל). ⸗ II:

hif: impf. יַכְבִּר; pt. מַכְבִּיר: (Worte) **viel machen** Hi 35_{16}; לְמַכְבִּיר überreich, in Fülle Hi 36_{31} (gesteigertes לָרֹב, Budde). † Der. *כַּבִּיר, I כְּבָר, II כְּבָרָה, עַכְבָּר (?), n.m. עַכְבּוֹר.

II *כבר: ? letzlich zu I; sy. *krab*, ar. *karaba* e. Strick drehen; tigr. *karba* festbinden (Wb. 399b); ⸗ כבל, ? כבן Der. כָּבִיר, מַכְבֵּר, מִכְבָּר.

III *כבר: mhe. sieben, flechten; ? ar. *ġarbala* sieben ⸗ I. Der. I כְּבָרָה.

I כְּבָר: mhe. ja.^{tb} cp. sy. md. (MdD 202a) *kbar*: I כבר, BL 632l, LS 316b :: Nöld. MG 202^{2}, VG 1, 111: כְּ + בַּר, ⸗ ba. בְּרַם, mehr. soq. *ber* (Torcz. Entst. 32) od. ברר: **schon**, **längst** Koh 1_{10} $2_{12.16}$ 3_{15} 4_{2} 6_{10} 9_{6f}. †

II כְּבָר, G Χαβαρ: n. fl.; bab. ^{nāru}*Kabaru*, „grosser (Kanal)", der b. Babylon d. Eufrat verlässt u. b. Warka wieder einmündet (Zimm. 39f): Ez $1_{1.3}$ $3_{15.23}$ $10_{15.20.22}$ 43_{3}. †

I כְּבָרָה: III כבר; mhe.; ? ar. *ġirbāl*, d. grobe Sieb, das Sand od. Körner durchlässt, Steine u. Stroh zurückhält (Volz ZAW 38, 107f, AuS 1, 552; 3, 146f, Maag, Amos 156, BHH 1785): **Sieb** Am 9_{9}. †

II *כְּבָרָה od. *כִּבְרָה: I כבר; G Gn 48_{7} χαβραθα, ἱππόδρομος soweit e. Pferd laufen kann; ? ph. *kbrt* (DISO 115): **Strecke**, S Parasange, ⸗ Ges. 658: כִּבְרַת אֶרֶץ ein Stück weit Gn 48_{7} 2K 5_{19}, כִּבְרַת הָאָרֶץ Gn 35_{16}. †

כֶּבֶשׂ (107 ×), Sam.^{M115} *kābeš*; > כֶּשֶׂב; f. כִּבְשָׂה; mhe., sy. *kebšā* < ar. (Frae. 109), כבס n.m. Nimr. Ostr. 10 (BASOR 149, 34^{13}), ar. *kabš* soq. *kobš* junger Widder, Anführer; akk. *kabsu* Jungwidder (AHw. 418a): כְּבָשִׂים (Sam.^{M115} *kābāšem*, 1QJs^{a} 5_{17} כבושים RMeyer ZAW 70, 41), כִּבְשֵׂי: **junger Widder**, meist Opfertier: Ex 12_{5} u. 2C 35_{7} :: עִזִּים; || גְּדִי Js 11_{6}, עֵגֶל וָכֶבֶשׂ Lv 9_{3}; גֵּז כְּבָשַׂי Hi 31_{20}; ⸗ Ex 29_{38-41} Lv 4_{32}-23_{20} (13 ×) Nu 6_{12}-29_{37} (68 ×) Js 1_{11} 5_{17} Jr 11_{19} Ez 46_{4-15} (7 ×) Hos 4_{16} Pr 27_{26} Esr 8_{35} 1C 29_{21} 2C $29_{21f.32}$; 2C 9_{18} Ⓑ, cf. 1K 10_{19} רָאשֵׁי עֵגֶל = ראשׁ עָגֹל, G προτομαὶ μόσχων; ar. *ra'su akbašu* grossköpfig; עֵגֶל abgeschwächt > כֶּבֶשׂ > כֶּבֶשׂ, Mtg-G. 230, Galling ATD 12, 96, North ZAW 50, 28f :: an beiden Stellen: rundes Kopfende (Rud. Chr. 224); ⸗ עָגֹל.

כִּבְשָׂה u. כַּבְשָׂה Lv 14_{10} Nu 6_{14}; Sam.^{M115} *kābāša*: f. v. כֶּבֶשׂ; > כִּשְׂבָה; mhe., amor. *Kabsatum* (Huffm. 152), asa. *Kabšat* (Conti 167a); akk. *kabsatu* Jungschaf (AHw. 418a): כְּבָשׂוֹת, כִּבְשׂוֹת: **junges**

Schaflamm Gn $21_{28\cdot30}$ Lv 14_{10} Nu 6_{14} 2S $12_{3f\cdot6}$. †

כבשׁ: mhe. ja. cp., sam. (BCh. 2, 651a; auch verbergen, T Ex 3_6 u.ö.) sy. md. (MdD 202b), äga. (DISO 115), ar. *kabasa* treten, drücken (sexuell), akk. *kabāsu* (Ldsbg. HeWf. 185, vSoden § 30d.e), kan. EA *kab/pāšu*; ↗ כבס, כפשׁ:

qal: pf. כָּבְשׁוּ; impf. וַיִּכְבְּשׁוּם, תִּכְבְּשׁוּ Jr 34_{11} (K hif.); imp. כִּבְשֻׁהָ; inf. לִכְבּ(ו)שׁ; pt. כֹּבְשִׁים: — 1. c. acc. jmd. sich unterwerfen, **dienstbar machen**: Erde Gn 1_{28}, Leute Jr 34_{16}, cj Am 8_4 (לִכְבֹּשׁ; || שֹׁאֲפִים); לַעֲבָדִים als Sklaven Jr $34_{11Q\cdot16}$; zu Sklaven erniedrigen Neh 5_5 2C 28_{10}; — 2. (Frau) **vergewaltigen** Est 7_8; — Mi 7_{19} ↗ כבס; Zch 9_{15} l בָּשָׂר|| cj דָּם. †

nif. pf. נִכְבְּשָׁה; pt. נִכְבָּשׁוֹת; — 1. (Land) **unterworfen werden** Nu $32_{22\cdot29}$ Jos 18_1 1C 22_{18} (לִפְנֵי); — 2. **erniedrigt werden** (sexuell ?, ↗ qal 2) Neh 5_5. †

pi: pf. כִּבֵּשׁ: (Völker) **unterwerfen** 2S 8_{11}. †

hif. (Jenni 207f): impf. וַיַּכְבִּישׁוּ: (Völker) **unterwerfen** Jr 34_{11K} = qal 1 u.v.$_{16}$. †

Der. כֶּבֶשׁ, כִּבְשָׁן.

כֶּבֶשׁ: כבשׁ, mhe. Rampe, Damm. ja.[t] כִּבְשָׁא, כֵּיבְשָׁא Schemel, Damm., sy. *ka/kubša*, md. (MdD 212a) Stufe, ar. *kibsu* Erdaufschüttung; akk. *kibsu* Tritt, Schritt (AHw. 471b): **Schemel** 2C 9_{18} Ⓛ, ↗ Ⓑ כֶּבֶשׁ. †

כִּבְשָׁן, Sam.[M116] *kābāšan*: כבשׁ; cf. lat. *subigere metalla* bearbeiten; mhe. Ofen für Töpfer, Kalkbrenner, Glasmacher; AuS 7, 26.209, Kelso § 96: **Schmelzofen** Gn 19_{28} Ex $9_{8\cdot10}$ 19_{18} cj Ps 68_{23}. †

כַּד, Sam.[M116] *kid*: mhe. bauchiges Gefäss, ja.[tb] כַּדָּא, ja.[t] כדנא; sy. *kaddānā*; ug. *kd* Krug, Flüssigkeitsmass (UTnr. 1195, Aistl. 1283, WdO 3, 222); akk. *kandu* Krug (wsem. AHw. 436b, Or. 35, 12); ar. *kadd* Mörser; > κάδ(δ)ος (Masson 44), lat. *cadus* u. zurück > sy. *qadsā* (Zimmern 33) u. ar. *qadas* (Frae. 72f); כַּדְּךָ/דָּהּ, כַּדִּים: **grosser Krug** (Kelso § 42, Honeyman 81f) Ri $7_{16\cdot19f}$, f. Wasser Gn $24_{14\cdot18\cdot20\cdot43\cdot45f}$ 1K 18_{34} Koh 12_6; f. Mehl 1K $17_{12\cdot16}$. †

כדד: Der. כַּדְכֹּד.

כַּדּוּר: כדר, al. דּוּר + כְּ; ar. *kadira* dick sein; mhe. ja.[g] Knäuel, Ball; ? ug. *kdrt* (CML 145a, Aistl. 1291, Gray LoC[2] 41[3] :: UT nr. 1201), ar. *kadarat* Garbe, Klumpen: **Knäuel, Ball** Js 22_{18}; — Js 29_3 l כְּדָוִד G. †

כְּדֵי: ↗ דַּי.

כַּדְכֹּד u. כַּדְכֹד, G Ez χορχορ, Hier. *chodchod*: כדד, BL 482g; ja.[g] כדכודא, כדכודינא für יַהֲלֹם; ar. *kadkad* starke Röte (?); tigr. (Wb. 424b) *kedked* rotes Insekt: e. **Edelstein**, Rubin (?) Js 54_{12} (ἴασπις) Ez 27_{16}. †

כְּדַמָּה Ez 27_{32} (?); ↗ Zimm. 633. †

***כדר**: mhe. gewölbt, rund sein; mhe.[2] hitp. geschleudert werden; ? akk. *kadāru* sich aufbäumen, *kadru* kriegerisch (AHw. 419a):

Der. כַּדּוּר, כִּידוֹר.

כְּדָרְלָעֹמֶר, כְּדָר־לָ׳ Gn 14_{17} Ⓛ; Sam.[M116] *Kādarlamar*, G Χοδολλογομορ: K. v. עֵילָם Gn $14_{1\cdot4f\cdot9\cdot17}$; inc.; klingt m. d. Namen d. Göttin Lagamar elamitisch, „Diener d. L.", ist aber nicht belegt; ↗ Böhl AO 29, 1, 27, Albr. BASOR 88, 33f, de Vaux Patr. 41f, Hinz 9, Fitzmyer GnAp 141, [2]158, BHH 938 Schatz 87f. †

כֹּה: *כָּה in כָּכָה u. אֵיכָה; kan. *kā* (EA), ph. pun. כא *cho* (Friedr. § 248a): aram. *kā*, כה aam. äga. (DISO 115), ba. ja.[tg], ja.[b] הכא, כא Assbr. nab. palm. (DISO 114) ja. cp. sy. md. (MdD 194a); ? amh. *ka* (Lesl. 25); Grdf. *kā* (VG 1, 323f :: Lex.[1]: < *ka-hu* „wie er"); ↗ כְּ: — 1. loc. **hier** Nu 23_{15}, cj $_3$, כֹּה וָכֹה dahin u. dorthin Ex 2_{12}, עַד־כֹּה dorthin Gn 22_5, cj מִכֹּה אֶל־ von hier nach 1S 17_{20}; — 2. tpl. **jetzt**: עַד־כֹּה bisher Ex 7_{16} Jos 17_{14}, עַד־כֹּה וְעַד־כֹּה unterdessen

1K 18$_{45}$; — 3. adv. **so**; a) wie eben (gesagt / getan) Gn 15$_5$ Nu 22$_{30}$ Jos 6$_3$ Js 20$_6$ (20 ×); b) wie folgt Gn 24$_{30}$ Ex 3$_{14}$ 1K 2$_{30}$ Js 24$_{13}$ (50 ×), ins. Jr 24$_1$; c) כֹּה אָמַר so sagt (Einleitung d. Botenspruchs (Koehler KlL. 11ff): α) profan Gn 32$_5$ Ex 5$_{10}$ 1K 2$_{30}$ (26 ×); β) כֹּה אָמַר י׳ (↗ Rud. Baumgtl. Fschr. 20ff) Ex 4$_{22}$ — 2C 34$_{26}$ (435 ×); Jr 157 ×, Ez 125 ×, cj Jr 49$_5$; כֹּה נְאֻם י׳ Jr 9$_{21}$, כֹּה הִרְאַנִי(אֲדֹנָי)י׳ Am 7$_{1.4.7}$ 8$_1$; — 4. כֹּה wiederholt: כֹּה יַעֲשֶׂה וְכֹה יוֹסִיף 1S 3$_{17}$ (12 ×); זֶה בְּכֹה וְזֶה בְכֹה d. eine so, d. andere so 1K 22$_{20}$, ↗ כָּכָה 3; — Jr 23$_{29}$ l כֹּוֶה.

I כהה: mhe. ja.[tg] trüb, schwach werden, ja.[b] pa. blenden, mhe.[2] כהות Trübung d. Augen, md. (MdD 205a); ar. *khj* IV sich enthalten, verzagen; äth. *hakaja* schlaff sein, tigr. (Wb. 21a) *hakka* müde werden:

qal: pf. כָּהֲתָה, impf. יִכְהֶה, וַתִּכְהֶ, תִּכְהֶין; inf. כְּהֹה: (Auge) **ausdruckslos werden** Gn 27$_1$ Dt 34$_7$ Js 42$_4$ (:: Torrey 325f: II) Zch 11$_{17}$ Hi 17$_7$. †

pi. (Jenni 50f): pf. כֵּהָה, כִּהֲתָה: — 1. (Hautfleck) **farblos werden** Lv 13$_{6.56}$; — 2. (Geist) **verzagt sein** Ez 21$_{12}$. †

Der. כֵּהֶה, כֵּהָה (?).

II כהה (gew. zu I: Joüon, ↗ GB; Lex.[1], Zorell): sy. *k*ʾʾ, ar. *kwj* III u. md. *kh*ʾ (MdD 204b) schelten; ja.[t](?), כהותא:

pi. (Jenni 247): pf. כִּהָה: c. בְּ **zurechtweisen** 1S 3$_{13}$. †

כֵּהֶה: I כהה, BL 477b: f. כֵּהָה, pl. כֵּהוֹת: — 1. a) (Hautstelle) **farblos** Lv 13$_{21.26.28.39}$; b) (Augen) trübe 1S 3$_2$ (HeSy. § 103a, gew. cj כָּהוֹת); c) metaph. (Geist) zaghaft Js 61$_3$; — 2. **lichtlos**, (Docht) glimmend Js 42$_3$. †

כֵּהָה: I כהה, BL 477b: Löschung (?) לְשִׁבְרֵךְ Nah 3$_{19}$ (? l גֵּהָה). †

כהן: mhe.[2] hitp., sy. pe., md. (MdD 205a) pe., cp. pa., als Priester amten (denom.), ar. *kaha/una* hellsehen, weissagen, V als *kāhin* reden, auftreten WKAS K 416a ↗ כֹּהֵן:

pi: pf. כִּהֵן, כִּהֲנָה; impf. וַיְכַהֵן, וַיְכַהֲנוּ; inf. כַּהֵן, כַּהֲנוֹ: **als Priester** (c. לְ d. Gottes) **amten** (Jenni 272) Ex 28$_{1.3f.41}$ 29$_{1.44}$ 30$_{30}$ 31$_{10}$ 35$_{19}$ 39$_{41}$ 40$_{13.15}$ Lv 7$_{35}$ 16$_{32}$ Nu 3$_{3f}$ Dt 10$_6$ Ez 44$_{13}$ Hos 4$_6$ 1C 5$_{36}$ 24$_2$ 2C 11$_{14}$ (↗ II זנח hif.) Sir 45$_{15}$; — Js 61$_{10}$ l יְכוֹנֵן. †

כֹּהֵן (740 ×), Sam.[M114] *kā'en*: mhe.; f. כֹּהֶנֶת Priestertochter / -frau; ja. כָּהֲנָא, ja.[b] כהנתא Priestertochter; ug. *khn* (UT nr. 1209), ph. כהן, כהנת u. äga. nab. palm. (DISO 116, Fitzm. GnAp 158); ba. cp. sam. (BCh. 2, 488b) sy. md. (MdD 195b); ar. *kāhin* Wahrsager; echt ar. Wellh. RaH. 134ff, AFischer HwbIsl 254ff; < aram. wie äth. *kāhen* Nöld. NB 36[6], Albr. VdStzC 409, Ped. Isr. 3/4, 680, Vincent Rel. 447, de Vaux Inst. 2, 196, Haldar 83f.192ff; Etym. inc., ? כון GB, Dho RHN 225, Haldar: כֹּהֲנִים, כֹּהֲנֵי, כֹּהֲנֵי: **Priester** (Priestergilden Gd. BeBi 41): — 1. כֹּהֵן אוֹן Gn 41$_{45.50}$ 46$_{20}$, äg. 47$_{22}$, כֹּ׳ מִדְיָן (? Priesterkönig, Brekelmans OTSt. 10, 220f) Ex 2$_{16}$ 3$_1$ 18$_1$, כֹּהֲנֵי דָגוֹן 1S 5$_5$, philistäische 1S 6$_2$, כֹּ׳ הַבַּעַל 2K 11$_{18}$, כֹּהֲנֵי הַבָּמוֹת 1K 12$_{32}$, כֹּהֲנָיו 10$_{19}$; — 2. אַדְמַת הַכֹּהֲנִים Gn 47$_{22.26}$, מַמְלֶכֶת כֹּ׳ (Scott OTSt. 8, 213ff, Fohrer ThZ 19, 359ff, Wildberger J.s Eigentumsvolk 80ff) Ex 19$_6$, תּוֹשַׁב כֹּ׳ Lv 22$_{10}$, עִיר־הַכֹּ׳ 1S 22$_{19}$; c. חֲצַר הַכֹּ׳ 2C 4$_9$; c. מִשְׁפַּט Dt 18$_3$ 1S 2$_{13}$, c. בְּרִית cj Neh 13$_{29}$ (↗ כְּהֻנָּה), c. תְּרוּמַת Neh 13$_5$, c. מְנָת הַכֹּהֲנִים 2C 31$_4$, c. מַחְלְקוֹת 2C 8$_{14}$ 31$_2$; c. בְּנֵי הַכֹּ׳ Esr 10$_{18}$ Neh 12$_{35}$ 1C 9$_{30}$, c. נַעַר 1S 2$_{13.15}$; בַּת כֹּהֵן Lv 22$_{12f}$, אַלְמָנָה מִכֹּ׳ Ez 44$_{22}$; גְּבוּל הַכֹּ׳ Ez 48$_{13}$; כָּתְנֹת כֹּ׳ Esr 2$_{69}$ Neh 7$_{69.71}$; — 3. אִישׁ כֹּהֵן e. Priester Lv 21$_9$, הָיָה לְכֹהֵן לְ Ri 17$_5$-18$_{27}$, הָיָה כ׳ לְ 2C 13$_9$; בָּחַר לְכֹ׳ 1S 2$_{28}$, נָתַן כ׳ 1K 12$_{31}$ u. עָשָׂה כ׳ 1C 29$_{22}$, מָשַׁח לְכ׳ Jr 29$_{26}$ zum Priester machen, הָיָה כ׳ 2S 8$_{18}$ (בְּנֵי דָוִד, G αὐλάρχαι, ↗ 1C 18$_{17}$ הָרִאשֹׁנִים, G οἱ πρῶτοι διάδοχοι, ↗ Rud. 136.141); — 4. הַכֹּהֲנִים הַנִּגָּשִׁים אֶל־י׳ Ex 19$_{22}$, הַכֹּהֲנִים

וְהָעָם 19$_{24}$, הַכֹּ׳ · · · עַם הַקָּהָל Lv 16$_{33}$, כֹּהֲנִים לַי׳ 1S 1$_{3}$, הַכֹּ׳ שֹׁמְרֵי הַסַּף 2K 12$_{10}$, כֹּ׳ לְשֵׁבֶט הַדָּנִי Ri 18$_{30}$, זִקְנֵי הַכֹּ׳ 2 K 19$_{2}$ Js 37$_{2}$ Jr 19$_{1}$, הַכֹּ׳ אֲשֶׁר בְּנֹב 1S 22$_{11}$, הַכֹּ׳ אֲ׳ בַּעֲנָתוֹת Jr 1$_{1}$, כֹּ׳ י׳ 1S 22$_{17.21}$ Js 61$_{6}$ 2C 13$_{9}$, כֹּהֵן לְדָוִד 2S 20$_{26}$ (↗ Widgr. SKgt 87) הַכֹּהֵן לְאוּרִים וְתֻמִּים Esr 2$_{63}$ Neh 7$_{65}$, הַכֹּ׳ מְשָׁרְתֵי Ez 40$_{45f}$, הַכֹּ׳ שֹׁמְרֵי מִשְׁמֶרֶת הַמִּקְדָּשׁ 45$_{4}$, הַכֹּ׳ מְשָׁרְתֵי י׳ Jl 1$_{9}$ 2$_{17}$, כֹּ׳ בֵּית אֵל Am 7$_{10}$; — 5. d. **Oberpriester**: a) הַכֹּ׳ הָרֹאשׁ (appos., GK 443c), Esr 7$_{5}$ 2C 31$_{10}$, cj 27$_{5}$, > כֹּ׳ הָרֹאשׁ (gen. Verbindung) 2K 25$_{18}$ Jr 52$_{24}$ 2C 19$_{11}$ 24$_{11}$ 26$_{20}$, > הָרֹאשׁ 2C 24$_{6}$ (Rud. EN 67); כֹּ׳ הַמִּשְׁנֶה s. Stellvertreter 2K 25$_{18}$ u. cj 23$_{4}$, Jr 52$_{24}$; b) הַכֹּ׳ הַגָּדוֹל (כָּהֲנָא רַבָּא AP 30, 18, ja.^{t}) d. Hohepriester (Hölscher Gesch. d. isr. u. jüd. Rel., 1922, §66, 5, Noth Lev. 133f :: Albr. RI 123f; mhe. כֹּ׳ גָּדוֹל, ja. s.o.) Lv 21$_{10}$ Nu 35$_{25.28}$ Jos 20$_{6}$ (21$_{1}$ 22$_{13}$) 2K 12$_{11}$ 22$_{4.8}$ 23$_{4}$ Zch 3$_{1.8}$ 6$_{11}$ Hg 1$_{1.12.14}$ 2$_{2.4}$ Neh 3$_{1.20}$ 2C 34$_{9}$; c) הַכֹּ׳ הַמָּשִׁיחַ Lv 4$_{3.5.16}$ 6$_{15}$; d) הַכֹּהֲנִים הַלְוִיִּם Dt 17$_{9.18}$ 18$_{1}$ 24$_{8}$ 27$_{9}$ Jos 3$_{3}$ 8$_{33}$ Js 66$_{21}$ Jr 33$_{18}$ Ez 43$_{19}$ 44$_{15}$, הַכֹּ׳ בְּנֵי לֵוִי Dt 21$_{5}$ 31$_{9}$, הַלְוִיִּם הַכֹּהֲנִים Jr 33$_{21}$, הַכֹּהֲנִים וְהַלְוִיִּם 1K 8$_{4}$ Esr 1$_{5}$ Neh 7$_{72}$ 1C 9$_{2}$ 2C 5$_{5}$! (47 ×), הַלְוִיִּם וְהַכֹּהֲנִים 2C 19$_{8}$ 31$_{4}$; e) אַהֲרֹן הַכֹּהֵן Ex 31$_{10}$ Lv 7$_{34}$ Nu 3$_{6}$ Jos 21$_{4}$ (22 ×); בְּנֵי אַהֲרֹן הַכֹּ׳ Lv 1$_{5}$ Nu 3$_{3}$ Jos 21$_{19}$ 2C 29$_{21}$ (10 ×), הַכֹּהֲנִים בְּנֵי אַהֲ׳ Lv 21$_{1}$ 2C 26$_{18}$ 35$_{14}$; — 6. כֹּ׳ u. תּוֹרָה Mi 3$_{11}$ Jr 18$_{18}$ Ez 7$_{26}$ 22$_{26}$ Zef 3$_{4}$ Hg 2$_{11}$ Mal 2$_{7}$; כֹּ׳ מוֹרֶה (G^{AL} ἱερεὺς ὑποδεικνύων) 2C 15$_{3}$; כֹּ׳ u. נָבִיא Jr 6$_{13}$ 8$_{10}$ 14$_{18}$ 23$_{11.33f}$ 26$_{7f}$.

Der. כהן, כְּהֻנָּה.

כְּהֻנָּה, Sam.^{M114} *kannat*: כהן, BL 467r, Gulk. 30; mhe., > ja. כְּהוּנְּתָא (כהונתא DJD I 21, 1.2) sam. (BCh. 2, 488): כְּהֻנַּת, כְּהֻנָּתָם, כְּהֻנּוֹת: — 1. **Priesterschaft** (e. Heiligtums) 1S 2$_{36}$; — 2. **Priesterstand / -amt**: Ex 29$_{9}$ Nu 3$_{10}$ 16$_{10}$ 18$_{1.7}$ Jos 18$_{7}$ Esr 2$_{62}$ Neh 7$_{64}$ 13$_{29a\alpha}$ (a$_{\beta}$ l הַכֹּהֲנִים :: Galling ATD); כְּהֻנַּת עוֹלָם immerwährender P. Ex 40$_{15}$ Nu 25$_{13}$; כ׳ גדולה Hohepriesteramt Sir 45$_{24}$. †

כּוּב Ez 30$_{5}$: n.p.; meist l לוּב G (↗ Zimm. 725 :: GTT 1430). †

כּוֹבַע: = ↗ קוֹבַע (VT 21,7); mhe., ja.^{tg} כּוֹבְעָא/ק, ja.^{g} כובע hohe Kopfbedeckung d. Priesters, äga. *כבע Turban (DISO 115), sy. *qubb^{e}ʿā*, auch Kapitäl (> ar. *qubbaʿat*, Hut, Frae. 54), äth. *qobeʿ*, tigr. (Wb. 250 a; Nöld. NB 37, Lesl. 46); Frw. (כ/ק!); ? durch d. Philister vermittelt < heth. *kupaḫ(ḫ)i*, e. Kopfbedeckung, (Friedr. HWb 117a, Sapir JAOS 57, 73ff, Ellenbg. 82): כּוֹבָע, cs. כּוֹבַע (BL 547), כּוֹבָעִים: **Helm**, G περικεφαλαία (Galling, VTSu. 15, 163) 1S 17$_{5}$ Js 59$_{17}$ Jr 46$_{4}$ Ez 27$_{10}$ 38$_{5}$ 2C 26$_{14}$. †

כוה: mhe. qal, pi. (Sir 43$_{4}$ תכוה versengen) hif., ja.^{tg} cp. sy. md. (MdD 205a) כוא; ar. *kawā^{j}*, asa. (Mü 98); akk. *kawû* (AHw. 466b) verbrennen:

cj **qal**: pt. כֹּוֶה pr. כֹּה: **brennen**, **sengen** Jr 23$_{29}$. †

nif: impf. תִּכָּוֶה, תִּכָּוֶינָה; **versengt werden** Js 43$_{2}$ Pr 6$_{28}$. †

Der. I כִּי, כְּוִיָּה, I מִכְוָה.

כּוֹחַ Da 11$_{6}$: ↗ כֹּחַ.

כְּוִיָּה, Sam.^{M116} *mekwa* (= I מִכְוָה): כוה, BL 457p: **Brandmal** Ex 21$_{25}$. †

כּוֹכָב, Sam.^{M115} *kūkab*, Hier. *chocab*: < **kawkab* < **kabkab* (BL 482f); mhe., ug. *kbkb*, 1 × *kkb* (UT nr. 1189, Aistl. 1277); ph. הככבם Pyrgi 10 (ZAW 77, 346); pehl. ככב (DISO 118), ja. כּוֹכְבָא, sam. BCh. 2, 486, cp. md. (MdD 206a, MdH 582b) sy. *kauk^{e}bā*; ar. *kaukab*, soq. *kibšib*, asa. *kwkb* (Conti 167b), äth. *kōkab*, tigr. (Wb. 420b); akk. *kakkabu* (AHw. 421b), amor. *kabkabum* (Huffm. 220); äg. (BASOR 83, 5f); fem. Form. ja. akk., *Kokab* als Sternname (Lokotsch nr. 1132, PKunitzsch, ar. Sternnamen in Europa, 1959, 171f); Etym. *kbb* brennen, aram. ar.

akk. (Mosc. Bibl. 27, 269ff), al. ar. *kabba* kreisen (BDB 456): כּוֹכַב, כּוֹכָבִים, כּוֹכְבֵי, כּוֹכְבֵיהֶם: **Stern**: כּוֹכְבֵי הַשָּׁמַיִם Gn 22_{17} 26_{4} Ex 32_{13} Dt 1_{10} 10_{22} 28_{62} Js 13_{10} Nah 3_{16} Neh 9_{23} 1C 27_{23}; רֹאשׁ כּוֹכָבִים Himmelspol (Hölscher Erdk. 55) Hi 22_{12}; הַכּוֹכָבִים Gn 1_{16} 15_{5} Dt 4_{19} Ri 5_{20} Js 47_{13} (חָזָה בְּ) Jr 31_{35} Jl 2_{10} 4_{15} Ob $_{4}$ Ps 8_{4} 136_{9} 147_{4} Hi 9_{7} 25_{5} Koh 12_{2} Da 8_{10}; כּוֹכְבֵי בֹקֶר Hi 38_{7}, כּוֹכְבֵי אוֹר Ps 148_{3}, כּוֹכְבֵי אֵל Js 14_{13}, כּוֹכְבֵי נִשְׁפּוֹ Hi 3_{9}; כּוֹכַב אֱלֹהֵיכֶם Am 5_{26}; leuchten wie d. Sterne Da 12_{3} (eig. d. καταστερισμός d. Seligen, Gressm. Protestantenblätter 1916, 661ff, Volz, Esch. 399f, Marmorstein ZNW 32, 32ff); c. יָצָא aufgehen Neh 4_{15}, c. הִקְדִּיר verfinstern Ez 32_{7}; כּוֹכָב || שֵׁבֶט Nu 24_{17}, T מַלְכָּא (JBL 87, 269f); BarKochba: בן בר כוסבא (DJD 2, 126, BHH 196). †

כול: mhe.[2] pilp. ihe. (Gzr, DISO 120, KAI II 182 u. 200, 5), hitpalp. sich halten Sir 43_{3}; pehl. u. palm. (DISO 116), ja. cp. (af.) sy. md. (MdD 206b) messen; > ar. *kjl* (Frae. 204); tigr. *kajjala* (Wb. 422a, Lesl. 26); asa. *kltn* Mass (ZAW 75, 311); akk. *kullu*, ass. *ka''ulu* (AHw. 502a) (fest)halten; Botterw. Tril. 37f; Grdb. halten, fassen:

qal: pf. כָּל: **erfassen** Js 40_{12} (|| תִּכֵּן, שָׁקַל, מָדַד). †

pilp. (BL 282 o): pf. כִּלְכַּל, כִּלְכַּלְתִּי, כִּלְכְּלוּ, כִּלְכְּלָם; impf. יְכַלְכֵּל/אֲ, וַיְכַלְכְּלֵם, יְכַלְכְּלֶךָּ, יְכַלְכְּלֵהוּ; inf. כַּלְכֵּל (Jr 20_{9} כַּלְכֵּל, GK § 21d); pt. מְכַלְכֵּל: — 1. **umfassen, in sich aufnehmen**: Feuer Jr 20_{9}, יוֹם יהוה Mal 3_{2}, Gott 1K 8_{27} 2C 2_{5} 6_{18}, Krankheit Pr 18_{14}; — 2. (m. Lebensmitteln) **versorgen** Gn 45_{11} 50_{21} 2S 19_{33f} 20_{3} 1K 4_{7} 5_{7} $17_{4.9}$ Ps 55_{23} Rt 4_{15} (inf. c. לְ setzt pt. fort, Rud. 69) Neh 9_{21} Zch 11_{16}, m. Brot Gn 47_{12} 1K $18_{4.13}$ (u. Wasser); cj Ps 68_{11} pr. תָּכִין בְּטוֹבָתְךָ l בְּטוֹב תְּכַלְכֵּל reichlich versorgst du (Albr., Fschr. Mow. 2); — 3. דרכי צדק **einhalten** Sir 49_{9}, (s. Geschäfte) besorgen Ps 112_{5} (? l דְּרָכָיו, GB). †

polpal (BL 285h): pf. כָּלְכְּלוּ: (m. Lebensmitteln) **versorgt werden** (↗ Mtg.-G. 328) 1K 20_{27}. †

hif: impf. יָכִיל, יָכִילוּ, יְכִילֶנָּה; inf. הָכִיל: — 1. **fassen, aufnehmen** (e. Quantum) 1K $7_{26.38}$ 8_{64} Ez 23_{32} 2C 4_{5} 7_{7}; (Zisterne Wasser) **halten**, fassen Jr 2_{13} (יָכִילוּ, :: Wbg-Mo., VT 8, 306: cj יְכִלּוּ, √כלא); — 2. **aushalten, ertragen** (? 1QS 11, 20) Jr 6_{11} (Obj. „(es)", al. חֲמַת י׳ zurückhalten) 10_{10} Jl 2_{11} Am 7_{10}; — 3. **versorgen** (↗ pilp. 2) ↗ n.m. יְכִילְיָה; — Ez 21_{33} l הָכִיל (↗ Zimm. 484). †

Der. יְכִילְיָה, ↗ כְּלִי.

כּוּמָז: כמז, BL 474l; mhe. weiblicher Schmuck, Bild d. Mutterschosses bSabb. 64a; ar. *kumzat* Sandhaufen, AuS 5, 349: **weiblicher Hals u. Brustschmuck** (BRL 257ff, BHH 1706ff) Ex 35_{22} Nu 31_{50} Sir $32/35_{5}$ Var. z. חוֹתָם. †

כון: mhe. hif. pi. u. ja. pa. כון sam. BCh. 2, 454b, cp. pa. (widerlegen), sy. md. (MdD 207b) gerade machen, richten; ug. *kn* (UT nr. 1213) *knn* schaffen, kan. *kuna* sein, bestehen VAB 2, 1434, ph., *chon* (Poen. 934, Szny. 80) sein (DISO 117); ar. *kāna*, soq. asa. *kwn* (Conti 167b), äth. *kōna* sein; akk. *kānu* feststehen, recht sein, amor. in nn. pr. (Huffm. 221); Grdb. fest, gerade sein; ↗ כנן, שׁכן:

[**qal**: impf. וַיְכֻנֶנּוּ (Bgstr. 2, 151r) Hi 31_{15}, MSS ויכוננה, l וַיְכוֹנְנוּ. †]

nif: pf. נָכוֹנָה, נָכֹ(ו)נוּ; impf. יִכּוֹן, וַתִּכּוֹן, יִכֹּנוּ; imp. הִכֹּ(ו)ן (or. *hikkēn*, BL 403), הִכּוֹנוּ* 2C 35_{4K} (Q hif.); pt. נָכוֹן, נְכוֹן, נְכוֹנָה, נְכוֹנִים; THAT 1, 812ff: — 1. **feststehen**: Mond Ps 89_{38}, cj $_{3}$ (כַּשָּׁמַיִם תִּכּוֹן); Haus Ri $16_{26.29}$; עַד נְכוֹן הַיּוֹם bis z. hohen Mittag Pr 4_{18} (cf. ar. *qā'imatu-n-nahāri*, σταθερὸν ἦμαρ, *stabile diei*; AuS 1, 602); prall stehen (Brüste) Ez 16_{7}; — 2. **fest, gesichert sein**: a) דְּרָכִים Ps 119_{5} Pr 4_{26}; כְּשַׁחַר נָכוֹן Hos 6_{3} („so sicher es Morgen wird",

Rud. 132 cf. כשחר נכון 1QH 4, 6, gew. cj כְּשַׁחֲרֵנוּ כֵּן); לְאֵין נָכוֹן לוֹ einem, der nichts besitzt (GK § 152v.155n) Neh 8_{10}, Ps 141_{2} (Gebet); b) רוּחַ נָכוֹן Ps 51_{12} gefestigter Geist (cs. Verbindung, Dalgl. 154), לֵב נָכוֹן Ps 57_{8} 108_{2} 112_{7}; c) הָיָה נָכוֹן עִם zuverlässig sein gegenüber Ps 78_{37} 89_{22}; — 3. **fertig gestellt sein**: עֲבוֹדָה 2C 29_{35} $35_{10.16}$, מְלֶאכֶת 8_{16}; — 4. **Bestand haben**: a) vb. fin: זֶרַע Ps 102_{29} Hi 21_{8}; Reich u. Thron 1S 20_{31} 1K 2_{12} Ps 93_{2} Pr 16_{12} 25_{5} 29_{14}; b) cj כְּהִכּוֹן 2C 12_{1}; עֵדָה Jr 30_{20}; Worte Ps 101_{7} Pr 12_{19}, Gedanken Pr 16_{3} 20_{18}; Mensch Ps 140_{12} Pr 12_{3}, Mond 12_{19}; c) pt. הָיָה נָכוֹן v. Dauer sein: (Reich, Thron, Dynastie) 2S $7_{16.26}$ 1K 2_{45} 1C $17_{14.24}$, Tempel Js 2_{2} / Mi 4_{1}; — 5. **sich hinstellen**, **bereithalten** Ez 38_{7} Am 4_{12} 2C 35_{4K}; c. לְ Ex $19_{11.15}$ 34_{2} Jos 8_{4} Ps 38_{18} Pr 19_{29} 22_{18} Hi 15_{23} 18_{12}; — 6. a) נָכוֹן הַדָּבָר d. Sache ist entschieden (מֵעִם bei) Gn 41_{32}, es ist zutreffend Dt 13_{15} 17_{4}; נְכוֹנָה Zuverlässiges, Wahres Ps 5_{10} Hi 42_{7f}; b) אֶל־נָכוֹן 1S 23_{23} 26_{4} adv. sicher, bestimmt (?) ↗ Komm.; c) נָכוֹן c. inf. es ist statthaft zu Ex 8_{22}; — Ps 93_{1} u. 96_{10} u. 1C 16_{30} (:: Rud. 124) l תִּכֵּן (: תכן pi.). †

pol: pf. כּוֹנֵן, כּוֹנְנָה, כּוֹנַנְתָּ, כּוֹנְנָתָה, כּוֹנְנוּ, כּוֹנַנְתָּה; impf. יְכוֹנֵן, וַיְכוֹנְנֶהָ, וַיְכוֹנְנֶךָ, וַיְכוֹנְנוּנִי; imp. כּוֹנֵן, כּוֹנְנָה, כּוֹנְנֵהוּ; THAT 1, 815: — 1. **hinstellen, bereiten**: a) מִקְדָּשׁ Ex 15_{17}, כִּסֵּא 2S 7_{13} Ps 9_{8} 1C 17_{12}; b) **gründen**: עִיר Js 62_{7} Hab 2_{12} (|| בָּנָה) Ps 48_{19} 107_{36}, אֶרֶץ Js 45_{18} Ps 24_{2} (auf Strömen) 119_{90}; an ihren Ort stellen: Himmel Pr 3_{19}, Mond u. Sterne Ps 8_{4}; c) sich z. Volk bestellen 2S 7_{24}, d. Turban aufsetzen cj Js 61_{10} (l יְכוֹנֵן); d) **zeugen** (ug. Aistl. 1335, UT nr. 1213): Menschen cj Hi 31_{15} (↗ qal); — 2. **fest hinstellen, Bestand geben**: Menschen Dt 32_{6} (hinter עשׂה) Ps 7_{10} 119_{73}, cj כּוֹנְנוּ 37_{23}, Stadt Ps 87_{5}; c. מֵישָׁרִים feste Ordnungen geben Ps 99_{4}, c. אֲשֻׁרַי mir feste Schritte geben 40_{3}, c. מַעֲשֶׂה Festigkeit geben, fördern Ps 90_{17}, aufrichten Ps 68_{10} (l כּוֹנַנְתָּ); — 3. tt. d. Pfeil fest auf d. Bogen legen > **zielen** Ps 11_{2}, ohne חֵץ 21_{13}, Js 51_{13} (al. sich anschicken zu 2C 11_{23}, Rud. Chr. 232), (Bogen) schussfertig machen Ps 7_{13}; — 4. (metaph.) feststellen (ug. Dahood Bibl. 46, 329) Hi 8_{8}. †

polal: pf. כּוֹנָנוּ: **bereitet werden** Ez 28_{13}; — Ps 37_{23} l כּוֹנְנוּ. †

hif. (ca. 100 ×, bes. häufig in 1 u. 2C): pf. הֵכִין, הֲכִינ(וֹ)תָ(ה), הֲכִינֹתִי, הֵכִינוּ, הֲכִינֹנוּ, הֵכַנּוּ 2C 29_{19} (BL 396t), הֱכִינוֹ, הֱכִינַנִי; impf. יָכִין, וַיָּכֶן, אָכִין, אָכִינָה, וַיָּכִינוּ, תְּכִינֶהָ; הָכֵן, הָכִינוּ; inf. הָכִין (auch als abs., Jos 3_{17}, Ez 7_{14} ? corr., Zimm. 163); pt. מֵכִין; THAT 1, 815: — 1. **bereitstellen**: מָטָר Ps 147_{8}, בָּשָׂר Gn 43_{16} Ps 78_{20}, לֶחֶם 1C 9_{32}, (Speise u. Trank) 12_{40}, מִנְחָה Gn 43_{25}, Speise Ex 16_{5} Pr 6_{8} 30_{25}, Nah 2_{4}; aufstellen, **errichten**: Thron Ps 103_{19} 1C 22_{10}, מִזְבֵּחַ Esr 3_{3} 2C 33_{16} (l וַיִּבֶן), לְשָׁכוֹת 31_{11}; andere Objekte Nu $23_{1.29}$ 2C $35_{6.14f.}$ cj 12 Jos 1_{11} Hi 38_{41} 1K 5_{32} 6_{19} 1C $22_{3.5.14}$ $29_{2f.16}$ 2C 2_{8} 31_{11}, זֶבַח(י׳) Zef 1_{7}, מַטְבֵּחַ Js 14_{21}; Js 40_{20} Jr 51_{12} Ez 7_{14} Ps 7_{14} 68_{11} 2C 26_{14} 29_{19} Hi 27_{16f} Ps 57_{7} 147_{8} Hi 15_{35} Est 6_{4} 7_{10} Hi 29_{7}; הָכֵן לְךָ halte dich bereit Jr 46_{14} Ez 38_{7} (Zimm. 926 :: Rud. Jr. 250: inf. abs.); — 2. **bestimmen**: a) etw. **festsetzen**: יוֹם Nah 2_{4}, מָקוֹם Ex 23_{20} 1C $15_{1.3.12}$ 2C 1_{4} 3_{1}; lenken Pr 16_{9}; b) (Personen) bestellen, **einsetzen** Jos 4_{4} 1K 2_{24}, c. לְמֶלֶךְ 2S 5_{12} 1C 14_{2} 2C 2_{6}; — 3. bereiten, = schaffen (Gott): תֵּבֵל Jr 10_{12} 51_{15}, אֶרֶץ 33_{2} Ps 65_{10}, הָרִים 65_{7}, מָאוֹר וָשָׁמֶשׁ 74_{16}, שָׁמַיִם Pr 8_{27}, חָכְמָה Hi 28_{27}; 2C 29_{36}; — 4. festmachen: a) **festigen**: Schritte Ps 119_{133}, Herz 78_{8}, Herrschaft 1S 13_{13} 2S 7_{12} Js 9_{6} 1C 17_{11} 28_{7} 2C 17_{5}; b) **in Stand setzen / halten**: Tempel 2C 33_{16KG} (Q וַיִּבֶן) 35_{20}, דֶּרֶךְ Dt 19_{3} (al. abmessen); c) inf.

adv. (Solá-Solé 88, :: Noth 28) עָמַד הָכֵן fest, unbeweglich Jos 3$_{17}$; — 5. (metaph., mhe. pi. כִּוֵּן): a) c. לֵב u. אֶל s. Sinn richten, **bedacht sein auf**, sich fest vornehmen 1S 7$_{3}$ Ps 10$_{17}$ (l לִבָּךְ?) cj Pr 8$_{5}$ Hi 11$_{13}$ 1C 29$_{18}$, c. לְ pr. אֶל Esr 7$_{10}$ 2C 12$_{14}$ 19$_{3}$ 20$_{33}$ 30$_{19}$, ohne לִבּוֹ 1C 28$_{2}$, 29$_{19}$; c. פָּנָיו Ez 4$_{3.7}$ s. Angesicht richten, c. אֶל gegen; — 6. Versch: c. אֱמוּנָתוֹ בְּ hält unerschütterlich s. Treue gegenüber Ps 89$_{3}$, הֵכִין זַרְעוֹ aufrecht halten 89$_{5}$; c. מְלַאכְתּוֹ s. Arbeit unbeirrt tun Pr 24$_{27}$, c. דַּרְכּוֹ s. Weg beharrlich gehen 21$_{29}$ 2C 27$_{6}$; c. צַעַד s. Schritte lenken Jr 10$_{23}$ (הָכִין = ? הָכִין); abs. beharrlich tun 1S 23$_{22}$, sich bereithalten 2C 35$_{4}$; — Ri 12$_{6}$ gew. l יָבִין c. Mss (:: Driv. ALUOS 3, 16: l יָכוֹן imstand sein, ↗ sy.); Jos 4$_{3}$ dl (dittgr.); Ps 68$_{11}$ (תְּכַלְכֵּל: כול pilp.); 2C 12$_{1}$ (l כְּהִכּוֹן).

hof: pf. הֻכַּן, הוּכַן/כָּן; pt. מוּכָן, מוּכָנִים: — 1. **fest hingestellt sein** Js 16$_{5}$ 30$_{33}$ Ez 40$_{43}$ Nah 2$_{6}$ Zch 5$_{11}$ (Rignell, Nachtgesichte des Zch., 1950, 195 :: dl dittogr.); — 2. **bereitgestellt**, abgerichtet (?) **sein** Pr 21$_{31}$. †

hitpol: impf. יִתְכּוֹנֵן Pr 24$_{3}$ u. תִּכּוֹנֵן, יִכּוֹנְנוּ, תִּכּוֹנְנִי < *t/jitk- (BL 198 g.): — 1. **sich aufstellen** Ps 59$_{5}$; — 2. **fest gegründet sein**: עִיר Nu 21$_{27}$ Js 54$_{14}$, Haus Pr 24$_{3}$; metaph. cj (l תִּכּוֹנֵן צְדָקָה < תִּתְכּ׳, Driver Textus 1, 115) Ps 7$_{10}$. †

Der. כֵּן, מְכוֹנָה, מָכוֹן, כִּיּוֹן, תְּכוּנָה I-II. IV; n.m. כּוֹנַנְיָהוּ, II נָכוֹן, יְהוֹיָכִין, יָכִין, יְכָנְיָהוּ; n.l. מְכֹנָה.

כּוּן: n.l. in Syrien, Stadt d. הֲדַדְעֶזֶר 1C 18$_{8}$ = בֵּרֹתַי 2S 8$_{8}$ (↗ Rud. Chr. 134f); äg. *Kn'* = *Kunu* (Albr. BASOR 83, 33); = *Kūna* s. *Beretān* (Abel 2, 300, GTT § 767). †

*כַּוָּן: G *χαυ(β)ῶνες, *χαυᾶνες; ? ug. *kn[m]* (UT 52, 54, Dahood, Riv. Bibl. 1960, 167f :: Aistl. 1335, CML 122f); akk. Lw. < *kamānu* (Zimmern 38, AHw. 430a), ATAO 691f: כַּוָּנִים: **Opferkuchen** לִמְלֶכֶת הַשָּׁמַיִם Jr 7$_{18}$ 44$_{19}$. †

כָּוֹנַנְיָהוּ: n.m.; K כּוֹ׳, Q כָּ׳ (qal pr. pol., Noth 179.202[1]); כון (pol. 1c, bzw. Nf. כנן) + י׳, ↗ *כְּנַנְיָה 1C 15$_{27}$ G V u. ↗ כְּנַנְיָה(וּ): Levit 2C 31$_{12f}$ 35$_{9}$. †

I כּוֹס, Sam.[M116] *kūwwas*: mhe., ug. *ks*, ja., כָּסָא, sam. (BCh. 2, 491), sy. md. (MdD 199b) *kāsā*, äga. כסא (DISO 123); < akk. *kāsu* Trinkbecher, Flüssigkeitsmass, > sum. *gaza, guzi* (AHw. 454b, Dietrich-Loretz WdO 3, 232ff), > ar. *ka'su* (Frae. 171, WKAS K 13f) > tigr. (Wb. 405a) *kas*: כּוֹסִי, כֹּסוֹת; f. Js 51$_{22/23}$ (:: 1QJs[a]) Ez 23$_{32}$ Kl 4$_{11}$ (mhe.[1] u. ja. m.; Rosenberg ZAW 25, 332): **schalenförmiger Trinkbecher** (Kelso § 43, Honeyman 82), ja. md. auch Zauberschale (↗ Meissner BuA 2, 243, Mtg. Aramaic Incantation Texts, Philadelphia 1913, BHH 208f): — **Becher** 1. allgemein: עֲמֻקָּה u. רְחָבָה Ez 23$_{32}$, רְוָיָה Ps 23$_{5}$, זָהָב Jr 51$_{7}$; שְׂפַת כּוֹס 1K 7$_{26}$ 2C 4$_{5}$; נָתַן עַל־כַּף in d. Hand geben Gn 40$_{21}$, עָבְרָה עַל d. Runde machen bei Kl 4$_{21}$, voll יַיִן Pr 23$_{31Q}$; כּוֹס תַּנְחוּמִים Trostbecher Jr 16$_{7}$ (↗ Jahnow 31f.106, ar. WKAS K 13b); — 2. in d. Hand J.s (cf. d. Königs, Elfenbein a. Megiddo AfO 12, 181, Abb. 26) Ps 75$_{9}$, Hab 2$_{16}$ (Gressm. Eschat. 129ff, Fschr. Sellin, 1927, 55ff, ROtto, Reich Gottes u. Menschensohn, 1934, 238f), כּ׳ יְשׁוּעוֹת Heilsbecher Ps 116$_{13}$; כּ׳ הַתַּרְעֵלָה Taumelb. Js 51$_{22}$ u. כּ׳ חֵמָה Giftb. 51$_{17}$ u. Jr 25$_{15}$, c. שַׁמָּה וּשְׁמָמָה Ez 23$_{32f}$ (↗ Komm.); || קֻבַּעַת, גָּבִיעַ Jr 35$_{5}$, Js 51$_{17.22}$; — 3. מְנָת כּוֹסָם ihr Becheranteil Ps 11$_{6}$ = מְנָת חֶלְקִי וְכוֹסִי 16$_{5}$, Schicksalsbecher > Geschick, ποτήριον im NT (↗ Gressm. l.c. 60f, ThWbNT 6, 148ff, Palache 41, WKAS K 13b). †

II כּוֹס, Sam [M116] *kēwas*: unreine, in Ruinen lebende kleinere Eule (Nicoll 358f, Aharoni, Os. 5, 471, Driv. PEQ 87, 14): Käuzchen :: BHH 447: Steinkauz, Lv 11 17 Dt 14 16 Ps 102 7 cj Zef 2 14 (pr. קוֹל). †

I כוּר: I כרה: Der. מְכוּרָה.

cj II כוּר: ↗ כָּאֲרִי Ps 22 7.

כּוּר, Sam.[M122] *kor*: ↗כִּיר; mhe. ja.[t] Schmelzofen, sam. (BCh. 2, 496), cp., sy. ar. Esse, Blasbalg *kūr* (WKAS K 431a) asa. *kwr* (Mü. 98), äth. *kawr* (Lesl. 26); akk. *kūru* Schmelz- u. *kī/ēru* Backofen, < sum. *kir* (AHw. 484b. 512b, Salonen, Bag M 3,118f); äg. *gura* (Albr. Voc. 58); > armen. Hübschm., npe.: **kleiner Schmelzofen** (Kelso § 94/95, AuS 4, 28; Blasbalg 3, 20) Dt 4 20 1K 8 51 u. Jr 11 4 (c. בַּרְזֶל), Js 48 10 Ez 22 18·20·22 Pr 17 3 27 21 Sir 31/34 26; 43 4 (כ׳ נפוח, ? cj Jr 1 13 pr. ↗ סִיר u. Hi 41 12G pr. דוד), cj Ps 37 20 כָּרִים pr. כָּרִים. †

כּוֹר עָשָׁן: 1S 30 30 Ⓑ: n.l., Abel, 2, 52.286; aber Ⓛ בּוֹר ↗ עָ׳ = עָשָׁן Jos 15 42 19 7 (Noth Jos. 113.149, GTT § 728). †

כּוֹרֶשׁ: n.m., Κῦρος (auch Κόρος, s.u. Eilers 194), *Cyrus*, **Kyros** II (BHH 1035), K. v. Persien, 559-29, v. Babylon seit 539; pe. *Kuruš* (HbAP 130), bab. *Kuraš*, äg. *Kawaruša*, VAB 3, 148, WEilers Beitr. z. Nf. 1964, 180ff: Js 44 28 45 1 Esr 1 1f·7f 3 7 4 3·5 2C 36 22f Da 1 21 10 1. †

I כּוּשׁ: n.t., G Αἰθιοπία, Αἰθίοπες; **Kusch**; אֶרֶץ כ׳, umflossen v. גִּיחוֹן Gn 2 13; Ältester d. בְּנֵי חָם 10 6 1C 1 8; בְּנֵי כ׳ Gn 10 7 1C 1 9; V. v. נִמְרֹד Gn 10 8 (? = *כִּישׁ, Dho. Rec. 28[3], Albr. Recent Discoveries, 1955, 29: bab. Stadt RLV 6, 364f) 1C 1 10; מֶלֶךְ כ׳ 2K 19 9 / Js 37 9; Sitz v. Diasporajuden Js 11 11; || מִצְרַיִם Js 20 3-5 43 3 45 14 Ez 30 4·9 Ps 68 32; נַהֲרֵי כ׳ Js 18 1 Zef 3 10, || פּוּט Jr 46 9 Nah 3 9 Ez 30 5 38 5, || פְּלֶשֶׁת וְצוֹר Ps 87 4; Fundort v. פִּטְדָה Hi 28 19; in äusserster Lage :: סְוֵנֵה Ez 29 10, :: הֹדּוּ Est 1 1 8 9; verschieden lokalisiert: 1. bab. *Kūšu*, ass. *Kūsu*, EA (VAB 2, 1100f, BASOR 95, 33[19]) ape. *Kūša*, äg. *Kʾš*: d. Nilländer s. Ägypten, = Nubien u. NSudan (TSäve-Söderberg, Äg. u. Nubien, 1941, Janssen BiOr. 8, 213ff, GTT § 58; 2. Gn 10 8 1C 1 9, d. Gebiet rittlings d. südl. Roten Meeres (Lex.[1], ZAW 55, 168f); 3. im Osten 2 8 (!): a) Land der *Kaššu*, Κοσσαῖοι am Araxes (Del. Par. 51ff. 72ff, Speiser Fschr. Friedr. 475); b) weite Landmasse im S. d. Erdkreises u. weit nach O. reichend: Hölscher Erdk. 40ff. Der. I כּוּשִׁי. †

II כּוּשׁ: n.m., Benjaminit Ps 7 1; כ׳ בֶּן־יְמִינִי ? = I; GΑΣΘV כּוּשִׁי, T שאול בר קיש; 1 שִׁמְעִי בֶּן־קִישׁ 2S 16 5ff, Budde ZAW 35, 179, al. = הַכּוּשִׁי 18 21ff. †

I כּוּשִׁי, כֻּשִׁי, 1 ×: gntl. v. I כּוּשׁ; n.p., f. כֻּשִׁית Nu 12 1ab, כּוּשִׁים 6 ×, כֻּשִׁים Da 11 43, כֻּשִׁיִּים Am 9 7: **Kuschit** (= Nubier, Αἰθίοψ Act 8 27, Moritz 124f): — 1. Einzelne: a) Sklave Joabs 2S 18 21 (21b 1 הַכ׳)·23·31f; b) עֶבֶד מֶלֶךְ Jr 38 7·10·12 39 16; c) זֶרַח, d. Kuschitenfürst 2C 14 8; d. אִשָּׁה כֻשִׁית d. Mose Nu 12 1a·b (= צִפֹּרָה Gressm. Mose 271 :: Lurja ZAW 44, 122, Plautz ZAW 76, 75); ↗ כּוּשָׁן; — 2. typisch „Neger" הֲיַהֲפֹךְ כ׳ עוֹרוֹ Jr 13 23; — 3. n.p. (הַ)כּוּשִׁים Zef 2 12 2C 14 11f, בְּנֵי כֻשִׁיִּים Am 9 7; || לוּבִים Da 11 43 2C 16 8, לוּבִים סֻכִּיִּים 2C 12 3, neben עַרְבִים 2C 21 16. †

II כּוּשִׁי: n.m.; = I; ph. כשי Harris Gr. 113, Vincent 364f; aram. [m]*Kusaia* THalaf 108 Vs. 4; ↗ II כּוּשׁ: — 1. V. d. Prof. Zefanja Zef 1 1; — 2. V. d. שֶׁלֶמְיָהוּ (↗ Rud. 212) Jr 36 14. †

כּוּשָׁן: n.p., ? I כּוּשׁ, G Αἰθίοπες; äg. *Kwšw* (ATO 35): ar. Nomadenstamm, אָהֳלֵי כ׳ || יְרִיעוֹת מִדְיָן (GTT p. 20, Moritz Ar. 125, Malamat JNESt. 13, 231ff, Albr. RI 229): Hab 3 7. †

כּוּשַׁן רִשְׁעָתַיִם, G[B] Χουσαρσαθαιμ, „Mohr d. Doppelbosheit" (?) d. eig. Name deform.: K. v. אֲרַם נַהֲרַיִם Ri 3 8·10; OCall. 122f, Täubler HUCA 20, 137ff, Böhl, OpMin. 17, Yeivin Atiqot 3, 176f, BHH 1033. †

*כּוֹשָׁרָה: כשר; ug. *kṯrt* Göttinnen d. Geburtshilfe u. Fruchtbarkeit, Sängerinnen (UT nr. 1335, Aistl. 1418); ph. כ(י)שר = *Kušor*, in nn. pr. (PNPhPI 336; W. Herrmann BZAW 106, 34ff, Albr. RI 97, YGC. 119ff, WbMy. 1, 296, Brown JSSt. 10, 215ff): כּוֹשָׁרוֹת: **Wohlstand**, **Glück**, בַּכּ׳ unter Freudengesang (Albr. HUCA 23, 19, Mow.ANVAO 1953, 30) Ps 68_{7}. †

כּוּת 2K 17_{30}, כּוּתָה 17_{24}, G^{A} χου(ν)θ(α): akk. *Kūtū*, *T. Ibrāhīm*, 30 km. nö. Babylon, RLV 7, 199; **Kuta**, Stadt d. Todesgottes נֵרְגַל: Leute aus K. in N.-Isr. angesiedelt 2K $17_{24.30}$; später כּוּתִים = Samaritaner, Schürer 2, 20, = „Kantäer", Sekte d. 5. Jhs. n. Chr. (Schaeder WdO 1, 288ff., BHH 1034). †

כּוֹתֶרֶת: ↗ כֹּתֶרֶת.

I כזב: mhe.[1] (Wasser) versiegen, mhe.[2(1?)] lügen, Lkš.; kan. *kazābu* EA, VAB II 1437, *kazbūtu* Lüge; äga. כד/זב (DISO 115. 117); ja., sam. (BCh. 2, 489a), sy. md. (MdD 203b) כדב; ar. *kaḏaba* versiegen, versagen, auch lügen (WKAS K 92b); > tigr. (Wb. 421b, Lesl. 26) *kazba*; ↗ II; Klopfst. 176ff:

qal: pt. כֹּזֵב: **lügen** Ps 116_{11}. †

nif: pf. נִכְזַבְתָּ, נִכְזָבָה: **sich als Lügner erweisen** Pr 30_{6}, (Hoffnung) als trügerisch Hi 41_{1}. †

pi. (Jenni 171): pf. כִּזֵּב; impf. אֲ/יְכַזֵּב, תְּכַזְּבִי; inf. כַּזֶּבְכֶם: — 1. **lügen** (THAT 1, 817ff) Nu 23_{19} Js 57_{11} Mi 2_{11} Hab 2_{3} Pr 14_{5} Hi 34_{6} (? l יְכַזֵּב, G, Subj. Gott, Du. Hö.), c. עַל־פְּנֵי jmd ins Gesicht Hi 6_{28}; c. בְּ jmd anlügen 2K 4_{16}, c. לְ jmd (etw.) vorlügen Ez 13_{19} Ps 78_{36} 89_{36}; — 2. **täuschen**, **trügen** (Wasser, cf. אַכְזָב, n.l. כֹּזֵבָא u. כחש pi. 4) Js 58_{11}. †

hif: impf. יַכְזִיבֵנִי: **jmd z. Lügner stempeln** Hi 24_{25}. †

Der. כָּזָב, אַכְזָב; n.l. כֹּזֵבָא, כְּזִיב, אַכְזִיב.

II *כזב: akk. *kazābu* füllig sein, D *kuzzubu* schön tun, schmeicheln, *kazbu* üppig, *kuzbu* Fülle, weibl. Scham, beliebt in fem. Namen (AHw. 467a), amor. (Huffm. 221; :: zu I, BWL 320f); ug. n.m. *Kzbn* (UT nr. 1214); dazu Bar-Koch/zba, כוסבא/ה DJD 2, 126, Nötscher VT 11, 449ff, BHH 196). Der. n.f. כָּזְבִּי.

כָּזָב: I כזב: mhe.[2], ja. md. (MdD 195a) *כַּדְבָא, äga. (DISO 115) u. sy. md. כַּדְבְּתָא; ar. *kiḏb*: כִּזְבֵיהֶם, כְּזָבִים: **Lüge** (THAT 1, 817ff) Ri $16_{10.13}$ Js $28_{15.17}$ Ez $13_{6.9.19}$ 21_{34} 22_{28} cj 33_{31} Hos 7_{13} 12_{2} Zef 3_{13} Ps 4_{3} 5_{7} 40_{5} (THAT 1, 821) 58_{4} $62_{5.10}$ Pr 6_{19} $14_{5.25}$ $19_{5.9.22}$ (אִישׁ כָּ׳, 1QpHab 2, 21 5, 11, Dam. 20, 15) 21_{28} (עֵד כְּזָבִים) 30_{8} Da 11_{27}; לֶחֶם כְּזָבִים lügnerische, betrügliche Speise Pr 23_{3}, = Speichel (Amenp. XXIII 16); כְּזָבִים Lügengötter Am 2_{4}. †

כֹּזֵבָא, G^{A} Χωζηβα: n.l. in Juda; I כזב, BL 511 x, trügerisch = wasserlos, intermittierend, cf. Js 58_{11}, n.l. כְּזִיב, אַכְזִיב; Quelle הכוזבא 3Q 15 VII 14f, im *W. el-Qelt* (Kloster Χω/ουζιβα, DJD 3, 242.315a): Lage strittig, ↗ Abel 2, 300, Rud. Chr. 36f, GTT § 322, 34: 1C 4_{22}. †

כָּזְבִּי, Sam. כזבית (BCh. 3, 174a) *Kazbet*, [M116] *Kezbi*, G Χασβει: n.f.; II כזב „Füllige": akk. *Kunzubtu*, *Kazubtum*, *Kuzābatum* (Holma PN 64, Stamm 249, HFN 324); Nötscher VT 11, 449f, WHerrmann ZAW 75, 183f: Midianiterin Nu $25_{15.18}$. †

כְּזִיב, Sam.[M116] *Kēzēba*, [BCh. 3, 174] *kazzība*: nl., I כזב, ↗ כֹּזֵבָא; ? = אַכְזִיב GTT § 299; :: Abel 2, 298; Driv. Fschr. ARobert 71f, :: Ben Mordechai JBL 58, 283ff: d. Glückshaube d. Neugeborenen: Gn 38_{5}. †

*כזר: ? ja.[t(?)] itpe. אתכזרית T Hi 10_{1} pr. נָקְטָה, grausam sein, ? denom. v. אַכְזָרִי od. sec. ctxt. Ekel haben ?, Var. אתבזיית (בזא itpa. verachtet sein) u. אתגזרת (גזר, abgeschnitten sein). Der. אַכְזָר, אַכְזָרִי, אַכְזְרִיּוּת.

I כֹּחַ (ca. 120 ×) u. כּוֹחַ Da 11_{6} †, Sam.[M122]

ku: mhe. ja.[t] (? < he.); md. (MdD 195b) *kahuta* (205a) *khw* stark sein; ar. *wakaḥa* feststampfen, *ʾawkaḥ* harter Boden, *kwḥ* bekämpfen; äth. *kʷakʷeḥ*, tigrin. *kawḥ* (Lesl. 26) Fels: כֹּחוֹ, כֹּחֲךָ/חֶךָ, כֹּחֲכֶם, ohne pl.: — 1. **Kraft**, ↗ חַיִל (THAT 1, 823ff): a) des Menschen Dt 8_{17} Ri 16_{5}, des Volkes Jos 17_{17} Hos 7_{9}, d. Königs Da 8_{24}, d. Profeten Mi 3_{8} (d. göttliche Zwang ?), d. Lastträgers Neh 4_{4}, d. Stiers Pr 14_{4}, d. Widders Da 8_{7}, der Steine Hi 6_{12}, d. Ackers = Ertrag Gn 4_{12} Hi 31_{39}; כֹּחִי m. Manneskraft = m. Erstgeborener Gn 49_{3}, Arbeitskraft Lv 26_{20}, Kraftanstrengung Pr 5_{10} = מַאֲמַצֵּי כֹחַ (BL 558c) Hi 36_{19}; Fasten nimmt כֹּחַ 1S 28_{20}, Essen gibt כֹּחַ 28_{22}, כֹּחַ הָאֲכִילָה 1K 19_{8}, כֹּחַ לִבְכּוֹת 1S 30_{4}, כֹּחַ לְלֵדָה Js 37_{3}; rufen בַּכֹּחַ Js 40_{9}; מִכֹּחַ kraftlos Jr 48_{45}, = לֹא כֹחַ Hi 26_{2}; Zch 4_{6} (THAT 1, 824); b) **Gewalttat** Koh 4_{1}; — 2. **Fähigkeit** a) Koh 9_{10} Da 1_{4} (physisch u. intellektuell), Tauglichkeit 1C 26_{8}, בְּכָל־כֹּחַ nach bestem Vermögen 1C 29_{2}, עָצַר כֹּחַ Vermögen 1C 29_{14} 2C 2_{5}; b) Besitz, **Vermögen** Pr 5_{10} 24_{10} Sir 44_{6}, כְּכֹחָם je nach ihrem Vermögen Esr 2_{69}; — 3. Gottes **Stärke** (THAT 1, 824): G. zeigt כֹּחוֹ Ex 9_{16}, ist herrlich בַּכֹּחַ 15_{6}, handelt בְּכֹחַ גָּדוֹל 32_{11} Dt 4_{37} 9_{29} 2K 17_{36} Jr 27_{5} 32_{17} Neh 1_{10}, hat כֹּחַ וּגְבוּרָה 1C 29_{12} 2C 20_{6}, schafft בְּכֹחוֹ Jr 10_{12} 51_{15} Ps 65_{7}; גְּדָל־כֹּחַ Nah 1_{3}, כֹּחַ מַעֲשָׂיו Hi 36_{5}, כַּבִּיר כֹּחַ Ps 147_{5}, רַב כֹּחַ Ps 111_{6}; — Js 41_{1} ↗ חלף hif.; Ps 22_{16} l חִכִּי; Da 11_{6} dl הַזְּרוֹעַ.

II **כֹּחַ**, Sam.[M114] + וְהַ *wūkkā*: ja.[tg] כּוֹחָא Löw ZA 26, 139), ar. *ḥukāʾat* (Hess. Lex.[1]), G χαμαιλέων = *Chalcides ocellatus Forskål*: e. **Eidechsenart** Lv 11_{30}. †

כחד: mhe.[2] nif. u. ja.[t] itpa/e. vertilgt werden, sy. scheuen, pa. beschämen, md. (MdD 205a) Angst haben vor, verehren; asa. n.p. (Conti 168a) *kḥd*, soq. abweisen; ar. *ǧaḥada* u. äth. *keḥeda* (Nöld. NB 191) (den Glauben) verleugnen, abfallen, tigr. (Wb. 393b) disputieren:

nif: pf. נִכְחַד/חָד; impf. יִכָּחֵד; pt. נִכְחֶדֶת, נִכְחָדוֹת: — 1. **verborgen sein** 2S 18_{13} (מִן vor) Hos 5_{3} Ps 69_{6} 139_{15}; — 2. **vertilgt werden** Ex 9_{15} (מִן von) Hi 4_{7} 15_{28} 22_{20}, sich verlaufen, verkommen (צֹאן) Zch $11_{9.16}$. †

pi. (Jenni 250): pf. כִּחֵד, כִּחַדְתִּי, כִּחֲדוּ, כִּחֲדוּ; impf. תְּכַחֵד, תְּכַחֲדִי, אֲכַחֵד, תְּכַחֲדוּ (or. תַּכְחִידוּ hif.): **verborgen halten, verhüllen** (מִן vor) Gn 47_{18} Jos 7_{19} 1S 3_{17f} 2S 14_{18} Jr $38_{14.25}$ Ps 78_{4} Hi 6_{10} 15_{18} (l כִּחֲדוּם אֲב׳) 27_{11} Js 3_{9} Jr 50_{2} Ps 40_{11}. †

hif, mhe.[2]: pf. הִכְחַדְתִּיו; impf. וַיַּכְחֵד, נַכְחִידֵם, וָאַכְחִיד, יַכְחִידֶנָּה; inf. הַכְחִיד: verschwinden machen: — 1. **vertilgen** Ex 23_{23} 1K 13_{34} Zch 11_{8} Ps 83_{5} 2C 32_{21}; cj נַכְחִיד (↗ נִין) Ps 74_{8}; — 2. **bergen** Hi 20_{12}. †

כחל: mhe. ja. sy. äth. (Dillm. 823) tigr. (Wb. 393b) d. Augen schminken; denom. v. akk. *guḫlu* (AHw. 296b) > mhe. כּוֹחַל, ja.[b(t ?)] sy. כְּחֻלָא, md. (MdD 195b) *kahla*; ar. *kuḥl* (*al-kuḥl* > Alkohol, Lokotsch nr. 1227), denom. ar. *kaḥala*, intr. *kaḥila*, soq.; denom. äth. tigr. (Wb. 393b); Heimat ?, ↗ Zimmern 61, OLZ 16, 492; 17, 53; Antimon-Stibium als Augenschminke gebraucht (BRL 435f) 2K 9_{30}, ↗ פּוּךְ:

qal: pf. כָּחַלְתְּ: (d. Augen) **schminken** Ez 23_{40}. †

Der. חַכְלִיל, חַכְלִלוּת.

כחש: 1. mhe. כחוש mager, hif. mager werden, verringern, ja.[b] qal mager werden, af. mager, dürftig machen; ? äth. (Dillm. 824, Lesl. 26) abmagern; 2. mhe. täuschen, pi. heucheln, leugnen, hif. u. ja.[g] widersprechen; ? 1. u. 2. zu trennen (BDB, Dalm., Ben Yeh. :: Blau VT 7, 99, Palache 41); Klopfenst. 254ff, Jenni 218:

qal: pf. כָּחַשׁ: **abmagern** Ps 109_{24}. †

nif: impf. וַיִּכָּחֲשׁוּ: **Ergebung heucheln** (↗ pi. 6) Dt 33_{29}. †

pi: pf. כִּחֵשׁ (=*kiḥḥeš*, BL 354j), כִּחֶשׁ (BL 196i) Lv 5_{22} Hi 8_{18}, כִּחֲשׁוּ; impf. יְכַחֵשׁ, יְכַחֶשׁ Hos 9_{2}, תְּכַחֲשׁוּן, יְכַחֲשׁוּ, וַתְּכַחֵשׁ, inf. כַּחֵשׁ Zch 13_{4}, Hier. *chaesu* (Sperber 157, 230 = * כַּחֲשׁוּ!); THAT 1, 825ff: — 1. **leugnen, in Abrede stellen** Gn 18_{15} Hos 4_{2} Pr 30_{9}; c. בְּ rei etw. Lv 5_{22}, c. בְּ pers. jmdm 5_{21} 19_{11}; — 2. **verheimlichen** Jos 7_{11} (THAT 1, 827); — 3. a) (↗ כחד, Klopfenst. 258ff) **lügen, vorspiegeln** Zch 13_{4} (Klopfenst. 110) Sir 7_{13} (לכחש על כחש); b) c. לְ jmdm **vorlügen** 1K 13_{18} (:: Klopfenst. 279ff: vortäuschen, sich verstellen); — 4. **im Stich lassen**, trügerisch ausbleiben (cf. כזב pi. 2, Klopfenst. 267ff) Hos 9_{2} (תִּירוֹשׁ) Hab 3_{17} (זַיִת); — 5. **verleugnen** c. בְּ: a) Menschen Hi 8_{18}; b) Gott (THAT 1, 827) Jos 24_{27} Js 59_{13} Jr 5_{12}; c. לְ Hi 31_{28}; — 6. **Ergebung heucheln** (↗ nif. u. hitp.) Ps 18_{45} (|| שׁמע nif.) u. 66_{3} (Gott) 81_{16} (Isr.). †

hitp. impf. יִתְכַּחֲשׁוּ: c. לְ **Ergebung heucheln** (↗ nif. u. pi. 6) 2S 22_{45}. †

Der. כַּחַשׁ, *כֶּחָשׁ.

כַּחַשׁ: כחשׁ; ja.: כַּחְשָׁא, כַּחֲשִׁי, כַּחֲשֵׁיהֶם; Klopfenst. 297ff, THAT 1, 826: — 1. Abmagerung, **Siechtum** Hi 16_{8} (al. sec. 2, ↗ GAV); — 2. **Lüge, Trug** Hos 10_{13} 12_{1} Nah 3_{1} Ps 59_{13} Sir 7_{13} 41_{17}; pl. Hos 7_{3}. †

***כֶּחָשׁ**: כחשׁ, < *kaḥḥāš* (BL 479l): כֶּחָשִׁים: **verlogen** Js 30_{9}. †

I **כִּי**: כוה, < *kiwj* (GK § 93y); sy. *kwājā*, md. pl. כואיא (MdD 205a); ar. *kaj* Brandmarkung, Ätzung: **Brandmal** Js 3_{24}, (Stade ZAW 26, 133f; 1QJs^{a} + בשת post יֹפִי, Gl. :: Nötscher VT 1, 300: II כִּי). †

II **כִּי**, Sec. χι: Sil. Lkš, mhe. Fragepartikel: denn u. לֹא כִּי nein . . . sondern; ug. *k*, auch *kj* (UT nr. 1183/4, Aistl. 1271), ph. כ, pun. כא/ה/ע, *chy* (Poen. 931, Szny. 55f), mo. aam. (DISO 117f), äga. כי; akk. *kī/ē* (v. Soden § 116d); Muilenburg HUCA 32, 135ff, Vriezen Fschr. Eissf. II 266ff: – I Demstr.-ptcl. (ug. UT § 9, 17; 13, 51; nr. 1184, Muilenburg l.c. 143, Dahood UHPh. 22, Bibl. 46, 327): — 1. „emphatisch", hinweisend u. bekräftigend (ug. UT nr. 1184, Driv. CML 144b): a) oft = „**ja**" (GK § 159ee): כִּי רַבָּה ja,gross ist Gn 18_{20}, כִּי אַתֶּם ja ihr Hi 12_{2}, כִּי אֵלֶיךָ 1S 14_{44}, Ps 141_{8} (cj וְאָנֹכִי), כִּי עַתָּה ja nun Hi 6_{21} (cj כֵּן), Js 7_{9} Ps 49_{16} 118_{10b}; b) z. Einleitung positiver Schwursätze (↗ כִּי אִם IIb) **fürwahr** Gn 42_{16} 1S 2_{30} 14_{44} 20_{9} Js 2_{12} — 2. a) Einleitung d. Nachsatzes b. Vordersatz m. אִם לֹא: כִּי מְרַגְּלִים ja, dann seid ihr Gn 42_{16}, כִּי לֹא dann bleibt ihr nicht Js 7_{9}; b) כִּי אָז leitet d. Nachsatz zu Vordersatz m. לוּלֵא/י ein: ja dann 2S 2_{27} Gn 31_{42}, c. לֹא u. לוּ 2S 19_{7} Nu 22_{29}, c. אִם Hi 11_{14-15} 22_{23-26}; c) כִּי עַתָּה bei bloss gedachtem Vordersatz: ja, dann Hi 3_{13} 7_{21}; — 3. כִּי nach neg. Satz: a) **vielmehr**: Gn 3_{5} 17_{5} 24_{4} Dt 13_{10} Js 7_{8}, > **nur** Rt 1_{17} (↗ Rud.); b) in widersprechender Antwort: α) לֹא כִּי **nein, sondern** (mhe): Gn 18_{15b} 19_{2} 42_{12b} Jos 5_{14} 1S 2_{16} (l לֹא) 2S 16_{18} 24_{24}; β) **nicht so!** לֹא כִּי (ohne Dag. durch Akzente zus. gehalten u. vom Folgenden abgesetzt, Nestle ZAW 26, 163f) 1K $3_{22.23}$ Js 30_{16}; c) nach im Zushg. liegender Negation: **nein, vielmehr** Gn 31_{16} Ps 44_{23} Rt 1_{10}; — 4. כִּי **ausser** 1S 18_{25} (K^{Or} MSS כִּי אִם); — 5. in selbst gemachtem Einwand כִּי הַאֻמְנָם sollte wirklich ? 1K 8_{27} (↗ כִּי אִם); — II כִּי Konjunktion, m. Hypotaxe st. Parataxe: — 1. kausal: **weil** Gn 3_{14}; — 2. wenn d. Kausalsatz nachsteht: **denn** Jl 1_{15} Ps 6_{3}, Js 13_{6}; e. Deutung einleitend Js 5_{7} 51_{3}; 2 Begründungen nacheinander כִּי . . . כִּי denn . . . und Gn 3_{19} Js 6_{5} 9_{3-5} Hi 32_{4f} Koh 4_{14}; כִּי . . . וְכִי Gn 33_{11} Js 65_{16}; — 3. d. längst vorhandene Grund wird erst jetzt erkannt: כִּי עַל־כֵּן (Frankena Fschr.

Vriezen 94ff) denn deswegen = denn ... ja Gn 19$_{8}$ Nu 10$_{31}$ Jr 29$_{28}$, als Höflichkeitsformel Gn 18$_{5}$; — 4. כִּי von d. Fortsetzung durch e. Satz m. אִם getrennt: denn wenn 2S 18$_{3}$; הֲכִי ist es so dass ? 2S 9$_{1}$ Hi 6$_{22}$; d. Antwort ist positiv gedacht Gn 27$_{36}$ 2S 23$_{19}$ (הֲנוֹ pr. הֲכִי 1C 11$_{25}$); הֲלֹא כִּי ist es nicht so, dass 1S 10$_{1}$; וְכִי e. irreale Frage einleitend: ist es etwa so dass ? 1S 24$_{20}$ Js 36$_{19}$; אַף כִּי ↗ אַף; אַךְ כִּי nur dass 1S 8$_{9}$; — 5. leitet d. Obj.-Satz nach Verben des Sehens, Hörens, Sagens, Wissens, Glaubens, Erinnerns, Vergessens, der Freude, der Reue usw. ein: **dass**: Gn 1$_{10}$ 1K 21$_{15}$ Hi 36$_{10}$ Gn 22$_{12}$ Ex 4$_{5}$ Ri 9$_{2}$ Hi 35$_{15}$ Js 14$_{29}$ Gn 6$_{6}$; — 6. d. Subj. des Obj.-satzes ist als Obj. in den übergeordneten Satz genommen: Gn 1$_{4}$ dass es gut war (:: Albr. ThZ 20, 4: wie gut es war); es wird durch הִיא usw. aufgenommen Gn 12$_{14}$; dieselbe Vorwegnahme bei Zeitbestimmung Dt 31$_{29}$; כִּי in Fernstellung zum übergeordneten Verb Hi 20$_{4-5}$; d. Subj. von כִּי im übergeordneten Satz als Gen. des Obj. Hi 22$_{12}$; — 7. leitet wie ὅτι direkte Rede ein: וַתֹּאמֶר כִּי שָׁמַע sie sagte: er hat gehört Gn 29$_{33}$, ↗ אֲשֶׁר II 6; — 8. אֶפֶס כִּי, יַעַן כִּי, יַעַן ↗ אֶפֶס, תַּחַת כִּי, עֵקֶב כִּי, עַל־כִּי, עַד־כִּי etc.; ↗ כִּי אִם; — 9. כִּי dass leitet d. Satz ein, der d. Begriff d. Hauptsatzes erklärt u. ausführt (:: BM § 118, 2) מְאוּמָה כִּי etwas, das Anlass geben könnte, dass Gn 40$_{15}$; ↗ Ps 44$_{20}$ Gn 20$_{10}$ 31$_{36}$ 2S 7$_{18}$ Mal 3$_{14}$ Js 29$_{16}$ 36$_{5}$; — 10. temporal (↗ akk. vSoden § 172): **wann** > **wenn** Nu 33$_{51}$ Gn 4$_{12}$, so oft Hi 37$_{4}$, als Hos 11$_{1}$ Ps 32$_{3}$; וַיְהִי כִּי als Gn 6$_{1}$, וְהָיָה כִּי wenn Gn 12$_{12}$ Ex 1$_{10}$; d. Subj. ist כִּי vorangestellt: בַּת אִישׁ כֹּהֵן כִּי wenn Lv 21$_{9}$; — 11. konditional: **wenn, falls** (akk. v. Soden Gr. § 162, 3 *kī*): כִּי אָמַרְתִּי angenommen, ich sage = wenn ich sage Hi 7$_{13}$ Nu 5$_{20}$; nähert sich damit dem rein konditionalen אִם. In den kasuistischen Bestimmungen des Bundesbuches steht כִּי im Hauptfall Ex 21$_{2}$, אִם in Unterfällen 21$_{3-5}$; später oft ohne Unterschied Nu 5$_{19f}$ Hi 38$_{5}$ :: 4.18; — 12. konzessiv: **wenn auch, selbst wenn**: Js 16$_{12}$ 54$_{10}$ Hos 13$_{15}$ Ps 21$_{12}$ Pr 6$_{35}$; כִּי גַּם Koh 4$_{14}$; — 13. modal: **wie** (ug. *k*, Aistl. 1271, 1): כִּי גָבְהוּ Js 55$_{9}$ (Kö., gew. cj כִּגְבֹהַּ ! cf. Ps 103$_{11}$ Koh 7$_{6}$); — 14. final (cf. lat. *ut*): כִּי יַעֲלֶה er soll hinaufgehen 1C 21$_{18}$ †; — Dt 32$_{9}$ l וַיְהִי G; Jr 32$_{30b}$ l כָּל־; 37$_{16}$ l וַיָּבֹא; 49$_{19}$ l כֵּן.

כִּי־אִם Gn 15$_{4}$ Nu 35$_{33}$ Neh 2$_{2}$, sonst כִּי אִם־ Lkš 4, 9 (↗ Michaud SPA 79[2]): — I כִּי u. אִם leiten 2 voneinander unabhängige Sätze ein: denn wenn Ex 8$_{17}$ Jos 23$_{12}$, dass wenn Gn 47$_{18}$, ja wenn 1S 20$_{9}$ Koh 11$_{8}$, sondern wenn Kl 3$_{32}$ u.o.; — II כִּי u. אִם als logische Einheit (ca. 140 ×): — 1. als Bekräftigungsptcl.: a) **jedoch** Gn 40$_{14}$, nur Hi 42$_{8}$ (cf. KAI 191, 2; al. אֶת־), wirklich 1S 21$_{6}$, u. dennoch Nu 24$_{22}$; b) zur Einleitung positiver Schwursätze (|| II כִּי I 1b) **fürwahr** Ri 15$_{17}$ 1S 26$_{10}$ 2S 15$_{21}$ 2K 5$_{20}$ Jr 51$_{14}$; — 2. Ausnahme-ptcl. nach Negation: a) **sondern** (ca 70 × :: 140 × כִּי) Gn 15$_{4}$ Dt 12$_{14}$ Jos 17$_{3}$ 1K 8$_{19}$ (:: כִּי 2C 6$_{9}$, ? absichtlich ↗ Rud. 212), Jr 38$_{6}$ 39$_{12K}$ (Q כִּי, ↗ Geiger 255) Am 8$_{11}$, לֹא כִּי אִם 1S 8$_{19}$ (MSS לוֹ); b) es sei denn dass > **ausser**: α) vor Verbalsatz: **ausser wenn** Gn 32$_{27}$ Lv 22$_{6}$ 2S 5$_{6}$ 2K 4$_{24}$ Js 55$_{10}$ 65$_{6}$ Am 3$_{7}$ Rt 3$_{18}$, cj 1S 27$_{1}$; β) vor Nomen: **ausser** Gn 28$_{17}$ 39$_{9}$ Lv 21$_{2}$ Nu 14$_{30}$ 1S 30$_{22}$ 2K 4$_{2}$ 5$_{15}$ Koh 3$_{12}$ Est 2$_{15}$ 5$_{12}$ Da 10$_{21}$ 2C 21$_{17}$; γ) מִי · · · כִּי אִם wer ... wenn nicht / ausser Js 42$_{19}$ (|| כְּ) u. מַה · · · כִּי אִם Mi 6$_{8}$ was ausser = nichts als.

***כִּיד**: חֲמַת שַׁדַּי || כִּידוֹ Hi 21$_{20}$, sec. ctxt. Untergang o.ä.; ? ar. *ka'ada* traurig sein; ? äth. *kēda* (m. Füssen) treten, tigr. (Wb. 423a) betreten, gehen; ? l אֵידוֹ od. פִּידוֹ. †

***כִּידוֹד**: ug. *kdd* Kind, Sohn (UT nr. 1197), aram. *kidadē* Uruk 11.36 (Dahood Fschr. Tisserant 91): כִּידוֹדֵי: Sohn, כִּידוֹדֵי אֵשׁ

(|| לַפִּידִים) = **Funken** Hi 4_{11}, ? cf. בְּנֵי־רֶשֶׁף 5_{7}. †

כִּידוֹן: mhe. Wurfspiess, Etym. ?: trad. Wurfspiess (G, Bardtke ThLZ 1955, 401ff), ausgeschlossen durch 1QM 5, 7.10-13: Kurzschwert (Yadin ScrW 124. 129ff, v. d. Ploeg 94ff; Carmignac VT 5, 345ff: — Hirschfänger, **Sichelschwert** (Kuhn ThLZ 1956, 25ff u. Molin JSSt. 1, 334ff; Galling VTSu. 15, 165f): Jos $8_{18\cdot 26}$ 1S $17_{6\cdot 45}$ Jr 6_{23} 50_{42} Hi 39_{23} 41_{21} Sir 46_{2}; ↗ כִּידֹן. †

כִּידוֹר: כדר, BL 476w; sy. *kudrā* ein Raubvogel; ? md.: **Ansturm**, **Kampf** (SV) מֶלֶךְ עָתִיד לַכִּ׳ Hi 15_{24}. †

כִּידֹן: n.m.; ? = כִּידוֹן; in n.l. גֹּרֶן כִּ׳ 1C 13_{9}, = גֹּרֶן נָכוֹן 2S 6_{6}, ↗ גֹּרֶן IIb/c, Tur-S. VT 1, 282f. †

כִּיּוּן: G Ρεφ/αιφαν (Act 7_{43} Var. z. Ρόμφα, ↗ WbNT s.v.), Hier. *Chion*: כִּוּן, BL 480v, vokalisiert sec. שִׁקּוּץ: **Gestell** (|| סֻכַּת, ↗ III כֵּן 2) Maag Amos 157; gew. l כֵּיוָן, ja.[tg] zuverlässig, sy. md. (MdD 212a), n.d. < akk. *kajj(a)m/wānu* „d. Beständige" (AHw. 420), sy. *kēwān*, ar. *kaiwān*: **Saturn** (↗ KAT³ 408f, Meissner BuA 2, 130.404): Am 5_{26}. †

כִּיּוֹר u. כִּיֹּר: mhe. ja.[tg], sam. BCh. 2, 494b; Lw. < ass. (letztlich urart. *kiri*) *kiūru* (AHw. 496a :: Albr. RI 170.242) Metallbecken; Kelso § 44, Honeyman 82: כִּיֹּרִים, כִּיֹּר(וֹ)ת: — 1. (bronzenes) **Waschbecken** Ex $30_{18\cdot 28}$ 31_{9} 35_{16} 38_{8} 39_{39} $40_{7\cdot 11\cdot 30}$ Lv 8_{11}; — 2. **Kochkessel** 1S 2_{14} (AuS 6, 57.59); כִּיּוֹר אֵשׁ (|| לַפִּיד אֵשׁ) ein beweglicher Herd (Kelso § 44, AuS 7, 206. 234) Zch 12_{6}; — 3. **fahrbare Becken** z. Waschen (Noth Kge 160f) 1K $7_{30\cdot 38\cdot 43}$ 2K 16_{17} 2C $4_{6\cdot 14}$; — 4. **Podium** (GV) für den König im Tempelhof 2C 6_{13} (oft cj כִּיּוֹן) Albr. RI 170, Rud. Chr. 212, cf. ug. Syr. 14 T XVI u. Schäfer ZAW 56, 165; — 1K 7_{40} l הַסִּירוֹת GS, Noth Kge. 145. †

כִּילַי Js 32_{5} u. כֵּלַי (Wtsp. m. כֵּלָיו, 1QJsª כילי) 32_{7}; Etym. ?: || נָבָל :: נָדִיב u. שׁוֹעַ, ? **Schurke** (BL 502e). †

*__כֵּילָף__ (?); mhe.² כילף, כלוב Axt, Lw. < akk. *kalapp/bbu* pl. *kalappāti* Hacke (AHw. 424a), ja.[tg] sy. md. (MdD 207a) כּוּלְבָא Hacke; soq. *killab* Harpune, > ar. (Frae. 87) *kullāb(at)*, *kalbatān* Zange, *kalb* Haken (:: Rabin Or. 32, 124f: < heth. *kullupi* Beil, Karst); tigr. (Wb. 391b) *kelāb* Haken, *kalbat* Zange: כֵּילַפּוֹת, 2 MSS כֵּלַפּוֹת (BL 219g); **Brechstange** (vorn m. Greifeisen, Waschow 57) Ps 74_{6}, ↗ חֶרֶב 3. †

כִּימָה, Hier. *chima*: mhe.², ja.[t] *כִּימְתָא, sy. *kīmā*, äth. *kēmā*, tigr. (Nöld. NB 45, Lesl. 26); ar. *kaum*, tigr. (Wb. 394a) *kom* Haufe, Herde; akk. *kimtu* Familie (AHw. 479a): **Siebengestirn**, **Plejaden** (Mow. StN 45ff, JJHess Fschr. Jacob 94ff, Hölscher Hi. 30f, AuS 1, 497ff, BHH 1867); immer neben כְּסִיל Orion: Am 5_{8} Hi 9_{9}, מַעֲדַנּוֹת כִּ׳ 38_{31}. †

כִּיס: mhe., pehl. äga. u. palm. (DISO 118), ja. cp. sy. md. (MdD 215a) כִּיסָא; ar. soq. äth. *kis*, npe. *kjš*, griech. κίσις, rotw. „*Kies*" = Geld (Wolf nr. 2602); < akk. *kīsu*, d. Beutel d. bab. Kaufmanns für seine Gewichte (Zimmern 20, Lambert BWL 319f, Yadin Finds 1, 160f, AHw 487b): **Beutel**, für Gewichtsteine אַבְנֵי כִיס (akk. *aban kīsi*). Pr 16_{11}, f. Gold Js 46_{6}; mit falschen Gewichten אַבְנֵי מִרְמָה Mi 6_{11} ↗ מֹאזְנֵי מִרְמָה Am 8_{5}, m. verschiedenerlei Gewichten Dt 25_{13}; = Geschick כִּיס אֶחָד || גּוֹרָל Pr 1_{14}; — Pr 23_{21} l Q כּוֹס. †

*__כִּיר__: mhe. כִּירָה, כִּירַיִם Kochherd; sy. *kūrā* > ar. *kūr* u. *kīr* (:: Frae. 254), äth. *kawar* Schmiedesse, Blasebalg; < akk. *kī/ūru* < sum. *gir* (Zimmern 32, Schulth. ZA 25, 294ff, AHw. 484b.512b, Salonen BagM 3,118): כִּירַיִם: **kleiner Herd** f. 2 Töpfe (AuS 4, 6; 7, 206, Kelso § 45, Honeyman 82f (:: Ell. Lev. 153) Lv 11_{35}. †

כִּיֹּר: ↗ כִּיּוֹר.

כִּישׁוֹר: ? Lw. < akk. sum. *giš-sur* Spinngerät Albr. RI 242[68]: **Spinnwirtel** (kleine Scheibe unten an d. Spindel, z. Förderung der Drehung, AuS 5, 50ff; BRL 360, BHH 1835): Pr 31_{19} (||פֶּלֶךְ). †

כָּכָה: Verdopplung von *כָּה = כֹּה (VG 1, 142); mhe. כָּךְ, DJD 2, 292b ככה; akk. *kīkī* wie (AHw. 474b), EA *kīkā* (? kan.): — 1. **so**, auf folgende Weise: Ex 12_{11} 1K 14_{8} Jr 13_{9} 19_{11}; — 2. **so**, auf genannte Weise: Ex 29_{35} Nu 8_{26} 11_{15} 15_{11-13} Dt 25_{9} 29_{23} Jos 10_{25} 1S 2_{14} 19_{17} 2S 17_{21} 1K 1_{6} 9_{8} Jr 22_{8} 28_{11} 51_{64} Ez 4_{13} Hos 10_{15} Hi 1_{5} HL 5_{9} Est $6_{9.11}$ Neh 5_{13} 2C 7_{21}; — 3. **so** (in diesem Mass) כָּכָה דַּל so kleinlaut 2S 13_{4}; שֶׁכָּכָה לוֹ um das es so steht Ps 144_{15}; כַּאֲשֶׁר ··· כָּכָה wie ... so Koh 11_{5}; זֶה כָּכָה ··· וְזֶה כָּכָה d. eine so, d. andere so 2C 18_{19}; עַל־כָּכָה deswegen Est 9_{26}; — Ez 31_{18} corr., dittogr. ?F אֵיכָכָה. †

כִּכָּר, Sam.[M122] *kakkar*, Gn 13_{10-12} *kēkar*, or. כַּכְרֵי (MTB 73), Hier. *chachar*: mhe. Brotlaib, Talent, κί(γ)χαρες Jos. Antt. III 6, 7; ug. *kkr* (UT nr. 1229); pun. ככר, äga. ככר u. כנכר (DISO 118); ja.[tb], sam. (BCh. 2, 488b), sy. Talent, md. (MdD 197a) כַּכְּרָא; asa. *krkr* (ZAW 75, 311); akk. *kakkaru* (AHw. 422a) u. heth. *kaggari* e. Gebäck (Friedr. HWb 94b) Rundbrot, -scheibe; Grdf. **karkar*, *krr* rund sein, äth. tigrin. (Lesl. 26). Ruž. 7f; als Talent akk. Lw.: cs. כִּכַּר (sic l Ex 37_{24} c. m. MSS pr. כִּכָּר), כִּכָּרִים, כִּכְּרֵי u. כִּכְּרוֹת, du. כִּכְּרַיִם/רָיִם (BL 234p); f. (Gn 13_{10}, Sam. m.): — 1. scheibenförmiges **Rundbrot** Ex 29_{23} 1S 2_{36} Jr 37_{21} Pr 6_{26} 1C 16_{3}; pl. כִּכְּרוֹת לֶחֶם Ri 8_{5} 1S 10_{3}; — 2. כִּכַּר עֹפֶרֶת runde **Bleischeibe**, Bleideckel Zch 5_{7}; — 3. **Gold-** od. **Silberscheibe** als Gewicht- od. Werteinheit, Talent (BRL 174ff, de Vaux Inst. 1, 309ff, BHH 1928): כִּכַּר זָהָב Gewicht 2S 12_{30} 1C 20_{2} 1K $10_{10.14}$ 2C 9_{9}. Wert Ex 25_{39} 37_{24} 1K 9_{14} 2K 18_{14} 23_{33} 2C 8_{18} 36_{3}; כִּכַּר כֶּסֶף 1K 20_{39} 2K 5_{22} 15_{19} 1C 19_{6} 2K 18_{14} 23_{33} 2C 25_{6} 27_{5} 36_{3} Est 3_{9} 1C 29_{4}, כִּכַּר הַכֶּסֶף Ex 38_{27}; (100 000) זָהָב כִּכָּרִים 1C 22_{14} 29_{7}, (7000) כִּכְּרֵי זָהָב 29_{4a} (l כִּכַּר־, F$_{4b}$, Del. LSF § 134c), (600) זָהָב טוֹב לְכִכָּרִים 2C 3_{8}; כִּכָּרִים כֶּסֶף 1K 16_{24} 2K 5_{23}; (10) כִּכְּרֵי כֶסֶף 5_{5}; (650) כֶּסֶף לְכִכָּרַיִם (sic l, F $27a$) zu 2 Talenten Esr 8_{26}; כִּכָּרִים (100 000) כֶּסֶף 1C 22_{14}; (10 000) כֶּסֶף כִּכָּרִים 1C 29_{7}; ohne Angabe des Metalls Ex $38_{24f.27.29}$ 1K 9_{28} 2K 5_{23} 2C 25_{9}; 1 כִּכָּר כֶּסֶף = 3000 שֶׁקֶל Ex 38_{25}, ebenso in Ugarit, Syr. 15, 141; — 4. **Umkreis**, die Umgebung rund herum (enger als סְבִיבוֹת Neh 12_{28}; jem. *kurkur*, Rabin AWAr 28, Barr CpPh. 100): כִּכַּר הַיַּרְדֵּן d. breite südl. Teil d. Ghor (Noth Kge 164) Gn 13_{10f} 1K 7_{46} 2C 4_{17}, > הַכִּכָּר Gn $19_{17.25}$ Dt 34_{3} 2S 18_{23} Neh 12_{28}, אַנְשֵׁי הַכִּ׳ 3_{22} > אֶרֶץ הַכִּ׳ Gn 19_{28}, עָרֵי הַכִּ׳ Gn 13_{12} 19_{29} (= Sodom u. Gomorra etc., Albr. BASOR 14, 7ff). †

*כֵּל: F כְּלִי.

כֹּל, כּוֹל Jr 33_{8}K, Sam.[M116] *kal* (Brönno JSSt. 13, 200): II כלל (BL 455f); mhe.; ug. *kl*, ph. כל, Poen. 945 *chyl* (Szny. 83f), mo. Lkš, aam. jaud. äga. nab. palm. u. Hatra auch כול (DISO 118f); ba. כֹּל, ja. כֹּלָּא, cp. sy. *kul*, md. (MdD 206b); akk. *kalū* (AHw. 427a), *kullatu* (AHw. 501b), aass. *kulu* (ZA 38, 249); asa. *kl*, ar. *kullu*, äth. *k^{w}elu*, tigr. (Wb. 389b); Fitzmyer Bibl. 38, 170ff: (BL 267f) cs. כֹּל Gn 2_{5}, meist: כָּל־; כָּל Ps 35_{10} u. Pr 19_{7} כּוֹל Jr 33_{8}K (BL 268j), וכֹל Kl 4_{12} = K וְכֹל, QG כֹּל; כֻּלּוֹ/ה, f. כֻּלָּהּ u. (vor א) כֻּלָּא Ez 36_{5}; 2. m. כֻּלְּךָ Mi 2_{12}, 2. f. כֻּלֵּךְ, כֻּלָּךְ Js 22_{1} HL 4_{7}; כֻּלָּם, כּוּלָּם Jr 15_{10} (pr. כֻּלֹּה); 2S 23_{6} (pr. כֻּלָּהֵם l כֻּלָּם, BM § 46, 2c:: BL 252 o); כֻּלָּנָה Gn 42_{36} Pr 31_{29} u. כֻּלְּהֵנָה 1K 7_{37} (BL 252p), כֻּלָּנוּ, כֻּלְּכֶם: **Gesamtheit** (THAT 1,828ff); — 1. a) abs. הַכֹּל: α) **Alles, das Ganze**: הַכֹּל הֶבֶל Koh 1_{2}, יַעֲשֶׂה אֶת־הַכֹּל Koh 11_{5}, חָזוּת הַכֹּל d. Weissagung von alledem Js 29_{11}, Sir 42_{23}

43₂₇ יוֹצֵר הַכֹּל Schöpfer d. Alls Jr 10₁₆/51₁₉ (THAT 1,830); אלוה/אדון הכול „Herr / Gott des Alls" 11QPs 151₇f, DJD 4, 55, 7-8 cf. Rabinowitz ZAW 76, 194f, (*Aššur-*) *bēl-kāla* (Tallqv. D. ass. Gott., 1932, 52f), palm. מרא כל u. sy. DISO 167, LS 401b; β) **alle**: יָדוֹ בַכּוֹל s. H. gegen alle Gn 16₁₂, הַכֹּל סָר Ps 14₃, לַכֹּל für alle Koh 3₁₉; b) כֹּל: α) **alles** עֹשֶׂה כֹּל Js 44₂₄, Hi 13₁; כְּכָל־אֲשֶׁר alles was Gn 39₅ (:: כְּכָל־אֲשֶׁר ganz wie, steigert כַּאֲשֶׁר, Gn 6₂₂ 2K 18₃); כֹּל תּוּכַל sagt v. allem Koh 10₃; אָמַר לַכֹּל Hi 42₂; β) **alle**: וְתַמּוּ כֹל u. alle werden umkommen Jr 44₁₂; — 2. כֹּל vor e. determ. Wort, das e. Einheit bezeichnet; כָּל־הָאָרֶץ d. **ganze** Erde Gn 9₁₉, כָּל־הַיּוֹם Js 28₂₄, כָּל־עַמִּי m. ganzes V. Gn 41₄₀, כֻּלָּהּ ihre Gänze = sie ganz Gn 13₁₀; Hi 38₁₈ (G πόση, cj כַּמָּה); — 3. Appos. als sf. nachgestellt (VG 2, 214f): יִשְׂרָ׳ כֻּלֹּה „Isr. s. Ganzes = ganz Israel 2S 2₉ (cf. ארם כלה KAI 222, A 5), כֹּל הָעָם כֻּלּוֹ Js 9₈; כֹּל doppelt: כָּל־בֵּית יִשְׂרָ׳ כֻּלֹּה Ez 11₁₅ (↗ Zimm. 200); — 4. vor indeterminiertem Wort: כָּל־פֶּה d. ganze Maul Js 9₁₁, (::9₁₆ jedes M.), בְּכָל־לֵב m. ganzem H. 2K 23₃; — 5. nach Aufzählung: **Total, insgesamt**: כָּל־עָרִים עֶשֶׂר d. Total d. St., insgesamt waren es Jos 21₂₆; cf. 3Q 15 I 3.10 etc. (DJD III 253, 145); — 6. vor Plural **alle**: כָּל־הַגּוֹיִם Js 2₂, כֻּלָּם sie alle Ps 102₂₇; m. doppeltem כֹּל: כָּל־מַלְכֵי גוֹיִם כֻּלָּם Js 14₁₈, כָּל־בִּכּוּרֵי כֹל alle Erstlinge v. allem Ez 44₃₀; — 7. vor Kollektiv **alle**: כָּל־הָאָדָם alle Menschen Gn 7₂₁, כָּל־הַבְּהֵמָה 2₂₀; — 8. vor einem Wort, dessen einzelne Glieder gemeint sind: **jeder**: כָּל־הַבֵּן jeder, der e. Sohn war = jeder Sohn Ex 1₂₂, כָּל־הָעִיר alles, was Stadt ist, jede Stadt Jr 4₂₉, בְּכָל־הַמָּקוֹם an jedem Ort Ex 20₂₄ (König ZAW 42, 435f) כָּל־הָאִישׁ jeder 2S 15₂ = כֻּלּוֹ ein jeder Js 1₂₃ 9₁ ; Jr 6₁₃ Hab 1₉ Ps 29₉; c. inf. בְּכָל־יַחֵם bei jedem Brünstig sein = so oft sie brünstig waren Gn 30₄₁, בְּכָל־קָרְאֵנוּ so oft wir rufen Dt 4₇; — 9. vor Singular ohne Artikel: **jeder**: a) כָּל־עַם jedes Volk Est 3₈, כָּל־בַּיִת jedes H. Js 24₁₀; b) בְּעַד כָּל־לְבָבוֹ הֵכִין für e. jeden, der danach trachtet 2C 30₁₈f u. לְכָל־הָעִיר הָאֱלֹ׳ ein jeder dem Gott Esr 1₅, Rel. satz ohne אֲשֶׁר (HeSy. § 31a u. II לְ); c) כָּל־אִישׁ חָיִל alles / lauter streitbare Männer Ri 3₂₉; — 10. qualitativ: a) = παντοῖος, von jeglicher Art, **irgend ein** (cf. πᾶν πονηρόν Mt 5₁₁): כָּל־בְּהֵמָה irgendein Tier Lv 18₂₃ (:: 20₁₅), כָּל־דָּבָר irgendeine Sache Rt 4₇, לְכָל־עָוֹן Pr 6₃₅, כָּל־כֹּפֶר Dt 19₁₅; b) von jeder Art, **allerlei**: כָּל־טוּב allerlei Kostbarkeiten Gn 24₁₀, כָּל־עֵץ Lv 19₂₃, כָּל־מֶכֶר Neh 13₁₆; c) בכל תוכלו soviel ihr könnt Sir 43₃₀; — 11. m. meist ferngestellter Neg., steigernd: **gar kein**: לֹא ··· מִכֹּל von gar keinem Gn 3₁, כָּל־מְלָאכָה לֹא gar kein Werk Ex 12₁₆, כָּל־רוּחַ אֵין Hab 2₁₉, אֵין־כֹּל gar nichts 2S 12₃, לֹא ··· הַכֹּל gar nichts Ps 49₁₈, כָּל־טְמֵאָה אַל־תֹּאכַל ja nichts Unreines Ri 13₁₄; — 12. כֹּל mit abhängigem Satz (HeSy. § 144): כָּל־אִישׁ זֹבֵחַ jeder der / so oft jmd 1S 2₁₃, כָּל־הֵרַע אֹיֵב so oft e. Feind Ps 74₃; — 13. כֹּל im adv. acc. (GK § 128e): a) steigernd: כָּל־עוֹד **da immer noch** 2S 1₉, die ganze Dauer = solange noch Hi 27₃; b) ? **ganz u. gar** (immer vor d. Vb., ↗ Rud. Hos. 247): כֹּל הַבְאִישׁ Js 30₅K, כָּל־תִּשָּׂא עָוֹן Hos 14₃ (↗ Rud.), אַךְ כָּל־הֶבֶל Ps 39₆ (txt ?). — Gn 42₂ l אֲבִי כָל־לֹטֶשׁ; 1K 10₁₅ l בְּלוֹ (Rud. Chr. 222f); Hi 17₇ cj כְּלִים (: ↗ כָּלָה, Hö.); Hi 24₂₄ l כְּמַלּוּחַ; Neh. 3₃₄ dl; ↗ כָּל־חָזֶה.

I **כלא**: mhe. zurückhalten, auch (Vogel v. Tempel) verscheuchen; ug. *kl'*, äga. u. iam. (DISO 120), ja., sam. (BCh. 2, 495b), cp. sy. md. (MdD 216b); akk. *kalū* (AHw. 428a), ar. *kala'a*, äth. tigr. (Wb. 391b, Lesl. 26); ar. *kal'a*; Botterw. Tril. 38:

qal: pf. כָּלְאָה, כָּלְאוּ, כְּלָאוּ; impf. אֶכְלָא, תִּכְלָאִי; imp. כְּלָאֵם; inf. כְּלוֹא; pt. כֹּלֵא; im

Übergang zu I כלה (BL 375; schon. äga.): pf. כָּלָאתִי, כָּלוּ, כְּלִתִינִי; impf. יִכְלֶה: — 1. **zurückhalten** (THAT 1,831ff) Nu 11$_{28}$ 1S 6$_{10}$ Jr 32$_{3}$ Hg 1$_{10}$ (l טַלָּם) Ps 40$_{12}$ cj 56$_{14}$ (l כָּלָאתָ) u. 74$_{11}$ (l תִּכְלָא u. בְּקֶרֶב) 119$_{101}$ (מִן von) Koh 8$_{8}$; כָּלָא שְׂפָתַיִם d. Lippen verschliessen Ps 40$_{10}$; abs. Js 43$_{6}$; hemmen cj Ps 59$_{14}$ (? l כְּלָא חֵמָה כְּלָא Gkl.); — 2. c. acc. u. מִן: jmd etw. **vorenthalten** Gn 23$_{6}$; c. inf. jmd abhalten von 1S 25$_{33}$; — 3. כָּלֻא jmd gefangen halten Jr 32$_{2}$ Ps 88$_{9}$ (adde אֲנִי). †

nif: impf. וַיִּכָּלֵא, וַיִּכָּלְאוּ: — 1. **zurückgehalten werden** (Wasser) Gn 8$_{2}$ Ez 31$_{15}$; — 2. **abgehalten werden** Ex 36$_{6}$ (c. מִן). †

Der. כֶּלֶא, כְּלִיא, *מִכְלָא.

II **כלא**: inf. pi. כַּלֵּא Da 9$_{24}$; sekd. Nf. v. ↗ I כלה.

כֶּלֶא: I כלא, BL 569 o; ? Nf. כְּלִיא; ? mo. (DISO 120, ↗ KAI II, 177); ar. *kallāʾ* < akk. *makallū* (AHw. 588a), *kīlu, killu* Haft (AHw. 476): כִּלְאוֹ, כְּלָאִים: **Haft**, **Gefängnis**: — 1. בֵּית(הַ)כֶּלֶא (akk. *bīt kīli*, AHw. 133b) 1K 22$_{27}$ 2K 17$_{4}$ 25$_{27}$ (G[BA] כִּלְאוֹ, BH :: Mtg.-G.) Js 42$_{7}$ Jr 37$_{15.18}$ 2C 18$_{26}$, Jr 37$_{4}$ u. 52$_{31}$ בֵּית הַכְּלִיא (K הַכְּלִיא, Q הַכְּלוּא), pl. בָּתֵּי כְלָאִים (GK § 124q) Js 42$_{22}$; — 2. בִּגְדֵי כִלְאוֹ s. Sträflingskleider 2K 25$_{29}$ / Jr 52$_{33}$. †

כְּלָא Ez 36$_{5}$: l כֻּלָּה (: כֹּל). †

כִּלְאָב: n.m. 2S 3$_{3}$: ? < כָּל־אָב „Ganz d. Vater" (Rud. Chr. 26f); = דָּנִיֵּאל 1C 3$_{1}$; G[AL] Δαλουια, ↗ III דלל. †

כִּלְאַיִם: ? כלא, du., BL 569 o; mhe. verbotene (wie bhe.) Mischung v. zweierlei Gattungen; ug. *klʾt* beide Hände (UT nr. 1231, noch nicht du. !), äth. *kelʾē/ētu*, tigr. (Wb. 392a) *kelʾit*, ar. *kilā, kiltā* beide; soq. *keʾala*, akk. *kilallān, kilattān* (AHw. 475a, Holma NKt. 121): כִּלְאָיִם: — 1. **zweierlei**, verboten b. בְּהֵמָה, שָׂדֶה, כֶּרֶם, Lv 19$_{19a}$ Dt 22$_{9}$; בֶּגֶד כִּ׳ שַׁעַטְנֵז, Lv 19$_{19b}$, cf. Dt 22$_{11}$ (ar. Zauberbrauch, Goldziher ZAW 20, 36f, ass. CT XVI pl. 21.178ff; Yadin Finds 1, 170.173); — 2. cj. **beide** Pr 22$_{2}$ pr. כלם, ? l כִּלְאֵיהֶם G; ? Ps 89$_{43}$ pr. כֹּל = כֶּלֶא* (ante א), || יָמִין wie ug. (Dahood Bibl. 46, 327ff). †

***כלב**: ↗ כֶּלֶב u. n.m./trib. כָּלֵב, ar. *kalaba* zupacken (Eilers WdO 3, 132[1]) od. lautmalend, „kläffen" (WThomas VT 10, 410ff); ar. *kaliba*, md. (MdD 216b) tollwütig sein.

כֶּלֶב, Sam.[M116] *kāleb*: כלב: Grdf. **kalib* (HBauer ZAW 48, 79f); mhe.; ug. *klb, klbt, kalbu* (UT nr. 1233), ph. äga. u. Hatra (DISO 120), ja. sam. (BCh. 2, 493a) cp. sy. (abs. u. cs. *kleb*) md. (MdD 197a) כַּלְבָּא, ar. äth. tigr. (Wb. 391b) *kalb*, asa. (ZAW 75, 311), akk. *kalbu*; ar. *kaliba* u. sy. *kleb* denom. sich wie e. Hund benehmen: כֶּלֶב, כְּלָבֶיךָ, כַּלְבֵי, כְּלָבִים: **Hund** (Bodenh. AL 128f, Nagel ZA 55, 171ff, BHH 752f, PDale-Green: Dog, London, 1966); zugleich unrein u. heilig, BA 30, 119f: — 1. d. Tier: a) Art zu trinken לקק: Ri 7$_{5-7}$ (Frazer FOT 2, 465ff); b) Wachthund, f. d. Herde Js 56$_{10f}$ Hi 30$_{1}$, f. Haus u. Zelt Ex 11$_{7}$; c) Jagdhund Ps 22$_{17.21}$ (Gerleman, Bull. Soc. Royales des Lettres de Lund, 1945/46, 10); d. herrenlose u. unreine Strassenhund (besondere Rasse?) Ex 22$_{30}$ 1K 14$_{11}$ 16$_{4}$ 21$_{19.23f}$ 22$_{38}$ 2K 9$_{10.36}$ Jr 15$_{3}$ Ps 59$_{7.15}$ 68$_{24}$ Pr 26$_{11}$ (kehrt z. s. Gespei zurück)$_{.17}$; — 2. metaph. a) verächtlich auch ar.: 1S 17$_{43}$ Koh 9$_{4}$ (כֶּ׳ חַי); b) selbsterniedrigend (auch in EA u. Lkš): כֶּ׳ מֵת 1S 24$_{15}$ 2S 9$_{8}$ 16$_{9}$ 2K 8$_{13G}$, רֹאשׁ כֶּ׳ 2S 3$_{8}$ (e. einzelner H. od. Pavian? WThomas VT 10, 417ff); c) **treuer Diener** (↗ 1b), eines Höheren, auch e. Gottes (akk., WThomas l.c. 424ff): 2S 7$_{21}$ u. 1C 17$_{19}$ (l כַּלְבְּךָ Rud. Chr. 132); d) d. (kultische) **Päderast**: אֶתְנַן זוֹנָה || מְחִיר כֶּ׳ Dt 23$_{19}$, ug. (Aistl. 1313), ph. (DISO 121), cf. ja.[b]; cf. ὁ κύων auch Penis; ↗ Smith RS 596,

Mtg.-G. 268f, Rud. ZAW 75, 68 :: WThomas 425f, Dale-Green l.c. 174; — 3. **Hundeopfer** Js 66$_3$, ↗ Smith RS 291f.596; — Js 56$_{11}$ l לְבָאִים od. לְבָאִים. †

כָּלֵב, Sam.M118 *kīlab* G Χαλεβ: n.m. et tr.; = כֶּלֶב: ug. n.m. *klb*; Mari *Kalban* (Huffm. 221); ph. כלבא/י (PNPhPI 131f); äga. כלבא/י (Aimé-G. nr. 87b, 13. 21); nab. כלבו NE 296; palm. *klbʾ/j* (PNPI 92b); asa. *Klb* (Ryckm. 2, 77); amor. *kalban* (Huffm. 152); ar. *Kulaib*, Χολαιβος (Periplus, Conti 25), Nöld. BS 79 :: Noth 230: hundswütig, ar. *kalib*: **Kaleb**: — 1. בֶּן־יְפֻנֶּה (↗ Noth GI 57, Rud. Chr. 20f, BHH 921, Eissf. BiOr. 24, 3) Nu 13$_6$ 14$_{6.30.38}$ 26$_{65}$ 32$_{12}$ 34$_{19}$ Dt 1$_{36}$ Jos 14$_{6.13f}$ 15$_{13}$ 21$_{12}$ 1C 6$_{41}$ Sir 46$_7$, בְּנֵי כ׳ 1C 4$_{15}$; Nu 13$_{30}$ 14$_{24}$ Jos 15$_{14.16-18}$ Ri 1$_{12-15.20}$ 3$_9$; נֶגֶב כָּ׳ 1S 30$_{14}$; ↗ כָּלִבּוֹ 1S 25$_3$; — 2. בֶּן־חֶצְרוֹן 1C 2$_{18f.24}$ (l בָּא כָ׳ GV) $_{42.46.48-50}$. †

כָּלִבּוֹ: 1S 25$_3$ Q TV כָּלִבִּי, gntl. z. כָּלֵב 1; RLV 6, 196, Alt KlSchr 3, 350^4, Noth WdAT 75; K כְּלִבּוֹ ?. †

I **כלה** (ca. 210 ×): mhe.; ug. *klj* (UT nr. 1236, Aistl. 1317/18); pun. כלי (DISO 121); ja.b aufbrauchen, md. (MdD 216b) *klʾ*; ? ar. *kalla* schwach, trüb sein (JSSt. 11, 125), tigr. schwach (Wb. 390a), ar. *kalaʾa* zu Ende gehen (Leben); Botterw. Tril. 36:

qal: pf. כָּלָה, כָּלְתָה/לָתָה, כָּלִיתִי, כָּלוּ, כָּלִינוּ, כְּלִיתֶם u. כָּלוּ Ps 37$_{20}$ (BL 424), impf. יִכְלֶה, יִכֶל (? = יִכְלֶ(ה), Driv. Textus 1, 118), תִּכְלָה 1K 17$_{14}$ (sec. לֹא), וַתֵּכֶל, יִכְלוּ, יִכְלְיוּן (BL 409k), וַתִּכְלֶינָה (לֶנָה — Hi 17$_5$); inf. כְּלוֹת, כַּלֹּתוֹ, כְּלוֹתָם; pt. כָּלֶה: — 1. **aufhören**, **enden** (Nöld. NB 84; THAT 1,831ff): מַיִם Gn 21$_{15}$, Zeitraum Gn 41$_{53}$ Jr 8$_{20}$ 20$_{18}$ Ps 31$_{11}$ 102$_4$ Hi 7$_6$ Da 11$_{36}$, עֲבֹדָה Ex 39$_{32}$, Nahrung 1K 17$_{14.16}$, Ernte Js 24$_{13}$ 32$_{10}$ Rt 2$_{23}$, זַעַם Js 10$_{25}$, כָּבוֹד 21$_{16}$, אַף Ez 5$_{13}$, רַחֲמִים Kl 3$_{22}$, die eschatologischen Dinge Da 12$_{7b\gamma}$, cj 12$_{7b\alpha}$ (l כִּכְלוֹת יַד נֹפֵץ) u. Ps 72$_{20}$ (l כָּלוּ) d. Lieder Davids: Mal 3$_6$ (nicht) aufgehört sc. dieselben zu sein, || לֹא שָׁנִיתִי; — 2. **fertig werden**: Hausbau 1K 6$_{38}$ 2C 8$_{16}$, Aufgabe 1C 28$_{20}$ 2C 29$_{34}$, Opfer 29$_{28}$; sich erfüllen: דְּבַר י׳ Esr 1$_1$ 2C 36$_{22}$; — 3. **vergehen**: דֶּשֶׁא Js 15$_6$, cj שֹׁדֵד 16$_4$, עָשָׁן Ps 37$_{20}$, Menschen 39$_{11}$ 71$_{13}$ 90$_7$ Hi 4$_9$, cj Pr 30$_1$ (pr. וְאֻכָל l וָאֵכֶל ? BH cf. G), בָּשָׂר Ps 73$_{26}$ Pr 5$_{11}$ Hi 33$_{21}$, כֹּחַ Ps 71$_9$; — 4. **zugrunde gehen** Js 1$_{28}$ 29$_{20}$ 31$_3$ Jr 16$_4$ 44$_{27}$ Ez 5$_{12}$ 13$_{14}$; — 5. **entschieden, beschlossen sein** 1S 20$_{7.9}$ (מֵעִם bei). cj (l כָּלְתָה)$_{33}$ Est 7$_7$ (מֵאֵת bei) 1S 25$_{17}$; — 6. **schwach werden**: Augen Jr 14$_6$ Ps 69$_4$ Hi 11$_{20}$ 17$_5$ Kl 2$_{11}$ 4$_{17}$; verschmachten (Nieren) Hi 19$_{27}$; — 7. **sich verzehren**: רוּחַ Ps 143$_7$, c. inf. cj 2S 13$_{39}$ (וַתֵּכֶל רוּחַ דָּ׳); c. לְ nach נֶפֶשׁ Ps 84$_3$ 119$_{81}$, Augen 119$_{82.123}$; — Pr 22$_8$ (l יַכֵּהוּ). †

pi. (140 ×): pf. כִּלָּה, כִּלְּתָה, כִּלִּיתָ, כִּלֵּיתִי, כִּלּוּ, כִּלִּיתֶם, sf. כִּלָּם, כִּלַּתּוּ, כִּלִּיתָם, כִּלִּיתִים, כִּלּוּנִי; impf. וַיְכַל, אֲ/תְּכַלֶּה, וָאֲכַל, וִיכַלּוּ, וַיְכַלּוּ, וַיְכַלֵּהוּ, תְּכַלֶּנָּה, אֲכַלֵּם, אֲכֶלְךָ Ex 33$_3$ < *אֲכַלְּךָ (BL 424); imp. כַּלּוּ; inf. כַּלּ(וֹ)ת, כַּלּ(וֹ)תוֹ, abs. לְכַלֵּא (Da 9$_{24}$, ↗ 4c) u. 6 × כַּלֵּה (וְ/לְ); pt. מְכַלֶּה, מְכַלּוֹת: — 1. **vollenden** (THAT 1,831ff): a) Bau: Gn 6$_{16}$ 1K 6$_9$, cj Neh 3$_{34}$ (? בִּנְיָנָם, Rud.), מַעֲשֶׂה Ex 5$_{13}$, מְלָאכָה 40$_{33}$ (:: Gn 2$_2$, ↗ 3a), לְקַצֵּר פְּאַת שָׂדֶה völlig abernten Lv 19$_9$; ↗ חֹק Ex 5$_{14}$, דָּבָר cj Ps 56$_{5.11}$; erledigen אֵלֶּה dies alles Esr 9$_1$, vollbringen רָעָה Pr 16$_{30}$; b) Zeit vollenden: Tage Ez 4$_{6.8}$ 43$_{27}$ Ps 78$_{33}$ Hi 36$_{11}$; Jahre Ps 90$_9$; c) trop.: הָחֵל וְכַלֵּה v. Anfang bis zum Ende 1S 3$_{12}$, עַד־כַּלֵּה bis z. Vernichtung 2K 13$_{17.19}$ Esr 9$_{14}$, עַד לְכַלֵּה bis sie (d. Lade) voll war 2C 24$_{10}$; — 3. fertig werden, **aufhören mit**: a) c. מִן: cj Gn 2$_2$ (l מִכָּל־ מְלַאכְתּוֹ, Budde ZAW 34, 244, cf. 2$_{2b}$); c. בְּ mit Esr 10$_{17}$ 2C 20$_{23}$, bei Gn 44$_{12}$; b) c. inf. α) c. לְ: וַיְכַל לְדַבֵּר zu Ende reden, m. Reden aufhören Gn 17$_{22}$ (50 ×), cj Dt 31$_1$ (G, bestätigt durch 4Q), לְבָרֵךְ Gn 27$_{30}$, לִשְׁתּוֹת u. לְהַשְׁקֹתוֹ Gn 24$_{19}$ (:: לְקַצֵּר, ↗ 1a);

β) c. מִן (7 ×) מִדַּבֵּר Ex 34_{33}; — 4. a) **aufbrauchen**: חִצַּים Dt 32_{23}, מִדּוֹת fertig vermessen Ez 42_{15}; b) z. Ende bringen >, **erschöpfen**: Zorn (|| שׁכך) Kl 4_{11}, e. Land Gn 41_{30}, (Augen) erlöschen lassen Lv 26_{16} (Jenni 83) 1S 2_{33} Hi 31_{16}; c) **austilgen** (32 ×) Ex 32_{10} 33_{3}, כַּלֵּא הַפֶּשַׁע Da 9_{24} (al. sec. 1 vollenden, od. כלא hemmen), Ps 59_{14} (txt ?); — Jr 5_{3} cj וְהִכְלַמְתָּם כִּלָּם (Sutcliffe JSSt. 5, 348f); Ps 74_{11} l תִּכְלָה (כלא!); 90_{9} l כָּלוּ; Da 12_{7} l כִּכְלוֹת.

pu: pf. כֻּלּוּ, BL 424 (? l כָּלוּ); impf. וַיְכֻלּוּ: **vollendet werden** Gn 2_{1} Ps 72_{20}. † Der. *כָּלֶה, כָּלָה, כִּלָּיוֹן, מִכְלוֹת, תִּכְלָה, תַּכְלִית; n.m. כִּלְיוֹן.

II *כלה: ↗ כלא.

III *כלה: ↗ כְּלִי.

*כָּלֶה: I כלה, dient pr. pt. (BL 318p): כָּלוֹת, Sam.[M117] *kellot* (? = כָּלוֹת): — 1. **schmachtend** nach (אֶל) Dt 28_{32}; — 2. **schwindend** cj Hi 17_{7} (l כָּלִים Hö.). †

כָּלָה, Sam.[M117] *kella*: I כלה (BL 450g. 593q :: ZDMG 71, 411f: < כָּלָה 3. pf. „es ist aus"); oft DSS, mhe. כַּלָּיָה, bab. Vok. כִּלָּיָה: **Vernichtung** 1S 20_{33} Da 11_{16} Sir 44_{17}, לְכָלָה zur Vernichtung Ez 13_{13} 2C 12_{12}; עָשָׂה כָ׳ Jr 4_{27} 5_{10} Nah 1_{9} Zef 1_{18}, c. בְּ Jr 30_{11}a. b 46_{28}a. b Nah 1_{8} (l בְּקָמָיו), c. II אֵת Jr 5_{18} Ez 11_{13}. 20_{17} (l אִתָּם); (עָשָׂה) כָ׳ וְנֶחֱרָצָה beschlossene Vernichtung (↗ I חרץ nif.) Js 10_{23} 28_{22} Da 9_{27}, ↗ 26; Sir. 40_{10} d. Sintflut (G); — Gn 18_{21} u. Ex 11_{1} l ? כָּלֶה gänzlich. †

כַּלָּה: II כלל „d. Verhüllte" (LS 327a :: GB.); mhe. Schwiegertochter, Braut, ja. sam. (BCh. 2, 487b), cp. sy. md. (MdD 197b), ug. *klt*, akk. *kallātu*, ass. *-atu l-utu* (AHw. 426a); ar. *kannat* (WRSmith, Kinship, 1885, 292) ? tigr. (Wb. 416b) *kantō* Bezeichnung f. Mädchen; sa. *kela/o/un* (Lesl. 26), soq. *kelān* Verlobte: כַּלָּתְךָ/תֵךְ, כַּלָּתוֹ (Sam.[M116] *keltak*), כַּלֹּתֶיךָ: die erst ihrem Vater, dann ihrem Mann u. als s. Stellvertreter, dem Schwiegervater Unterstehende (Rost, Fschr. Berth. 451f): — 1. **Braut** Js 49_{18} 61_{10} (|| חָתָן) 62_{5} Jr 2_{32} 7_{34} 16_{9} 25_{10} 33_{11} Jl 2_{16} HL $4_{8\text{-}12}$ 5_{1}; — 2. (junge) **Sohnsfrau**, Schwiegertochter Gn 11_{31} $38_{11.16.24}$ Lv 18_{15} 20_{12} 1S 4_{19} Ez 22_{11} Hos 4_{13f} Mi 7_{6} Rt $1_{6\text{-}8.22}$ $2_{20.22}$ 4_{15} 1C 2_{4}; — 3. **Jungverheiratete** cj 2S 17_{3}; Der. כְּלוּלֹת. †

כְּלָהֵי, Ⓑ כְּלוּהַי; Q כְּלוּהוּ, K ?: n.m.; corr., ↗ Bewer, Text d. Buches Ezra, 1922, 92, Rud. EN 99: Esr 10_{35}. †

כְּלוּא: Jr 37_{4} u. 52_{31}Q (K כְּלִיא): ↗ כֶּלֶא.

I כְּלוּב: II כרב flechten, tigr. (Wb. 399b) *karba* festbinden; mhe.; sy. *kalbāšā*; kan. *kilubu* Gl. z. *ḫuḫāru* Vogelfalle (DISO 121, AHw. 353a); ar. *kalabš* Handfessel, äth. *karabō* Korb, tigr. (Wb. 400a) *kerb* Astknoten; > gr. κλω/ουβός Vogelkäfig (Lewy Fw 129, Mayer 329, Masson 108[4]); etw. Geflochtenes, (ThZ 7, 77f): — 1. **Korb** für Obst Am 8_{1f}; — 2. **Vogelkäfig** Jr 5_{27} Sir 11_{28}; ↗ II u. n.m. כְּלוּבָי. †

II כְּלוּב, G Χαλεβ, Χελουβ: n.m.; = I (Noth 226): — 1. 1C 4_{11}; — 2. 1C 27_{26}; ↗ כְּלוּבָי. †

כְּלוּבָי: n.m.; ug. *Klbj*, *Kalbija* (UT nr. 1233), ph. (Fschr. Eissf. I 64f), Χελβης, Jos. Ap. u. äga. כלבי (DISO 120), carit v. II כְּלוּב (Noth 39, Rud. Chr. 12): 1C 2_{9}, cj 4_{1} pr. כַּרְמִי.

*כְּלוּלֹת: כַּלָּה BL 472y: כְּלוּלֹתַיִךְ; **Brautzeit,-stand** Jr 2_{2}.†

I כֶּלַח: כֶּלַח: ? ar. *kalaḥa* streng blicken (BDB 480), :: Dahood, Fschr. Gruenth. 56: Mischf. aus כֹּחַ u. לֵחַ: **Reife** Hi 5_{26}, **Vollkraft** 30_{2}.

II *כֶּלַח: כֶּלַח, Sam.[M116] *Kella*: G Χαλαχ/χ, 1 Unc. -λλ-; n.l. ass. *Kalḫu*, heute *T. Nimrud*, RLV 6, 196a, Parrot Arch. 1, 424ff, BHH 920, ArchOTSt. 57ff: v. Nimrod erbaut Gn 10_{11}f. †

כָּל־חֹזֶה, G (↗ Ra.) χολεζε: n.m.; ? „Er

sieht alles", od. ,, Gesamtheit d. Seher", eig. Wahrsagergeschlecht (cf. הַלּוֹחֵשׁ Neh 3_{12}, Rud. EN 117): — 1. Neh 3_{15}; — 2. Neh 11_{5}. †

כְּלִי (320 ×), Sam.[M116] *kili*: ? III כלה (BL 577h), = כּוּל; mhe. (abs. auch כֶּלִי) Gefäss, Gerät, Gewand; ? palm. pl. כלין (RTPalm. p. 145); ar. *kuljat* Teilstück d. Bogens; ʿoman—ar. *kelāw* Krüge (Vollers ZDMG 49, 514), tigr. *kalē* Topf (Wb. 389b): כֶּלִי, כְּלִי, כֵּלִים (BL 619o, mhe.), כֵּלֶיךָ, כְּלֵיהֶם, כֵּלֶיהָ: Gebrauchsgegenstand im weitesten Sinn: — 1. **Gefäss, Geschirr** (Kelso § 46) Gn 31_{37}, aus Holz Lv 11_{32}, כְּלֵי מַשְׁקֶה 1K 10_{21}, כְּלִי חֶרֶשׂ Lv 6_{21}, כְּלִי יוֹצֵר 2S 17_{28}, כְּלִי פָּתוּחַ offenes Nu 19_{15}, zum Aufbewahren von Urkunden Jr 32_{14}, v. Wein, Öl, Obst 40_{10}, v. Speise Ez 4_{9}, v. Trank Rt 2_{9}, v. Getreide Gn 42_{25}, Brotsack 1S 9_{7}, Hirtentasche 17_{40}; — 2. **Gerät** aller Art: a) profan: aus Leder Lv 13_{49}, Hausrat Gn 45_{20} Ex 27_{19}, im Zelt Nu 19_{18}; כְּ׳ הַבָּקָר Geschirr f. Vieh 2S 24_{22}, f. Fahren u. Reiten 1S 8_{12}, im Schiff Jon 1_{5}, im Heerlager 1S 10_{22}, שׁוֹמֵר הַכֵּלִים b. Tross 1S 17_{22}, כְּ׳ גּוֹלָה Exulantengepäck Jr 46_{19}; b) kultisch: z. Schlachten Ez 40_{42}, Altargerät Ex 38_{3}, im אֹהֶל מוֹעֵד Nu 3_{8} 2K 23_{4}; כְּלֵי י׳ Js 52_{11}; Musikinstrumente: כְּלֵי נֶבֶל Ps 71_{22}, כְּ׳ נְבָלִים 1C 16_{5}, כְּ׳ שִׁיר 2C 5_{13} 7_{6} 23_{13} Am 6_{5} (al. Lieder, Melodien, od. cj כְּ׳ עֹז לַי׳ ,(כָּל־ machtvolle J.-instrumente 2C 30_{21} (Rud., gew. cj בִּכְלֵי־עֹז, 1C 13_{8}); — 3. **Werkzeug** Gn 49_{5}, אִישׁ וְכֵלָיו Jr 22_{7}, כְּלִי מַשְׁחֵתוֹ Ez 9_{2}, כְּלִי מַפָּצוֹ 9_{1}; כֵּלֶיךָ Jagdgerät Gn 27_{3}; — 4. sonstige Sachen: a) **Schmuck**: כְּ׳ כֶסֶף וּכְ׳ זָהָב Gn 24_{53} Ex 3_{22}, כְּ׳ תִּפְאַרְתֵּךְ Js 61_{10}, כְּ׳ כַּלָּה Ez 16_{17}; b) **Kleider**: כְּלִי גֶבֶר Dt 22_{5} (|| שִׂמְלָה), כְּלֵי־ הַנְּעָרִים 1S 21_{6} (al. Leib, 4QSam[a] G כָּל־; ₣ Stoebe Fschr. Baumgtl. 182ff); c) **Waffen** 2K 7_{15}, נֹשֵׂא כֵלָיו s. Waffenträger Ri 9_{54} 1S $14_{1.6}$ 16_{21}, *בֵּית כֵּלִים Zeughaus 2K 20_{13} / Js 39_{2} (al. Schatzhaus; Dahood AnalBi. 10, 28f: Weinkeller = בֵּית חֶבֶר); כְּלִי קְרָב Koh 9_{18}, כְּלִי מִלְחַמְתּוֹ Dt 1_{41} Ri 18_{11} 1S 8_{12} Jr 21_{4} Ez 32_{27}; כְּלֵי מָוֶת Mordwaffen Ps 7_{14}; — 5. Gefäss = **Schiff** (cf. akk. *unūtu* Salonen Ldfz 8f, σκάφος, frz. vaisseau, engl. vessel) Js 18_{2}, cj 60_{9} (pr. כִּי־לִי l כְּלִי, || אֳנִיּוֹת); — Jr 25_{34} l כְּאֵילֵי; Esr 1_{6} l בַּכֹּל.

כִּלַי Js 32_{7}: ₣ כֵּילַי.

כְּלִיא Jr 37_{4} 52_{31}: K כְּלִיא; Q כְּלוּא; ₣ כֶּלֶא.

***כִּלְיָה**, Sam.[M117] *keljot*,[BCh] *ka-*: mhe. כּוּלְיָה (bab. Vok.) pl. כְּלָיוֹת, sam. (T. Ex $29_{13.22}$ u.ö.), ug. **kljt* (UT nr. 1237, Aistl. 1319), ja. cp. sy. כּוּלִיתָא, md. (MdD 207a); ar. *kuljat*, soq. *keloj* Eingeweide, äth. *kʷelīt*, kopt. du. σλωτε (Crum 962), akk. *kalītu* (AHw. 425a): כְּלָיֹ(וֹ)ת, כְּלָיוֹת, כִּלְיֹתַי, כִּלְיֹ(וֹ)תֵיהֶם; pltt ?: **Nieren** (BHH 1311): — 1. als **Körperglied** d. Opfertieres: Ex $29_{13.22}$ Lv $3_{4.10.15}$ 4_{9} 7_{4} $8_{16.25}$ $9_{10.19}$ Js 34_{6}; — 2. als d. **Innerste u. Geheimste d. Menschen**, || לֵב wie ug.: a) Jr 12_{2} Ps 73_{21} 139_{13} Hi 16_{13} 19_{27} Pr 23_{16} Kl 3_{13}; b) c. בָּחַן neben לֵב Jr 11_{20} Ps 7_{10}, formal zerlegt Jr 17_{10} 20_{12}, m. צרף Ps 26_{2}, m. יִסַּר Ps 16_{7} — 3. metaph. כִּלְיוֹת חִטָּה Weizenmark Dt 32_{14}. †

כִּלָּיוֹן: I כלה: cs. כִּלְיוֹן (BL 537f), Sam.[M117] *killījjon*, [BCh. 3.151] *kallijjon*: — 1. **Vernichtung** Js 10_{22} c. חָרוּץ; — 2. **Schwund**, c. עֵינַיִם Erlöschen Dt 28_{65}; ₣ כִּלְיוֹן. †

כִּלְיוֹן: n.m.; I כלה, ? typ. *qatalānu* (BL 498c), ug. *kljn*, *kilijānu* (UT nr. 1238); ,,Hinfälligkeit, Serbling", ? redender Name wie מַחְלוֹן (Noth 10f), in S *Kaljōn* ₣ Brock. ZS 5, 11; :: palm. *kyly(wn)* (PNPI 92a): S. d. נָעֳמִי Rt $1_{2.5}$ 4_{9}. †

כָּלִיל, Sam [M116] *kēlel*: כלל, BL 470n; mhe. Ganzopfer, ja. cp. sy. md. (MdD 217a) כלילא Kranz, Krone, Sir 45_{8}; > ar. *iklīl* Krone (Frae. 62); < akk. *kilīlu* Kranz (AHw. 476a): כְּלִיל, כְּלִילַת: — 1. **Ganzheit**, > **ganz, vollkommen** (THAT 1,829): a) כְּלִיל הָעִיר d. ganze Stadt Ri 20_{40},

כְּלִיל תְּכֵלֶת ganz aus תְּ Ex 28$_{31}$ 39$_{22}$ Nu 4$_{6}$ (:: Driv. WdO 2, 259: aus einem Stück gewoben); b) adj. vollkommen Ez 16$_{14}$, 1QGnAp 20, 4f ידיהא כמא כְּלִיל יֹפִי; כלילן Ez 28$_{12}$ v. vollkommener Schönheit u. כְּלִילַת יֹפִי Ez 27$_{3}$ Kl 2$_{15}$ (GK § 128x); c) adv. (BL 632l) gänzlich Js 2$_{18}$, Sir 37$_{18}$ 45$_{8}$ (al. sec. 2a); — 2. e. Opferart: mhe. pun. (כלל DISO 121, Février Byrsa 8, 37), > äg. *krr* (EG 5, 61), kopt. *glil* (Duss. Or. 42ff, Albr. VSzC 294), **Ganzopfer**, von dem d. Opfernde nichts geniesst, früh zurückgedrängt durch עוֹלָה (Koehler Th. 173f, THAT 1,829): a) Lv 6$_{15f}$ Dt 13$_{17}$ 33$_{10}$ (|| קְטוֹרָה); b) עוֹלָה כָ׳ 1S 7$_{9}$, כָ׳ adv. (1c) od. Gl ?; עוֹלָה וְכָ׳ Ps 51$_{21}$: pleon. od. כָ׳ hier Sühnopfer wie ph. pun. ? ↗ Komm. Dalgl. 201ff. †

כַּלְכֹּל, G^{AL} Χαλχ/καλ: n.m.; כלל, BL 482g; ? כלכליה jedermann AP 39$_{3}$ (:: Albr. RI 142.235: klschr. *Kul/kak-kulānu*): berühmter Weiser 1K 5$_{11}$ 1C 2$_{6}$? cf. *Kulkul* Tempelsängerin in Askalon (ANET 263b, Noth Kge 82). †

כלל: ug. D vollenden (UT nr. 1240, Aistl. 1320); mhe. miteinschliessen, einfassen, mhe.^{2} pi. krönen, ja.^{g} zusammenfassen sy. md. (MdD 217a) umgeben, bedecken, ja. pa. krönen, ba. ja.^{tg} sam. (af., BCh. 2, 486b) sy. md. šaf. vollenden < akk. *šuklulu*; akk. *kullulu* verhüllen (AHw. 503b); äth. *kallala* umgeben, schützen, tigr. (Wb. 389f) herumgehen (Lesl. 26), ar. *kll* II krönen, V umgeben, asa. (Conti 169a), cf. כול, I כלא, I כלה, Botterw. Tril. 36ff:

qal: pf. כָּלְלוּ (Ⓑ כָּ): vollenden, יָפִי **vollkommen machen** (THAT 1,828) Ez 27$_{4.11}$; — Ps 72$_{20}$ l כָּלוּ (: I כלה).

Der. מַכְלוּל*, מִכְלָל, מִכְלוֹל, כַּלָּה, כָּלִיל, כֹּל, n.m. כְּלָל, כַּלְכֹּל.

כְּלָל: n.m.; כלל, BL 470l, „Vollkommenheit" (Noth 224), mhe. Regel, ja. Zusammenfassung: Esr 10$_{30}$. †

כלם: mhe.^{2} hif., ja. af. beschämen; nsy. bestehlen; ar. *kalama* verwunden, asa. schädigen, akk. *kullumu* sehen lassen (AHw. 503b); MAKlopfenstein, AThANT 62, 109ff:

nif: pf. נִכְלַמְתְּ, נִכְלַ/לָמְתִּי, נִכְלַמְנוּ; impf. תִּכָּלְמִי, תִּכָּלֵם; imp. הִכָּלְמוּ; inf. הִכָּלֵם; pt. נִכְלָם, נִכְלָמִים, נִכְלָמוֹת: — 1. **gekränkt, beschimpft sein** (↗ כְּלִמָּה) 2S 10$_{5}$ 1C 19$_{5}$; — 2. sich beschimpft fühlen, **sich schämen**, || בּוֹשׁ, c. מִן wegen: Nu 12$_{14}$ 2S 19$_{4}$ Js 41$_{11}$ 45$_{16f}$ Jr 3$_{3}$ 8$_{12}$ 22$_{22}$ 31$_{19}$, cj 6$_{15}$ Ez 16$_{27.54.61}$ 36$_{32}$ 43$_{10f}$ Ps 35$_{4}$ 40$_{15}$ 70$_{3}$ 74$_{21}$ Esr 9$_{6}$ 2C 30$_{15}$ Sir 41$_{16}$; — 3. **zuschanden werden** (|| בּוֹשׁ; cf. THAT 1,270) Js 50$_{7}$ 54$_{4}$ Ps 69$_{7}$ (c. בְּ an). †

hif: pf. הֶכְלַמְנוּם, הִכְלִימוּ (BL 346 x); impf. תַּכְלִימוּנִי, וַתַּכְלִימֵנוּ, יַכְלִים; inf. הַכְלִים; pt. מַכְלִים: — 1. c. acc. **jmd etw. zuleide tun, schädigen** 1S 25$_{7}$ Rt 2$_{15}$; — 2. **schmähen** 1S 20$_{34}$ Hi 11$_{3}$ 19$_{3}$; — 3. **in Schande u. Schaden bringen** Ps 44$_{10}$ Pr 25$_{8}$, (Frau) Pr 28$_{7}$; — Ri 18$_{7}$ l מַחְסוֹר כֹּל (Junker BZAW 66, 171f; :: Barr CpPh. 14f); Jr 6$_{15}$ l הִכָּלֵם. †

hof: pf. הָכְלָמְנוּ: — 1. **Schaden erleiden** 1S 25$_{15}$; — 2. **beschämt sein** Jr 14$_{3}$ (|| בּוֹשׁ). †

Der. כְּלִמָּה, כְּלִמּוּת.

כִּלְמַד n.t./ terr.; Ez 27$_{23}$, Handelsplatz: gew. l כָּל־מָדַי (↗ T) GTT § 1428e, :: v. Wissmann Saec. 4, 98f. 103, Fohrer Ez 157f: in S. Ar. ↗ 23b :: Zimm. 656f. †

כְּלִמָּה: כלם, BL 558 c. 590f; mhe.; DJD; ↗ כְּלִמּוּת: כְּלִמּוֹת כְּלִמָּתוֹ/תָם: **Schimpf** (tätlich :: חֶרְפָּה) Js 30$_{3}$ 45$_{16}$ 61$_{7}$ Jr 3$_{25}$ 20$_{11}$ (↗ 23$_{40}$) 51$_{51}$; נָשָׂא כְלִמָּתוֹ Ez 16$_{52.54}$ 32$_{24f.30}$ 36$_{7}$ 44$_{13}$; כְּלִמַּת גּוֹיִם Sch. von seiten d. V. Ez 34$_{29}$ 36$_{6.15}$ (הַגּוֹיִם); בֹּשֶׁת וּכְ Ps 35$_{26}$ 69$_{20}$, כְּ׳ || בֹּשֶׁת Js 30$_{3}$ Jr 3$_{25}$ Ps 109$_{29}$, כְּ׳ :: כָּבוֹד Ps 4$_{3}$; ↗ Ez 16$_{63}$ 39$_{26}$ (l וְנָשׁוּ) Ps 44$_{16}$ 69$_{8}$ 71$_{13}$ P

18_{13}, ? cj 9_{13} (pr מָה), Hi 20_{3} (Dahood Bibl. 38, 315f, cj כְּלִמּוּת); pl. כְּלִמּוֹת וָרוֹק Js 50_{6}; — Mi 2_{6} l כְּלִמּוּת. †

כְּלִמּוּת: כלם, BL 505: **Schimpf**, ↗ כְּלִמָּה; חֶרְפַּת עוֹ׳ ‖ כְּ׳ עוֹלָם Jr 23_{40}, cj Mi 2_{6}. †

כַּלְנֵה (Var. כַּלְנֶה): — 1. n.l. Gn 10_{10}, Sam.[BCh. 3, 174a, M 116] *Kallinna*, G Χαλαννη, Hier. *Chalanno*: neben בָּבֶל u. anderen Städten בְּאֶרֶץ שִׁנְעָר, ign. (:: Albr. JNESt. 3, 254f u. GTT § 1691: כֻּלָּנָה sie alle (↗ BL 252p); — 2. n.l. Am 6_{2}, = כַּלְנוֹ Js 10_{9} (G Χαλάννη, ↗ 1, Seeligm. 78): in Syr. klschr. *Kul(la)nia, Kulnia*, ? = *Kullan-Köi* n.ö. Aleppo, Hauptstadt v. *Chattina-Unqi* (Fohrer 97ff, Astour JNESt. 22, 225 nr. 31, ArchOTSt. 71[4]). †

כמה: sam. (BCh. 2, 495a) cp. sy. *kamiha* blind sein, ar. Gesichtsfarbe verändern ↗ Eilers Beitr. Nf. 209[1]:

qal: pf. כָּמַהּ: (בָּשָׂר) **schmachten nach** לְ Ps 63_{2}. †

Der. כִּמְהָם.

כַּמָּה u. כַּמֶּה ↗ מָה D 2.

כִּמְהָם: 2S 19_{38f}, כִּמְהָן 19_{41}, כִּמוֹהָם Jr 41_{17} l c Q MSS כִּמְהָם (K ?): n.m., כמה, BL 504j, „Blassgesicht" (Noth 225): S. d. בַּרְזִלַּי, in Juda angesiedelt 2S 19_{38-41}, n.l. *גֵּרוּת כִּמְהָם Jr 41_{17} (Alt KlSchr. 3, 358, ↗ גֵּרוּת, Rud. Jer. 232). †

כְּמוֹ (ca. 120 ×): ↗ כְּ + *mō* < *mā* (= מָה) BL 651x-z; mhe. כְּמוֹ(ת); ug. *km* (UT nr. 1247), ph. כם (DISO 121); ja. כְּמָא, sam. כם, md. (MdD 218a), sy. auch *ʾakmā* (LS 18a); akk. *kīma* (AHw. 476b), amor. *kama* (Bauer Ok. 76b), ar. *kamā*, asa. *km* (Conti 169a), äth. *kama*, tigr. (Wb. 394a) *kem*: sf. (oft zu כְּ): כָּמֹוהוּ (Ez 5_{9} Var. כָּמוֹהוּ), כָּמֹנִי u. כָּמוֹנִי, כָּמֹכָה, Ex 15_{11} כָּמוֹךָ, כָּמוֹהָ (BL 651y z), כָּמֹנוּ, כְּמוֹהֶם/כֶם: — 1. **gleich-wie** (= כְּ) כְּמוֹ אָבֶן Ex 15_{5}, כְּמוֹ־נֵד 15_{8}, cj Js 9_{18} (l כְּמוֹ אֵשׁ אֹכֶלֶת, al. כְּמוֹ אֹכֶלֶת אִישׁ wie e. Menschenfresserin) cj 33_{4} (l שָׁלָל כְּמוֹ) Hos 7_{4} 8_{12} 13_{7} Zch 9_{15} $10_{2.7}$ Ps 11_{2} (cj כְּמוֹ עוֹף) 29_{6} $58_{5.8.8}$ (l כְּמוֹ חָצִיר).$_{9.10}$ 63_{6} 73_{15} (l כְּמוֹ הֵנָּה dergleichen) 78_{13} 79_{5} 88_{6} 89_{47} 90_{9} 92_{8} 140_{4} Pr 23_{7}, cj 27_{19} (l כְּמוֹ pr. כַּמַּיִם) Hi 6_{15} 10_{22} 12_{3} 14_{9} 19_{22} 28_{5} 31_{37} 35_{8} (אִישׁ כָּמוֹךָ deinesgleichen) 38_{14} 40_{17} 41_{16} HL 6_{10} 7_{2} Kl 4_{6} Neh 9_{11}; — 2. כְּמוֹ ··· כְּ (↗ כְּ 1b) כָּמוֹךָ כְּפַרְעֹה du wie Ph. Gn 44_{18}, כָּמוֹהוּ כְּאַיִן Hg 2_{3}, כָּמוֹנִי כָמוֹךָ ich bin wie du 1K 22_{4} 2K 3_{7} 2C 18_{3}; — 3. כְּמוֹ c. vb. fin.: a) vergleichend וְרָבוּ כְּמוֹ רָבוּ so zahlreich, wie sie einst waren Zch 10_{8}; b) tpl.: als Gn 19_{15} 38_{29} (l כְּמוֹ הֵשִׁיב); — Js 26_{18} dl; Jr 50_{26} (l בְּמוֹ, Rud. 278, gew. l כַּמְעַמְּרִים); Hab 3_{14} l כְּמֹץ; Hi 28_{5} l בְּמוֹ.

כִּמוֹהָם: Jr 41_{17} l Q כִּמְהָם n.m. †

כְּמוֹשׁ, G Χαμως: n.d., mo. כמש, in nn.m. (NE 297, Aimé-G. 13, Rs 4; ? BASOR 125, 22); ug. *kmṯ* (UT nr. 1263a, Ugaritica V, 605), klschr. *Kam(m)us/šu* KAT[3] 472, WbMy. 1, 292, v. Zijl 180ff.197f, BHH 924, Gese RAAM 140f: **Kamos**, Hauptgott v. Moab: 1K $11_{7.33}$ 2K 23_{13}. Jr 48_{7} (K כמישׁ).$_{13}$; עַם כְּ׳ Nu 21_{29} Jr 48_{46}; Gott d. בְּנֵי עַמּוֹן Ri 11_{24} (↗ 12) Noth GI 145f. †

*כמז: ar. *kamaza* zusammenballen, *kumzat* Sandhügel. Der. כּוּמָז.

כְּמִישׁ Jr 48_{7}: K כמישׁ, ↗ Q כְּמוֹשׁ.

*כמל: ar. *kamala* ganz, fertig werden, asa. vollenden, tigr. (Wb. 394b) in gutem Zustand sein. Der. IV כַּרְמֶל.

*כמן: mhe. hif. verstecken, ja.[tg] sy. sich verstecken, auflauern, ja.[b] af. verstecken, cp. *kjmn* Hinterhalt (Schulth. Gr. § 95); ar. *kamana*. Der. *מִכְמָן.

כַּמֹּן, 1QJs[a] כימן Ku. LJs. 373, mhe., meist כְּמָן, ug *kmn* (UT nr. 1255), pun. χαμαν (GB, cf. Masson 51f), ja.[tb] cp. sy. md. (MdD 197b) כַּמּוֹנָא, akk. *kam-(m)ū/īnu* (AHw. 434a), ar. *kammūn*, äth. tigr. (Wb. 396a) *ka/emūn*; > grie. κύμινον < myk. B *kumino* (Mayer 316), Linear A *kumina* (FSchachermeyr, D. minoische Kultur d. alten Kreta, 1964, 255), VHehn

208ff, Löw 3, 435ff, Lokotsch nr. 1046, Ellb. 85: **Kümmel** *Cuminum cyminum* (AuS 2, 290) Js $28_{25\cdot27}$. †

כמס: mhe.², mhe.¹ כמס Schatz?; sy. md. (MdD 218a) verbergen; akk. *kamāsu* einsammeln, deponieren (AHw 431a);

qal: pt. כָּמֻס: **aufbewahren** Dt 32_{34}. †

Der. n.l. מִכְמָס/שׂ.

I **כמר**: Grdb. heiss, brennend sein, GB, BDB, Mow. ZAW 36, 238, Driv. Fschr. Berth. 143; mhe. qal. hif., ja.ᵍᵇ Oliven (in d. Erde) z. Reifen bringen, mhe.² nif. rege werden, ja. pe. rege machen, ar. *kmr* II Datteln in d. Erde z. Reifen bringen, *kimr* so gereifte Datteln, tigr. (Wb. 395a) gären; ja. sam. BCh. 2, 494f verbergen; ? akk. *kamāru* aufhäufen, *kimru* z. Dörrung aufgeschichtete Datteln (AHw. 430b, 478b):

nif: pf. נִכְמְרוּ/מָרוּ: — 1. **erregt werden** (רַחֲמִים) Gn 43_{30} 1K 3_{26} Hos 11_8 (l רַחֲמַי); — 2. עוֹר Kl 5_{10}: gew. heiss werden, brennen (GV) :: zusammenschrumpfen (S) Driv. l.c., Rud. 258. † — Der. כֹּמֶר.

II **כמר**: mhe. pi. Netz auswerfen: Der. מִכְמֶרֶת, מִכְמָר

III ***כמר**: sam. elend (Cowl. SL 2, LVIII b), sy. traurig, schwarz sein. Der. כַּמְרִיר.

כֹּמֶר: I כמר (?): kan. *kamiru* EA 1, 15.33, *kumru*, f. *kumirtu* (AHw. 505bf, Or. 35, 13); ph. äga. nab. palm. Hatra (DISO 122, Rosenthal AF 21f), aass. *kumra* (Hirsch, AfO Bh. 13, 55f), Mari *kumrum* (BiOr. 17, 177a, AHw. 506a); äg. *kumru* (Albr. Voc. 60) u. sy. *kumrā* Priester, mhe., ja.ᵗᵍ, sam. (BCh. 2, 488b) cp. sy. md. (MdD 207b) כּוּמְרָא Götzenpriester, > grie. κομάριος (LS 332a); Grdb. d. Erregte, Heisse (Mow. ZAW 36, 238f, Ped. Isr. 3/4, 680; Vincent Rel. 453ff, Haldar 77, Albr. VSzC. 235. 431f, Eil. WdO 3, 133, JRenger ZA 59, 219): כְּמָרִים, כְּמָרָיו, G χωμαρειμ, Hier. *acchumarim* (Sperber 129, BL 570r): **Priester** (fremder Götter) 2K 23_5 Hos 10_5 Zef 1_4; cj Dt 18_8 לְבַד מִכְּמָרִים ausser f. d. Götzenpr. (Steuernagel); cj Hos 4_4 עַם כַּכֹּמֶר od. עִמְּךָ כֹּמֶר (☞ Wolff 88, Rud. 96). †

cj ***כַּמְרִיר**: III כמר, BL 483v: **Verfinsterung** כַּמְרִירֵי יוֹם Hi 3_5. †

I **כֵּן**, Sam.ᴹ¹²² **kān*: כון (BL 464c); ug. *kn* (UT nr. 1264); sy. md. (MdD 213b) *kēnā*; akk. *kēnu*: כֵּנִים: — 1. **richtig, zutreffend**: c. דָּבָר Ri 12_6, c. יָדַע 1S 23_{17}, c. הוֹדִיעַ Ps 90_{12}; הָיָה כֵן es kommt recht Am 5_{14} (al. sec. 3) Ri 21_{14}; — 2. moralisch: a) **rechtschaffen** Gn $42_{11\cdot19\cdot31\cdot33f}$; b) **recht**: c. עָשָׂה recht tun Koh 8_{10} (:: Dahood, Fschr. Tisser. I 91f), c. דִּבֶּר recht haben Ex 10_{29} Nu 27_7 36_5 (al. sec. II); c) לֹא כֵן nicht recht = Unrecht Js 23_{10} Pr 15_7; c. עָשָׂה 2K 7_9; (Worte) unwahr 2K 17_9 Js 16_6 Jr 48_{30}, c. דִּבֶּר Jr 8_6; לֹא־כֵן עִמָּדִי es ist mir nicht bewusst Hi 9_{35} (al. sec. II: Tur-S. Job 172f); — 3. (bestätigend) **gewiss**, ja (nhe.; mhe. הֵין) Jos 2_4, wirklich Am 5_{14} (al. sec. II; cf. 1QpHab 2,5, Ell. HK 168f): — Pr 11_{19}? l בֶּן־צְדָקָה; ☞ II, Abgrenzung oft schwierig. †

II **כֵּן** (ca. 340 ×), כֶּן־ Gn 44_{10} Hi 5_{27}; Sam. ᴹ¹²² *ken*, ᴮᶜʰ· Ex 15_{23} Dt 21_{13} *kan*: < I. adv. in d. rechten Weise > so; mhe., ja. sam. (BCh. 2,485b), Lkš, ph. pun. *chen* (Friedr. § 248c, Szny. 84f) äga. nab. palm. (DISO 122); mhe.²(?), ja.ᵗᵍ בְּכֵ(י)ן cp. sy. u. md. (MdD 213b) dann; EA *kinanna* (VAB 2, 1440), akk. *(a)kanna* (AHw. 437b, Or. 35, 6); sy. *hākanna*, ☞ אָכֵן, הכין Mcheta (Alth.-St. Am. Spr. 268): — 1. **so**, wie eben gesagt (120 ×) Gn 1_7 Ex 10_{29} (☞ 2b), cj pr. כִּי Ps 120_7 u. Hi 6_{21}, לֹא כֵן nicht so Ex 10_{14} Nu 12_7 2C 1_{12}, Est 1_8 (l וְכֵן דַּי u. so genug Bardtke); 1K 12_{32} + Koh 10_8 (:: Dahood, Fschr. Tisser. I 91f); — 2. **so**, wie jetzt gesagt wird Gn 29_{26} Ex 8_{20} Nu 9_{16} 1K 13_9 Ez 33_{10}; — 3. **eben so**, genau so Ex $7_{11\cdot22}$ Ri 7_{17} Ez 40_{16} (27 ×); — 4. **so** = denn

Ps 61$_{9}$, = darum 63$_{5}$, = soviel 1K 10$_{12}$ Ps 127$_{2}$, = so etwas 1K 10$_{20}$, = so sehr Jr 5$_{31}$ 14$_{10}$, = so lange Est 2$_{12}$; כֵּן דִּבַּרְתָּ So, du sagst es Ex 10$_{29}$, מָצְאוּ לָהֶם כֵּן sie reichten für sie aus Ri 21$_{14}$; לֹא כֵן nicht so! (abwehrend) Gn 48$_{18}$ Ex 10$_{11}$; לֹא־כֵן הַדָּבָר so ist es nicht gemeint 2S 20$_{21}$; אִם־כֵּן wenn es so ist Gn 25$_{22}$ 43$_{11}$; — 5. wie . . ., **so**; a) כְּ . . . כֵּן Lv 27$_{12}$ Dt 8$_{20}$ (60 ×), cj Jr 49$_{19}$ u. 3$_{20}$ (l אַךְ כִּבְגֹד GV); (zeitlich) 1S 9$_{13}$; b) כַּאֲשֶׁר . . . כֵּן Gn 41$_{13}$ Ex 1$_{12}$ Js 52$_{14f}$ (↗ Komm.) (66 ×); c) כְּמוֹ . . . כֵּן Js 26$_{17}$ Pr 23$_{7}$; — 6. ganz wie . . . so: כְּכֹל . . . כֵּן 2S 7$_{17}$, כְּכֹל אֲשֶׁר . . . כֵּן Gn 6$_{22}$ (10 ×), כְּכֹל אֲשֶׁר . . . וְכֵן Ex 25$_{9}$; gerade wie . . . ., so: כָּל־עֻמַּת . . . כֵּן Koh 5$_{15}$; אֵיכָה . . . כֵּן wie (?) . . ., so Dt 12$_{30}$ (!); — 7. so . . . wie: a) כֵּן . . . כְּ Ex 10$_{14}$; b) כֵּן . . . כַּאֲשֶׁר Gn 18$_{5}$ 50$_{12}$ Ex 7$_{10.20}$ 10$_{10}$ Nu 8$_{3}$ Jos 4$_{8}$ 2S 5$_{25}$ Ez 12$_{7}$ Neh 5$_{12}$; — 8. tpl. **dann** (↗ aram.): a) unbetontes so = ebenso 1S 9$_{13}$ Ps 61$_{9}$; b) אַחֲרֵי־כֵן (↗ אחר II 3) **hernach** Gn 6$_{4}$ 15$_{14}$ u.a.; אַחֲרֵיכֵן Esr 3$_{5}$ 1C 20$_{4}$; c) בְּכֵן (? ug. *bkm*, UT § 11, 5, 2) **sodann** Koh 8$_{10}$ Est 4$_{16}$ Sir 13$_{7}$ (? aLw. 43); d) עַד־כֵּן bis dahin Neh 2$_{16}$; — 9. Versch.: a) ↗ לָכֵן u. עַל־כֵּן; b) לָכֵן = לֹא כֵן (ug., UT nr. 1338, III לְ od. Tf.?) ? Gn 4$_{15}$ (↗ BH) 1K 22$_{19}$ 2C 18$_{18}$; c) als Weiterführung כֵּן . . . וְכֵן Nu 2$_{34}$ Jos 11$_{15}$; — 2S 18$_{14}$ l לָכֵן אָחִלָּה; 20$_{18}$ l וּבְדָן; Ez 41$_{7}$ l וּמִן; Zch 11$_{11}$ l כְּנַעֲנִיֵּי; Pr 11$_{19}$? Belohnung (|| dem pr מְרַדֵּף zu lesenden *מִרְדָּף, Dahood Bibl. 48, 432), 28$_{2}$ l יִדְעָכוּן.

III כֵּן: כנן, BL 564; mhe. auch כנא DJD 3, 233.248 n.l. „Basis"; pun. CIS I 5688 כנא (sf. !), ja.^{t} כַּנְּתָא, ja.^{b} sy. Stengel, Stamm, md. (MdD 198a) Gefäss, Speicher, Stengel; tigr. (Wb. 416b) *kānat* Ruderstock; ar. *kinānat* Köcher, akk. *kannu* Ständer, Gefäss (AHw. 437b): כֶּן־ Js 33$_{23}$ (BL 563v), כַּנּוֹ/נְּךָ (BL 559l): — 1. Steckreis (Hier. T), **Sprössling**, metaph. Menschen, cj Ps 80$_{16}$ (l כַּנָּה, Février JA 1955, 54f); — 2. **Gestell** des כִּיּוֹר Ex 30$_{18.28}$ 31$_{9}$ 35$_{16}$ 38$_{8}$ 39$_{39}$ 40$_{11}$ Lv 8$_{11}$ 1K 7$_{31}$ מַעֲשֵׂה־כֵן in Gestalt e. Untersatzes (Noth Kge 158; GV so, wie 7$_{29}$); Gehäuse f. d. Mast (Février RA 45, 144) Js 33$_{23}$. †

IV כֵּן: כון, BL 564m; ar. *makān* Platz, Stellung, Rang: — 1. **Statt**: כַּנּוֹ Da 11$_{7}$, acc. adv. wie ar. *maqāmahu*, od. l עַל־כ׳ G u. 11$_{20f.38}$; — 2. **Stellung**, **Amt** Gn 40$_{13}$ 41$_{13}$. †

V כֵּן: ? ar. *ǧunna* (Insekt) summen (Guill. 3, 4); ? mhe. כינה Laus, Wurm, ja.^{b} Laus; ↗ כִּנִּים: כִּנָּם: **Stechmücke** (↗ Hdt 2, 95, BHH 1245): sg. coll. Nu 13$_{33}$ u. Js 51$_{6}$ (Sam.^{M117} pl. *kinnem*, Vrss. u. Rabb. II כֵּן gleichfalls, Torrey Dtj. 398), pl. Ex 8$_{12.13b.14a}$ Ps 105$_{31}$. †

כנה: mhe. pi. umschreiben, verhüllt ausdrücken; ph. (DISO 123) ja. sy. md. (MdD 219a); ar. *kanā^{w}* Vater benennt sich nach d. ältesten Sohn („*kunja*", EnzIsl. 2, 1200, Spitaler, Fschr. Caskel 335ff); ? akk. *kanū* hegen (AHw. 440b):

pi. (Jenni 247): impf. אֲכַנֶּה/כַנְּךָ: **jmd. e. Ehrennamen geben** Js 45$_{4}$ Hi 32$_{21f}$ Sir 36$_{12/17}$ 44$_{23}$ 45$_{2Rd}$ 47$_{6}$; — Js 44$_{5}$ l pu. †

cj **pu**: Js 44$_{5}$ l יְכֻנֶּה: **m. e. Namen genannt werden**. †

כַּנֵּה, G Χαννα(α): Ez 27$_{23}$; n.l. neben חָרָן u. עֶדֶן, gew. in N. Mesop. gesucht; klschr. *Kannuʾ* in d. Chaburgegend (SSchiffer, Keilschriftl. Spuren der . . . Samarier, 1907, OLZ Beiheft 1, 26f), od. = כַּלְנֵה/נוֹ (GTT § 1428e, Albr. BASOR 149, 35);:: in S. Ar. (שְׁבָא v. 23), asa. *qnʾ* κανη (Conti 232b, Ryckm. 1, 366b, v. Wissmann Saec. 4, 98f.103, :: Zimm. 656f). †

כַּנָּה: Ps 80$_{16}$: l כַּנָּה, ↗ III כֵּן.

כִּנּוֹר: ug. *knr* (UT nr. 1274, n.d. Jirku ZAW 72, 69), ↗ כִּנֶּרֶת; mhe.; ph. aam. כנר (DISO 123), ja.^{tg} כִּנָּרָא, md. (MdD 214a), sy. *kennārā*; > ar. *ka/innārat* (WKAS K 379b); > grie. κινύρα Leier, Κινύρας

(Duss. Syr. 27, 57ff, Mayer 328, Masson 67.69[2]); akk. *kinnāru* (AHw. 480b, Ellermeier, Fschr. Galling 75ff) ind. Zither; ? heth. *kinirtalla* Musiker (Friedr. HWb. 110a) :: < skr. *kinnarī* Vogelmensch, weibliches, Saiten spielendes Fabelwesen u. d. südindische Stabzither selber (ZATU 231[5], Lex.[1]), Ellb. 86f: כִּנֹּ(ו)רוֹת, כִּנּוֹרֶיךָ, כִּנֹּרִי, כִּנֹּרֹתֵינוּ: d. **Kastenleier** BRL 390f, Kolari 64ff, Wegner 42, BHH 1258: Gn 4_{21} 31_{27} 1S 10_{5} $16_{16.23}$ 2S 6_{5} 1K 10_{12} Js 5_{12} 16_{11} 23_{16} 24_{8} 30_{32} Ez 26_{13} Ps 33_{2} 43_{4} 49_{5} 57_{9} 71_{22} 81_{3} 92_{4} 98_{5} 108_{3} 137_{2} 147_{7} 149_{3} 150_{3} Hi 21_{12} 30_{31} Neh 12_{27} 1C 13_{8} $15_{16.21.28}$ 16_{5} $25_{1.3.6}$ 2C 5_{12} 9_{11} 20_{28} 29_{25}. †

כָּנְיָהוּ: n.m.; Jr $22_{24.28}$ 37_{1}; ↗ יְהוֹיָכִין.

כַּנְּלֹתְךָ Js 33_{1}: ↗ גלה.

כִּנָּם: gew. V כֵּן + *am* (coll., Torcz. Entst. 95f :: BL 504k: erstarrtes sf.); al. מ als 3. Rad. (cf. mhe. כִּנִּימָה Wurm); soq. *konem*; ? verw. ja.[t] קַ/כַּלְמְתָא ja.[g] קלמין, ja.[b] ק/כלמי (Ku. HeWf. 104), aam. קמל (DISO 259), sy. *qalmā*, md. (MdD 410b) *qiluma*, asa. *qmlt*, ar. *qaml*, äth. *q*[w]*māl*, tigr. (Wb. 237a) *qamlat* Ungeziefer (Lesl. 26f); akk. *kalmatu* (AHw. 426b): **Stechmücken** GVPhilo (:: Läuse ST Jos. Antt. II 14, 13) Ex $8_{13a.14b}$, cj Sir 10_{11} (pr. כניום, wenn nicht כנים: V כֵּן). †

***כנן**: Nf. v. כון (Noth N 202[1], Albr. JBL 51, 81[13]), asa. *Knnm* (ZAW 75, 311), tigr. (Wb. 417b) *kannana* glätten, *kanan* Mass; md. (MdD 219b) u. ar. verbergen; Der. III כֵּן, יְכָנְיָהוּ, כּוֹנַנְיָהוּ, כְּנָנִי, כְּנַנְיָה(וּ).

כְּנָנִי: n.m., Pachtv. 16, Kf. v. כְּנַנְיָהוּ od. akk. *Kanūnai*, der im Monat *kanūnu* = *ṭebēt* Geborene APN 90b: Neh 9_{4}. †

כְּנַנְיָה: n.m.; < כְּנַנְיָהוּ: 1C 15_{27}, = כְּנַנְיָהוּ v. $_{22}$. †

כְּנַנְיָהוּ n.m.; ? כון pol. od. qal (↗ כּוֹנַנְיָה, Noth 36), od. Nf. כנן (Noth 179.202[1]): „J. stärkt", :: Mtg-G. 557: כון; > כְּנַנְיָה: — 1. שַׂר der Leviten 1C 15_{22} (27 ־יָה, GV כּוֹנַנְיָה); — 2. aus Geschlecht יִצְהָר 1C 26_{29}. †

כנס: aram. כנשׁ (äga. palm. u. Uruk, DISO 123; ba. ja. sam. [BCh. 2, 651] cp. sy. md. [MdD 220a], > mhe.ija. כנס; (ver)sammeln; > nass. *kanāšu*, AHw. 436b; äth. *takansa* sich versammeln (Ulldff EthBi. 124); Versammlung, Synagoge ja. כנישה, כְּנִשְׁתָּא (DISO 123), > mhe. כְּנֶסֶת u. ar. *kanīsat* (Frae. 275):

qal: pf. כָּנַסְתִּי; inf. כְּנוֹס; pt. כֹּנֵס: **(ver)sammeln**: מַיִם Ps 33_{7}, Silber u. Gold Koh 2_{8}, Steine 3_{5}, Abgaben Neh 12_{44}, Leute Est 4_{16} 1C 22_{2}; Koh 2_{26} nach אסף. †

pi: pf. כִּנַּסְתִּי, כִּנַּסְתִּים; impf. יְכַנֵּס: **versammeln** Ez 22_{21} 39_{28} Ps 147_{2}. †

hitp: inf. הִתְכַּנֵּס: **sich** zusammenziehen, in e. Decke **einhüllen** Js 28_{20}. †

Der. *מִכְנָס.

כנע: mhe. nur DSS nif. hif.; ja.[g], sam. (BCh. 2, 554a) pt. pass. gedrückt, bescheiden sein, itpe. sich demütigen, af.(?) demütigen; cp. af. inf. ἐντροπή Erniedrigung (Schulth. Lex. 95a), ar. *kanaʿa* sich krümmen, demütigen (WKAS K 388a); Lesl. 27:

nif: pf. נִכְנַע, נִכְנְעוּ; impf. יִכָּנַע, יִכָּנְעוּ/נָעוּ; inf. הִכָּנְעוֹ: — 1. **sich ducken müssen** 1S 7_{13} 1C 20_{4}, c. תַּחַת Ri 3_{30} Ps 106_{42}, c. לִפְנֵי Ri 8_{28}, c. מִפְּנֵי 11_{33}; — 2. **gedemütigt werden** Lv 26_{41} 2C 13_{18}; — 3. **sich demütigen** 2C 7_{14} $12_{6f.12}$ 30_{11} 32_{26} $33_{12.19.23}$ 34_{27}, c. מִלִּפְנֵי 1K 21_{29} 2C 33_{23} 34_{27} 36_{12}, c. מִפְּנֵי 2K 22_{19}. †

hif: pf. הִכְנִיעַ, הִכְנַעְתִּי; impf. אַ/תַּכְנִיעַ, וַתַּכְנַע, יַכְנִיעֵם; imp. הַכְנִיעֵהוּ: jmd **demütigen** 2S 8_{1} Js 25_{5} Ps 81_{15} 107_{12} (לֵב) Hi 40_{12} 1C 17_{10} 18_{1} 2C 28_{19}, c. לִפְנֵי Dt 9_{3} Ri 4_{23} Neh 9_{24}; ↗ *כִּנְעָה. †

***כִּנְעָה** (כְּנָעָה ?): ? ar. *kanaʿa* d. Flügel zusammenlegen, > Bündel (wie צְרוֹר v. צרר) od. denom. v. כְּנַעֲנִי 2: כִּנְעָתֵךְ: **Bündel, Traglast** (urspr. v. *kinaḫḫu* rote Purpurwolle), ↗ כְּנַעַן, G ὑπόστασις Habe, Σ ἐμπορία, T סְחוֹרְתָא Krämerware; c. אסף v. d. Erde aufnehmen (al. schnüren) Jr 10_{17}. †

כְּנַעַן, כְּנָעַן (90 ×), Sam.[M117] *Kanān*, G Χανααν: ph. כנען, äg. *knnʿn* (VT 14, 247, 2); EA *māt Kinaḫ(ḫ)i, Kinaḫni/a*; Nuzu *Kinaḫḫu* (AASOR 16, 121f), = *Kinaḫ*, Χνᾶ (ZAW 49, 6², Harris Gr. 111f, h. ep. Χνᾶς, P-W 3, 2349) + churr. Endg; ältester Beleg aus Alalach, Or. 20, 381. Idrimi 19 (p. 29) *ina māt Kinanim*; trad. כנע „Niederland" (Ges. Thes. 696) :: אֲרָם „Hochland"; :: Mosc. Anal. Bibl. 12, 1959, 266ff; כְּנַעַן roter Purpur (:: blauer P. akk. *uqnū*, ug. *ʒqnʾ* [UT nr. 323] Lapislazuli, Lasurstein), aus d. Purpurschnecke d. phön. Küste gewonnen, hauptsächl. Exportartikel (ug. Industrie, PRU II, XXVIf), ↗ כְּנַעֲנִי, ähnlich entwickelt φοίνικες / κία (Speiser OrBiblStud. 324ff); zunächst geogr. Begriff: d. äg. Provinz Syrien: Palästina-Phön.-Syr., (?) d. phön. Küstenland, Eissf. P-W 20, 350ff, JGray, The Canaanites, 1964; ↗ Alt, KlSchr. 3, 37f, v. Selms OTSt. 12, 182f, **Kanaan** (↗ Böhl KH 1ff, Maisler Unts. 54ff, RGG 3, 1106ff, de Vaux JAOS 88, 23ff, BHH 926): — 1. (n.m.) S. v. חָם Gn $9_{18\text{-}27}$ (↗ Komm., Maisler l.c. 63ff), Br. v. כּוּשׁ, מִצְרַיִם, פּוּט Gn 10_{6} 1C 1_{8}, V. v. צִידֹן u. חֵת Gn 10_{15} 1C 1_{13}; Js 23_{11}; —2. n.t.: אֶרֶץ כְּ׳ Gn 44_{8} (60 ×), אַרְצָה כְּ׳ Gn 50_{13}: a) d. w. Jordanland Gn 13_{12} 16_{3} 50_{13} Nu 13_{2} $35_{10.14}$ Dt 32_{49} Jos 5_{12} 14_{1} $22_{11.32}$ Ri 21_{12}; b) ganz Pal.: Gn 11_{31} 12_{5} 17_{8} Ex 6_{4} 16_{35} Lv 14_{34} 18_{3} 25_{38} Jos 24_{3} Ps 105_{11} 1C 16_{18}; cf. Nu 13_{17} $34_{2.29}$ (כְּנַעֲנִי); :: Gn $10_{15\text{-}19}$; c) = Phön. (Jos 5_{1}) Js 23_{11}, = Phön. u. d. phön. Siedlungen am Jordan (Nu 13_{29}) = Phön. u. Syr. (↗ חֵת) Gn 10_{15} 1C 1_{13}; — 3. d. Bewohnerschaft: יֹשְׁבֵי כְּ׳ Ex 15_{15}, מַלְכֵי כְּ׳ Ri 5_{19}, מֶלֶךְ כְּ׳ Ri $4_{2.23f}$, כְּ׳ אֶרֶץ פְּלִשְׁתִּים Zef 2_{5} (pr. אַכְנִעֵךְ, :: Gerlem. 30: appell.); מִלְחֲמוֹת כְּ׳ Ri 3_{1}, מַמְלְכוֹת כְּ׳ Ps 135_{11}, שְׂפַת כְּ׳ Js 19_{18} (↗ שָׂפָה 3), בְּנוֹת כְּ׳ Gn $28_{1.6.8}$ 36_{2}; — 4. אֶרֶץ כְּ׳ Krämerland Hos 12_{8} Zef 1_{11}, metaph. für Babel Ez 16_{29} 17_{4}, ↗ כְּנַעֲנִי 2; כְּ׳ Land. des תַּזְנוּת Ez 16_{29}, עֲצַבֵּי כְ׳ Ps 106_{38}.

Der. כִּנְעָה (?), כְּנַעֲנִי, כִּנְעָן; n.m. כְּנַעֲנָה.

כִּנְעָן/כַּ* (?) od. **כִּנְעָנִי***: Nf. v. כְּנַעֲנִי, BL 564; äg. *Kjnʿnw* (Maisler BASOR 102, 9f): כִּנְעָנֶיהָ: **Händler** (|| סֹחֲרִים) Js 23_{8} (:: Rud. Fschr. Baumgtl 169). †

כְּנַעֲנָה: n.m.; כְּנַעַן, fem. Form (↗ נוֹחָה, קֹהֶלֶת, סֹפֶרֶת etc.): — 1. 1K $22_{11.24}$ 2C $18_{10.23}$; — 2. 1C 7_{10}. †

כְּנַעֲנִי: gntl. v. כְּנַעַן; mhe., ug. *knʿnj* (UT nr. 1272), äg. *Kjnʿnw* (BASOR 102, 9), pun. *Chanani* (Augustinus, Harris Gr. 112), Χνᾶοι, Κανάανος (P-W 3, 2109), G Χαναα-ναῖος, NT Κανανaῖος, Var. Κανανίτης ↗WbNT: כְּנַעֲנִית, כְּנַעֲנִים (BL 562u): — 1. **Kanaanäer** (Noth. Fschr. Alt I 150ff, BHH 926): n.p. a) sg. coll.: Gn 12_{6} 13_{7} 15_{21} 34_{30} 50_{11} (in Trsjd, Noth WdAT 46¹) Ex $3_{8.17}$ 13_{5} $23_{23.28}$ 33_{2} 34_{11} Nu 13_{29} $14_{25.43.45}$ $21_{1.3}$ 33_{40} Dt 7_{1} 11_{30} 20_{17} Jos 3_{10} 7_{9} 9_{1} 11_{3} 12_{8} 13_{3} 16_{10} $17_{12f.16.18}$ 24_{11} Ri $1_{1.3\text{-}5.9f.17.27f.30.32f}$ $3_{3.5}$ Esr 9_{1}; אֶרֶץ הַכְּ׳ Ex 3_{17} $13_{5.11}$ Dt 1_{7} 11_{30} Jos 13_{4} (= Phön.) 24_{3} Ez 16_{3} Neh 9_{8}; גְּבוּל הַכְּ׳ Gn 10_{19}, מַלְכֵי הַכְּ׳ Jos 5_{1}, בְּנוֹת הַכְּ׳ Gn $24_{3.37}$; 2S 24_{7} 1K 9_{16}; מִשְׁפְּחוֹת הַכְּ׳ Gn 10_{18}; b) sg. c. אִישׁ Gn 38_{2}; הַכְּנַעֲנִים Ob $_{20}$ Neh 9_{24}; c) f. הַכְּנַעֲנִית Gn 46_{10} Ex 6_{15} 1C 2_{3}; — 2. **Händler** (↗ כְּנַעַן 4) Zch 14_{21} Pr 31_{24}, cj בְּנֵי כְנַעֲנִים G Hi 40_{30} u. cj G לִכְנַעֲנִיֵּי הַצֹּאן Zch 11_{7}; ↗ כִּנְעָן. †

כנף: denom. v. כָּנָף: mhe.² nif. sich verbergen, ja.[b(tg?)] sy. (sich) sammeln, md. (MdD 219b) auch umarmen; ar. *kanafa* umgeben, behüten:

nif: impf. יִכָּנֵף: **sich verbergen** Jr 30_{20}. †

כָּנָף: mhe. Flügel, Zipfel; ug. *knp*; jaud. äga. Kleiderzipfel (DISO 123), ja.[t], ja.[b] auch Schoss, md. כַּנְפָא, sam. T Dt 23_{1} 27_{20} cp.

sy. *kenfā*; äth. tigr. (Wb. 418a) *kenf*; ar. *kanaf* (auch Seite, Gegend), asa. *knp* (äusserster Rand); akk. *kappu*, Grdf. *kan(a)p* : כְּנַף, כְּנָפִי, כְּנָפֶךָ Rt 3_9 l כְּנָפְךָ; cs. כַּנְפֵי, כְּנָפַיִם/פָּיִם, כְּנָפֶיךָ/פַיִךְ, כְּנָפָיו, כַּנְפוֹת Hi 39_{26} (BL 252r), כַּנְפֵיהֶם; f. (Ez 7_2 1Q אַרְבַּע, 2C 3_{11-13} ↗ Rud. 204): — 1. **Flügel** (THAT 1,833ff), v. נֶשֶׁר Ex 19_4 Dt 32_{11} Jr 48_{40} 49_{22} Ez $17_{3.7}$ Pr 23_5, v. חֲסִידָה Zch 5_9, v. יוֹנָה Ps 68_{14} Lv 1_{17}, v. רְנָנִים Hi 39_{13}, v. נֵץ 39_{26}; עוֹף כָּנָף geflügelte Tiere Gn 1_{21} Ps 78_{27}, כָּל־כָּנָף alles, was Flügel hat Gn 7_{14} Ez 17_{23} $39_{4.17}$, צִפּוֹר כָּנָף Vogel mit Flügeln Dt 4_{17} Ps 148_{10}, בַּעַל כָּנָף (ug. *bʿl knp*) Pr 1_{17} u. בַּעַל כְּנָפַיִם Koh 10_{20} Geflügeltes; נֹדֵד כָּנָף d. Flügel regend Js 10_{14}, צִלְצַל כְּנָפַיִם Flügelgeschwirr 18_1 (:: Driv. JSSt. 13,45: Segelschiffe); — 2. Flügel anderer Wesen: a) d. כְּרוּב Ex 25_{20} 37_9 1K $6_{24.27}$ 8_{6f} Ez $10_{5.8.12.16.19}$ 11_{22} 2C 3_{11-13} 5_{7f}; b) sonst: שָׂרָף Js 6_2, חַיָּה Ez $1_{6.8f.11.23-25}$ 3_{13} 10_{21}; Frauen in Vision Zch 5_9; רוּחַ 2S 22_{11} Hos 4_{19} Ps 18_{11} 104_3; שֶׁמֶשׁ Mal 3_{20}; שַׁחַר Ps 139_9 (THAT 1,834); c) יהוה Ps 17_8 36_8 57_2 61_5 63_8 91_4 Rt 2_{12} (THAT 1,835); d) מֻטּוֹת כְּנָפָיו b. ausgetretenen Fluss od. e. flügelweiten Adlers Js 8_8; — 3. **Zipfel** e. Gewandes, Saum (Aḥqr 171; Hönig 61f; Gewandbausch, Seebass ZAW 78, 151[8]; rechtlich wie akk. *qannu* u. *sissiktu* RLA 3, 319f, Conrad ZDMG Su. I 275ff, THAT 1,835) כְּנַף בִּגְדוֹ Hg 2_{12}, כְּנַף מְעִילוֹ 1S $15_{5f.27}$ 24_{12}, כְּנָפוֹ Hg 2_{12}, כְּנַף אָב Dt 23_1 u. 27_{20} (euphem. f. עֶרְוָה, ↗ גִּלָּה); Nu $15_{38a.b}$ Dt 22_{12} 1S 24_{5f} (Noth AbLAk 2,240 ff) Ez 5_3, פָּרַשׂ כָּנָף עַל Ez 16_8 u. Rt 3_9 (s.o.) jmd z. Frau nehmen (Rud. 55), jmds כָּ׳ ergreifen Zch 8_{23} (als Bittflehender, Östrup 41), Jr 2_{34} (? l.c. GLS בְּכַפַּיִךְ); — 4. (äusserster) **Rand, Äusserstes**: a) (אַרְבַּע) כַּנְפוֹת הָאָרֶץ d. 4 Ecken u. Enden d. Welt (cf. akk. *kip-pat erbetti* (AHw. 482b; Zimm. Ez. 169; THAT 1,835f) Js 11_{12} Ez 7_2 Hi 37_3 38_{13}, כְּנַף הָאָרֶץ d. Rand d. Erde Js 24_{16}; בכנפי הונך so gut du es vermagst Sir 38_{11}; b) עַל־כְּנַף שִׁקּוּצִים Da 9_{27}, Q Var., Mt 4_5 πτερύγιον τοῦ ἱεροῦ, tt. arch., Zinne d. Tempels, Mtg. Da. 386ff: Türsturz, JJeremias ZDPV 59, 195ff, :: Eissf. KlSchr. 2, 433f l בַּעַל כָּנָף, ug. als Titel d. בַּעַל שָׁמַיִם, cf. El, I LN Dez. 1967, 281; c) militärisch: כְּנָפַיִם 1QM IX 11, cf. lat. *ala*, Yadin ScrW. 192f. 301. †

כִּנֶּרֶת, כִּנְּרֶת: n.l.; *כנר ?; ug. n.l. *knr* (UT nr. 1274); auch n. lacus: *bm dgt bknrt* (?) I Aqht 147 (Ulldff JSSt. 7, 34f, CML 62b); äg. *knrt* (ETL 217, Albr. Voc. 48) u. *knnrt* (ZDPV 61, 55), n. deae (Jirku ZAW 72, 69): — 1. כִּנֶּרֶת n.l. in Naftali Dt 3_{17} Jos 19_{35} (כִּנֶּרֶת), Nf. כִּנְרוֹת Jos 11_2 (BL 208r, z. txt Noth Jos. 62) u. כָּל־כִּנְרוֹת 1K 15_{20} (↗ Rud. Chr. 246 zu 2C 16_4, GTT § 890); = *Tel ʿOrēme* (Abel 2, 299, BHH 951; Noth Jos. 147: Tell m. d. kl. (Sand-) Haufen); — 2. יָם־כִּנֶּרֶת (sec. 1) Nu 34_{11} Jos 13_{27}, יָם כִּנְרוֹת Jos 12_3; G K/ Χενερεθ, Κενερωθ, Χενερα, Γεννησαρ 1 Mak 11_{67}, T גְּנֵ/גִּנֵּיסַר; NT Γεννησαρετ: **See Genesareth**, See v. Tiberias (Abel 1, 494ff, Noth WdAT 50, BHH 546). †

כִּנְ/כִּנְרוֹת: ↗ כִּנֶּרֶת.

*כְּנָת: aam. äga. (DISO 123), ba. cp. sy., Lw. < akk. *kinātu/nattu* (AHw. 479b), Angestellter, Kollege, aLw. 128: כְּנָוָתוֹ; K *כְּנָתוֹ, ↗ BLA 238s, Wagner p. 134, 4 c. Q hat d. aram. Pl-bildung hebraisiert: **Gefährte** Esr 4_7. †

כֶּסֶא Pr 7_{20} u. כֶּסֶה Ps 81_4; BL 579q; נכסה Sir.M V 18 (p. 28f); ug. *jrḫ ksʾ*, Dahood Bibl. 46, 330, Vattioni Augustinianum 8, 382ff (↗ ZAW 80,399); ph. כסא (DISO 124) n.m. עבדכסא (PNPhPI 154.334) u. sy. *kesāʾ* (LS 337b) Vollmond, ar. *kusʾ* (Guill. 1, 10); Lw. akk. *kusēʾu* = *agū* Mütze d. Mondgottes z. Vollmondszeit (Zimmern ZA 24, 317, AHw. 515a): **Vollmond**

Ps 8$_{14}$ Pr 7$_{20}$, cj Hi 26$_{9}$ pr. כִּסֵּה (↗ II אחז). †

כִּסֵּא (130 ×), 1K 10$_{19}$ כִּסֵּה, Sam.^{M118} *kāsa*: ug. *ksɔ /ʒ/ʾ* (UT § 8, 13), ph. u. äga. כסא (f.) (DISO 124) Thron; mhe. Stuhl; aam. äga. כרסא (DISO 127), ba. *כָּרְסְיָא, ja. cp. sy. md. (MdD 209a) כּוּרְסְיָא, > ar. *kursī*, > tigr. *kursi* (Wb. 399a, Lesl. 27); Lw. < akk. *kussū*, aass. *kussīu* < sum. *guza* (AHw. 515, meist f.); cs. כִּסֵּא, כִּסְאִי/אֲךָ/אֶךָ, כִּסְאוֹת, כִּסְאוֹתָם (BL 545t. 548a), m.; Salonen Ldf. 77.124: — 1. **Sessel**, **Stuhl**: f. Besucher 1K 2$_{19}$, Gast 2K 4$_{10}$, alten Mann 1S 1$_{9}$, Richter Ps 9$_{5}$, כִּ׳ דִּין (akk. *kussī dajjānūti*) Pr 20$_{8}$, lauernde Buhlerin Pr 9$_{14}$; — 2. **Ehrensitz**, **Thron**: a) f. Pharao Gn 41$_{40}$, König Ri 3$_{20}$, כִּ׳ מַמְלַכְתּוֹ Dt 17$_{18}$, כִּ׳ הַמַּמְלָכָה 2C 23$_{20}$, כִּ׳ הַמְּלוּכָה 1K 1$_{46}$; 2K 11$_{19}$ 25$_{28}$ Jr 33$_{21}$ Hg 2$_{22}$ Est 1$_{2}$ 5$_{1}$; כִּ׳ דָוִד 2S 3$_{10}$ 1K 1$_{37}$ Js 9$_{6}$ Jr 22$_{2.30}$ 36$_{30}$, כִּ׳ יִשְׂרָאֵל 1K 2$_{4}$ 8$_{20.25}$ 9$_{5}$ 10$_{9}$ 2K 10$_{30}$ 15$_{12}$ 2C 6$_{10.16}$, כִּ׳ בֵית יִשְׂרָאֵל Jr 33$_{17}$, כִּ׳ בְתוּלַת בָּבֶל Js 47$_{1}$, כִּ׳ פַּחַת d. Satrapen Neh 3$_{7}$ (↗ Simons 453f, Rud. 116); כִּ׳ (שְׁלֹמֹה) 2K 10$_{3}$ (Widgr. SKgt. 45.202, Noth Kge 230f) 1K 10$_{19}$ 2C 9$_{18}$; d. „Stuhl Moses" Mt 23$_{2}$, ↗ BHH 1885; b) Fürst vor belagerter Stadt Jr 1$_{15}$ 43$_{10}$ (↗ Rud. 10, AOB 138, ANEP 371), כִּ׳ שֵׁן גָּדוֹל gr. Thron aus Elfenbein 1K 10$_{18}$ 2C 9$_{17}$; יָשַׁב עַל־כִּסֵּא פְּ׳ jmd als Herrscher nachfolgen 1K 1$_{13}$ etc., הוֹשִׁיב עַל־כִּסֵּא 1K 2$_{24}$, שִׂים עַל־כִּסֵּא 2K 10$_{3}$, שִׁית עַל־כִּסֵּא Ps 132$_{11}$, יָשַׁב לְכִסֵּא לְ 132$_{12}$; — 3. כִּסֵּא J.s 1K 22$_{19}$ 1C 29$_{23}$ 2C 18$_{18}$; Js 6$_{1}$ 14$_{13}$ 66$_{1}$ Ez 43$_{7}$ Ps 11$_{4}$ Kl 5$_{19}$; Jerus. als כִּ׳ י׳ Jr 3$_{17}$; כִּסְאֲךָ אֱלֹ׳ dein Thron o Gott (göttlicher ?) Ps 45$_{7}$, v. König ! Gkl. Mow., :: Driver u.a. = ist wie G.s Thron (Emerton JSSt. 13, 58ff), אֱלֹ־ pr. יהוה, verlesen < יִהְיֶה (Duhm, Dho.); Zch 6$_{13b}$ l יְמִינוֹ; ? כִּ׳ הַוּוֹת Thron d. Verderbens? Ps 94$_{20}$ ↗ Gkl. 416.

כסה: mhe.; ug. *ksj* (Aistl 1355) *kst* u. *mks* Bekleidung (Ut nr. 1279); ph. äga. (DISO 124); mhe. ja., sam. BCh. 2, 487a, cp. sy. md. (MdD 220a), n.d. *Elkesai* חיל כסי „verborgene Kraft", e. jüd. gnost. Sekte (RGG 2, 435), asa. ar. *ksw*; akk. *kašū* zudecken, *kasū* binden (AHw. 463.455), ? amor. (Huffm. 222):

qal: pt. כֹּסֶה, pass. cs. כְּסוּי: **bedecken**: — 1. (Sünde) **vergeben** כְּסוּי חֲטָאָה dessen S. vergeben ist Ps 32$_{1}$ (|| נְשׂוּי); — 2. **verborgen halten** Pr 12$_{16.23}$. †

nif: pf. נִכְסְתָה; inf. הִכָּסוֹת: **bedeckt werden** Jr 51$_{42}$ Ez 24$_{8}$. †

pi. (Jenni 204f): pf. כִּסָּה, כִּסְּתָה, כִּסִּיתָ, כִּסֵּ(י)תִי, כִּסִּיתִי, כִּסּוּ, כִּסִּינוּ, כִּסָּהוּ, כִּסָּמוֹ Ex 15$_{10}$ (BL 424), כִּסֻּתְנִי, כִּסִּיתִיךָ, כִּסּוּךְ; impf. יְכַסֶּה/תְּ/אֲ, תְּכַסִּי, וַיְכַס/וַתְּ, וַיְכַסּוּ, וַיְכַסֵּהוּ, יְכַסֶּנּוּ/נָּה, יְכַסֵּימוֹ Ps 140$_{10}$Q, ־סוּמוֹ K (BL 424), יְכַסֶּךָ/סֶּךָּ, תְּכַסְּךָ/סֶּךָּ, תְּכַסֵּנוּ, וַתְּכַסִּים, יְכַסְיֻמוּ, וַיְכַסֵּהוּ Ex 15$_{5}$ (BL 215 j. 424); imp. כַּסֵּנוּ; inf. כַּסּ(וֹ)ת (G ʽΕβρ χεσσουθ, Field 2, 1033), כַּסֹּתוֹ; pt. מְכַסֶּה, מְכַסִּים, מְכַסּוֹת: trans. **bedecken**: — 1. Decke sbj.: a) c. acc. Fett Ex 29$_{13.22}$ Lv 3$_{3.9.14}$ 7$_{3}$, Flut Ex 15$_{5}$, Meer Ps 104$_{6}$ (l כִּסַּתָּה).$_{9}$ Ex 15$_{10}$ Ps 78$_{53}$, Wasser Ez 26$_{19}$ Ps 106$_{11}$, Wasserschwall Hi 22$_{11}$ 38$_{34}$, Wolke Ex 24$_{15f}$ 40$_{34}$ Lv 16$_{13}$ Nu 9$_{15f}$ 17$_{7}$ Ez 30$_{18}$, Finsternis Js 60$_{2}$ Hi 23$_{17}$ (l וּפָנַי), Aussatz Lv 13$_{12f}$, Staub Ez 26$_{10}$, Erde Hi 16$_{18}$, Flügel Ez 1$_{11.23}$; metaph. כְּלִמָּה Jr 3$_{25}$ 51$_{51}$ Ps 69$_{8}$, בּוּשָׁה Ob $_{10}$ Mi 7$_{10}$, בֹּשֶׁת Ps 44$_{16}$, Frevel Hab 2$_{17}$, Hoheit Hab 3$_{3}$, פַּלָּצוּת Ez 7$_{18}$ Ps 55$_{6}$, Unheil Ps 140$_{10}$; Kamelherde Js 60$_{6}$; b) c. עַל: Fett Lv 4$_{8}$ (Var. אֶת־, cf. 3$_{3}$), Kerube 2C 5$_{8}$, Wasser Hab 2$_{14}$, Erde Nu 16$_{33}$ Js 26$_{21}$ Ps 106$_{17}$, Moder Hi 21$_{26}$, Liebe Pr 10$_{12}$; — 2. Decke obj. „mit": a) c. acc. (2 acc.) Mal 2$_{13}$, bekleiden mit Ez 16$_{10}$ 18$_{7.16}$; b) c. בְּ u. acc.: Lv 17$_{13}$ Nu 4$_{5.8.11f}$ Ri 4$_{18}$ 1S 19$_{13}$ 1K 1$_{1}$ Js 6$_{2}$ 51$_{16}$ Ez 32$_{7}$ Ps 147$_{8}$ Hi 15$_{27}$; c) c. acc. u. עַל: Mal 2$_{16}$ (l וְכִסָּה) Hi 36$_{32}$ Ez 24$_{7}$ Ps 44$_{20}$; — 3. Decke im Vordersatz genannt: c. acc.: Ex 8$_2$ 10$_{5.15}$ 14$_{28}$ 16$_{13}$ 28$_{42}$ 1K 7$_{18.41f}$ / 2C 4$_{12f}$ Js 1$_9$ Ez 38$_{9.16}$ Hos 2$_{11}$ 10$_8$; — 4. Decke gar nicht genannt: a) c. acc.: Gn 9$_{23}$ Ex 21$_{33}$ 26$_{13}$ 38$_{15}$ Nu 4$_{9.15}$ 22$_{5.11}$ Dt 23$_{14}$ Jos 24$_7$ Ri 4$_{19}$ Js 29$_{10}$ 58$_7$ Jr 46$_8$ Ez 12$_{6.12}$ 16$_8$ Ps 32$_5$ (עָוֹן) 40$_{11}$ 85$_3$ (חַטָּאת) Hi 9$_{24}$ 31$_{33}$ 36$_{30}$ Pr 10$_{18}$ 11$_{13}$ 17$_9$ 28$_{13}$; b) c. עַל Dt 13$_9$ Neh 3$_{37}$; — 5. **zudecken**, **verbergen** a) c. acc. Gn 37$_{26}$ (Blut) Ps 40$_{11}$ (Gerechtigkeit im Herzen) Pr 11$_{13}$ (דָּבָר), 17$_9$ (c. עַל ohne Obj., Vergehen anderer); b) seine Sünde verheimlichen Ps 32$_5$ Hi 31$_{33}$ Pr 28$_{13}$, anderer Unrecht Pr 10$_{11.18}$ cj 26$_{26}$ (l מְכַסֶּה); etw. geheim halten c. מִן Gn 18$_{17}$; — 6. intr. **sich bedecken** mit, **anziehen**, c. acc. Kleider Ez 16$_{18}$, שַׂק Jon 3$_6$; — Gn 38$_{14}$ l וַתִּתְכַּס u. Dt 22$_{12}$ l תִּתְכַּסֶּה; Ez 31$_{15}$ dl כִּסֵּיתִי (Zimm. 750); Hi 33$_{17}$? l יְכַסֶּה; Ps 143$_9$? l כָּסָלְתִּי. †

pu: pl. כֻּסּוּ (BL 424) impf. וַיְכֻסּוּ ,יְכֻסֶּה; pt. מְכֻסִּים/סּוֹת: — 1. **bedeckt werden**: d. Berge (sc. m. Wasser) Gn 7$_{19f}$, Fenster verkleidet Ez 41$_{16}$ (? מְכֻסּוֹת sbst. Wandverkleidung, Galling b. Fohrer 233f); womit c. acc (GK §121d) Ps 80$_{11}$ Pr 24$_{31}$; c. בְּ Koh 6$_4$ 1C 21$_{16}$; — 2. **verborgen bleiben** Sir 12$_8$. †

hitp: impf. יִתְכַּסּוּ ,וַתִּתְכַּס ,וַיִּתְכַּס; pt. מִתְכַּסֶּה/סִּים: **sich bedecken**: ohne Obj. Gn 24$_{65}$; m. obj. im acc. Jon 3$_8$, c. בְּ 1K 11$_{29}$ 2K 19$_{1f}$ / Js 37$_{1f}$ 59$_6$, cj Gn 38$_{14}$ (pr. pi.) u. Dt 22$_{12}$ (תִּתְכַּסֶּה od. תְּכַסֶּה, BL 198g). †

Der. *מְכַסֶּה, מִכְסֶה, ? כֶּסֶת, כְּסוּת, כָּסוּי.

כֶּסֶה Ps 81$_4$: ↗ כֶּסֶא.

כֵּסֶה 1K 10$_{19}$: ↗ כִּסֵּא.

*כָּסוּי: כסה, BL 411z; mhe. כִּסּוּי Deckel, ja.^{tb} כִּסּוּיָא: cs. כְּסוּי: **Decke** Nu 4$_{6.14}$. †

כְּסֻלּוֹת, Ⓑ כְּסָלוֹת: n.l.; I כֶּסֶל, „auf der Lende" (Noth 147), ↗ III כְּסִיל; הַכְּ׳ in Issachar Jos 19$_{18}$, als כִּסְלֹת תָּבוֹר an Zebulon angrenzend 19$_{12}$, = *Iksāl*, 6 km. sö. Nazareth (Abel 2, 299, GTT § 330). †

כְּסוּת, Sam. Gn 49$_{11}$ כסות pr. ↗ סוּת, M118 *kessot*, BCh. 3, 34 **kassut*: כסה, BL 505 o, BM § 41, 5b: mhe. ja.^{tg} cp., sam. T Gn 49$_{11}$ כְּסוּ; ug. *kst* (UT nr. 1279); pun. äga. כסת (DISO 124), gr. κασᾶς (Masson 22ff), ar. *kiswat*; akk. *kusītu* Gewand (AHw. 514b): cs. Gn 20$_{16}$, כְּסוּתוֹ/תָהּ: — 1. **Bedeckung**, **Kleidung** (Hönig 15f) Ex 21$_{10}$ (:: RNorth VT 5, 205: sec. 2) 22$_{26a}$ (= שִׂמְלָה/שַׂלְמָה 25.26b) Obergewand, Dt 22$_{12}$, Js 50$_3$ = שַׂק, Hi 24$_7$ u. 31$_{19}$ Decke, 26$_6$ Hülle; — 2. metaph. כְּסוּת עֵינַיִם Augendecke, Bestätigung unverletzter Frauenehre, Ehrenerklärung (al. Schleier) Gn 20$_{16}$. †

כסח: mhe. pi., mhe.^{2} ja.^{tb} qal; ja. sy. ar. *ksḥ* fegen, reinigen, tigrin. (Lesl. 27) in Stücke brechen:

qal: pt. כְּסוּחָה ,כְּסוּחִים: (Gestrüpp) **abhauen** Js 33$_{12}$ Ps 80$_{17}$ (cj כְּסָחוּהָ od. כְּסָחֻהָ, ↗ Gkl., :: ↗ סוּחָה). †

cj **pi**: impf. יְכַסֵּחַ: **tilgen** Hi 33$_{17}$ (pr. יְכַסֶּה). †

כֵּסְיָה Ex 17$_{16}$; sec. נֵס יָהּ l 15 י׳ נִסִּי (Gsbg. 382f, Noth Ex 115, ↗ נֵס; al. כִּסֵּא יָהּ, BH, Beer Ex. 92f). †

I כְּסִיל: Sec. χσιλ, Hier. *cha/isil* (Sperber 129, Brönno 124.127, BL 470) I כסל, BL 471s; mhe.^{2} ja.^{t}: כְּסִילִים; ↗ II: (praktisch) **töricht**, (religiös) **frech**, ↗ נָבָל ,אֱוִיל, (THAT 1,836ff): Pr 1$_1$-29$_{20}$ (40 ×) Koh 2$_{14}$-10$_{12}$ (18 ×), 7$_9$ ↗ חֵיק, Ps 49$_{11}$ 92$_7$ 94$_8$ Sir 31/34$_{20}$; — Pr 19$_1$ l עָשִׁיר.

II כְּסִיל: = I.; mhe.^{2}, ja.^{t} כְּסִילָא, ja.^{b} כסלא; > äth. *kasīl*: כְּסִילֵיהֶם: wie sy. *gabbārā* (= גִּבּוֹר) u. ar. *ǧabbār* u. ja.^{t} נפלא; Bezeichnung d. **Orion** als frech u. gewalttätiger Jäger (Mow. Sternn. 36ff, JJHess Fschr. Jacob 97f, AuS 1, 497ff, Hö. Hi. 31, BHH 1867): Am 5$_8$ Hi 9$_9$ 38$_{31}$, pl. Orione, O. u. d. zugehörigen Sternbilder, bes. Sirius, sein Hund, ὁ κύων, Js 13$_{10}$. †

III כְּסִיל: n.l. I כֶּסֶל, ↗ כְּסוּלוֹת; in Juda Jos 15$_{30}$; G Βαιθηλ = בְּתוּל 19$_4$, בְּתוּאֵל

1C 4_{30}; Abel 2, 283, GTT § 317, 27, Noth Jos. 88.141, Rud. Chr. 38. †

כְּסִילוּת: I כְּסִיל; BL 505 o, Gulk. 51f: **Frechheit**, **Torheit** (THAT 1,837), אֵשֶׁת כְּ׳ Pr 9_{13}, e.törichtes Weib (GK § 128p) od. sec ctxt. „Frau Torheit" (§ 128k). †

I כסל: ar. *kasila* träge, impotent sein (WKAS K 193), nsy. (Maclean 136b); akk. *saklu* töricht, Held Fschr. Landsb. 406f:

qal: impf. יִכְסָלוּ: **töricht sein** (THAT 1,836) Jr 10_8. † Der. I, II כְּסִיל, כְּסִילוּת, II כֶּסֶל (?), כִּסְלָה; n.m. כִּסְלוֹן.

II כסל: ↗ I כֶּסֶל, III כְּסִיל, כִּסְלוֹן.

I כֶּסֶל: prim. n., Lende, Held Fschr. Landsbg. 401ff; akk. *ka/islu* (AHw. 486b; Held, Fschr. Landsberger 395 ff), ug. *ksl* (Aistl. 1357) auch Rücken (UT nr. 1280, CML 145a), mhe., md. (MdD 208a) Fleischfetzen; mhe. כָּסוּל m. deformierter Lende; ar. *kisl* d. Sehne d. zum Krempeln d. Wolle gebrauchten Bogens (WKAS K 194a): כֶּסֶל, כִּסְלֵךְ, כְּסָלִים, כְּסָלַי: — 1. **Lende**, (THAT 1,836), d. fetten Muskeln auf d. Nieren (G ψοαί) Lv $3_{4.10.15}$ 4_9 7_4 Ps 38_8 Hi 15_{27}; — 2. **Seite** (V *latus*, Dahood Greg. 43, 72f) Pr 3_{26}, ↗ nn.l. כְּסוּלוֹת, III כְּסִיל כִּסְלוֹן u. כִּסְלֹת תָּבוֹר; — 3. euphem. (cf. יָרֵךְ 1) **Geschlechtsteil** (ar. *kausalat* d. Eichel d. Penis WKAS K 194b) Sir 47_{19}. †

II כֶּסֶל Ⓑ, Ⓛ כֵּסֶל: v. I abgetrennt durch GB (:: Held l.c.: I כסל): — 1. a) **Zuversicht**, || מִבְטָח (cf. בטח I!) c. שִׂים u. בְּ Ps 78_7 Hi 8_{14} 31_{24}; b) (falsches) Selbstvertrauen Ps 49_{14} (al. cj כֶּסֶף); Pr 3_{26} (↗ I 2); — 2. **Dummheit** (I כְּסִיל) Koh 7_{25} (THAT 1,836). †

כִּסְלָה: f. v. II כֶּסֶל: כִּסְלָתֵךְ: **Zuversicht** Ps 85_9 Hi 4_6, cj Ps 84_6 (כִּסְלָתְךָ, Echter) 143_9 (pr. כִּסִּיתִי || תִּקְוָה). †

כִּסְלֵו: G Χασεηλου, Χε/ασελευ, V *Casleu*, inschr. χασλω, IEJ 19,98 f; mhe., äga. nab. כסלו, palm. כסלול (NE 298, Rosenth. Spr ↗ 89^4); Lw. < akk. *kislīm/wu* (AHw. 486a): Name d. 9. Monats, Nov./Dez. (BHH 1233) Zch 7_1 Neh 1_1. †

כְּסָלוֹן, G Χασλων: n.l. in Juda; I כֶּסֶל „(auf der) Lende" (Noth 146), = *Keslā*, 16 km w. Jerus. (Abel 2, 299, PJb. 24, 29f): Jos 15_{10}, = הַר יְעָרִים. †

כִּסְלוֹן: n.m.; I כסל „Schwerfällig" (Noth 227); ug. *Ksln* (UT nr. 1282): Nu 34_{21}. †

כַּסְלֻחִים, Sam.[M118] *Kaslā'em*, G Χασμωνιειμ: n.p. ign.; Ausgangspunkt d. פְּלִשְׁתִּים, S. v. מִצְרַיִם Gn 10_{14} u. 1C 1_{12} (dies eher trsp. ad כַּפְתֹּרִים, Rud. Chr. 6). †

כִּסְלֹת תָּבוֹר: n.l. in Zebulon; Jos 19_{12}, ? = כְּסֻלּוֹת Ⓑ כְּסוּלוֹת (:: Zorell) Jos 19_{18}. †

כסם: > כרסם; ug. *ksm* Abschnitt, Stück (Aistl. 1360, CML 145a, :: UT nr. 1283) ar. *kašama*, abschneiden (WKAS K 221 b); akk. *kasāmu* zerschneiden; ↗ גזם:

qal: impf. יִכְסְמוּ; inf. כָּסוֹם: (Haar) **stutzen** Ez 44_{20}. †

Der. כֻּסֶּמֶת.

כֻּסְּמִים Ez 4_9: ↗ כֻּסֶּמֶת.

כֻּסֶּמֶת, Sam.[M118] *kessāmet*, Hier. *chasamim* (Sperber 129); mhe., pl. כּוּסְמִין; ug. *ksm*, meist pl. *ksmn* (UT nr. 1283, Aistl. 1359), ? akk. *kismu* (AHw. 487a): כֻּסְּמִים: **Emmer**, *Triticum sativum*, Getreide m. gespaltenen Grannen (Hrozny 23f, Löw 1, 776ff, AuS 2, 246ff, Harrison 33) Ex 9_{32} Js 28_{25}, pl. Ez 4_9. †

כסס: mhe. u. ja.[b], ? sam. (BCh. 2, 493a) kauen, zählen; ihe. נכסתי nif. pf. hinter s. Pensum zurückbleiben (BiOr. 19, 5, 11), sy. verdauen, md. (MdD 221a) kauen, Stücke brechen; ar. *kss* zermalmen; akk. *kasāsu* kauen, nagen (AHw. 453b); Grdb. rechnend zerteilen:

qal: impf. תָּכֹסּוּ: c. עַל (שֶׂה) **anrechnen** auf Ex 12_4. †

Der. מֶכֶס u. מִכְסָה.

I *כסף: abbrechen, schneiden, ar. *kasafa* zerschneiden, abbrechen, akk. *kasāpu* in

Stücke brechen (Driv. WdO 2, 25f, Eilers ib. 2, 322f); Der. I כֶּסֶף (?).

II כסף: mhe. hif. blass, hell werden, ja. sich schämen, sam. begehren, > nass. *kuspu* Scham (AHw. 515a); ar. *kasafa* finster sein/dreinschauen:

qal: impf. יִכְס(וֹ)ף: **verlangen** nach c. לְ Ps. 17_{12} Hi 14_{15}. †

nif: pf. נִכְסַפְתָּה, נִכְסָפָה; inf. נִכְסוֹף; pt. נִכְסָף: — 1. **schmerzlich verlangen** nach c. לְ Gn 31_{30} Ps 84_{3}; — 2. גּוֹי לֹא נִכְסָף, G ἀπαίδευτον ohne Scham, nicht (durch Strafe) gebrochen, (al. ohne Trieb, Driv. WdO 2,26) Zef 2_{1}. †

Der. II כֶּסֶף.

I כֶּסֶף (ca. 400 ×), Sam.^{M118} *kāsef*: trad. II כסף ,,d. weisse Metall", (Forbes JbEOL 2, 493, Eilers WdO 2, 322f.465ff), ? I ,,das gebrochene" (sc. Geld); ar. *kisf* Stück; mhe., ja., sam. (BCh. 2, 488b) md. (MdD 199b) כַּסְפָּא, sy. *kespā*, akk. *kaspu* Silber; zunächst Beiwort, das dann d. Hauptwort verdrängt, wie akk. *ṣarpu* (CAD Ṣ 113b), ar. *fiḍḍat*: Forbes l.c. 489ff: כֶּסֶף, כַּסְפִּי, כַּסְפָּם, כַּסְפֵּנוּ, כַּסְפֵּיהֶם (BL 581.210f): Wertverhältnis zu זהב wechselnd, כ׳ וז׳ im ganzen älter, Hartmann SThU 28, 29ff, RLA 3, 512f: — 1. **Silber** als Metall: Zch 13_{9} Mal 3_{3} Pr 25_{4} Hi 28_{1}; — 2. als Werkstoff: Ez 27_{12}, כְּלֵי כ׳ Silberschmuck Gn 24_{53}, אֱלִילֵי כַסְפּוֹ s. silbernen Götzen Js 2_{20}, an Salomos Hof weniger wert als Gold 1K 10_{21}; — 3. allgemein **Geld**: כַּסְפֵּנוּ unser G. Gn 31_{15}, אֵין לוֹ כ׳ er hat kein Geld Js 55_{1a} u. בְּלֹא כ׳ unentgeltlich 55_{1b} (Barr CpPh. 153); בְּכ׳ für G. Dt 2_{28} Am 2_{6}; בְּכ׳ מָלֵא vollgewichtig, in vollem Betrag (akk. *ana kasap gamirti*, AHw. 278b) Gn 23_{9} 1C $21_{22.24}$; c. שָׁקַל Jr 32_{9}; 400 שֶׁקֶל כֶּסֶף 400 (Gewichtsstücke) Scheqel S. Gn 23_{15}, > אֶלֶף [שֶׁקֶל]כֶּסֶף 1000 Stück S. 20_{16}; c. מָנָה 2K 12_{11}; — 4. Versch.: pl. nichtgemünzte Silberstücke Gn $42_{25.35}$; כ׳ כִּפֻּרִים Sühngeld Ex 30_{16}; סִפְסֹפִים ↗ סִיגִים; ↗ זקק, צרף, נְטִיל*.

II כֶּסֶף: II כסף; aLw. in akk. *kusup libbi* (AHw. 515a): Scham, Enttäuschung, cj Hos 9_{6} (? al. מַחֲמַדֵּי כַּסְפָּם, ↗ Driv. WdO 2, 26, Rud. 172f). †

כָּסִפְיָא: n.l. ign. in Bab.? pl. z. äga. כספיא (BMAP 313a.158, AfO 17, 334; 18, 126) ,,Silberschmiede": כ׳ הַמָּקוֹם Levitensiedlung (↗ Rud. EN 83) Esr $8_{17a.b}$. †

*כֶּסֶת, כְּסָתוֹת (BL 610t), כִּסְּתוֹתֵיכֶנָה (BL 212k, dag. dir. u. 253y): gew. כסה, mhe. Polster; ? eher akk. Lw. v. *kasītu* Gebundenheit (AHw. 453a), *kasū* binden: **Binden** (Rabin Or. 32, 126²) für Zauber (Zimm. 296f) Ez $13_{18.20}$. †

כעס, älter *כעשׂ: mhe., äga. (DISO 125), ja.^{tg} sam. af. (BCh. 2, 496b) zürnen:

qal: pf. כָּעַס/עֶס; impf. אֶ/יִכְעַס; inf. כְּעוֹס: **unmutig sein** (THAT 1,838ff) Ps 112_{10} Koh 7_{9} (sich sorgen, ↗ pun., Dahood Bibl. 47, 272f) Neh 3_{33}, zürnen Ez 16_{42} 2C 16_{10} c. אֶל; — Koh 5_{16} l וְכַעַס. †

pi. (Jenni 68f.79.99): pf. כִּעֲסַתָּה (3 f. c. sf.), כִּעֲסוּנִי: **z. Unmut reizen** Dt 32_{21}, c. כַּעַס tief kränken 1S 1_{6}. †

hif. (Jenni 69f.99): pf. הִכְעִיס, הִכְעַסְתָּ, הִכְעִסוּנִי, הִכְעִיסוּ, וְהִכְעַסְתִּי; impf. וַיַּכְעֵס, יַכְעִסֻהוּ, תַּכְעִסֶנָּה, תַּכְעִיסוּ; inf. הַכְעִיס, הַכְעִ(י)סֵנִי (Jr 25_{7Q}); pt. מַכְעִ(י)סִים: — 1. **kränken** (Menschen) 1S 1_{7} (↗ pi.), beunruhigen (Gott d. Völker) Ez 32_{9}; — 2. beleidigen, **z. Zorn reizen** (Gott): Dt 4_{25} 9_{18} 31_{29} $32_{16.21}$ Ri 2_{12} 1K $14_{9.15}$ 15_{30} $16_{2.7.13.26.33}$ 22_{54} 2K $17_{11.17}$ 21_{6} (l לְהַכְעִיסוֹ)$._{15}$ 22_{17} 23_{19} (ins. אֶת־י׳)$._{26}$ Js 65_{3} Jr 7_{18f} 8_{19} 11_{17} 25_{6f} $32_{29f.32}$ $44_{3.8}$ Ez 8_{17} 16_{26} Ps 78_{58} 106_{29} 2C 28_{25} 33_{6} 34_{25} Sir 31_{6}; c. כַּעַס 1K 21_{22} u. c. תַּמְרוּרִים Hos 12_{15} bitter kränken; c. לְנֶגֶד Neh 3_{37} (? l בְּנְיָנָם pr. הַבּוֹנִים). †

Der. כַּעַשׂ, כַּעַס.

כַּעַס, ↗ כַּעַשׂ (älter): כעס: mhe. ja.^{g} כַּעֲסָא; כַּעַס, כַּעְסוֹ, כַּעְסוֹ/סִי, כַּעַסְךָ, כְּעָסִים;

Scharbert Schm. 32f: — 1. (Menschen): a) **Unmut** 1S 1_{16} Ps 6_{8} 10_{14} (עָמָל וְכ׳) 31_{10} Hi 5_{2} 6_{2} 17_{7} Pr 12_{16} 17_{25} 21_{19} 27_{3} Koh 1_{18} 2_{23} cj 5_{16} (l וְכַעַס, V *in curis* Sorge, ↗ qal), Koh $7_{3.9}$ 11_{10}; b) **Kränkung** 1S 1_{6} (c. כעס pi.); — 2. Gottes a) **Unmut** (THAT 1,840) 1K 15_{30} u. 21_{22} (c. כעס hif.), Dt $32_{19.27}$ Ps 85_{5} Hi 10_{17}, כַּ׳ קָרְבָּנָם d. mir widerwärtigen Gaben Ez 20_{28}; b) pl. **Kränkungen** 2K 23_{26}. †

כַּעַשׂ: כעשׂ, ↗ כַּעַס: כֶּעַשׂ, כַּעְשִׂי, כַּעַשְׂךָ: **Kummer** Hi 5_{2} 6_{2} 17_{7}; (Gottes) **Unmut** 10_{17}. †

כַּף (ca. 200 ×; ↗ II אַף), Sam.[M119] *kaf*, *kabb*-: ältereAusspr. *kapp* vorausgesetzt durch grie. καππα, > *kap/f* (Harris Dev. 76, § 59, G χαφ, Nöld. BS 124ff); mhe. ja., sam. (BCh. 2, 487; auch Arm, Fussohle, Hüftpfanne) sy. md. (MdD 200a) כַּפָּא; ug. *kp*, pl. *kpt* (UT nr. 1286, Aistl. 1364), ar. *kaff*, äth. *kaf*, äg. *kp*, (NPCES 136f), kopt. *ḫop*; akk. *kappu* (AHw. 444b, Holma NKt. 117f): כֶּף, כַּפִּי, כַּפְּךָ/פֶּכָ(ה), כַּפַּיִם, כַּפֵּי, כַּפַּי, כַּפּוֹת, כַּפֵּימוֹ (Hi 27_{23}, BL 253[1]), כַּפֵּיהֶם, כַּפֹּתָיו, fem. (ZAW 16, 73ff, wie sy.): — 1. **die hohle, ausgebreitete Hand** (:: יָד als Glied, aber oft ||) כַּף שְׂמָאלִית Lv 14_{15}, כַּף פַּרְעֹה Gn 40_{11}; כַּפּוֹת יָד 1S 5_{4} 2K 9_{35} Da 10_{10}, בְּכַפּוֹ in d. (hohlen) Hand Ex 4_{4} Js 28_{4} (cj בַּכִּפָּה, Seeligm. VT 11, 211); פָּרַשׂ כַּפַּיִם אֶל die Handflächen, offenen Hände ausbreiten, ausstrecken zu = beten Ex 9_{29}, נָשָׂא erheben Kl 3_{41} (l עַל pr. אֶל); מְלֹא כַף Handvoll 1K 17_{12}; בְּכַפּוֹ Stab Ex 4_{4}, Frucht Js 28_{4} etc., נָשָׂא עַל־כַּפַּיִם Ps 91_{12}, שִׂים נַפְשׁוֹ בְכַפּוֹ s. Leben (in Gefahr) in d. Hände nehmen = s. Leben wagen Ri 12_{3} Hi 13_{14} (↗ Hölscher 37, Horst 201), נַפְשִׁי בְכַפִּי = ich bin in Gefahr Ps 119_{109}; — 2. wie יָד **d. ganze** (abgeschnittene) **Hand** (↗ ug., äg. *Kp* EG 5, 118) Dt 25_{12} Ri 8_{6} (cj אַף, BH); Gottes Hi 13_{21} (↗ *אֶכֶף 33_{7} || cj אַמָּה); ? cj. Jr 2_{34} (c.S.pr. כְּנָפַיִךְ); — 3. trop. בּוֹא בְכַף in jmds Gewalt geraten Pr 6_{3}; retten מִכַּף 1S 4_{3} 2S 14_{16}; הַרְחִיק כַּף Hi 13_{21}; מָחָא כַף Js 55_{12} Ps 98_{8} u. הִכָּה כַפּוֹ 2K 11_{12} Ez 22_{13} u. הִכָּה כַף עַל־כַּפּוֹ 21_{22} in d. Hände klatschen; שִׂים כַּף עַל־פֶּה Hi 29_{9}; תָּקַע כַּף (beim Handel) Handschlag geben (↗ יָד 3 c. נָתַן) Pr 6_{1} (l sg.) 17_{18} 22_{26}; תָּקַע כַּף in d. Hände klatschen Ps 47_{2} (Freude), Nah 3_{19} (Schadenfreude); שָׂ/סָפַק כַּפַּיִם apotropäisch Nu 24_{10} Hi 27_{23} Kl 2_{15}; שָׂכַךְ כַּפַּיִם עַל (Gott) schützend verflechten über Ex 33_{22}; — 4. a) כַּף רֶגֶל **Fussohle** (ar. Füsschen d. Eidechse, Tatze d. Löwen, WKAS K 242; cf. äg. NPCES 136) Dt 2_{5} Jos 3_{13} (Priester) Gn 8_{9} (Taube), הֹלֵךְ עַל־כַּפַּיִם was auf Sohlen geht Lv 11_{27}; מִכַּף רַגְלוֹ וְעַד־קָדְקֳדוֹ Hi 2_{7}, מִכַּף רֶגֶל וְעַד־רֹאשׁ Js 1_{6}; pl. כַּפּוֹת רַגְלַיִם 60_{14}; כַּף פְּעָמַי m. Fussstapfen 2K 19_{24}; — 5. metaph. einer (hohlen) Hand ähnliche Gegenstände (fem. pl., GK § 87 o; Dho. EM 150; auch akk. ar.): a) כַּפּוֹת הַמַּנְעוּל Griff (cf. יָדוֹת, :: Lex.[1]: Vertiefung d. Türriegels) HL 5_{5}; כַּף הַיָּרֵךְ Hüftpfanne Gn 32_{26}; כַּף הַקֶּלַע Schleuderpfanne 1S 25_{29}, ar. *kiffat* Pfanne d. Wurfmaschine (WKAS K 243a); b) כַּף metallene **Schale** (ug. ar. Wagschale WKAS K 243a) Ex 25_{29} Nu $7_{14.84.86}$ 1K 7_{50} Jr 52_{18}, urspr. handförmig (Kelso § 47, BA 4, 30, akk.; Wright 140: Löffel); כַּפּוֹת־תְּמָרִים Lv 23_{40} ↗ כִּפָּה.

***כֵּף**: mhe., ja. sam. (BCh. 2, 651a) sy. md. (MdD 215b) כֵּיפָא, pehl. Hatra (DISO 118.125), n.m. כפא BMAP, = Κηφᾶς NT; akk. *kāpu* (AHw. 445a), lib.-ar. ↗ Lex.[1]; aLw 130: כֵּפִים: **Fels** Jr 4_{29} Hi 30_{6} Sir 40_{14}. †

כפה: mhe. umkehren, umlegen, zwingen, ja. zwingen ja.[gbt(!)] cp. sy. md. (MdD 208b) krümmen, beugen, umstürzen, sy. md. auch כוף u. ↗ כפף (u.ja.[tb]); ar. *kfj* II, *kafaʾa* niederbeugen; akk. *kepū* beugen (AHw. 467b):

qal: impf. יְכְפֶּה: **beschwichtigen**, (Zorn) abwenden Pr 21$_{14}$ (:: Gemser 113: befriedigen, ug. [Aistl. 1365], soq.). †

כִּפָּה u. *כַּפָּה: כפף; mhe. pl. כיפין Palmzweig; ja.^{b} pl.; > κάπος, Hesych (Mayer 340): כַּפּוֹת: **Stocksprosse** d. Schilfs (Löw 1, 666f) Js 9$_{13}$ u. 19$_{15}$ (:: אַגְמוֹן) Hi 15$_{32}$, pl. **Palmwedel** Lv 23$_{40}$, T לוּלָבִין (Nestle ZAW 25, 363f), ? cj Js 28$_{4}$ בְּכִפָּה pr. בְּכַפּוֹ (Seeligm. VT 11, 211). †

I כְּפוֹר: ja.^{t} כפורא; sy. *kāfartā* u. tigr. (Wb. 426a) *kafar* Korb, ar. *kawāfir* Krüge: kleine metallene **Schale**, nach-exil. Synonym zu סַף (Kelso § 48), v. זָהָב Esr 1$_{10}$ 8$_{27}$ 1C 28$_{17}$, v. כֶּסֶף Esr 1$_{10}$ 1C 28$_{17}$. †

II כְּפוֹר (3×) u. I כְּפֹר (2×), Sam.^{M119} *kūfar*: I כפר; mhe. כִּיפוֹר ja.$^{g(?,1x)}$: Belag, **Reif** AuS 1, 230, Reymond 28) Ex 16$_{14}$ Ps 147$_{16}$ Hi 38$_{29}$ (כְּ׳ שָׁמַיִם) Sir 3$_{15}$ 43$_{19}$. †

כָּפִיס: mhe. Balken (Mi. Baba b. I Halbziegel, Mi. Kaufmann קְפֵסִים), 1QpHab 10$_{1}$ Hod 6,26.36; ph. הכפס Stuckateur ? (DISO 125, KAI II 66): **Sparren** כָּ׳ מֵעֵץ, || אֶבֶן מִקִּיר ? e. Sparren aus d. Gebälk (:: Budde OLZ 34, 411 cj עֵץ מִכָּ׳) Hab 2$_{11}$. †

כְּפִיר: II כפר: כְּפִירִים, כְּפִירַיִךְ: **Jungleu** (sucht selber sein Futter, kenntlich an d. Mähne); ph. n.m. כפר (PNPhPI 132.334): שָׁאַג Ri 14$_{5}$ Js 31$_{4}$ Jr 2$_{15}$ 51$_{38}$ Zch 11$_{3}$ Ps 104$_{21}$, lernt Beute machen Ez 19$_{3}$; כְּ׳ אֲרָיוֹת Ri 14$_{5}$; כְּ׳ גּוֹיִם Jungleu d. Völker (Eph. 1, 235, Zimm. 767f) Ez 32$_{2}$; ↗ Js 5$_{29}$ 11$_{6}$ 31$_{4}$ Jr 25$_{38}$ (l כְּפִיר) Ez 19$_{2.5f}$ 41$_{19}$ Hos 5$_{14}$ Am 3$_{4}$ Mi 5$_{7}$ Nah 2$_{12.14}$ Ps 17$_{12}$ 35$_{17}$ 58$_{7}$ 91$_{13}$ Pr 19$_{12}$ (? pr. נַהַם כַּכְּפִיר urspr. כַּכְּפוֹר wie Reif, ↗ Gemser 112) 20$_{2}$ 28$_{1}$ Hi 4$_{10}$ 38$_{39}$ Sir 47$_{3}$; כפיר החרון 4QpNah 5 (↗ Maier 2, 162); — Ez 38$_{13}$ l רֹכְלֶיהָ; Ps 34$_{11}$ l כַּבִּירִים; Neh 6$_{2}$ ↗ כְּפִירִים. †

כְּפִירָה: הַכְּפִירָה n.l. in Benj.; ↗ כָּפָר, I כֹּפֶר; *ch. kefîre* 7 km. w. גִּבְעוֹן, Garstang JJ 369, T. 71, Abel 2, 298, GTT § 327; ? cf. ^{SAL}NIN.UR.MAḪ^{meš} „Herrin" der Löwen, EA 273,4; 274, 4 (Albr. BASOR 89, 112ff): Jos 9$_{17}$ 18$_{26}$ Esr 2$_{25}$ Neh 7$_{29}$. †

כְּפִירִים: Neh 6$_{2}$ בַּכְּ׳; oft c. Q^{or} GV cj בַּכְּפָרִים (: I כֹּפֶר) = in einem d. Dörfer; eher n.l. ign. ↗ GTT § 1060, Rud. EN 134 (:: mit d. Löwen = Prinzen, Schiemann VT 17, 367ff). †

כפל: mhe. ja., sam. (BCh. 2, 489b) nsy. (Maclean 137a), ar. verdoppeln; Grdb. teilen; äth. tigr. (Wb. 425b) tigrin. amh.; Nöld. NB 97: כפל verdoppeln denom.:

qal: pf. כָּפַלְתָּ; pt. כָּפוּל: **doppelt legen** Ex 26$_{9}$ 28$_{6}$ 39$_{9}$. †

nif: impf. תִּכָּפֵל: **verdoppelt werden** Ez 21$_{19}$. †

Der. כֶּפֶל, n.t. מַכְפֵּלָה.

כֶּפֶל: mhe. doppelt, ug. *kpl*; nab. (DISO 125), ja.^{tb} כיפלא, GnAp. XXII 29 כפלין, cp. כפלא d. Doppelte, md. (MdD 200a.209a) *kapla* u. *kupla* Hinterbacken, Lende; Grdb. (gleicher) Teil, ar. *kifl*, äth. *kefl*, tigr. (Wb. 425b); Nöld. NB 97f, Barth Fschr. Nöld. 793: du. כִּפְלַיִם: — 1. **Doppel** Hi 41$_{5}$ (l סִרְיוֹן G) Doppelpanzer; — 2. du. **das Doppelte** Js 40$_{2}$ (vRad ZAW 79, 80-2: Aequivalent) Sir 26$_{1}$; — Hi 11$_{6}$ l כִּפְלָאִים (פֶּלֶא). †

כפן: ija. (DISO 125) ja. cp. sy. md. (MdD 221a) hungern; aLw. 132; od. eigene √?:

qal: pf. כָּפְנָה: (Wurzeln) c. עַל **hindrehen** (|| שלח, Zimm. 374) Ez 17$_{7}$. †

Der. כָּפָן.

כָּפָן: כפן; äga. (DISO 125), ja., sam. BCh. 2, 549b, pr. עיף ↗ Ku. LJs. 183 sy. כַּפְנָא, md. (MdD 209a) כופנא; ? aLw. 133: **Hunger** Hi 5$_{22}$ 30$_{3}$ (|| חֶסֶר). †

כפף: ↗ כפה; mhe. ja.$^{tb(?)}$ cp. sy. md. (MdD 208b כוף); ar. *kff* X sich zusammenrollen, äth. (Lesl. 27): biegen, beugen; akk. *kapāpu* beugen (AHw. 442a); ? aLW. 133:

qal: כָּפַף (s.u.), inf. כֹּף pt. כְּפוּפִים: (d. Kopf) **beugen** Js 58$_{5}$, c. נֶפֶשׁ bedrücken Ps 57$_{7}$ (pr. כָּפַף: ? l כָּפַף, Dahood Gregor.

43, 66), cj 69$_{11}$ (וְאָכֹּפָה, Mow.); pt. gebeugt Ps 145$_{14}$ 146$_{8}$. †

nif: impf. אִכַּף: **sich beugen** vor לְ Mi 6$_{6}$. †

Der. כַּף, כִּ/כִּפָּה.

I **כפר**: mhe. pi. sühnen, ja. pa.; ja.^{tb} sy. abwischen; cp. sy. verweigern; mhe. ja. pe. (u.pa.?) cp. sy. md. (MdD 221b) ab/verleugnen ↗ כָּפָר; asa. ar. *kafara* zudecken (WKAS K 261), undankbar sein, II sühnen, abbüssen, akk. *kapāru* (AHw. 442b) abwischen, *kuppuru* kultisch reinigen, *kupartu* Sühne aLw. (Or. 35, 13); lib. (ZA 50, 134); Grdb. bedecken, cf. כִּסָּה עַל עָוֹן Neh 3$_{37}$, Ped. Isr. 3/4, 359ff, Stamm, Erlösen u. Vergeben, 1940, 61f, Lex.[1]; al. abwischen, GB, Zorell, Ku.; denom. v. כֹּפֶר m. Pech überziehen, Jenni 241; ↗ BHH 2081f:

qal: pf. וְכָפַרְתָּ: c. כֹּפֶר überstreichen = **verpichen** Gn 6$_{14}$ :: denom. v. II כֹּפֶר (GB, Kö, cf. sy. קפר pa., akk. *kapāru* II m. Asphalt übergiessen; AHw. 443a). †

pi: pf. כִּפֶּר (BL 329h), כִּפַּרְתָּה, כִּפַּרְתֶּם; impf. אֲ/יְכַפֵּר, אֲכַפְּרָה, יְכַפְּרֶנָּה, תְּכַפְּרֵם; imp. כַּפֵּר, inf. כַּפֵּר, כַּפְּרִ/רָה, כַּפֶּרְךָ: älteste Stellen Gn 32$_{21}$ u. Ex 32$_{30}$; ↗ Koehler Th. § 55, Eichr. 2, 308ff, THAT 1,842ff: — 1. älterer Sprachgebrauch: a) כִּפֶּר פָּנָיו בְּ jmds Gesicht (m. Gabe) bedecken = **freundlich stimmen** Gn 32$_{21}$; b) כִּפֶּר בְּ bedecken mit etw. = **gut machen** 2S 21$_{3}$ (:: 3e); c) c. acc. Unheil zudecken, abwenden Js 47$_{11}$; d) כִּפֶּר בְּעַד חַטָּאת **Sühne schaffen** Ex 32$_{30}$; e) c. עַל S. bewirken für jmd Ez 45$_{15}$, c. בְּעַד 45$_{17}$; f) c. acc. Priester **entsühnen** (d. Altar, Tempel) Ez 43$_{20.26}$ 45$_{20}$; g) c. לְ (Gott) deckt zu zugunsten, rechnet nicht an Dt 21$_{8}$ Ez 16$_{63}$ (↗ לְ 19 hinsichtlich); h) (Gott) entsühnt durch נָקָם Dt 32$_{43}$ (l אַדְמַת); i) c. עַל (Gott) deckt S. zu, sodass keine Strafe nötig wird Jr 18$_{23}$; — 2. Sprachgebrauch in P: a) ausführlich: der Priester כִּ׳ בְּ schafft Sühne durch e. Opfer לִפְנֵי י׳ בְּעַד חַטָּאתוֹ Lv 19$_{22}$; b) verkürzt: כִּ׳ עַל jmdm **Sühne schaffen** (THAT 1,845ff) Lv 4$_{20}$-23$_{28}$ (13 ×) Nu 5$_{8}$-29$_{5}$ (14 ×), עָלָיו für sich selber Lv 1$_{4}$, für e. Sache 14$_{53}$ 16$_{16}$, c. מִן für 4$_{26}$ 5$_{6.10}$ 14$_{19}$ 15$_{15.30}$ 16$_{34}$ Nu 6$_{11}$, c. עַל in betreff Lv 4$_{35}$ 5$_{13.18}$ 19$_{22}$; c. לִפְנֵי י׳ Lv 5$_{26}$ 10$_{17}$ 14$_{18.29.31}$ 15$_{15.30}$ 19$_{22}$ 23$_{28}$ Nu 31$_{50}$; c) עַל־הַמִּזְבֵּחַ am A. Sühne schaffen Ex 29$_{36f}$ 30$_{10}$ Lv 8$_{15}$ 16$_{18}$, עַל קַרְנֹתָיו Ex 30$_{10}$, עַל־נַפְשׁוֹ für Ex 30$_{15f}$ Lv 17$_{11}$ Nu 31$_{50}$, c. בְּ durch (Opfer) Lv 5$_{16}$ 7$_{7}$ 19$_{22}$ Nu 5$_{8}$, c. בְּעַד für jmd Lv 9$_{7}$ 16$_{6.11.17.24}$; c. acc. Lv 16$_{20.33}$; d) abs. Sühne schaffen Lv 6$_{23}$ 16$_{27.32}$; e) כִּ׳ בַּנֶּפֶשׁ Blut schafft durch die Seele in ihm Sühne Lv 17$_{11}$; — 3. der spätere Sprachgebrauch: a) Mensch: zudecken = **abwenden** חֵמָה Pr 16$_{14}$, עָוֹן durch Strafe **sühnen** Da 9$_{24}$; c. עַל S. schaffen für Neh 10$_{34}$ 1C 6$_{34}$ 2C 29$_{24}$; b) Gott deckt Schuld zu = **vergibt** (THAT 1,851) c. acc. Ps 65$_{4}$ 78$_{38}$, c. עַל 79$_{9}$, c. בְּעַד 2C 30$_{18}$, lässt straffrei 2C 30$_{18}$ (l בְּעַד כֹּל). †

pu: pf. כֻּפַּר; impf. יְכֻפַּר, תְּכֻפָּר: — 1. der Strafe entzogen, **gesühnt werden** Js 6$_{7}$ (חַטָּאת), 22$_{14}$ u. Pr 16$_{6}$ (עָוֹן), c. בְּ mittelst Ex 29$_{33}$ Js 27$_{9}$, c. לְ hinsichtlich Nu 35$_{33}$; — 2. zugedeckt, **aufgehoben werden** (בְּרִית) Js 28$_{18}$ (1QJs^{a} וכפר pi. Wbg-M. JSSt. 3, 260 :: Driv. JThSt. 34, 34ff, JSSt. 13, 60). †

hitp: impf. יִתְכַּפֵּר: **sich sühnen lassen** 1S 3$_{14}$. †

nitp: pf. וְנִכַּפֵּר, < *nitk. (Bgstr. 2, 108b Mf., BL 283s contam.): **gesühnt werden** Dt 21$_{8}$. †

Der. IV כֹּפֶר, כִּפֻּרִים, כַּפֹּרֶת, I כְּפוֹר.

II ***כפר**: sich (m. Mähne) bedecken, ar. *ǧafara* wachsen, *ǧafr.* 4 monatiges Lamm (Blau VT 5, 342). Der. II כְּפִיר.

*כָּפָר oder *כְּפַר (BL 580s): mhe., aam. u. jaud. כפר (DISO 126), asa. *kpr* (Conti 170a), akk. *kapru* (AHw. 444b, RépM. 211), ja.[t] כַּפְרָנַיָּא (pl.!), sam. (BCh. 2, 586b) sy. כַּפְרָא > ar. *kafr* (Frae. 281, WKAS K 264) Dorf; > *kāfir* Ungläubiger, eig. Dörfler (WKAS K 267, HwbIsl. 253f, cf. *paganus* > *païen*) od. (Schuld) bedecken > leugnen, cp. sy. md. (MdD 200a) *kafūrā* Ungläubiger, soq., türk. *giaur*, rotw. *kefar* (verdrängt durch *kaff*, Wolf nr. 2405, 2544) u. „Kaffer" (Lokotsch nr. 992); aLw. 134/5; I כֹּפֶר: cs. (BL 574) כְּפַר, כְּפָרִים: **offenes Dorf** (:: עִיר, חָצֵר) 1C 27_{25}, ↗ כְּפִירִים Neh 6_2; ↗ כְּ׳ הָעַמֹּנִי. †

כְּפַר הָעַמֹּנִי, Q ־נָה: „Ammoniterdorf", in Benjamin, ign. (Kuschke Fschr. Hertzb. 108) Jos 18_{24}. †

I כֹּפֶר: mhe. adj. כְּ/כָּפְרִי: = כָּפָר mhe.[1] כופר (1 MS z. MiGitt 1,1), ja.[g] כופרניא (pl.); ↗ כֹּ׳ הַפְּרָזִי (:: עִיר מִבְצָר), **offenes Dorf** 1S 6_{18}. †

II כֹּפֶר, Sam.[M119] *kāfar*; ↗ כפר Qal; ja.[tb] sy. (auch m. *q*. denom. קפר pa.) כּוּפְרָא. > ar. *kufr* (WKAS K 265) u. *qafr* (Frae. 150); < akk. *kupru* Erdpech u. Asphalt (AHw. 509a): **Erdpech**, für d. Arche Gn 6_{14}; ↗ חֵמָר. †

III כֹּפֶר: ? ug. *kpr* (Aistl. 1369, CML 146a :: Ulld. JSSt. 7, 347); mhe., ja.[t] *כּוּפְרָא, sam. pr. קנמון (BCh. 2, 586b), sy. *kufra*, > Κύπρος, *cyprus*, Cyperblume (Mayer 323, Masson 52f, BHH 2252), > kopt. *kopr*, nub. *kofrē* Vycichl ZÄ Spr. 76, 80; כפר durch Färben beschmieren: כְּפָרִים; **Henna** (Löw 2, 220. 227, ZS 1, 136ff, AuS 2, 301.353), Blütenstand e. Strauches m. aufwärts gerichteten Trauben; in Palästina noch wild; Färberpflanze, m. d. man Haare, Nägel, Finger u. Zehen orangegelb färbt; אֶשְׁכֹּל כֹּ׳ HL 1_{14}; pl. H.-Sträucher 4_{13} 7_{12} (Vrs. pl. v. I od. *כָּפָר, ↗ Rud. HL 175). †

IV כֹּפֶר, Sam.[M119] *kūfar*: כפר pi. 2; ja[b] (<he. ?) כופרא Sühnegeld; G λύτρα, ἐξίλασμα, ἄλλαγμα, ἀνταλλάγματα, περικάθαρμα: Deckung, Gutmachung: — 1. **Bestechungsgeld** 1S 12_3 Am 5_{12}; || שֹׁחַד Pr 6_{35}, ↗ נשׂא 5b, Sir 46_{19} (↗ נַעַל), — 2. **Lösegeld** um drohender Strafe zu entgehen Ex 21_{30} 30_{12} (Speiser BASOR 149, 21f) Nu 35_{31f} Ps 49_8 Pr 13_8 21_{18} Hi 33_{24} 36_{18}, zur Befreiung Js 43_3. †

כִּפֻּרִים: I כפר; pltt. mhe. כִּ׳ (יוֹם) u. ja. auch sg., Gulk. 20[2]: — 1. **Sühnehandlung** Ex 29_{36} $30_{10.16}$ Nu 5_8 29_{11}; — 2. יוֹם כִּפֻּרִים, mhe. יוֹם הַכִּפּוּרִים u. ja. (דכפורי ja.[b]) יוֹמָא דְּכִפּוּרַיָּא: d. **Versöhnungstag**, P, ↗ MiJom, Ell. Lev. 309f. 318ff, de Vaux Inst. 2, 415ff, BHH 2098: Lv 23_{27f} 25_9. †

כַּפֹּרֶת, Sam.[M119] *kibbāret*: I כפר, BL 607d; ↗ IV כֹּפֶר; mhe., ja. כָּפ/פּוֹרְתָא, sam. (BCh. 2, 493b, ? > ar. *kaffārat* (WKAS K 266): **Sühneleistung**; > jiddisch *kapores gehen* (Littm. MW 54, Lokotsch nr. 1068); G ἱλαστήριον u. 1C 28_{11} ἐξιλασμός; 27 × in P.; d. goldene Deckplatte d. Ladekastens, darauf die 2 Keruben Ex 25_{17-22}; ↗ Ped. Isr. 3/4, 246ff; Luthers „Gnadenstuhl": „Gnadenthron" (Rud., Echter, Galling) als Sühngerät (כֹּפֶר !) od. „Kerubenthron" (HSchmidt, Fschr. Gkl 1, 120ff. Mow, VT 12, 297): Ex 26_{34} 30_6 31_7 35_{12} 37_{6-9} 39_{35} 40_{20} Lv $16_{2.13-15}$ Nu 7_{89}; בֵּית הַכַּ׳ Raum f. d. כַּ׳, = d. Allerheiligste 1C 28_{11}. †

כפשׁ: Nf. v. כבשׁ: mhe. umkehren (e. Gefäss), mhe.[2] niedertreten; EA *kab/pāšu* treten (Böhl Spr. § 9c; kan. ?) akk. *kabāsu* (AHw. 415a), ? dazu ug. *kpṯ* Erde (:: *šmm* Himmel, UT nr. 1291a, Dahood Bibl. 46, 331):

hif: pf. הִכְפִּישַׁנִי: **niedertreten** Kl 3_{16}. †

I כַּפְתּוֹר, Ⓑ כַּפְתֹּר Dt 2_{23}, Sam.[M120] *Kaftar*: ug. *Kptr* (UT nr. 1291; AfO 20, 213b, Aistl. 1371), *Kaptaru* (BASOR 139, 17), *Kapturu* (Fschr. Ldsbg. 365) Sitz d. Schmiedegottes *Kṯr*, (Hartmann: De herkomst v. d. goddelijke ambachtsman, 1964, 13ff, WbMy 1, 295f), *Kaptara* in Mari, Astour 327; äg. *Kftj(w)* < *Kftjw-r*;

G Καππάδοκες / δοκία Dt 2$_{23}$ Am 9$_{7}$ u. MSS Jr 47$_{4}$, = כפתוך GnAp XXI 23 pr. אלסר Gn 14$_{1.9}$, ↗ Yadin GnAp 34, Fitzm. GnAp 142f, Wainwright VT 6, 199ff; 9, 73ff, JPrignaud RB 71, 1964, 215ff; = *Cilicia Tracheia* Alth.-St. AmSpr. 215f,: Kreta (in d. ägäischen Inselwelt, Albr. JPOS 1, 187ff, Hölscher Erdk. 52, GTT § 46, BHH 931: Sitz d. ↗ כַּפְתֹּרִים, Ursprungsland d. פְּלִשְׁתִּים Am 9$_{7}$ u. Jr 47$_{4}$ (שְׁאֵרִית אִי כ׳, 2QJr fragm., DJD III 65: איי כפתור wie S T) u. Gn 10$_{14}$ (אֲשֶׁר יָצְאוּ מִשָּׁם פְּלִשְׁתִּים trsp. post ↗ כַּפְתֹּרִים, Rud. Chr. 6). †

II כַּפְתּוֹר Am 9$_{1}$, sonst כַּפְתֹּר, Sam.[M120] *Kaftar*; w. abab. *Kaptaru* (AHw. 445a) „Kaptar-Blume" = „Kreta-Wacholder", knopfartige Baumfrucht u. entsprechende Zierat: כַּפְתֹּרֶיהָ/רֵיהֶם: — 1. **Knauf d. Leuchters** Ex 25$_{31.33.34.36}$ 37$_{17.19.22}$; — 2. **Säulenkapitäl** (BHH 932) Am 9$_{1}$ Zef 2$_{14}$. †

*כַּפְתֹּרִי, כַּפְתֹּרִים, Sam.[M120] *Kaftārem*, G Χαφθοριμ: gntl. v. I כַּפְתּוֹר; Mari *Kaptarū / rītu* (Syr. 20, 111f): **Kreter** Gn 10$_{14}$ Dt 2$_{23}$ 1C 1$_{12}$. †

I כַּר: II כרר, BL 453w; hüpfen, Eil. WdO. 3, 132; ug. *kr*, akk. *ki/erru* Lamm, lib. ↗ ZA 50, 134: כָּרִים, Sam.[M120] *kirrem*: — 1. (junger) **Widder** (als Schlachtvieh) Dt 32$_{14}$ 1S 15$_{9}$ 2K 3$_{4}$ Js 16$_{1}$ (l כָּרִים לְמֹשֵׁל) 34$_{6}$ Jr 51$_{40}$ Ez 27$_{21}$ 39$_{18}$ Am 6$_{4}$, cj (כִּכְּרִים) Js 14$_{30}$; — 2. Widder als **Sturmbock** (lat. *aries*, ar. *kabš*, Meissner BuA. 1, 109f, Waschow 57ff) Ez 4$_{2}$ 21$_{27}$; ↗ n.l. בֵּית כָּר (בַּיִת B 22). †

II כַּר: ? akk.-sum. *kirû* Baumpflanzung (Zimmern 40f, AHw. 485a): כָּרִים: **Weidegrund**: כַּר נִרְחָב Js 30$_{23}$; לָבְשׁוּ כָרִים הַצֹּאן Ps 65$_{14}$ bekleiden sich m. cj חָצִיר (↗ לבש) 37$_{13}$, כִּיקַר כָּרִים (יֹאבְדוּ אֹיְבֵי י׳) wie kostbare Auen od. (↗ I) Lämmer (?) Ps 37$_{20}$, 4QpPs 37 כיקוד כורם „wie Ofenbrand" יְקוֹד u. כּוּר, ↗ Stegemann RQ 14, 251. 263[159]; ↗ כְּרֹת. †

III כַּר: I כרר, BL 453w; mhe. Polster, ja.[t(1x)] כָּרָא; ar. *kūr* (WKAS K 429a) Kamelsattel: כַּר(הַגָּמָל) **Satteltasche** Gn 31$_{34}$. †

כֹּר: mhe., äga. כרא (DISO 126); ba. ja. sy. (auch *kūra* PSmith 1713), md. (MdD 209a) > ar. *kurr* (Frae. 207, Mass v. 6 Esellasten, WKAS K 106a); > κόρος (Lewy Fw. 116); Lw. < akk. *kur(r)u* < sum. *gur* (AHw. 511b, Meissner Btr. 1. 49): כֹּרִים: **Kor**, Hohlmass: — 1. für Trockenes, = חֹמֶר, zw. 350 u. 400 l, BRL 367, de Vaux Inst. 1, 303ff, Noth Kge 76 :: ca. 450l, Milik Bibl. 40, 985ff: 1K 5$_{2.25}$ (pr. כֹּר² G בַּת ↗ Noth 86f. s.u. 2.) Js 57$_{8}$ (l וַתִּכְרִי כֹר וְלֶתֶךְ Lex.[1]), pl. 2C 2$_{9}$ 27$_{5}$; später als כּוֹר (בֵּית) auch Flächenmass, wo 1 Kor Samen Aussaat nötig ist (Lv 27$_{16}$ u. Js 5$_{10f}$, חֹמֶר, Ellbg. 91f); — 2. f. Flüssigkeiten: Öl (Milik l.c.) 1K 5$_{25}$ (Noth 92; s.o.) u. Ez 45$_{14}$ (txt ?). †

כרבל: denom. v. ba. *כַּרְבְּלָה; mhe. כרבלת, Hahnenkamm, ja.[b] auch e. Gewand; aLw. 167:

pu: pt. מְכֻרְבָּל: **eingehüllt** 1C 15$_{27}$. †

I כרה: mhe. כְּרִיָּה d. Graben, pun. (DISO 127), ja.[tb] md. (MdD 222b); asa. ar. *krw* einem Fluss e. Bett graben, äth. *karaja*:

qal: pf. כָּרָה, כָּרִיתָ, כָּרוּהָ; impf. יִכְרֶה, וַיִּכְרוּ; pt. כֹּרֶה: **aushöhlen, graben**: Brunnen Gn 26$_{25}$ Nu 21$_{18}$, Zisterne Ex 21$_{33}$ Ps 7$_{16}$, Grube Jr 18$_{20.22}$ Ps 57$_{7}$ 119$_{85}$ Pr 26$_{27}$, Grab Gn 50$_{5}$ 2C 16$_{14}$, Ohren Ps 40$_{7}$; — Pr 16$_{27}$ l כּוּר Ofen (Gemser). †

nif: impf. יִכָּרֶה: **gegraben werden** (Teich) Ps 94$_{13}$ Sir 50$_{3}$. †

Der. n. fl. כְּרִית.

II כרה: mhe. nur כירה pr. מְכִירָה (b Rošhaš, 26a in d. Städten d. Meeres [= Übersee] üblich!); ar. *krj* III, IV vermieten, VIII mieten, Nöld NB 76, WKAS K 159; > tigr. u.amh. (Wb. 404a, Lesl. 27); ? Nf נכר:

qal: וָאֶכְּרֶהָ, יִכְרוּ Hos 3$_{2}$ (? dag. dir., GK § 20h :: Rud. 85): — 1. **einhandeln,**

kaufen Dt 2_6 Hos 3_2 (↗ Rud.); — 2. **feilschen** um c. עַל Hi 6_{27} 40_{30} (:: III); — Js 57_8 ? l וַתִּכְרִי, ↗ כּר :: Volz Dtj. 212. †

cj **nif**: pf. l וְנִכְרוּ: **(zurück)gekauft werden** Neh 5_8 (Rud. 130). †

III **כרה**: mhe. (? denom. v. כֵּרָה) z. Festmahl einladen; akk. *qerū* rufen, einladen (AHw. 918a); ar. *qarā*ʾ Gast speisen, Festmahl geben (Guill. 1. 10), sy. md. (MdD 414b); asa. *krwm* festliches od. kultisches Mahl (Höfner, RAAM 332f); Barr CpPh. 102:

qal: impf. וַיִּכְרֶה: c. כֵּרָה **Festmahl geben** 2K 6_{23}, festen Hi 40_{30} G ἐνσιτοῦνται pr. II כרה 2 (Driv. WdO 1, 30). †

cj **hif**: inf. הַכְרוֹת MSS pr. הַבְרוֹת: **z. Mahl einladen** 2S 3_{35}. †

cj IV **כרה**: ar. *kwr* Turban wickeln:

qal: pf. l כָּרוּ pr. כָּאֲרִי/ו: **zusammenbinden** Ps 22_{17} (Leiche, ↗ Joh 11_{44}; Mow. Scr. 1, 62). †

כֵּרָה: III כרה; akk. *qerītu* Gastmahl (AHw. 917b): **Festmahl** 2K 6_{23}. †

I **כְּרוּב** (90 ×), Sam.[M120] *kērob*, G Χερουβ: mhe. ja.[tg] cp. sy. *krōbā*, pun. כרבם (Février Byrsa 7, 123f), > ar. *karūb*, äth. *ki/erūb* (Lesl. 27), akk. *kāribu/btu*, pt. v. *karābu* beten, weihen, segnen (AHw. 449a; *karūbu* ehrfurchstvoll gegrüsst 453a) 1) Fürbittepriester, 2) Genius (auch *kurību*) skulptierter mythischer Türhüter (AHw. 510b); asa. *krb* opfern (Conti 170, *mukarrib* ↗ Höfner RAAM 339.347), ? γρύψ, ↗ Brown JSSt. 13, 184ff; Dho. Rec. 671ff, RB 35, 329, Torcz. Bdl. 23ff, Cleveland BASOR 172, 55ff, Zimm. Ez. 231, de Vaux MUSJ 37, 91ff, BHH 298, Ringgren IR 89: כְּר/רוּבִים: **Cherub**: — 1. am גַּן־עֵדֶן Gn 3_{24}, am הַר אֱלֹהִים Ez $28_{14.16}$; יֹשֵׁב הַכְּרוּבִים :יהוה 1S 4_4 2S 6_2 2K 19_{15} Js 37_{16} Ps 80_2 99_1 1C 13_6, וַיִּרְכַּב עַל־הַכְּרוּב 2S 22_{11} Ps 18_{11}, redet מִבֵּין שְׁנֵי הַכְּרֻבִים Ex 25_{22} Nu 7_{89}; כְּבוֹד אֱלֹהִים נַעֲלָה מֵעַל־הַכְּרוּב Ez 9_3 $10_{4.18.20}$ 11_{22}, ↗ $10_{1-3.5-9.14-16.18f}$; — 2. Nachbildungen von solchen; aus Gold עַל־הַכַּפֹּרֶת Ex 25_{18-20} 37_{7-9} Nu 7_{89} 1C 28_{18}; aus Holz 1K 6_{23-28} 8_{6f}; mit Gold überzogen 2C 3_{10-13} 5_{7f}; gewirkt (s.o. Février) Ex $26_{1.31}$ $36_{8.35}$ 2C 3_{14}; in Schnitzwerk 1K $6_{29.32.35}$ Ez 41_{25} 2C 3_7 Ez $41_{18.20}$, עַל־הַמִּסְגְּרוֹת 1K $7_{29.36}$. †

II **כְּרוּב**: n.l. in Bab., ign. (:: *Bit-Kirubū* Albr. JBL 51, 100[64]) Esr 2_{59} Neh 7_{61}, ? cjg c. אַדָּן/דּוֹן, ↗ Rud. 16. †

כָּרִי: n.p. הַכָּרִי, coll.; G Χορρι, grie. Κᾶρες; bab. *Karsa*, ape. *Karkā* Eilers OLZ 38, 201ff, ZDMG 94, 198ff, Mtg.-G. 86, HbAP 129; im SW. v. Kleinasien, Meyer GAt I 2, § 476.506, BHH 934: **Karer**, Leibwache der Atalia (cf. Hdt 2, 154) 2K $11_{4.19}$, 2S 20_{23K} (Q כְּרֵיתִי). †

כְּרִית, G Χορραθ: n. fl.; I כרה, BL 504m; ,,Graben'' (Schwarzb. 203, al. כרת, BL 471s): **Krit**, ö. Zufluss d. Jordans, Abel 1, 484f, Glueck 4, 219, GTT § 898: 1K $17_{3.5}$. †

כְּרִיתוּת, כְּרִתֻת: כרת; Gulk. 11f; mhe. auch כְּרִיתָה :כְּרִיתְתֶיהָ, BL 253b: Entlassung, **Scheidung** (Neufeld 176ff, de Vaux Inst. 1, 60ff) סֵפֶר כְּ׳ Scheidebrief (mhe. dann גֵּט, ja.[tg] גִּטָּא, > ar. *qiṭṭ* [Frae. 249] < akk. *giṭṭu*, Zimmern 19, AHw. 294b) Dt $24_{1.3}$ Js 50_1 Jr 3_8. †

***כרך**: mhe., ja. cp. akk. (AHw. 446a) umwickeln, sy. md. (MdD 223a) herumgeben, umfassen; mhe. כְּרַךְ, äga. ja. sy. nab. palm. כַּרְכָא, ? akk. *kerḫu* (AHw. 467b) Stadt, Neiman, JNESt. 25, 42ff. Der. תַּכְרִיךְ.

כַּרְכֹּב, Sam.[M120] *kirkab*: < *kabkōb*, Ruž. 119; mhe. denom. כִּרְכֵּב einfassen (?); ar. *kabba* zusammenrollen, *kabkaba* umwerfen, *karkaba* in Unordnung bringen, tigr. (Wb. 402a) *karkabat* Unruhe, äth. *kababa* einfassen, tigr. (Wb. 410b) rund machen; Grdb. **kab* rund sein (Ruž. 119):

כַּרְכֹּבוֹ: **Einfassung** Ex 27₅ 38₄, 1 QJs[a] 66[20] (כורכובות). †

כַּרְכֹּם: mhe. auch denom. כִּרְכֵּם m. Safran färben, ja.[tb] sy. כֻּרְכְּמָא (LS 346b) Safran, md. *karkum* (MdD 201a) ein Dämon; ar. pe. *kurkum*, akk. *kurkānu*, (< skrt. *kurkum*, Zimmern 57, v. Soden AHw. 510b :: Ldsbg. WdO 3, 260); > κρόκος Lewy Fw. 48, VHehn 270; Mayer 349, Masson 50f: Gelbwurz, **Safran**, *Curcuma longa*, *Crocus sativus* (Löw 2, 7ff, Pfln. 215ff, AuS 2, 301f) HL 4₁₄ (MSS כרכס = κρόκος). †

כַּרְכְּמִישׁ, G Χαρχαμις: n.l., am W. Ufer d. mittleren Euphrat, bab. *K/Gargamiš/s*; ug. *Krgmš*, *Kargamiš* (PRU III 266), äg. *Qrqmš* (VT 14, 250), grie. Εὐρωπός, heute *Ğerabīs/blūs*; **Karkemisch** RLV 6,225ff, Parrot Arch. 1, 243ff, Duss. Top. 468, GTT § 1359, Güterbock JNESt. 13, 102ff, BHH 933: Js 10₉ (G ↗ Seeligm. 78) Jr 46₂ 2C 35₂₀. †

כַּרְכַּס: n.m.; Vrss. stark verschieden, av. *kahrkāsa*, mpe. *karkās* Geier (Scheft. 46, Duch.-G. 108): pers. Höfling Est 1₁₀. †

*כִּרְכָּרָה, od. כִּרְכֶּ֫רֶת: ? I כרר, BL 482e: כִּרְכָּרוֹת, 1QJs[a] כורכובות: trad. Kamelin (Lex.[1]) :: Ben Hayyim Leš. 36, 236ff: Wagen Js 66₂₀. †

*כרם: ↗ I, II כֶּרֶם, כֹּרֵם, I-III כַּרְמֶל.

I כֶּרֶם (ca. 90 ×), Sam.[M120] *karem*, G Sec. (Sperber 232) χαρμ(α), Hier. *charma*: ug. *krm*; mhe. ihe. aam. jaud. u. äga. (DISO 127); ja.[tg] (GnAp. XII 13) sam. (BCh. 2, 487b) cp. sy. כַּרְמָא; ar. *karm* u. äth. *kerm* auch Weinstock; akk. *karmu* (anbaufähiges) Ödland(-Hügel) (AHw. 449b); äg. *kʾmw* Weinpflanzung, Garten; כֶּרֶם, כַּרְמוֹ, כְּרָמִים (Ri 11₃₃ אָבֵל כְּ׳, G Εβελχαρμειν), כַּרְמֵי, כְּרָמֶיהָ, כַּרְמֵיכֶם; m. (f. Lv 25₃ Js 27₂ ↗ ZAW 15, 318, Rud. BWANT IV 10, 22): Rebenpflanzung, **Weinberg** (Anbau u. Bearbeitung Js 5₁-₇, AuS 4, 307ff); c. נָטַע Gn 9₂₀, זָמַר Lv 25₃, עוֹלֵל u. פֶּרֶט 19₁₀, בָּצַר Dt 24₂₁, הִבְעִיר Ex 22₄, חִלֵּל Dt 28₃₀, עָבַד בְּ 28₃₉, נָטַר HL 1₆, חִבֵּל 2₁₅; כֶּרֶם חֶמֶד Am 5₁₁, מַטְּעֵי כֶ׳ Pflanzland für Reben (s.o. akk.) Mi 1₆, מִשְׁעֹל הַכְּרָמִים Nu 22₂₄, תְּבוּאַת כ׳ Dt 22₉, סֻכָּה בְכָרֶם Js 1₈, שָׂדֶה וָכֶרֶם Nu 16₁₄, לֶחֶם וּכְרָמִים Js 36₁₇, צִמְדֵי כ׳ 5₁₀, כ׳ וָזַיִת Ri 15₅ l כֶ׳ זָיִת (:: ug. UT nr. 1306); metaph. erotisch HL 1₆ 8₁₂; ↗ II כֶּרֶם; — Ez 19₁₀ pr. בְּדָמְךָ gew. cj כְּכֶרֶם, ↗ Zimm., 419; 1C 27₂₇ l הַכֹּרְמִים (↗ Rud.).

II כֶּרֶם als n.l. (↗ Dir. 54): Jos 15₅₉ G Καρεμ = *ʿEn Karim*, 7 km. w. Jerus., Abel 2, 295, Noth 99, ↗ GTT § 319 E 8, cf. בֵּית הַכֶּרֶם (: בַּיִת B 23). †

כֹּרֵם: denom. pt. v. כֶּרֶם: כֹּרְמִים, כֹּרְמֵיכֶם: Arbeiter im Weinberg, **Weinbauer**: || אִכָּרִים Js 61₅ Jl 1₁₁ 2C 26₁₀, || יֹגְבִים 2K 25₁₂ Jr 52₁₆ (↗ Schwarzb. 91); cj 1C 27₂₇ (l הַכֹּרְמִים). †

כַּרְמִי: I, n. pr.: I כֶּרֶם ?: — 1. S.v. רְאוּבֵן (Noth WdAT 62) Gn 46₉ Ex 6₁₄ Nu 26₆ 1C 5₃; — 2. V.v. עָכָן Jos 7₁.₁₈ 1C 2₇; — 1C 4₁ l כָּלֵב; — II. gntl v. כַּרְמִי 1 Nu 26₆. †

כַּרְמִיל: neben בּוּץ, אַרְגָּמָן u. תְּכֵלֶת; G κόκκινος V *coccinus*; Lokotsch nr. 1219; Lw. < skrt. *kṛmī*; pe. *kirm* Wurm, *kṛmīgā* wurmerzeugt (Lokotsch nr. 1219), *kirmīs* > ar. *qirmizī* (ZDMG 50, 650); Schildlaus (*cochenille*) die getrocknet u. zu Puder gestampft, die Karmesinfarbe ergibt, EWiepen, D. geogr. Verbreitung d. Cochenille (< κόκκινος)-Zucht, 1890: **Karmesin** u. d. damit gefärbten Zeuge 2C 2₆.₁₃ 3₁₄, cj HL 7₆ (l כְּכַרְמִל, Graetz, BH., Gradw. 72f :: Haller, Dho. Rud.). †

I כַּרְמֶל: כֶּרֶם + לְ (BL 503i, :: Ruž. 104: dissim. < *karmen); mhe. nur כַּרְמְלִית, neutrales (weder öffentliches noch privates) Gebiet bezüglich Sabbatvorschriften: כַּרְמִלּוֹ: — 1. **Baumgarten** m. Obst- u. Weinbestand Js 10₁₈ 16₁₀ 29₁₇ 32₁₅f Jr 2₇ 4₂₆ 48₃₃ 2C 26₁₀ (al. n.l.); — 2. Baumpflanzung jeder Art: יַעַר כַּרְמִלּוֹ (Dickicht) 2K 19₂₃ / Js 37₂₄

(Zedern), :: יַעַר בְּתוֹךְ כַּרְמֶל Mi 7_{14} Waldbestand mitten im Fruchtgarten; ⸗ II u. III. †

II כַּרְמֶל, G Χερμελ): n.l. in Juda; = I; loc. הַכַּרְמֶלָה, *ch. el-kirmil,* 12 km. s. Hebron, Abel 2, 296, GTT § 319 C2, BHH 935 :: Jepsen, d. Landschaft zw. מָעוֹן u. d. Wüste ZDPV 75, 74f; כַּ׳ Jos 15_{55}, cj 1S 30_{29} pr. רָכָל; הַכַּ׳ $25_{2.7}$, הַכַּרְמֶלָה 15_{12} $25_{5.40}$; ⸗ כַּרְמְלִי. †

III כַּרְמֶל, G Jr 2_{7} Κάρμηλος, Js 29_{17} 32_{15} Χερμελ: = I; Bergrücken s. Haifa in Kap endend, Abel 1, 61f. 350ff, GTT § 47, Noth WdAT 53, BHH 934; Eissf. D. Gott K., 1953; WbMy. 1, 272; md. (MdD 201a) **Karmel**: הַר הַכַּ׳ 1K 18_{19f} 2K 2_{25} 4_{25}, > (רֹאשׁ) הַכַּרְמֶל 1K 18_{42} Js 35_{2} Jr 50_{19} Am 1_{2} 9_{3} HL 7_{6} (prp. כַּכַּרְמִיל, :: Rud.), > כַּרְמֶל Jos 19_{26} Js 33_{9} Jr 46_{18} Nah 1_{4}; יָקְנְעָם לַכַּרְמֶל J. am K. Jos 12_{22}. †

IV כַּרְמֶל: כמל; < **kammi/al*; das eben reif Gewordene, Koehler ThZ 2, 394, OTSt 8, 151f: **Jungkorn** (AuS 1, 452; 3, 266f) Lv 2_{14} 23_{14} 2K 4_{42}. †

כַּרְמְלִי: gntl. v. II כַּרְמֶל: f. כַּרְמְלִית 1S 27_{3}, 1S 30_{5} 2S 2_{2} 3_{3} 23_{35} 1C 3_{1} 11_{37} cj 1S 27_{3}. †

כְּרָן, Sam.[BCh. 3. 174] *kirran,* G Χαρραν: n.m., ?; cf. ? PNPI 92a: S. d. Choriters דִּישָׁן Gn 36_{26} 1C 1_{41}. †

כרסם: < כסם, Ruž. 185, BL 281i; mhe. קִרְסֵם, ja.[g] nur abfressen, קַרְסֵם (Reiser) abschneiden, abfressen, tigrin. *qarsama* (Lesl. 27):

pi: impf. יְכַרְסְמֶנָּה: **abfressen** Ps 80_{14} (|| I רעה). †

כרע: mhe. (auch auf Wage schwerer wiegen hif. überwiegen, entscheiden) ja. sam. (BCh. 2, 497a. 592a); ug. *krʿ* (UT nr. 1311, Aistl. 1389) niederknien, ar. *kari/aʿa* dünne Unterschenkel haben, *rakaʿa* sich niederbeugen; ? denom. v. כֶּרַע:

qal: pf. כָּרַע, כָּרְעוּ; impf. יִכְרַע, וָאֶכְרְעָה, נִכְרְעָה, תִּכְרַעְנָה, תִּכְרְעוּ, יִכְרְעוּן (GK § 49e); inf. כְּרֹעַ; pt. כֹּרֵעַ, כֹּרְעִים/עוֹת: — 1. freiwillig u. absichtlich **d. Knie beugen** (eig. d. Unterschenkel, כְּרָעַיִם, niederlegen, (Ap-Thomas VT 6, 228): a) (Tiere) **niedergehen** um zu lagern: Gn 49_{9} Nu 24_{9}; b) (Menschen) **niederknien** Ps 22_{30} 72_{9} 95_{6} 2C 7_{3} 29_{29} (c. לְ vor, huldigend) Est $3_{2.5}$; c. עַל־בִּרְכָּיו Ri 7_{5f}, (z. Gebet) 1K 8_{54} Esr 9_{5}, (zum huldigenden Flehen) 2K 1_{13}; Sbj. בֶּרֶךְ, בִּרְכַּיִם sich beugen 1K 19_{18} (G ὀκλάζειν, Rowley BJRL 43, 204) Js 45_{23}; sexuell auf Frau Hi 31_{10}; — 2. (unfreiwillig) **in d. Knie brechen** Ri 5_{27} 2K 9_{24}, **zusammenbrechen** Js 10_{4} (l כֹּרַעַת) 46_{1f} 65_{12} Ps 20_{9} Sir 13_{4}, Frau in Wehen 1S 4_{19}, אַיָּלוֹת Hi 39_{3}; בִּרְכַּיִם כֹּרְעוֹת (vor Erschöpfung) brechende Knie Hi 4_{4}. †

hif: pf. הִכְרִיעַ, הִכְרַעְתִּנִי (2.f., BL 341i); impf. תַּכְרִיעַ; imp. הַכְרִיעֵנִי; inf. הַכְרֵעַ: — 1. **in d. Knie zwingen** 2S 22_{40} / Ps 18_{40} 17_{13} 78_{31}; — 2. metaph. tief (c. inf. abs.) niederbeugen, **ins Unglück stürzen** Ri 11_{35} (cf. BH). †

*כֶּרַע: כרע, BL 473, mhe. du. כְּרָעַיִם Unterschenkel, Tisch-, Bettbeine; ja. *כְּרָעָא Tischbein, (ja.[t] auch Schenkel), sam. (BCh. 2, 494a), auch md. (MdD 222b) Schenkel, sy. beides, ja.[g] כורעתא Tischbein, ar. *kurāʿ* Unterschenkel, Schienbein, Bein (WKAS K 131a), äth. *kʷernāʿ* (Dillm. 838); akk. *kurītu* (AHw. 510b, Holma NKt. 137): du. כְּרָעַיִם, Sam.[M120] *kūrāʿem,* כְּרָעָיו (BL 569n): **Unterschenkel**, **Wadenbein** Ex 12_{9} 29_{17} Lv $1_{9.13}$ 4_{11} 8_{21} 9_{14} Am 3_{12}, Sprungbeine d. Heuschrecke (ar.) Lv 11_{21}. †

כַּרְפַּס: mhe., ja.[t] כַּרְפָּסָא, sy. *karbāsā,* **ar.** *kirbās* (WKAS K 17a) > Κάρπασος, *carbasus* (v. Aquila m. קרפסינון, grie. Καρπάσινον erklärt, Ku. WaH 117); < Skrt. *karpāsa* Baumwollstaude, pe. *kirpās* (Scheft. I 47, Ku. WaH 98f, Mayrhofer, Wörterbuch d. Altindischen I, 1956, 174f): feines Gewebe, **Leinen** Est 1_{6}, am pers. Hof, für Isr. nicht belegt (Hönig 130). †

I ***כרר**: ar. *kwr* auf d. Rücken tragen; Der. III כַּר.

II **כרר**: rund sein, ↗ כור :: BL 453w: denom. v. I כַּר; mhe.[2] כִּרְכֵּר sich hin u. her wenden, ug. *krkr* tanzen lassen, (Finger) verflechten (UT nr. 1304, Aistl. 1383); ar. *kwr* II zusammen rollen, *krkr* II sich drehen, äth. *kʷarkʷara*, tigr. (Wb. 401b) tigrin. *karara* rollen (Lesl. 26):

pilp: pt. מְכַרְכֵּר: **tanzen** 2S $6_{14.16}$, = מְרַקֵּד 1C 15_{29}. †

Der. I כַּר, כִּרְכָּרָה, כִּכָּר.

***כָּרֵשׂ**: mhe. כָּרֵיס, falsch vokalis. כֶּרֶס; ? ug. (Aistl. 1386, :: Donner ZAW 79, 340); ja. (כרסא), sam. (BCh. 2, 508a) cp. sy. md. (MdD 201b) כַּרְסָא; ar. *kariš, kirš*, äth. *karš*, tigr. (Wb. 399b) *karšat*, pl. *keraš*; soq. *šereš*; akk. *kar(a)šu* (AHw. 450b, Holma NKt. 74f): כְּרֵשׂוֹ: **Bauch** Jr 51_{34} Sir 36_{23}. †

כַּרְשְׁנָא: n.m.; pe. *karsna*, Scheft. 47, Gehm. 324: pers. Höfling Est 1_{14}. †

כרת: mhe. abschneiden, hif. ausrotten, mhe.[2] scheiden zw. Mann u. Frau, Bund schliessen; ph. mo. (DISO 127); akk. *karātu* (AHw. 448b); tigrin. *karata*, tigr. *kartata* abbeissen (Lesl. 27, Wb. 401a):

qal (130 ×): pf. כָּרַת, כָּרַתָּ, כָּרַתִּי, כָּרְתוּ, כְּרָתוֹ; impf. אֶכְרוֹת־, אֶכְרֹת, וַיִּכְרֹת/רָת־, Jos 9_7 (BL 357), תִּכְרֹתוּן, יִכְרֹתוּ, תִּכְרְתוּ, נִכְרְתֶנּוּ, וַיִּכְרְתֵהוּ, נִכְרְתָה, נִכְרֹת/רָת־; imp. כְּרָתָה, כְּרֹת/רָת־, כִּרְתוּ; inf. כְּרֹת/רָת־, לִכְרוֹת, כָּרְתִי; pt. כֹּרֵת, כֹּרוּת, כְּרוּת, כְּרֻתֹת; THAT 1,857ff: — 1. **abschneiden**: עָרְלָה Ex 4_{25}, רֹאשׁ, יָד 1S 5_4, כְּנַף מְעִיל 1S 24_5, כְּרוּת שָׁפְכָה einer m. abgeschnittenem Penis, Entmannter (Neufeld 220f, BHH 413) Dt 23_2, > כָּרוּת Lv 22_{24} (Tier); — 2. **abhauen**: Busch Ri 9_{48}, אֲשֵׁרָה Ex 34_{13}, מִפְלֶצֶת 1K 15_{13}; — 3. **fällen** (Mesa 25 ?): עֵץ יַעַר Jr 46_{23}, עֵצִים 1K 5_{20}, Dt 19_5, כֹּרֵת Holzer Js 14_8; — 4. herausschneiden > **ausrotten** (v. Rad 1, 263[174]) Jr 11_{19}, זֶרַע 50_{16}; — 5. כָּרַת בְּרִית (alle Stellen ↗ בְּרִית III 1), akk. *TAR* (schneiden) *beriti*, Albr. BASOR 121, 21f, Soggin VT 18, 210ff; trad. (seit Ges. Thes. 718) wie ὅρκια τέμνειν u. *foedus icere, ferire* v. der bei Bundschliessung üblichen Zerschneidung e. Opfertieres (↗ בתר pi.) Gn 15_{9f} :: Ped. Eid 46: schneiden > entscheiden, abmachen (cf. I גזר, I חרץ), :: Noth GSt. 147, Eilers WdO 2, 467f: < *ina berīt, birītu* Zwischenraum; THAT 1,857ff; a) **e. Vereinbarung treffen** Dt $29_{11.13}$ (↗ Arsl. KAI27, 8-10); b) ell. כָּרַת לְ jmd e. Abkommen gewähren 1S 11_2 22_8 2S 5_3, כָּ׳ עִם e. Bund schliessen mit, 1K 8_9 2C 5_{10} u. 7_{18} (↗ Rud. Chr. 211.217); c) c. דָּבָר st. בְּרִית Hg 2_5 Ps 105_9 1C 16_{15f}; c. אֲמָנָה Neh 10_1; — Js 57_8 (↗ II כרה).

nif: (70 ×, nie in Dt): נִכְרַת/רָת, נִכְרְתָה/רָתָה, נִכְרְתוּ/רָתוּ, נִכְרָתְּ; impf. יִכָּרֵת, יִכָּרֶת־, יִכָּרְתוּ, יִכָּרֵתוּן; inf. הִכָּרֵת: — 1. a) **gefällt werden** עֵץ Hi 14_7; b) **abgerissen werden, verschwinden** (מַיִם) Jos 3_{13} 4_7 (נִכְרְתוּ מֵי הַיַּרְדֵּן ? dl, BH), sich verlaufen 3_{16}; — 2. (pass. z. qal 4, :: Tsevat HUCA 32, 191ff: z. hif.) a) **ausgerottet werden** (d. Ausrottungsformel, Zimm. ZAW 66, 13ff, Boecker 145[4], THAT 1,858) Gn 9_{11} Jos 9_{23} Js 11_{13} Hos 8_4 (Vrss. pl., ↗ Rud. 157), מָשִׁיחַ Da 9_{26} al. verschwinden, ↗ c), בְּלִיַּעַל Nah 2_1, לָשׁוֹן תַּהְפֻּכוֹת Pr 10_{31}; b) **getilgt, beseitigt werden**: שֵׁם Js 48_{19} 56_5 Rt 4_{10}, cj 1S 20_{16} (l יִכָּרֵת שֵׁם יְהוֹנ׳); מַשָּׂא Js 22_{25}, אוֹת 55_{13}, אֱמוּנָה Jr 7_{28}, עָסִיס Jl 1_5, אֹכֶל 1_{16}, Waffen Zch 9_{10}, תִּקְוָה Pr 23_{18} 24_{14}; אֲשֶׁר פָּקַדְתִּי עָלֶיהָ Zef 3_7; c) aus d. Kultgemeinschaft (יִשְׂר׳, עַם, עַמִּים, עֵדָה, קָהָל) **ausgeschlossen werden** (Zimmerli ZAW 66, 13ff, ↗ שמד nif.): וְנִכְרְתָה, וְנִכְרַת הָאִישׁ הַהוּא מִן Lv $17_{4.9}$ †, הַנֶּפֶשׁ הַהִיא c. מִן Ex 12_{15} u.o.; abs. Nu 15_{31}; מִקֶּרֶב Ex 31_{14}, מִלְּפָנַי Lv 22_3, מִתּוֹךְ Nu 19_{20}; — 3. Versch.: zugrunde gehen: הָאָרֶץ

durch רָעָב Gn 41$_{36}$, zerkaut werden בָּשָׂר in d. Zähnen Nu 11$_{33}$; בְּרִית geschlossen werden (↗ qal 5) Sir 44$_{18}$.

pu: pf. כָּרַת (BL 222s), כֹּרָתָה: — 1. (Ašera) **umgehauen werden** Ri 6$_{28}$; — 2. (Nabelschnur) **abgeschnitten werden** Ez 16$_{4}$. †

hif: pf. הִכְרִית, הִכְרַתָּה, הִכְרַתִּי, הִכְרִיתוֹ, וְאַכְרִית, הִכְרַתִּיו/תִּיךְ; impf. יַכְרִית, (וַ)יַּכְרֵת, נַכְרִיתֶנָּה, תַּכְרִיתֵךְ; inf. הַכְרִית, הַכְרִיתֶךָ: — 1. **ausrotten** (Zimm. ZAW 66, 13ff, pass. nif. 2a, THAT 1,858) Lv 26$_{22}$ Dt 19$_{1}$ (17×), c. מִן aus Ex 8$_{5}$ 1S 28$_{9}$ (23 ×), c. מִקֶּרֶב Lv 17$_{10}$ 20$_{3.5f}$ Mi 5$_{9}$, c. מִתּוֹךְ Nu 4$_{18}$ Jr 44$_{7}$ Ez 14$_{8}$, c. מֵעִם 1S 2$_{33}$, c. מֵעַל 1K 9$_{7}$ Zef 1$_{3}$, c. מִפְּנֵי angesichts Dt 12$_{29}$ 2S 7$_{9}$; — 2. Gott: a) rottet aus (durch frühen Tod, ↗ nif. 2a) P, H, Ez ca. 50 ×: (עַם) Ez 25$_{7.16}$, כְּשָׁפִים Mi 5$_{11}$, זֶרַע 1S 24$_{22}$ Mal 2$_{12}$, הָמוֹן Ez 30$_{15}$, חַמָּנִים שִׂפְתֵי חֲלָקוֹת Ps 12$_{4}$; b) vernichtet: Lv 26$_{30}$, metaph. Rauben טֶרֶף der „Löwen" Nah 2$_{14}$; entzieht חַסְדּוֹ c. מֵעִם 1S 20$_{15}$; — 3. Versch. a) הִכְרִית c. acc. u. לְ jmdm jmd/etw. ausrotten 1K 14$_{10}$ 21$_{21}$ 2K 9$_{8}$, Js 14$_{22}$ Jr 47$_{4}$ Mal 2$_{12}$; refl. sich d. Untergang bereiten Jr 44$_{8}$; b) מִן־הַבְּהֵמָה e. Teil d. Viehs töten müssen 1K 18$_{5}$, umkommen lassen Nu 4$_{18}$; c) הָיָה לְהַכְרִית d. Vernichtung anheimfallen Ps 109$_{13}$.

hof: pf. הָכְרַת: ausgerottet sein, **ausfallen** Jl 1$_{9}$. †

Der. כְּרִיתוּת, כְּרֻתוֹת; n. fl. כְּרִית.

כְּרֹת Zef 2$_{6}$: (G Κρητη, Duss. RHR 108, 27 ug. *krt* n.m. UT nr. 1314), > V, dittogr. v. נוֹת od. II כַּר pl. cs. (Dho.). †

כְּרֻת(וֹ)ת: כרת: behauene, kürzer geschnittene (Noth Kge. 102) **Balken** 1K 6$_{36}$ 7$_{2.12}$. †

כְּרֵתִי, G meist Χερεθθι (Χελεθθι neben Φελεθθι, פְּלֵתִי :: 1C 18$_{17}$): coll. הַכְּרֵתִי, כְּרֵתִים Ez 25$_{16}$ Zef 2$_{5}$: Hier. *choretim*: n.p. mhe.: **Kreter** (GTT § 194, BHH 1002): — 1. הַכְּרֵתִי וְהַפְּלֵתִי Davids Leibwache (Mtg.-G. 85f, Noth Kge 25f, BHH 1003; >„Kreti u. Pleti" (Littm. MW 32) 2S 8$_{18}$ 15$_{18}$ 20$_{7.cj\ 23Q}$ 1K 1$_{38.44}$ 1C 18$_{17}$; — 2. כְּרֵתִים || פְּלִשְׁתִּים Ez 25$_{16}$, גּוֹי כְּרֵתִים Zef 2$_{5}$; נֶגֶב הַכְּרֵתִי 1S 30$_{14}$ (Dussaud RHR 108, 21f, Albr. JPOS 4, 134), ↗ כְּרֹת, כַּפְתּוֹר, כַּפְתֹּרִי. †

כֶּשֶׂב, Sam.^{M120} *kēšeb, kišbem*: < כֶּבֶשׂ, VG 1, 275fγ: כְּשָׂבִים: **junger Widder** (:: עֵז) Lv 3$_{7}$ 4$_{35}$ 7$_{23}$ 17$_{3}$ 22$_{27}$ Nu 18$_{17}$, pl. Gn 30$_{32f.35.40}$ Lv 1$_{10}$ 22$_{19}$ Dt 14$_{4}$; ↗ כִּשְׂבָּה. †

כִּשְׂבָּה, Sam.^{M120} *kišba*: < כִּבְשָׂה, f. v. כֶּשֶׂב: **junges Schaflamm** Lv 5$_{6}$. †

כֶּשֶׂד, Sam.^{M120} *kašad*: h. ep. der כַּשְׂדִּים; asa. n.m. *Kšd* (ZAW 75, 311): S.v. נָחוֹר u. מִלְכָּה Gn 22$_{22}$. †

כַּשְׂדִּים, Sam.^{M120} *Kišdem*, Hier. *Chesdim*; כַּשְׂדִּיִּים (BL 562u) Ez 23$_{14}$ 2C 36$_{17}$, DJD 1, 71 II 2; 1QpHab כשדאים (↗ ba.): loc. כַּשְׂדִּימָה: n.p.; mhe. כשדי u.mhe.[2] כלדי, ba. כַּשְׂדַּי, ja. כַּשׂ/סְדָאָה, ? saf. כשדי (Ryckm. 1, 116, Eph. 2, 353), Babylonier, mhe.[2] כלדי u. ja.[t] כלדאה, sy. md. (MdD 197a. 216b, denom. m. Wtsp. „chaldäern", verhexen) כַּלְדָּיָא Magier, Astrolog; bab. *Kašdu* > ass. *Kaldu*, Χαλδαῖοι (*šd* > *ld*, v. Soden § 30g), P-W 3, 2044ff, P-W Kl 1,1123, GTT § 48, Albr. BASOR 128, 44; 1Hen 69$_{12}$ *kasdejā* e. böser Engel (Kuhn ZAW 39, 270): — 1. כַּשְׂדִּים: **Chaldäer**, d. seit 626/5 Babylon beherrschende Volk ↗ כֶּשֶׂד; fehlt noch in d. Genealogien d. Gen.; O'Call. 101, Lex.[1] 296, BHH 296, Speiser Mspt. 160f; 2K 24$_{2}$ (גְּדוּדֵי כ׳) 25$_{4f.10.13.24.26}$ Js 13$_{19}$ Jr 21$_{4.9}$ 22$_{25}$ 32$_{4f.24f.28f.43}$ 33$_{5}$ 35$_{11}$ 37$_{5.8.11.13f}$ 38$_{2.18f.23}$ 39$_{5.8}$ 40$_{9f}$ 41$_{3.18}$ 43$_{3}$ 51$_{1}$ (c. Atbaš לֵב קָמָי, ↗ לֵב 11) 52$_{7f.14.17}$ Ez 23$_{14f}$ (.$_{15}$ ↗ Komm.).$_{23}$ Hab 1$_{6}$ (G^{A} + μαχητάς, ↗ Humb. Hab. 34) Da 1$_{4}$; Hi 1$_{17}$ (nomadisierend); מֶלֶךְ כ׳ 2C 36$_{17}$, מַלְכוּת כ׳ Da 9$_{1}$, בַּת־כ׳ (= Babel) Js 47$_{1.5}$, לְשׁוֹן כ׳ Da 1$_{4}$; — 2. כ׳ n.t. **Chaldäa**, אֶרֶץ כ׳ Js 23$_{13}$ (↗ Rud. Fschr. Baumgtl. 170) Jr 24$_{5}$ 25$_{12}$ 50$_{1.8.25.45}$ 51$_{4.54}$ Ez 1$_{3}$ 12$_{13}$;

כַּשְׂדִּים allein Js 43_{14} (ↄ Komm., Torrey Dtj. 45f. 339) $48_{14.20}$ Jr $50_{10.35}$ $51_{24.35}$, כַּשְׂדִּ֫ימָה Ez 11_{24} 16_{29} 23_{16}; אוּר כַּ׳ ↄ III אוּר; — 3. הַכַּ׳ Χαλδαῖοι, *Chaldaei*: **d. bab. Weisen**, Astrologen, Wahrsager, Magier (wie palm. Beryt. 1, 39, Hdt I 181. 183, Strabo, Diodor, P-W 3, 2055ff, ZATU 320f) Da $2_{2.4}$, ↄ ba. †

כשׁה: vulg. ar. *kašija* störrisch sein, Ibn Ezra, Yahuda Fschr. Nöld. 413, GB:

qal: pf. כָּשִׂיתָ: **störrisch werden** Dt 32_{15}, ‖ בעט, cf. 31_{20} 8_{14} (:: Lex.[1]). †

cj **כשׁח**: ar. *kasiḥa* verkrüppelt, gelähmt sein (Eitan JBL 47, 193ff), *ʾaksaḥu* gelähmt (WKAS K 175):

qal: impf. תִּכְשַׁח: **lahm werden** (pr. תִּשְׁכַּח) Ps 137_5 (Wtsp. m. אֶשְׁכָּחֵךְ $_{5a}$). †

*כֶּשֶׁי, כְּשִׁים u. כְּשִׁית: ↄ כּוּשִׁי.

כַּשִּׁיל: ? כשׁל, BL 479o; mhe. ja.[t]; aLw. 138: **Axt** (d. Holzfällers, BRL 62ff) Ps 74_6. †

cj ***כַּשִּׁיר**: pr. כְּשִׁיר Ez 33_{32}; palm. (DISO 127) u. md. (MdD 224b) כשירה, ja. sy. כַּשִּׁיר (: ↄ כשׁר; ? aLw.): **geschickt**, c. עֲגָבִים im Rohrspiel ‖ יְפֵה קוֹל (Dahood Bibl. 44, 531f). †

כשׁל: mhe. (HeWf. 159f, Ginsbg. Tarbiz 5, 215f), ja.[b] (af.)., sam. (BCh. 2, 495b) cp. md. (MdD 224b) sy. etp. beleidigt sein, G σκανδαλίζεσθαι; äth. tigr. (Wb. 220a, Lesl. 27):

qal (Sam. pi., ↄ BCh. Trad. Sam. 115): pf. כָּשַׁל, כָּשַׁלְתָּ, כָּֽשְׁלוּ/שֵׁלוּ; impf. יִכְשְׁלוּ Nah 3_{3K}; inf. כָּשׁוֹל; pt. כּוֹשֵׁל, כּוֹשְׁלוֹת: **straucheln, stolpern** Lv 26_{37} (בְּ über) Js 3_8 (‖ נפל) 5_{27} (עָיֵף) 8_{15} 28_{13} 31_3 35_3 (בִּרְכַּיִם) 40_{30} $59_{10.14}$ (אֱמֶת), cj 63_{13}, Jr 6_{21} $46_{6.12.16}$ 50_{32}, cj Jr 18_{15} (ↄ hif. Mut.) Hos 4_5 5_5 14_2 Nah 3_3 Ps 27_2 31_{11} (כֹּחַ) 105_{37} 107_{12} 109_{24} Hi 4_4 Kl 5_{13} (בָּעֵץ unter d. Holzlast) Neh 4_4 (כֹּחַ) 2C 28_{15}; c. אָחוֹר rückwärts straucheln Js 28_{13}, שב כושל hinfälliges Alter Sir 42_8; — Pr 4_{16K} יִכְשְׁלוּ l Q hif. †

nif: pf. נִכְשַׁל, נִכְשְׁלוּ/שָׁלוּ; impf. יִכָּשֶׁל בָּהּ, תִּכָּשֵׁל, יִכָּֽשְׁלוּ/שֵׁלוּ; inf. הִכָּֽשְׁלָם, בִּכָּֽשְׁלוֹ Pr 24_{17} < בְּהִכָּ׳ (BL 228z); pt. נִכְשָׁל, נִכְשָׁלִים: z. Straucheln gebracht werden (BL 289y) = **straucheln, stolpern**: 1S 2_4 Js 40_{30} Jr 6_{15} 8_{12} 20_{11} Zch 12_8 Ps 9_4 Pr $4_{12.19}$ 24_{17}; zu Fall kommen Da $11_{14.19.33-35.41}$, c. בְּ über Jr 31_9 Ez 33_{12} Hos 5_5 14_{10} Nah 2_6 (? ins. לֹא); c. בְּ durch Pr 24_{16}; — Js 63_{13} l יִכְשֹׁל (rel., sbj. סוּס) u. $_{14}$ וְכַבְּהֵמָה:: Westerm. ATD 19. †

[**pi**: impf. תְּכַשְּׁלִי Ez 36_{14} l תְּשַׁכְּלִי MSS.]

hif. (mhe. pi., Ku. HeWf. 159f, hif. ?): pf. הִכְשִׁיל, הִכְשַׁלְתֶּם; impf. יַכְשִׁילוּ (Pr 4_{16Q}), יַכְשִׁילֻהוּ; inf. הַכְשִׁיל, הַכְשִׁילוֹ: **zum Straucheln, Stolpern bringen** cj Zef 1_3 וְהִכְשַׁלְתִּי, Mal 2_8 (בְּ durch) Ps 64_9 (l יַכְשִׁילֵמוֹ) Pr 4_{16}, cj Hi 18_7 (וְתַכְשִׁילֵהוּ) 2C $25_{8a.b}$ 28_{23}; wankend machen, brechen (l הִכְשִׁילוּ) Kl 1_{14}; — Jr 18_{15} l יִכְשְׁלוּ־ם (מ encl.); Ez 36_{15} l תְּשַׁכְּלִי. †

hof: pt. מֻכְשָׁלִים: **zu Fall gebracht** Jr 18_{23}, cj Ez 21_{20}. †

Der. כַּשִּׁיל (?), כִּשָּׁלוֹן, מִכְשׁוֹל, מַכְשֵׁלָה.

כִּשָּׁלוֹן: כשׁל, BL 498c: **Straucheln, Fall** Pr 16_{18} Sir 25_{23}. †

כשׁף: mhe. md. (MdD 225a af., eher pa. MdH 537b) zaubern, verhexen; *Kasbeel* 1 Hen 69_{13} < *כשפאל Beschwörungsengel (Kuhn ZAW 39, 271); < akk. *kašāpu*, *kuššupu* (Zimmern 67, AHw. 461b); :: ar. *kasafa* schneiden (WKAS K 191), äth. *kasaba*, tigr. (Wb. 407b) *kašaba* beschneiden; sy. etpa. bitten, beten, (Wellh. RaH 126[5], VG 1, 152):

pi: pf. כִּשֵּׁף; pt. מְכַשֵּׁף, מְכַשֵּׁפָה (BL 593 o), מְכַשְּׁפִים: **Zauberei treiben** 2C 33_6, pt. Zauberer Ex 7_{11} Dt 18_{10} Mal 3_5 Da 2_2, f. Hexe Ex 22_{17}. †

Der. *כֶּשֶׁף, כַּשָּׁף, n.l. אַכְשָׁף.

***כֶּשֶׁף**: כשׁף; mhe., < akk. *kišpu*: כְּשָׁפִים, כְּשָׁפֶיהָ/פַיִךְ, pltt. ?: **Zauberei, Zauberkünste** (BHH 2204) 2K 9_{22} Js $47_{9.12}$, Mi 5_{11}, בַּעֲלַת כְּשָׁפִים Hexe Nah 3_4. †

*כַּשָּׁף: כשף, BL 479l; ug. *kšpm* (Eissf. NKT 47), äga. כספי ? = מגשיא (BMAP 158, Eilers AfO 17, 334); < akk. *kaššāpu/ptu* (AHw. 463a): כַּשָּׁפֵיהֶם: **Zauberer, Beschwörer** Jr 27_9. †

כשר: ihe. (DISO 128); mhe. tauglich, gebrauchsfähig sein, כָּשֵׁר „koscher" (Littm. MW 46, Lokotsch nr. 1112), כּוֹשֶׁר, ja.[b] כַּשְׁרָא Tauglichkeit; palm. (DISO 128), sam. (BCh. 2, 484a) cp. sy. md. (MdD 225a); ug. *kṯr* (Aistl. 1417/18, UT nr. 1335; *Kṯr-wḫss* d. Schmiedegott, WbMy I 295f, Hartmann: De herkomst van de goddelijke ambachtsman, Leiden 1964, Gese RAAM 147f, Huizinga, Homo ludens, 1939, 274ff; wegen d. שׂ im aram. < kan. od. akk., (Ku.) :: Rosenthal AF 42f; Albr. RI 96f, Finkel HUCA 26, 109ff; aLw. 140 (?):

qal: pf. כָּשֵׁר; impf. יִכְשַׁר: c. לִפְנֵי Est 8_5 u. c. לְ Sir 13_4 es ist recht, **beliebt ihm**; abs. es gelingt Koh 11_6. †

hif: inf. הַכְשֵׁיר (BL 332t): richtig anwenden (?, cj הַכִּשְׁרוֹן, ↗ Hertzberg 184) Koh 10_{10}. †

Der. כִּשְׁרוֹן, *כּוֹשָׁרָה, cj כַּשִּׁיר.

כִּשְׁרוֹן: כשר, BL 499m; palm. (DISO 128) כשר; כּוּשְׁרָא ja.[b] cp. sy. md. (MdD 216a. 225a): Tauglichkeit: — 1. **Gelingen** Koh 2_{21} 4_4; — 2. **Gewinn** 5_{10}, cj 10_{10}. †

כתב (ca. 200 ×): mhe; ug. *ktb*, ph. ihe. aam. äga. nab. palm. Hatra (DISO 128), ja., sam. (BCh. 2, 493b) cp. sy. md. (MdD 225a, Alth. ArAW 4, 172f), ar. > äth. tigr. (Wb. 414a, Lesl. 28); soq. auch brandmarken, sy. ar. zusammennähen u. sy. *maktᵉbā* u. sar. *maktab* Pfriem führen auf; Grdb. stechen, einritzen, cf. γράφειν (Nöld. ZDMG 59, 419):

qal: pf. כָּתַב, כָּתַבְתָּ, כָּתְבוּ, כְּתַבְתֶּם; impf. וַיִּכְתֹּב/תָּב־, וָאֶכְתֹּב, אֶכְתָּוב־ Hos 8_{12} (Q אֶכְתָּב־), וַיִּכְתְּבוּהָ, יִכְתְּבֵם, יִכְתְּבוּ, אֶכְתֲּבֶנָּה Jr 31_{33} (BL 346x); imp. כְּתֹב, כְּתָב־, כְּתוֹב־ Ez 24_2 (↗ impf.), כִּתְבוּ, כְּתָבָהּ, כְּתָבֵם, כָּתוֹב; inf. כְּתוֹב, לִכְתֹּב, כָּתוֹב; pt. כֹּתֵב, כֹּתְבִים, כָּתוּב, כְּתוּבָה, כְּתוּבִים/בוֹת: — 1. **auf etw.** (עַל) **schreiben**: c. עֵץ Ez 37_{20}, c. אֲבָנִים Dt $27_{3.8}$ Jos 8_{32}, c. לוּחַ Js 30_8, c. גִּלָּיוֹן 8_1, c. עַל־סֵפֶר Dt 17_{18} Jos 10_{13} 2S 1_{18} 2C $34_{21.31}$ 2K $23_{3.21.24}$ Js 30_8 Jr 30_2 (אֶל) 36_{18}; כְּתֻבִים עַל־סֵפֶר דִּבְרֵי 1K 11_{41} $14_{19.29}$ $15_{7.23.31}$ $16_{5.14.20.27}$ $22_{39.46}$ 2K 1_{18} 8_{23} 10_{34} 12_{20} $13_{8.12}$ $14_{15.18.28}$ $15_{6.11.15.21.26.31.36}$ 16_{19} 20_{20} $21_{17.25}$ 23_{28} 24_5 Est 10_2 (1C 29_{29} 2C 9_{29} 12_{15}); 2C 16_{11} (20_{34}) u. עַל־מְגִלַּת־סֵפֶר Jr $36_{2.4}$ (אֶל); c. בַּדְּיוֹ Jr 36_{18}, c. בְּעֵט בַּרְזֶל Jr 17_1, c. בְּחֶרֶט אֱנוֹשׁ Js 8_1; — 2. כָּתַב בַּסֵּפֶר schriftlich verzeichnen (Stamm ThZ 4, 331) Ex 17_{14} (19 ×); — 3. כָּתַב m. Schrift bedecken Ex 31_{18} 32_{15} Dt 9_{10}; — 4. כָּתַב סֵפֶר e. B. schreiben Ex 32_{32} Hi 31_{35}, = c. סְפָרִים 1K 21_8 (6 ×), כָּ׳ מְגִלָּה Jr 36_6; c. אֶל 2S 11_{14} 2K 10_6; כָּ׳ c. שִׂטְנָה עַל 2C 30_1, c. אִגְּרוֹת עַל Esr 4_6, c. סֵפֶר כְּרִיתֻת Dt $24_{1.3}$; — 5. כָּ׳ c. acc.: etw. aufschreiben Ex 24_4 (50 ×), Koh 12_{10} (? l וְכָתַב, ↗ BH :: Hertzberg 216); jmd Nu 11_{26} Ri 8_{14} 1C 9_1 24_6; Bäume Js 10_{19}, c. 2 acc. jmd aufschreiben als Jr 22_{30} Neh 12_{22}; —6. Versch. a) כָּ׳ אֶרֶץ e. Land (schriftlich) aufnehmen Jos $18_{4.6.8f}$; כָּ׳ לַחַיִּים zum Leben aufgeschrieben Js 4_3; כַּאֲשֶׁר כָּתוּב Da 9_{13} (Mtg. 366; καθὼς γέγραπται Θ, ThWbNT 1, 747f); כְּתוּבָה לְפָנַי Js 65_6; יִכְתֹּב יָדוֹ לַיהוה er schreibt auf s. Hand: „Für J." Js 44_5; כְּתוּבָה פָּנִים וְאָחוֹר auf d. Vorder- u. auf d. Rückseite beschrieben Ez 2_{10}; כָּתוּב אֲרָמִית auf Aram. beschrieben Esr 4_7; כָּתוּב Geschriebenes Est 6_2; כַּכָּתוּב **vorschriftsgemäss** Esr 3_4 Neh 8_{15} 2C 30_5, כַּכָּ׳ בַּתּוֹרָה 2K 22_{13}, כְּכָל־הַכָּ׳ Neh $10_{35.37}$; בְּסֵפֶר בְּתוֹרַת מֹשֶׁה 1K 2_3 Esr 3_2 2C 23_{18}, בַּתּוֹרָה בְּסֵפֶר מ׳, תּוֹרַת מ׳ Jos 8_{31} 2K 14_6 23_{21}, 2C 25_4; בְּלֹא כַכָּ׳ vorschriftswidrig 2C 30_{18}; b) כָּ׳ מִפִּי nach Diktat schreiben Jr $36_{4.6.27.32}$ 45_1; c) כָּ׳ **unterschreiben** Jr 32_{12} (MSS Vrss כֹּתְבִים eingeschrieben;

d) **eingravieren** Ex 39$_{30}$ †; — Ps 87$_6$ l בִּכְתָב.

nif: pf. נִכְתָּב; impf. תִּכָּתֵב, וַיִּכָּתֵב, תִּכָּתֵב, יִכָּתֵבוּ, יִכָּתְבוּן; pt. נִכְתָּב: — 1. **geschrieben werden** Mal 3$_{16}$ Hi 19$_{23}$; — 2. aufgeschrieben werden Ez 13$_9$ Ps 69$_{29}$ 139$_{16}$ Est 2$_{23}$ 9$_{32}$, c. לְ für Ps 102$_{19}$; — 3. schriftlich aufgezeichnet werden Est 1$_{19}$ 8$_8$ Esr 8$_{34}$, בָּאָרֶץ auf d. Erde geschrieben (Rud. 107) = ? der שְׁאוֹל zu geschrieben Jr 17$_{13}$; — 4. **schriftlich angeordnet werden** Est 3$_{12a.b}$ 8$_{5.9}$, c. לְ c. inf. 3$_9$. †

pi: pf. כִּתְּבוּ; pt. מְכַתְּבִים: **anhaltend schreiben** (BL 281g, Jenni 160f) Js 10$_1$. †

Der. כְּתָב, כְּתֹבֶת, מִכְתָּב.

כְּתָב: כתב, < *katāb, BL 470l; mhe., nab. palm. ija. (DISO 129, DJD III 252) ja.[tg]; aLw. 141, :: he. סֵפֶר: כְּתָבָם, spät: — 1. **Schriftstück** (= מִכְתָּב 2) Est 3$_{14}$ 4$_8$ 8$_{8.13}$ 9$_{27}$ Da 10$_{21}$ (כְּ׳ אֱמֶת) Esr 4$_7$ (Gl. z. נִשְׁתְּוָן); בִּכְתָב schriftlich 1C 28$_{19}$ (מִיַּד י׳) 2C 2$_{10}$ Sir 42$_7$ (M IV 13 pr. ככ) 44$_5$; nach Vorschrift 2C 35$_4$; — 2. **Verzeichnis** Ez 13$_9$ Esr 2$_{62}$ Neh 7$_{64}$ cj Ps 87$_6$ (כְּ׳ עַמִּים Völkerbuch); — 3. **Schrift** (:: לָשׁוֹן, ↗ סֵפֶר) Est 1$_{22}$ 3$_{12}$ 8$_9$. †

כְּתֹבֶת: כתב, BL 608g; äga. *כתבה Marke auf Arm (DISO 129): Beschriftung כְּ׳ קַעֲקַע **Tätowierung** (Ell. 262) Lv 19$_{28}$ (|| שֶׂרֶט), ↗ Smith RS 334.619. †

כִּתִּיִּם, כִּתִּיִּים Js 23$_{12}$ (Q כִּתִּים), כִּתִּיִּם Ez 27$_6$ u. כִּתִּים Gn 10$_4$ Nu 24$_{24}$ Js 23$_{1.12Q}$ Da 11$_{30}$ 1C 1$_7$, Sam.[M121] *Kittem*; 4QM u. QpNah כתיים, 1QpHab כתיאים; ug. *k(?)t* (UT nr. 1319, PRU II nr. 89, 9); = ph. כת n.l. = Κίτιον auf Cypern, כתי gntl. (Harris Gr. 113, Friedr. § 102), ihe. T. Arad, 6. Jh. כתים (BA 31, 14, Phoenix XII 368, 2. 370): 1 Mak 1$_1$ 8$_5$ Χεττιειμ, u. *Κιττιεῖς/ταῖοι, G sonst Κήτιοι, Hier. *Chethim*: **Kittäer**, n.p., urspr. d. Bewohner v. כת Κίτιον (:: v. Brandst. 72); im AT: — 1. בְּנֵי יָוָן, Enkel v. יֶפֶת Gn 10$_4$ 1C 1$_7$; — 2. Leute d. südl. Cypern Js 23$_{1.12}$ Ez 27$_6$ (↗ Zimm. 640); — 3. אִיֵּי כְּ׳ d. griech. Inselwelt :: קֵדָר als Vertreter d. Ostens Jr 2$_{10}$ (Rud. 14); 1 Mak 1$_1$ 8$_5$ d. maked. Reich; — 4. adj. צִיִּים כִּתִּים Da 11$_{30}$ d. Römer, auch Nu 24$_{24}$ (V); — 5. in DSS: כתיאים u. כתיים, in 1QpHab u. M, 4Qp Nah, Is[a]; ↗ Rowley PEQ 88, 1956, 1ff, BHH 299. †

כָּתִית: כתת, BL 470n; mhe., ja.[b] כתיתא wunde Stelle, sam. (BCh. 2, 49b, pr. he. כָּתוּת): (im Mörser) **zerstossen** (:: gepresst, AuS 4, 238ff), **lauter**: Öl Ex 27$_{40}$ 29$_{40}$ Lv 24$_2$ Nu 28$_5$ 1K 5$_{25}$. †

כֹּתֶל: mhe.; palm. כתלא (DISO 129), ba. כְּתַל, ja. cp. sam. (BCh. 2, 586b), sy. md. (MdD 211a); < akk. *kutlu* Seiten-Wand (AHw. 518b, CAD 8, 610a); aLw. 142: כָּתְלֵנוּ: **Wand** HL 2$_9$. †

כִּתְלִישׁ, G[A] Χατλως, G[L] Καθαλεις: n.l., ign. in Juda; unsem. Borée 116f: nahe Lakiš (Abel 2, 299, GTT § 318 B 12): Jos 15$_{40}$. †

כתם: ja.[t] (1 ×) pe. pt. pass. befleckt, mhe., ja.[b] כתמא, כֶּתֶם Flecken ?, mhe[2]. pu. beflekken, sy. schmutzig sein; ar. *katama* (WKAS K 50b), u. akk. *katāmu* (AHw. 464a) bedecken, verheimlichen, ar. *katam* Pflanze z. Schwarzfärben d. Haare (WKAS K 53); Delekat VT 14, 31f; Grdb. m. Farbstoff bedecken, beflecken:

nif: pt. נִכְתָּם: **als Schmutzfleck haften bleiben** Jr 2$_{22}$. †

Der. מִכְתָּם (?).

כֶּתֶם, כֶּתֶם: äg. *ktmt* (EG 5, 145, Lambdin 151f): **Gold** (Masson 38[5]): Hi 31$_{24}$ Pr 25$_{12}$ (|| זָהָב); כֶּ׳ טָהוֹר Hi 28$_{19}$, הַכֶּ׳ הַטּוֹב Kl 4$_1$, כֶּ׳ אוֹפִיר G. aus O. Js 13$_{12}$ Ps 45$_{10}$ Hi 28$_{16}$; חֲלִי כֶ׳ Pr 25$_{12}$; כֶּ׳ פַּז HL 5$_{11}$, u. כֶּתֶם אוּפָז ↗ פָּז u. אוּפָז. †

כְּתֹנֶת, Sam.[M121] *kittānet*: mhe.; ug. *ktn*, du. *ktnm*, pl. *ktnt* Rock (UT nr. 1324); ph. כתן (:: בץ KAI 24, 12) u. äga. (DISO 129) Leinen; ja.[t] כִּתּוּנָא u. כִּתּוּ/תָּנִיתָא, sam. (BCh. 2, 491a), sy. *kettānā* u. *kuttīnā* Leinen, md. (MdD 216a) *kitana* Leinen, *kituna* Hemd; > ar. *kattān*, äth. *k*ᵉ*tān* Leinen; < akk. *kitū* Leinen, Flachs, *kitītu, kitintu* Leinengewand (AHw. 493b. 495b) < akk. *kutānu*; :: Wollcoupon (KR Veenhof, Aspects of Old Assyrian Trade and its Terminology, Leiden, 1972, 145-51); wsem. Grdf. *kut(t)ān* > *he*. **kutun-t*, (dissim. > **kitun*, **kutin*, Gemin. sekd. (VG 1, 255), myk. *kito* (Mayer 318), > grie. χιτών, jon. κιθών, dorisch κιτών (Masson 27ff); lat. *tunica* (Walde-H. 2, 717); ar. *quṭun* Baumwolle, engl. *cotton*, frz. *coton* etc. (Lokotsch 1272) damit letztlich identisch; ? > Kittel (Kluge 371b); Ku. WaH. 97f, Fensham VT 12, 196ff: cs. כְּתֹנֶת (BL 619p, Ex 28$_{39}$ dl ה), כְּתָנְתּוֹ/תֶּךָ, כְּתֹנֶת u. כָּתְנוֹת Ex 39$_{27}$, cs. כָּתְנוֹת, כָּתְנֹתָם: **hemdartiger Leibrock** (Hönig 30ff, AuS 5, 215; nicht notwendig Leinen); Laientracht Gn 37$_{3\cdot23\cdot31\text{-}33}$ (↗פַּסִּים) 2S 15$_{32}$ Js 22$_{21}$ Hi 30$_{18}$ (פִּי Halsausschnitt) aus Fell Gn 3$_{21}$; Frauentracht 2S 13$_{18f}$ HL 5$_{3}$; Priestertracht Ex 28$_{4\cdot39f}$ 29$_{5\cdot8}$ 39$_{27}$ 40$_{14}$ Lv 8$_{7\cdot13}$ 10$_{5}$ 16$_{4}$ Esr 2$_{69}$ Neh 7$_{69\cdot71}$ Sir 45$_{8}$. †

כָּתֵף, Sam.[M121] *kētef*: mhe. mhe.², pl. auch כתפים; ug. *ktp* (UT nr. 1325, Aistl. 1407, du. *ktpm*, ? auch eine Waffe; Donner ZAW 78, 348); ja. כִּ/כַּתְפָּא, cp. sam. (BCh. 2, 494a) sy. *katpā*, md. (MdD 195b, כאדפא); denom. belasten, aufladen mhe.² ja.[b]; ar. *katif* (WKAS K 48), *kitf*, tigr. (Wb. 415b) *maktaf*, äth. *matkaft* (Dillm. 568f); ? akk. *katappātu* Brustteil b. Tier (AHw. 465a): cs. כֶּתֶף (BL 552p.q ↗ sy. ar.), כְּתֵפָיו/פֶיהָ כִּתְפִי, du. od. pl. כְּתֵפַיִם *פִּים/; nur metaph.; (mhe¹. u. mhe. wenn von mehreren Personen verwendet), כְּתֵפֹ(וֹ)ת (ja. sy. md. m.!), cs. = (BL 597g) u. כִּתְפוֹת (Sam. *katfot*) כְּתֵ(י)פָיו/פֶיהָ; f.: — 1. **Schulter (blatt)**, Arm v. d. Schultern an, **Oberarm** (:: שְׁכֶם Hi 31$_{22}$), m. Einschluss d. Brust בֵּין כְּתֵפָיו 1S 17$_{6}$: a) v. Mensch Ex 28$_{12}$ Ez 29$_{18}$, v. Tier Js 30$_{6}$; יָרֵךְ וְכָ׳ Speisefleisch Ez 24$_{4}$; b) dient z. Tragen Nu 7$_{9}$ Ri 16$_{3}$ Js 46$_{7}$ 49$_{22}$ (Kinder, BiW 205) Ez 12$_{6f\cdot12}$ (l עַל) 1C 15$_{15}$ 2C 35$_{3}$; z. Stossen Ez 34$_{21}$; נָתַן כָּ׳ סֹרֶרֶת störrische Schulter zeigen Zch 7$_{11}$ Neh 9$_{29}$; metaph.: בֵּין כְּתֵפָיו = hinter, im Schutz von (ar., Ku.) Dt 33$_{12}$; — 2. metaph. (Dho. EM 94ff): a) Schulterstücke d. Ephod (↗ Snijders OTSt. 14, 220f: Konsolen) Ex 28$_{7\cdot12\cdot25\cdot27}$ 39$_{4\cdot7\cdot18\cdot20}$; b) Seitenstücke d. Achsen der מְכוֹנָה 1K 7$_{30\cdot34}$ cj $_{31}$ (↗ Noth Kge 158); c) tt. archt. **Seite**: Ex 27$_{14f}$ 38$_{14f}$ 2K 11$_{11}$ Ez 47$_{1f}$ 2C 4$_{10}$ 23$_{10}$ הַכָּ׳ מִחוּצָה Aussenseite Ez 40$_{40}$, הַכָּ׳ הָאַחֶרֶת 40$_{41}$, עַל/אֶל־כֶּתֶף z. Seiten von 1K 6$_{8}$ 7$_{39}$; cj (l כִּתְפוֹת pr. רֹחַב) Seitenwände d. Türöffnung d. הֵיכָל Ez 41$_{3}$; כֶּ׳ הַשְּׁעָרִים Ez 40$_{18.44}$ 46$_{19}$, כִּתְפוֹת הָאוּלָם 41$_{26}$; — 3. Schulter = **Berghang-lehne** (:: Dho. EM 94f, Schwarzb. 18f: „seitlich v."; ihe. eines Felsens, DISO 129): a) Benjamin (cj) שָׁכֵן בֵּין כְּתֵפָיו, sbj. J., sf. auf Bethel (Ku.Leš. 6, 266ff) Dt 33$_{12}$; b) כֶּתֶף הַיְבוּסִי „Jebusiterschulter" S. Seite d. W.-Hügels v. Jerus. (Dalm. JG. 82f; „seitlich" hier unmöglich) Jos 15$_{8}$ 18$_{16}$; כֶּתֶף הַר יְעָרִים 15$_{10}$, כֶּ׳ עֶקְרוֹן nw. ʿAqir (PJb 29, 33ff) 15$_{11}$, כֶּ׳ יְרִיחוֹ 18$_{12}$, כֶּ׳ לוּזָה v. *Bētīn* nach SW. 18$_{13}$, כֶּ׳ מוּל־הָעֲרָבָה 18$_{18}$, כֶּ׳ בֵּית חָגְלָה 18$_{19}$, כֶּ׳ פְּלִשְׁתִּים (MT כָּתֵף) Westabhang des judäischen Berglandes Js 11$_{14}$, כֶּ׳ מוֹאָב Ez 25$_{9}$, כֶּ׳ יָם־כִּנֶּרֶת Osthang d. Sees Gen. Nu 34$_{11}$. †

כְּתֹף Hi 21$_{12}$, ↗ תֹּף, z. Begleitung v. (Budde), meist l בְּתֹף Beer, BH; :: Dahood, Festschr. Gruenth. 65: l כָּתִיף, ar. Langschwert (? WKAS K 49), ug. *ktp*, äg. *ktp*: Schwerttanz). †

I **כתר**: mhe.² pehl. u. äga. (DISO 129), ja.[t], sam. (BCh. 2, 652a) cp. sy. md. (MdD 225b) bleiben, warten; akk. *katāru* warten (aLw. 144, AHw. 465a):

pi: imp. כַּתַּר: c. לְ warten auf, **Geduld haben mit** Hi 36$_{2}$. †

II כתר: tigr. (Lesl. 28) umgeben, (Wb. 413b) Haar um Haarpfeil binden, (Wb. 414a) Schar; zu I: Jenni 250:
pi: pf. כִּתְּרוּנִי, כִּתְּרוּ: **umstellen** Ps 22$_{13}$ (|| סבב) Ri 20$_{43}$ (? l כִּתְּתוּ G). †
hif: impf. יַכְתִּרוּ; pt. מַכְתִּיר: — 1. jmd. **umstellen** Hab 1$_{4}$; — 2. **sich scharen um** Ps 142$_{8}$. †
Der. כֶּתֶר, כֹּתֶרֶת.

III כתר: denom. v. כֶּתֶר; mhe.:
hif: impf. יַכְתִּרוּ: **als Kopfschmuck tragen** al. krönen mit) Pr 14$_{18}$. †

כֶּתֶר: II (III) כתר; mhe., ja. כִּתְרָא, sam. (BCh. 2, 652a), ar. *ka/itr* Buckel (WKAS K 46), *katara* grossen Buckel haben; > κίτ/δαρις *Tiara* (Lewy FW. 90, Mayer 329; cf. מִגְבָּעָה Eilers AfO 17, 331, Driv. AD ^{2}98): — 1. **hoher Turban** d. pers. Königs Est 1$_{11}$ u. 2$_{17}$ (Königin); — 2. **Kopfschmuck** d. Pferdes Est 6$_{8}$. †

כֹּתֶרֶת, G 2K 25$_{17}$ χωθαρ, sonst ἐπίθεμα: II כתר (?), BL 475q: pun. כתרת (DISO 130): — 1. tt. archt. **Säulenkapitäl** (BHH 932 :: Noth Kge 163) 1K 7$_{16-20.41f}$ 2K 25$_{17}$ Jr 52$_{22}$ 2C 4$_{12f}$; — 2. (runder?) Aufsatz (↗ כֶּתֶר) über d. viereckigen Kasten der מְכוֹנָה, ↗ AOB 505-508, Mtg.-G. 180, (gew. cj לִכְתֵפוֹת: כָּתֵף 2b) 1K 7$_{31}$, wie 1.: Noth 158. †

כתשׁ: mhe. stossen, hitp. kämpfen, ja.^{tg}, jaud. äga. (DISO 130); GnAp. XX 16 (?מכדשׁ) ja., sam. (BCh. 2, 522a) cp. sy. md. (כדשׁ, MdD 204b) auch (m. Aussatz) schlagen, ar. *kadasa* stossen, schlagen (WKAS K 84b):
qal: impf. תִּכְתּוֹשׁ: (im Mörser) **zerstossen** Pr 27$_{22}$. †
Der. מַכְתֵּשׁ.

כתת: mhe. pi. 1QpHab: qal: 3,1; hof.: M 18, 1; ja.^{gb} pa. (?); sy. *kettā*, md. כיתא Klumpen (MdD 216a); tigr. (Wb. 414b) kleine Einschnitte machen, tigrin. kleinschlagen (Lesl. 28); akk. *katātu* vibrieren (AHw. 465a):
qal: pf. כַּתּוֹתִי, impf. וָאֶכּוֹת; imp. כֹּתּוּ; pt. כָּתוּת: **klein schlagen, zerstossen** Jl 4$_{10}$ Ps 89$_{24}$, Dt 9$_{21}$ Js 30$_{14}$; כָּתוּת m. zerquetschten Hoden Lv 22$_{24}$ (↗ כָּתִית u. מָעוּךְ, BHH 413f). †
pi. (Jenni 185f): pf. כִּתַּת, כִּתְּתוּ: **in Stücke schlagen** 2K 18$_{4}$ Js 2$_{4}$ / Mi 4$_{3}$ Zch 11$_{6}$ 2C 34$_{7}$, cj Ri 20$_{43}$ (↗ II כתר) u. Ps 74$_{6}$? ins. כִּתְּתוּ). †
pu: pf. כֻּתְּתוּ: gestossen werden בְּ gegen, eher refl. (cf. עָנָה) **sich stossen an** 2C 15$_{6}$. †
hif: impf. וַיַּכְּתוּ u. וַיַּכְּתוּם (BL 434h): (Feinde) **zersprengen** Nu 14$_{45}$ Dt 1$_{44}$. †
hof. (pass. qal ?): impf. יֻכַּת, יֻכְּתוּ: — 1. in Stücke **zerschlagen werden** (↗ qal) Js 24$_{12}$ Mi 1$_{7}$ Hi 4$_{20}$; — 2. (Feinde) **zersprengt werden** (↗ hif.) Jr 46$_{5}$ 1QM 18, 2. †
Der. מְכִתָּה, כָּתִית.

ל

ל: לָמֶד, sam. *labad* (Peterm. Gr. § 1), äth. *lāwē* (Nöld. BS 132); in G Ps Kl λαμεδ, λαβ(ε)δ, grie. Λα(μ)δα, V *lamed*. Später Zeichen f. 30, לא = 31. Bildzeichen Strickrolle od. Stachelstock (Driv. SWr. 164f). Entspricht unserem *l*-Laut. Wechselt a) mit נ (VG 1, 136ff. 221, v. Soden Or. 25, 241ff, MdH § 27), ausserhe. בֵּית אֵל, חָסִיל, לחשׁ, לֶחֶם ?, I צֶלֶם, כַּלָּה; b) mit ר (VG 1, 136ff) innerhe. II צהל (?), ausserhe. חֲלָצַיִם, בְּלִיַּעַל. Als Nominal aff. (BL 503 i, BM § 41, 7c) עֲרָפֶל, כַּרְמֶל, גִּבְעֹל; dissim. < gemin. (Koehler ThZ 2, 314f) פִּלְדָּשׁ, הַלְמוּת, גִּלְעָד, גַּלְמוּד, גִּלְבֹּעַ.

I לְ, Sam.^{M123} *la/e/i, el*; Sec. λα (Brönno 218): Sem. (VG 1, 495); mhe.; ug. *l* (= *la*,

UT § 10, 10), ph. aram. (DISO 130f, BA), md. (MdD 226a, MdH 5. 105); akk. *la* (AHw. 520a) u. *lapān* (aram. *la* + akk. *pānu*, AHw. 534b, Or. 35, 14), amor. *la*, *li* (Bauer Ok. 77, Huffm. 222ff): ar. *li*; äth. tigr. (Wb. 29b) *la* (VG 1, 470cα); Grdf. **la* (m. Nf. *li* ?), + *mā* > F לְמוֹ; ausser m. sf. immer procl. BL 636-40: לְ, לְצִיּוֹן Ps 87$_{5}$ Ⓛ; vor Kons. m. Šwa *li*, b. Inf. meist m. Šw. qui. (BL 210f) sonst je nach d. folgenden Vokal: לֶאֱהֹב, לַעֲמֹד, לָחֳלִי; vor Tonsible *lā*: לָזֶה, לָבֶ֫טַח, bei einsilbigem Inf. לָתֵת, (aber לְתֵת vor Gen. Gn. 16$_{3}$, auch לְחֹם לוֹ Hg 1$_{6}$) u. לָ֫תֶת, aber לְתִתִּי. Besondere Fälle: לֵאמֹר (F אמר), לַיהוה (יהוה). Synkope des *h* zw. 2 Vokalen (GK § 19k) beim Art.; לְהַמֶּלֶךְ* > לַמֶּלֶךְ, לְהָרֹאשׁ* > לָרֹאשׁ, b. inf. nif. לְהֵרָאוֹת* > לֵרָאוֹת, u. inf. hif. לְהַמְרוֹת* > לַמְרוֹת. לְ m. sf.: לוֹ (auch לֹא m. diakrit. dag. l., Bgstr. 1, 67u), לָהּ (לָה Nu 32$_{42}$ Zch 5$_{11}$ Rt 2$_{14}$, GK § 103g), לְךָ (לְכָה Gn 27$_{37}$ 2S 18$_{22}$ Js 3$_{6}$), לָ֑ךְ, f. לָךְ u. לָ֫כִי 2K 4$_{2}$ u. HL 2$_{13}$ (Ⓑ Q לָךְ, K לְכִי ?), לָכֶם (fem. Rt 1$_{9}$), לִי (הָיְתָה־לִּי Gn 18$_{12}$, Bgstr. 1, 65p), לָהֶם, לָהֵ֫מָּה u. F לָ֫מוֹ, לָהֶן, לָהֵ֫נָּה (לָהֵן Rt 1$_{13}$, ? 1 לָהֶם), לָכֵ֫נָה Ez 13$_{18}$, לָ֫נוּ: לְ ist immer praep. (לְתִתֵּן 1K 6$_{19}$ 1 לָתֵת od. לָתֶ֫נֶת*) u. besagt e. Sein od. Geschehen auf etw. zu, gegenüber etw., od. für etw. (HeSy. § 107): — 1. **örtlich**: **an . . . . hin**, **zu . . . . hin**: לַמִּזְרָח Neh 3$_{26}$, לְפָנִים nach vorn hin :: לְאָחוֹר nach hinten hin Jr 7$_{24}$, לְמַ֫עְלָה Js 7$_{11}$ :: לְמַ֫טָּה 37$_{31}$; so oft bei Ausdrücken d. Bewegung (bes. in Chron., Kropat 43f.): פָּנָה לְדַרְכּוֹ Js 53$_{6}$, פְּנֵיהֶם לַבַּ֫יִת auf d. Haus zu 2C 31$_{3}$, נִפְרַשׂ לְאֵל nach e. Gott hin Ps 44$_{21}$, לָאָ֫רֶץ Js 5$_{30}$, לְבֵיתֶ֑ךָ . . . . עֲלִי zu . . . . hinauf 1S 25$_{35}$, בָּא לָעִיר in . . . . hinein 9$_{12}$; שָׁלַח לִירוּשׁ׳ nach Jerus. hin 1C 21$_{15}$; ell. לְאֹהָלֶ֫יךָ zu 1K 12$_{16}$; — 2. d. Ziel d. Bewegung: מַגַּ֫עַת לְקִיר d. Wand berührend 2C 3$_{11}$, דָּבְקָה לָאָ֫רֶץ an d. Erde Ps 44$_{26}$, קָרַב לַשַּׁחַת Hi 33$_{22}$, לְפֶ֫תַח am Tor Nu 11$_{10}$, לְיַד zur Seite Pr 8$_{3}$; — 3. **zeitlich**: a) **bis zu**: לַבֹּ֫קֶר bis Dt 16$_{4}$, לַמּוֹעֵד bis zu 1S 13$_{8}$, לְעוֹלָם für immer Gn 3$_{22}$; b) **an**, **um**: לְעֵת עֶ֫רֶב um d. Abendzeit Gn 8$_{11}$; לַבֹּ֫קֶר am Morgen Am 4$_{4}$, לָעֶ֫רֶב Gn 49$_{27}$ (|| בַּבֹּ֫קֶר), לְרוּחַ הַיּוֹם um d. Abendkühle 3$_{8}$, לְיוֹם פְּקֻדָּה auf den Tag Js 10$_{3}$, לַמָּטָר beim Regen Jr 10$_{13}$; bei pl. F 18b; c. inf. לְדַעְתּוֹ wenn er weiss Js 7$_{15}$; c) für e. Zeit > e. Zeitlang: לְיָמִים עוֹד שִׁבְעָה nach noch 7 Tagen Gn 7$_{4}$, לִשְׁנָתַ֫יִם nach 2 J. 2S 13$_{23}$, לִשְׁלֹ֫שֶׁת הַיָּמִים binnen d. 3 Tage Esr 10$_{8}$; — 4. d. Richtung: לָאָ֫רֶץ zu Boden Kl 2$_{11}$, נִכְסַפְתָּה לְבֵית nach d. Haus Gn 31$_{30}$, חִכְּתָה לַיהוה nach J. Ps 33$_{20}$, הֶאֱמִין לָהֶם fühlte sich sicher nach ihnen hin = glaubte ihnen Jr 40$_{14}$, תְּבַקֵּשׁ לַעֲוֹנִי forschest nach Hi 10$_{6}$, עֵינֶ֫יךָ לֶאֱמוּנָה gerichtet auf Jr 5$_{3}$, שָׂמְחוּ לְךָ über dich Js 14$_{8}$, לְמוֹאָב יִזְעָק um Moab Js 15$_{5}$; :: von . . . weg (Dahood HeWf 41) Pr 13$_{13}$ F חבל (:: dl. Gemser dittogr.); — 5. לְ **von** (. . . **weg** cf. בְּ 13, akk. *ina*, äg. *m*), = מִן, ug. (UT § 10, 1), asin. (PrSinI. 23.40), Driv. WdO 1, 413, Dahood UHPh. 29f: c. מנע Ps 84$_{12}$, c. עצר 2K 4$_{24}$, c. שׁוב Ps 85$_{9}$, c. תּוֹצָאוֹת Ps 68$_{21}$ (Albr. Mow.); cf. Barr CpPh. 175f; ? comp. „mehr als" Dahood l.c. 30: לְמָעוֹז Nah 1$_{7}$, לְרֵיחַ HL 1$_{3}$ Albr. Fschr. Driv. 2; — 6. daher c. verbis dicendi (lat. *de*) **von**, **über**: אִמְרִי לִי von mir Gn 20$_{13}$, [יְסַפְּרוּ] לְעִתִּים · · · נִבָּא vom Herrn Ps 22$_{31}$, לַאדֹנָי Ez 12$_{27}$; daher in Überschriften (ug. *l*): לַנְּבִאִים über Jr 23$_{9}$, לְמוֹאָב über M. Jr 48$_{1}$; — 7. Absicht, d. Ziel d. Handelns: עָשָׂה לְ Gn 12$_{2}$ u. נָתַן לְ 17$_{6}$ u. שָׂם לְ Js 5$_{20}$ machen zu, וַיִּבֶן לְ ausbauen zu Gn 2$_{22}$, נֶהְפַּךְ לְ gewandelt werden zu Jl 3$_{4}$, הֵקִים לְ erwecken zu Am 2$_{11}$, שָׂרַף לְ brennen zu 2$_{1}$; לְעֵד als Zeuge Dt 31$_{21}$, לְמִשְׂגָּב Ps 48$_{4}$, לְלֹא־לָהּ als nicht ihr gehörige Hi 39$_{16}$, לְחֶרְפָּה zum Hohn Da 9$_{16}$, לְאַכְזָר wurde zur grausamen

Kl 4_{3}; — 8. Dat. (in)commodi: a) טוֹב לוֹ gut in Bezug auf = gut für ihn: טוֹב לְךָ Gewinn f. dich Hi 10_{3}; יִנְעַם לְ ist angenehm für Pr 24_{25}; הֵנִיחַ לָכֶם Dt 12_{3}; so b. Verben des Gebens, Antuns, Schickens etc.; b) מַר לָהּ bitter für sie Kl 1_{4}; הֵצִיק לְ Drangsal bereiten für Js 29_{2}; Heilmittel für = gegen: לְחַטָּאת וּלְנִדָּה gegen Sünde u. Unreinheit Zch 13_{1}; c) zum besten, z. Gunsten von: הָיָה לָנוּ war für uns Ps 124_{1}, יֵלֶךְ לָנוּ geht für uns Js 6_{8}, לְאֵל zu Gunsten Gottes Hi 13_{7}, לַיהוה für J.! Ri 7_{18}; — 9. dat. ethicus, d. Interesses, d. Teilnahme (GK § 119s); im Unterschied z. unseren Sprachen immer mit Bezug auf d. Subj.; ja. דכר לך (GnAp. II 9): וַיֵּלֶךְ לוֹ ging (für sich) Ex 18_{27}, יִתְהַלְּכוּ לָמוֹ verlaufen sich Ps 58_{8}, וַתֵּשֶׁב לָהּ Gn 21_{16}; oft c. imp. לֶךְ־לְךָ geh! Gn 12_{1}, בְּרַח לְךָ flieh! 27_{43} סְעוּ לָכֶם brecht auf! Dt 1_{7}; — 10. drückt Zugehörigkeit aus: הַמֵּת לְיָרָבְעָם von [d. Leuten d.] Jer. 1K 14_{11}; לֹא אֶהְיֶה לָכֶם habe mit euch nichts zu schaffen Hos 1_{9} (Duhm, ↗ Rud. 38); — 11. > dat. poss.: יֵשׁ לִי ich habe, u. אֵין לִי ich habe nicht, > (ell.) לְ gehört mir Ps 50_{10}; לְמִי wem gehört? Rt 2_{5}; לוֹ הַיָּם sein ist d. Meer Ps 95_{5}; 1C 5_{2} ins. לוֹ לֹא „ihm, nicht Josef" (Rud. 42); — 12. Bereitschaft, Verfügbarkeit, Zuständigkeit: יוֹם לַיהוה bereitet für Js 2_{12}, לָכֶם לָדַעַת es ist euere Sache zu wissen Mi 3_{1}, לֹא לָכֶם es ist nicht eure Sache Esr 4_{3}, לַיהוה הַיְשׁוּעָה d. Hilfe steht bei J. Ps 3_{9}, לְאָדָם steht in der Macht (Verfügung) d. Menschen Jr 10_{23}, לֹא לְהַזְכִּיר ist nicht ratsam zu Am 6_{10}, אַל לַמְּלָכִים d. K. sollen nicht Pr 31_{4}, אֵין לִי כֶּסֶף es geht mir nicht um 2S 21_{4}; — 13. bezeichnet Ergebnis od. Produkt einer Handlung: וַיְהִי הָאָדָם לְנֶפֶשׁ חַיָּה zu e. lebendigen Wesen Gn 2_{7} (G u. NT εἰς!), וַיִּבֶן י׳ אֶת־הַצֵּלָע לְאִשָּׁה zu e. Weibe 2_{22}, אֶעֶשְׂךָ לְגוֹי z. e. Volk 12_{2}, לָקַחַת אֹתָנוּ לַעֲבָדִים uns als Knechte zu nehmen 43_{18}, יֵצֵא לַחָפְשִׁי als Freier herausgehen Ex 21_{2}; c. שִׁלַּח als Freien entlassen 21_{26}; לְשָׂטָן לוֹ als Gegner für ihn Nu 22_{22}; — 14. d. Genetivverhältnis: בֵּן לְיִשַׁי ein Sohn des I. 1S 16_{18}, אֹהֵב לְדָוִד ein Freund des D. 1K 5_{15}, עֲבָדִים לְשִׁמְעִי Sklaven des S. 2_{39}, so auch מִזְמוֹר לְאָסָף Ps 75_{1} 76_{1}, auch מ׳ לְדָוִד 3_{1} u.ö., (Lex.[1], Budde Gesch. d. althe. Lit. 1909[2], 259ff :: Delekat ZAW 76, 281f: Registervermerk); — 15. לְ steht f. d. Gen. a) bei indet. Nomen: אַחַת לָהֶם eine v. ihnen Ez 1_{6}, שְׁנַת שְׁתַּיִם לְדָרְיָוֶשׁ des D. Hg 1_{1}, בַּחֲמִשָּׁה לַחֹדֶשׁ Ez 8_{1}, דִּמְכֶם לְנַפְשֹׁתֵיכֶם euer eigenes Blut Gn 9_{5}; b) an Stelle d. 2. Gen.s: דִּבְרֵי הַיָּמִים לְמַלְכֵי der K. 1K 15_{31}, חֶלְקַת הַשָּׂדֶה לְבֹעַז des B. Rt 2_{3}; — 16. verdeutlicht d. Beziehung zw. e. Präp. u. ihrem Gen.: תַּחַת לְ HL 2_{6}, מִתַּחַת לְ Gn 1_{7}, עַד לְ Esr 3_{13}, סָבִיב לְ Ex 16_{13}; — 17. drückt m. Nomen e. Zustand aus (:: Delekat ZAW 76, 289: II לְ): לָבֶטַח sicher Lv 25_{18}, לָרֹב in Menge Gn 48_{16}, לָטֹהַר an Klarheit Ex 24_{10}; c. sf. (cf. akk. *ina idinia* ich allein, AHw. 186a): לְאִטִּי (:אַט) ich gemächlich Gn 33_{14}, לְבַדּוֹ (I בַּד 2) er allein 44_{20}, — 18. distributiv (GK § 123c): a) sg. wiederholt: לַבֹּקֶר לַבֹּקֶר jeden Morgen 1C 9_{27}, b) bei pl. לִבְקָרִים alle Morgen Hi 7_{18}, לַבְּ׳ Ps 73_{14}, לִרְגָעִים jeden Augenblick Js 27_{3}; — 19. Ausdruck genauer Beziehung: a) betreffend, an: לְעֹשֶׁר an Reichtum 1K 10_{23}, לְמָתוֹק an Süsse Ez 3_{3}, לְיָמִים an T. Hi 30_{1} 32_{4}, לְכֹחַ · · · לְמִשְׁפָּט d. Kraft . . . d. Recht betreffend Hi 9_{19}; לוֹ c. צִוָּה ihn betreffend Est 3_{2}, לְעַשְׁתּוּת nach d. Meinung Hi 12_{5}; b) > לְ compar. (↗ מִן 5b, בְּ 13; Dahood CBQ 47, 406): צָעִיר לִהְיוֹת zu klein um zu sein Mi 5_{1}, טוֹבִים · · · לְרֵיחַ süsser als (|| מִן 5b) HL 1_{3}, תָּעֹז לֶחָכָם ist stärker als (|| מִן) Koh 7_{19}, — 20. gliedert Ganzes in s. Teile: nach: לְמִינוֹ n. ihrer Art Gn 1_{11}, לְמִשְׁפְּחֹתָם Nu 4_{29},

לְשִׁבְטֵיכֶם וּלְאַלְפֵיכֶם 1S 10_{19}, לְמֵאוֹת וְלַאֲלָפִים 29_2, לִגְדוּד truppenweise 2C 26_{11}, אֶרֶץ לְאָרְכָּהּ Gn 13_{17}, GnAp. II 23 (↗ Fitzm. GnAp 83f), — 21. drückt wie im Aram. den meist persönlichen acc. aus (GK § 117n, HeSy. § 95, schon althe. Rud. Hos. 38; DISO 131, 4, md. MdD 226a): c. אכל Kl 4_5, c. לקח Jr 40_2, c. רדף Hi 19_{28}, c. שׁלח Esr 8_{16}, c. עזב 1C 16_{37} (Kropat 35f), c. קרא benennen Gn 1_5 (:: c. אֵת Nu 32_{41}), c. סכך Kl 3_{44} (refl.!); — 22. in d. Bedeutung „nämlich", als Appos. (Kropat 4.49f): לְמַלְכֵי nämlich d. Königen Jr 1_{18}, לְכָל־נָגִיד 2C 28_{15}, לְכָל־כּוֹשֵׁל 1C 13_1; לְכָל־כְּלֵי Ex 27_{19}, לְכָל־הָעִיר nämlich jeden, dem Esr 1_5 (↗ Rud.); ↗ ba. לְ 12; — 23. führt Ursache od. Beweggrund ein: für, wegen: לְפִצְעִי Gn 4_{23}, לְרֶכֶב Js 36_9, לִצְמָאִי f. m. Durst Ps 69_{22}; ↗ לָמָּה u. לָכֵן; — 24. bei Vben im Pass. nennt לְ den Urheber, d. Sbj. bei Umsetzung ins Aktive (GK § 121f) von: בָּרוּךְ אַבְרָם לְאֵל Gn 14_{19} pl. 1S 23_{21} (auch aram., Fitzmyer, GnAp. 158); נִשְׁמַע לְסַנְבַלַּט von S. gehört Neh 6_1, נִבְחַר לְכֹל von allen vorgezogen Jr 8_3, נִדְרַשְׁתִּי לְלוֹא שָׁאָלוּ liess mich suchen von allen, die Js 65_1; — 25. b. Aufschriften als לְ inscriptionis nicht zu übersetzen (:: Humb. ZAW 50, 91f, Galling ZDPV 56, 211ff, Morenz ThLZ 1949, 697ff) לְמַהֵר שָׁ׳ Js 8_1, לִיהוּדָה Ez 37_{16}; — 26. לְ c. inf. (↗ GK § 114f-p, Bgstr. 2, 56f, Solá-S. § 26-30) bezeichnet a) e. Absicht: לִרְאוֹת um zu sehen Gn 11_5, לִהְיוֹת damit sie (anderes Sbj.!) seien Js 10_2; הַבַּיִת לִבְנוֹת … לְהַגְדִּיל d. Haus, das gebaut werden soll, muss gross werden 1C 22_5 (↗ Rud.); b) Ausfüllung unvollständiger Verben: nach אבה Ex 10_{27}, חָפֵץ Ri 13_{23}, חָדַל Ps 36_4, יָכֹל Gn 45_1; c) eine genauere Bestimmung d. regierenden Verbs, das f. uns d. Wert e. Adverbs hat: הֵיטִיב לִרְאוֹת sieht recht Jr 1_{12}, הִרְבָּה לַעֲשׂוֹת tut / tat viel 2K 21_6, הִגְדִּיל לַעֲשׂוֹת tut Grosses Jl 2_{21}; d) als begleitender Umstand: לִשְׁאוֹל indem ihr begehrt 1S 12_{17}, לְשַׁלְּמִי und so erfüllen Ps 61_9, לָלֶדֶת sodass sie gebären könnte Js 37_3, לֵאמֹר nämlich (↗ I אמר 28d); e) הָיָה c. inf. c. לְ: וַיְהִי לִדְרוֹשׁ er war darauf aus zu suchen 2C 26_5, (l וַתְּהִי) לְהַשְׁאוֹת du musstest Js 37_{26}, וַיְהִי לִסְגּוֹר es sollte geschlossen werden Jos 2_5, וְהָיָה לְבָעֵר soll abgeweidet werden Js 5_5; f) nach יֵשׁ: יֵשׁ לְדַבֵּר es ist nötig zu reden 2K 4_{13}, יֵשׁ לַי׳ לָתֶת לְךָ J. kann dir geben 2C 25_9; g) c. לֹא c. inf. לֹא לְהִתְיַחֵשׂ war nicht einzutragen 1C 5_1, לֹא לָשֵׂאת niemand darf tragen 1C 15_2; h) לְ c. inf. als Vb. e. selbständigen Satzes, der besagt, etw. werde, solle, müsse geschehen (GK § 114 h-l): מֶה לַעֲשׂוֹת was kann man tun? 2K 4_{13}, מַה לַּעֲשׂוֹת was hätte man tun sollen? Js 5_4, וַיְהִי הַשֶּׁמֶשׁ לָבוֹא war im Untergehen Gn 15_{12}; לְהַכּוֹת du hättest schlagen sollen 2K 13_{19}, לִכְבּוֹשׁ muss er Gewalt antun? Est 7_8, לַעְזֹר musstest du helfen? 2C 19_2, לָבוֹא sie mussten kommen 1C 9_{25}, לִגְאוֹל ist zu lösen verpflichtet Rt 4_4; — i) gibt d. Zeit an (↗ 3b): לִפְנוֹת עֶרֶב als es gegen Abend ging Gn 24_{63}, לִפְנוֹת בֹּקֶר Ex 14_{27}; — Ex 32_{29} l לָתֵת; Dt 32_{35} pr. לִי l לְיֹם Sam. G (Kennedy 79); 33_2 l לְעַמּוֹ; 1S 2_{16} pr. לוֹ l לֹא c. Q 4Q (↗ Jenni ThR 27, 29); 20_2 l לֹא יַעֲשֶׂה; 20_9 pr. וְלֹא l הֲלֹא; 2S 18_{29} l לִשְׁלֹחַ; Js 32_1 l וְשָׂרִים; 53_8 ? l לַמָּוֶ(ת) G, ↗ נגע Mut.; Zch 10_1 pr. לָהֶם l לֶחֶם; Hi 6_{21} l לִי (BH); 24_{14} l לֹא אוֹר; 30_{24} ↗ לָהֶן; 1C 3_2 l אַבְשָׁלוֹם.

II לְ: **emphatisch**, **vokativisch**, cf. לוּ; ↗ Nötscher VT 3, 372ff, Dahood ib. 16, 299ff, UHPh 36; ug. *l* (Aistl. 1423/25, UT nr. 1339/40), ph. לְ (DISO 132f), nab. Hatra (DISO 133); amor. *la* (Huffm. 223), akk. *lū/i*, auch *la* (AHw. 559b), ar. u. äth. *la*. Deutlich z.B. vor imp.: לְהוֹשִׁיעֵנִי rette mich doch Js 38_{20}; zur Betonung vor Sbj. לַי׳ מָגִנֵּנוּ „ja J. ist" Ps 89_{19} (Eissf. KlSchr,

4,134[1]), בַּת עַמִּי לְכֶלֶב חַי Koh 9_{4}, vor Präd. לְאַכְזָר ,,sind fürwahr grausam'' Kl 4_{3} (Rud. 245); als Verstärkung: לְכָל־נָדִיב jeder, der willig ist 1C 28_{21}; zusammenfassend am Schluss e. Aufzählung: לְסִיחוֹן ··· לְעוֹג nämlich S. u. O. Ps 135_{11f}; oft bleibt es strittig, (HL 1_{3} Albr. Fschr. Driv. 2: Rud. 122) berührt sich m. I לְ 20; לֹא geschrieben 1S 20_{9} 2K 5_{26}; emphat. u. vokat. לְ trennt Dahood Bibl. 47, 407; cj Ps 119_{128} פִּקּוּדֶיךָ לְיִשַּׁרְתִּי (JHEaton VT 18, 557f).

לֹא, 35 × לוֹא, 6 × בְּלוֹא, 140 × הֲלוֹא, הֲלֹא, הֲלֹה Dt 31_{1}, לוֹ 1S 2_{16} 20_{2}: Sem., Lkš, mhe., ug. *l* auch procl., fehlt ph. pun. mo. u. jaud.; arm. לָא, aam. procl. לְ (DISO 133) pehl. (ꟻ ba.) äga. ja. sam. cp. sy. md. (MdD 227a); ar. *lā*, asa., fehlt äth.; akk. *lā* (AHw. 520): — 1. d. sachliche, aussagende Verneinung: nicht, un- (:: אַל, אַיִן): לֹא שָׁלַוְתִּי ich bin nicht ruhig Hi 3_{26}, לֹא אַמְטִיר ich lasse nicht regnen Am 4_{7}, לֹא מוֹת תְּמֻתוּן ihr sterbt gewiss nicht Gn 3_{4}; gelegentlich (Dt 5_{3}) ,,nicht nur'' (Hempel ZAW 65, 120[1]); — 2. a) c. impf. drückt das unbedingte Verbot aus: לֹא תִרְצַח du tötest nicht = du sollst nicht töten Ex 20_{13}; b) selten m. juss.: du darfst nicht: לֹא תֹסֵף Dt 13_{1} (verkannt d. def. Schreibung, GK § 109d), l תֹּסִף u. Hos 9_{15} אוֹסִף; — 3. verneint e. einzelnes Wort des Satzes: לֹא מֹשֵׁל kein Herr Hab 1_{14}, לֹא אֹתְךָ nicht dich 1S 8_{7}, לֹא יַעֲקֹב nicht J. Gn 32_{29}, לֹא אִישׁ kein Mann, kein Mensch Nu 23_{19}; mit Nachdruck: לֹא ··· אִישׁ niemand Dt 1_{17}, לֹא ··· כָּל־ gar kein Lv 16_{29}, niemand 16_{17}; לֹא ··· מִכֹּל von gar keinem Gn 3_{1}, לֹא ··· כֹּל garnichts Gn 11_{6}; — 4. verneint d. Nominalsatz: לֹא שֹׂנֵא er hasst nicht Dt 4_{42}, לֹא בִי הִיא sie ist nicht in mir Hi 28_{14}; — 5. bildet d. Prädikativ: לֹא עֵת הֵאָסֵף es ist nicht d. Zeit zu Gn 29_{7}, וְלֹא דַעַת u. man hat nicht . . . Js 44_{19}, לֹא הוּא es ist nichts mit ihm Jr 5_{12}, cj לֹא הוּא den gibt es nicht Hi 41_{3}; — 6. verneint 2 aufeinander folgende Verben: לֹא תַחְמֹד ··· וְלָקַחְתָּ u. nicht nehmen Dt 7_{25}, Js 28_{27}; — 7. leitet untergeordneten Satz ein: sodass nicht Ex 28_{32} Js 41_{7}; so häufiger וְלֹא Gn 42_{2} Ex $28_{35.43}$ Dt 17_{17} Jr 10_{4}; — 8. vor Sbst., eig. Zustandssatz (Kuhr 14ff): a) adv. = ohne: לֹא פִשְׁעִי ohne Schuld meinerseits Ps 59_{4}, לֹא חֵקֶר ohne Untersuchung Hi 34_{24}; b) Appos. z. Ausdruck neg. Eigenschaft, **ohne**, **-los**: בְּתֹהוּ לֹא דָרֶךְ im weglosen T. Ps 107_{40}, בֹּקֶר לֹא עָבוֹת wolkenlos 2S 23_{4}, אֶרֶץ לֹא אִישׁ menschenleer Hi 38_{26}, לֹא בָנִים kinderlos 1C 2_{30}; solche Litotes ist beliebt als Steigerung: מְעַט מִזְעָר לֹא כַבִּיר Js 16_{14} (Lande 60ff), — 9. לֹא u. וְלֹא = הֲלֹא u. וַהֲלֹא wenn schon d. Zusammenhang d. Frage ausdrückt: Kl $3_{36.38}$; Ex 8_{22} 1S 20_{9} Jr 49_{9} Jon 4_{11} Hi 2_{10}; — 10. לֹא = nein (GK § 152c, Lande 65f): לֹא כִי Nein; sondern Gn 19_{2} 18_{15} Jos 5_{14}, לֹא Nein Gn 42_{10}, לֹא o, nein Hi 23_{6}, — 11. אִם לֹא (ꟻ אִם 4 b, 5.8): a) וְאִם לֹא Fortsetzung einer mit הֲ eröffneten abhängigen Frage: oder ob nicht Gn 18_{21} 42_{16}; b) neg. c. neg. אִם לֹא gewiss Js 5_{9}; c) אִם לֹא (cf. ba. הֵן) sondern Gn 24_{38}; d) ausser cj Ex 3_{19}; — 12. וָלֹא und wenn nicht (sc. dann) 2S 13_{26} 2K 5_{17}; — 13. negiert e. Begriff (cf. 8b): ohne, un-, -los: לֹא טוֹב ungut (md. לא טאבא, MdD 228a) Ps 36_{5}, לֹא טְהֹרָה unrein Gn 7_{2}, לְלֹא כֹחַ u. לְלֹא עֹז dem Kraftlosen Hi 26_{2}, לְלֹא חָכְמָה 26_{3} unklug, לֹא עֵץ den, der nicht Holz ist Js 10_{15}, לֹא צֶדֶק Unrecht Jr 22_{13}, לֹא עָם Unvolk u. לֹא אֵל Nichtgott Dt 32_{21}, לֹא אֱלֹהִים Nichtgötter 2C 13_{9}, ꟻ לֹא עַמִּי u. לֹא רֻחָמָה; לֹא הוֹן Spottgeld Ps 44_{13}, חֶרֶב לֹא אִישׁ u. לֹא אָדָם חֶ׳ eines, der nicht Mensch (d.h. Gott) ist Js 31_{8} (dies wohl meist Augenblicksbildungen ohne Dauer); — 14. Sbst. (Kö., Tur-S. Job 63, 126, Dahood Bibl. 47, 408); cf. אַיִן A 2 (Js

40_{17} || אֶפֶס) u. אַל Hi 24_{25}; ba. לָהּ (Var. לָא Da 4_{32}, ΘS): **Nichts** c. הָיָה Hi 6_{21} K, T. (Q לוֹ) u. 3_{16} (?) zunichte werden; † — 15. Verbindungen: a) c. בְּ: בְּלֹא (VG 2, 376) md. (MdD 65b) *bla*; ar. *bilā*; akk. *ina lā*; äth. *enbala*, tigr. (Wb. 354b) *ʾembal*; **ohne**: בְּלֹא כֶסֶף ohne Geld Js 55_{1}, בְּלֹא עֶת־נִדָּתָהּ ausserhalb d. Zeit ihrer Regel Lv 15_{25}; בְּלֹא יוֹמוֹ (akk. *ina lā ūmišu*) nicht an = vor s. Tag Hi 15_{32}; בְּלֹא מִשְׁפָּט widerrechtlich Ez 22_{29}, בְּלֹא nicht mit 1C 12_{34}, בְּלֹא שִׂפְתֵי מִרְמָה m. Lippen ohne Trug Ps 17_{1}, בְּלֹא כַכָּתוּב nicht wie geschrieben 2C 30_{18} (↗ כתב 6); בְּלוֹא לֶחֶם für das, was kein Brot ist u. בְּלוֹא לְשָׂבְעָה für das, was nicht sättigt Js 55_{2}; בְּלֹא יוֹעִיל für das, was nicht hilft Jr 2_{11}; b) c. כְּ: כְּלֹא הָיוּ wie solche, die nie gewesen = wie wenn sie . . . Ob $_{16}$; c) c. לְ: ohne (Kropat 32): לְלֹא אֱלֹהֵי אֱמֶת וּלְלֹא כֹּהֵן מוֹרֶה וּלְלֹא תוֹרָה 2C 15_{3}, :: dat. (לְ 7) solchen die Js 65_{1}, לְלֹא לָהּ als solche, die ihr nicht gehören = als fremde Hi 39_{16}, לְלֹא כֹחַ dem Kraftlosen (↗ 13); d) c. הֲ: הֲלֹא, oft הֲלוֹא, וַהֲלוֹא 2S 15_{35}: הֲלֹא אַתְּ hast nicht du selbst? Hi 1_{10}; ↗ Gn 20_{5} 1K 1_{11} Rt 2_{8} 1S 20_{37}, cj 4_{8}, 2S 15_{35} 2K 15_{21}, cj 5_{26}, Am 5_{20} Ps 85_{7} (dl אַתָּה). cj 9, Pr 8_{1} 14_{22} 22_{20} Hi 22_{12}; הִנָּם כְּתוּבִים = הֲלֹא הֵם כְּתוּבִים 2K 15_{36} 2C 27_{7}, הֲלֹא שָׁמַעַתְּ hörst du wohl? Rt 2_{8} u. הֲלֹא צִוִּיתִיךָ befehle ich dir nicht? Jos 1_{9} als dringlicher Befehl; Mischform 2C 25_{26}; הֲלֹא אִם ist es nicht [so]: wenn Gn 4_{7}; e) שֶׁלֹּא ↗ שֶׁל u. טֶרֶם לֹא ↗ טֶרֶם; — pr. לֹא 1 לוֹ (cf. Traktat Soferim VI 5.6, Bardtke Fschr. Alt II 22) Ex 21_{8} (↗ יעד) Lv 11_{21} 1S 2_{3} 2S 16_{18} 2K 8_{10} Js 49_{5} Ps 100_{3} Hi 13_{15} Esr 4_{2} 1C 11_{20}; 1 לָא (= לוֹ) Gn 23_{11} Ps 40_{7} Hi 9_{33} 23_{6} Rt 2_{13} (:: Rud.); Lv 25_{30} 1 לָהּ; Hi 6_{21} 1 לִי; Ri 14_{15} 1 הֲלֹם (↗ BH); 2S 18_{14} pr. לֹא כֵן 1 לָכֵן; Js 9_{2} 1 הַגִּילָה; Ps 56_{14} 1 כָּלָאתָ* (: כלא); Kl 1_{12} לוֹא אֲלֵיכֶם Randgl. „nicht für euch gedacht", die urspr. לָכוּ verdrängte (Rud. 207); — Der. II אוּלַי (?), לוּלֵא.

לָא: 2S 18_{12}: Alp. (Textus 1, 88) לוא, ↗ לוּ.

***לאב**: akk. *laʾābu* strapazieren (AHw. 521a); ar. *laǵaba* erschlaffen; ↗ להב: Der. תַּלְאֻבוֹת.

לֹא דְבָר, 2S 17_{27}: ↗ לוֹ דְבָר.

I **לאה**: ug. *lʾj* ermüden; mhe. ja.[t], ja.[g] *lʾj* sich mühen, ermüden, ija. (DISO 133) cp. sy. sich anstrengen; ar. *laʾāʾ* arm, unglücklich sein; akk. *laʾû* schwach sein (AHw. 540b); ↗ II, להה:

qal: impf. וַיִּלְאוּ, וַתֵּלֶא, תִּלְאֶה: — 1. **müde werden** Hi $4_{2.5}$, cj עֵינַי תִּלְאֶןָ (= תִּלְאֶינָה) 17_{2}, Sir 43_{30}; — 2. c. לְ c. inf. einer Sache müde werden, sie **aufgeben** Gn 19_{11}; ↗ (ל)אִיתִיאֵל Pr 30_{1}. †

nif: pf. נִלְאוּ, נִלְאֵיתִי, נִלְאֵית, נִלְאָה; pt. f. נִלְאָה: — 1. **sich abmühen**: c. עַל Js 16_{12a} (1QJs[a] בא, < 12b, Rud. Fschr. Driv. 137), c. בְּ 47_{13}, c. inf. Jr 6_{11} 20_{9}; הַנִּלְאָה das Ermüdete (HeSy. § 16f) נַחֲלָתְךָ וְנִלְאָה dein ausgemergeltes Erbe Ps 68_{10} (Mow. :: Dahood Bibl. 46, 312[1]), — 2. **einer Sache müde sein** (↗ qal 2) c. inf. Js 1_{14} Jr 9_{4} 15_{6}, zu faul sein c. inf. Pr 26_{15}; — 3. **nicht mehr imstande sein** c. inf. Ex 7_{18}. †

hif: pf. הֶלְאֵתִיךָ, הֶלְאָנִי (BL 208 o); impf. וַיַּלְאוּךָ, תַּלְאוּ; inf. הַלְאוֹת: **müde machen** Js 7_{13}; für **kraftlos, unvermögend halten** Jr 12_{5} Mi 6_{3} Hi 16_{7}; — Ez 24_{12} (dl dittogr.); ↗ II. †

Der. מַתְּלָאָה, תְּלָאָה (?).

II **לאה**: ug. *l3j* (UT nr. 1342, Aistl. 1430) u. akk. *leʾû* (AHw. 547a) stark sein, ija. (DISO 133); ph. in nn. pr. (PNPhPI 336f); ? gegensinnig zu I. Der. לֵאָה.

לֵאָה: n.f., II לאה (?); akk. m. *lû*, f. *littu*, *lītu*, Stier, Kuh (AHw. 557b 560a); ar. *laʾātu* Wildkuh; ph. n.m. עבדלאת*, klschr. *Abdiliʾti* (PNPhPI 337); Mow. Fschr. Eissf. II 134, Noth ÜGPt 103[273], Stamm HFN 329: **Lea**, T. Labans, Fr.

Jakobs Gn 29$_{16}$-30$_{20}$ 31$_{4.14.33}$ 33$_{1f.7}$ 34$_{1}$ 35$_{23.26}$ 46$_{15.18}$ 49$_{31}$ Rt 4$_{11}$. †

לְאוֹם: Pr 11$_{26}$: ↗ לְאֹם.

cj **לָאז**: 1S 20$_{19}$ cj הַלָּאז pr. הָאָזֶל = הַלָּז: **der / die da.** †

לאט (BL 403): — 1. לָאַט 2S 19$_{5}$ l לָאט, = לָט, I לוט pf. (↗ ו : א) verhüllen; — 2. בַּלָּאט Ri 4$_{21}$ = בַּלָּט heimlich, ↗ לָט. †

לְאַט 2S 18$_{5}$, Js 8$_{6}$ (1QJs^{a} לאוט, RMeyer ZAW 70, 43, Gr. 1, 56) u. לָאַט Hi 15$_{11}$ ↗ אַט. †

לְאִיתִיאֵל Pr 30$_{1}$: ↗ אִיתִיאֵל.

* **לאך**: ug. *l'k*, ar. äth. tigr. (Wb. 42a) *la'aka*, amh. *lāka* (Ulld. 95b): (Boten) schicken. Der. מַלְאָךְ, מְלָאכָה, מַלְאֲכוּת, n.m. מַלְאָכִי.

לָאֵל: n.m., cf. palm. לשמש (PNPI 29b. 93a), לרמן (PNPI 29b. 93a); לְ + אֵל, „Gott zugehörig" (Nöld. BS 104, Noth 153): Levit aus d. Sippe גֵּרְשׁוֹן Nu 3$_{24}$; ↗ לְמוּאֵל. †

לְאֹם, לְאוֹם Pr 11$_{26}$, DSS, Sam.$^{BCh.3, 174b}$ pl. *lāmmem* Gn 25$_{3}$: < **lu'm*, BL 468z; G (↗ Seeligm. 51) ἔθνη, ἄρχοντες (↗ Barr, CpPh. 254), λαοί; ug. *l3m* (UT nr. 1346, Aistl. 1433); akk. *li'mu*, *līmu* Tausend, Sippe; wsem. (AHw. 553b); ram. äga. לאם Eponymat (DISO 134), תלאם KAI 224, 23-26: Cazelles VT 18, 150^{3}: nicht n.l. sondern appell. „Bevölkerung"; ? ar. *la'ama*, *lamma* (Wunde verbinden, VIII vereinigen: לְאוּמִּי (Js 51$_{4}$? l pl.), לְאֻמִּים (BL 558c), לְאוּמִּים Js 55$_{4}$ (↗ אֻמָּה Torrey Dtj. 428): — 1. **Volk**, archaische od. archaist. Bezeichung (Albr. Fschr. Alt I 10^{3}); || גּוֹיִם Gn 25$_{23}$ Js 34$_{1}$ 43$_{9}$ Ps 2$_{1}$ 44$_{3.15}$ 105$_{44}$ 149$_{7}$ cj 117$_{1}$; || עַמִּים Gn 27$_{29}$ Js 17$_{12}$ 55$_{4}$ (pr. וְלִ׳ l לְעַמִּים) Jr 51$_{58}$ Hab 2$_{13}$ Ps 47$_{4}$ 57$_{10}$ 67$_{5}$ 108$_{4}$ Pr 24$_{24}$; || מְלָכִים Ps 148$_{11}$, || אֲדָמוֹת Js 43$_{4}$, || אִיִּים 41$_{1}$ 49$_{1}$, || תֵּבֵל Ps 9$_{9}$, || אֶרֶץ Js 60$_{2}$ Ps 148$_{11}$, || גּוֹי Pr 14$_{34}$; לְאֹם || עַם 14$_{28}$; לְאֻמִּים allein Js 17$_{13}$ Ps 65$_{8}$ 67$_{5}$; לְאוּמִּי (l וּלְאוּמִּים ?) || עַמִּי (l עַמִּים ?) Js 51$_{4}$; עֲדַת לְאֻמִּים Ps 7$_{8}$ (? l אֱלֹהִים, Seeligm. VT 14, 81^{1}); Jr 15$_{8}$ cj לְאֹם מְחָרִיב (Rud.); — 2. לְאֹם die Leute Pr 11$_{26}$; ↗ לְאֻמִּים. †

לְאֻמִּים, GV Λοωμιμ: n.p., ar. Stamm, S.v. דְּדָן; Sam. pl. v. לְאֹם, BCh. 3, 174b; „Horden" (Mtg. ArBi. 45); „Stammesleute" (Albr. Fschr. Alt I 9f, Winnett, Festschr. HG May, 1970, 191): Gn 25$_{3}$. †

לֹא עַמִּי: symb. Name.: „Nicht m. Volk" (↗ לֹא 13) Hos 1$_{9}$, ↗ 2$_{25}$. †

לֹא רֻחָמָה: symb. Name: „Nicht erbarmt" (↗ לֹא 13) Hos 1$_{6.8}$ 2$_{25}$. †

לֵב, or. *läb* (MTB 68): < **libb*; ↗ I לבב (↗ Koehler JSSt. 1, 15 pulsieren, ?), לֵבָב; mhe. Lkš; ug. *lb*; ph. ba. äga. (DISO 134); לִבָּא ja. sam. cp. sy. md. (MdD 234b); ar. *lubb*, asa. *lb*, äth. tigr. (Wb. 39b) *leb*; akk. *libbu* (AHw. 549ff, Holma NKt. 69ff, Ped. Isr. 1/2, 102ff), äg. *jb* (EG 1, 59, NPCES 92), lib. *ul* (ZA 50, 134f): ca 600 × :: לֵבָב ca. 250 ×, DSS beide gleich oft: cs. לֵב Ex 7$_{13}$, לֶב־ 1S 17$_{32}$, לֶב־ Pr 12$_{25}$, לִבִּי, לִבְּךָ, לִבְּכֶם/הֶם, pl. (selten, sg. oft auch b. mehreren, 2S 15$_{6.13}$ Js 51$_{7}$) לִבּוֹת, לִבּ(וֹ)תָם (Ps 125$_{4}$ 11Q בלבם, DJD IV 25,7); ↗ Ped. Isr. 1/2, 102ff, FHvMeyenfeld Het hart in het OT, 1950; Johnson Vit. 75ff; THAT 1, 861ff. der zuckende (I לבב), pumpende Körperteil, d. **Herz**: — 1. d. Organ: 1S 25$_{37}$ 2S 18$_{14}$ 2K 9$_{24}$, כְּלָיוֹת וָלֵב Jr 11$_{20}$, לִבּוֹת וּכְלָיוֹת Ps 7$_{10}$, לֵב בָּשָׂר Ez 11$_{19}$, לִבִּי וּבְשָׂרִי Ps 84$_{3}$, לִבִּי סְחַרְחַר Ps 38$_{11}$, חַם לִבִּי 39$_{4}$, יָחִיל 55$_{5}$, יִשְׁתּוֹמֵם 143$_{4}$; Herz d. Krokodils Hi 41$_{16}$; קִירוֹת לֵב Jr 4$_{19}$, סְגוֹר לֵב Hos 13$_{8}$; עַל־לִבּוֹ auf d. Brust Ex 28$_{29}$ Nah 2$_{8}$; — 2. Sitz d. Lebenskraft Ps 22$_{27}$, d. Krankheit Js 1$_{5}$; ↗ נֶגַע סָעַד לֵב עַד־לִבֵּךְ reicht dir ans Leben Jr 4$_{18}$; — 3. **Inneres**, Sitz v. Empfindungen u. Regungen (Dho. EM 111ff): הִתְעַצֵּב אֶל־לִבּוֹ sich zu Herzen nehmen (Gott) Gn 6$_{6}$; שָׂמַח בְּלִבּוֹ Ex 4$_{14}$, לֵב רַגָּז Dt 28$_{65}$, טוֹב לִבָּם

guter Dinge Ri 16$_{25}$, יִיטַב לֵב, zufrieden sein 18$_{20}$, הֵיטִיב לִבּוֹ lässt sichs wohl sein 19$_{22}$, עָלַץ לִבִּי 1S 2$_{1}$, לֵב חָרֵד 4$_{13}$; שָׂם אֶל־לִבִּי sichs zu Herzen nehmen 2S 19$_{20}$, נִסְעַר לִבִּי wird unruhig 2K 6$_{11}$, נִמְהַר לֵב Js 35$_{4}$, נִשְׁבַּר לֵב 61$_{1}$, כְּאֵב לֵב 65$_{14}$, רָחַשׁ לִבִּי Ps 45$_{2}$, עָטַף לִבִּי 61$_{3}$, טָפַשׁ לִבָּם 119$_{70}$; Sitz d. Lebensgeheimnisses (äg., HBrunner AfO 17, 140f) Ri 16$_{15.17f}$; d. „zweite Gesicht" (Lindblom Pr. 50) 2K 5$_{26}$; — 4. **Sinn**, **Neigung**: מַחְשְׁבוֹת לִבּוֹ Gn 6$_{5}$, יֵצֶר לֵב 8$_{21}$, חִזֵּק לִבּוֹ Ex 4$_{21}$, הִקְשָׁה 7$_{3}$, כָּבֵד לֵב 7$_{14}$; נָדַב נְשָׂאוֹ לִבּוֹ s. H. trieb ihn dazu 35$_{21}$ = נָדַב 35$_{29}$; מִלִּבּוֹ mit Lust Kl 3$_{33}$, נָגַע בְּלִבָּם bewegt ihren Sinn 1S 10$_{26}$; וַיְהִי לֵב הָעָם לַעֲשׂוֹת hatte Lust zu Neh 3$_{38}$, עָלָה עַל־לֵב in d. Sinn kommen Jr 3$_{16}$ 7$_{31}$, הָיָה לֵב ··· אַחֲרֵי s. Sinn hat sich ihm zugewandt 2S 15$_{13}$; בְּכָל־לֵב 2K 23$_{3}$ + 4 ×; m. sf. בְּכָל־לִבָּם 1K 8$_{23}$ + 9 × aus ganzem Herzen (ähnlich b. לֵבָב, cf. akk. *ina kul libbišu, ana gammurti libbišu*, Frankena OTSt. 14, 141); עֵינַי וְלִבִּי שָׁם 1K 9$_{3}$, הִטָּה לִבּוֹ verführt s. Sinn 11$_{3}$, שָׁב לִבּוֹ אֶל wendet sich wieder zu 12$_{27}$, הֵסֵב לִבּוֹ אֲחֹרַנִּית wendet herum 18$_{37}$, רִחַק לִבּוֹ מִן Js 29$_{13}$, לִבּוֹ :: שְׂפָתָיו 29$_{13}$; לֵב שָׁלֵם Js 38$_{3}$; נְדִיב לִבּוֹ Ex 35$_{5}$; הָלַךְ לִבּוֹ אֶל er hängt mit d. H. an Ez 11$_{21}$, = c. אַחֲרֵי 20$_{16}$, לְקָחוֹ לִבּוֹ reisst ihn fort Hi 15$_{12}$; עֵר לִבִּי HL 5$_{2}$; שָׂם לִבּוֹ אֶל kümmert sich um Ex 9$_{21}$, = c. לְ 1S 9$_{20}$; — 5. **Entschlossenheit**, **Mut**: יָצָא לִבּוֹ s. Mut entfällt ihm Gn 42$_{28}$, יִפֹּל לֵב lässt d. Mut sinken 1S 17$_{32}$; לֵב הָאַרְיֵה beherzt wie e. Löwe 2S 17$_{10}$, יֹאבַד לֵב ist mutlos Jr 4$_{9}$, נָמֵס לִבּוֹ schmilzt Ez 21$_{12}$, עָמַד hält stand 22$_{14}$; אַמִּיץ לִבּוֹ Am 2$_{16}$, עֲזָבוֹ לִבּוֹ Ps 40$_{13}$, הִכְנִיעַ 107$_{12}$, הֵרַךְ macht s. Mut verzagt Hi 23$_{16}$; מָלֵא לִבּוֹ c. לְ c. inf. ihm wächst d. Mut zu Koh 8$_{11}$; — 6. **Wille**, **Absicht**: נָתַן בְּלִבּוֹ c. לְ c. inf. gab ihm in den Sinn zu Ex 35$_{34}$; מִלִּבִּי von mir selbst aus, nach m. Willen Nu 16$_{28}$, מִלִּבּוֹ gern Kl 3$_{33}$; בָּדָא מִלִּבּוֹ (Q, K מִלְּבַד, ꟻ I בַּד) selber erdacht 1K 12$_{33}$, cf. Neh 6$_{8}$; נְבִיאֵי מִלִּבָּם (GK § 130a) aus eigener Berufung Ez 13$_{2b}$; מָצָא לִבּוֹ c. לְ c. inf. fasst sich e. Herz zu 2S 7$_{27}$, עָלָה עַל־לִבּוֹ es kommt ihm d. Wille 2K 12$_{5}$; בְּלִבִּי ich habe im Sinn (Plan) Js 63$_{4}$; יִשְׁרֵי לֵב Ps 7$_{11}$; מִשְׁאֲלוֹת לִבּוֹ Ps 37$_{4}$, וּקְרָב־לִבּוֹ Ps 55$_{22}$; לֵב אֶחָד einmütig 1C 12$_{39}$, cj Ps 83$_{6}$; נָטָה לִבּוֹ Ps 119$_{112}$, שָׁת לִבּוֹ לְ Pr 22$_{17}$; לִבּוֹ בַּל עִמָּךְ er meint es nicht gut mit dir Pr 23$_{7}$; cj כְּבַד לֵב trotzig Hi 36$_{5}$, חַנְפֵי־לֵב 36$_{13}$; נָתַן לִבּוֹ richtet s. Sinn darauf, hat im Sinn Koh 1$_{13}$, מָנַע לִבּוֹ מִן versagt sich, verzichtet darauf zu 2$_{10}$, מְלָאוֹ לִבּוֹ nimmt sich vor Est 7$_{5}$, = שָׂם עַל־לִבּוֹ [אֲשֶׁר] Da 1$_{8}$, = הָיָה לוֹ לֵב Neh 3$_{38}$, = בָּא עַל־לִבּוֹ 2C 7$_{11}$, = הָיָה עִם לִבּוֹ 24$_{4}$, ohne הָיָה 2C 29$_{10}$; — 7. **Aufmerksamkeit**, **Beachtung**, **Verstand** (THAT 1,862f) גָּנַב לִבּוֹ überlisten Gn 31$_{20}$; שָׁלַח אֶל־לִבְּךָ spüren lassen Ex 9$_{14}$; חֲכַם לֵב kunstsinnig 31$_{6}$, weise Pr 10$_{8}$, לֵב לָדַעַת Sinn, der verständig wäre Dt 29$_{3}$; שָׁת לִבּוֹ achtet darauf 1S 4$_{20}$, = שָׂם לֵב אֶל 2S 18$_{3}$, = שָׂם עַל־לֵב Js 42$_{25}$, = שָׁת לִבּוֹ אֶל Hi 7$_{17}$; לֵב שֹׁמֵעַ verständiger Sinn 1K 3$_{9}$, רֹחַב לֵב umfassender Verstand 5$_{9}$; אֵין לֵב ohne Verstand (ähnlich äg., Morenz 129) Jr 5$_{21}$, = חֲסַר לֵב Pr 6$_{32}$, לֶב־אָיִן hat keinen Verstand 17$_{16}$; בְּלִבּוֹ auf s. eigenen Verstand Pr 28$_{26}$, בְּלֹא־לֵב וָלֵב ungeteilten Herzens 1C 12$_{34}$, ꟻ 39; — 8. Sinn im Allgemeinen u. Ganzen: אָמַר אֶל־לִבּוֹ zu sich (selber) Gn 8$_{21}$, = בְּלִבּוֹ 17$_{17}$, אֶל־לִבּוֹ 24$_{45}$; דִּבֶּר עַל־לֵב פ׳ redet freundlich zu Gn 34$_{3}$ Js 40$_{2}$ Rt 2$_{13}$, 2C 30$_{22}$ Anerkennung zollen; שָׁת לִבּוֹ לְ nimmt zu Herzen Ex 7$_{23}$ = שָׂם לִבּוֹ Js 41$_{22}$; כָּל־לִבּוֹ all s. Inneres Ri 16$_{17}$; דִּבֶּר עַל־לִבּוֹ mit sich selbst 1S 1$_{13}$; שָׂם אֶל־לִבּוֹ redet sich ein 2S 13$_{33}$; הֵשִׁיב אֶל־לִבּוֹ geht in sich 1K 8$_{47}$; נְשָׂאֲךָ לִבְּךָ bist übermütig 2K 14$_{10}$; כִּלְבִּי nach m. Sinn Jr 3$_{15}$, לִבָּם הָרָע ihr böser Sinn 7$_{24}$; רָם לִבּוֹ s. Überhebung 48$_{29}$; גָּבַהּ לִבְּךָ d. Sinn überhebt sich Ez 28$_{2}$; אַבִּיר לֵב Ps 76$_{6}$, עִקֵּשׁ לֵב Pr 11$_{20}$, נַעֲוֵה לֵב 12$_{8}$, לֵב מַרְפֵּא 14$_{30}$, רְחַב לֵב 21$_{4}$; בְּלֵב וָלֵב mit zwiespältigem, falschem Herzen Ps 12$_{3}$, cf. Sir 1$_{28}$ (καρδία δισσή), בְּלֹא לֵב וָלֵב ungeteilten Herzens 1C 12$_{34}$; — 9. **Gewissen**: 1S 24$_{6}$, 2S 24$_{10}$, מִכְשׁוֹל לֵב Gewissensbedenken 1S 25$_{31}$, מִלֵּב gewissenlos Js 59$_{13}$ (Budde b. Kautsch; gew.); — 10. metaph. (Dho. EM 109ff) **Inneres**, **Mitte** (van Dijk VT 18, 17, THAT 1, 862): בְּלֶב־יָם (akk. *ina libbi tāmti*) inmitten des Meeres Ex 15$_{8}$ Pr 23$_{34}$, בְּלֵב יַמִּים Ez 27$_{4.25-27}$ 28$_{2.8}$ Ps 46$_{3}$, עַד־לֵב הַשָּׁמַיִם bis in d. Himmel hinein Dt 4$_{11}$; — 11. d. organisierte **Kraft** der ↗ נֶפֶשׁ (Ped. l.c. 145ff): a) Leben: עָרַב לִבּוֹ Jr 30$_{21}$; b) Person: עִם לִבּוֹ b. mir selbst Koh 1$_{16}$, מִלִּבְּךָ אַתָּה בּוֹדָאם du aus dir selber Neh 6$_{8}$; — 12. **Gottes Herz** Ez 28$_{2.6}$; Gott gibt e. H. 1K 3$_{9}$, G. prüft לִבּוֹת Pr 17$_{3}$ 21$_{2}$ 24$_{12}$; לֵב אַחֵר 1S 10$_{9}$, cj Jr 32$_{39}$, לֵב חָדָשׁ Ez 18$_{31}$ 36$_{26}$ cj 11$_{19}$, לֵב אֶבֶן 11$_{19}$ 36$_{26}$; לוּחַ לִבָּם Jr 17$_{1}$; עֶרֶל לֵב Ez 44$_{9}$; לֵב טָהוֹר Ps 51$_{12}$, לֵב עָמֹק 64$_{7}$; — 13. Versch.: יֹשְׁבֵי לֵב קָמַי Jr 51$_{1}$, ל׳ ק׳ „Herz m. Widersacher" verstecktes n.t. (↗ Atbaš) f. כַּשְׂדִּים (T, so noch G = בָּבֶל, Rud. 307); — Ps 31$_{13}$ pr. כְּמֵת מִלֵּב l כְּכֶלֶב מֵת; 38$_{9}$ cj לָבִיא mehr als d. Brüllen e. Löwen; Koh 3$_{11}$ בְּלִבָּם ↗ Galling ZThK 58, 3f :: Hertzberg, Zimmerli ATD; Kl 2$_{18}$? l צַעֲקִי לֵב מָלֵא (Driver Textus 4, 92); 1C 17$_{19}$? l כְּלִבְּךָ (Rud.).

*לָבֹא, *לְבוֹא, cs. לְבוֹא: לְבוֹא חֲמָת Isr.s N-Grenze Nu 13$_{21}$ 34$_{8}$ Ez 47$_{15}$ (c. G חֲמָת < 16 trsp.).$_{20}$ 48$_{1}$, עַד־לְבוֹא חֲמָת Jos 13$_{5}$ Ri 3$_{3}$ 1C 13$_{5}$, מִלְּבוֹא חֲמָת 1K 8$_{65}$ / 2C 7$_{8}$ 2K 14$_{25}$; trad. „Eingang (√בוא) nach ↗ חֲמָת", Landschaft im Grenzgebiet v. H.; :: bestimmtes n.l., *Lebwe* n. Baalbek (PJb 32, 44, Noth ZDPV 58, 242ff, PJb 33, 50) od. in Trsjd., klschr. *Labʾu*, heth. *Rbwj*, äg. *Rʾbʾw* u.ä. (BASOR 102, 9); dagegen עַד לְבוֹא מִדְבָּרָה 1C 5$_{9}$, עַד־לְבוֹא מִצְרַיִם 2C 26$_{8}$ (↗ עַד A 7b), JLewy HUCA 18, 445^{92}, Galling ZDPV 70, 99; offen gelassen: GTT § 28^{3}, BHH 630, Haran VT 17, 282, Zimm. 1213f. †

*לְבָא (BL 579[1]): ↗ לָבִיא, לְבָאָה, לְבָאוֹת u. לְבִיָּא: לְבָאִם: **Löwe** Ps 57$_{5}$ (:: metaph. Krieger: Mazar VT 13, 312), cj Js 56$_{11}$. †

*לְבָאָה: f. v. לְבָא, ↗ לְבִיאָה; ar. *labuʾat*; asa. n.f. *lbʾt* (Ryckm. 1, 117), kan. auf Pfeilspitze עבד לבאת, n.d. f. Löwengöttin (BASOR 134, 5ff): לְבָאתָיו (4Q לביותיו, JBL 75, 90, 4, = *לְבִיאָה): **Löwin** Nah 2$_{13}$; ↗ n.l. לְבָאוֹת. †

לְבָאוֹת: n.l. in S.-Juda; לְבָאָה; = בֵּית לְבָאוֹת Jos 19$_{6}$ (↗ בַּיִת B 24).

I לבב: mhe.; sam. anstacheln (BCh. 2, 253b), cp. sy. md. (MdD 228b) stärken; ar. *labi/uba* klug sein; akk. *labābu* wüten (AHw. 521b):

nif. (denom. v. לֵב 7): impf. יִלָּבֵב: **verständig werden** H 11$_{12}$. †

pi. (priv. Rud.; Jenni 274): pf. 2. f. sf. לִבַּבְתִּנִי: **d. Herz wegnehmen, verzaubern** HL 4$_{9a.b}$. †

Der. לֵב, לֵבָב, *לְבִבָה, לִבָּה.

II לבב: denom. v. *לְבִבָה:

pi. (Jenni 270): impf. וַתְּלַבֵּב: לְבִבוֹת — **Kuchen backen** 2S 13$_{6.8}$. †

III לבב: brennen; äth. *lablaba* anzünden, verbrennen, tigr. (Wb. 38a), tigrin. amh. (Lesl. 28); ↗ להב. ? Der. לַבָּה.

לֵבָב: ↗ לֵב, I לבב, Lex.[1] XXVf; aam. pehl. u. äga. (DISO 134), ba. ja.^{tg} (sehr selten) md. (MdD 228b); soq. *ilbib*: לְבַב, לְבָבְךָ/בֵךְ, לְבַבְכֶם, לְבָבֵנוּ (4 ×), pl. לְבָבֵהֶן Nah 2$_{8}$ (BL 252r) u. לְבָבוֹת: **Herz**: semantisch wie ↗ לֵב; sg. auch v. mehreren gebraucht Ex 14$_{5}$ Dt 20$_{8b}$ Jr 4$_{4}$; Einzelnes: **Brust** Nah 2$_{8}$; הָיָה עִם לְבָבִי bin fest entschlossen 1C 22$_{7}$ 2C 6$_{7}$f, כָּל־אֲשֶׁר עִם לְבָבָהּ was sie sich vorgenommen 1K 10$_{2}$; יִהְיֶה־לִּי עֲלֵיכֶם לֵב לְיַחַד

bin euch gegenüber zur Vereinigung bereit 1C 12$_{18}$; Gott kennt לְבָבוֹ 1K 8$_{39}$, erforscht כָּל־לְבָבוֹת 1C 28$_{9}$; בְּכָל־לֵבָב Ps 111$_{1}$ †, c. sf. Dt 6$_{5}$ u.o.; לֵבָב עָרֵל Lv 26$_{41}$, בְּלֵ׳ שָׁלֵם einmütig 1C 12$_{39}$ (ℱ 34); יֵרַע לְבָבְךָ bist unmutig Dt 15$_{10}$; cj אִתִּי (לְבָבְךָ יָשָׁר) du meinst es aufrichtig mit mir 2K 10$_{15}$; בַּר לֵבָב Ps 24$_{4}$; שְׁאֵרִי וּלְבָבִי 73$_{26}$ (wie akk. *libbu* // *šēru*); **Gewissen** Hi 27$_{6}$; דִּבֶּר עַל־לְבָבוֹ spricht ihm zu 2C 32$_{6}$; בִּלְבַב mitten in Jon 2$_{4}$ (ℱ לֵב 10).

***לְבִבָה**: לֵבָב, BL 471r; asa. *lbbm* Kuchen (ZAW 75, 311), akk. *akal libbu* (KAT^{3} 441; AHw. 550a *libbu* B 5), e. Art Gebäck: לְבִבוֹת: **herzförmiges Gebäck** G κολλυρίς, (Gebildbrote, Dölger AuC 1, 130ff) 2S 13$_{6.8.10}$; Der. II לבב. †

לְבַד: ℱ I בַּד.

***לַבָּה**: III לבב od. להב; ? < *לַהֶבֶת; mhe. לבה anfachen (Feuer); Sam. להבת,M123 *lā'ēbat*; gew. cj לַהֶבֶת: לַבַּת: **Flamme** Ex 3$_{2}$. †

***לִבָּה**: ? f. v. לֵב; Assbr. 19 u. äga. (DISO 134), c. מלא, < akk. *libbāti malū* voll Zorn sein gegen (AHw. 548b; l. pl. v. *libbu* ?): לִבָּתֵךְ: **Wut**, Wut gegen dich (? l אֶמְלָא od. אֲמַלֵּא; :: Zimm. 338) Ez 16$_{30}$. †

I **לְבוֹנָה**: Weihrauch, ℱ לְבֹנָה.

II **לְבוֹנָה**: n.l.; ? ph. < לְבָנָה „die Weisse" (HBauer ZAW 48, 74); = *Chān Lubban*, n.w. Silo: (Abel 2, 369, GTT § 643, Noth ZDPV 72, 41): Ri 21$_{19}$. †

לָבוּשׁ (6 ×), לָבֻשׁ (8 ×): לבשׁ, pt. pass.; äga. לבשׁ, sc. *לבישׁ, Uruk. *labišu* (DISO 135): לְבֻ/בוּשׁ, לְבֻשֵׁי: **bekleidet**, c. acc. mit: 1S 17$_{5}$ Ez 9$_{2f.11}$ 10$_{2.6f}$ 23$_{6.12}$ 38$_{4}$ Zch 3$_{3}$ Pr 31$_{21}$ Da 10$_{5}$ 12$_{6f}$; cj Ps 45$_{14}$ (l לְבֻשָׁת), bedeckt mit Js 14$_{19}$. †

לְבוּשׁ, 3 × לְבֻשׁ: לבשׁ, BL 473a :: b; ug. *lbš* u. (?) *lpš* (UT nr. 1353, Aistl. 1444.1476); mhe., äga. לבשׁ (DISO 135), ja. לְבוּשָׁא, sam. (BCh. 2, 470b), md. (MdD 228b); akk. *lubšu, lubūšu, lubuštu* (AHw. 561a.b): ar. *libs* (pl. *lubūs*) *labūs*; äth. tigr. (Wb. 38b) *lebs*: לְבֻ/בוּשׁוֹ, pl. לְבֻשֵׁיהֶם: **Kleid** (Hönig 13f; AuS 5, 209. 303): a) d. Mannes Gn 49$_{11}$ 2S 20$_{8}$ Js 63$_{1f}$ Mal 2$_{16}$ (früher v. d. Frau verstanden, wie ar. *libās* Qoran 2, 183 (ed. Flügel), ℱ Ges. Thes. 742b) Ps 22$_{19}$ 104$_{6}$ Hi 24$_{7.10}$ 31$_{19}$ 38$_{14}$ (Duhm, Hö. לָבוּשׁ wie beschämt, ℱ יצב hitp.) Kl 4$_{4}$; b) der Frau Ps 45$_{14}$ Pr 31$_{22.25}$ (metaph.); coll. Kleider 2S 1$_{24}$ u. 2K 10$_{22}$ v. Frauen, Js 14$_{19}$ v. Männern; c) Gottes Js 63$_{1f}$, cf. Dn 7$_{9}$; d) aus Wolle Pr 27$_{26}$; שַׂק Ps 35$_{13}$ 69$_{12}$, לְבוּשׁ שַׂק Est 4$_{2}$, c. הֶחֱלִיף Ps 102$_{27}$ (ℱ Gkl 440f); לְבוּשׁ Kleid = Haut Hi 30$_{18}$ 41$_{5}$; Wolken: d. Kleid des Meeres 38$_{9}$; Kl. der Götterbilder Jr 10$_{9}$; לְבוּשׁ מַלְכוּת (persische) Königstracht Est 6$_{8}$ 8$_{15}$, cj 5$_{1}$, = הַלְּבוּשׁ 6$_{9.11}$. †

לבט: mhe. beunruhigen, sam. sy. pa. bedrücken (= he. עִנָּה); ar. *labaṭa* zu Boden werfen, *labiṭa* trampeln (Kamel); ? akk. *lubbuṭu* lähmen (AHw. 560b):

nif: impf. יִלָּבֵט: **zu Fall kommen** Hos 4$_{14}$ Pr 10$_{8.10}$ (1Q Hod. 2, 19). †

לָבִיא: ℱ *לְבָא: mhe.^{2} לביא u. לביאה; ? äga. לבא (DISO 134), ph. n.m. לבא u. לבי (PNPhPI 133.337), kan. ? *Labaia* EA (Albr. BASOR 89, 16^{51a}); akk. *labbu, lābu* < *lab'u* (AHw. 526a; amor. Huffm. 225); asa. *lb'* (Ryckm. 1, 117), ar. *labu'* d. männl. L., *lubwa* Löwin; n.-äg. *labaj* (EG 2, 597) u. kopt. *laboj* (Westerdorf 75) u. kusch. *lubak* (LgSem. 158) Löwin; > λέων, λέαινα, *leo* (Lewy Fw. 6f :: Masson 86); myk. *re-wo*, JJ Glück ZAW 81, 232-5): sem. Löwin (:: אַרְיֵה, אֲרִי) Nöld. BS 70, Cerulli LgSem. 158, Landsb. F. 76 (:: männl. *nēšu*) :: Koehler ZDPV 62, 122ff: לְ׳ d. asiatische, אֲרִי d. afrikanische L.; BHH 1106; kan. Löwengöttin KAI II 29: **Löwin** (nur in poet. Texten) Gn 49$_{9}$ Nu 23$_{24}$ 24$_{9}$ (|| אֲרִי) Jl 1$_{6}$ (|| אַרְיֵה); Dt 33$_{20}$ Js 5$_{29}$ 30$_{6}$ (neben לַיִשׁ),

cj 56_{11} (l וְהַלְּבָ/בִאִים), Hi 38_{39}, cj Ps 38_{9} (l לָבִיא); בְּנֵי ל׳ Hi 41_{1}; — Hos 13_{8} l כְּלָבִים G; Nah 2_{12} l לָבוֹא (c. GSV u. 4Q 169, 3/4, 1f im פֶּשֶׁר, nicht im Text!). †
Der. לְבִיָּא u. לְבָאִם.

לְבִיָּא: *לְבִיאָה (BL 511 x), mhe.², ug. *lb3t* (UT nr. 1347); sekd. f.-Bildung z. לָבִיא: לְבָאֹתָיו (4Q 169, 3/4, I 4 לביותי, v. לְבִיָּא): **Löwin** Ez 19_{2}. †

לֻבִים Da 11_{43}: ↗ לוּבִים.

I **לבן**: weiss sein; ? denom. v. לָבָן; weissfarben > Milch (BL 462r, Gradw. 4, 34ff); mhe. pi. weiss machen, hif. weiss werden; ph. (Friedr. § 196a) u. pehl. (DISO 134, Frah. 31 Var. a); ar. *laban*:

pi: inf. לַבֵּן (:: hif. < *לְהַלְבֵּן, BL 228a. 322t) weiss machen, reinigen Da 11_{35}. †

hif: pf. הִלְבִּינוּ; impf. אַלְבִּין, יַלְבִּינוּ: **weiss werden** (BL 294b) Js 1_{18} Jl 1_{7} Ps 51_{9}. †

hitp: impf. יִתְלַבְּנוּ: **gereinigt werden** (VG 1, 535, BL 291j) Da 12_{10}. †
Der. I, II לָבָן, לִבְנֶה, לְבָנָה, I, II לְבָנָה, לִבְנִי, לְבָנוֹן.

II **לבן**: denom. v. לְבֵנָה; < akk. *labānu* platt drücken, Ziegel streichen (AHw. 522a); mhe. ja. (?) pa., sam. (BCh. 2, 498a); ar. *labbana*:

qal: impf. נִלְבְּנָה; inf. לִלְבֹּן: **Ziegel streichen** Gn 11_{3} Ex $5_{7.14}$. †

I **לָבָן**: I לבן; ug. *lbn* (UT nr. 1251, Aistl. 1438), pun. לבן, λαβον (DISO 134); mhe., לבנה Sir 43_{18}, G λευκότης Weisse (? fem. od. sf. *an* m. *לֶבֶן, GnAp. 20, 4), md. לבינא (MdD 229b): cs. לְבֶן־ (BL 556e), לְבָנָה, לְבָנִים/נ(וֹ)ת: **weiss** (Gradw. 34ff): Milch u. Zähne Gn 49_{12}, Schnee cj Jr 18_{14} (pr. לְבָנוֹן), geschälte Staude Gn 30_{37}, Schafe 30_{35}, Kleider Koh 9_{6} (spez. äg., Humb. Sap. 98), I גַּד Ex 16_{31}, Pferde Zch 1_{8} $6_{3.6}$ Haut, Haar Lv $13_{3f.10.13.16f.20f.24.26}$, Flecken $13_{4.38f}$, Geschwulst 13_{19}, לָבָן אֲדַמְדָּם rötlichweiss $13_{19.42f}$, כֵּהֶה לָבָן mattweiss 13_{39}. †

II **לָבָן**: n.m.; = I; ug. *Lbnj*, *Labnānu* (UT nr. 1251, Aistl. 1437); n.d. (?) Mondgott, ↗ I לְבָנָה (JLewy RHR 110, 44f), h. ep. d. Aramäer (Mazar BA 25, 99): **Laban** (BHH 1035) Br. v. רִבְקָה, V. v. Lea u. Rahel: Gn 24_{29}, הָאֲרַמִּי 25_{20} 28_{5} $31_{20.24}$; ↗ 24_{50} 27_{43} 28_{2} 29_{5-29} 30_{25-42} 31_{1-51} $32_{1.5}$ $46_{18.25}$.

III **לָבָן**, Sam.[BCh.3,174] *libban*, [M125] *lāban*: n.l., = I; in Trsjd.; klschr. [alu]*Laban* AfO 14, 42 B 7, äg. Rowley JJ 153; ? = לִבְנָה 1: Nu 33_{20}; GTT § 431: Dt 1_{1}. †

לִבְנֶה: I לבן; **Storaxbaum** m. weissen Blütentrauben, ar. *lubnā*, *Styrax officinalis* G Gn 30_{37}, AuS 1, 67.385, Löw 3, 394ff; > äth. *leben* (Lesl. 28) :: Rud. Hos. 106: Weiss- od. Silberpappel GSV, BHH 1383: Gn 30_{37} Hos 4_{13}, cj Hos $14_{6.7}$ u. HL 4_{11}. †

לִבְנָה: n.l., I לבן od. לִבְנֶה ?: — 1. Wüstenstation in Trsjd., Sam.[BCh.3,174] *lēbūna*, G[A] Λεβωνα; ? = III לָבָן; *Umm leben* 110 km.s II חֲרָדָה (Noth PJb 36,22): Nu 33_{20f}; — 2. G Λεβ/μνα in der שְׁפֵלָה in Juda; *T. Bornāt* 25 km. n.w. Hebron (Noth Jos. 95f, GTT § 318c 1, VT 8, 155f, BHH 1081; :: *T. eṣ-Ṣafi* 9 km. nördl., Abel 2, 369f u. wieder Wright BA 29, 80[23]: Jos $10_{29.31f.39}$ 12_{15} 15_{42} 21_{13} 2K 8_{22} 19_{8} 23_{31} 24_{18} Js 37_{8} Jr 52_{1} 1C 6_{42} 2C 21_{10}. †

I **לְבָנָה**: f. v. I לָבָן; n.d. f., ‚die Weisse" (↗ II לָבָן): **Vollmond** (|| חַמָּה) mhe. בְּאוֹר הַלּ׳ im Mondlicht) Js 24_{23} 30_{26} HL 6_{10}. †

II **לְבָנָה**: n.m., I לָבָן „weiss" (Noth 248) od. „Vollmond" (: I): Esr 2_{45} Neh 7_{48} (Ⓑ לְבָנָא). †

לְבֵנָה, Sam.[M124] *libna* (für ל׳ 1 u. 2), Hier. *lebena*: II לבן; Lw. < akk. *libittu* (Zimmern 31, Goetze Ac Voc. 434[11] :: BL 466j, Widgr. JSSt. 5, 402², AHw. 551); **la/ibint* ursem.: mhe., ug. *lbnt*, kan. *labinat* (EA); äga. לבנה, בי זי לבנין (DISO 134), ja. לְבֵינְתָּא, sy. *l^ebentā* / *bettā*, md. (MdD 235a)

ליבנא, ליבתא, asa. *lbn* u. *lbt šmš* (ZAW 75, 311), äth. *lebn* (Lesl. 28), <ar. *labinat* ?; > πλίνθος (Zimmern 31, Brown JSSt. 13, 182ff): לִבְנֵיכֶם, לְבֵנִים, לִבְנַת: — 1. **ungebrannte, luftgetrocknete Ziegel** (akk. :: gebrannte, *agurru*, > sy. *ʾaggūrā*, > ar. *ʾāğurr* u. *ʾāğūr*, denom. *ʾağğara* Ziegel brennen, Zimmern 31) Gn 11$_{3}$ Ex 1$_{14}$ 5$_{7f\cdot16\cdot18}$ Js 9$_{9}$, Ex 5$_{7\text{-}19}$ unter Zugabe v. Stroh u. Rohr (Meissner BuA 1, 275); darauf gezeichnet Ez 4$_{1}$ (↗ Zimm. 112); — 2. **Steinplatte, Fliese**, כְּמַעֲשֵׂה לִבְנַת סַפִּיר St. v. Sapphir Ex 24$_{10}$ ↗ Komm., Gradw. 34; — 3. מְקַטְּרִים עַל־הַלְּבֵנִים Js 65$_{3}$, ? Pflaster od. Räucheraltar d. Opferplatzes (Dahood CBQ 22, 406), Räucheropfer auf Ziegelsteinen od. tönernen Gefässen (Conrad ZAW 80, 232-4) :: 1 QJs[a] וינקו ידים על אבנים, ↗ אֲבָנִים 2, יָד 1e u. II נקה ni. (Tsevat HUCA 24, 109f). †

לְבֹנָה u. לְבוֹנָה, Sam.[M125] *lēbūna*: ihe. auf Räucheraltar a. Lakiš (NESE 1, 39ff.): *lbnt* Räucheraltar (pag. 47), mhe. pun. לבנת u. äga. לבונה, לבנת (DISO 135), ja.[tg] (? < he.) לְבוֹנְתָא, cp. לבונא, sy. *lbū/ō(n)tā*, md. (MdD 232b) *lubana*; asa. *lbnt*, ar. *lubān*, tigr. (Wb. 40a) *lebān*, akk. *lubbunītu* (?, AHw. 560b); > λίβανος, -νωτός (Lewy Fw. 44f, Mayer 324, Masson 53f), *Olibanum* (Löw Pfln. 235, Lokotsch nr. 1331); Vincent 212ff, Koehler ThZ 4, 233f, Gradw. 39ff, v. Beek BA 23, 70ff, BHH 1557 : **Weihrauch**, das weisse, an d. Bruchstelle gelbe Harz von *Boswellia Carteri* u. *Frereana*, aus Hadramaut u. Somaliland: aus שְׁבָא Jr 6$_{20}$ (älteste Erwähnung) u. Js 60$_{6}$, d. beste Sorte weiss לְ׳ זַכָּה Ex 30$_{34}$ Lv 24$_{7}$; ↗ Lv 2$_{1f\cdot15f}$ 5$_{11}$ 6$_{8}$ Nu 5$_{15}$ Js 43$_{23}$ 66$_{3}$ Jr 17$_{26}$ 41$_{5}$ HL 3$_{6}$ Neh 13$_{5\cdot9}$ 1C 9$_{29}$; עֲצֵי לְ׳ W.-gewächse HL 4$_{14}$ (↗ Rud. 151), גִּבְעַת הַלְּ׳ W.-Hügel (|| הַר הַמּוֹר, metaph. ?) HL 4$_{6}$. †

לְבָנוֹן, Dt 3$_{25}$ לְבָנֹן: n. montis; I לבן, d. „weisse Berg"; ug. *Lbnm*, klschr. *Labnāna* (MA 471), ape. *Labanāna* (MVAeG 35, 1, 32, § 6, Rössler 59), heth. *Lablana/i* (ZAW 42, 155), ph. aam. לבנן (Harris Gr. 114), mhe. לבנן(?), לבלן (?; cf. SLiebermann Tosefeth Rishonim IV, Jerusalem 1939, 153), ja.[tg] לִבְנָן/לִי׳, ar *Lu/ibnān*, Λιβανος, z-*ān ↗ JLewy HUCA 18, 455ff: meist הַלְּ׳, poet. u. in DSS auch ohne Art., loc. לְבָנוֹנָה: **Libanon**, d. Gebirgszug zw. Mittelmeer u. Wüste, Abel 1, 344ff, GTT § 143, Honigmann P-W XIII 1ff, BHH 1080: n.d. בַּעַל לְ׳ RAC 1, 1077; הַר הַלְּ׳ Ri 3$_{3}$, Heimat des אֶרֶז 9$_{15}$ Js 2$_{13}$ Ps 29$_{5}$ 1K 5$_{13\cdot20}$ 2K 14$_{9}$ Esr 3$_{7}$ 2C 2$_{7}$ 25$_{18}$ Js 14$_{8}$ Ps 104$_{16}$ Ez 27$_{5}$ Ps 92$_{13}$, Heimat des חוֹחַ 2K 14$_{9}$ 2C 25$_{18}$, N.-Grenze Dt 1$_{7}$ 3$_{25}$ 11$_{24}$ Jos 1$_{4}$ 9$_{1}$; בֵּית יַעַר הַלְּ׳ Libanonwaldhaus (Noth Kge 134ff) 1K 7$_{2}$ 10$_{17\cdot21}$ 2C 9$_{16\cdot20}$, כְּבוֹד הַלְּ׳ Js 35$_{2}$ 60$_{13}$, Weingegend Hos 14$_{8}$; אֶרֶץ גִּלְעָד וּלְבָ׳ Zch 10$_{10}$, לְבָ׳ || שִׂרְיוֹן Ps 29$_{6}$ (Strauss, ZAW 82, 95), בִּקְעַת הַלְּ׳ heute *el-Beqāʿ* zwischen לְבָנוֹן u. חֶרְמוֹן Jos 11$_{17}$ 12$_{7}$, מִגְדַּל הַלְּ׳ HL 7$_{5}$; ↗ Jos 13$_{5f}$ 1K 5$_{23\cdot28}$ 9$_{19}$ 2K 19$_{23}$ Js 10$_{34}$ 29$_{17}$ 33$_{9}$ 37$_{24}$ 40$_{16}$ Jr 22$_{6.20\cdot23}$ Ez 17$_{3}$ 31$_{3\cdot15f}$ Nah 1$_{4}$ Hab 2$_{17}$ Zch 11$_{1}$ HL 3$_{9}$ 4$_{8\cdot15}$ 5$_{15}$ 2C 2$_{7\cdot15}$; — Jr 18$_{14}$ 1 לָבָן; Hos 14$_{6f}$ u. HL 4$_{11}$? 1 לִבְנֶה (:: Rud. Hos. 248.252); ? Ps 72$_{16}$, ↗ Junker BZAW 66, 170f. †

לִבְנִי, G Λοβενει: n.m., I לבן, BL 501w; klschr. *Labani* m. Beischrift לבני (BEUP IX 108 (= Delaporte 74) u. X 54: — 1. S.v. גֵּרְשׁוֹן Ex 6$_{17}$ Nu 3$_{18}$ 1C 6$_{2\cdot5}$, = לַעְדָּן 2; — 2. Levit a. Sippe מְרָרִי 1C 6$_{14}$; — 3. gntl. v. 1: Nu 3$_{21}$ 26$_{58}$. †

לִבְנַת: Jos 19$_{26}$: ↗ שִׁיחוֹר לִבְנָת.

לֵב קָמָי Jr 51$_{1}$: ↗ לֵב 13.

לבשׁ: ug. *lbš*; mhe. לָבַשׁ hitp. Sir 50$_{11}$ sich bekleiden m.; äga. לבש (DISO 135), ja. cp. u. sy. לְבֵשׁ, sam. (Peterm. 54), md. (MdD 229a); ar. *labisa*, verheimlichen *labasa* (↗ Palache 10, ↗ בגד), äth. *labsa*, tigr. (Wb. 38b); akk. *labāšu*; ↗ VG 2, 289:

qal: pf. לָבֵשׁ (aram. ar. äth.), Ps 93$_{1}$,

לָבַשׁ 7 ×, לָבְשָׁה, לָבַשְׁתְּ, לָבַשְׁתִּי, לָבְשׁוּ (Ez 42$_{14}$ Q [K impf.] u. 44$_{19}$), לְבֵשָׁם Lv 16$_{4}$; impf. וַיִּלְבַּשׁ, יִלְבַּשׁ, תִּלְבְּשִׁי/בְּשִׁי, יִלְבְּשׁוּ, ־שָׁם u. יִלְבָּשֵׁם, יִלְבָּשֵׁנִי, תִּלְבַּשְׁןָ, תִּלְבָּשׁוּ Ex 29$_{30}$ (BL 337n), אֶלְבָּשֶׁנָּה; imp. לְבַשׁ, לִבְשִׁי; inf. לִלְבֹּשׁ, לָבֹשׁ; pt. לֹבְשִׁים: — 1. a) c. acc. e. Kleid **anziehen** (THAT 1, 867ff) Gn 28$_{20}$ 38$_{19}$ Ex 29$_{30}$ Lv 6$_{3f}$ 16$_{4\cdot23f\cdot32}$ 21$_{10}$ Dt 22$_{5\cdot11}$ 1S 28$_{8}$ 2S 14$_{2}$ 1K 22$_{30}$ Js 4$_{1}$ 52$_{1}$ 59$_{17}$ Jr 4$_{30}$ Ez 26$_{16}$ (c. ↗ חֲרָדָה) 34$_{3}$ 42$_{14}$ 44$_{17\cdot19}$ Jon 3$_{5}$ Zef 1$_{8}$ Zch 13$_{4}$ Hi 27$_{17}$ HL 5$_{3}$ Est 4$_{1}$ 5$_{1}$ (ins. מַלְבּוּשׁ ante מַלְכוּת, Rud. VT 4, 89) 2C 18$_{29}$ Sir 6$_{31}$; (e. Rüstung) anlegen Js 59$_{17}$ Jr 46$_{4}$; b) metaph. (THAT 1, 869): Zion Menschen wie Schmuck Js 49$_{18}$; sich bekleiden m.: עֹז Js 51$_{9}$ 52$_{1}$, צְדָקָה 59$_{17}$, צֶדֶק Ps 132$_{9}$ Hi 29$_{14}$, גֵּאוּת Ps 93$_{1}$, הוֹד וְהָדָר Ps 104$_{1}$ Hi 40$_{10}$, כְּלִמָּה Ps 109$_{29}$, בֹּשֶׁת Ps 35$_{26}$ Hi 8$_{22}$, שְׁמָמָה Ez 7$_{27}$, תְּשׁוּעָה 2C 6$_{41}$, רִמָּה Hi 7$_{5}$, קְלָלָה Ps 109$_{18}$; d. Auen m. cj חָצִיר Ps 65$_{14}$ (pr. כָּרִים, gew. l הָרִים, :: Eissf. BVSäAW 105, 6, 19ff: sich stürzen auf = bespringen); — 2. v. bekleidenden Stoff als Sbj. (cf. Rö 13$_{14}$ ἐνδύσασθε τὸν κύριον) **bekleiden**: רוּחַ י׳ Ri 6$_{34}$ 1C 12$_{19}$ 2C 24$_{20}$, Hi 29$_{14}$; — 3. c. בְּ **sich bekleiden** mit Est 6$_{8}$, abs. sich kleiden 2S 13$_{18}$ (pr. מֵעוֹלָם l מְעִילִים) Hg 1$_{6}$. †

pu: pt. מְלֻבָּשִׁים: c. acc. **bekleidet** mit 1K 22$_{10}$ (↗ II בֶּגֶד) / 2C 18$_{9}$; בּוּץ 5$_{12}$; abs. Esr 3$_{10}$ in Amtstracht (al. ins. בּוּץ, ↗ Rud.). †

hif: pf. הִלְבִּישָׁה, הִלְבַּשְׁתָּ, הִלְבִּ(י)שׁוּ, הִלְבַּשְׁתִּיו/תָם, הִלְבִּישַׁנִי; impf. וַיַּלְבֵּשׁ, אַלְבִּישׁ, וַיַּלְבִּשֵׁם, וַיַּלְבִּשֵׁךְ, אַלְבִּישֵׁךְ, וַיַּלְבִּשׁוּם 2C 28$_{15}$, וַיַּלְבִּשֵׁהוּ; inf. הַלְבִּישׁ, הַלְבֵּשׁ; pt. מַלְבִּישִׁים: — 1. **bekleiden:** a) c. acc. pers. Gn 3$_{21}$ 27$_{15}$ Ex 28$_{41}$ Est 4$_{4}$ 6$_{9\cdot11}$ 2C 28$_{15}$; b) c. acc. rei: bekleiden mit Pr 23$_{21}$; c) c. acc. pers. et rei: jmd bekleiden mit Gn 41$_{42}$ Ex 29$_{5\cdot8}$ 40$_{13f}$ Lv 8$_{7\cdot13}$ Nu 20$_{26\cdot28}$ 1S 17$_{38}$ 2S 1$_{24}$ Js 22$_{21}$ 50$_{3}$ 61$_{10}$ Ez 16$_{10}$ Zch 3$_{4f}$ Ps 132$_{16\cdot18}$ Hi 10$_{11}$ 39$_{19}$ — 2. c. עַל pers. et acc. rei jmdm etw. anlegen, umtun Gn 27$_{16}$; ? cj (מַלְבִּישָׁיו, Garderobier Ehrl.) 1K 10$_{5}$ (:: Noth Kge. 203). †

Der. לְבוּשׁ, לָבוּשׁ, מַלְבּוּשׁ, תִּלְבֹּשֶׁת.

לָבֻשׁ u. **לָבֻשׁ**: ↗ לָבוּשׁ u. לְבוּשׁ.

לֹג, Sam.[M125] *lag*: ug. *lg* (UT nr. 1354), mhe., pl. לוּגִּים; äga. (DISO 135), ja. לוּגָא, לוּגָא, sy. *lagg^{e}tā* Schüsselchen u. Flüssigkeitsmass: לגג; > λεύγη, Hesych, Milchmass (Lewy Fw. 116, Mayer 341): **Log**, kleines Flüssigkeitsmass (BRL 368, de Vaux Inst. 1, 305ff, DJD III 37f: 0,6 Liter): Lv 14$_{10\cdot12\cdot15\cdot21\cdot24}$. †

לֹד: n.l.; mhe. לוֹד, לוּד; äg. *R*(*w*)*tn*(*w*) ETL 210, Alt KlSchr. 3, 55f, PJb 37, 25ff, Λύδδα, *el-Ludd*, s.ö. יָפוֹ: **Lod**, Abel 2, 370, BHH 1101: Esr 2$_{33}$ Neh 7$_{37}$ 11$_{35}$ 1C 8$_{12}$. †

לִדְבִר: Jos 13$_{26}$: n.l. l לֹא דְבָר.

לֵדָה: ילד, eig. inf. (BL 382.450j); mhe.: **Gebären** 2K 19$_{3}$/Js 37$_{3}$ Hos 9$_{11}$; אֵשֶׁת לֵ׳ Gebärende Jr 13$_{21}$ 1QHod. 3, 7 (Wbg-M. Textus 151f). †

לֹה: הֲלֹה Dt 3$_{11}$ l הֲלֹא. †

***להב**: mhe.[2] שלהב, ja.[tg] שַׁלְהֵב (ver)brennen, ar. *lahiba* lodern, äth. *lahaba* aufflammen, tigr. (Wb. 30a) schwitzen: ↗ III לבב; Der. לַהַב, לֶהָבָה, שַׁלְהֶבֶת.

לַהַב: להב; mhe.[2(?)], DSS auch להוב u. לוהב (KQT 109, Fschr. Eissf. II 29, Ku. LJs. 286f, R. Meyer ZAW 70, 42); ja.[g] להבא, akk. *la᾽bu* Flamme, Fieber (AHw. 526b), saf. n.m. להב (Ryckm. 1, 118); späg. *rhb* (Burch. nr. 626): לְהָבִים, לַהֲבֵי: — 1. **Flamme** Ri 13$_{20}$ Hi 41$_{13}$, לַהַב אֵשׁ Feuerflamme Js 29$_{6}$ 30$_{30}$ Jl 2$_{5}$, pl. לַהֲבֵי אֵשׁ Js 66$_{15}$, פְּנֵי לְהָבִים flammende, glühende Gesichter Js 13$_{8}$; — 2. > **Klinge**, v. חֶרֶב Ri 3$_{22}$ (לֹ׳[2] l הַנִּצָּב; ZAW 58, 143) Nah 3$_{3}$ (4QpNah II 3 fehlt חרב, Allegro JSSt. 7, 304ff), v. חֲנִית Hi 39$_{23}$ (↗ לֶהָבָה). †

לֶהָבָה, Sam.[M123] *lā᾽ēba*: להב, BL 477^{z} < **lahhabat* > spr. „**lähhābā*": 1QJs^{a} 5$_{24}$ לוהבת (Fschr. Eissf. II 29, Ku.LJs. 286, cf. שַׁלְהֶבֶת); mhe.[2(?)]. ja.[t(1×)] להבותא; ? pun. (DISO 135): cs. לַהֶבֶת (spr. „*lahhäbet*"),

לֶהָבוֹת, cs. לַהֲבוֹת: — 1. **Flamme** (|| אֵשׁ) Nu 21$_{28}$ Js 5$_{24}$ (acc. in Fl., GK § 118f) 10$_{17}$ 43$_{2}$ 47$_{14}$ Jr 48$_{45}$ Jl 1$_{19}$ 2$_{3}$ Ob $_{18}$ Ps 83$_{15}$ 106$_{18}$ Da 11$_{33}$; לַהֶבֶת שַׁלְהֶבֶת Ez 21$_{3}$ u. לַהֲבוֹת אֵשׁ Ps 29$_{7}$ (לַבַּת אֵשׁ Ex 3$_{2}$: ↗ *לַבָּה) steigernd (Kö. Stil. 157f), אֵשׁ לֶהָבָה Feuerflamme (Rud. 218) Js 4$_{5}$ Hos 7$_{6}$ Kl 2$_{3}$, אֵשׁ לֶהָבוֹת Ps 105$_{32}$; — 2. **Klinge** (↗ לַהַב) v. חֲנִית 1S 17$_{7}$. †

לְהָבִים, Sam.M123, BCh. 3, 174 *lāb(b)em*, G Λαβιειμ: n.p. ign.; ↗ לוּבִים, S. v. מִצְרַיִם; Gn 10$_{13}$ 1C 1$_{11}$. †

*להג: ar. *lahiǧa* erpicht sein auf. Der. לַהַג.

לַהַג: להג: gew. **Studieren**, || סְפָרִים (Bardtke 216f); sy. *lahgā* Glut, Dampf; G μελέτη Hingabe, V *meditatio*; (:: Dahood Bibl. 47, 408f: II לְ + הג = הֶגֶה, ug. *spr* || *hg*; cf. Gray LoC² 275): Koh 12$_{12}$. †

לַהַד: n.m.; „Langsam, Faulpelz", ar. *lahd* (? *lahada* übermüden) Noth 227: 1C 4$_{2}$. †

להה: sy. *mlahlah* verwirrt, bestürzt sein (LS 360a); ar. *lahāʾ* spielen:

hitpalp (BL 283v): pt. מִתְלַהְלֵהַּ: **sich verrückt aufführen** Pr 26$_{18}$ Sir 32/35$_{15}$. †

להה: = ↗ לאה, Sam.; ja.g (ja.t *hly*!) cp. ermüden; tigr. (Wb. 31a) *lallaha*, < **lahleha* erschlaffen (Les. 28) :: ילה:

qal: impf. וַתֵּלַהּ (BL 408e): **verschmachten**: d. Land vor Hunger (G ἐξέλιπεν, S *ḥerbat*) Gn 47$_{13}$. †

I להט: mhe.² brennen, ja.g sy. verbrennen:

qal: pt. לֹהֵט: **glühen, brennen** Ps 104$_{4}$ אֵשׁ (l לוהטת 11QPsª 1, 10, Textus 5, 6f). †

pi: pf. לִהַט, לִהֲטָה; impf. תְּלַהֵט, וַתְּלַהֲטֵהוּ: **versengen, verzehren**: Feuer Dt 32$_{22}$ Ps 97$_{3}$, Flamme Jl 1$_{19}$ 2$_{3}$ Ps 83$_{15}$ 106$_{18}$, Krieg Js 42$_{25}$, הַיּוֹם הַבָּא Mal 3$_{19}$; (Kohlen) entzünden Hi 41$_{13}$ (al. c. GMss כְּגֶחָלִים). † Der. לַהַט.

II להט: ar. *lahaṭa* gierig verschlingen. (Barthélemy 767); mhe. לָהוּט gierig nach; akk. *laʾātu* verschlucken (AHw. 521b); ↗ לעט bisher zu I, auch Jenni 208:

qal: pt. לֹהֲטִים: **verschlingen** Ps 57$_{5}$. †

III להט, Nf. v. לוט; ↗ *לְהָטִים.

לַהַט, לָהַט: I להט: Flamme; metaph. (cf. לֶהָבָה, לַהַב) **Klinge** (d. חֶרֶב) Gn 3$_{24}$. †

*לְהָטִים: III להט, Nf. v. לוט (: לָטִים, cf. רוּץ: רהט): לַהֲטֵיהֶם = לָטֵיהֶם Ex 7$_{22}$ 8$_{3.14}$); ? pltt.: **geheime Künste**, **Zauberei** Ex 7$_{11}$. †

להם: ar. *lahima* I, VIII. gierig verschlingen; tigr. (Wb. 30a) *lahama* Gefallen haben:

hitp: pt. מִתְלַהֲמִים sich gierig verschlingen lassen od. pass. (BL 291j), pl. sbst. Dinge, die sich gierig verschlingen lassen = **Leckerbissen** (Gemser) Pr 18$_{8}$ 26$_{22}$. †

לָהֵן: Rt 1$_{13a\alpha\beta}$ c. הֵ; ba. Da 2$_{6.9}$ 4$_{24}$, הֵן + לְ deshalb (BL 256p); l beidemal לָהֶם auf sie (= ihre allfälligen Söhne) warten Rt 1$_{13a}$ (↗ Rud.). †

[לָהֵן Hi 30$_{24}$: pr. לָהֵן שׁוּעַ l יְשַׁוֵּעַ (= לֹא) לֹה.]

להק: äth. *leheqa* alt werden, ar. *lahaqa* schneeweiss sein: Der. לַהֲקָה.

*לַהֲקָה: 1S 19$_{20}$ לַהֲקַת נְבִיאִים (gew. c. GST cj קְהִלַּת): להק; äth. *līq* (< *lᵉhīq*) Ältester, Würdenträger: „**senatus**", d. ehrwürdige Gesellschaft d. Propheten (Ulldff. EthBi. 128, WThomas OTMSt. 243, Gemser Spr. 114, Barr CpPh. 270f), ? Pr 30$_{17}$ (l לַהֲקַת pr. לִיקְּהַת d. Alter). †

לוֹ: 1S 2$_{16}$ 20$_{2}$ l לֹא.

לוּ, Sam. לוי M125 *lēwi* auch *lū*; לֻא 2S 18$_{12}$ u. 19$_{7}$ (Q לוּ, Alp. לוא, Textus 1, 88), לוא 1S 14$_{30}$ Js 48$_{18}$ 63$_{19}$: לו aam. äga. (DISO 136), ph. *li* (Poen. 932, Friedr. § 257e, Sznycer 61f); mhe. ja in אִלּוּ, sy. *ellū* wenn, sy. *luwaj* o dass doch; asa. *l*, ar. *lau*, ph. *l* (DISO 132f), akk. *lū* Wunsch, Beteuerung, „sei es, oder" (AHw. 558b); ↗ אִלּוּ, לוּלֵא; Grdf. **luwa* (Goetze Lang. 17, 131³⁶, Driv. HVS 150): — 1. c. impf. **wenn doch** לוּ יְהִי Gn 17$_{18}$ 30$_{34}$ Hi 6$_{2}$, cj Rt 2$_{13}$ (Rud.); > wenn nun Gn 50$_{15}$ cj 1S 20$_{14}$ pr. לֹא; — 2. c. imp. Gn 23$_{13}$ לוּ שְׁמָעֵנִי hör mich doch (HeSy.

§ 3), 23₅ (pr. לוֹ cjg c. v. 6); — 3. c. pf. **o dass doch!**: לוּ מַתְנוּ Nu 14_2 20_3 Dt 32_{29} Jos 7_7 Ri 8_{19} 1S 14_{30}, cj 13_{13} (pr. לֹא) Js 48_{18} 63_{19}, cj 64_{3f} u. (?) Ps 40_{17} u. 55_{13}; cj וְלֹא Gn 31_{27}; > **wenn doch** Ri 13_{23}; — 4. c. pt. 2S 18_{12} Mi 2_{11} Ps 81_{14} u.c. יֵשׁ Nu 22_{29} Hi 16_4, cj 9_{33}, u. in Nominalsatz 2S 19_7: wenn doch; — 5. beteuernd (Nötscher VT 3, 373f, ? ph. DISO 133): gewiss, gut Gn 30_{34} 50_{15}; — Ez 14_{15} l אוֹ. †

לוֹא: ↗ לֹא u. לוֹ (: I לְ).

***לוּב**, pl. לוּבִים, Da 11_{43} לֻבִים: n.p. G Λίβυες, äg. *Rbw*, > לְהָבִים: npun. שד לובים Libyerland (PNPhPI 133.337); ar. *lūbī* für alle weissen Nordafrikaner: **Libyer**, WHölscher, Lib. u. Aegypter, 1937, Rössler ZA 50, 122, OTSt 10, 179ff, GTT § 149; BHH 1082: Nah 3_9 Da 11_{43} 2C 12_3 16_8, cj Ez 30_5 (c. GS ins. וְלוּב post לוּד pr. כּוּב, ↗ Zimm. 725). †

לוּד, pl. לוּדִים, 1C 1_{11} לוּדִיִּים K, Sam.[BCh.3,174b] *led*, *lāddem* (< *לְהָדִים): n.p. G Λύδοι, klschr. *Luddu*, *Ludaia* (VAB VII 793, Mél. Syr. 934), **Lyder**, GTT § 150/51, Hölscher Erdk. 51f.70, JbEOL 4, 231ff, Goetze Klas.[2] 206ff, BHH 1108.1115: — 1. in Afrika: Gn 10_{13} 1C 1_{11}, S.v. מִצְרַיִם; — 2. in Kleinasien: S. v. שֵׁם, neben אֲרָם u.a. Gn 10_{22} 1C 1_{17}, 1 Mak 8_8 Λυδία; neben פּוּט Js 66_{19} G Jr 46_9 Ez 27_{10} 30_5, ↗ Zimm. 643f. 730f: in Ez. lydische Söldner; בני לוד 1QM 2, 10 (Yadin ScrW 29); Λουδ Jud 2_{23} Jub 7_{18} 96.10f. †

לוֹ דְבָר 2S 9_{4f} (G[B] Λαβαδαρ), לֹא דְבָר 2S 17_{27} (G Λωδαβαρ), לֹא דָבָר Am 6_{13} (G ἐπ' οὐδενὶ λόγῳ, Wtsp. ?), לִדְבִר Jos 13_{26} (G[A] Δαβειρ SV), l לְדְבָר: n.l. in Gad, nahe מַחֲנַיִם, Abel 2, 304, GTT § 300, Noth Jos. 82, Metzger ZDPV 76, 97ff, BHH 1101, Haran VT 17, 272[1], Kuschke Fschr. Hertzb. 97f. †

I **לוה**: mhe. pi. begleiten, nif. DSS; äga. (DISO 136), ja. sy. md. (MdD 232a); ar. *lawāʾ* winden, wenden, äth. *lawā*, tigr. (Wb. 44a, Lesl. 28) *laulā* winden; akk. (AHw. 541a) *law/mū* umgeben, belagern, *lam/wutānu* Dienerschaft (AHw. 534a):

qal: impf. יִלְוֶנּוּ: **begleiten** Koh 8_{15} Sir 41_{12}. †

nif: pf. נִלְוָה, נִלְווּ; impf. יִלָּוֶה, יִלָּווּ; pt. נִלְוִים: c. עַל, אֶל u. עִם **sich anschliessen an**: Gatte Gn 29_{34} (impf. gew. fut. genommen :: Driv. HVS 143), Stammesgenossen Nu $18_{2.4}$, Verbündete Ps 83_9, גֵּר 14_1; Verehrer an J. Js $56_{3.6}$ Jr 50_5 Zch 2_{15} Da 11_{34}; Heiden an Isr. Est 9_{27} (cf. 8_{17}), d. προσήλυτος des NT (Schürer 3, 175, WbNT u. ThWbNT s.v., BHH 1515. †

Der. לִוְיָה, לִוְיָתָן, לֵוִי (?), לוּל, לֻלָאוֹת.

II **לוה**: mhe. qal entleihen, hif. ausleihen an; ar. *lawāʾ* m.d. Bezahlung zögern, asa. לוא Pfandperson (↗ לֵוִי) Horst 60ff, RW Sikkema, De lening in het OT, Leiden, 1957 (dazu Wevers BiOr. 18, 96), wie I נשא Anzeichen v. Armut u. Mangel:

qal: pf. לָוִינוּ; impf. תִּלְוֶה; pt. לֹוֶה: **für sich entleihen** (↗ II נשך, :: hif. u. I נשא ausleihen) Dt 28_{12} Js 24_2 Ps 37_{21} Pr 22_7 Neh 5_4. †

hif: pf. הִלְוִיתָ; impf. תַּלְוֶה, יַלְוְךָ, תַּלְוֶנּוּ; pt. מַלְוֶה, cs. מַלְוֵה: **ausleihen an** c. acc. Ex 22_{24} Dt $28_{12.44}$ Js 24_2 Ps 37_{26} 112_5 Pr 22_7, an J. 19_{17}. †

לוז: mhe. (4Q 166 I 5) nif. verkehrt sein, hif. kaus. u. Übles reden; ar. *lāḏa* sich abwenden (:: v Soden WZUH 17, 181):

qal: impf. יָלֻזוּ: c. מֵעֵינֶי jmd. **aus d. Augen kommen** Pr 3_{21}. †

nif: pf. נלוז (Sir); pt. נָלוֹז, cs. נְלוֹז, נְלוֹזִים: — 1. **verkehrt gehen**; c. אַחַר nachirren Sir 31/34_8; נְלוֹז דְּרָכִים wer auf Irrwegen ist (HeSy. § 77f) Pr 14_2; > נָלוֹז 3_{32}, pl. 2_{15} (al. sbst. Irrwege); — 2. pt. **Verkehrtes, Arglist** Js 30_{12} (|| עֹשֶׁק), cj Ps 62_{11} pr. גָּזֵל. †

hif: impf. יַלִּיזוּ (Bgstr. 2, § 28q, BL

399i) — 1. c. עֵינַיִם einem **aus d. Augen gehen** Pr 4$_{21}$; — 2. עַל u. בשפת עול Übles tun m. d. Lippen = **Übles reden**, mhe. DSS. †
Der. לָזוּת.

I לוז: mhe. ja. sam. (BCh. 2, 499b) sy. md. (MdD 232b), > ar. äth. tigr. (Wb. 45b) *lauz* (Nöld. NB 43, BL 452[1]); ↗ שָׁקֵד: **Mandelbaum**, *Amygdalus communis* (Löw 3, 142ff) Gn 30$_{37}$; ↗ II לוּז. †

II לוז: n.l.; I: loc. לוּזָה: — 1. nahe ↗ בֵּית אֵל (Jos 16$_{2}$ 18$_{13}$), dessen Name später v. Heiligtum auf die Siedlung überging Gn 28$_{19}$ 35$_{6}$ 48$_{3}$ Ri 1$_{23}$; — 2. von dort aus d. gleichnamige לוּז בְּאֶרֶץ הַחִתִּים gegründet, Abel 2, 371, GTT § 521, BHH 1115; Ri 1$_{26}$.

לוּחַ: mhe.; ug. *lḥ* (UT nr. 1358); ? äga. (DISO 136); ja. sy. לוּחָא, md. (MdD 232b) לוחא; ar., soq. *loḥ*, äth. *lauḥ*, tigr. (Wb. 44b) *luḥ*; akk. *lēʾu* (AHw. 546b, Driv. SWr. 79[12]), Holz-, Stein-, Metalltafel: לוח(ו)ת, (mhe. לְוָחִין) du. לוּחֹתַיִם (BL 516$_{q}$); m. Ex 32$_{15}$ 31$_{18}$ (äga. sy. f.): — 1. (steinerne) **Tafel** Ex 24$_{12}$ 31$_{18}$ 34$_{1.4}$ Dt 4$_{13}$ 5$_{22}$ 9$_{9-11}$ 10$_{1.3}$ 1K 8$_{9}$, auch Ex 32$_{15f.19}$ 34$_{1.28}$ Dt 9$_{17}$ 10$_{2-4}$ 2C 5$_{10}$; לֻחֹת הָעֵדֻת Ex 31$_{18}$ 32$_{15}$ 34$_{29}$, לוּחֹת הַבְּרִית Dt 9$_{9.11.15}$, cj 1K 8$_{9}$ (ins. c. G, Mtg-G. 186, Noth Kge 171.180, Rud. Chr. 211); Hab 2$_{2}$; סֵפֶר || לוּחַ Js 30$_{8}$; metaph. ל׳ לִבָּם Jr 17$_{1}$, ל׳ לִבּוֹ Pr 3$_{3}$ 7$_{3}$; — 2. **Planke, Brett**: Altar נְבוּב לֻחֹת hohl aus Brettern Ex 27$_{8}$ 38$_{7}$; Schiff Ez 27$_{5}$; ל׳ אֶרֶז in d. Tür HL 8$_{9}$; aus נְחֹשֶׁת 1K 7$_{36}$; ↗ לוּחִית. †

לוּחִית Js 15$_{5}$, לֻחִית Jr 48$_{5Q}$ (K לֻחוֹת pl. v. לוּחַ), לוּחַ + *īt* (BL 504m), nab. n.l. לחיתו (Cant. Nab. 2, 110b): **Platte**; מַעֲלֵה הַל׳ „Plattenstiege" n.t. in Moab b. מֵידְבָא; Λουειθα (Onom.); Abel 2, 370f, GTT § 1256/58, Noth WdAT 83, Rud. Jer. 254. †

לוֹחֵשׁ, הַל׳ G^A Αλλωης: m. m., לחש „der Beschwörer", cp. לחוש (Schulth. Lex. 103), bab. *Lāḫišu* (Gemser Pn. 197); eig. Sippe, (Rud. 117): Neh 3$_{12}$ 10$_{25}$. †

לוט: ar. *lāṭa* überstreichen, verbergen, sy. verabscheuen, ? äth. tigr. (Wb. 41a) *labaṭa* bestreichen (Lesl. 28), akk. *lāṭu* (AHw. 540b) umspannen; Grdb. bedecken, verbergen: ↗ לאט:

qal: pf. לָאט Js 25$_{7}$ (fälschl. f. לָאט, Bgstr. 2, 146[g] :: BL 403); pt. pass. לוּטָה (BL 393d): c. הַלּוֹט Js 25$_{7}$ l הַלּוּט (Nöld. NB 208); **verhüllen, einwickeln** 1S 21$_{10}$ 2S 19$_{5}$ cj Js 25$_{7}$. †

hif: impf. וַיָּלֶט: **verhüllen**, פָּנָיו 1K 19$_{13}$, ↗ Mtg-G. 314. †

Der. I לוֹט, לָט; n.m. II לוֹט, לוֹטָן.

I לוט: לוֹט, BL 451n; ar. *līt*; ? akk. *lī/ēṭu* (AfO 17, 275, AHw. 558a): metaph. **Hülle** (II מַסֵּכָה, ↗ WCvUnnik, De sem. achtergrond v. παρρησία in het NT, 1962, 16f) Js 25$_{7}$. †

II לוט: n.m.; Etym. ? : — 1. Brudersohn v. Abraham Gn 11$_{27.31}$ 12$_{4f}$ 13$_{1-14}$ 14$_{12.16}$ 19$_{1-30}$; בְּנוֹת לוֹט 19$_{36}$; ↗ Noth ÜGPt 168ff, BHH 1105; — 2. בְּנֵי לוֹט = Moab Dt 2$_{9}$, = Ammon 2$_{19}$, = beide Ps 83$_{9}$; ↗ לוֹטָן. †

לוֹטָן: II לוט, Moritz ZAW 44, 90: S.v. שֵׂעִיר, V. v. חֹרִי u. הֵימָם, choritischer Stammesfürst, Gn 36$_{20.22.29}$ 1C 1$_{38f}$, ↗ Meyer Isr. 338f, Noth ÜGPt 169[436]. †

לֵוִי, Sam.[M125] *līwi*, [BCh. 3, 174b] *lībi*; G Λευ(ε)ι u. Λευ(ε)ίτης, > לְוִיטַס MiAb IV 4; pl. הַלְוִיִּם, לְוִיִּם (BL 220m), הַלְוִי Ⓛ Dt 17$_{18}$, לְוִיֵּנוּ sf. 1 pl. Neh 10$_{1}$ (BL 252r): Etym. I לוה ? ↗ Nielsen 265ff; asa. לוא nicht Priester, sondern Pfandperson (Mlaker 57ff, Müller ZAW 75, 311: II לוה !); palm. לוי (PNPI 93a); äg. *rwʾn* = לואל, Mari *Lawi-AN*, nb. *law/mutānu* Albr. RI 124.228, Noth JSSt. 1, 327; Hölscher P-W XII 2155ff, Mow. Fschr. Eissf. 2, 146, RGG 4, 336ff, Nielsen ZAW 77, 333f, Zimm. Ez 1117ff, AHJGunneweg, Lev. u. Priester, 1965, BHH 1077; Widengren, Fschr. Davies 37f: **Levi**: — 1. S. v. Jakob u. Lea: Gn 29$_{34}$ 34$_{25.30}$ 35$_{23}$ 46$_{11}$ 49$_{5}$ Ex 1$_{2}$ 6$_{16}$ Nu 16$_{1}$ 26$_{59}$

Esr 8_{18} 1C 2_1 5_{27} $6_{1.23.28.32}$ 23_6; — 2. בְּנֵי לֵוִי Ex $32_{26.28}$ Nu $3_{15.17}$ 4_2 $16_{7f.10}$ 18_{21} Dt 21_5 31_9 Jos 21_{10} 1K 12_{31} Ez 40_{46} Mal 3_3 Esr 8_{15} Neh 12_{23} 1C 9_{18} $23_{24.27}$ 24_{20}, בְּנֵי הַלֵּוִי Neh 10_{40} 1C 12_{27}, מַטֵּה לֵוִי Nu 1_{49} 3_6 17_{18} 18_2; שֵׁבֶט (הַ)לֵּוִי Dt 10_8 18_1 Jos $13_{14.33}$ 1C 23_{14}; לֵוִי d. Stamm Levi Dt 10_9 27_{12} 33_8 Ez 48_{31} Mal 2_4 1C 21_6 27_{17}; הַלֵּוִי Nu 18_{23} Dt $12_{12.18f}$ $14_{27.29}$ $16_{11.14}$ 18_6 26_{11-13} 1C 24_6; מִשְׁפְּחֹת הַלֵּוִי Ex 6_{19} Nu 3_{20} 1C 6_4; מִשְׁפְּחֹת לֵוִי Nu 26_{58}, מִשְׁפַּחַת בֵּית־לֵוִי Zch 12_{13}; בֵּית הַלֵּוִי Ps 135_{20}; בְּרִית הַלֵּוִי Mal 2_8; — 3. Einzelne: הַלֵּוִי Ri 17_{10-13}; אִישׁ (הַ)לֵּוִי 17_9 19_1 20_4; נַעַר הַלֵּוִי $18_{3.15}$; לֵוִי e. Levit $17_{7.9}$; בַּת לֵוִי Ex 2_1 Nu 26_{59}; אַהֲרֹן הַלֵּוִי Ex 4_{14}; andere m. Namen: Esr 10_{15}, 2 C 31_{12}, 31_{14}, 20_{14}; — 4. pl. הַלְוִיִּם Leviten: Neh 10_1; Ex 6_{25} 38_{21} Lv 25_{32f} Nu 1_{47}-35_8 (55 ×) Dt 18_7 27_{14} 31_{25} Jos 14_3-21_{41} (12 ×) 1S 6_{15} 2S 15_{24} 1K 8_4 Jr 33_{21f} Ez 44_{10} 45_5 $48_{11-13.22}$ Esr 1_5-10_{23} (17 ×) Neh 3_{17}-13_{30} (42 ×) 1C 6_{33}-28_{21} (31 ×) 2C 5_4-35_{18} (62 ×; zusammen 239 ×); הַכֹּ׳ וְהַלְ׳, הַלְ׳ וְהַכֹּהֲנִים Jr 33_{21}!; ƒ כֹּהֵן 5; רָאשֵׁי אֲבוֹת הַלְוִיִּם Ex 6_{25}, עֲבֹדַת הַלְ׳ Ex 38_{21} Esr 8_{20}, עָרֵי הַלְ׳ Lv 25_{32f}, מַחֲנֵה הַלְ׳ Nu 2_{17}; הַלְ׳ ƒ נְתוּנִים Nu 3_9 8_{19}; פְּקוּדֵי הַלְ׳ 3_{39}, בְּהֵמַת הַלְ׳ 3_{41}, פְּדוּיֵי הַלְ׳ 3_{49}; Dienst von 20 Jahren an Esr 3_8, 25 Jahren Nu 8_{24}, 30 Jahren 1C 23_3; Zadok וְכָל הַלְ׳ 2S 15_{24}; שָׂרֵי הַלְ׳ 1C 15_{16} 2C 35_9; Levitenstädte Jos 21, ƒ Albr. LGinzberg Jub. Vol. 1, 1945, 49ff, Noth Jos. 127ff, Mazar VTSu. VII 193ff. †

*לִוְיָה: I לוה, BL 457p. 458×; mhe. לויה Geleit, ja. md. (MdD 232a) לואיתא, sy. l^e*wītā* Geleit: לִוְיַת: **Kranz**, metaph. לִ׳ חֵן e. lieblicher Kr. Pr 1_9 4_9, cj לִוְיַת כְּסִילִים 14_{24}; u. 1K 7_{29} ? cs. pl. לְוָיוֹת. †

לִוְיָתָן: לִוְיָה + *-ān*, BL 500r, „Kranztier" ug. *ltn* (UT nr. 1400, Aistl. 1488; *lōtān < *lawtān, Albr. BASOR 46, 19[18]); mhe. sy. md. (MdD 236a m. f. pl.): **Leviatan**, Meeresungeheuer, || נָחָשׁ עֲקַלָּתוֹן u. נָ׳ בָּרִחַ (beides ug.!) Js 27_1, (|| תַּנִּין), mehrköpfig (ug.!) Ps 74_{14} (ƒ ANEP 670.671. 691) Ps 104_{26} Hi 3_8 40_{25}: der d. Erde umgebende Ozean, Gkl Sch.Ch. 46f, al. Meerdrache, Krokodil (Hö. Hi. 17.99f), Wal (Driv. Fschr. Levi d. V., 238f; Wallace BA 11, 61ff, Kaiser 74ff.145f, RGG 4, 337, Gordon bAAltmann, Biblical Motifs, 1966), BHH 1076, Stolz BZAW 118, 46.63. †

*לוּל, pl. לוּלִים: tt. archt., mhe. ja.^{g} Treppenraum, Dachluke, Bodenvertiefung, Hühnerstiege, kleiner z. Obergemach führender Raum, GT (V); ar. *lūl* Schraube, Wendeltreppe, (?) md. (MdD 233a) Scharnier; ? ar. *laulab, laulaba* sich schlängeln, I לוה redupl. Mtg.-G. 146.148, cf. לְלָאֹת :: Noth Kge 99.116, Gray Kings^2 166: (? S) **Falltür** 1K 6_8. †

לוּלֵא Gn 43_{10} Ri 14_{18} 2S 2_{27}, sonst לוּלֵי, dissim. < לוּלֹא (BL 652b, cf. יֵשׁוּעַ); ? äga. (DISO 136); ar. *laulā*; akk. *lū lā* (v. Soden Gr. § 122c, AHw. 559a): — 1. **wenn nicht**; es sei denn dass (irreal!): c. pf. לוּלֵא הָיָה wenn . . . nicht gewesen wäre Gn 31_{42} 43_{10}, cj Nu 22_{33}, Ri 14_{18} 1S 25_{34} 2S 2_{27} Js 1_9 Ps 106_{23}; c. impf. לוּלֵי אָגוּר wenn ich nicht fürchtete Dt 32_{27}; c. pt. 2K 3_{14}; im Nom. Satz Ps 94_{17} 119_{92} 124_{1f}; — 2. affirm. **sicherlich** (<1, durch Aposiopese d. Nachsatzes, Gkl) Ps 27_{13} (zur Streichung punktiert, Gsbg 333f, Geiger 258, BL 79s, aber unentbehrlich). †

I לון: mhe.$^{2(?)}$ hif.; ? ph. (DISO 136, KAI II 33); ar. *lwn* V wankelmütig sein, (? gegensinnig *ljn* nachgiebig sein) *lāma* tadeln; nur in Ex 15-17 Nu 14-17 Jos 9_{18}:

nif: impf. וַיִּלֹּנוּ, Ex 16_2 u. Nu 14_{36K}, תִּלּוֹנוּ Nu 16_{11K} (Q hif.): c. עַל **murren** gegen (THAT 1,870f) Ex 15_{24} $16_{2.7}$ Nu $14_{2.36}$ 16_{11} 17_6 Jos 9_{18}. †

hif. (BL 400i): pf. הֲלִינוֹתֶם; impf. וַיָּלֶן, וַיַּלִּינוּ Ex 16_2 u. Nu 14_{36K}, ? l Ps 59_{16} pr. וַיָּלִינוּ, תַּלִּינוּ Nu 16_{11Q}; pt. מַלִּינִים: c. עַל

murren gegen (THAT 1,870f) Ex 16$_{2K.7.8}$ Nu 14$_{27a.b.29.36Q}$ 16$_{11Q}$ 17$_{20}$ Ps 59$_{16}$, c. תְּלֻנּוֹת Ex 16$_{8}$ Nu 17$_{20}$. †
Der. תְּלֻנּוֹת.

II **לון**: ↗ לין.

לוע: ↗ לעע.

לוץ: ↗ ליץ.

לוש: mhe., ? ug. *lš* (UT nr. 1361); pehl. äga. (DISO 136), ja. sy. md. (MdD 234a); ar. *lwṯ* einrollen; äth. tigr. (Wb. 44b) *lōš/sa*; akk. *lāšu* Teig kneten (AHw. 540a); mhe. ja. ליישׁ, לֵישָׁא, akk. *līšu* (AHw. 556b) Teig:
qal: impf. וַתָּלוֹשׁ, וַתָּלָשׁ 2S 13$_{8K}$; imp. לוּשִׁי; inf. לוּשׁ; pt. לָשׁוֹת: (Teig) **kneten** Gn 18$_{6}$ 1S 28$_{24}$ 2S 13$_{8}$ Jr 7$_{18}$ Hos 7$_{4}$. †

לוש: n.m., Q לַיִשׁ 2S 3$_{15}$ = לַיִשׁ 1S 25$_{44}$; „Löwe", V. d. פַּלְטִי(אֵל). †

***לָזֶה, לָז** u. לֵזוּ ↗ הַלָּז, הַלָּזֶה u. הַלֵּזוּ.

***לָזוּת**: לוז: cs. לְזוּת (BL 506s): **Verkehrtheit** (metaph.) Pr 4$_{24}$. †

לַח: לחח, BL 453w; mhe.: לַחִים, לֵחַ: **noch feucht, noch frisch**: Rute Gn 30$_{37}$, Trauben Nu 6$_{3}$, Strick Ri 16$_{7f}$, Holz Ez 17$_{24}$ 21$_{3}$ (v Selms, Fschr. Vriezen 318ff). †

***לֵחַ**: לחח, BL 454d; mhe. לֵחָה, cp. *ljḥ'* Feuchtigkeit (Schulth. Gr. § 24, 3b): לֵחֹה: (Lebens-)**Saft, Frische** Dt 34$_{7}$, cj Jr 11$_{19}$ (pr. בְּלַחְמוֹ l בְּלֵחוֹ od. לֵחַ + מ emph. + sf., Dahood CBQ 47, 409). †

***לחה**: ? ug. *lḥ* (Aistl. 1450) beleidigen: äga. לחה verfluchen (DISO 137, KAI II 248) לחיה schlecht, verflucht, sy. abschälen, verderben; ar. *lḥw/j* beschimpfen.
Der. III לְחִי.

***לְחוּם**: II לחם, BL 473a; GS Fleisch, T Leichnam (נְבֵלוּת), ar. *laḥm* Fleisch: לְחוּמוֹ Hi 20$_{23}$, לְחֻמָם Zef 1$_{17}$: **Fleisch, Körper** Zef 1$_{17}$ (|| דָּם); cj לְחוּמָם Js 47$_{14}$ u. Hi 30$_{4}$; — Hi 20$_{23}$ || חֲרוֹן אַפּוֹ, ? G ὀδύνας חֲבָלִים, inc. †

***לחח**: mhe.[2] לחלח, ja.[g] לחלח (BL 282 o) feucht machen, mhe. לחלוחית Feuchtigkeit, Jugendkraft, ja.[g] לחלוחתא Saft; ph. in nn. pr. שלם לחי (PNPhPI 338); akk. *lāḫu* junger Spross (< kan.; AHw. 528b); äth. tigr. (Wb. 31b) *laḥleḥa* weich sein; Der. לַח, לֵחַ.

I **לְחִי**: (?) *לחה; < *laḥj*, BL 577h.578m; mhe.; ug. du. *lḥm*, ? pl. *lḥt* (Aistl. 1451, Dahood Bibl. 47, 409 :: UT nr. 1366) Wange; ja. לְחָיָא u. לְחָיְתָא (↗ לוֹעַ), לוֹחָ/עָה (Aharoni RB 48, 239/41); ar. *laḥj* Kinnbacke, *liḥjat* u. soq. *laḥjeh* (Lesl. 28) Bart; ? tigr. (Wb. 32b) *leḥē* Wange; akk. *laḫû* (AHw. 528b) Kinnbacke: לֶחִי, לְחָיו/יָהּ, לְחָיַיִם, לְחָיֵי, לְחָיֵיהֶם, לְחָיַיִךְ/יֵיךְ, לְחָיָו/לְחָיָיו, לְחָיַי/יֵי; f: — 1. **Kinn** cj HL 5$_{13}$ (l לְחָיוֹ, Rud.); — 2. **Kinnlade** Ri 15$_{15.17.19}$ (Waffe b. Primitiven, Lehmann-Nitsche, Mainzer Ztschr. 26, 1931, 78ff); Ez 29$_{4}$ u. 38$_{4}$ (Krokodil), Hi 40$_{26}$ (Leviatan), Hos 11$_{4}$ (Zugtier, ↗ Rud. 215f), metaph. Js 30$_{28}$ (Völker; cj Gn 16$_{14}$ pr. לְחַי, ↗ רֹאִי); — 3. **Backe** c. הִכָּה עַל 1K 22$_{24}$ Js 50$_{6}$ Mi 4$_{14}$ Ps 3$_{8}$ Hi 16$_{10}$ HL 5$_{13}$ Kl 3$_{30}$ 2C 18$_{23}$; Wange HL 1$_{10}$ Kl 1$_{2}$; — 4. Dt 18$_{3}$ Opferanteil d. Priester, ? l חֲלָבִים, Duss. Or. 113. †

II ***לְחִי**: n.l., = I ?; (הַ)לֶּחִי Ri 15$_{9.14.19}$, רָמַת לֶחִי 15$_{17}$, לֶחִי 15$_{14}$; cj loc. לֶחְיָה 2S 23$_{11}$; Lage ?, Abel 2, 369, GTT § 610. †

cj III **לְחִי**: לחה, aam., äga. Böses: **Fluch** (?); cj בַּלְּחִי pr. בִּלְתִּי Da 11$_{18}$ (Montg. 444, Bentzen 80, Ploeger 156). †

לַחַי רֹאִי Gn 16$_{14}$ 25$_{11}$; ↗ רֹאִי.

לְחִית Jr 48$_{5Q}$: ↗ לוּחִית.

לחך: ug. *lḥk*; mhe. pi., ja.[tb] pa. cp. sy.; ar. *laḥika* lecken:
qal (Jenni 192): inf. לְחֹךְ: auflecken, **auffressen** (Rind d. Gras) Nu 22$_{4}$. †
pi. (Jenni 146): pf. לִחֲכָה; impf. יְלַחֲכוּ/חֵכוּ: — 1. **auflecken**: Feuer d. Wasser 1K 18$_{38}$, Schlange עָפָר Mi 7$_{17}$; ablecken: Untertanen d. Füsse ihres Herrn Js 49$_{23}$ Mi 7$_{17}$ Ps 72$_{9}$ (akk. *qaqqaru ina pān šarri našāqu*, (Klauber 14, AHw. 759a, ar. Östrup 33f), Fusskuss, ↗ נשק; — 2. (d. Land) **kahl fressen** Nu 22$_{4}$. †

I **לחם**: mhe. nif, qal DSS; kämpfen, hif. u. cp. pe. sy. pa. zusammenfügen, md. (MdD 467b) *lhm* šaf. bedrohen, ar. *laḥama* I haften bleiben, VI kämpfen, tigr. (Wb. 32a) fest zusammenhalten, mo. KAI III 13a u. ph. kämpfen (DISO 137); Grdb. aneinander gedrängt sein > handgemein werden; ↗ לֶחֶם, Palache 42, Koehler JSSt 1,1956, 10ff:

qal (sekd. < nif.): imp. לְחַם; pt. לֹחֵם, לֹחֲמִים/מָי: **bekämpfen**: c. acc. Ps 35_{1}, 56_{2}, c. לְ 56_{3}. †

nif. (ca. 165 ×): pf. נִלְחַם (Da 11_{11} נִלַּחַם, Kahle MdW II 23*, nitpael, mhe., Albrecht § 100, BL 283s, Bgstr. 2, 108[b]), נִלְחַמְתִּי, נִלְחֲמוּ/חָמוּ, נִלְחַמְנוּ; impf. יִלָּחֵם, וַיִּלָּחֲמוּנִי, נִלָּחֲמָה, תִּלָּחֲמוּן, וַיִּלָּחֲמוּ, וַיִּלָּחֶם (BL 344h); imp. הִלָּחֲמוּ; inf. הִלָּחֵם/לַּחֶם, הִלָּחֲמוֹ, נִלְחֹם; pt. נִלְחָם, נִלְחָמִים: **handgemein werden, kämpfen**: — 1. c. אֶת־ Jos 10_{25} (20 ×), c. sf. Ps 109_{3}, c. עִם Ex 17_{8} (28 ×), gegen עַל Da 10_{20} (20 ×), c. אֶל־ (= עַל) Jr 1_{19} 15_{20} 33_{5}, c. בְּ Ex 1_{10} (60 ×); — 2. **kämpfen zugunsten von**: c. לְ Ex 14_{14} (10 ×), c. עַל Neh 4_{8}, abs. Dt 1_{41} (20 ×); — 3. Versch. a) נִלְחַם מִלְחֲמוֹת פְּ׳ 1S 8_{20} 18_{17} 25_{28} 2C 32_{8}, נִלָּחֲמָה יָחַד lasst uns miteinander kämpfen 1S 17_{10}; b) Gott als sbj. Ex $14_{14 \cdot 25}$ Dt 1_{30} 3_{22} 20_{4} Jos $10_{14 \cdot 42}$ $23_{3 \cdot 10}$ Neh 4_{14}; — Js 30_{32} l נָחֹלוּ בָם (: חול nif.).

Der. מִלְחָמָה, לֶחֶם.

II **לחם**: denom. v. לֶחֶם; ug. *lḥm*, akk. *laḫāmu*, (AHw. 527b); ar. *laḥama* m. Fleisch nähren:

qal: pf. לָחֲמוּ; impf. אֶ/תִּלְחַם; imp. לַחֲמוּ; inf. לְחֹם; pt. pass. לְחֻמֵי (Sam. [M124] *lēmu*): — 1. bei jmd **speisen** Ps $23_{1 \cdot 6}$, cj Ob $_{7}$ כָּל־לֹחֲמֶיךָ alle mit dir Speisenden; — 2. c. בְּ v. etwas **kosten** Ps 141_{4} Pr 9_{5}; — 3. abs. **essen** Pr 4_{17}; — 4. pass. לְחֻמֵי רֶשֶׁף von Pest ausgezehrt Dt 32_{24} :: Sem. 6, 54ff: d. v. Rešef Bekämpften. †

Der. לְחוּם.

לֶחֶם (ca. 300 ×): I לחם; mhe., ug. *lḥm*; pun. aam. äga. palm. (DISO 137), ba. ja. (ja.[b] auch נהמא) cp. sy. md. (MdD 227a) לַחְמָא Brot; ar. *laḥm* Fleisch, soq. Fisch (Lesl. 29), ? äth. *lāhem* Stier, Kuh (Ulld. EthBi. 126); Grdb. feste Speise (Lex.[1]); MWähren, Brot u. Gebäck im Leben u. Glauben des alten Orient, Bern 1967: לֶחֶם, לַחְמוֹ/מֵנוּ: — 1. **Brotkorn** (ug.; Dahood Gregor. 43, 72*) Js 28_{28} 36_{17} (|| כְּרָמִים); — 2. **Brot**: כִּכַּר ל׳ Ex 29_{23}, חַלַּת ל׳ 29_{23}, פַּת ל׳ Gn 18_{5}, פְּתוֹתֵי ל׳ Ez 13_{19}; ל׳ חָמֵץ Lv 7_{13}, ל׳ הַקְּלֹקֵל Nu 21_{5}, ל׳ יָבֵשׁ Jos 9_{5}, ל׳ חָם 9_{12}, ל׳ חֹם 1S 21_{7}; Gerstenbrot Ri 7_{13} 2K 4_{42}, Weizenbr. Ex 29_{2}; ל׳ חֹל u. ל׳ קֹדֶשׁ 1S 21_{5}; עֲשָׂרָה ל׳ 10 Laib Brot 1S 17_{17}, עָשָׂה ל׳ Gn 27_{17}, אָפָה ל׳ Js 44_{15}; ל׳ וָיַיִן Gn 14_{18} Ri 19_{19} Neh 5_{15}; ל׳ וְחֵמַת מַיִם Gn 21_{14}, ל׳ וּנְזִיד עֲדָשִׁים 25_{34}, ל׳ וָמַיִם 1K $18_{4 \cdot 13}$ 2K 6_{22} Ez 4_{17}, בָּר וָל׳ Gn 45_{23}, ל׳ וְשִׂמְלָה Dt 10_{18}, ↗ מַטֶּה 2 u. מִשְׁעָן; — 3. Brot im Kult: עֵרֶךְ Schicht Ex 40_{23}; ל׳ (הַ)פָּנִים **Schaubrote** (de Vaux, Inst II 300 f :: de Boer VTSu. 23,27ff: Gesichtsbrot) Ex 25_{30} 35_{13} 39_{36} 1S 21_{7} 1K 7_{48} 2C 4_{19}, ל׳ מַצּוֹת Ex 29_{2}, = ל׳ מַעֲרֶכֶת Schichtbrote Neh 10_{34} 1C 9_{32} 23_{29}, = ל׳ (הַ)תָּמִיד Nu 4_{7} 2K 25_{29}; ל׳ תְּנוּפָה Schwingungsbrot Lv 23_{17} (↗ תְּ׳), ל׳ בִּכּוּרִים Erstlingsbrot 23_{20} 2K 4_{42}, צְלוּל ל׳ Ri 7_{13}K (Q צְלִיל) ↗ צְ׳; — 4. **Speise**, **Nahrung**: אֲכַל ל׳ Gn 3_{19} 31_{54} 37_{25} 43_{32} Ex 2_{20} 1S $28_{20 \cdot 22}$; לְלַחְמְךָ לְל׳ בֵּיתֶךָ Pr 27_{27}; לַחְמֵנוּ Nu 14_{9}, ל׳ f. Vieh Ps 147_{9}; לֶ׳ אִשֶּׁה לַי׳ Feueropferspeise f. J. Lv $3_{11 \cdot 16}$ Nu 28_{24}, לֶ׳ אֱלֹהִים Lv $21_{6 \cdot 8 \cdot 17 \cdot 21f}$ 22_{25} (WHerrmann ZAW 72, 213f); — 5. Spez.: ל׳ הַפֶּחָה Statthalterdiäten Neh 5_{14}; ל׳ מִשָּׁמַיִם Neh 9_{15} = ל׳ שָׁמַיִם Ps 105_{40} u. ל׳ אַבִּירִים 78_{25} = Manna (↗ מָן); לֶ׳ וָיַיִן Gn 14_{18} (seit Cyprian sakramental verstanden, ↗ Fitzm. GnAp 156f); ל׳ עֹנִי Elendsbrot Dt 16_{3}, ל׳ דִּמְעָה Tränenbrot

Ps 80$_6$, ל׳ אוֹנִים Trauerbrot Hos 9$_4$, cj Ez 24$_{17}$ u. $_{22}$; ל׳ צַר Notbrot Js 30$_{20}$, ל׳ F לַחַץ 1K 22$_{27}$ 2C 18$_{26}$, ל׳ עֲצָבִים Mühsalsbrot Ps 127$_2$; ל׳ חֲמֻדוֹת wohlschmeckende Speise Da 10$_3$, ל׳ חֻקִּי das mir beschiedene Brot Pr 30$_8$; — ? Ri 5$_8$, F Komm, Driv. ALUOS 4, 7f: לָחֶם שְׁעָרִים schloss sich d. S. an (sy.); Js 47$_{14}$ u. Hi 30$_4$ l לְחוּמָם (1QJs[a]); 58$_{10}$ l לַחְמְךָ; Jr 16$_7$ לֶחֶם pr. לָהֶם; 11$_{19}$ F לַחַ, Ob $_7$ l לֹחֲמֶיךָ.

לַחְמִי: n.m.; < בֵּית הַלַּחְמִי 2S 21$_{19}$, mhe. der v. אֶלְחָנָן erschlagene Bruder Goliats (Rud. Chr. 141) 1C 20$_5$. †

לַחְמָס: n.l. in Juda, nahe לָכִישׁ; oft c. MSS cj לַחְמָם, *Ch. el-laḥm*, 4 km. s. *Bet-Ǧibrin* (BH, Abel 2, 368, GTT § 318 B 11) :: Noth Jos. 95: Jos 15$_{40}$. †

לחץ: mhe. ja. sam. (BCh. 2, 501b) cp. md. הליץ (MdD 149a), nsy. *ḥlṣ* (Maclean 100b); ar. *laḥaṣa* jmd in d. Enge treiben, soq. *laḥaṣ* enges Tal; äth. (Lesl. 29); F נחץ:

qal: pf. לָחַץ; impf. יִלְחָצוּ, תִּלְחַץ/חָץ, וַיִּלְחָצוּם, תִּלְחָצֶנּוּ, יִלְחָצֵנִי; pt. לֹחֲצִים, לֹחֲצֵיהֶם: — 1. c. acc. jmd in e. Richtung **drängen**, c. אֶל nach Nu 22$_{25}$, c. בְּ mit 2K 6$_{32}$; — 2. **bedrängen, quälen** Ex 3$_9$ 22$_{20}$ 23$_9$, cj Nu 24$_8$ (l וְלֹחֲצָיו pr. חִצָּיו), Ri 2$_{18}$ 4$_3$ 6$_9$ 10$_{12}$ 1S 10$_{18}$ 2K 13$_{4.22}$ Js 19$_{20}$ Jr 30$_{20}$ Am 6$_{14}$ Ps cj 7$_5$ (l c. GST וָאֶלְחֲצָה), 56$_2$ (לָחַץ l יִלְח׳), 106$_{42}$. †

nif: impf. וַתִּלָּחֵץ: **sich drücken** Nu 22$_{25}$ (Dam. 5, 15: gezwungen sein). †

Der. לַחַץ.

לַחַץ: לחץ; he. Pap. VT 1, 51, Z. 11; aam. לחץ (DISO 137), cp. *lḥwṣjn*: לָחַץ, לַחֲצֵנוּ: — 1. **Bedrängnis** Ex 3$_9$ Dt 26$_7$ 2K 13$_4$ Ps 42$_{10}$ 43$_2$ 44$_{25}$ Hi 36$_{15}$; — 2. מַיִם ל׳ (Appos., HeSy. § 62g) Wasser wie es der Drangsal (e. Belagerung) entspricht, **verkürzte Ration** 1K 22$_{27}$ Js 30$_{20}$ 2C 18$_{26}$, ebenso לֶחֶם ל׳ 1K 22$_{27}$ 2C 18$_{26}$. †

לחש: ug. *lḫšt* Geflüster (UT nr. 1372, Aistl. 1458), *mlḫš* Schlangenbeschwörer (Eissf. NKT 47) mhe. flüstern, zischen (Schlange), beschwören, לְחִישָׁה zischeln, ja. flüstern, cp. *lḥwšʾ* Beschwörer; sy. md. (*lhš* auch *nhš*, MdD 232a.292b) beschwören; äth. tigrin. *ʾalḥōsasa* flüstern (Dillm. 33, Lesl. 29), akk. *laḫāšu* flüstern, beschwören (AHw. 528a):

pi. (Jenni 162. 247), pt. מְלַחֲשִׁים: flüsternd beschwören, **Beschwörer** (ug. akk.) Ps 58$_6$ zischeln Sir 12$_{18}$ διαψιθυρίζειν. †

hitp: impf. יִתְלַחֲשׁוּ; pt. מִתְלַחֲשִׁים: **miteinander flüstern** 2S 12$_{19}$ Ps 41$_8$. †

Der. לַחַשׁ, n.m. לוֹחֵשׁ.

לַחַשׁ: לחש; ug. *lḫšt* UT nr. 1372; ph. לחש (DISO 137); mhe. בלחש flüsternd ja.[tg] ל׳/לְחָשָׁא Beschwörung, ja.[b] לחישא (? < he.) sy. *luḥšᵉtā*, md. (MdD 236a) ליהשא; akk. *liḫšu* Flüstern: pl. לְחָשִׁים: — 1. Flüstern, **Beschwörung** (v. Schlangen) Js 3$_3$ Jr 8$_{17}$ Koh 10$_{11}$; — 2. **Amulette** (? summende Muscheln) als Schmuck Js 3$_{20}$; — Js 26$_{16}$ l חָלַשְׁנוּ (Rud. 20). †

לָט: לוט, BL 451n: **Heimlichkeit**: — 1. בַּלָּט, Ri 4$_{21}$ בַּלָּאט (BL 534), heimlich Ri 4$_{21}$ 1S 18$_{22}$ 24$_5$ Rt 3$_7$; — 2. pl. **geheime Künste, Zauberei** Ex 7$_{22}$ 8$_{3.14}$; Nf. לְהָטִים Ex 7$_{11}$. †

לֹט: ? לוט; mhe. לוֹטֶם ja.[b] לוֹדְנָא, ja.[tg] לְטוֹם (?), sy. *ladnā*, md. (MdD 227a) *ladan*, > grie. λά/ηδανον, lat. *ladanum* Lokotsch nr. 1284; ar. *lāda/in*; akk. *lad(a/i)nu* (AHw. 527a); GV στακτή, Ges. Thes. 748, Löw Pfln. nr. 70, 127, LS 359b, Harrison 46; d. harzreiche Rinde v. *Pistacia mutica*, Mastix :: AuS 1, 366f, BHH 1037 Cistusart, Gn 37$_{25}$ 43$_{11}$. †

***לטא**: ar. *laṭaʾa*, tigr. (Wb. 49b) *laṭeʾa* anhaften; Der. לְטָאָה.

לְטָאָה: לטא; mhe.[1] לְטָאָה, mhe.[2] הלטאה, ja.[t] חַלְטָתָא (!): **Gecko**, *Platodactylus muralis*, G (ἀσ)καλαβώτης, (Hess ZAW 35, 129, Bodenh. AL 194f, AM 65), unrein: Lv 11$_{30}$. †

לְטוּשִׁים, G Λατουσιειμ: n.p. ar. ign.; בְּנֵי דְדָן; לטש; ? l לֹטְשִׁים Handwerker (Albr. Fschr.

Alt I 9f, :: Winnett Fschr. HGMay 191): Gn 25$_{3}$. †

לטשׁ: ug. *ltš* (Schwert) fegen (UT nr. 1374); mhe. (Teig) glatt klopfen, pätscheln, לְטִישָׁא Schärfen, ja.[t] cp. sy. schärfen; ar. *lṭs*, auch *ladasa*, schlagen, hämmern:

qal: impf. יִלְטֹשׁ; pt. לֹטֵשׁ: — 1. **schärfen** *מַחֲרֶשֶׁת od. *מַחֲרֵשָׁה (mhe.), III אֵת, קַרְדֹּם 1S 13$_{20}$, חֶרֶב Ps 7$_{13}$; pt. **Schmied** Gn 4$_{22}$ (erklärt durch חֹרֵשׁ) Sir 31/34$_{26}$; — 2. (metaph.) c. עֵינָיו לְ die Augen **wetzen** gegen Hi 16$_{9}$. †

pu: pt. מְלֻטָּשׁ: **geschärft** (תַּעַר) Ps 52$_{4}$. †

Der. לְטוּשִׁים.

***לֹיָה**: ? לוה, BL 590h: לֹיוֹת; archt. tt., metallene Zierat an d. מְכֹנוֹת d. Tempels: Spiral- od. Strickornament (R. Kittel, Stud. z. he. Archäologie, 1908, 197f.235, Mtg-G. 179f), :: cj לְוָיֹת (: sg. *לִוְיָה, cs. *לִוְיַת): **Kränze** (Noth Kge 144) 1K 7$_{29f.36}$ (F מַעֲשֵׂה מוֹרָד). †

לַיִל, poet. Js 16$_{3}$ Kl 2$_{19}$, > לֵיל Js 21$_{11}$ (BL 457 o, BM § 22, 4c); cs. לֵיל Ex 12$_{42}$ Js 15$_{1b\alpha.\beta}$ vor inf. (HeSy. § 144) Js 15$_{1}$ 30$_{29}$ **Nacht**, F לַיְלָה. †

לַיְלָה (ca. 225 ×), BL 528s, לָיְלָה, לַיִל Pr 31$_{18}$ Kl 2$_{19}$ (K לַיִל, Q לַיְלָה); pl. לֵילוֹת (BL 575a.515m): ug. *ll* (UT nr. 1379 :: Aistl. 1463); kan. *lēl* (VAB 2, 1454), mo. ללה; aam. jaud. לילא, pehl. nab. לילי (DISO 138); mhe. לַיְלָה, לֵילְיָא, cs. לֵילֵי ba. ja. (ja.[g] auch לילא) sam. (ליליה) BCh. 2, 497b) cp. sy. md. (MdD 236b); ar. *lail*(*at*), asa. *ll*, soq. *lilhe*, äth. *lēlīt*, tigr. (Wb. 31a) *lāli*; akk. pl. *liliātu* > *lilātu* Abend (AHw. 552b); Grdf. *lailai* (sy.; BLA 192h): **Nacht**: יוֹם וָלַיְלָה Gn 8$_{22}$, לַיְלָה (:: יוֹמָם) nachts (HeSy. § 100b) Ex 13$_{21}$; יוֹמָם וָלַיְלָה Lv 8$_{35}$, לַיְלָה וְיוֹם לַיְלָה וְיוֹמָם Dt 28$_{66}$ Jr 14$_{17}$, 1K 8$_{29}$ Js 27$_{3}$ Est 4$_{16}$; הַלַּיְלָה heute Nacht Gn 19$_{5}$ Rt 1$_{12}$; בַּלַּיְלָה in der Nacht Gn 19$_{33}$, ins. post הַיָּרֵחַ Js 60$_{19}$ (1QJs^{a}) :: יוֹמָם, בְּלַיְלָה bei Nacht Neh 9$_{19}$, עַד־לַיְלָה bis in die N. 2C 35$_{14}$, בְּעוֹד לַיְלָה noch bei N. Pr 31$_{15}$, חֲצֹת הַלַּיְלָה Ex 11$_{4}$ u. חֲצִי הַל׳ 12$_{29}$ um Mitternacht, בְּתוֹךְ הַלַּיְלָה mitten in d. N. 1K 3$_{20}$, מַה־מִּלַּיְלָה wie spät in d. N.? Js 21$_{11}$; בִּן־לַיְלָה binnen e. N. Jon 4$_{10}$, לֵילוֹת die Nächte hindurch Ps 16$_{7}$; ל׳ אֶחָד Gn 40$_{5}$, שְׁלֹשָׁה לֵילוֹת 1S 30$_{12}$, אַרְבָּעִים לַיְלָה Dt 9$_{9}$; לַיְלָה c. חֲלוֹם Gn 20$_{3}$, c. מַרְאֹת 46$_{2}$, c. חֲזוֹן Js 29$_{7}$, c. חֶזְיֹנוֹת Hi 4$_{13}$, c. קָרֶה Dt 23$_{11}$, c. פַּחַד Ps 91$_{5}$; לֵילוֹת עָמָל Hi 7$_{3}$; — ? Hi 36$_{20}$ (F Duhm, Hö., Stier 340, Fohrer).

לִילִית: mhe.[2]; ? ללי KAI II 46; ja., AIT 75ff, Rossell 137b auch m. לילי דיכרא neben לילית ניקבתא; sy. *lēlītā*, md. (MdD 236b, auch pl. *liliata*), in Beschwörungen MAOG 4, 110ff, akk. < *lilû, lilītu* u. *ardat lilî*, Trias v. Sturmdämonen, < sum. *lil* (Zimmern 69, AHw. 553b; WbMy. 1, 48. 275); volksetym. zu לַיִל gestellt: **Lilit**, (weibl.) Dämon m. Beziehung z. Geschlechtsleben, incubus-succubus RLA 2, 110f, F חנק: ? im „Burney-Relief" AfO 11, 350ff. 554ff; 12, 128ff. 269ff, Syr. 29, 85ff, Albr. BASOR 67, 16ff, Böhl JbEOL II, 725f; :: Vaccari Os. 5, 469ff weibl. Nachtmahr, Waldkauz; Driv. PEQ 91, 55ff: Ziegenmelker; weiter F Rud. Md., 1, 210[7], EnzJudt. X 972f: Js 34$_{14}$ (1QJs^{a} pl. ליליות), cj Hi 18$_{15}$ pr. מִבְּלִי־לוֹ (Beer, Hö., Fohrer). †

לין: F II לון; mhe.; ug. (UT nr. 1376, Aistl. 1470); ? ph. hitp. (DISO 136) eher zu I לון; Nöld BS 42:

qal: pf. לָן, 3. f. לָנָה (GK § 73d) Zch 5$_{4}$, לַנּוּ; impf. יָלִין (Sec. ιαλιν), תָּלִין, וַיָּלֶן, תָּלֶן, וַיָּלִ(י)נוּ, אָלִין, תָּלִינִי Ri 19$_{20}$ (BL 390r), לִינִי/נוּ; imp. לִין, נָלִין/נָה; inf. לִין Gn 24$_{23}$ u. לוּן 24$_{25}$; pt. לָן, לָנִים (BL 464b) Neh 13$_{21}$: — 1. **d. Nacht über bleiben**: Fleisch Ex 23$_{18}$ 34$_{25}$ Dt 16$_{4}$, Leiche am עֵץ Dt 21$_{23}$; פְּעֻלָּה Lv 19$_{13}$ (F hif.); — 2. **d. Nacht verbringen, übernachten** Gn 19$_{2}$ 24$_{23.25.54}$ 28$_{11}$ 31$_{54}$ 32$_{14.22}$ Nu 22$_{8}$ Jos 3$_{1}$ 4$_{3}$ 6$_{11}$ 8$_{9.cj\ 13}$ Ri

18$_{2}$ 19$_{4-15}$ (9 ×)$_{.20}$ 20$_{4}$ 2S 12$_{16}$ 17$_{8}$ (↗ hif.)$_{.16}$ 19$_{8}$ 1K 19$_{9}$ Js 21$_{13}$ 65$_{4}$ Jr 14$_{8}$ Jl 1$_{13}$ (בַּשַּׂקִּים, ↗ שַׂק, cf. AP 30$_{15.20}$) Zef 2$_{14}$ Ps 25$_{13}$ 55$_{8}$ Hi 24$_{7}$ 31$_{32}$ 39$_{9}$ Pr 19$_{23}$, cj 14$_{9}$ (l יָלִין) HL 7$_{12}$ Rt 1$_{16}$ 3$_{13}$, cj Esr 10$_{6b}$ (l וַיָּלֶן), Neh 4$_{16}$ 13$_{20}$ 1C 9$_{27}$; — 3. **bleiben, wohnen** Js 1$_{21}$ Jr 4$_{14}$ (↗ hif.) Zch 5$_{4}$ Ps 30$_{6}$ Hi 17$_{2}$ (verweilen ? l עֵינַי תִּלְאֶן = תִּלְאֶינָה, לאה, od. תִּכְלֶן: כלה) 19$_{4}$ (אֵת bei), Hi 29$_{19}$ 41$_{14}$, Pr 15$_{31}$ cj 14$_{9}$ (pr. יָלִיץ l יָלִין), HL 1$_{13}$; — Ps 49$_{13}$ l יָבִין u. 59$_{16}$ pr. וַיָּלִינוּ l יַלִּינוּ.

hif: impf. תָּ/יָלִין: — 1. c. neg. **keine Nachtruhe gönnen** 2S 17$_{8}$ (Kö, BDB); — 2. **verweilen lassen** Jr 4$_{14}$ (al. qal); — 3. (Lohn) **über Nacht zurückhalten** Lv 19$_{13}$ (SS; al. qal). †

hitpol: impf יִתְלוֹנָן: **sich d. Nacht über aufhalten** Ps 91$_{1}$, Hi 39$_{28}$, cj Ps 63$_{8}$ (l אֶתְלוֹנָן). † Der. מָלוֹן, מְלוּנָה.

ליץ: (לוץ, Buhl Fschr. Wellh. 81ff): ar. *lwṣ* durch Türspalt schauen, III betrügen; akk. *lāṣu* (< kan. AHw. 539b); mhe.[2] לוץ spotten u. ליצן Spötter; Grdb. grosssprecherisch reden (Richardson VT 5, 163ff :: de Boer OTSt. 3, 165f: wiederholen):

qal: pf. לַצְתָּ: **d. grosse Wort führen** (:: חכם; al. spotten, od. zuchtlos sein) Pr 9$_{12}$. †

pol: pt. לֹצְצִים (ohne מְ, GK § 55f, od. v. (Nf.) √לצץ): als sbst. **Spötter** od. **Rebellen** (Sellin, Rud.; ↗ משך) Hos 7$_{5}$. †

hitpol: impf. תִּתְלוֹצָצוּ: **sich aufspielen** Js 28$_{22}$. †

hif: pf. הֱלִיצֻנִי; impf. יָלִיץ: **spotten, verspotten**: — 1. a) Ps 119$_{51}$, c. acc. metaph. spottet des Rechts Pr 19$_{28}$; b) **Spott treiben** mit c. לְ (? l עִם־ הַלֵּצִים, sbj. Gott) Pr 3$_{34}$ (↗ Gemser); — 2. pl. ↗ מֵלִיץ; — Pr 14$_{9}$ l בְּאֹהֶל אֱוִילִים יָלִין (↗ Kennedy 100); ? Hi 16$_{20}$. רֵעָי [רָעִים] מְלִיצַי [ם] (Peters). † Der. לֵץ, לָצוֹן, מֵלִיץ, מְלִיצָה.

I **לַיִשׁ**, Hier. *leis, lais* (Sperber 233); ja.[tg] לֵיתָא, ar. *laiṯ*, asa. (Müller 100) u. ar. *laias* Tapferkeit; > λίς (Lewy Fw. 6f, Mayer 320; Masson 86 zweifelt); akk. *nēšu* (VG 1, 231, Mow. Fschr. Driv. 98f :: Landsb. F. 76: *nēšu* Löwe, לָבִיא Löwin!); ↗ II. III לַיִשׁ, לַיְשָׁה, לֶשֶׁם, אֲרִי: **Löwe** Js 30$_{6}$ Hi 4$_{11}$ Pr 30$_{30}$. Der. ↗ II, III. †

II **לַיִשׁ**: n.m.; = I; 1S 25$_{44}$, 2S 3$_{15}$ Q לַיִשׁ (K לוּשׁ). †

III **לַיִשׁ**: n.l.; = I; loc. לָיְשָׁה: äg. *Rwś* ETL 209, ZDPV 61, 55; = II לֶשֶׁם, später ↗ דָּן; Abel 2, 302: Ri 18$_{7.14.27.29}$. †

לַיְשָׁה: n.l.; = I, III לַיִשׁ; sw. *ʿAnāta*, = *el-Esawīje* (Dalm. PJb 12, 53f, Abel 2, 368, Malamat Bibl. 51, 15 u. Essays in Honour of NGlueck [1970] 168): Js 10$_{30}$. †

לכד: mhe., ja.[t]; ? ph. (DISO 138); ar. *lakida* sich heften an, festkleben; ? akk. *lakādu* laufen (AHw. 529a):

qal (85 ×): pf. לָכַד/כָד, וּלְכָדָהּ; impf. תִּלְכְּדוֹ, יִלְכְּדוּ/כֹּדוּ, וַיִּלְכֹּד/כָּד־ Ps 35$_{8}$ (BL 337n), וַיִּלְכְּדֵהוּ/דוּהָ, יִלְכְּדֶנּוּ/נָּה, יִלְכְּדָהּ, יִלְכְּדֻנוֹ (BL 338p) Pr 5$_{22}$; imp. לִכְדוּ, לָכְדָהּ; inf. לָכוֹד, לְכָדֵנִי, לָכְדָהּ; pt. לֹכֵד: — 1. **fangen**: Tiere (in Fallen) Am 3$_{4f}$, in Netz Ps 35$_{8}$, Füchse Ri 15$_{4}$, Vögel Jr 5$_{26}$; Menschen (↗ גנב, חטף) Ri 7$_{25}$; jmdm Gefangene abnehmen 2S 8$_{4}$; — 2. **(ein-)nehmen**: Stadt Nu 21$_{32}$ Dt 2$_{34}$, Land Jos 10$_{42}$; besetzen: Furt Ri 3$_{28}$; abschneiden: Wasser Ri 7$_{24}$; — 3. Versch: a) durch Los ermitteln (sbj. J.) Jos 7$_{14}$ (↗ nif. 3; akk. *ṣabātu*); b) d. מְלוּכָה Regierung übernehmen, antreten (↗ ba. קַבֵּל Da 6$_{1}$ 7$_{18}$) 1S 14$_{47}$; — Jos 7$_{17}$ l יִלָּכֵד.

nif: pf. נִלְכַּד, נִלְכְּדָה, נִלְכָּדוּ; impf. יִלָּכֵד, יִלָּכֶד, יִלָּכְדוּ(ן); pt. נִלְכָּד: — 1. **gefangen werden**: a) Tiere (in Falle) Js 8$_{15}$ 24$_{18}$ 28$_{13}$ Jr 48$_{44}$, (in Netz) Ps 9$_{16}$ Jr 50$_{2.9}$; b) Menschen Jr 6$_{11}$ 8$_{9}$ 51$_{56}$ Hi 36$_{8}$ Kl 4$_{20}$; metaph. v. e. Frau (cf. לקח 10) Koh 7$_{26}$ Sir 9$_{4}$, durch Worte Pr 6$_{2}$, durch Gier 11$_{6}$; — 2. **eingenommen werden**: Stadt 1K 16$_{18}$ 2K 18$_{10}$ Jr 38$_{28}$ 48$_{1.41}$; Menschen durch

Hochmut Ps 59₁₃ — 3. (vom Los) **getroffen werden** (↗ qal 3a) Jos 7₁₅₋₁₈ (cj 17a) 1S 10₂₀f 14₄₁f.

hitp: impf. יִתְלַכְּדוּ/כָּדוּ; (d. Meeresfläche) sich zusammen ziehen Hi 38₃₀ (|| חבא), ineinandergreifen 41₉ (:: Barr CpPh. 234). Der. *לֶכֶד, *מַלְכֹּדֶת.

*לֶכֶד: לכד, לֶכֶד: **Fang** (al. Falle) Pr 3₂₆. †

לְכָה: 1. ↗ הלך imp.; 2. = לְךָ, ↗ לְ.

לֵכָה: n.l. (?) in Juda, ign., ↗ לַעְדָּה: 1C 4₂₁; — לְכָה 1S 23₂₇; ↗ הלך imp. †

לָכִישׁ: n.l. בַּשְּׁפֵלָה Jos 15₃₃.₃₉; loc. לָכִישָׁה: EA *Lakiša*, ass. *Lakisu*; ihe. לכש (Lkš 4, 10), äg. *Rkš*; BRL 345ff, OTufnell Lachish 1-4, 1938/57; ass. Reliefs AOB 138. 140f, ANEP 371-74; Ostraka, Torcz. 1938, KAI Nr. 194; **Lakisch**, = *T. ed-Duwēr*, Abel 2, 367, GTT § 318 B 7, BHH 1036f (:: Jirku ZAW 57, 152f: *T. el-Ḥesi*, ↗ Noth WdAT 98[1]): Jos 10₃.₅.₂₃.₃₁₋₃₅ 12₁₁ 15₃₉ 2K 14₁₉ 18₁₄.₁₇ 19₈ Js 36₂ 37₈ Jr 34₇ Mi 1₁₃ Neh 11₃₀ 2C 11₉ 25₂₇ 32₉. †

לָכֵן (188 ×): I לְ + II כֵּן; Eitan AJSL 45, 197ff, ZAW 47, 310, Nötscher VT 3, 375f, Wolff BK XIV/1² 42f (:mhe.² (?) II לְ !); ar. *lākin(na)* jedoch: — 1. **darum** (vor Strafdrohung :: עַל־כֵּן, Rud. Hos 101) Ex 6₆ (+ ca. 80 ×), cj 2S 18₁₄; לָכֵן כֹּה אָמַר יהוה, עַל־כֵּן 2K 19₃₂ Am 3₁₁ (66 ×, 27 × Jr); וְלָכֵן 1S 3₁₄ Js 30₁₈; לָכֵן אֱמֹר 2K 1₄; וְלָכֵן כֹּה אָמַר י׳ Ez 12₂₃ (8 ×), לָכֵן הִנָּבֵא Ez 11₄ 36₃.₆ 37₁₂ 38₁₄ †; לָכֵן (שִׁמְעִי) שְׁמַע Ez 14₄ 20₂₇; לָכֵן דְּבַר Js 28₁₄ (12 ×); לָכֵן נְאֻם י׳ 1S 2₃₀ Js 1₂₄; לָכֵן הִנֵּה Js 29₁₄ (12 ×); לָכֵן הִנֵּה יָמִים בָּאִים Jr 7₃₂ 16₁₄ 19₆ 23₇ 48₁₂ 49₂ 51₅₂†; לָכֵן חַי־אָנִי נְאֻם י׳ Ez 5₁₁ 35₆.₁₁ Zef 2₉ †; Hi 34₂₅ ? = weil (Tur-S. 483); יַעַן ... לָכֵן weil .... darum Nu 20₁₂ 2K 1₁₆ 22₂₀ Js 8₇ (dl וְ) Ez 21₉; — 2. **dafür** Gn 30₁₅ Js 61₇; — 3. **fürwahr** (II לְ) 1S 28₂ Jr 23₃ (al. sec. 1); — Gn 4₁₅ ? l לֹא כֵן, ↗ BH, id. 1K 22₁₉ / 2C 18₁₈; Jr 5₂ l אָכֵן (Rud.); Zch 11₇ l לִכְנַעֲנֵיי.

לֻלָאֹת, Sam.[M127] *lālā'ot*; ? לול od. I לוה, redupl., BL 482e, Holma ZA 28, 156f: äth. *malēlīt* (V *lēlaja*) Gelenk, Schleife: cs. לֻלְאֹת: **Schlingen**, **Schleifen** Ex 26₄f.₁₀f 36₁₁f.₁₇. †

[*לָם: Js 9₆ לְםַרְבֵּה (ם fin. !), Q u. MSS לְמַרְבֵּה „zur Mehrung"; 1QJs[a] לם רבה: gew. רַבָּה (↗ רַב) u. לָם dittogr., :: Morenz ThLZ 1949, 697ff: Rest e. 5. Thronnamens (äg.), Wildberger ThZ 16, 329; ↗ Driv. Fschr. Nötscher 49. †]

למד: mhe. pt. לָמֵד/לְ lernend, לָמוּד gewohnt; aram. nur cp. sy. denom. *talmed*; ug. (UT nr. 1385), akk. *lamādu* (AHw 531a, auch sexuell, ↗ ידע qal 6); äth. tigr. (Wb. 35a) lernen, sich gewöhnen; sg. sich anschliessen, anhaften; Grdb. stechen, anstacheln, ↗ מַלְמַד (Ges. GB, Driv. Fschr. Eilers 44, ? Spuren davon in Ps 51₁₅ Sir 51₁₇, Driv. Fschr. Nötscher 52 †.

qal: pf. לָמְדוּ, לָמַדְתִּי; impf. יִלְמַד, תִּלְמְדוּ, יִלְמְדוּן, אֶלְמְדָה; imp. לִמְדוּ; inf. לְמֹד; pt. לְמוּדֵי: **lernen** (THAT 1, 872ff): 1. c. acc. etw.: מִלְחָמָה Js 2₄ Mi 4₃, לְמוּדֵי מִלְחָמָה (THAT 1, 873) kampfgeübte 1C 5₁₈ (GK § 116k); לֶקַח Js 29₂₄ Sir 8₈, חכמה Sir 51₁₅, דֶּרֶךְ (l אֶת) Jr 10₂ 12₁₆ (l דֶּרֶךְ G), צֶדֶק Js 26₉f, הֵיטֵב 1₁₇, חָכְמָה (cj חָכְמַת אֵל, אֵל לִמְּדַנִי Pope 14, al.) Pr 30₃, Gebote Dt 5₁ Ps 119₇.₇₁.₇₃, Taten 106₃₅; — 2. c. לְ c. inf.: **lernen zu** Dt 18₉ Ez 19₃.₆, לְיִרְאָה Dt 4₁₀ 14₂₃ 17₁₉ 31₁₃ :: abs. יִלְמְדוּ וְיָרְאוּ 31₁₂. †

cj **nif**: Hi 11₁₂ pr. יִוָּלֵד l יִלָּמֵד gezähmt, gelehrig werden (Hö., Fohrer, ↗ pu.). †

pi. (ca. 50 ×, Jenni 83.119ff): pf. לִמֵּד, 2. f. לִמַּדְתְּ u. Jr 2₃₃ K לִמַּדְתִּי (BL 310k, Bgstr. 2 § 4a :: Volz: 1. sg. sbj. י׳), לִמַּדְתַּנִי, יְלַמֵּדוּן, אֲלַמְּדָה, יְלַמֵּד/מֶּד־, לִמְּדוּם, לַמְּדְנָה, אֲלַמֶּדְכֶם, תְּלַמְּדֵנוּ, יְלַמְּדֵהוּ/דָה; imp. מְלַמֶּדְךָ; inf. לַמֵּד; pt. (הַ)מְלַמֵּד, לַמְּדֵנִי: **lehren** (mhe. nie m. persönl. Obj. :: DSS): 1. formal: a) abs. 2C 17₇.₉; pt. c. sf. m.

Lehrer Ps 119$_{99}$ Pr 5$_{13}$ Sir 51$_{17}$; b) c. acc. pers. Jr 31$_{34}$ Ps 25$_{5}$; c) c. acc. pers. et rei Dt 4$_{1}$ u.o.; d) c. acc. rei u. לְ pers. Hi 21$_{22}$; e) c. acc. pers. u. לְ rei Ps 18$_{35}$ 144$_{1}$; f) c. acc. pers. u. בְּ unterweisen in Js 40$_{14}$; g) c. acc. pers. u. מִן aus Ps 94$_{12}$; h) c. acc. pers. u. לְ + inf. Dt 6$_{1}$; — 2. inhaltlich: Krieg Ri 3$_{2}$ 2S 22$_{35}$ Ps 18$_{35}$ 144$_{1}$, קֶשֶׁת 2S 1$_{18}$ (↗ Eissf. VT 5, 232ff, :: Delekat ZAW 76, 289f), Lied (THAT 1, 873) Dt 31$_{19.22}$ Jr 9$_{19}$, fremde Sprache Da 1$_{4}$, Gebote Dt 4$_{5}$ 5$_{31}$ 6$_{1}$ Ps 119$_{12}$ u.o., Gottesfurcht Ps 34$_{12}$, Gottes Wege 25$_{4}$ 51$_{15}$ (פֹּשְׁעִים), דַּעַת Ps 94$_{10}$ Hi 21$_{22}$, Schlechtes (THAT 1,873) Jr 2$_{33}$ 9$_{4}$; — HL 8$_{2}$ l תֵּלְדֵנִי (↗ Rud.).

pu: pf. לֻמַּד Jr 31$_{18}$ (rel., od. pt., GK § 52s :: BL 286n.p.); pt. מְלֻמָּד, מְלֻמָּדָה, מְלֻמְּדֵי: — **unterwiesen, kundig sein** Js 29$_{13}$ HL 3$_{8}$ 1C 25$_{7}$, עֵגֶל לֹא לֻמָּד ungebärdig Jr 31$_{18}$, עֶגְלָה מְלֻמָּדָה gelehrig (al. angelernt, zahm (tigr.); akk. *lamdu, lummudu*) Hos 10$_{11}$. †

Der. לִמֵּד, מַלְמַד, תַּלְמִיד.

לִמֻּד* u. **לִמּוּד**: למד, BL 480v :: Ku. Tarbiz 37, 405; mhe. לִימּוּד, לִמּוּד, לִימּוּדֶת gewöhnt, Gewohnheit; ug. *lmd* Lehrling; Eilers WdO. 3, 133[7], Driv. Fschr Eilers, 1967, 44: לִמֻּדֵי, לִמֻּדֵי, לִמּוּדֵי, לִמּוּדִים: — 1. adj. **gelehrt, geübt**: c. לִמֻּדֵי הָרֵעַ gewohnt Böses zu tun Jr 13$_{23}$; — 2. **Schüler** (↗ תַּלְמִיד, Mow., Jesaiadisiplene, Oslo, 1926): Js 50$_{4}$ (ABentzen, Messias, Moses red., Menschensohn, 1948, 51f) 54$_{13}$; ? Js 8$_{16}$ חֲתוֹם תּוֹרָה בְּלִמֻּדָי, trad. in od. durch d. Schüler (Duhm, Jones ZAW 67, 232ff, Kaiser ATD, Wildberger BK X/1); GT בַּל־לִמּוּד: inf. qal (od. ? l pi.) ohne zu lernen, od. unzugänglich (Driv.); al. בְּל׳ Var. od. Gl. z. הַיְלָדִים v. 18 (Gkl, Fohrer) od. cj בִּילָדַי (Lex.[1]); — Jr 2$_{24}$ l פֹּרְצָה לַמִּדְבָּר (Lex.[1]). †

לָמָּה, לָמָה, לָמֶה, לָמָּה: ↗ מָה D 3.

לָמוֹ (50 ×): ph. לם (Friedr. § 24, Harris Gr. 115); < **lahumo* (BL 215j, 226r) :: < **lahimmō* (BM § 87, 2f) = לָהֶם, auch לוֹ (GK § 103g, BL 253[1]); Nyberg ZDMG 92, 324ff, Dahood Bibl. 47, 409: חֲמַת־לָמוֹ sie haben Gift Ps 58$_{5}$, שֵׂעִיר ל׳ (rel.) denen S. gehört Dt 33$_{2}$ (Nyberg l.c. 330f), יְהִי ... עֶבֶד ל׳ werde ihm (?) z. Knecht Gn 9$_{26}$; cj pr. לוֹ Js 56$_{5}$; — Js 44$_{7}$ u. Hi 22$_{17}$ l לָנוּ; Js 30$_{5}$ l לָעָם; Js 35$_{8}$? l לְעַמּוֹ :: Driv. ATO 126: l וְהוּא לְמַהֲלֵךְ דֶּרֶךְ wird z. Prozessionsweg, akk. *mālak girri*; 53$_{8}$ l לַמָּוֶת G; Ps 28$_{8}$ l לְעַמּוֹ; Ps 66$_{7}$ l לְעֹלָם u. 73$_{18}$ l וְ רַגְלָם.

לְמוֹ: vollere Form v. לְ, < *la/i* + *mā* (BL 639c, HeSy. § 107k); ug. *lm* (UT 97[1], Aistl. 1422 B 1), amor. (Bauer Ok. 69) *lama*, tham. (Littm. ThS 33) u. lihj. (Winnett 22ff) לם: nur in Hi 27$_{14}$ 29$_{21}$ 38$_{40}$ 40$_{4}$. †

לְמוּאֵל: Pr 31$_{1}$, Var. u. 31$_{4}$ לְמוֹאֵל: n.m., G (ὑπὸ θεοῦ), לְמוֹ + אֵל = לָאֵל Nu 3$_{24}$ „Gott gehörig" (Noth 153, Nöld. BS 104); ↗ Gemser Spr. 107, Mtg. ArBi. 171[21], Bauer Ok 57; akk. *Ša-ᵈbēli-atta/šū* (Stamm 103): König v. ↗ מַשָּׂא; ↗ נְמוּאֵל; — Pr 31$_{4}$: dittgr.: dl. †

[**לְמוֹאֵל**: (↗ לְמוּאֵל) Neh 12$_{38}$, Var. לְמוֹל, l לִשְׂמֹאל (↗ Rud.).]

[**לַמְחוֹת** Pr 31$_{3}$: l לִמְחוֹת (: I מחה). †]

לֶמֶךְ, לָמֶךְ, Sam.[M126] *Lēmek*, G Λαμεχ: n.m.: למך, ar. *jalmak* kräftiger Mann: Gn 4$_{18f.23f}$ (J) S.v. מְתוּשָׁאֵל, Nachk. d. קַיִן; = 5$_{25f.28.30f}$ (P), 1C 1$_{3}$ S.v. מְתוּשֶׁלַח, Nachk. d. שֵׁת; BHH 1044f, Fitzm. GnAp. 74. †

לֵן*: לֵנִים Neh 13$_{21}$: ↗ לין pt. †

לֹעַ: II לעע, BL 455g; mhe.[2], ja.[tb], ja.[g] לוחא cp. sy. לוֹעָא Kiefer; ar. *luʿāʾat* Schluck; akk. *luʾu* Schlund? (AHw. 565b), ↗ לְחִי: לֹעֶךָ: sec. ctxt שִׂים שַׂכִּין בְּל׳ **Kehle**, metaph. = beherrsche dich Pr 23$_{2}$. †

לעב: mhe.[2] hif. u. ja.[t] itpa. Mutwillen treiben, sy. etpa. gelüsten, gierig sein, cp. *leʿibāʾīt* (adv.) gierig; > mhe. ja.[t] sy. עלב; ar. *laʿiba* spielen; asa. n.m. (Ryckm. 1, 121); aLw 147, verdrängt älteres לעג:

hif: pt. מְלַעְבִים c. בְּ **s. Spiel treiben** mit 2C 36₁₆. †

לעג: mhe.[2] hif. u. ja.[t] pa. verspotten, sy. stottern, ar. *laʿağa* wehtun, mhe. לְגְלֵג u. ja.[tg] spotten; sy. mhe.[2](?) לַגְלֵג stottern; md. (MdD 227a) לאגיא ,לאג Barbaren, ar. *lğlğ*, äth. tigr. (Wb. 46a) *lāʿlaʿa*; ↗ עלג:

qal: pf. לָעֲגָה; impf. אֶלְעַג ,יִלְעַג/עָג, יִלְעֲגוּ; pt. לֹעֵג: c. לְ jmd ins Gesicht stottern, **verspotten** 2K 19₂₁ / Js 37₂₂ Jr 20₇ Ps 2₄, cj 25₂ (יִלְעֲגוּ?) u. 35₁₆ (l לָעֲגוּ לְעוֹג), 59₉ 80₇ Hi 9₂₃ 11₃ 22₁₉ Pr 1₂₆ 17₅ 30₁₇. †

nif: pt. cs. נִלְעַג לָשׁוֹן :נִלְעַג m. stammelnder Zunge (GK § 128x) = in fremder Sprache (↗ md.; cf. לעז, βάρβαρος) Js 33₁₉. †

hif: impf. יַלְעִגוּ ,וַיַּלְעֵג ,תַּלְעִיג; pt. מַלְעִגִים: **spotten** Hi 21₃, jmd **verspotten**: c. לְ Ps 22₈ Neh 2₁₉, c. עַל Neh 3₃₃, c. בְּ 2C 30₁₀. †

Der. לַעַג, *לָעֵג.

לַעַג: לעג: לַעְגָם, לַעֲגֵי: — 1. **Gestammel**: בְּלַעֲגֵי שָׂפָה unter Lippengestammel Js 28₁₁ ‖ בְּלָשׁוֹן אַחֶרֶת, cf. 1Q Hod. 4, 16; gew. z. *לָעֵג; זוּ לַעְגָּם Hos 7₁₆b Gl. z. n. isr. זַעַם Gestammel (Rud.); — 2. **Verspottung** Ez 23₃₂ 36₄ Ps 44₁₄ 79₄ 123₄ Hi 34₇. †

***לָעֵג**: לַעֲגֵי: Js 28₁₁ ↗ לַעַג; Ps 35₁₆ ↗ לעג qal. †

***לעד**: ar. *luğd* Ohrläppchen, Fleisch an der Gurgel; Der. n.m. לַעְדָּה u. לַעְדָּן ,,m. fleischiger Gurgel" (Noth 227), ,,m. Doppelkinn".

לַעְדָּה, or. לְעַדָּה (BH): n.m.; לעד; V. (!) v.n.l. מָרֵשָׁה 1C 4₂₁. †

לַעְדָּן: n.m.; לעד: — 1. 1C 7₂₆; — 2. 1C 23₇₋₉, בְּנֵי ל׳ 23₈ 26₂₁ (↗ BH, Rud. Chr. 174), ↗ לִבְנִי 1. †

לעז: mhe. e. fremde Sprache reden, verleumden, sy. reden, verleumden, singen; mhe. לַעַז fremde Sprache, sy. *leʿzā* (fremde) Sprache; mhe. לָעוֹז ja.[b] sy. לָעוֹזָא fremdsprachig; ar. *laġaza* zweideutig, in Rätseln reden; aLw. 148:

qal: pt. לֹעֵז: **unverständlich, fremde Sprache reden**, עַם לֹעֵז Ps 114₁, cj Js 33₁₉ pr. נִלְעַג לָשׁוֹן ‖ נוֹעָז. †

לעט: mhe. hif. füttern, mhe.[2] qal (?) essen, ↗ II להט; sy. *luʿāṭā* Kinnbacken (↗ לֹעַ); akk. *laʾātu* (t!, AHw. 521b):

qal: cj Ps 57₅ pr. לֹהֲטִים (↗ להט!) **verschlingen**. †

hif: imp. הַלְעִיטֵנִי: **rasch verschlingen lassen** Gn 25₃₀. †

לָעִיר: וּמֶלֶךְ לָעִיר סְפַרְוַיִם 2K 19₁₃/Js 37₁₃; מֶלֶךְ לָעִיר > 2K 19₁₃ G[BMSS], ? dies (SBOT IX 277) od. מֶלֶךְ . . . וְעִוָּה (Mtg-G. 493. 504) Gl; ? = n.l. *Laḫiru* im elamitischen Grenzgebiet, sö. Arbela, לער AD 6, 1; Albr. BASOR 141, 25. †

לַעֲנָה: mhe.[2(?)] ja.[g] לענתא ? Wermut, Bitterkeit; ? akk. *karān lāni* (Holma ZA 28, 158f :: AHw. 447a): trad. Wermut, *Artemisia absinthium* (Löw 1, 386f), der scharfen Bitterstoff enthält, NT ἄψινθος, ἀψίνθιον; Harrison 35.40, BHH 2167: **Wermut**, immer metaph. = **bitter**, **Bitterheit**: Pr 5₄ Kl 3₁₅, zus. m. ראשׁ Dt 29₁₇ Jr 9₁₄ 23₁₅ Am 6₁₂ Kl 3₁₉; — Am 5₇ l לְמַעְלָה. †

I **לעע**, (לוע ?): ar. *laġāʷ* schwatzen, äth. tigr. (Wb. 46a) *lāʿleʿa* lebhaft reden (Lesl. 29):

qal: pf. לָעוּ; impf. יָלַע: **stammeln**, irre reden Hi 6₃, unbedacht reden (hif.?) Pr 20₂₅. †

II **לעע**: sy. *lʿʿ*, ar. *walaʿa* schlürfen, lautmalend (Nöld. NB 162); ↗ לקק:

qal: pf. וְלָעוּ: **schlürfen**, eher l וְעָלוּ, *עלל, ar. *ʿalla* wieder u. wieder trinken (Rud. ZAW 49, 225) Ob 16. †

cj **pilp.** (BL 282 o): impf. l יְלַעְלְעוּ pr. יְעַלְעוּ (BH) **gierig lecken** (Blut) Hi 39₃₀. †

לַפִּיד: mhe. ja.[g(?)] (ja.[g] sy. cp. לַמְפָּד u. *lampī/ēda* contam. c. λαμπάς, md., ArAW 4, 189, LS 368a): ? Herkunft: < λαμπάς Gd. HUCA 26, 61, § 34, Segert ZAW 74, 323f; philist. Ulldff, CpBi. 17; < heth. *lappija* glühendes Ding, Fackel, Or. 32, 128f: לַפִּ(י)דִים, לַפִּדֹת, לַפִּידֵי: — 1. **Fackel** (BRL 149f, BHH 462) Ri 15$_4$ Js 62$_1$, pl. Ri 7$_{16.20}$ 15$_{4f}$ Ez 1$_{13}$ Nah 2$_5$ Hi 41$_{11}$; לַפִּיד אֵשׁ Gn 15$_{17}$ Zch 12$_6$, pl. Da 10$_6$, cj Nah 2$_4$ (כְּאֵשׁ לַפִּדֹת); — 2. **Blitz** Ex 20$_{18}$; Hi 12$_5$ ↗ פִּיד; Der. n.m. לַפִּידוֹת (?). †

לַפִּידוֹת: n.m., pl. v. לַפִּיד (?): d. Mann d. דְּבוֹרָה Ri 4$_4$. †

לפת: akk. *lapātu* antasten, bestreichen (AHw. 535a); ar. *lafata* wenden, biegen:

qal: impf. יִלְפּוֹת: **ertasten** Ri 16$_{29}$. †

nif: impf. יִלָּפֵת, יִלָּפְתוּ: **sich tasten** (↗ Rud.) Rt 3$_8$; — Hi 6$_{18}$ l אֹרְחוֹת Karawanen u. יִלָּפְתוּ od. יְלַפְּתוּ winden od. wenden ihren Weg (s. ar., Dho. Hö., Horst, Fohrer; tasten (akk.) Tur-S.). †

לֵץ: ליץ; < **lajiṣ* (BL 464c), mhe.[2] ליצן, ja.[tb] ליצנא: לֵצִים: **Schwätzer, Spötter** (Richardson VT 5, 166.170ff) ‖ עָרִיץ Js 29$_{20}$, ‖ חָכָם Pr 1$_{22}$ 19$_{25}$ 21$_{11}$, כְּסִיל 19$_{29}$, :: פְּתִי 9$_8$ 13$_1$ 15$_{12}$, :: נָבוֹן 14$_6$; v. Wein gesagt 20$_1$; ↗ Ps 1$_1$ Pr 3$_{34}$ (l עִם הַלֵּצִים) 9$_7$ 21$_{24}$ 22$_{10}$ 24$_9$. †

לָצוֹן: ליץ (BL 498e); mhe.[2] ליצנות, ja.[tg] לֵיצָנוּתָא: **grosstuerisches Geschwätz** Pr 1$_{22}$, אַנְשֵׁי ל׳ Schwätzer Js 28$_{14}$ Pr 29$_8$. †

לצץ: ? Nf. v. ליץ (ar. *liṣṣ* < ληστής, Frae. 284!):

qal: pt. לֹצְצִים: **Rebellen** od. **Spötter** (↗ ליץ pol) Hos 7$_5$. †

***לקה**: ar. *laqija* begegnen, treffen, *malqan* Kreuzweg; Der. אֶלְתְּקֵא/ה u. אֶלְתְּקוֹן (Honeyman JThSt. 50, 50f).

לַקּוּם: n.l. an d. N.-Grenze v. Naftali; Etym. ?; Abel 2, 368, GTT § 334: Jos 19$_{33}$. †

I **לקח**: mhe. ja.[g] nehmen, empfangen, kaufen, Lkš; ph. mo. aam. äga. (DISO 139) sy. Barr CpPh 159f; ug. *lqḥ*, kan. EA *laqāḫu* (Böhl Spr. § 38m) neben bab. *la/equ* (VAB 2, 1451f, AHw. 544b); asa. (Conti 173b), ar. *laqiḥa* u. tigr. (Wb. 36b) *laqḥa* trächtig sein; äth. leihen (Lesl. 29):

qal: pf. לָקַח/לָקַח, לָקַחְתָּ, וְלָקַחְתָּ, לָקַחְתְּ (Bgstr. 1, 154e); (קָח Ez 17$_5$ u. קָחָם Hos 11$_3$ sind Txtf., BL 366t), לָקְחוּ/קָחוּ; impf. (BL 365p, Bgstr. 2, 124f sec. נתן) יִקַּח/קַח (Goetze JAOS 58, 307[213], Segert ArchOr. 23, 183), יִקָּחוּ, יִקְחוּ, אֶקָּחֲךָ, אֶקְחָה (2K 20$_{18}$ Q יִקָּחוּ, יִקָּחוּ, K ↗ pu.), נִקַּח, נִקְחָה, יִקָּחוּם, אֶקָּחֵהוּ, יִקָּחֵנִי/חֶנָּה; imp. קַח u. 3 × קְחוּ, לְקַח, קַח, קְחִי, קְחָה (1K 17$_{11}$ לִקְחִי), קָחוּהוּ, קְחֶם־נָא, קָחֵם, קָחֵנוּ, קְחוּ Gn 48$_9$, קָחוּהוּ; inf. לָ(ק)חַת, (קַחַת 2K 12$_9$ Tf. ? :: BL 366t), לְקַ(ו)חַ, לְקַחְתּוֹ, קַחְתִּי; pt. לֹקֵחַ, לֹקְחִים, לֹקְחִים/חֵי (↗ Ku. WaH. 55): — 1. **nehmen, fassen, ergreifen** (THAT 1, 875ff): לָקַח בְּ Ex 17$_5$, קַח בְּיָדְךָ er griff an Ez 8$_3$, וַיִּקַּח ... וַיַּנִּחֵהוּ nahm ... u. setzte hin Gn 2$_{15}$; behalten 14$_{21}$, לְשׁוֹנָם ihre eigene Z. (Rud. :: Volz cj עִלְּקִים verdrehen) Jr 23$_{31}$; — 2. **mit sich nehmen**: וַיִּקַּח בְּיָדוֹ Gn 18$_7$, בֶּן־בָּקָר (akk. *ṣabātu ina qātišu*) Jr 38$_{10}$ = וַיִּקַּח Gn 12$_5$; Worte Hos 14$_{3a}$, II טוֹב Rede G 14$_{3b}$ (Geiger 44, Rud. 247f: nimm unsere Reden an :: de Vaux RB 69, 271ff: bring Glück); — 3. **annehmen, empfangen**: שֹׁחַד Ps 15$_5$, c. מִיַּד 2K 5$_{20}$ Js 40$_2$; **erwerben** (mhe.) Pr 31$_{16}$ (z. Bearbeitung, Gemser 109f); metaph. (= hören auf) Gebote Pr 10$_8$, Worte 2$_1$; (Gott) Gebet annehmen Ps 6$_{10}$ (akk., AHw. 545b, 7a); — 4. **aufnehmen** (Vogel s. Junges) Dt 32$_{11}$; — 5. **holen, bringen**: קַח לִי Gn 27$_{13}$ Hi 38$_{20}$, קְחוּ־לִי 2K 2$_{20a}$, c. אֶל 20b, jmd holen lassen 1S 17$_{31}$ Jr 37$_{17}$ 40$_1$; c. לְ sich jmds annehmen 40$_2$ (Eissf. KlSchr. 4, 189, al. wie 40$_1$); לְקֻחִים לַמָּוֶת z. T. geschleppt Pr 24$_{11}$; לָקַח עַל nahm [u. lud] auf Ri 19$_{28}$, nahm [u. streute] auf 2S 13$_{19}$; — 6. **zu sich nehmen** (THAT 1, 877; akk., AHw. 545a, 4b) als Sklaven 2K 4$_1$ Hi 40$_{28}$, als Tochter Est 2$_7$; — 7. ל׳ אִשָּׁה **e. Weib nehmen** Gn 25$_1$, לוֹ für sich 4$_{19}$, f. e. anderen 24$_4$, ohne נָשִׁים 34$_{16}$; ל׳ אִתָּה לִי לְאִשָּׁה 12$_{19}$, später > נשׂא: נָשָׂא אִשָּׁה 1$_7$; — 8. **wegnehmen**: jmds בֶּגֶד Pr 27$_{13}$ (als

Pfand; cf. KAI 200, 8f), עֶמְדָּה Stütze Mi 1$_{11}$, טַעַם Hi 12$_{20}$, לֵב Hos 4$_{11}$, בְּרָכָה Gn 27$_{35}$, דָּגָן Hos 2$_{11}$, d. Frau 2S 3$_{15}$, נֶפֶשׁ Leben Ps 31$_{14}$, נְפָשׁוֹת Pr 11$_{30}$; עִיר 1S 7$_{14}$ (מֵאֵת) 1C 18$_{1}$; — 9. (Gott) jmd **entrücken** (akk. *leqû* KAT³ 551², Quell Fschr. Rud. 261f, BHH 2106; ERohde, Psyche 1898, I, 68, THAT 1, 878) Gn 5$_{24}$ 2K 2$_{3}$ Ps 49$_{16}$ 73$_{24}$; — 10. Versch.: ל׳ נָקָם Js 47$_{3}$, נְקָמָה Jr 20$_{10}$; ל׳ חֶרְפָּה Schmach auf s. nehmen Ez 36$_{30}$; ל׳ דָּבָר e. W. vernehmen, aufnehmen (☞ Palache 43) Jr 9$_{19}$ Hi 4$_{12}$ Pr 2$_{1}$; Frau fängt e. Mann Pr 6$_{25}$ (cf. לכד nif. 2); d. Herz reisst einen fort Hi 15$_{12}$ (:: Driv. WdO 1, 235).

nif: pf. נִלְקְחָה, נִלְקַח/קָח; impf. אֶ/תִלָּקַח; inf. הִלָּקַחוֹ, הִלָּקַח: — 1. **weggenommen werden**: אֲרוֹן 1S 4$_{11.17.19.21f}$, לֶחֶם 21$_{7}$, (durch d. Tod) 2K 2$_{9}$ Ez 33$_{6}$; — 2. **geholt, gebracht werden** Est 2$_{8.16}$. †

pu. (d.i. pass. qal, BL 286m, Bgstr. 2, 87c): pf. לֻקָּחָה, לֻקַּח/קָח (BL 212j), לֻקָּחוּ, לֻקָּחְתָּ; impf. וַתֻּקַּח, יֻקַּח/קָח; pt. לֻקָּח (GK § 52s, BL 287o): — 1. **genommen werden** Gn 2$_{23}$ 3$_{19.23}$ Ri 17$_{2}$ (= gestohlen werden) Js 49$_{24f}$ Ez 15$_{3}$, c. מֵאֵת fort von 2K 2$_{10}$ (durch d. Tod), Js 52$_{5}$ (= geraubt werden); hinweggenommen werden (= sterben) Js 53$_{8}$; als Fluchformel genommen werden Jr 29$_{22}$; — 2. **geholt, gebracht werden** Gn 12$_{15}$ (in d. Harem) 18$_{4}$ 2K 20$_{18}$ K (l יֻקַּח ?; ☞ qal) Jr 48$_{46}$ Hi 28$_{2}$. †

hitp: pt. מִתְלַקַּחַת: (אֵשׁ) hin u. her **zucken** Ex 9$_{24}$ Ez 1$_{4}$ (Nestle ZAW 25, 364f :: Driv. VT 1, 60¹: war entzündet, cf. sy. *ʾḥd* af.). †

Der. לֶקַח, *מִקָּח, מַקָּחוֹת, I מַלְקוֹחַ, מֶלְקָחַיִם, n.m. לִקְחִי.

II *לקח: ☞ II מַלְקוֹחַ.

לֶקַח: I לקח; mhe. Kauf, Sir 42$_{7}$ (G 41$_{19}$, cf. Sir M IV 13) מתת ולקח Geben u. Nehmen = mhe. מַשָּׂא וּמַתָּן > *Massematten* Kauf u. Verkauf, Handelsgeschäft (Littm. MW 51f) > δόσις καὶ λῆμψις Phil 4$_{15}$ (☞ ThWbNT); ? < akk. *nadānu u maḫāru* (Zimmern 16, AHw. 578a); לִקְחָה, לִקְחִי: — 1. **Lehre** (sphe. קַבָּלָה [RGG III 1079] v. קִבֵּל u. akk. *iḫzu* v. *aḫāzu*, AHw. 368a, ☞ Palache 43) Dt 32$_{2}$ Hi 11$_{4}$ (G ἔργα, V *sermo*) Pr 4$_{2}$; — 2. **Lehrgabe** Pr 16$_{21.23}$ (c. הוֹסִיף); Überredungskunst Pr 7$_{21}$ (☞ Gemser 42); — 3. **Einsicht** Js 29$_{24}$ Pr 1$_{5}$ (al. Wissen, Bildung, Sir 8$_{8}$) u. Pr 9$_{9}$ (c. הוֹסִיף). †

לִקְחִי: n.m.; I לקח, ? Kf. v. *לקחיה od. ä.; cf. לקח n.m., klschr. *Lūqu* (KAI nr. 236, 4): 1C 7$_{19}$. †

לקט: mhe. ja. (ja.ᵇ auch נקט) sam. (BCh. 2, 222) cp., ? Lkš 6, 6f (ל[ק]ט) Michaud SPA 101) ar. tigr. (Wb. 37b, Lesl. 29) v. Boden auflesen, sy. cp. asa. soq. pflücken, akk. *laqātu* (AHw. 537b, GAG § 51e) einsammeln:

qal: pf. לָקְטוּ/קָטוּ; impf. יִלְקְטוּ, יִלְקְטוּן, תִּלְקְטֵהוּ; imp. לִקְטוּ; inf. לְקֹט: — 1. **sammeln, auflesen**: אֲבָנִים Gn 31$_{46}$ (u. ? l. pr. וַיִּקְחוּ), מָן (Sam.ᴹ¹²⁷ pi., BCh. Trad. 114) Ex 16$_{4f.16.18.21f.26f}$ Nu 11$_{8}$, Nahrung Ps 104$_{28}$, Blumen HL 6$_{2}$; — 2. spez. **Ähren lesen** Rt 2$_{8}$. †

pi. (Jenni 47.188f): pf. לִקְּטָה/קֵּטָה, לִקַּטְתְּ; impf. אֲלַקֳּטָה, וַיְלַקֵּט, Rt 2$_{2.7}$ (BL 208t, 220m; Ⓑ ־קֳ־); pt. מְלַקֵּט, מְלַקְּטִים: — 1. **sammeln**: עֵצִים Jr 7$_{18}$, אֹרֹת 2K 4$_{39}$; Ähren lesen Js 17$_{5}$ Rt 2$_{2}$ (בְּ).$_{3.7.15.19.23}$ (DJD III p. 73* ללקוט!); — 2. **zusammenlesen**: Speisereste Ri 1$_{7}$, Pfeile 1S 20$_{38}$; — 3. לִקֵּט לֶקֶט **Nachlese halten** Lv 19$_{9}$ 23$_{22}$, לִקֵּט פֶּרֶט d. gefallenen Trauben auflesen 19$_{10}$; — 4. **zusammenbringen** (Geld) Gn 47$_{14}$. †

pu: impf. תְּלֻקְּטוּ: **aufgelesen werden** Js 27$_{12}$. †

hitp: impf. וַיִּתְלַקְּטוּ: c. אֶל **sich sammeln** bei Ri 11$_{3}$. †

Der. *לֶקֶט, יַלְקוּט.

*לֶקֶט: לקט; mhe., ar. *luqāṭ* liegen gebliebene

Ähren: cs. = **Nachlese** beim קָצִיר (BHH 1274) Lv 19₉ 23₂₂. †

לקק: mhe. pi. auch hif. u. לקלק; ar. *laqqa*, tigr. (Wb. 36b) *laqlaqa* lecken, ↗ II לעע:

qal: pf. לָקְקוּ; impf. יָלֹק, יָלֹקּוּ: **auflecken, läppern** (wie e. Hund) Ri 7₅ (בִּלְשׁוֹנוֹ, ↗ Frazer 2, 465ff, LBauer ThStKr 100, 431f, Trumper JPOS 6, 108f) 1K 21₁₉ 22₃₈, cj Ps 68₂₄ (דַּם אֹיְבִים תָּלֹק Mow. Scr. IV 1, 455). †

pi. (Jenni 193): pt. מְלַקְקִים (BL 328a): **läppern** (wie e. Hund) Ri 7₆f. †

I ***לקשׁ**: mhe.² hif., ja. sy. pa. spät tun; ar. *laqasa* spät sein: Der. לֶקֶשׁ, מַלְקוֹשׁ.

II **לקשׁ**: sam. (BCh. 2, 615b), ar. *laqaṭa* (GB) schnell zusammenraffen:

pi. (Jenni 239): impf. יְלַקֵּשׁוּ: **zusammenraffen** Hi 24₆ (al. z. I denom. Nachlese halten, || קצר). †

לֶקֶשׁ, לֶקֶשׁ: I לקשׁ, Gzr 2 (Dir. 7, DISO 140) mhe.² לָקִישׁ, Spätsaat, ja.^tg^ לְקִישָׁא späte Schafe, Spätsaat, cp. pal.-ar. *laqqīs* (Bauer Wb. 300) Spätregen, Spätling; sy. *leqšā* nachwachsendes Gras; **Spätgras** (AuS 1, 411f) Am 7₁. †

***לשׁד**: ar. *lasada* lutschen, saugen: Der. לָשָׁד.

***לָשָׁד**, Sam.^M127^ *leššad*: לשד; äth. *lasad* Butter (:: Lesl. 29); akk. *lildu* < **lišdu* (AHw. 552b) Sahne ?: לְשַׁד, לְשַׁדִּי (BL 558c): **Gebäck**, לְשַׁד הַשָּׁמֶן Fettgebäck, Ölkuchen Nu 11₈; — Ps 32₄ ? לְשַׁדִּי (↗ *חֲרָבוֹן). †

לָשׁוֹן u. לָשֹׁן, (115 ×), Sam. ^M127^ *liššun* (:: ? √*lš, lšš*; ar. *lassa* lecken, (Eilers WdO 3, 81); ug. *lšn* (UT nr. 1398) *lšnm* du., d. zweispitzige Schlangenzunge; ph. λασουν (Friedr. § 79b.89, 2a); mhe. (auch Zeugstreifen), לשן aam. jaud. äga. (DISO 140); לִשָּׁן ba., Uruk Z. 8, ja. לִשָּׁנָא, cp. sy. *leššānā*, md. (MdD 237a) לישאנא; akk. *lišānu*, ar. *lisān*, äth. *l^e^sān*, tigr. *lesān* u. *nessāl* (Wb. 36a.325a); äg. *ns*, kopt. *las* (NPCES 62f), lib. *il(e)s* (ZA 50, 135); Holma NKt. 25ff, Dho. EM 84ff: לְשׁוֹן, לְשׁוֹנוֹ, לְשֹׁנוֹת, לְשׁוֹנֹתָם; m. u. f., ZAW 16, 78f: — 1. **Zunge** (Körperteil): v. Mensch Kl 4₄ HL 4₁₁, Hund Ex 11₇, Schlange Ps 140₄ Hi 20₁₆, Krokodil 40₂₅; v. יהוה Js 30₂₇; c. חרץ Ex 11₇, c. לקק Ri 7₅, c. דבק Ps 137₆, c. הֶאֱרִיךְ Js 57₄, c. מקק Zch 14₁₂, c. נשׁת Js 41₁₇; אִישׁ לָשׁוֹן Schreihals Sir 8₃ 9₁₈, cj אֵשֶׁת לְ׳ 25₁₉; — 2. **Zunge** (Form): לְשׁוֹן זָהָב (akk. *lišān ḫurāṣi*) Goldbarre Jos 7₂₁.₂₄; לְשׁוֹן אֵשׁ (akk. *lišān girri*) Feuerzunge Js 5₂₄; לְשׁוֹן הַיָּם **Meerbusen** (Hö. Erdk. 62f, Reymond 165, Fitzm. GnAp. 137, cf. ar.) Jos 15₅ 18₁₉ Js 11₁₅, > לָשׁוֹן Jos 15₂; — 3. Z. als **Sprachwerkzeug**: עַל־לְשׁוֹנִי 2S 23₂, כְּבַד לָשׁוֹן unberedt Ex 4₁₀ Ez 3₅f; c. לעג Js 33₁₉, c. רנן 35₆, c. הֶחֱלִיק Ps 5₁₀, c. הגה Js 59₃, c. דִּבֵּר Ps 12₄ etc.; לְשׁוֹן עִלְּגִים Js 32₄, ↗ שֶׁקֶר Ps 109₂ Pr 6₁₇, רְמִיָּה Ps 120₂f :: לְ׳ אמת 4Q 183 II 6; לְ׳ סָתֶר Pr 25₂₃ heimliches Geschwätz (↗ Gemser); אִישׁ לְ׳ Wortheld Ps 140₁₂ (:: akk. *amēl lišāni*, *[amēl]ša l'*, AHw. 556a, Rep. Mari 217); בַּעַל הַלְּ׳ Beschwörer (*bēl l*. Holma NKt. 185) Koh 10₁₁; — 4. Z. = **Sprache** (Palache 43; auch Aḥqr, sy. md. akk. ar.): e. Volkes Dt 28₄₉ Js 66₁₈ Jr 5₁₅ Zch 8₂₃; לְ׳ אַחֶרֶת Js 28₁₁, סֵפֶר וּלְ׳ כַּשְׂדִּים (G διάλεκτος Χαλδαική) Da 1₄, אִישׁ לִלְשֹׁנוֹ nach ihren Sprachen Gn 10₅.₂₀.₃₁; כִּלְ׳ עַם וָעָם nach d. Spr. jedes einzelnen Volkes (↗ Rud.) Neh 13₂₄, עַם וָעָם כִּלְשׁוֹנוֹ Est 1₂₂a 3₁₂ 8₉ (|| מְדִינָה וּמְ׳ כִּכְתָבָהּ ||), מְדַבֵּר כִּלְ׳ עַמּוֹ 1₂₂b Nachahmung amtlichen Stiles ?, cj עִמּוֹ *chez lui* „wie ihm d. Schnabel gewachsen" (Gkl. Est. 94 :: Junker BZAW 66, 173, Bardtke); — Ps 66₁₇ l מִתַּחַת לְשׁוֹנָאַי; denom. לשׁן.

לִשְׁכָּה, Nf. נִשְׁכָּה: mhe., ja.^tg^ לִשְׁכְּתָא, ? pun. (DISO 138); > λέσχη ? GB, LewyFw. 94, Hölscher Prof. 142² :: Gd. HUCA 26, 60f: לִשְׁכַּת, לְשָׁכוֹת, לִשְׁכוֹת: **Halle** meist sakral, an 3 Wänden Steinbänke f. d. Teilnehmer am Opfermahl, 4. Seite offen gegen den Hof, cf ar. (*l*) *īwān* (LarW 665): 1S 9$_{22}$, cj 1$_{9}$ (l בַּלִּשְׁכָּה G) u.$_{18}$ (l הַלִּשְׁכָּתָה), לִשְׁכַּת הַשָּׂרִים Jr 35$_{4}$; c. n. pers. Zelle e. Einzelnen (cf. Neh 13$_{5-8}$) 2K 23$_{11}$ Jr 36$_{10}$ Esr 10$_{6}$; לְשָׁכוֹת הַקֹּדֶשׁ Ez 42$_{13}$ 44$_{19}$; לְשָׁכוֹת בֵּית י׳ Esr 8$_{29}$, הַלְּשָׁכוֹת לְבֵית הָאוֹצָר Neh 10$_{39}$; לִשְׁכַּת הַסּוֹפֵר (im Palast, Rud. 212, JMuilenburg, Fschr. Davies, 1970, 229f) Jr 36$_{12.21}$; לִשְׁכָּה גְדוֹלָה Neh 13$_{5}$; — Ez 45$_{5}$ l עָרִים לָשָׁבֶת.

I לֶשֶׁם, Sam.[M127] *elšam*: e. Edelstein G λιγύριον, Jos. BJ V 5,7; inc.: äg. *nšm.t* (Lambdin 152, Ellb. 97), Karneol (Harris, ZAW 78, 83), Hyazinth (BHH 363), d. rötlich gelbe Bernstein (Quiring 202f) al. d. weissblaue Feldspat: Ex 28$_{19}$ 39$_{12}$. †

II לֶשֶׁם: n.l., = ↗ III לַיִשׁ; l לַיְשָׁם (< *laiš* + *ām/ān*): Jos 19$_{47}$. †

לשׁן: denom. v. לָשׁוֹן; mhe. hif., ja.[t] af; ug. *lšn* (UT nr. 1398, Aistl. 1484), ar. *lasana* verleumden:

hif: impf. תַּלְשֵׁן: **verleumden**, c. אֶל bei Pr 30$_{10}$. †

po: pt. מְלָוְשְׁנִי (Q מְלָשְׁנִי, *K-ō-* Kö. Gr. 1, 200f, GK § 55b.64i, K מְלוֹ׳) cs. vor praep. (BL 281j.525j), l מַלְשִׁין pt. hif., Ps 101$_{5}$. †

Der. cj מַלְשִׁינוּת.

*לֶשַׁע, לָשַׁע, G Λασα, V *Lesa*: n.l.; ? in d. Gegend d. Toten Meeres; T[J] Jos. Hier. קלרה Καλλιρρόη w. N.Ende, al. ö. Schürer 1, 413[163] Abel 2, 368, GTT § 271: = n. syr. לעשׁ — *Nuḫašše* (EA, Bogh., ↗ Noth ZDPV 52, 138ff, KAI II 206): Gn 10$_{19}$. †

לַשָּׁרוֹן: n.l. (?) Jos 12$_{18}$; urspr. Gl. z. אֲפֵק, „das z. שָׁרוֹן gehört" (BH, Noth Jos. 72, GTT § 231). †

לַת: 1S 4$_{19}$ לָלַת, ↗ ילד, inf. qal. †

לֶתֶךְ, Ⓑ לֵתֶךְ, mhe.: ug. *lṯḥ* (UT nr. 1399, Aistl. 1486, Eissf. JSSt. 5, 42f); Lw. < akk. *litiktu* (AHw. 540a. 556b): e. **Hohlmass**, 1/2 כֹּר od. חֹמֶר BRL 367, Barrois 2, 248f, Rud. Hos. 84: Hos 3$_{2}$, cj Js 57$_{8}$ (l וַתִּמְכְּרִי בְּכֹר וָלֶתֶךְ, Lex.[1]). †

*לתע: ar. *lataġa* u. *ladaġa* beissen, stechen; Der. מְתַלְּעוֹת, מַלְתָּעוֹת.

מ

I מ, final ם (↗ BL 59f): Sam. *mīm* (Peterm. Gr. § 1), bT, jT מֵם, G Ps 119 u. Kl μημ, V *mem*, gr. μῦ, äth. *maj* (Nöld. BS 132). Später Zeichen f. 40, מא = 41. Bildwert Wasser (Driv. SWr. 157.162). Entspricht unserem *m*-Laut. Wechselt innerhe. a) mit נ (מוט), besonders am Wortende, in Namen, Pronomina u. Suffixen (PHaupt BzA 1, 1ff, DJD III 229, BCh. Trad. 105f, Ku. MiHe 37) ↗ שׂטם, גֵּרְשֹׁם, מֹף (BL 486 l, BM § 40, 5); b) mit ב ↗ ב; c) mit פ, ↗ מלט; d) ausserhe. m. נ: אֹם, אסם, בֹּהֶן. Ist Nom.-präf. (BL 488u-494g, BM § 40, 4) ↗ מֹאזְנַיִם, מַאֲכָל), u. Nom.-affix (BL 504j-k, BM § 41, 6), ↗ חִנָּם, כְּלָם, רֵיקָם, שָׁפָם, z.T. auch erstarrtes Suff. od. urspr. Mimation (BL 529y).

II מ-encliticum: ug. *-m* (UT nr. 1402, § 11, 4-8), amor. *ma/i* Huffm. 228, EA (VAB 2, 1457) *-mi* kan., *-ma* akk. (Moran, JCSt 4, 172[34], v. Soden Gr. § 123a-d, 126c.e), im MT als sf. od. pl.-Endung verstanden u. vokalisiert: l Ps 29$_{6}$ וַיַּרְקִד־ם, 85$_{4}$ הֲשִׁיבוֹתָ־ם, Ri 5$_{13}$ אַדִּירֵי־ם usw.; אֲבִימָאֵל (Sprossilbe ?) Albr. JBL 63, 219[83], Hummel JBL 76, 85ff; Pope JCSt 5, 123ff, Freedm. ZAW 72, 102ff, Dahood Gregor. 43, 66. Bibl. 49, 89f. ALBiOr 4, 42. 40, Dahood UHPh. 34, Bibl. 47, 411f, Fitzm. Sef. 107 :: Driv. CML 129f, JSSt. 10, 116.

מ־ c. dag. f. ↗ מָה; מִ־ c. dag. f. ↗ מִן.

*מַאֲבוּס: אבס, BL 494g: מַאֲבָסֶיהָ: **Speicher**

(Kelso § 100, e. Sp.-Modell BiW 37) Jr 50$_{26}$. †

*מאד: ? vb ug. *m'd* (Aistl. 1498); akk. *ma'ādu* viel sein / werden AHw. 573b; ar. *ma'ada* wachsen; asa. hinzufügen, entfernen (Conti 174b); Der. מְאֹד.

מְאֹד (300 ×): Sam.^{M128} *mē'ūd* (:: BCh. Trad. 100[1]): mhe. (selten); DSS מאוד, f. (auch gegen MT) מואדה, מאודה (↗ Fschr. Eissf. II 29, Martin 23*), מודה, DJD IV, 22, 1, מודי; ug. *m'd, m3d, m3d* (Friedr. Or. 12, 22[3], UT 1406, Aistl. 1498); akk. *ma'du, mādu* viel (AHw. 573a): מְאֹדוֹ, מְאֹדֶךָ: — 1. sbst. **Kraft, Vermögen** Dt 6$_5$ 2K 23$_{25}$; † — 2. adv. (BL 632l) **sehr**: טוֹב מְאֹד Gn 1$_{31}$, חַטָּאִים לַיהוה מְאֹד im höchsten Mass Sünder gegen J. Gn 13$_{13}$, רָבָה מְאֹד sehr stark werden Gn 7$_{18}$; (vorangestellt) מְאֹד נַעֲלָה Ps 47$_{10}$, מְאֹד עָמְקוּ 92$_6$; (in Fernstellung) Ri 12$_2$ 1K 11$_{19}$ Ps 46$_2$ (↗ Mut.); מְאֹד מְאֹד steigernd (Lande 59f) gar sehr Gn 7$_{19}$ 1K 7$_{47}$ 2K 10$_4$, בִּמְאֹד מְאֹד Gn 17$_2$, לְהַרְבֵּה מְ׳ הַרְבֵּה מְ׳ sehr gross Gn 15$_1$, 2C 11$_{12}$; גְּדֹלָה עַד מְ׳ sehr gross Gn 27$_{33}$, b. vb. Ps 119$_{43}$ (11QPs^a, DJD IV p. 29, 43 מואדה, s.o.) gar sehr Kl 5$_{22}$, גְּדוֹלָה עַד לְמְ׳ gewaltig gross 2C 16$_{14}$; — 1S 20$_{19}$ cj תִּפָּקֵד מְ׳ wirst recht vermisst werden :: Guill. ATO 112f, Guillaume PEQ 86, 83ff, Driver ZAW 80, 177; — Ob $_2$ l בָּאָדָם = Jr 49$_{15}$; Ps 31$_{12}$ l מָנֹד; 139$_{14}$, auch 46$_2$ מְאָז :: Dahood Bibl. 47, 413: l מֵאָד als dial. Var. zu מְאָז.

I מֵאָה (580×): Sem., Nöld. NB 152ff; DISO 140; ug. *m3t* (= **mi'tu*, UT § 7, 41) pl. *m't* = **mi'ātu* (PRU V nr. 96 Rd. *me-at*); EA *meat*, du. *metim* (VAB 2, 1468f); akk. *me'atu* (v. Soden Gr. § 69g); ph. מאתם, mo., äga. nab. palm. ija. (DISO 140); ba. ja. sam. (BCh. 2, 504) cp. sy. md. (MdD 238a מא); ar. *mi'at*, asa. מאת, äth. tigr. (Wb. 131a): מְאַת (Hier. *maath*), מֵאוֹת, מֵאָיוֹת 2K 11$_{4.9f.15}$ (auch DSS, DJD III p. 53), Q מֵאוֹת, K מְאָיוֹת, BL 627t, Gordis 110ff; du. מָאתַיִם/תָיִם (ph. מאתם, mo. מאתן): — 1. sg. **hundert** מֵאָה שָׁנָה Gn 17$_{17}$, מְאַת שָׁנָה 5$_3$, מֵאָה שְׁעָרִים 26$_{12}$; מֵאָה אֶלֶף = 100 000 1K 20$_{29}$; (später) הָרִמּוֹנִים מֵאָה Jr 52$_{23}$, אַמּוֹת הַמֵּאָה Ez 42$_2$ (↗ Zimm. 1055); מֵאָה 100 mal (BL 629c) Pr 17$_{10}$; — 2. du. = 200: מָאתַיִם אֶלֶף = 200 000 1S 18$_{27}$, מָאתַיִם אִישׁ 1S 15$_4$, מָאתַיִם שְׁקָלִים Jos 7$_{21}$, מָאתַיִם אֲנָשִׁים 1S 30$_{21}$, עִזִּים מָאתַיִם Gn 32$_{15}$; — 3. pl. מֵאוֹת Hunderte: a) Hundertschaft ↗ III אֶלֶף, 1QM ↗ Yadin ScrW 59ff; Meyer Isr. 500ff, Noth GI 103[2]): לְמֵאוֹת 1S 29$_2$, שָׂרֵי מֵאוֹת Anführer der Hundertschaften Ex 18$_{21.25}$ 2K 11$_{4.9f.15}$; שְׁלֹשׁ מֵאוֹת אִישׁ 300 Mann Ri 7$_6$; b) שְׁלֹשׁ מֵאוֹת שׁוּעָלִים 300 Füchse Ri 15$_4$, חֲמֵשׁ מֵאוֹת אֲתוֹנוֹת Hi 1$_3$, בָּקָר 1K 11$_3$, (später) פִּלַגְשִׁים שְׁלֹשׁ מֵאוֹת חֲמֵשׁ מֵאוֹת 2C 35$_9$; — 4. „hundert" in verschiedenen Zahlen: 105 Gn 5$_6$, 162 5$_{18}$, 403 11$_{13}$, 777 5$_{31}$, 895 5$_{17}$; — Ez 42$_{16}$ pr. Q חֲמֵשׁ מֵאוֹת אַמּוֹת l אֲמוֹת ↗ Zimm. 1066); Koh 8$_{12}$ l וְאֶת־יָמָיו (↗ Galling, Zimm. ATD); Neh 5$_{11}$ l מַשַּׁאת Schuld (↗ Rud.); — denom. vb. מאת verhundertfachen findet man in מֵאתְּךָ Ps 22$_{26}$ (Dahood UHPh 13).

II מֵאָה: מִגְדַּל הַמֵּאָה Neh 3$_1$ 12$_{39}$; n.l. in Jerus., = I „Turm der 100" (Dalm. JG 115), od. „d. Hundertschaft" (Rud.) zw. מְ׳ הַצֹּאן u. מְ׳ חֲנַנְאֵל; ↗ Simons 343[1]. 429[2]. †

*מַאֲוַיִּים: מַאֲוַיֵּי, Var. מַאֲוָיֵי, ? l מְאַוֵּי: אוה, BL 585e.f.: **Gelüste** Ps 140$_9$. †

מְאוּם: Hi 31$_7$ (K^{Or} מְאוּמָה, Q מוּם) u. Da 1$_4$ Ⓛ מְאוּם (Q מאום; K מְאוּם) ↗ מוּם.

מְאוּמָה, Var. מוּמָה 2K 5$_{20}$ (↗ SBOT IX 201): Lkš 3, 13 (KAI 143, 13; DISO 141, Michaud SPA 97); nicht mhe., 2 × DSS (KQT 113b); Etym. inc. ↗ GB; cf. akk. *mimma/ū* (AHw. 653a. 654b, v. Soden Gr. § 48 e.f): **(irgend) etwas** Nu 22$_{38}$ 1S 21$_3$ 2S 13$_2$ 1K 10$_{21}$ 2K 5$_{20}$ Koh 9$_5$ 2C 9$_{20}$; מְ׳ רַע etwas Böses Jr 39$_{12}$, מַשַּׁאת מְ׳ irgendein Pfand Dt 24$_{10}$, cj מְעַט מְ׳ etwas ganz Geringes, e. Kleinigkeit Mi

2_{10}; לֹא · · · מְ׳ **garnichts** Gn 30_{31} $39_{6.9}$ 40_{15} Dt 13_{18} 1S 12_{4f} $20_{26.39}$ $25_{7.15.21}$ 29_{3} Koh 7_{14}; אַל · · · מְ׳ ja nichts Gn 22_{12} Jr 39_{12} Jon 3_{7}; אֵין לָהֶם מְ׳ sie hatten garnichts Jr 39_{10}; כָּל־מְ׳ überhaupt irgend etwas Gn 39_{23} 2S 3_{35}, מְ׳ לֹא garnichts Koh 5_{14}, מְ׳ אֵין gar nichts war da Ri 14_{6} Sir 18_{33}, = אֵין מְ׳ 1K 18_{43} Koh 5_{13}; אַל · · · מְ׳ auf keinen Fall (verstärktes אַל) 1S 21_{3}; ↗ מוּם. †

מָאוֹס: מאס; inf. als sbst. (GK § 113d, Rud.): **Unrat** Kl 3_{45} (|| סְחִי). †

מָאוֹר, מָאֹר Ex 25_{6}: אור, BL 491g; mhe.: מָאוֹר, מְאוֹרִים, מְאֹ(ו)רוֹת, מְאוֹרֵי, m.: — 1. **Lichtort**, מְאוֹרֵי אוֹר Ez 32_{8}; — 2. Lichtkörper, a) **Leuchte**, Sonne Ps 74_{16}, Sonne u. Mond Gn 1_{14-16}; 11Q Ps 136_{7} Psᵃ (DJD IV p. 36,10) מאורות pr. אוֹרִים; ? Blick מְאוֹרֵי, cj HL 4_{9} pr. אחד (↗ Rud.); b) **Leuchter** (↗ מְנוֹרָה) Ex 25_{6} 27_{20} $35_{8.14.28}$ 39_{37} Lv 24_{2} Nu $4_{9.16}$; — 3. מְאוֹר עֵינַיִם leuchtende Augen Pr 15_{30} (|| שְׁמוּעָה טוֹבָה), מְ׳ פָּנִים leuchtendes Antlitz Ps 90_{8}. †

***מְאוּרָה**: מְאוּרַת צִפְעוֹנִי Js 11_{8} (1QJsᵃ מאורות); Feuerauge (?), sec. || חֹר ? l מְעָרַת Höhle (ע : א). †

מֹאזְנַיִם, 1QJsᵃ מ(ו)זנים (↗ Ku. LJs 141), Sir[MIV 9] מוזנים :: מאז׳ B 42_{4}; ug. *mznm* Wage, *mzn* Gewicht (UT nr. 801, Aistl. 867), ? pun. מאזנם (DISO 141); ja. מוֹדְנָא u. מוֹזְנָא, äga. מוזנא (DISO 144), pehl. Frah. 19, 2 מזנא, ba. *מֹאזֵן, ja. מוֹדְנָא u. מוזניא so auch cp. u. md. (MdD 261a) *muzane*, ar. *mīzān* Frae. 198, > äth. tigr. *mīzān*, denom. *mēzana* wägen Wb. 139a, Lesl. 29; √ II יזן, contam. m. אֹזֶן, II אזן ist denom.: מֹאזְנַיִם, מֹאזְנֵי; die 2 Wagschalen, **Wage** (BRL 531, AuS 7, 246, Maag Amos 182f, BHH 2121) Js $40_{12.15}$ Jr 32_{10} Ps 62_{10} Hi 6_{2}, מֹאזְנֵי c. מִשְׁקָל Ez 5_{1}, c. מִשְׁפָּט Pr 16_{11}, c. צֶדֶק Lv 19_{36} Ez 45_{10} Hi 31_{6}, c. מִרְמָה Hos 12_{8} Am 8_{5} Pr 11_{1} 20_{23}, c. רֶשַׁע Mi 6_{11}; ↗ פֶּלֶס. †

***מְאָיוֹת** 2K 11_{4-15}; ↗ מֵאָה.

מֵאַיִן: ↗ II אַיִן.

מַאֲכָל: אכל, BL 490z; mhe., äga. מאכל(א) (DISO 141), ja.ᵗᵇ מֵיכְלָא, sy. *meʾklāʾ*, ar. *maʾkal*: מַאֲכָל, מַאֲכָלוֹ: **Speise**, **Nahrung**, f. Menschen u. Tiere Gn 6_{21} Dt 28_{26} Ri 14_{14} Js 62_{8} Jr 7_{33} 16_{4} 19_{7} 34_{20} Ez 4_{10} Hab 1_{16} Hg 2_{12} Ps 74_{14} 79_{2} Pr 6_{8} Dan 1_{10} Esr 3_{7} 1C 12_{41} 2C 11_{11}; מַ׳ פַּרְעֹה die Speisen für Ph. Gn 40_{17}, מַ׳ שֻׁלְחָנוֹ d. Speisen für s. Tafel 1K 10_{5} 2C 9_{4}; טוֹב לְמַאֲכָל gut zum Essen Gn 2_{9} 3_{6}, עֵץ מַ׳ Obstbaum Lv 19_{23} Dt 20_{20} Ez 47_{12} Neh 9_{25}, צֹאן מַ׳ Kleinvieh zum Schlachten Ps 44_{12}; מַאֲכַל תַּאֲוָה Lieblingsspeise Hi 33_{20}. †

מַאֲכֶלֶת: אכל „Essgerät", BL 490a; mhe. ar. *miʾkāl* Löffel: מַאֲכֶלֶת, מַאֲכָלוֹת: (Schlacht-)**Messer** Gn $22_{6.10}$ Ri 19_{29}, pl. Pr 30_{14}. †

מַאֲכֹלֶת: אכל, BL 493a; > מַכֹּלֶת 1K 5_{25}, cj 2C 2_{9}; ar. *maʾkūl* Essware: Frass, **Speise** 1K 5_{25} cj 2C 2_{9}; metaph. מַ׳ אֵשׁ Js 9_{4} 9_{18} כְּמוֹ אֹכֶלֶת/אֹכְלֵי אֵשׁ, cj כְּמַ׳ אֵשׁ „wie e. Hexe / Kannibalen" (Duhm). †

***מַאֲמָץ**: אמץ, BL 490z; 1QHod 2, 6: מַאֲמַצֵּי (BL 558c): **Anstrengung**, c. כֹּחַ Hi 36_{19} Kraftanstrengungen (cf. אַמִּיץ כֹּחַ Js 40_{26}) :: Hö: Aufwand aller Art, cf. Tur-S., ↗ כֹּחַ 2b. †

***מַאֲמָר**: אמר, BL 490z; mhe., KHRengstorf, Jebamot, 1929, 12: Heiratsansprache, Trauungsformel; ba. מֵאמַר, מֵימְרָא, ja. sy. md. (MdD 267a); spät, aLw. 149, aber Hebrais. : cs. מַאֲמַר: **Befehl** Est 1_{15} (= פִּתְגָם 1_{20}) 2_{20} 9_{32} Sir 3_{8} 37_{16} Rd (B דבר). †

מאן: mhe. pi. d. Ehe verweigern, sy. *m(ʾ)n* einem verleiden; asa. *mʾn* (ZAW 75, 311), äth. tigr. (Wb. 128a) *manana* ablehnen:

pi: pf. מֵאֵן (Mal 2_{13} G[Eβρ] μηην), מֵאֲנָה, מֵאַנְתָּ, מֵאֲנוּ; impf. וַיְמָאֵן, יְמָאֵן, וַיְמָאֲנוּ; inf. מָאֵן; pt. מָאֵן < *מְמָאֵן (BL 217d) u. הַמֵּאֲנִים < *הַמְמָאֲנִים > *הַמֵּאֲנִים Jr 13_{10} (BL 220n): — 1. abs. **sich weigern** 2K 5_{16} Js 1_{20} Pr 1_{24}; וַיְמָאֵן וַיֹּאמֶר Gn 39_{8} 48_{19} 1S 28_{23}; — 2. **sich weigern zu**: a) c. inf. Nu 20_{21} 22_{14} Jr 3_{3} 5_{3}

9$_5$ 15$_{18}$ 38$_{21}$ 50$_{33}$ Ps 77$_3$, cj Mal 2$_{13}$ (l מֵאֵן) u. Ri 11$_{20}$ וַיְמָאֵן ס׳ תֵּת אֶת; b) c. לְ c. inf. Gn 37$_{35}$ Ex 4$_{23}$ 7$_{14.27}$ 9$_2$ 10$_{3f}$ 16$_{28}$ 22$_{16}$ Nu 22$_{13}$ Dt 25$_7$ 1S 8$_{19}$ cj 24$_{11}$ (l וָאֲמָאֵן) 2S 2$_{23}$ 13$_9$ 1K 20$_{35}$ 21$_{15}$ Jr 8$_5$ 11$_{10}$ 13$_{10}$ 25$_{28}$ 31$_{15}$ Hos 11$_5$ Zch 7$_{11}$ Ps 78$_{10}$ Pr 21$_{7.25}$ Hi 6$_7$ Est 1$_{12}$ Neh 9$_{17}$. †

I **מאס**: mhe. (DSS 1 × auch מאש), ja. ar. *ma'asa* etw. verwerfen, Rat ablehnen (Guill. 4, 8); ? akk. *mēšu* missachten:

qal: pf. מָאַס, מָאֲסוּ/אָסוּ, מְאַסְתֶּם; impf. יִמְאַס, תִּמְאַס, אֶמְאָסְךָ Hos 4$_6$Q (K ־סאך), יִמְאָסוּן, תִּמְאָסוּנִי, יִמְאָסֵם; inf. מָאֹ(וֹ)ס, מָאֳסָם u. מָאָסְכֶם (*-o'o-*, Bgstr. 2, 116d); pt. מוֹאֵס, מֹאֶסֶת: — **1. ablehnen, verwerfen** (THAT 1, 879ff): a) Mensch sbj.: c. בְּ Nu 14$_{31}$ Ri 9$_{38}$ Js 7$_{15}$ u. 16 (:: בחר) Ps 106$_{24}$ obj. בֶּצַע Js 33$_{15}$, Männer eine Frau Jr 4$_{30}$, Leute den Hiob Hi 19$_{18}$, Israel Gottes Weisungen Jr 6$_{19}$, Gottes Worte Js 30$_{12}$ Jr 8$_9$, s. Gebote Lv 26$_{15.43}$ Ez 5$_6$ 20$_{13.16}$; c. acc. Ps 36$_5$ Hi 5$_{17}$ 9$_{21}$ 10$_3$ 30$_1$ 34$_{33}$, Pr 3$_{11}$ 15$_{32}$; Menschenrecht Hi 31$_{13}$, obj. הַבּוֹנִים אֶבֶן Ps 118$_{22}$, obj. אֱלִילִים Js 31$_7$, obj. מֵי הַשִּׁלֹחַ Js 8$_6$; Israel verwirft Gott 1S 10$_{19}$, יהוה Nu 11$_{20}$ 1S 8$_7$, Saul אֶת־דְּבַר יהוה 1S 15$_{23.26}$, Israel Gottes Gebote 2K 17$_{15}$ (וְאֶת־בְּרִיתוֹ) Js 5$_{24}$ Ez 20$_{24}$ Am 2$_4$, דַּעַת Hos 4$_6$; b) Gott sbj.: c. בְּ 2K 17$_{20}$ Jr 2$_{37}$ 6$_{30}$ 31$_{37}$ Ps 53$_6$ 78$_{59.67}$; c. acc.: Isr. Lv 26$_{44}$ Jr 7$_{29}$ 14$_{19}$ 33$_{24}$ (:: בחר).$_{26}$ Hos 4$_6$ 9$_{17}$ Hi 36$_5$ Kl 5$_{22}$, Saul 1S 15$_{23}$ 16$_1$ (מִן sodass er nicht mehr).$_7$, Jerus. 2K 23$_{27}$, עַבְדּוֹ Js 41$_9$, חַגֵּיכֶם Am 5$_{21}$, d. Sünder Ps 53$_6$, מְשִׁיחוֹ Ps 89$_{39}$; ↗ Hi 8$_{20}$ Js 33$_8$; — 2. Versch.: a) verwerfen des früher Gesagten durch Widerruf Hi 42$_6$ (:: Stier 352: II מאס); b) inf. abs. > sbst. (Solá-S. 185f): Unrat Kl 3$_{45}$; — Ez 21$_{15.18}$ l מֹאֶסֶת (↗ Zimm.); Hi 7$_{16}$ מָאַסְתִּי prp. cjg. c. 15b, al II. †

nif: Nf. v. מסס: impf. תִּמָּאֵס; pt. נִמְאָס: — 1. **verworfen werden** Js 54$_6$; — 2. pt. **verachtet** Jr 6$_{30}$ (כֶּסֶף), Ps 15$_4$ (Mensch || נִבְזֶה). †

II **מאס**: Nf. v. מסס:

nif: impf. יִמָּאֲסוּ, יִמָּאֵס: **vergehen** Ps 58$_8$ Hi 7$_{5.16}$ (?, ↗ I qal mut.). †

מְאַסֵּף: אסף pi. 3: הַמְאַסֵּף (:: הֶחָלוּץ) **Nachhut** Jos 6$_{9.13}$. †

*__מַאֲפֶה__: אפה, BL 491n; mhe., ja.^{t} מַאֲפֵי: (1 ×): cs. מַאֲפֵה: **Gebäck**, מ׳ תַּנּוּר Ofengebäck Lv 2$_4$. †

מַאֲפֵל: אפל, BL 492a; mhe.^{2}; **Finsternis** Jos 24$_7$. †

מַאְפֵּלְיָה: מַאֲפֵל + יָהּ (↗ יָהּ 2b): **Finsternis** Jr 2$_{31}$. †

מאר: 1QHod. 5, 28 pt. nif. נמאר (נגע) schmerzhaft; ar. *ma'ira* aufbrechen (Wunde), *ma'ir* schwierig:

hif: pt. מַמְאִיר, מַמְאֶרֶת (BL 332v): **schmerzhaft, bösartig** Lv 13$_{51f}$ u. 14$_{44}$ צָרַעַת, Ez 28$_{24}$ סִלּוֹן. †

מַאֲרָב: ארב, BL 490z; 1QM 3, 2.8: cstr. מַאֲרַב **Hinterhalt** Ri 9$_{35}$ Jos 8$_9$ Ps 10$_8$, d. Leute im H. 2C 13$_{13a.b}$. †

מְאֵרָה: ארר; < **ma'irrat*, BL 431w; Albr. PrSinI. 10f; mhe.: מְאֵרַת, מְאֵרוֹת: **Verfluchung** Dt 28$_{20}$ Mal 2$_2$ 3$_9$; pl. Pr 28$_{27}$; מְאֵרַת י׳ V. durch J. Pr 3$_{33}$. †

מֵאֵת: ↗ מִן + II אֵת

מִבְדָּלוֹת: בדל, BL 490a: trad. Enklaven; vielmehr Mf. < בדל nif. הַנִּבְדָּלוֹת u. hof. הַמֻּבְ׳: **ausgesondert** Jos 16$_9$.

*__מֻבָּה__ 2S 3$_{25}$: ↗ *מוּבָה < *מָבוֹא.

מָבוֹא: בוא, BL 491g; mhe. מָבוֹ׳, pl. מְבוֹאוֹת; ph. מבא (DISO 141): מְבוֹא, מְבֹ(וֹ)אוֹת, מְבוֹאֶךָ, מְבוֹאַי; so auch 2S 3$_{25}$K, Q מוֹבָאֲךָ u. Ez 43$_{11}$ מוֹבָאָיו sec. מוֹצָא; Schwarzb. 79f: e. Stelle, durch die man in etw. eintreten kann. — **1. Eingang**, G meist εἴσοδος Ez 42$_9$K (Q הַמֵּבִיא) 46$_{19}$, הַמָּ׳ הַשְּׁלִישִׁי Jr 38$_{14}$; :: מוֹצָא Ez 43$_{11}$ (s.o.) 44$_5$ (s.u.); מְבוֹא הָעִיר Ri 1$_{24f}$, c. מ׳ שַׁעַר הַסּוּסִים 2C 23$_{15}$, c. הַסּוּסִים für d. Pferde (Palasttor, Simons 338.340[1]) 2K 11$_{16}$, c. הַמֶּלֶךְ f. d.

König 2K 16$_{18}$ (l הַחִצוֹן) u. 2C 23$_{13}$; c. גְּדוֹר Eingang nach G. 1C 4$_{39}$, c. פְּתָחִים der Tore Pr 8$_3$; שֹׁמְרֵי הַמָּ׳ Torhüter 1C 9$_{19}$; — 2. **Zugang**: cj מְבוֹא הַיָּם (= Hafenplatz, Schwarzb. 79f, ↗ Zimm. 626) Ez 27$_3$, Sir 42$_{11}$; — 3. **Untergang** (d. Gestirne, 1QHod 12$_{4.7}$, ↗ Hunzinger ZNW 69, 144), spez. d. Sonne, > **Westen**, Westland (G δυσμή, ↗ בוא Gn 15$_{17}$) Dt 11$_{30}$ Jos 1$_4$ 23$_4$ Zch 8$_7$ Mal 1$_{11}$ Ps 104$_{19}$; :: מִזְרַח הַשֶּׁמֶשׁ Osten Zch 8$_7$ Mal 1$_{11}$ Ps 50$_1$ 113$_3$; — 4. d. **Eintreten**: כִּמְבוֹא עָם wie d. E. d. Volkes = scharenweise Ez 33$_{31}$, מְ׳ הַבַּיִת d. Betreten d. Tempels 44$_5$, Eindringen (in e. Stadt, pl. ↗ Zimm. 609) Ez 26$_{10}$; אֶת־מוֹצָאֲךָ וְאֶת־מְבוֹאֲךָ dein Tun u. Lassen (↗ יצא 4d); ↗ מוֹבָא. †

מְבוּכָה: בוך, BL 491i: מְבוּכָתָם: **Verwirrung** Js 22$_5$ Mi 7$_4$. †

מַבּוּל: II יבל BL 494g; akk. *biblu, bubbulu* Hochflut (AHw. 125a.135a); ar. *wabala* fest regnen, Begrich ZS 6, 135ff, Albr. JBL 58, 98, Kaiser 120, Stolz BZAW 118, 165; mhe., ja.^{tg} sam. (BCh. 2, 505) cf. נֶבֶל u. sy. *massūkā*, √ *nsk* Wolkenbruch (LS 434a): d. **Himmelsozean** הַמַּ׳ Ps 29$_{10}$, מֵי הַמַּ׳ Gn 7$_{10}$ 9$_{11}$, > Sintflut (Reymond 78, BHH 1805, RGG 6, 50ff) 6$_{17}$ 7$_{6f.17}$ 9$_{11.15.28}$ 10$_{1.32}$ 11$_{10}$ Sir 44$_{17}$ GnAp 12$_{10}$. †

מְבוֹנִים: 2C 35$_3$: Q מְבִינִים, K מְבוֹנִים Tf.

מְבוּסָה: בוס, BL 491i: **Zertretung** Js 18$_{2.7}$ 22$_5$. †

מַבּוּעַ: נבע, BL 494g; mhe. ja.^{tg}, cp. sy. (auch *mabbūgā*) md. (MdD 245b) *mambug(h)a*, ar. *manbaʿ*, > n.l. *Man/bbog*, ar. *Manbik, Menbiğ* > *Bambyke* (GGoossens, Hiérapolis de Syrie, 1943, 6ff; cf. מַבָּךְ); akk. *nambaʾu*: מַבּוּעֵי: **Quell** Js 35$_7$ 49$_{10}$ Koh 12$_6$. †

מְבוּקָה: בוק, BL 491i: **Öde, Verheerung** Nah 2$_{11}$ (neben בּוּקָה). †

מְבוּשִׁים: בושׁ, BL 491i, pltt.: מְבֻשָׁיו: *pudenda*, **Schamteile** (d. Mannes, NPCES 149) Dt 25$_{11}$ (Sam. BCh. 3, 141 *bašar* = בָּשָׂר 5b). †

מִבְחוֹר: II בחר, BL 493e; ↗ מִבְחָר: **Auslese, Bestes** 2K 3$_{19}$ 19$_{23}$. †

I **מִבְחָר**, Sam.^{M71} *mēbār*: II בחר, BL 490z: ja. מִבְחֲרָא; ↗ מִבְחוֹר: מִבְחַר, מִבְחָרָיו: **Auslese, Bestes** Gn 23$_6$ Ex 15$_4$ Dt 12$_{11}$ Js 22$_7$ 37$_{24}$ Jr 22$_7$ Ez 23$_7$ 24$_{4f}$ 31$_{16}$, cj מִבְחָרָיו Ez 17$_{21}$, עִם מִבְחָרָיו (? l בַּחֲרָיו cf. Jr 48$_{15}$ dittgr.) Elitemannschaft Da 11$_{15}$. †

II **מִבְחָר** G^A Μαβαρ; n.m., = I; „Elite" (Noth 224) 1C 11$_{38}$. †

מַבָּט: נבט, BL 490b; nab. (DISO 141): מֶבָּטָה, מַבָּטָם/טֵנוּ Zch 9$_5$ (? dial., BL 547): **Hoffnung**, nach der man ausblickt Js 20$_5$f (20$_5$ 1QJs מבטח; Nötscher VT 1, 301), cj 23$_1$ (? l מַבַּטְכֶם, Rud. Fschr. Baumgtl 167f) Zch 9$_5$. †

מִבְטָא, Sam.^{M72} *mābēṭā*: בטא, BL 490z: **unbedachtes Reden**, c. שְׂפָתֶיהָ unbedachtes Gelübde Nu 30$_{7.9}$. †

מִבְטָח: בטח, BL 490z; מבטחיהו Lkš, äga. מבטחיה, Kf. f. מבטח, u. מפטחיה, Kf. f. מפטח (Noth 163, BMAP 187, Stamm HFN 314): cs. מִבְטַח (מִבְטָח Pr 25$_{19}$ dl, ↗ Gems.), מִבְטַחוֹ/חֵךְ/חִי (-*ṭaḥḥ*- BL 219g), מִבְטֶחָה Pr 21$_{22}$ (or. ־חָהּ, BL 252l) u. מִבְטֶחָם Jr 48$_{13}$ (BL 559j), מִבְטַחִים (Ⓑ ־טָחִים) **Vertrauen, Verlass**; m. gen. od. sf. Jr 17$_7$ 48$_{13}$ Ez 29$_{16}$ Ps 40$_5$ 65$_6$ 71$_5$, 11QPs 9$_{12}$, Pr 14$_{26}$ 21$_{22}$ 22$_{19}$ 25$_{19}$ Hi 8$_{14}$ 18$_{14}$ 31$_{24}$; pl. Jr 2$_{37}$, מִשְׁכְּנוֹת מ׳ sichere W. Js 32$_{18}$. †

cj ***מַבָּךְ**: pr. מִבְּכִי (↗ בְּכִי) Hi 28$_{11}$ l מַבְּכֵי (seit Wetzst. ↗ GB) bestätigt durch ug. *mbk nhrm* (*nb/pk*) UT nr. 1597, Aistl. 1738, Landes BASOR 144, 31ff; RMeyer ThLZ 1962, 1913ff, Pope 73ff, Kaiser 46ff: ↗ נֵבֶךְ: **Quelle**, Sickerstelle im Bergwerk. †

[***מַבְלִיגִית**: Jr 8$_{18}$ (trad. בלג, Ges. 217) l מִבְּלִי גֵהָה „ohne Heilung"). †]

מְבֻלָּקָה: בלק, pt. pu. f. sbst.: **Verheerung** Nah 2$_{11}$ (neben בּוּקָה, וּמְבוּקָה). †

מִבְנֶה: בנה, BL 491n; ph. מבנת, äga. מבני

(DISO 141), 2 × DSS מבנה, > n.m. מבן pal. Sgl. (BASOR 167, 14f): מִבְנֶה: **Bau**, מִבְנֵה עִיר Ez 40₂. †

מְבֻנַּי: n.m. Recke Davids, G^MSS Σαβουχαι 2S 23₂₇: corr. < ↗ סִבְּכַי (cf. 21₁₈) G^BA Σοβοχαι 1C 11₂₉. †

cj מַבְנִית: בנה, BL 492×, DSS 4 × מבנית (KQT 114b) Bau, Gebäude, Körper; Hi 20₃ l רוּחַ מַבְנִיתִי d. Geist in m. **Körper** pr. ר׳ מִבִּינָתִי cf. ר׳ בִּטְנִי 32₁₈. †

I מִבְצָר, or. מַ׳ (MTB 70), Sam.^M76 *mābāṣar*: III בצר (BL 490z): מִבְצָר, מִבְצָרִים, Da 11₁₅ מִבְצְרֵיהֶם, מִבְצָרָיו, מִבְצְרֵי, מִבְצָרוֹת: **fester Platz** :: מַחֲנֶה Nu 13₁₉: — 1. עִיר מִבְצָר **befestigte Stadt** m. fester Besatzung, Festung: (:: עִיר חוֹמָה, Junge 24²) Jos 19₂₉ 1S 6₁₈ 2K 3₁₉ 10₂ 17₉ 18₈ Jr 1₁₈ Ps 108₁₁ Sir 36₂₉ (Tarbiz 29, 33), pl. עָרֵי מ׳ Nu 32₁₇.₃₆ Jos 10₂₀ 19₃₅ Jr 4₅ 8₁₄ 34₇ 2C 17₁₉, עָרֵי מִבְצָרֶיךָ (pl. gemin. GK § 124q) Jr 5₁₇; — 2. > מִבְצָר **feste Stadt** Js 17₃ 25₁₂ Hab 1₁₀, pl. Da 11₂₄ Kl 2₂ 2K 8₁₂ Js 34₁₃ Jr 48₁₈ Nah 3₁₂.₁₄ Hos 10₁₄ Mi 5₁₀ Ps 89₄₁ Kl 2₅; — 3. Versch.: מִבְצְרֵי מָעֻזִּים starke Festungen Da 11₃₉; עִיר מִבְצָרוֹת stark befestigte Stadt 11₁₅; — Jr 6₂₇ (?, :: ↗ Rud. 48, Soggin VT 9, 95f) u. Am 5₉ l מְבַצֵּר (I בצר pi.) ↗ II. †

II מִבְצָר, Sam.^M76 *mābāṣer*, G μαψαρ, μαβσαρ (Sperber 234): n.m.; = I ?: Edomiterfürst Gn 36₄₂ 1C 1₅₃. †

*מִבְרָח Ez 17₂₁: ברח, BL 490z: מִבְרָחָו; ? l. c. MSS מִבְחָרָיו: trad. **Flüchtling**, :: Driv. Fschr. Nötscher 50: s. Vornehmen (↗ ST). †

מִבְשָׂם, or. מַ׳, Sam.^M78 *mābāšam*, G Μαβσαν, בשׂם, BL 490z, Noth 223; ↗ יִבְשָׂם: n.m. — 1. S. v. Ismael Gn 25₁₃ 1C 1₂₉; — 2. V. v. מִשְׁמָע 1C 4₂₅. †

מְבַשְּׁלוֹת: בשׁל pt. pi.: **Kochplätze-herde** (AuS 6, 101; Kelso § 90, Zimm. 1180) Ez 46₂₃. †

מָג Jr 39₃.₁₃: רַב־מָג, S^h Ραβαμαγ < akk. *rab-mugi* (AHw. 667b) Beamten- u. Offizierstitel, Manitius ZA 24, 209ff, RLA 1, 463, Salonen Hipp. 228, in aram.-griech. Bilingue רבמגא = στρατηγός (Benveniste RÉJ 82, 55ff): Titel e. hohen bab. Beamten. †

מַגְבִּישׁ, G^B Μαγεβως, G^A -βις: n.m.; ? גבשׁ, mhe. ja.^t(?) aufhäufen „Dicksack" (Rud. 9): Rückkehrer Esr 2₃₀; :: n.l. Abel 2, 373, GTT § 1025. †

מִגְבָּלוֹת: II גבל; BL 493f; appos. z. שַׁרְשְׁרוֹת זָהָב: (geschmiedete) **Ketten** (? l מֻגְבָּלוֹת, ↗ Noth Ex. 178) Ex 28₁₄ (P). †

*מִגְבָּעָה, Sam.^M81 *ʾamgabbāʾot* (< *ma-gab-baʿat* ?): גבע, BL 490a: **Kopfbund** d. Priester, (G κίδαρις, ↗ כֶּתֶר, Hönig 93) Ex 28₄₀ 39₂₈, 29₉ u. Lv 8₁₃ c. חבשׁ. †

*מגד: ar. *maǧada* edel sein, II u. palm. pa. beschenken (DISO 142); asa. n.m. ימגד (Conti 174b). Der. מֶגֶד.

מֶגֶד: מגד; mhe. מְגָדִים u. ja.^g pl. מגדין, מגדא, pltt. feine Früchte, Kostbarkeiten; palm. מגדא kostbare Gabe (DISO 142), sy. *magdā* Frucht: pl. מִגְדָּנוֹת u. מְגָדִים (BL 517v) ja.^t מַ/מִגְדְּנִין, sy. *magdonē* (Löw, Fschr. DHoffmann 1914, 135): kostbare Gabe: — 1. מֶגֶד **Ertrag an Früchten** Dt 33₁₃₋₁₆ (15a cj pr. רֹאשׁ), פְּרִי מְגָדִים köstliche Früchte HL 4₁₃.₁₆, כָּל־מְגָדִים 7₁₄; — 2. מִגְדָּנוֹת **kostbare Geschenke** Gn 24₅₃ Esr 1₆₂ 2C 21₃ 32₂₃, cj 32₂₇ מִגְדָּנִים pr. מָגִנִּים (cf. ja. sy.) u. HL 5₁₃ pr. מִגְדָּלוֹת. Der. מַגְדִּיאֵל.

מְגִדּוֹ, Zch 12₁₁ מְגִדּוֹן rückb. < *מְגִדּוֹנִי (BHartmann VT 14, 503f), G Μεγιδ(δ)ω(ν), ? Ἁρμαγεδ(δ)ων Apk 16₁₆ = ↗ I עָר Stadt, WbNT, BHH 648; EA *Magidda*, ass. *Maga/idū* (Forrer 69), äg. *Mkty* (ETL 207); = *T. el Mutesellim* am S.-Rand d. Kisonebene; Abel 2, 382ff, BRL 374ff, Alt ZAW 60, 67ff, BHH 1182f; AOB 653/55, ANEP 708, Arch OT 309ff; Etym. inc. ? מגד (Borée 65, 119¹): **Megiddo** Jos 12₂₁ 17₁₁ Ri 1₂₇ 1K 4₁₂ 9₁₅ 2K 9₂₇ 23₂₉f 1C 7₂₉, בִּקְעַת מְ׳ Zch 12₁₁ 2C 35₂₂, מֵי מְ׳

Ri 5$_{19}$ = קִישׁוֹן (GTT § 557/58 :: Täubler 157ff). †

מְגִדּוֹן: Zch 12$_{11}$: ↗ מְגִדּוֹ.

מַגְדִּיאֵל, Sam.^{M180} *mi/agdīl*: n.m.; מֶגֶד, Gabe Gottes; *ʾlmgd* Ryckm. 1, 234, Mü. ZAW 75, 311; Μαγαδεηλος Wuthn. 68: edom. אַלּוּף Gn 36$_{43}$ 1C 1$_{54}$. †

[מַגְדִּיל: 2S 22$_{51}$: Q מִגְדּוֹל, l K u. Ps 18$_{51}$ מַגְדִּיל, גדל hif. †]

I מִגְדָּל Sam.^{M82} *megdal* < *ma-*; or. מַגְ׳ (MdO 197) G^A Μαγδαλ (Sperber 234): גדל, BL 490z; mhe.; mo. ph. *mgdl* Μαγδωλος (Harris Gr. 93, DISO 142), ug. UT nr. 562; ja.^{t} מִגְדְּלָא, cp. מגדלא, sy. *magdelā*; asa. *mgdl*>ar. *miǧdal*, kopt. *megtol*; מִגְדַּל, מִגְדָּלִים, מִגְדָּלוֹת, מִגְדְּלוֹת: — 1. **Turm** in כֶּרֶם Js 5$_2$ (AuS 2, Abb. 14; πύργος Mk 12$_1$), עִיר וּמִגְדָּל Gn 11$_{4f}$ בַּמִּדְבָּר 2C 26$_{10}$; (↗ Komm., ZATU 289ff, BHH 178.2032), מִגְדַּל שְׁכֶם Ri 9$_{46f.49}$ 2K 9$_{17}$, Wachttürme 2K 17$_9$ 18$_8$ 2C 26$_9$, Türme in d. Mauer 2C 14$_6$ 32$_5$, bewehrt 26$_{15}$; Einzeltürme in d. Landschaft 1C 27$_{25}$ als Vorratsräume; מִגְדַּל גָּבֹהַּ Js 2$_{15}$, מ׳ עֹז Ri 9$_{51}$ Ps 61$_4$ Pr 18$_{10}$, מ׳ הַשֵּׁן HL 7$_5$; ↗ פֶּתַח Ri 9$_{52}$, גַּג 9$_{51}$; c. נתץ 8$_9$ Ez 26$_9$, הרס 26$_4$, נפל Js 30$_{25}$, ספר Ps 48$_{13}$; ↗ Ri 9$_{52}$ Ez 27$_{11}$ HL 8$_{10}$ 2C 27$_4$; benannte Türme: מ׳ פְּנוּאֵל Ri 8$_{17}$, מ׳ חֲנַנְאֵל Jr 31$_{38}$ Zch 14$_{10}$ Neh 3$_1$ 12$_{39}$, מ׳ עֵדֶר Mi 4$_8$, מ׳ דָּוִיד HL 4$_4$ (ign., ↗ Simons 268ff.), מ׳ הַלְּבָנוֹן 7$_5$, מ׳ הַמֵּאָה Neh 3$_1$ 12$_{39}$, מ׳ הַתַּנּוּרִים Neh 3$_{11}$ 12$_{38}$; הַמּ׳ הַיּוֹצֵא vorspringend Neh 3$_{25-27}$; — 2. מִגְדַּל עֵץ **Holzgerüst** (G βῆμα zu mhe. בִּימָה Ulldff EthBi. 87) Neh 8$_4$; — Js 33$_{18}$? l הַמְּגָדִים (↗ מֶגֶד Gkl ZAW 42, 179, cf. Kaiser ATD 18, 268^{15}); HL 5$_{13}$ l מִגְדְּלוֹת BH; ↗ II. †

II מִגְדָּל: = I, in vielen Namenverbindungen; echte Ortsnamen, wie *Magdalim* EA 256, 26 u. Μαγδαλα im NT (BHH 1215): — 1. מִגְדַּל־אֵל in Naftali (? = Magdala NT, BHH 1121) Jos 19$_{38}$; ? *Ch. el-meǧdel*, 6 km nw. v. קֶדֶשׁ (Abel 2, 386f, Noth Jos. 120 :: GTT § 335, 13); — 2. מִגְדַּל־גָּד in Juda Jos 15$_{37}$: *Ch. el-meǧdele*, 6 km sö. *T. ed-Duwēr* (Abel 2, 387, Noth Jos. 95, GTT § 318B3); — 3. מִגְדַּל־עֵדֶר Gn 35$_{21}$ nahe Betlehem, GTT § 384, BHH 2034, ?? = Mi 4$_8$; — 4. מִגְדַּל־שְׁכֶם Ri 9$_{46f.49}$: ↗ שְׁכֶם. †

מִגְדֹּל, Jr 46$_{14}$ מִגְדּוֹל, Sam.^{M82} *me/agdal*: n.l., = מִגְדָּל; EA 234, 29 *Magdalima Miṣri*: ein oder mehrere Orte in Äg. (GTT § 424, Cazelles RB 62, 343ff) Ex 14$_2$ Nu 33$_7$ Jr 44$_1$ 46$_{14}$; ↗ מ׳ סְוֵנֵה Ez 29$_{10}$ 30$_6$, GTT § 1429, Zimm. 704f.711f. †

מִגְדָּנ(וֹ)ת: pl. v. ↗ מֶגֶד.

מָגוֹג: n.t., Heimat v. גּוֹג Ez 38$_2$ (l אַרְצָה מ׳) 39$_6$ (G בְּגוֹג): 2. S. v. יֶפֶת Gn 10$_2$ 1C 1$_5$, GnAp XVII 16 (Fitzm. 93)?, Jub 9, 8 Reimbildung z. גּוֹג, ev. < *Manda*, d. nordischen Barbaren od. sonst e. historischen Volk sö. Schwarzen Meer; Albr. HThR 17, 363ff, Hölscher Erdk. 46ff, Brandst. 64f, GTT § 154, Zimm. 941f; Atbaš f. בָּבֶל RHPfeiffer, Introd. to the OT, 1941, 487^1, BHH 1123. †

I מָגוֹר: III גור, BL 491g; ↗ מְגוֹרָה: — 1. **Schreck, Grauen**: Js 31$_9$ (? ctxt, ↗ סֶלַע 3) מ׳ מִסָּבִיב (↗ Wächter ZAW 74, 57ff, Rud.) Jr 6$_{25}$ 20$_{3.10}$ 46$_5$ 49$_{29}$ Ps 31$_{14}$; — 2. Gegenstand d. Grauens, **Schrecknis** Jr 20$_4$ (? 1QHod 5$_8$). †

II *מָגוֹר, Sam. ^{M88} *mēgerri*: I גור, BL 491g; mhe.^{2} Nachbarschaft; ? pun. (DISO 142); מְגוּרִים, or. מְגוּ׳ (BL 193q), pltt.; מְגוּרָיו/רֵיהֶם: — 1. **Aufenthaltsort** f. גֵּר, **Schutzbürgerschaft**: אֶרֶץ מ׳ Gn 17$_8$ 28$_4$ 36$_7$ 37$_1$ 47$_9$ Ex 6$_4$ Ez 20$_{38}$ (ausser hier immer P); Zch 9$_{12}$ pr. מַגִּיד cj מְגוּרָיִךְ, G ↗ BH; יְמֵי מ׳ Gn 47$_{9a.b}$, בֵּית מ׳ Ps 119$_{54}$; — 2. **Wohnort** überhaupt Hi 18$_{19}$ Sir 16$_8$; 1QS 6, 2; — Kl 2$_{22}$ l מְגוּרַי (III גור). †

III *מָגוֹר: IV גור, BL 491g; ar. *muǧawwar*, *ǧūrat* Senkgrube, asa. *gwr* Name e. Grabes (Mü. 39); = מְגוּרָה: מְגוּרִם (BL 493b):

Getreidegrube, Vorratskammer (AuS 3, 195) = **Herz**, Sinn (äg. Humbert Sap. 73) Ps 55$_{16}$, קִרְבָּם dazu Glosse. †

***מְגוֹרָה**: f. v. I מָגוֹר, BL 491i: מְגוֹרַת, מְגוּרֹתָם/תַי (BL 193q): **Grauen** Pr 10$_{24}$, pl. Js 66$_4$ Ps 34$_5$. †

מְגוּרָה: f. v. ↗ III מָגוֹר; mhe. מְגוּ/וּרָה; **Getreidegrube, Vorratskammer** (AuS 3, 195f. 200f: *ǧurn maṭmūr* :: KlKoch ZAW 79,60[20] vielleicht „Furche, in der der Same eingebettet liegt") Hg 2$_{19}$, cj pl. מְגֻרוֹת Jl 1$_{17}$. †

***מַגְזֵרָה**: I גזר, BL 492s; ja.[t] *מְגִזְרָא/מ׳: pl. cs. מַגְזְרוֹת: **Axt** 2S 12$_{31}$, l וּבְמַגְזֵרוֹת 1C 20$_3$ pr. וּבַמְּגֵרוֹת (Rud. 140). †

מַגָּל: נגל, BL 490b; mhe., ja. u. sy. (auch *maggaltā*) מַגְּלָא, md. (MdD 247a *mangᵉlā*), ar. *minǧal*, ↗ Schulth. HW 37f, Frae. 133, LS 414b: **Sichel** (BRL 475, BHH 1780, AuS 3, 20f.24) Jr 50$_{16}$ Jl 4$_{13}$. †

מְגִלָּה: גלל, BL 492w; mhe., pehl. *mglt*ʾ Frah. 15, 2; ja. מְגִלְּתָא, sy. *magalltā*, md. (MdD 238b) *magaltā* > ar. *maǧallat* Codex (Frae. 247); < spbab. *magallatu* Pergamentrolle (AHw. 574b): **Schriftrolle** Jr 36$_{2-32}$ Ez 2$_9$ 3$_{1-3}$ Zch 5$_{1f}$ (G δρέπανον, Bentzen VT 1, 216f) Ps 40$_8$. †

***מְגַמָּה**: גמם, BL 491l; מְגַמַּת: **Gesamtheit** (Humbert Hab. 36f) Hab 1$_9$. †

I **מגן**: ug. *mgn* m. Gaben bitten (UT nr. 1419, Aistl. 1513, WdO 4, 308); ph. darbieten (DISO 142) in. nn. pr. מגן (PNPhPI 339); מַגָּן mhe.[2] ja. sam. (BCh. 2, 593) (unverdiente) Gabe; adv. umsonst, dies auch palm., cp. sy. > ar. *maǧǧānan* gratis; äth. u. kusch. ↗ Lesl. 29f; akk. *magannu* Geschenk < skrt. *magha-* + *nnu*, v. Soden AHw. 574b, JbEOL 18, 339ff):

pi: pf. מִגֵּן; impf. אֲמַגֶּנְךָ, תְּמַגֶּנְךָ: — 1. c. acc. **ausliefern, preisgeben** Gn 14$_{20}$ Hos 11$_8$; cj Js 64$_6$ וַתְּמַגְּנֵנוּ; — 2. c. 2 acc. **beschenken** Pr 4$_9$. †

Der. *מֶגֶן.

II **מגן**: ar. *maǧana* spassen, spotten (Driv. JThSt. 34, 383f): Der. II מָגֵן; מְגִנָּה.

I **מָגֵן**, Sam.[M85] c. art. *amgen*: גנן, < **maginn* < **magnin*, BL 492w; mhe., 1QM V 4-6; ug. *mgn* (UT nr. 597); ph. מגן (DISO 142); ja.[tg] מָגִנָּה ,מַגִּין, sy. *mgannā* (LS 122b), ar. *miǧannu*; > spbab. **maginnu*, pl. *maginata* (AHw. 576b, Or. 35, 16) d. schildförmige Kopfbedeckung der Ionier, der πέτασος; cs. מָגֵן (BL 561), מָגִנּוֹ, מָגִנִּים/נֵּי, מָגִנּוֹת 2C 23$_9$ (↗ Rud. 270): — 1. **Schild** als **Waffe**, cf. שֶׁלֶט, צִנָּה (?) (BRL 456, de Vaux Inst. 2, 54f, Yadin ScrW. 115ff, BHH 1698): c. רֹמַח Ri 5$_8$, aus Leder, mit Öl eingerieben 2S 1$_{21}$ Js 21$_5$, c. צִנָּה Ez 23$_{24}$ 38$_4$ Jr 46$_3$ Ps 35$_2$; :: צִנָּה 1K 10$_{16f}$ 2C 9$_{15f}$, gerötelt Nah 2$_4$, in Hülle befördert Js 22$_6$, מָגִנֵּי נְחֹשֶׁת 1K 14$_{27}$ 2C 12$_{10}$, מָגֵן וְחֶרֶב קֶשֶׁת וּמָגֵן 2C 17$_{17}$, Ps 76$_4$ 1C 5$_{18}$, מָגֵן וְכוֹבַע Ez 27$_{10}$ 38$_5$, חֵץ u. מָגֵן 2K 19$_{32}$ Js 37$_{33}$, c. שֶׁלַח 2C 32$_5$, cj וּמָגִנּוֹ Neh 4$_{17}$, ↗ Ez 39$_9$ Neh 4$_{10}$ 2C 23$_9$ 26$_{14}$; c. תָּלָה Ez 27$_{10}$ HL 4$_4$, c. נָשָׂא 1C 5$_{18}$ 2C 14$_7$, c. הֶחֱזִיק Ps 35$_2$ Neh 4$_{10}$, c. תפשׂ Jr 46$_9$, c. שִׂים עַל Ez 23$_{24}$, ↗ 2S 1$_{21}$ Hi 15$_{26}$; — 2. als **Zier**: aus Gold 1K 10$_{17}$ 14$_{26}$ 2C 9$_{16}$ 12$_9$, als Staatsschatz 2C 32$_{27}$; als Schmuck an Mauern HL 4$_4$; cf. Ez 27$_{11}$ 1 Mak 4$_{57}$ (AOB 241); — 3. metaph. **Schutz**: a) d. König Ps 84$_{10}$; b) Gott: Gn 15$_1$ f. Abraham, מ׳ אברהם Sir 51$_{12(10)}$ (Alt KlSchr. 1, 67[4], Kessler VT 14, 494ff :: Hoftijzer D. Verheissungen an d. Erzväter, 1956, 95f), Dt 33$_{29}$ (l נוֹשַׁע siegreich) 2S 22$_{3.31.36}$ / Ps 18$_{3.31.36}$ Ps 3$_4$ 7$_{11}$ (l עָלַי) 28$_7$ 33$_{20}$ 59$_{12}$ (↗ Komm.) 84$_{12}$ (שֶׁמֶשׁ וּמָגֵן) 115$_{9-11}$ 119$_{114}$ 144$_2$ Pr 2$_7$ 30$_5$; n.m. Kf. Pritchard 29, 8; c) ? metaph. Machthaber Ps 47$_{10}$ GS (Barr CpPh 241f); — 4. **Schuppe** d. Krokodils Hi 41$_7$; — מ׳ דָּוִיד d. sechszackige Davidstern, urspr. Symbol d. Saturn (HLewy ArchOr. 18, III 330ff). †

II **מָגֵן**: II מגן; ar. *māǧin*: **unverschämt**, אִישׁ מ׳ Pr 6$_{11}$ (Gemser 38.111) 24$_{34}$; — Hos 4$_{18}$ ↗ *מֶגֶן. †

*מֶגֶן od. *מָגָן : I מגן : מָגִנֶּיהָ : **Geschenk** (Rud. Hos. 108) Hos 4_{18} d. Gegengabe dafür. †

*מְגִנָּה : II מגן, BL 492w; od. ? ar. *mağannat* Wahnsinn Ƒ *ğinn* HwbIsl. 112f: מְגִנַּת : **Unverschämtheit**, מְגִנַּת־לֵב || Ƒ תַּאֲלָה Kl 3_{65}, Verblendung (Rud. 233f: ar. *ğnn* decken). †

מִגְעֶרֶת, or. מַ׳ MdO 197, Sam.[M80] *māgēret*: גער, BL 607d: Bescheltung, **Bedrohung** Dt 28_{20}. †

מַגֵּפָה, Sam.[M144] *maggīfat*: נגף, BL 492w; mhe. (auch Wunde), ja.[g] מגפתא : מַגֵּפַת מַגֵּפֹתַי (BL 597g): v. Gott gewirkte **Plage** Ex 9_{14} 2C 21_{14}, Tod Nu 14_{37} 17_{13-15} $25_{8f.18f}$ 31_{16} Ez 24_{16} Ps 106_{29f}, Pest 1S 6_4 Sir 48_{21}, Niederlage 1S 4_{17} 2S 17_9 18_7, Seuche 2S $24_{21.25}$ 1C $21_{17.22}$, grausige Krankheit Zch $14_{12.15.18}$. †

מַגְפִּיעָשׁ : n.m.; > Θ, G[A] Μαιαφης, G[B] Βαγαφης < *Μαγάφης; Neh 10_{21}; etym. ?, ?? < מַגְבִּישׁ Esr 2_{30}. †

מגר : ? ph. n.m. מגרבעל (PNPhPI 339f), sy. fallen, äga. (DISO 142) u. ja.[t(g?)] pa. kaus.; aLw 150:

[**qal**: pt. pass. מְגוּרֵי Ez 21_{17}: l מֻגָּרֵי (נגר).]

pi: pf. מִגַּרְתָּה (Sec. μαγαρθ, ? qal, Brönno 65f): c. לְ **niederwerfen** auf Ps 89_{45}, 11 Q Ps[a] 155_5 (DJD IV p. 70, 5). †

Der. מְגוּרָה, מַמְגוּרָה; ? n.m. שַׁמְגַּר.

מְגֵרָה : גרר, BL 492w, < *magirrat < *magrirat; mhe. Säge: **Steinsäge** (BRL 284, BHH 1645) 1K 7_9 1C $20_{3\alpha\beta}$, αγ l בַּמַּגְזֵרוֹת (2S 12_{31}; nicht z. Hinrichtung, Ƒ Rud. Chr. 140). †

מִגְרוֹן : n.l., גֹּרֶן, < *migrān „Tennenort" in Benjamin b. מִכְמָס ; Ƒ Abel 2, 387f, GTT § 679, 1588, Seebass ZAW 78, 161f, Donner ZDPV 84, 48f: 1S 14_2 Js 10_{28}. †

*מִגְרָע : גרע, BL 490z: מִגְרָעוֹת : tt. archt.: **Absatz**, **Verkürzung** (d. Mauer) 1K 6_6. †

*מִגְרָף : גרף, BL 490z; mhe. מַגְרֵפָה, mhe.[2] מגרף Schaufel, ja.[tg] מַגְרוֹפִיתָא, sy. *magrūfīta, magraftā* Schaufel, ar. *miğrafat*, pal.-ar. „Hacke f. Öffnen u. Schliessen d. Wasserrinnen i. d. Äckern" (AuS 2, 237, Reymond 131, Sprengling JBL 38, 138: מֶגְרְפֹתֵיהֶם : **Schaufel, Spaten** od. **Hacke** Jl 1_{17}; c. מְגָרְפוֹ Am 6_{10} pr. מְסָרְפוֹ (WRiedel, Atl. Unters. z. Amos, 1902, 25ff. †

מִגְרָשׁ, or. מַ׳ (MTB 70), Hier. *magras* (Sperber 234); Sam.[M87] *mēgerreš*: גרשׁ, BL 490z; mhe.: מִגְרַשׁ, מִגְרָשָׁה, מִגְרְשֵׁי, מִגְרָשֶׁ(י)הָ (BL 252r), מִגְרְשֵׁיהֶם : z. Stadt gehöriges **Weideland**, d. Landgürtel u. Stadtbezirk ausserhalb d. Mauern, d. **Weichbild** :: מוֹשָׁב Ez $48_{15.17}$ (Delekat VT 14, 13ff); cf. Nu 35_2 Lv 25_{34}; Nu $35_{3-5.7}$ Jos 14_4 21_{2-42} (56 ×) Ez $45_{2.cj4b}$ 1C 5_{16} 6_{40-66} (42 ×) 13_2 2C 11_{14} 31_{19}; — Ez 27_{28} מִגְרְשׁוֹת inexpl., Ƒ Zimm. 633; 36_5 corr. Ƒ Zimm. 855. †

*מַד : מדד, BL 453w; f. *מדה in DSS מדת הדרו sein Prachtgewand 1QS 4, 8, ja.[b] מדא Ehrenkleid; ? pun. u. äga. (DISO 142), ug. *md* (UT nr. 1423, Aistl. 1516), ? Hesych μόδον pl. μόδα = στρώματα (Lewy Fw. 98, Mayer 341): מַדּוֹ Ps 109_{18}, מַדָּיו Ri 3_{16} 1S 4_{12} 18_4 :: מִדּוֹ Lv 6_3 2S 20_8, מִדִּין Ri 5_{10} (BL 516t), מִדּוֹתָיו Ps 133_2; Ƒ *מָדוּ : **Gewand** im allgemeinen (Hönig 17f) Lv 6_3 Ri 3_{16} 5_{10} (מִדִּין Decken S :: GTV עַל־דִּין, דִּינָא Grether, Deboralied 1941, 39f :: Richter BBB 18^2, 75 u. 400) 1S 4_{12} 17_{38f} (? Rüstung, Stoebe VT 6, 407f) 18_4 2S 20_8 (Ƒ Komm.) Ps 109_{18} 133_2; — Jr 13_{25} l מִרְיֵךְ ; Hi 11_9 מִדָּתָהּ (: מִדָּה, al. מִדָּה acc adv., GK § 118g). †

I מִדְבָּר (270 ×), or. *mä* (MdO 197), Sam.[M89] *madbar*, μαδβαρ (Sperber 234): I דבר, BL 490z; mhe., ug. *mdbr*; aam. (DISO 142), ja. u. sy. מַדְבְּרָא ; akk. *ma/udbaru* (wsem. Lw. AHw. 572a, Or. 35, 15); Noth WdAT 41f: abs. מִדְבַּר Ⓑ Jr 2_{31} (BL 233n), loc. מִדְבַּרָה, מִדְבָּרָה Jos 18_{12} u. 1K 19_{15} (im cs., GK § 26h), מִדְבָּרָה : **Trift**, **Steppe**, **Wüste** (Mtg ArBi 79, Schwarzb. 93): — 1. נְאוֹת מִ׳ Jr 23_{10} Jl 2_{22} Ps 65_{13}; wo sich befinden:

עָרִים Jos 15$_{61}$, אֹרְחִים Jr 9$_{1}$, פֶּרֶא Hi 24$_{5}$, תַּנּוֹת Mal 1$_{3}$, קָאַת Ps 102$_{7}$, יְעֵנִים Kl 4$_{3}$, צֹאן קוֹצִים Ri 8$_{7}$, עֲרָבִי Jr 3$_{2}$, בּוֹר Gn 37$_{22}$, 1S 17$_{28}$; = אֶרֶץ לֹא זְרוּעָה Jr 2$_{2}$, אֶרֶץ לֹא אִישׁ Hi 38$_{26}$, || תֹּהוּ Dt 32$_{10}$; cj Ps 105$_{27}$ שָׁם בַּמִּדְבָּר (Echter); — 2. oft e. bestimmte Wüste: a) Nu 14$_{16}$ Ri 11$_{22}$, הַמִּ׳ הַגָּדוֹל zw. Pal. u. Äg. Dt 2$_{7}$; :: GnAp 21$_{11}$ u. 1QM 2, 12 (GnAp 22$_{11f}$ ארחא די מדברא 21$_{28}$ ↗ Fitzm. 133); b) c. n.l. od. t. (↗ GTT § 61): ↗ בְּאֵר שֶׁבַע, אֱתָם, אֱדֹם, מוֹאָב, יְרוּאֵל, יְהוּדָה, זִיף, דַּמֶּשֶׂק, גִּבְעוֹן, קְדֵמוֹת, פָּארָן, עֵין־גֶּדִי, סִינַי, סִין, מָעוֹן, קָדֵשׁ, שׁוּר, תְּקוֹעַ, מ׳ יָם; Js 21$_{1}$ ↗ יָם 8; מ׳ הָעַמִּים Ez 20$_{35}$ zw. Pal. u. Mesopot., auch 1QM 1, 3, 4Q 161, 5/6, 1, Zimm. 455f; — מִן־הַמִּ׳ HL 3$_{6}$ 8$_{5}$, d. Weideland zw. d. 2 Dörfern (PHaupt, Bibl. Liebeslieder, 1907, 21), d. Steppe :: Jerus. (Ringgren ATD 16), d. Unterwelt (Schmökel ZAW 64, 153f, cf. Tallqv. NTw. 17ff: sum. *edin*, akk. *ṣēru*), ? corr. Rud. 142.179.

II **מִדְבָּר**: II דבר, BL 490z; mhe. מדברות ? Ausspruch: HL 4$_{3}$ Q מִדְבָּרֵךְ, K מִדְבָּרַיִךְ: Redewerkzeug = **Mund** (|| שְׂפָתַיִם, GSV Rede, Lex.^{1}; ↗ Rud.).

מדד: mhe.; ? ug. *mdm* Berufsbezeichnung „Vermesser" (UT nr. 1427, Aistl. 1517, Gray ZAW 64, 50f, LoC^{2} 214), pun. מדד (DISO 142), sy. nachfolgen (LS 374b), ar. u. tigr. (Wb. 141a, Lesl. 30) strecken, ausspannen, asa. (Conti 175) u. akk. *madādu* messen, amor. *jamud* in Namen (Huffm. 229); Palache 43:

qal: pf. מָדַד/דַד, מַדֹּתִי, מַדֹּתֶם, מָדְדוּ; impf. וַיָּמָד, תָּמֹד, וַיָּמֹדּוּ; inf. (לָ)מֹד: — 1. (e. Strecke, Fläche) **abmessen** Nu 35$_{5}$ Dt 21$_{2}$ Ez 40$_{5}$–47$_{18}$ (33 ×) Zch 2$_{6}$; — 2. Getreide abmessen Rt 3$_{15}$; c. בְּ mit Ex 16$_{18}$ Js 40$_{12}$; מ׳ פְּעֻלָּה Lohn zumessen (↗ BMAP 5, 7. p. 184) Js 65$_{7}$. †

nif: impf. יִמַּד, יִמַּדּוּ: **gemessen werden** Jr 31$_{37}$ 33$_{22}$ Hos 2$_{1}$, cj Mi 2$_{4}$ יִמַּד. †

pi: impf. אֲמַדֵּד, וַיְמַדְּדֵם: **abmessen** 2S 8$_{2}$, **ausmessen** Ps 60$_{8}$ 108$_{8}$; — Hi 7$_{4}$ l וּמְתַי al. וּמִדֵּי (↗ דַּי 2e). †

[**po**: impf. וַיְמֹדֵד Hab 3$_{6}$: ↗ מוד pol. †]

hitpo: impf. וַיִּתְמֹדֵד: c. עַל **sich hinstrecken** über 1K 17$_{21}$, ↗ 2K 4$_{34}$: d. συνανάχρωσις (Weinreich ARW 32, 246ff). †

Der. I מִדָּה, מֵמַד, *מַד.

I **מִדָּה**: מדד, BL 454c; ph. Mass, ל/כמדת gemäss, äga. (DISO 143); mhe., ja.^{tg} מִדְּתָא; ar. *madd*, asa. (Conti 175a) *mdd* Kornmass, ar. *muddat* asa. *mdt* Zeitspanne: — 1. **Mess-Strecke** :: מְשׂוּרָה 1C 23$_{29}$, מִדָּה אַחַת einerlei Mass Ex 26$_{2.8}$ 36$_{9.15}$ 1K 6$_{25}$ 7$_{37}$ Ez 40$_{10}$ 46$_{22}$, בַּמִּדָּה an Mass Jos 3$_{4}$ 2C 3$_{3}$, קְנֵה הַמִּדָּה Jr 31$_{39}$, חֶבֶל מִדָּה Zch 2$_{5}$, קְנֵה הַמִּדָּה Ez 40$_{3.5}$ 42$_{16-19}$, תִּכֵּן בְּמִדָּה mit e. Mass begrenzen Hi 28$_{25}$, מִדַּת הַשַּׁעַר Ez 40$_{21f}$; acc. adv. (GK § 118q) מִדָּה an Mass Ez 48$_{30.33}$; מִדַּת יָמַי Ps 39$_{5}$, מִדּוֹת הַמִּזְבֵּחַ Ez 43$_{13}$, ↗ Zimm., :: Galling b. Fohrer 237f: מוּסָדוֹת; — 2. Mass: בַּמִּ׳ הָרִאשׁוֹנָה d. frühere M. 2C 3$_{3}$ (Rud. 202, Aharoni BA 31, 24); — 3. **Abmessung**: בַּמִּדָּה beim Messen Lv 19$_{35}$; מִדָּה שֵׁנִית, zweites abgemessenes Stück Neh 3$_{11.19.21.24.27.30}$; כַּמִּדּוֹת הָאֵלֶּה nach diesen Abmessungen Ez 40$_{24.28f.32f.35}$; הַמִּדָּה הַזֹּאת 45$_{3}$; כִּלָּה מִדּוֹת 42$_{15}$; מִדּוֹתֶיהָ 48$_{16}$; מִדּוֹת גָּזִית im Mass v. Quadern 1K 7$_{9.11}$; Ez 41$_{17}$ מִדּוֹת Gl. ? ↗ Zimm. 1045; על קו || במדה 1QH 1, 29/28, ↗ I קַו; — 4. als gen. qualitatis (GK § 128s.t) nachgestellt: v. ungewöhnlichem Mass, **hochgewachsen** אִישׁ מִדָּה 1C 11$_{23}$ 20$_{6}$, cj 2S 21$_{20}$ u. 23$_{21}$, אַנְשֵׁי מִדָּה Js 45$_{14}$, אַנְשֵׁי מִדּוֹת Nu 13$_{32}$; בֵּית מִדּוֹת geräumiges Haus Jr 22$_{14}$; מִדֹּתָיו Ps 133$_{2}$ ↗ *מַד. †

II ***מִדָּה**: < akk. *ma(n)dattu*; äga. מנדה (DISO 158), ↗ ba., ja.^{t} מדאתא (מדא GnAp 21, 26) u. מִנְדָּה, sy. *madda'tā*; aLw. 151, Alth.-St. JbWg 1967, 311f: מִדַּת: **Abgabe**, מִדַּת הַמֶּלֶךְ Neh 5$_{4}$. †

[**מַדְהֵבָה**: Js 14$_{4}$ u. 1QH 3, 25; 12, 18: דהב

(ar. *dahab*): l c. 1 MS u. 1QJsᵃ (cf. GΣΘ) מַרְהֵבָה; ⸗ Ku.LJs. 197 (:: Orlinsky VT 7, 202f). †]

***מָדוּ** od. I *מַדְוֶה: מדה (BL 576g.584a), verw. מדד; Nf. v. מַד: מַדְוֵיהֶם: **Gewand** 2S 10₄ 1C 19₄. †

II ***מַדְוֶה**, Sam.M89, BCh. 3, 107 *mād(uw)wi*: דוה (BL 491n); ug. *mdw*; mhe.² Blutfluss der Menstruierenden; ja.ᵗ מדוא: cs. מַדְוֵה, pl. מַדְוֵי: **Krankheit** Dt 7₁₅ 28₆₀. †

מַדּוּחִים: נדח, BL 494g; pltt.: **Verstossung** (GV; al. c. S Verführung, ⸗ Driv. WdO 1, 409²²) Kl 2₁₄. †

I **מָדוֹן**: דין, BL 494g: pl. *מְדוֹנִים K Pr 18₁₉ 21₁₉ 23₂₉ 25₂₄ 26₂₁ 27₁₅, Q מִדְיָנִים, (18₁₈ 21₉ K u. Q !), ⸗ II מְדָן u. I מִדְיָן, Seeligm. HeWf. 256: **Streit, Zank, Gekeif** Pr 17₁₄, רִיב וּמָדוֹן Hab 1₃, c. גֵּרָה Pr 15₁₈ 28₂₅ 29₂₂, c. שִׁלַּח stiften 16₂₈, יָצָא weichen 22₁₀, c. שָׁתַק 26₂₀; אִישׁ מָדוֹן Jr 15₁₀ Pr 22₁₀ streitsüchtig; pl. Streitigkeiten Pr 18₁₉ 21₁₉ 23₂₉ 25₂₄ 26₂₁ 27₁₅, c. שִׁלַּח 6₁₄.₁₉, c. עֹרֵר anzetteln 10₁₂; — 2S 21₂₀ (K?) l מִדָּה (T u. 1C 20₆); Ps 80₇ l מָנוֹד. †

II **מָדוֹן**: n.l.; דין, ⸗ I, „Gerichtsort"; kan. Königsstadt in Obergaliläa; Name in *Ch. Madīn* (*Madjan*), 500 m s. *Qarn Ḥaṭṭīn*, ? äg. *Mtn* (Abel 2, 372, Noth 67, GTT § 499): Jos 11₁ 12₉. †

מַדּוּעַ: (70 ×) u. מַדֻּעַ Ez 18₁₉: < מַה־יָּדוּעַ ptcl. (VG 2, 476, Jepsen Fschr. Rost 106ff) > **weswegen, warum** (cf. לָמָּה) Gn 26₂₇ 40₇ Sir 37₃; vorwurfsvoll Ex 18₁₄ Ri 11₇; מ׳ לֹא Ex 3₃ (indir. Frage) u. מ׳ אֵין 2K 12₈ warum nicht, וְאִם מ׳ od. warum Hi 21₄.

מְדוּרָה: דור, BL 491i; mhe., ja.ᵇ מדורתא; ja.ᵗ ? מְדוֹר: מְדוּרָתָהּ: (kreisförmiger) **Holzstoss** Js 30₃₃ Ez 24₉. †

מִדְחֶה, or. מַ׳ (MTB 70): דחה, BL 491n: **Sturz** Pr 26₂₈. †

***מַדְחֵפָה**: דחף, BL 492s: מַדְחֵפוֹת: **Stoss**, לְמַ׳ Stoss auf Stoss Ps 140₁₂. †

מָדַי, מָדָי, Sam.M130 *mādi*: — 1. (n.m.) h. ep. v. 3, S. v. יֶפֶת, Gn 10₂ 1C 1₅; — 2. n. t. **Medien**, Hölscher Erdk. 20; md. (MdD 239a, ArAW 2, 119d): das medische Bergland, עָרֵי מָ׳ 2K 17₆ 18₁₁, cj. 1C 5₂₆ (Rud.); — 3. n.p. **Meder**: ape. klschr. *Māda* (VAB III 150, HbAP § 1), akk. *Madaia* (Herzf. 46, v. Soden Gr. § 56, 37), מָדַי auch ba. sy.; *aj* d. aram. Endg.; asa. *mdj* (Mü. 101); AChristensen, Kulturgesch. d. Alten Orients III 1² 1957, FWKönig, Älteste Gesch. d. Meder (AO 33, 3/4, 1934), GCCameron, History of Early Iran (1936), BHH 1180: Js 13₁₇ 21₂, מַלְכֵי מָ׳ Jr 25₂₅ 51₁₁.₂₈, זֶרַע מָ׳ Da 9₁, פָּרַס וּמָ׳ Est 1₃.₁₄.₁₈f, מָ׳ וּפָרַס Est 10₂ Da 8₂₀; ⸗ מָדַי. †

מָדִי: gntl. v. מָדַי; mhe. מָדִיי: Da 11₁ (הַמָּדִי), = ba. מָדָיָא Da 6₁. †

מַדַּי (לְ) 2C 30₃ u. מִדַּי 1S 7₁₆ u.ö. ⸗ דַּי 2c.d.

מִדִּין, Gᴬ Μαδων, Borée 64: n.l. in Juda im Gau v. Jericho, ign.; Abel 2, 386, GTT § 320, 2, Noth Jos. 100, Cross BA 19, 15f: Jos 15₆₁; — Ri 5₁₀ ⸗ מַד. †

I ***מִדְיָן** (auch or. מִ׳!): דין, BL 500o, ⸗ מָדוֹן u. II מְדָן; mhe. (nur pl. ?): מִדְיָנִים Pr 18₁₈ 21₉, nur Q 6₁₄ (K מְדָנִים, II מְדָן) u. 18₁₉ 21₁₉ 23₂₉ 25₂₄ 26₂₁ u. 27₁₅ (K מְדוֹנִים, I מָדוֹן), מִדְיְנֵי 19₁₃: **Streitigkeiten** Pr 18₁₈.₁₉ (⸗ Gemser) 23₂₉, מִדְיְנֵי אִשָּׁה 19₁₃, שִׁלַּח מִ׳ 6₁₄; אִישׁ מִ׳ 26₂₁ u. אֵשֶׁת מִ׳ 21₉.₁₉ 25₂₄ 27₁₅ zänkisch. †

II **מִדְיָן**, Sam.BCh. 3, 175 *madjan*, G meist Μαδιαμ (Ku.ScrHieros. 4, 23), ⸗ מְדָן: — **Midian** 1. (n.m.) h. ep. v. 2, S. v. Abraham u. קְטוּרָה, Gn 25₂.₄ 1C 1₃₂f; — 2. n.p., ar. Stamm ö. Rotes Meer, von Moab bis סִינַי u. עֵיפָה: Musil NH 1, 278ff, Mtg. ArBi. 43f, GTT § 166, Noth ATD 5, 19f, Philby, The Land of Midian, 1957, BHH 1214, Eissf. JBL 87, 383ff: Gn 36₃₅ Ex 2₁₆ 3₁ 18₁ Nu 22₄.₇ 25₁₈ 31₃.₇.₉ Jos 13₂₁ Ri 6₁-9₁₇ (30 ×) Ps 83₁₀ 1C 1₄₆, יוֹם מִדְיָן Js 9₃, מַכַּת מִדְיָן 10₂₆, בִּכְרֵי מִדְיָן 60₆; — 3. n.t. Ex

215f 419 Nu 25$_{15.18}$ 1K 11$_{18}$ Hab 3$_7$; Der. מִדְיָנִי. †

מְדִינָה: דין, BL 492v; aLw. 152; מְדִינוֹת; Grdb. Gerichtsbezirk, Provinz > Stadt; aram. *mdintā* > *mdittā*, zunächst beides: äga. nab. palm. (DISO 143); ba.; mhe. ja.[tg] sy. (LS 145b), md. (MdD 258a, > *mdin* MdH 218), nur Stadt cp. (Schulth. Lex. 43a), > ar. *madīnat* (Frae. 280); Torrey HThR 17, 83ff; Fitzm. GnAp. 122f: **Provinz, Gau** Koh 2$_8$ 5$_7$ Kl 1$_1$ Est 8$_{11}$ Neh 1$_3$, d. 127 Satrapien d. Perserreiches Est 1$_1$ 8$_9$ 9$_{30}$ Da 6$_{2G}$ (MT 120 Satr. !), מְדִינוֹת הַמֶּלֶךְ Est 1$_{16}$ 3$_{13}$ 4$_{11}$ 8$_{5.12}$ 9$_{2.12.26.20}$, c. מַלְכוּת 2$_3$ 3$_8$, שָׂרֵי הַמְּדִינוֹת 1$_3$ 8$_9$ 9$_3$, Provinzialstatthalter Isr. נַעֲרֵי שָׂרֵי הַמְּדִינוֹת d. Jungmannschaft (‖ נַעַר 3) d. Gauvorsteher 1K 20$_{14f.17.19}$ (de Vaux Inst. 1, 210f, aLw. 152); cf. שִׁלְטֹנֵי מְדִינָתָא Da 3$_2$f, G τόπαρχος, 2K 18$_{24}$ Js 36$_9$ pr. פֶּחָה, τόπος tt. d. pers. u. seleuzid. Verwaltung (Alth.-Stiehl, Palaeologia 3, 48); הַמְּדִינוֹת Est 2$_{18}$ 9$_4$, מְדִינָה וּמְ׳ jede einzelne Provinz 1$_{22}$ 3$_{12.14}$ 4$_3$ 8$_{9.13}$ 9$_{28}$ Est 8$_{17}$; עֵילָם הַמְּ׳ Da 8$_2$; רָאשֵׁי הַמְּ׳ בְּנֵי הַמְּ׳ d. Einwohner Esr 2$_1$ Neh 7$_6$; d. Häupter Neh 11$_3$; — Ez 19$_8$? l מְצוּדוֹת Netze :: Zimm. 418: גּוֹיִם obj.; Da 11$_{24}$ מִשְׁמַנֵּי מְ׳ gew. „d. besten Teile der Pr." :: „d. fetteste Pr." (Mtg 452f). †

מִדְיָנִי: gntl. v. II מִדְיָן; f. מִדְיָנִית, מִדְיָנִים: Nu 10$_{29}$ 25$_{6.14f}$, pl. Gn 37$_{28}$ Nu 25$_{17}$ 31$_2$, cj Gn 37$_{36}$ pr. מְדָנִים. †

מְדֹכָה: דוך, BL 589d; mhe., ja.[tg] מדוכתא, sy. *mdāktā* (LS 375a: דוך!) ar. *middak* Stampfer, Ladestock; cf. akk. *madakku* v. *dakāku* (Zimmern 36, AHw. 151b, 571b); **Mörser** (cf. מַכְתֵּשׁ; BRL 387, BHH 1239) Nu 11$_8$. †

מַדְמֵן: Jr 48$_2$; דֹּמֶן, BL 492r, ℱ II מַדְמֵנָה; richtiges n.l. ign., Abel 2, 372, GTT § 1261 (? l מֵי דִימוֹן); ? eher diffam. Wtsp. auf דִּיבוֹן (cf. דִּימוֹן Js 15$_9$!) Rud. Jr 482, v. Zyl 80 :: Kuschke Fschr. Rud. 185. †

I **מַדְמֵנָה**: דֹּמֶן, BL 492s; **Misthaufen** Js 25$_{10}$; ℱ II. †

II **מַדְמֵנָה**: n.l.; ℱ I, מַדְמֵן u. מַדְמַנָּה; n. Jerus., Lage strittig, Abel 2, 372, GTT § 1588, 11: Js 10$_{31}$. †

מַדְמַנָּה: n.l., מַדְמֵן/מֵנָה, BL 558c: — 1. G[A] Βεδεβηνα im Negeb n. Beerseba *Ch. umm dēmne*, Abel 2, 372, GTT § 317, 30, Noth Jos. 93; Jos 15$_{31}$; — 2. G Μαδεβηνα; n.m. (tr. ?), Nachk. Kalebs: 1C 2$_{49}$, = 1. (Rud. 21). †

I **מְדָן**, Sam.[BCh3,175] *maddan*,[M 130] *madjan*, G Μαδαιμ, Μαδαν, Μαδιαν: n.(m.)p.: S. v. Abr. u. קְטוּרָה, Br. v. מִדְיָן: ar. Stamm: Gn 25$_2$ u. 1C 1$_{32}$; ? = ℱ מִדְיָן, ℱ Mtg. ArBi. 43f, GTT § 377. †

II *מְדָן: דין, BL 491h; dial. aram. = ℱ I מָדוֹן, aLw, pl. מְדָנִים Pr 6$_{19}$, K 6$_{14}$ (1QHod 5$_{23.35}$) ℱ I מָדוֹן u. I מְדָן: **Streitigkeit(en)**, (pltt. ?) Pr 6$_{14.19}$; — Gn 37$_{36}$ ℱ מִדְיָנִי. †

מַדָּע: ידע, BL 490b; mhe.; ja.[t], cp. u. sy. מַדְּעָא; äga. מנדע (DISO 158) ℱ ba. מַנְדַּע; ja. auch מַדַּע, cp. sy.; md. (MdD 247a) *manda*; aLw. 153: מַדָּעֲךָ: — 1. **Verständnis** Da 1$_{4.17}$ 2C 1$_{10-12}$ Sir 3$_{13}$ 13$_8$; — 2. בְּמַדָּעֲךָ ‖ בְּחַדְרֵי מִשְׁכָּבְךָ Koh 10$_{20}$, G (συνείδησις :: Gewissen Sap 17$_{10}$ u. ThWb NT VII 906ff) V S Bewusstsein, **Gedanken** Hertzbg 197f; l בְּמַצָּעֲךָ **Nachtlager, Ruhe** Galling, Zimm. ATD. †

מֹדָע: Pr 7$_4$ u. מוֹדַע Rt 2$_{1Q}$ (BL 539b; K מְיֻדָּע, Rud. 46): ידע, BL 490d; ug. *mūdū* PRU III 234, Gefährte, UT nr. 1080; akk. *mūdū* (Goetze LE 110f, AHw. 666b, 2f): Verwandtschaft > (entfernter) **Verwandter** ℱ מֹדַעַת. †

*מֹדַעַת: formal f. v. מוֹדַע, cf. קֹהֶלֶת; mhe.[2]: מוֹדַעְתָּנוּ (BL 252m. 614): (entfernter) **Verwandter** Rt 3$_2$. †

*מַדְקֵרָה od. *מַדְקָרָה: דקר, BL 492s.490a: pl. cs. מַדְקְרוֹת: **Stich** (d. Schwertes) Pr 12$_{18}$. †

מַדְרֵגָה: דרג, BL 492s; mhe.[2] Stufe, Terrassen; äga. (DISO 60), ja. sy. דַּרְגָּא u. md.

(MdD 109a) *da/irgā* Stufe, ar. *darağat* Treppe, *madrağat* (Berg-)Weg: מַדְרֵגוֹת: **Felsstufe, Bergstrasse** (Schwarzb. 26ff, Zimm. 928) cf. d. κλῖμαξ Τυρίων (⟹ Buhl Geogr. d. alten Pal., 1896, 109) Ez 38_{20} HL 2_{14} (|| סֶלַע). †

*מִדְרָךְ, Sam.[M91] *madrak*: דרך, BL 490z: cs. מִדְרַךְ: Trittspur, **Fussbreite** Dt 2_{5}. †

*מִדְרָשׁ: דרשׁ 2, BL 490z; mhe., ja. מַדְרְשָׁא; cs. מִדְרַשׁ; im allgemeinen Erforschung, Untersuchung, Auslegung (Schürer 2, 392ff, BHH 1214); בית מ׳ Lehrhaus Sir 51_{23}; hier **Studie, Schrift,** || סֵפֶר, מִ׳ הַנָּבִיא עִדּוֹ 2C 13_{22}, מִ׳ הַמְּלָכִים 24_{27} (G βιβλίον, γραφή V *liber*) Eissf. Einl. 722f, Rud. Chr. 238, Bloch, DictBi V 1263ff. †

*מְדֻשָׁה: דושׁ, BL 491i; mhe.[2] מדושה Gedroschenes: מְדֻשָׁתִי: **Niedergetretenes,** metaph: mein zertretenes Volk Js 21_{10}. †

מָה: מָה־ (Gn 31_{43} + 25 ×), מֶה u. מֶה־ (Ex 32_{1} + 12 ×), מַה u. oft מַה־; BL 265c-k, BM § 31, 2b; מָ: מָהֵם Ez 8_{6}, Q מָה הֵם; מַ: מַזֶּה Ex 4_{2}, מַה־בְּרִי Pr 31_{2}, Sec. μεββεσε Ps 30_{10} :: מַה־בֶּצַע, מַלָּכֶם Js 3_{15} (Q מַה־לָּכֶם, 1QJs[a] מלכמה); מַה־לָּךְ :: 1QJs[a] 22_{1} מלכי; מַה־לִּי מִי־לִי Js 52_{5} Ⓛ 1 Q Ⓑ מַה־לִּי (1QJs[a]); כִּי מַה Koh 6_{8} 4Q כמה (BASOR 135, 25); לְמַדַּי 2C 30_{3} (= לְ + מַה + דַּי, cf. מַה תְּ׳ = מַתְּלָאָה Mal 1_{13}: — mhe. מָה; *mh*: ug. jaud. aam. nab. (DISO 144); מָה ⟹ ba. ja. sam.; *m* ph. palm. (DISO 144): *m*ʾ palm. מָא cp. md. (MdD 237a) ar. *mah*, gew. *mā*; akk. *mīnu* was? (*mannu* = wer?, äth. was: *ment*, *mi* (tigr. Wb. 105a); Grdf. *mā* (VG 1, 326f :: Lex.[1] *man*:

A. pron. **was?** — 1. מָה רָאִיתָ Gn 20_{10}, מַה־פִּשְׁעִי 31_{36}, חָכְמַת־מֶה Weisheit in was? = was für eine W.? Jr 8_{9}; verwundert, vorwurfsvoll: מָה הַחֲלוֹם Gn 37_{10}, מָה־הַמַּעַל Jos 22_{16}; מֶה עַבְדְּךָ 2S 9_{8} (stärker herabsetzend als מִי, Lande 101); מַה־דּוֹדֵךְ מִדּוֹד was für e. besonderer ist d. Geliebter? HL 5_{9} (⟹ Rud.); מֶה עָשׂוּ was mögen sie getan haben? Est 9_{12}; c. מִן: מַה־מִּלַּיְלָה wie viel von, wie spät [ist es] in d. Nacht? Js 21_{11}; — 2. indirekte Frage: לִרְאוֹת מַה־יִּקְרָא Gn 2_{19}; — 3. c. זֶה: מַזֶּה בְיָדֶךָ was hast du da in d. Hand? Ex 4_{2}; warum denn 1K 2_{15} 2K 1_{5}; was an = was für ein מַה־בֶּצַע Gn 37_{26}; in Fernstellung: מַה־יֶּשׁ־לִי עוֹד צְדָקָה was für e. Anspruch? 2S 19_{29}; — 4. elliptisch: מַה־לָּךְ was hast du? Ri 1_{14}; c. כִּי: מַה־לָּעָם כִּי was hat d. Volk, dass es? 1S 11_{5}; ohne כִּי: מַלָּכֶם תְּדַכְּאוּ was habt ihr, dass ihr? Js 3_{15}; c. לְ c. inf. מַה־לְּךָ לְסַפֵּר dass du Ps 50_{16}, c. pt.: מַה־לְּךָ נִרְדָּם dass du Jon 1_{6}; trop.: מַה־לִּי וָלָךְ was habe ich mit dir zu tun? Ri 11_{12} 1K 17_{18}, ⟹ Mk 5_{7}, 1_{24} Joh 2_{4} (Lande 99); מַה־לְּךָ וּלְשָׁלוֹם was kümmert es dich, ob es gut steht? 2K 9_{18}; c. אֶת: מַה־לַתֶּבֶן אֶת־הַבָּר was hat zu tun mit? Jr 23_{28}; c. שֶׁ: מֶה הָיָה שֶׁ wie kommt es, dass Koh 7_{10}; — 5. nach Wort d. Fragens, Prüfens, Zusehens, Mitteilens usw. > das, was: רְאֶה מָה הֵמָּה Jr 7_{17}, הִגִּיד מַה־טּוֹב Mi 6_{8}, mit verschränkter Stellung: מָה רְאִיתֶם עָשִׂיתִי was ihr mich tun seht Ri 9_{48}; — 6. negativ: לֹא ··· מָה Gn 39_{8} 2S 18_{29} u. בַּל־יָדְעָה מָּה weiss nicht was = gar nichts (al. cj כְּלִמָּה G) Pr 9_{13}; — 7. als Korrelativ (HeSy. § 155a): (das) was: מַה־שֶּׁהָיָה was gewesen u. וּמַה־שֶּׁנַּעֲשָׂה u. was man tut Koh 1_{9}, בְּמֶה שֶׁיִּהְיֶה auf das was Koh 3_{22}; — 8. als pron. indefinitum (HeSy. § 24a.143d): וְרָאִיתִי מָה u. erfahre ich etwas 1S 19_{3}, וִיהִי מָה u. werde was will 2S 18_{22f} (Kuhr 49), רָאָה מָה sieht was wird 1S 19_{3}, דְּבַר מַה־יַּרְאֵנִי das was er mir zeigen wird Nu 23_{3}; יַעֲבֹר עָלַי מָה ergehe über mich was will Hi 13_{13} (HeSy. § 55c[1]).

B. adv. was > **wie**: מַה־נַּעֲבֹד אֶת־י׳ (: al. womit) Ex 10_{26}, מַה־נּוֹרָא Gn 28_{17}; מַה־טֹּבוּ Nu 24_{5}; **wie sehr,** מָה־אָהַבְתִּי Ps 119_{97}; מָה אִמְּךָ לְבִיאָה wie war deine Mutter eine Löwin? Ez 19_{2}; ironisch Hi 26_{2}, klagend Ez 19_{2}; מַה־זֶּה wie doch? Gn 27_{20}; **warum**

Gn 3$_{13}$ 12$_{18}$ 26$_{10}$ Ex 14$_{15}$ Ps 42$_{6.12}$ 43$_{5}$ 52$_{3}$ Hi 7$_{21}$; מַה־זֶּה warum doch? Ri 18$_{24}$ 1K 21$_{5}$ 2K 1$_{5}$;

C. „was" wird dem Sinn nach z. **Verneinung** (↗ ar. *mā*, HeSy. § 52bδ.55c; ? auch semantisch, BHartmann ZDMG 110, 229ff :: Labusch. 16); מָה אֶתְבּוֹנֵן עַל־בְּתוּלָה „wie hätte ich ... schauen sollen" = nicht habe ich Hi 31$_{1}$, מַה־יִּצְדַּק 9$_{2}$ u. מַה־ מִּנִּי יַהֲלֹךְ „wie könnte ..." 16$_{6}$ (V *non*); מַה־נִּשְׁתֶּה wir haben nichts zu trinken (|| לֹא) Ex 15$_{24}$, מַה־לָּנוּ חֵלֶק wir haben keinen Anteil 1K 12$_{16}$; מַה־תָּעִירוּ weckt doch nicht! HL 8$_{4}$; Koh 6$_{8}$ ↗ יוֹתֵר 3a;

D. c. praep.: — 1. בַּמָּה womit? Mi 6$_{6}$, = בַּמֶּה Ex 22$_{26}$; woran? Gn 15$_{8}$, wodurch? Ri 16$_{5}$, wofür Js 2$_{22}$, weshalb? 2C 7$_{21}$, wie? 1S 6$_{2}$; — 2. כַּמָּה (mhe. כַּמָּה; ja. כְּמָא, sy. md. (MdD 17b, 218a) *kmā* u. *ʾakmā*) Zch 2$_{6}$ Hi 13$_{23}$ 21$_{17}$ u. כַּמֶּה 2C 18$_{15}$ **wieviel** כַּמָּה רָחְבָּהּ וְכַ׳ אָרְכָּהּ wie lang u. wie breit Zch 2$_{6}$; wie viele Gn 47$_{8}$, wie wenige? 2S 19$_{35}$, wie oft? Ps 78$_{40}$ Hi 21$_{17}$; עַד־כַּמֶּה פְּעָמִים wie manchesmal? 1K 22$_{16}$, זֶה כַּמֶּה שָׁנִים wieviele Jahre schon? Zch 7$_{3}$; — 3. לָ֫מָּה 4 × u. לָמָּה Hi 7$_{20}$, לָ֫מָה 1S 1$_{8}$ u. לָ֫מָּה (BL 639a.b; Sec. λαμα, Brönno 224f); a) cf. מַדּוּעַ Jepsen Fschr. Rost 106ff; wozu? > **warum**? Gn 12$_{18}$ 1S 1$_{8}$ Hi 7$_{20}$ u.o.; beschuldigend Gn 44$_{4}$ 1S 26$_{15}$ (Boecker 42f); הֲיָדַעְתָּ לָמָּה Da 10$_{20}$; abwehrend לָמָּה אֶשְׁכַּל warum soll ich? Gn 27$_{45}$; לָמָּה זֶּה warum doch? Gn 18$_{13}$ 25$_{22}$ (ins. חַיָּה S); לָמָּה לִּי was soll mir? Hi 30$_{2}$; b) > conj. **dass / damit nicht** (↗ ba. מָה 3b, = he. פֶּן) Koh 5$_{5}$ 7$_{16f}$, andernfalls 1S 19$_{17b}$ Neh 6$_{3}$; אֲשֶׁר לָמָּה Da 1$_{10}$ u. שַׁלָּמָה HL 1$_{7}$ damit nicht (= ja. דִּלְמָא, ba. דִּילְמָה, sy. *dalmā*, md. (MdD 341b עדילמא); — Pr 22$_{27}$ dl לָמָּה (:: Gemser 113); 1C 15$_{13}$ לְמַבָּרִאשׁוֹנָה l לְמִבַּ׳ (מִן + לְ ↗ Rud.); —4. עַד־מָה Nu 24$_{22}$ Ps 74$_{9}$ u. עַד־מֶה Ps 4$_{3}$ wie lange noch?; — 5. עַל מֶה worauf? Js 1$_{5}$; warum? Nu 22$_{32}$; — 1S 14$_{38}$ l בְּמִי, 21$_{4}$ l אִם יֵשׁ; Jr 23$_{33b}$ l אַתֶּם הַמַּשָּׂא; Ps 89$_{48}$ l עוֹלָם הֲשָׁוְא; Hi 13$_{14}$ u. Pr 16$_{16}$ dl.; Der. מַדּוּעַ, מַתְּלָאָה.

מהה: ar. *mahah* langsamer Gang:

hitpalp. (BL 283v): pf. הִתְמַהְמָהְתִּי, הִתְמַהְמָהְנוּ, הִתְמַהְמְהוּ; impf. יִתְמַהְמַהּ/מָהּ; inf. לְהִתְמַהְמֵהַּ (Bgstr. 2, 118b), הִתְמַהְמְהָם; pt. מִתְמַהְמֵהַּ: **zögern, säumen** Gn 19$_{16}$ 43$_{10}$ Ex 12$_{39}$ Ri 3$_{26}$ 19$_{8}$ 2S 15$_{28}$ Hab 2$_{3}$ Ps 119$_{60}$ Sir 14$_{12}$; — Js 29$_{9}$ l הִתַּמְּהוּ (: hitp. תמה). †

מְהוּמָה: הום, BL 493b; mhe.; ja. מְהוּמְתָא: מְהוּמֹת, מְהוּמַת: **Bestürzung**, **Panik** (v. Rad JSSt. 4, 101[1]) Dt 7$_{23}$ 28$_{20}$ 1S 5$_{9}$ 14$_{20}$ Js 22$_{5}$ Ez 7$_{7}$ 22$_{5}$ Pr 15$_{16}$; pl. Am 3$_{9}$ 2C 15$_{5}$ מְ׳ רַבּוֹת (1QHod 3, 25 מהומות רבה, cf. BL 506t u. רב 7); מְהוּמַת מָוֶת tödliche Bestürzung 1S 5$_{11}$; מְהוּמַת י׳ von J. gewirkt Zch 14$_{13}$. †

מְהוּמָן: n.m. pe.; spr. **Vahuman* (m^1 = *w*, akk. elam.) = *Vohumano*; nbab. *Uhumanaʾ* BEUP X S. 66. Duch.-G. 106: pers. Höfling Est 1$_{10}$. †

מְהֵיטַבְאֵל, Sam.[M105] *mētābel*, [BCh.3,175a] *mī-*: n. pr. aram., aLw. 154; יטב pt. haf. + אֵל (Noth 31.153): — 1. n.m. Neh 6$_{10}$ e. Israelit; — 2. n.f. (Noth 62, Stamm HFN 314) Frau d. Edomiterkönigs ↗ הֲדַר/ד Gn 36$_{39}$ 1C 1$_{50}$. †

מָהִיר: I מהר, BL 470n; mhe.[2] מהירות Eile; ug. *mhr* Dienstmann (UT nr. 1441, Aistl. 1532, ? schnell, Aistl. 1533, CML 159b) n.m. *ʒlmhr* (Grönd. 156); ph. in n.m. מהרבעל *Maharbal* u. בעלמהר (Harris Gr. 116, Friedr. § 75b.96b; al. מהר vb); kan. in äg. *mhr* (Gressm. ZAW 62, 294f, Schulman ZÄS 93, 123ff, Ulldff. VT 6, 195); äga. מהיר (DISO 144), sy. *mhīr*, ar. *māhir* geschickt; asa. *mhr* Handwerker (? Mü ZAW 75, 311); äth. *mehūr* erfahren, gelehrt (Dillm. 142f, Lesl. 30): מָהִיר: **geschickt**, **erfahren** (Barr CpPh. 295) אִישׁ מָ׳ בִּמְלַאכְתּוֹ Pr 22$_{29}$, ספר מָ׳ (ספר חכים ומהיר Aḥqr 1), מָ׳ בְּתוֹרַת מֹשֶׁה Esr 7$_{6}$ (Esra!, Schaeder Esr.

40, Rud. EN 67), מְהִיר צֶדֶק gerechtigkeitsbeflissen Js 16_5. †

מהל: mhe. u. ja.[b] beschneiden (= מול, aram., aLw., cf. Wagner 107); ja.[g] af. Wein m. Wasser versetzen, mhe. מוֹהַל Öl- u. Fleischsaft (Löw 1, 137f), ar. *muhl* Fruchtsaft, *mahl* = flüssiger Asphalt:

qal: pt. pass. מָהוּל (durch Wasserzusatz) versetzt, **gepantscht**, סָבָא Js 1_{22}. †

מַהֲלָךְ: הלך, BL 490z; mhe., ja. cp. Weg, Reise; akk. *mālaku* Zugangsweg, Marsch: מַהֲלָכֶךְ (BL 208r, Ⓑ ־כְ־), מַהְלָכִים Zch 3_7 (BL 557h, s.u.): — 1. **Gangweg** Ez 42_4, **Prozessionsstrasse** Js 35_8 (cj pr. לָמוֹ הֹלֵךְ, Driv. ATO 126, ↗ WAndrae, Alte Feststrassen im Nahen Osten, 1941); — 2. **Wegstrecke** Jon 3_{3f}; — 3. **Reise** Neh 2_6; — Zch 3_7 מַהְלְכִים > מְהַלְּכִים (cf. Da 3_{25} 4_{34}); ↗ מֹלֵךְ. †

*__מַהֲלָל__: III הלל, BL 491k: מַהֲלָלוֹ: **Lob**preis, Anerkennung durch andere, **Ruf** (↗ Gemser) Pr 27_{21}. †

מַהֲלַלְאֵל, Sam.[M34] *mallēlel*, G Μαλελεηλ: n.m.; מַהֲלָל + אֵל „Gottes Lobpreis" (Lex.[1]) od. מְהַלֵּל „aufleuchtend ist Gott" (Noth 31. 169, I הלל): — 1. Gn 5_{12-17} P (= מְחוּיָאֵל 4_{18} J, ↗ KBudde, Bibl. Urgesch., 1883, 101) 1C 1_2; — 2. Neh 11_4. †

מַהֲלֻמוֹת: הלם, BL 494g: **Schläge**, **Prügel** Pr 18_6 19_{29}. †

[**מָהֵם** Ez 8_6: l Q מָה הֵמָּה].

*__מַהֲמֹר__: המר, BL 493e; mhe. provisorisches Grab (Liebermann Tosefta Ki-Fshuṭah V 1234-5); Sir 12_{16} מהמרות Grube (metaph.), ja.[t] מהמרין (so auch TΣ Hier. Kimchi) ug. *mhmrt* Schlund || *npš*; *hmrj* Name d. Stadt d. Mot (UT nr. 779, Aistl. 847, WbMy. 1, 300f, UOldenburg, The Conflict between El a. Baal in Canaanite Religion 1969, 36[7]); 1; asa. *hmr* (Conti 132b) Guss; ar. *hamrat* Regenschauer: מַהֲמֹרוֹת: **Regenlöcher** Ps 140_{11} (:: Delekat VT 14, 25f). †

מַהְפֵּכָה, Sam.[M50] *mifkat*: הפך, BL 492s, inf. BM§65, 1a; ja[t]. (מַ)הֲפֵיכְתָא ?, akk. *abiktu* (AHw. 6a) Niederlage: מַהְפֵּכַת (BL 597g; 1QJs[a] 1_7 13_{19} מאפכת: אפך Ku. LJs 189): **Umstürzung** כְּמַהְפֵּכַת אֱלֹ׳ אֶת־סְדֹם וְאֶת עֲמ׳ wie damals als Gott S. umstürzte Js 13_{19} Jr 50_{40} Am 4_{11} (↗ Baumgtl. 52.55ff); > כְּמַהְפֵּכַת סְדֹם wie damals als S. umgestürzt wurde Dt 29_{22} Js 1_7 (l סְדֹם) Jr 49_{18}. †

מַהְפֶּכֶת: הפך, BL 607e, ? hif. pt. f.: מַהְפָּכֶת: **Stock** od. **Block** z. Krummschliessen v. Gefangenen (HFehr, D. Recht im Bild, 1923, 110, Abb. 139.143) Jr 20_{2f} 29_{26}; בֵּית הַמַּ׳ 2C 16_{10} Stockhaus; נָתַן c. עַל od. אֶל Jr 20_2 29_{26} in d. Block legen. †

מְהֻקְצָעוֹת: Ez 46_{22}: קצע, pt. hof. > sbst. durch Punktierung in Frage gestellt (Gsbg 332f, BL 79): **Eckräume** (?, Zimm. 1181, ↗ מִקְצוֹעַ). †

I **מהר**: mhe. pi. eilen, äg. *mhr* ungestüm sein (EG II 116ff), sy. (LS 376) u. äth., tigr. (Wb. 105f) lehren; ar. geschickt, erfahren sein; Palache 43f, Ulldff VT 6, 195, EthBi 129: geschickt sein, Vogt Bibl. 47, 7ff:

pi: pf. מִהַר, מִהֲרָה, מִהַרְתָּ, מִהֲרוּ (or. מֵ׳); impf. יְמַהֵר, יְמַהֲרוּ, וַתְּמַהֵרְנָה; imp. מַהֵר, מַהֲרָה/רִי, מַהֲרוּ; inf. מַהֵר; pt. מְמַהֵר > מַהֵר (BL 217d :: Bgstr. 2, 96[f]) Js $8_{1.3}$ Zef 1_{14}, מְמַהֲרוֹת: — 1. wohin **eilen** (cf. בַּהֵל aLw.) Gn 18_{6a} 43_{30} Nah 2_6 Zef 1_{14} Pr 7_{23}, cj Js 49_{17} מִהֲרוּ בֹנַיִךְ מֵהֹרְסַיִךְ mehr als; — 2. vor vb. fin., oft nur Hilfsverb = adv. **eilends**: וַתְּמַהֵר וַתּוֹרֶד sie nahm rasch herunter Gn $24_{18.20.46}$ 44_{11} $45_{9.13}$ Ex 34_8 Jos 4_{10} $8_{14.19}$ Ri 13_{10} 1S 4_{14} 17_{48} $25_{18.23.34}$ $28_{20.24}$ 2S 19_{17} 1K $20_{33.41}$ Js 5_{19} Jr 9_{17} Ps 102_3 106_{13}; — 3. ebenso eilends, imp. vor imp.: מַהֵר הִמָּלֵט rette dich eil. Gn 19_{22}, Ri 9_{48} Est 6_{10}, cj Ps 11_1 (נוּדִי מַהֲרִי כְּצִ׳), מַהֵר עֲנֵנִי Ps 69_{18} 102_3 143_7; c. וְ: מַהֲרָה וְלֵכָה 1S 23_{27}; — 4. c. acc. **rasch holen**: jmd 1K 22_9 / 2C 18_8, etw. Gn 18_{6b} Est 5_5; — 5. **sich beeilen**: a) לַדָּבָר m. d. Sache 2C 24_{5a}, abs. $_{5b}$; b) c.

inf. מַדּוּעַ מְהַרְתֶּם/ן : בּוֹא warum kommt ihr so schnell? Ex 2$_{18}$ Js 51$_{14}$ 59$_7$ Koh 5$_1$; c. לְ c. inf. Gn 18$_7$ 27$_{20}$ 41$_{32}$ Ex 10$_{16}$ 12$_{33}$ 2S 15$_{14}$ Js 32$_4$ 51$_{14}$ 59$_7$ Koh 5$_1$; — 6. inf. מַהֵר **adv.** eilends (Solá-Solé 89): סָרוּ מַהֵר Ex 32$_8$, Dt 4$_{26}$ 7$_{4.22}$ 9$_{3.12a.b.16}$ 28$_{20}$ Jos 2$_5$ Ri 2$_{17.23}$ Ps 79$_8$ Pr 25$_8$ (l תֵּצֵא u. לָרֹב); מַהֵר מְאֹד Zef 1$_{14}$; — 7. Versch.: לְמַהֵר eilends Ex 12$_{33}$, an Schnelligkeit 1C 12$_9$ (↗ לְ 1f); חָשׁ בַּז || לְמַהֵר שָׁלָל Js 8$_1$, v. $_3$ u. pr.: imp. (GTV), dann l חָשׁ: „Eilebeute, Raubebald" (Luther, Vogt, Bibl. 47, 10ff); al. sec. חָשׁ pt. = מְמַהֵר (BL 217d); äg. imp. > sbst., Humb. ZAW 50, 90f, Morenz ThLZ 1949, 699, bab. *Ḫumuṭ-tabal* „nimm eilends weg" Name d. Unterweltfährmannes (RLA 2, 111b); ? ל inscriptionis כְּתֹב עָלָיו לִיהוּדָה schreibe darauf: „Juda" Ez 37$_{16}$ GK § 119u :: al. dat. poss., לְ 10, Galling ZDPV 56, 213[2], Zimm. 904; — 1S 9$_{12}$ לִפְנֵיכֶם הָרֹאֶה l לְפָנֶיךָ מַהֵר, ↗ Textus 1, 124f.

nif: pf. נִמְהָרָה; pt. נִמְהָר, נִמְהָרִים, נִמְהָרֵי: **sich überstürzen** Hi 5$_{13}$; pt. voreilig Js 32$_4$, ungestüm Hab 1$_6$, c. לֵב bestürzt Js 35$_4$. †

Der. מְהֵרָה, מָהִיר; n.m. מַהֲרַי.

II מהר: denom. v. מֹהַר; ar. *mahura* Mitgift geben:

qal: impf. יִמְהָרֶנָּה; inf. מָהֹר: gegen Bezahlung d. מֹהַר **als Frau erwerben** Ex 22$_{15}$; — ? Pr 16$_4$ (↗ Komm.). †

מֹהַר: ug. *mhr* (UT nr. 1442, CML 159b :: Aistl. 1531); äga. מהרא (DISO 144); ja.[tg] מוֹהֲרָא, sy. *mahrā*, ar. *mahr* (VG 1, 194), asa. *mhrt* (Conti 175); etym. inc.; nicht so sehr Kaufpreis (akk. *maḫīru*, Zimmern 18) als Entschädigung an d. Familie (de Vaux Inst. 1, 49, Plautz ZAW 76, 299ff, Boecker 170ff, HwbIsl. 398ff): **Brautgeld** (Duss. CRAI 1935, 142ff) Gn 34$_{12}$ Ex 22$_{16}$ 1S 18$_{25}$; ↗ II מהר. †

מְהֵרָה: I מהר, BL 465i; mhe: — 1. **Eile**, בִּמְהֵרָה Koh 4$_{12}$, עַד־מְ׳ (? l עַל־, ↗ Kennedy 55) Ps 147$_{15}$; — 2. > adv. (BL 632 l) **eilends** Nu 17$_{11}$ Dt 11$_{17}$ Jos 8$_{19}$ 10$_6$ 23$_{16}$ Ri 9$_{54}$ 1S 20$_{38}$ 2S 17$_{16.18.21}$ 2K 1$_{11}$ Js 58$_8$ Jr 27$_{16}$ Ps 31$_3$ 37$_2$ Koh 8$_{11}$; עַתָּה מְהֵרָה Jr 27$_{16}$; מְ׳ קַל u. קַל מְ׳ Jl 4$_4$ Js 5$_{26}$ gar schnell (König Stil 157). †

מַהֲרַי, G[B] 2 × *נַעֲרַי: n.m.; ph. *mhry* (NESE 1,5); ? I מהר (Noth 228) od. Kf. (Noth 38) v. *מַהֲרְיָה; cf. מָהִיר ph. Kf. < *mhrbʿl* (PNPhPI 137.340f): Recke Davids 2S 23$_{28}$ / 1C 11$_{30}$ 27$_{13}$. †

*מַהֲתַלָּה: התל, BL 558c: מַהֲתַלּוֹת: **Täuschung** Js 30$_{10}$. †

מוֹאָב, Sam.[BCh.3,175a] *muwwab*: klschr. *Maʾab*, *Muʾaba* (VAB 7, 794), äg. *M-j-b* (ETL 205); G Μωαβ, grie. Μωβα; erklärt als מֵאָב, Gn 19$_{37}$G, cf. $_{32.34}$); etym. (vZijl 178f) inc. **Moab**, Musil, Arabia Petraea 1, Glueck I, OSJd 134ff, v Zyl, BHH 1229ff: — 1. (n.m.) h. ep. v. 2. Gn 19$_{30-38}$; — 2. n.t. n.p., später *Moabitis*: a) שְׂדֵה מ׳ Gn 36$_{35}$ Nu 21$_{20}$ Rt 1$_{1f.6.22}$ 2$_6$ 4$_3$ 1C 1$_{46}$ 8$_8$, אֶרֶץ מ׳ Dt 1$_5$ 28$_{69}$ 32$_{49}$ 34$_{5f}$ Ri 11$_{15.18}$ Jr 48$_{33}$, גְּבוּל מ׳ Nu 21$_{13.15}$ 33$_{44}$ Dt 2$_{18}$ Ri 11$_{18}$ Js 15$_8$, עַרְבוֹת מ׳ (Glueck IV, 366ff, Noth ZDPV 68, 44ff, ZAW 60, 18), Nu 22$_1$ 26$_{3.63}$ 31$_{12}$ 33$_{48-50}$ 35$_1$ 36$_{13}$ Dt 34$_{1.8}$ Jos 13$_{32}$, מַעְבְּרוֹת הַיַּרְדֵּן לְמ׳ Ri 3$_{28}$, מִדְבַּר מ׳ Dt 2$_8$, קִיר מ׳ Js 15$_1$, עָר מ׳ Nu 21$_{28}$, עִיר מ׳ 22$_{36}$, מִצְפֵּה מ׳ 1S 22$_3$; b) c. II אֲרִיאֵל 2S 23$_{20}$ 1C 11$_{22}$; c. כָּתֵף Ez 25$_9$; c. אֵילֵי Ex 15$_{15}$; c. בְּנֵי 2C 20$_1$; c. בְּנוֹת Nu 25$_1$; c. שָׂרֵי 2K 13$_{20}$ 24$_2$; c. גְּדוּדֵי Nu 22$_7$; c. זִקְנֵי Nu 22$_{8.14.21}$ 23$_{6.17}$; c. פַּאֲתֵי Nu 24$_{17}$; c. מֶלֶךְ Nu 21$_{26}$ 22$_{10}$ 23$_7$ Jos 24$_9$ Ri 3$_{12.14f.17}$ 1S 12$_9$ 22$_{3f}$ 2K 3$_{5.7.26}$ Jr 27$_3$ Mi 6$_5$; ↗ בָּלָק, מֵישַׁע; c. אֱלֹהֵי Ri 10$_6$ 1K 11$_{33}$; c. שִׁקֻּץ 1K 11$_7$ 2K 23$_{13}$; c. מִשְׁפָּט Jr 48$_{47}$; עַם || מוֹאָב כְּמוֹשׁ Nu 21$_{29}$; ↗ Nu 21$_{11.13}$ 22$_{3f}$ Ri 3$_{28-30}$ 11$_{17f.25}$ 1S 14$_{47}$ 2S 8$_{2.12}$ 2K 1$_1$ 3$_{7.10.13.18.21.24}$ Js 11$_{14}$ 15$_{1-5}$ 16$_{2-14}$ Jr 9$_{25}$ 25$_{21}$ 40$_{11}$ 48$_{1-47}$ Ez 25$_{8.11}$ Am 2$_{1f}$ Zef 2$_{8f}$ Ps 60$_{10}$ 83$_7$ 108$_{10}$ Da 11$_{41}$ 1C 4$_{22}$ 18$_{2.11}$ 2C 20$_{10.22f}$. Später

Typus d. gottlosen Macht: ראש פאתי מואב, Rd. u. G אויב (↗ Smend 320) Sir 36/33$_{12}$; ↗ n.m. פַּחַת מ׳; gntl. מוֹאָבִי. †

מוֹאָבִי: gntl. v. מוֹאב, nab. מוביא, klschr. *Mā'abāja* (vZyl 46[1]), *Mu'baia* (ANET 301a.c): f. מוֹאָבִיָּה u. מוֹאָבִית, מ(ו)אָבִים, מֹאֲבִיּוֹת: **moabitisch**: Dt 2$_{11.29}$ 23$_{4}$ 1K 11$_{1}$ Rt 1$_{4.22}$ 2$_{2.6.21}$ 4$_{5.10}$ Esr 9$_{1}$ Neh 13$_{1.23}$ 1C 11$_{46}$ 2C 24$_{26}$. †

[**מוֹאל** (לְ) Neh 12$_{38}$; Var. לְמוֹל, l לִשְׂמֹאל].

***מוֹבָא**: < מָבוֹא sec. מוֹצָא: 2S 3$_{25}$ מֹבָאֶךָ l מְבוֹאֶךָ u. Ez 43$_{11}$ מוֹבָאָיו l מְבוֹאָיו: — 1. d. **Hineingehen** 2S 3$_{25}$; — 2. **Eingang** Ez 43$_{11}$. †

מוג: ? sy. *maggīgā* unschmackhaft; ar. *mwǧ* wogen, *mauǧ* Woge, ? äth. *mōged* < **mōget* (Lesl. 30):

qal: impf. וַתָּמוֹג, תָּמוֹג; inf. מוֹג: **wanken** Am 9$_{5}$ Ps 46$_{7}$; — Js 64$_{6}$ l וַתְּמַגְּנֵנוּ; Ez 21$_{20}$ הִמּוֹג. †

nif: pf. נָמוֹג, נָמֹגוּ; pt. נְמֹגִים; > mhe. נמג (BCh. Trad. 111): — 1. **wogen, hin- u. herschwanken** 1S 14$_{16}$ (l הַמַּחֲנֶה) Jr 49$_{23}$ (l לִבָּם) Ps 75$_{4}$ Nah 2$_{7}$, Knie 4QM[a]4; Ez 21$_{20}$ u. Ps 46$_{3}$ l הִמּוֹג; — 2. **verzagen** Ex 15$_{15}$ Jos 2$_{9.24}$ Js 14$_{31}$. †

pil: impf. תְּמוֹגְגֶנָּה/גֵנִי: **aufweichen, zergehen lassen** Ps 65$_{11}$ Hi 30$_{22}$. †

hitpol: pf. הִתְמֹגָגוּ; impf. תִּתְמוֹגַגְנָה: **in Bewegung geraten, sich auflösen**: Hügel Am 9$_{13}$ Nah 1$_{5}$, נֶפֶשׁ Ps 107$_{26}$. †

מוד: ar. *mjd* heftig bewegt sein (Driv. ZAW 52, 54f :: Barr CpPh 252):

pol: impf. וַיְמֹדֶד: **in Bewegung bringen, erschüttern** (|| נתר: וַיַּתֵּר) Hab 3$_{6}$. †

מוֹדָע: Rt 2$_{1Q}$: ↗ מֹדָע.

מוט: ja. sy. palm. (DISO 145), pehl. שנת למוט Jahr d. Wankens (Alth.-Stiehl Asien u. Rom, 1952, 9.12f); ar. *mjṭ* abweichen, entfernen, äth. *mēṭa* wenden; ↗ נוט:

qal: pf. מָטָה, מָטוּ; impf. תָּמוּט, תְּמוּטֶנָה (BL Ⓛ, 1QJs[a], Ⓑ טֶינָה —); inf. בְּמוֹט (Bgstr. 2, 145d) Ps 38$_{17}$ 46$_{3}$, לַמּוֹט 66$_{9}$ 121$_{3}$? l לָמוּט; pt. מָט, מָטִים: — 1. **wanken**: גְּבָעוֹת Js 54$_{10}$, הָרִים Ps 46$_{3}$, אֶרֶץ 60$_{4}$, cj 99$_{1}$, מַמְלָכוֹת 46$_{7}$, רֶגֶל Dt 32$_{35}$ Ps 38$_{17}$ 66$_{9}$ 94$_{18}$ 121$_{3}$, בְּרִית Js 54$_{10}$ (4Q 176, 8/11 hitpol., תתמוטטנה), צַדִּיק Ps 55$_{23}$ Pr 25$_{26}$, מָטִים לַהֶרֶג 24$_{11}$; inf. c. hitpo. Js 24$_{19}$; — 2. wirtschaftlich in Schwierigkeiten sein **„wackeln"** Lv 25$_{35}$ (↗ יָד 5b). †

nif. (BL 289z): pf. נָמוֹטוּ; impf. אֶ/יִמּוֹט (Sec. εμματ, Brönno 106f, BM 3, 70), יִמֹּטוּ: — 1. **ins Wanken gebracht werden**: Mensch Ps 10$_{6}$ 13$_{5}$ 15$_{5}$ 16$_{8}$ 21$_{8}$ 30$_{7}$ 62$_{3.7}$ 112$_{6}$ Pr 10$_{30}$, פְּעָמִים Ps 17$_{5}$, עִיר 46$_{6}$, מוֹסְדֵי אֶרֶץ 82$_{5}$ 93$_{1}$ 96$_{10}$ 104$_{5}$ 1C 16$_{30}$, הַר Ps 125$_{1}$, שֹׁרֶשׁ צַדִּיקִים Pr 12$_{3}$; — 2. **zum Wackeln gebracht werden** פֶּסֶל Js 40$_{20}$ 41$_{7}$; בַּל יִמּוֹט „unbeweglich" (GK 156g) Hi 41$_{15}$; Ps 140$_{11}$ l יַמְטֵר. †

hitpol: pf. הִתְמוֹטְטָה; pt. מתמוטט Sir 33/36$_{2}$; ↗ qal 1: **wanken** Js 24$_{19}$ (Erde) 54$_{10}$ (Hügel, 4Q 176, 8/11), Schiff im Sturm umhergeworfen werden Sir 33/36$_{2}$. †

[**hif**: impf. יָמִיטוּ Ps 55$_{4}$: ? l יָעִיטוּ; 140$_{11}$ l יַמְטֵר].

Der. מוֹט, מוֹטָה.

מוֹט: מוט, BL 451n; mhe. pl. מוֹטוֹת, ? ug. *mṭ*, ↗ מַטֶּה: — 1. **Traggestell** Nu 4$_{10.12}$; — 2. **Stange** (↗ מוֹטָה 2) Nu 13$_{23}$; — Nah 1$_{13}$ pr. מֹטֵהוּ (BL 251g) l מֹטוֹת; Ps 66$_{9}$ u. 121$_{3}$ ↗ מוט qal. †

מוֹטָה: f. v. מוט: מ(ו)ט(ו)ת, mhe.[2], Hier. *mutoth* (Sperber 235): — 1. **Joch** (AuS 2, 99ff, BHH 869, cf. עֹל) Js 58$_{6}$ u. $_{9}$ (al. cj מַטֶּה Rechtsbruch) Jr 28$_{10.12}$, cj מֹטַת Js 9$_{3}$; pl. Lv 26$_{13}$ Jr 27$_{2}$ 28$_{13}$ Ez 34$_{27}$, cj Nah 1$_{13}$; — 2. **Tragstange** 1C 15$_{15}$; — Ez 30$_{18}$ l מַטּוֹת. †

מוך: Nf. v. מכך; mhe. nif. niedrig sein, hif. sinken lassen, gering machen; ug. *mk* od. *mkk* sinken (UT nr. 1473, Aistl. 1561), sam. sich neigen (BCh. 2, 478):

qal: pf. מָךְ: herunterkommen, **verarmen** Lv 25$_{25.35.39.47}$ 27$_{8}$. †

מוֹכִיחַ: ↗ יכח hif.

I מול: mhe. מול u. מהל, ja.[b] מהל; Nf. ↗ מלל; ↗ מוּל; v. Soden WZUH 17, 182:

qal: pf. מָל, מָלוּ, וּמַלְתָּ/תֶּם; impf. וַיָּמָל; pt. pass. מוּל, מֻלִים: **beschneiden** (BHH 223, Sierksma OTSt 9, 136ff): בְּשַׂר עָרְלָה Gn 17$_{23}$, jmd 21$_{4}$ Ex 12$_{44}$ Jos 5$_{3.5.7}$; abs. Jos 5$_{4}$; עָרְלַת לְבָב Dt 10$_{16}$, לְבָב 30$_{6}$ (יהוה); pt. pass. beschnitten Jos 5$_{5}$, c. בְּעָרְלָה Jr 9$_{24}$. †

nif. (mhe., Dam. 16, 6; BL 399i, Bgstr. 2, 151 q[b]): pf. נִמּוֹל, נִמֹּלוּ, נִמַּלְתֶּם, וּנְמַלְתֶּם Gn 17$_{11}$ (BL 431t :: Bgstr. 2, 147i); impf. יִמּוֹל, וַיִּמֹּלוּ; imp. הִמֹּלוּ; inf. הִמּוֹל, הִמּ(ו)ֹל; pt. נִמֹּלִים: **sich beschneiden lassen** Gn 17$_{10-14}$ (11 ×, אֶת־בְּשַׂר עָרְלַתְכֶם, acc. GK 121d[d]). $_{24-27}$ 34$_{15.17.22.24}$ Ex 12$_{48}$ Lv 12$_{3}$ Jos 5$_{8}$, c. לַי׳ Jr 4$_{4}$. †

Der. מוּל (?), מוּלָה.

II מול: ar. *mjl* IV c. *ilāj* begünstigen, c. *ʿalāj* anfeinden; ↗ מוּל:

hif: impf. אֲמִילַם (BL 403): **abwehren** Ps 118$_{10-12}$. †

מוּל: (ca. 60 ×), Dt 1$_{1}$ מוֹל (? dissim. vor סוּף, BL 635b): ar. *mjl* sich neigen, *mail* Neigung zu (Guill. 1, 11 :: GB u. Palache 44: II אול; :: NPCES 88: √I מול): מֻלֵי Nu 22$_{5}$: — 1. sbst. **Vorderseite** (↗ 3aβ u.bβ) Ex 26$_{9}$ 28$_{25.27.37}$ 34$_{3}$ 39$_{18.20}$ Lv 8$_{9}$ Nu 8$_{2f}$ Jos 8$_{33}$ 9$_{1}$ 22$_{11}$ 2S 5$_{23}$ 11$_{15}$ 1C 14$_{14}$; 1K 7$_{5}$ dl (↗ Noth Kge 131); — 2. praep. **gegenüber**: a) geographisch Dt 1$_{1}$ 3$_{29}$ 4$_{46}$ 11$_{30}$ 34$_{6}$ Jos 19$_{46}$ 1S 14$_{5}$; b) persönlich Ex 18$_{19}$ Dt 2$_{19}$; — 3. c. praep. a) אֶל־מוּל: α) c. אַחֵר persönlich an e. anderen 1S 17$_{30}$; β) c. פָּנִים **an d. Vorderseite** Ex 26$_{9}$ 28$_{25}$ 39$_{18}$, 28$_{37}$ Lv 8$_{9}$ (↗ Ell. 104.117), in d. Richtung d. Vorderseite Nu 8$_{2f}$; γ) geographisch **gegenhin** Ex 34$_{3}$ Jos 8$_{33}$ 9$_{1}$ 22$_{11}$; מ׳ פְּנֵי הַמִּלְחָמָה vorn im heftigsten Kampf 2S 11$_{15}$; — b) מִמּוּל: α) persönlich: gegenüber Nu 22$_{5}$; β) c. פָּנִים an d. Vorderseite Ex 28$_{27}$ 39$_{20}$, c. עֹרֶף am Genick Lv 5$_{8}$ (Ell. 55); γ) geographisch: von . . . hier 2S 5$_{23}$, in Richtung 1K 7$_{39}$ 2C 4$_{10}$; — Jos 18$_{18}$ dl (↗ Noth); Mi 2$_{8}$ pr. מִמּוּל שַׂלְמָה ? l מֵעַל־שְׁלֵמִים; Neh 12$_{38}$ לִשְׂמֹאל. †

מוֹלָדָה: n.l. im Negeb; ילד, BL 490e, cf. מוֹלֶדֶת; zu Juda Jos 15$_{26}$ Neh 11$_{26}$, zu Simeon Jos 19$_{2}$ (↗ Noth 113) 1C 4$_{28}$; *T. el-Milḥ* od. *Ḫ.-Qusēfe* (Abel 2, 391, GTT § 317, 17). †

מוֹלֶדֶת, Sam.[M106] *mūlēdet*: ילד, BL 607c; mhe.[2] DSS מולדים Nachkommenschaft: מוֹלְדוֹת, מוֹלַדְתָּם, מוֹלַדְתּוֹ/תֵּנוּ, מוֹלַדְתִּי/תְּךָ, מ(ו)ֹלְד(ו)תַיִךְ: — 1. **Nachkommenschaft** Gn 48$_{6}$; — 2. **Verwandtschaft, d. Verwandten** Gn 12$_{1}$ 24$_{4}$ 31$_{3}$ 32$_{10}$ 43$_{7}$ Nu 10$_{30}$ Est 2$_{10.20}$ 8$_{6}$; מ׳ בַּיִת (cf. בֶּן־בַּיִת) im gleichen Haushalt geborene Verw. :: מ׳ חוּץ nicht im gleichen Haushalt geborene Lv 18$_{9}$; מ׳ אָבִיךָ Verw., mit der du den Vater gemeinsam hast 18$_{11}$; — 3. **Abstammung** (מְכוּרָה || מֹלֶדֶת) Ez 16$_{3}$, Geburt 16$_{4}$; — 4. אֶרֶץ מֹלַדְתּוֹ s. Herkunftsland (GVS; :: Lex.[1], de Vaux Patr. 29: Land, wo seine Verw. wohnt) Gn 11$_{28}$ 24$_{7}$ 31$_{13}$ Jr 22$_{10}$ 46$_{16}$ Ez 23$_{15}$ Rt 2$_{11}$. †

*מוּלָה: מוּל, BL 452r; mhe. מִילָה, ja. מִילְתָא: מוּלֹת: **Beschneidung** (GVS :: cj מוּלִים Beschnittene, Gressm. Mose 56[1]) Ex 4$_{26}$. †

מוֹלִיד: n.m.; ילד, BL 492u., Noth 144; Nachk. v. יְרַחְמְאֵל: 1C 2$_{29}$. †

מוּם, ↗ מְאוּם Da 1$_{4}$ u. מְאוּם Hi 31$_{7}$ (K. u. Var[G] מאומה), kontam. m. מְאוּמָה: mhe., ja.[tb] cp. sam. (BCh. 2, 508a) sy. md. (MdD 261b), ? > ar. *mūm* (Frae. 264); מוּמוֹ/מָם: **Flecken, Makel**: — 1. körperlich Lv 21$_{17f.21.23}$ 22$_{20f.25}$ Nu 19$_{2}$ Dt 15$_{21}$ 17$_{1}$ 2S 14$_{25}$ HL 4$_{7}$ Da 1$_{4}$; נָתַן מוּם בְּ jmd e. Schaden, Makel zufügen Lv 24$_{19f}$. — 2. sittlich Pr 9$_{7}$ Hi 11$_{15}$ 31$_{7}$ Sir 11$_{33}$ 44$_{19}$ = μῶμος (Rd. דּוֹפִי); — ? Dt 32$_{5}$ (↗ Komm.). †

מְוּמְכָן, ↗ BH: n.m.; ? l Q מְמוּכָן; pers. Höfling Est 1$_{16}$. †

מוּסַב־: Ez 41$_{7}$: ??, Fohrer 229; ? ↗ סבב pt. hof. (Zimm. 1030). †

מוּסָד: יסד, BL 490d, od. *mu-*, ↗ מוּסָר; מוּסָד,

מוֹסָדָה: cs. מוּסַד: — 1. **Gründung, Grundsteinlegung**: פִּנַּת יִקְרַת מ׳ Js 28_{16} (↗ יָקָר), יוֹם מוּסַד בֵּית י׳ (: כְּלֹתוֹ) 2C 8_{16}; — 2. Unterbau cj 2K 16_{18} pr. Q מוּסַךְ. †

מוֹסָד: יסד, ↗ מוּסָד: pl. cs. מוֹסְדֵי: — 1. **Grundmauer**, metaph. Js 58_{12}; — 2. **Fundament**: c. אֶרֶץ (ug. *msdt ʾrṣ* UT nr. 1117) Js 24_{18} Jr 31_{37} Mi 6_2 Ps 82_5 Pr 8_{29}, c. הָרִים Dt 32_{22} Ps 18_8 (|| מוֹסְדוֹת 2S 22_8). †

מוּסָדָה: f. v. מוּסָד; ug. *msdt* (UT nr. 1117); pl. cs. מוּסְדוֹת: **Grundmauer**, מ׳ הַצְּלָעוֹת Ez 41_8; — Js 30_{32} l מוּסָרָה. †

מוֹסָדָה: f. v. מוֹסָד: מוֹסָדוֹת, cs. מוֹסְדוֹת: — 1. **Grundmauer** Jr 51_{26} (|| פִּנָּה); — 2. **Fundament**: c. תֵּבֵל 2S 22_{16} / Ps 18_{16}, c. שָׁמַיִם 2S 22_8 (/ Ps 18_8 מוֹסְדֵי); — Js 40_{21} pr. מוֹסְדוֹת l מִיסֻּדַת (: יְסוּדָה). †

***מוּסָךְ**: 2K 16_{18} Q מוּסַךְ, K מֵיסַךְ ?; 9 MSS מסך: ? סכך c. praef. *mu-*, absperren, mhe. überdecken; מֵי/מוּסַךְ הַשַּׁבָּת („überdachter Sabbatgang" ?), V *musach*, lat. *mesech*, G θεμέλιον τῆς καθέδρας (= מוּסַד הַשֶּׁבֶת Unterbau f. d. Sitzplatz): tt. archt. inc., ↗ Komm., Mtg.-G. 464. †

מוֹסֵר: אסר, < *maʾsir*, BL 222b.492s: מוֹסְרֵיכֶם, מוֹסֵרַי, מוֹסְרֵי: **Fesseln** Js 28_{22} 52_2 Ps 116_{16}, cj Hi 12_{18} u. Pr 7_{22} (l מוֹסֵר); ↗ I מוֹסֵרָה. †

מוּסָר: יסר, < **mausar*, BL 490d, od. praef. *mu-* (sy. akk. ar.); mhe. äth. *māʾsar* (Dillm. 748): מוּסַר, מוּסָרְךָ; m., f. Pr 4_{13} l נִצְּרֹה (ZAW 16, 114): JASanders, Suffering as Divine Discipline in the OT, Rochester, 1955, 11ff.46ff, THAT 1, 739: — 1. **Züchtigung** Pr 13_{24} 23_{13}, שֵׁבֶט מ׳ 22_{15}, cj מוּסָרֹה (מַטֵּה) Js 30_{32}; מ׳ שְׁלוֹמֵנוּ Z. zu unserem Heil Js 53_5, מוּסָרְךָ Zucht v. Dir (Gott) Js 26_{16}; c. לָקַח annehmen, beherzigen Jr 2_{30} 5_3 7_{28} 17_{23} 32_{33} 35_{13} Zef $3_{2.7}$ Pr 1_3 8_{10} 24_{32}; מ׳ חָכְמָה Z., die zur W. führt Pr 15_{33}; Jr 30_{14} (מוּסַר אַכְזָרִי abs., BL 233n, od. nach GK § 128w), מ׳ רָע Pr 15_{10}; — 2. **Zucht** Dt 11_2 Ps 50_{17} Pr 1_2 (|| חָכְמָה)$_{.3.7}$ (מ׳ הַשְׂכֵּל) 3_{11} 4_{13} $5_{12.23}$ 6_{23} 10_{17} 12_1 13_1 (cj מוּסָר אָהֵב, ↗ Gemser)$_{.18}$ $15_{5.32}$ 16_{22} $19_{20.27}$ 23_{23} Hi 5_{17}; — 3. **Mahnung, Warnung** Ez 5_{15} Hi 20_3 (מ׳ כְּלִמָּתִי mir zum Schimpf) 36_{10} Pr 1_8 4_1 8_{33} 15_{32} (|| תּוֹכַחַת) 23_{12} Sir 42_8, מוּ׳ אֱלֹהִים Unterweisung der Götzen Jr 10_8, מ׳ בשת Anweisung zu Schamhaftigkeit Sir 41_{14a}; persönl. Zuchtmeister Hos 5_2 (↗ Rud., 116); — Hi 12_{18} u. Pr 7_{22} (? II מוּסָר Fessel, אסר, Begr. OLZ 42, 482; od. מוֹסֵר, Gemser). †

I **מוֹסֵרָה**: f. v. מוֹסֵר; mhe.: מוֹסֵרוֹת, cs. מוֹסְרוֹתֵימוֹ, מוֹסְרוֹתֶיךָ, מוֹסְרוֹת (BL 253z): **Fesseln** Jr 2_{20} 5_5 27_2 30_8 Nah 1_{13} Ps 2_3 107_{14} Hi 39_5. †

II **מוֹסֵרָה**: Dt 10_6, Sam.$^{BCh. 3, 113}$ *māsīrot*, G M(ε)ισαδαι, u. מֹסֵרוֹת Nu 33_{30f}, Sam.$^{BCh. 3, 175b}$ *māsīrot*, G Μασσουρωθ/ουθ: n.l., Wüstenstation, ↗ Abel 1, 387. 2, 215, GTT § 436. †

מוֹעֵד (ca. 200 ×), Dt 31_{10} מֹעֵד, Sam.^{M102} *muwwad*, (< **mūʿad*), $^{BCh. 3, 155}$ *wed*: יעד; < **mauʿid*, BL 492u, 2S 20_5 u. Ex 30_{36} m. יעד verbunden; pehl. (DISO 145); mhe. (DSS 1 × מועדים, Dam. 2 × דות–) u. ja. מוֹעֲדָא u. cp. (*mwʿd*, Schulth. Lex. 85) nur Festzeit; ug. *mʿd* (UT nr. 1512. Aistl. 1195, CML 159b) Versammlung; ar. *mauʿid*, *miʿād*, asa. *mwʿd* feste Zeit, *mʿd* Versprechen (Conti 138a.179b), äth. *moʿalt* (VG 1, 237), tigr. (Wb. 443b) *meʿāl*; äg. *mwʿd(t)*, Wen-Amon II 71 (JNESt. 4, 245, ANET 29a); LRost, Vorstufen v. Kirche u. Synagoge im AT, 1938, 129ff; THAT 1, 743ff: מוֹעֲדָי/דֵיכֶם, מוֹעֲדֵי, מוֹעֲדוֹ/דֶךָ: — 1. **Treffpunkt, Versammlungsplatz** Jos 8_{14} (↗ Noth Jos. 46.48); אֹהֶל מ׳ ↗ 5; הַר מוֹעֵד Versammlungsberg d. Götter (ug.!; ? > Ἁρμαγεδών, Gray LoC² 24¹ Torrey HThR 31, 238ff, ↗ ThWbNT), בֵּית מ׳ (|| מָוֶת) d. Totenwelt Hi 30_{23} (auch ar., ↗ GB; Gkl Ps 324 : : Morgenst. Fschr. Levi d.V. 1, 195: Synagogen), מוֹעֲדוֹ Kl 2_6 u. מוֹעֲדֶךָ Ps 74_4

(v. J. gesagt); — 2. **Zusammenkunft, Versammlung**: מוֹעֲדֵי בֵּית יִשְׂרָאֵל Ez 45_{17}, יוֹם מוֹעֵד Hos 9_5 Kl $2_{7.22}$, מוֹעֵד cj יְמֵי Zef 3_{18}, מוֹעֲדִים טוֹבִים frohe Vers. Zch 8_{19}; קָרָא מ׳ Kl 1_{15} V. ausrufen, קְרִיאֵי מ׳ Nu 16_2; cj Mi 6_9 (וּמ׳ הָעִיר, Wellh.); — 3. **verabredeter Zeitpunkt, Termin** (THAT 1, 744): הָיָה הַמ׳ לוֹ עִם hat eine Abrede getroffen m. Ri 20_{38}; וַיָּשֶׂם מ׳ Ex 9_5, cj שָׂם לוֹ מ׳ setzt ihm e. Frist Hi 34_{23}, מוֹעֲדָהּ der ihr bestimmte Zeitpunkt Ex 13_{10}; לְמ׳ חֹדֶשׁ אָבִיב zur bestimmten Zeit des 23_{15} 34_{18}, מוֹעֲדוֹ des פֶּסַח Nu 9_{2f}, d. festgesetzte Zeit des קָרְבַּן י׳ $9_{7.13}$ 28_2; מוֹעֲדֶיהָ des Zugvogels Jr 8_7; הֶעֱבִיר הַמ׳ die rechte Zeit verpassen 46_{17}; מ׳ d. תִּירוֹשׁ Hos 2_{11}; לַמּוֹעֵד auf d. bestimmte Zeit 1S 9_{24} 13_8 Da $11_{27.29.35}$, = לְמ׳ יָמִים 1S 13_{11}; מ׳ דָּוִד die mit D. abgemachte Zeit 1S 20_{35}, אֲשֶׁר יְעָדוֹ 2S 20_5; לַמ׳ הַזֶּה um diese Z. (des Jahres) Gn 17_{21} 2K 4_{16}, Gn 18_{14} (adde הַזֶּה), לַמ׳ אֲשֶׁר um die Z., wo 21_2 2K 4_{17}, מ׳ mit gen. zur Zeit v. Dt 16_6 31_{10}; מ׳ Termin Lv 23_4 Hab 2_3 Ps 102_{14} 104_{19} (v. יָרֵחַ) u. Sir 43_7 (v. יָרֵחַ || זמני חק), לְמוֹעֵד קֵץ zur festgesetzten Zeit des Endes Da 8_{19}; עֵת מ׳ abgemachte Zeit 2S 24_{15} (F v. 13, :: בֹּקֶר); לְמ׳ מֹעֲדִים וָחֵצִי Frist, Fristen u. eine halbe Da 12_7 (wie ba. עִדָּן 2 = Jahr); לָקַח מ׳ Ps 75_3 d. Zeitpunkt wählen (Gkl., cf. Act 24_{25}; al. sich eine Frist nehmen, Zeit lassen); — 4. **Fest, Festzeit** (1Q 10, 3-8) mhe. ja. : a) sg. יוֹם מ׳ Kl $2_{7.22}$; > מ׳, צִיּוֹן קִרְיַת מוֹעֲדֵנוּ (MSS pl.) Js 33_{20}, coll. Hos 2_{13} (4QpHos.[b], JBL 78, 146 מועדיה) Kl 1_4 2_6 2C 30_{22}; b) pl. יְמֵי מוֹעֲדִים Hos 12_{10}, cj Zef 3_{18}, > מוֹעֲדִים Gn 1_{14} Nu 10_{10} 15_3 29_{39} Js 1_{14} Ez 36_{38} $46_{9.11}$ Neh 10_{34} 1C 23_{31} 2C 8_{13} 31_3; מוֹ׳ טוֹבִים fröhliche F. (|| שָׂשׂוֹן u. שִׂמְחָה) Zch 8_{19}; מוֹעֲדֵי יהוה Lv $23_{2.4.37.44}$ Esr 3_5 2C 2_3, מוֹעֲדַי Lv 23_2 Ez 44_{24}; — 5. אֹהֶל מוֹעֵד (ca. 140 ×), Kuschke ZAW 63, 82ff, Rost Fschr. Baumgtl 158ff, Haran JSSt. 5, 50ff, BHH 1871, Cross BA 10, 54ff.65, THAT 1, 744; trad. „Stiftshütte" (Luther), besser **Zelt des Sichtreffens, d. Begegnung** F 1, c. יעד nif. Ex 30_{36}, Ex 27_{21}-40_{35} (33 ×) Lv 1_1-19_{21} (39 ×) Nu 1_1-31_{54} (55 ×) Dt 31_{14} Jos 18_1 19_{51} 1S 2_{22} 1K 8_4 1C 6_{17} 9_{21} 23_{32} 2C $1_{3.6.13}$ 5_5.

*מוֹעָד: יעד, BL 490d: מוֹעָדָיו Js 14_{31} (1Js[a] מודעיו) V *agmen*: Schar?, Sammelplatz?. †

מוּעָדָה: יעד; BL 491e; **Verabredung** (Noth 122) עָרֵי הַמ׳ gew. d. festgesetzten Städte Jos 20_9. †

מוֹעַדְיָה: Neh 12_{17}; n.m.; ? מוֹעֵד; asa. מעד אל (: ועד, Versprechen, Conti 179b); ? 1 מעדיה 12_5 (F BH, Rud.). †

מוּעָף Js 8_{23}: (trad. II עוף Finsternis, BL 490d, :: Ginsbg ErIsr. 5, 62a*.64a*: F עיף schimmern): **Schimmer**; cf. Sir 11_4 (Tarb. 29, 130): u.c. 1QJs[a] pr לוֹ 1 אל u. Js 8_{22} pr. מְעוּף 1 מָעִיף ohne Schimmer (*עיף) :: Wildbg. BK X/1,355. †

*מוֹעֵצָה, מֹעֵצָה: יעץ, BL 492u (:: Driv. WdO, 1, 411: zu II עֵצָה): cj מוֹעֲצָתִי (c. 2 MSS) Hi 29_{21}: מֹעֵצוֹת (BL 597g) מ(ו)עֲצ(ו)תָם/תֵיהֶם: — 1. **Ratschlag** Pr 22_{20} Hi 29_{21}, Beweis cj Js 41_{21} (|| רִיב, 1 מֹעֲצוֹתֵיכֶם, Begr. Dtj. 38); — 2. **Plan** Jr 7_{24} u. Mi 6_{16} u. Ps 5_{11} (:: Driv. Fschr. Nötscher 54, 1 בְּמוֹעֲצֹתָיו) 81_{13} Pr 1_{31}; — ? Hos 11_6 (F Rud. 211). †

מוּעָקָה: II עוק, bzw. Nf. *יעק, BL 490e; aram. = צוק ar. ḏjq Drangsal, F II מוּצָק, מְצוּקָה, צָקָה, מָצוֹק, G θλίψις: **Drangsal** Ps 66_{11}. †

מוּפָז 1K 10_{18}: F פזז hof.

[מוֹפַעַת: Jr 48_{21}K, 1 Q מֵיפַעַת n.l.].

מוֹפֵת, Sam. [BCh.] Dt 13_2 *mūfat*: ? etym.; mhe.[2], ja.[t] מוֹפְתָא: ? ph. מפת (DISO 164): מוֹפְתָיו, מוֹפְתִים, מ(ו)פְתֶם; F Keller Oth 60f, Quell Fschr. Baumgtl 288f, Stolz ZThK 69, 125ff, THAT 1, 91ff: **Wahrzeichen**, G gew. τέρας, meist dtst., zuerst bei Jes.; durch Menschen gegeben: Prophet, Mose u. Aaron Ex 4_{21} 11_{10}, Js 8_{18} 20_{3} Ez $12_{6.11}$ $24_{24.27}$, Ps 71_{7} (im schlimmen Sinn); אַנְשֵׁי מ׳ Zch 3_{8} (1QHod 7_{21}); durch Himmelserscheinung Jl 3_{3}, 2C 32_{31}, äg. Plagen Ex 11_{9}; neben אוֹת Ex 7_{3} Dt 4_{34} 6_{22} 7_{19} 13_{2f} 26_{8} 28_{46} (Fluchworte) 29_{2} 34_{11} Js 8_{18} 20_{3} Jr 32_{20f} Ps 78_{43} 105_{27} 135_{9} Neh 9_{10}; || אוֹת u. מַסָּה Dt 4_{34} 7_{19} 29_{2}, || נִפְלָאָה u. מִשְׁפָּטִים Ps 105_{5} 1C 16_{12}; נָתַן מוֹפֵת Wunder geben Ex 7_{9} 2C 32_{24}, W. anbieten Dt 13_{2}, anzeigen 1K $13_{3.5}$; דִּבֶּר מוֹפֵת W. ansagen 1K 13_{3}. †

I **מוֹצָא, מֹצָא**: יצא, VG 1, 380, BL 490d; mhe. pl. Ausgang (zeitlich), ihe. ph. מ(ו)צא, jaud. מוקא, äga. מועא (DISO 164), sy. *mauʿītā* (LS 305a) Wachstum, Pflanze; akk. *mūṣū*: cs. =, מוֹצָאֵי, מוֹצָאֲךָ/צָאוֹ (BL 542k), מוֹצָאוֹתָיו, מוֹצָאֵיהֶם, מוֹצָאָיו: — 1. **Ausgangsort**: מַיִם (יציאה DJD III p. 242, 57; Sil. 5 = Quelle, akk., AHw. 679f) 2K 2_{21} Js 41_{18} 58_{11} Ps $107_{33.35}$ 2C 32_{30}, für מַסַּע Nu $33_{2a.b}$; שֶׁמֶשׁ (EA, akk. ass. *ṣīt šamši*) Ps 19_{7} 75_{7} (= Osten, :: מַעֲרָב); Fundort (כֶּסֶף) Hi 28_{1}; — 2. **Ausgehen**, **Ausgang**: archt. am Tempel Ez 42_{11} 43_{11} 44_{5}; — 3. **Äusserung**, c. דָּבָר Da 9_{25}, c. שְׂפָתַיִם Nu. 30_{13} Dt 23_{24} Jr 17_{16} Ps 89_{35}, c. פֶּה (מ׳ פִּיו) d. Schöpferwort (|| דָּבָר) Sir 39_{17}, כָּל־מ׳ מִפִּי י׳ Dt 8_{3} trad. sec. Mt 4_{4} v. allgemeinen Gotteswort, :: הַלֶּחֶם spez. das durch J. geschaffene Manna (↗ Dürr MVAeG 42, 1, 48f :: Eissf. Hexateuch-Synopse, 1922, 41, v. Rad Th. 2, 105, cf. akk. *ṣīt pīšu imuru ilāni* Enuma Eliš IV 27, äg. VT 8, 428f); — 4. **Hervorkommen**: בֹּקֶר וָעֶרֶב Ps 65_{9}, Jahwes Hos 6_{3} (Rud. 132); מוֹצָא וּמָבוֹא d. Tun u. Lassen 2S 3_{25}; מ׳ סוּסִים Ausfuhr a. Äg. (= Einfuhr in Pal.) 1K 10_{28} (↗ יצא 29) 2C 1_{16}; — Ez 12_{4} l (גּוֹלָה) מוֹצָאֵי, 44_{5}; Hi 38_{27} l מִצִּיָּה. †

II **מוֹצָא**: n.m.; = I 1; — 1. S. d. זִמְרִי 1C 8_{30f} 9_{42f}; — 2. Nachk. Kalebs 1C 2_{46}, eig. n.l. (s. צֹאָה Jos 8_{26f}) im Negeb (Rud. 21²). †

***מוֹצָאָה**: f. v. I מוֹצָא (:: Lex.¹: pt. dazu): מוֹצָאוֹת 2K 10_{27Q}, מוֹצָאוֹתָיו: — 1. **Ursprung** Mi 5_{1}; — 2. **Abtritt** 2K 10_{27Q} (K מַחֲרָאוֹת; od. ar. *waḏuʾa* sauber sein, *mutawaḏḏaʾ*). †

I **מוּצָק**: יצק, BL 490d; cs. מוּצַק: (Metall-) **Guss** Hi 38_{38} Sir 43_{4} Rd u. M V 20: מוּצָק אֶחָד einerlei G. 1K 7_{37}, מֻצַק נְחֹשֶׁת Bronzeguss 7_{16}. †

II **מוּצָק**: צוק, BL 490d, od. praef. *mu*-; ↗ מוּעָקָה: — 1. **Enge** Hi 37_{10}; — 2. **Drangsal** Js 8_{23} (:: al. wie Hi 36_{16} יצק pt. hof.: eingeengt). †

***מוּצָקָה**: f. v. I מוּצָק: מֻצַקְתּוֹ, מוּצָקוֹת: — 1. **Guss** 2C 4_{3}; — 2. pl. **Röhren** (BRL 347f) Zch 4_{2}. †

מוק: ja.ᵗ cp. sy. pa./af. verhöhnen; aLw. 155: **hif**: impf. יָמִיקוּ: **höhnen** (Σ) Ps 73_{8} (? l יַעֲמִיקוּ, ↗ עמק). †

מוֹקֵד: יקד, BL 492u; mhe. בֵּית הַמּ׳ Feuerstelle, ja. מוקדא: מוֹקְדֵי: **Feuerstelle** Lv 6_{2} (l מוֹקְדָהּ, auf d. Altar) Ps 102_{4}; metaph. v. Endgericht Js 33_{14} (|| אֵשׁ אוֹכֵלָה) Ps 102_{4} (:: Driv. Fschr. Nötscher 53). †

[**מוֹקְדָה**: Lv 6_{2}, ? f. v. מוֹקֵד: l מוֹקְדָהּ. †]

מוֹקֵשׁ: יקשׁ, BL 492u: מ(ו)קְשֵׁי, מ(ו)קְשִׁים cf. מוקשת Sir 32 / 35_{20}; Gehman JBL 56, 277ff: **Stellholz** d. Vogelfalle, ↗ פַּח, Gerleman Bull. Soc. Royale des Lettres de Lund 1945/46, 79ff, AuS 6, 335f.339, BHH 792; — 1. konkret דרך מוקשת Weg voller Fallen Sir 32/35_{20}; sonst immer metaph. **Falle** Ps 64_{6} 141_{9} (|| פַּח) Pr 18_{7} 20_{25} 22_{25}; Am 3_{5} u. Ps 69_{23} ? Köder (Vogt Bibl. 43, 79ff); שַׁת מ׳ לְ Ps 140_{6}, נָתַן מ׳ Pr 29_{25}; הָיָה לְמ׳ לְ zum Fallstrick werden für Ex 10_{7} 23_{33} 34_{12} Dt 7_{16} Ri 2_{3} 8_{27} 1S 18_{21} Ps 106_{36} Jos 23_{13} Js 8_{14}, cj Jr 3_{3} (וּלְמ׳ לָךְ הָיוּ); מֹקְשֵׁי מָוֶת (JScheftelowitz, D. Schlingen- u. Netzmotiv, 1912, 10) 2S 22_{6} / Ps 18_{6} Pr 13_{14} 14_{27}, cj 21_{6} (וּמְמוֹקְשֵׁי); מִמֹּקְשֵׁי עָם Hi 34_{30} ↗ Komm.; 40_{24} Pflock z. Durchbohren d. Nase d. בְּהֵמוֹת (? l קְמוֹשִׁים Ehrlich Hölscher) Pr 12_{13} u. 29_{6} l נוֹקֵשׁ wie 6_{2}. †

I מור: mhe. hif. ja.[b] af. vertauschen, (< he.?) sam.[BCh. 2, 595] zerbrechen; sy. Getreide einführen; ? ug. *mr* weichen (Aistl. 1658); nbab. *māru* kaufen (wsem., AHw. 616b); ar. *mjr* verproviantieren, sorgen für; ↗ ימר:

nif: pf. נָמַר, BL 403: **sich ändern** (↗ hif. 2) Jr 48_{11} (c. לֹא, || עמד). †

hif: pf. הֵימִיר Jr 2_{11} (MSS הֵמִיר, orthogr. Var. פ״י, cf. BL 403); impf. יָמִ(י)ר, יָמֵר, אָמִיר, וַיָּמִירוּ, יְמִירֶנּוּ; inf. הָמֵר: — 1. **vertauschen**: c. בְּ gegen Lv $27_{10.33}$ Jr 2_{11} Ez 48_{14} (l יָמִירוּ, || מכר u. הֶעֱבִיר) Hos 4_7 (l הֵמִירוּ) Ps 106_{20}; eintauschen cj Pr 3_{35} (מְמִרִים); — 2. **ändern** (nif.) Ps 15_4; — Mi 2_4 l יְמַד (: מדד nif.). †

Der. תְּמוּרָה.

II מור: ar. *mwr* schwanken (Driv. Fschr. Nötscher 51):

nif: inf. הִמּוֹר: **schwanken** (GVS, al. cj הִמּוֹג, V מוג) Ps 46_3. †

מוֹר: Myrrhe: ↗ מֹר.

מוֹרָא: מֹרָא 1 ×; מוֹרָה Ps 9_{21}: mhe.: מוֹרָאוֹ, מוֹרָאִים, מוֹרַאֲכֶם; ↗ יִרְאָה: — 1. **Furcht**: a) die man selber empfindet Gn 8_{13}; b) d. empfundene F. (vor J.), c. sf. F. vor Gn 9_2 Dt 11_{25} Js 8_{12} Mal 1_6; — 2. **Schrecken**, den J. erregt: Dt 26_8 Js 8_{13} Jr 32_{21}, c. עָשָׂה Dt 34_{12}, c. שִׁית Ps 9_{21}; pl. Schrecknisse Dt 4_{34}, cj Hi 33_{16} (l מֹרָאִים); — 3. **Ehrfurcht** vor J. (cf. יִרְאָה 2) Mal 2_5 (Gegenstand d. Verehrung 1QpHab 6, 5); — Ps 76_{12} ? l לַנּוֹרָא (V). †

מוֹרַג, MSS Edd. מוֹרָג (BL 558c.559m): מֹ(ו)רַגִּים: ja.[tb] מוֹרָגָא, ar. dial. *m/naurağ*: **Dreschschlitten**, schwere Holzplatte, vorn nach oben gekrümmt, unten mit vorstehenden Steinen oder Schneideisen besetzt, BRL 137ff, AuS 3, 83 BHH 356, ↗ חָרוּץ: Js 41_{15}, pl. 2S 24_{22}, 1C 21_{23}. †

מוֹרָד: ירד, BL 490d; mhe.[2] pl.: cs. מוֹרַד: **Berghang**, **Abhang** (Schwarzb. 29) Jos 7_5 10_{11} Jr 48_5 Mi 1_4; — מַעֲשֵׂה מוֹרָד 1K 7_{29} tt. ign. (↗ Mtg.-G. 180, Noth Kge. 157). †

I מוֹרֶה: I ירה, pt. hif. > sbst.: מוֹרִים: **Schütze** 1S 31_{3b} (:: $_{3a}$ wie 1C 10_{3a} c. בַּקֶּשֶׁת) 2S 11_{24}; ↗ יוֹרֶה. †

II מוֹרֶה: II ירה; pt. hif. > sbst.: **Regen** (Jl 2_{23b} :: מַלְקוֹשׁ), Jl 2_{23a} (GS Speise, TV Lehrer, ↗ III, prp. אות Ehrlich Sellin).$_{23b}$ (MSS יוֹרֶה) Ps 84_7 (txt ?, ↗ Komm.) AuS I passim BHH 1568 ff. †

III מוֹרֶה: III ירה, pt. hif. > sbst.: מורה (ה)צדק ,,rechter Lehrer'' (↗ צֶדֶק) u. מ׳ יחיד Dam. 1QpHod. u. 4 QpPs. ↗ KQT 118b, JJeremias, D. Lehrer d. Gerechtigkeit, 1963, JWeingreen JSSt. 6, 162ff; RMeyer VTSu. XV 232ff, cf. הַמּוֹרֶה לִצְדָקָה? Jl 2_{23}; sbst. nur mhe.[2], ja. מוֹרְיָנָא: מוֹרֶיךָ (sg. od. pl. ?, BL 584b), מוֹרָי: (eig. Orakelwerfer) **Lehrmeister** Js $30_{20a.b}$ Hi 36_{22} Pr 5_{13}; מוֹרֶה שָׁקֶר Lügenlehrer Hab 2_{18}, ↗ Segert ArchOr. 22, 457f; ? מ׳ c. אֵלוֹן u. גִּבְעָה ↗ IV. †

IV מוֹרֶה (Sam.[M191] *mūra*) in nn. l.: a) אֵלוֹן מוֹרֶה Gn 12_6 u. אֵלוֹנֵי מ׳ Dt 11_{30} (↗ I אֵלוֹן) b. Sichem; b) גִּבְעַת הַמּ׳ Ri 7_1 (in ↗ עֵמֶק ↗ יִזְרְעֶאל); ↗ III; cf. Stade Th. 1, 112. †

I מוֹרָה: < *מַעֲרָה, I ערה (Wellh., Text d. Bücher Sam., 1871, 146[1], :: Kö: מרה); m.: **Schermesser** (↗ תַּעַר) Ri 13_5 16_{17} 1S 1_{11} (immer m. לֹא עָלָה עַל רֹאשׁ, d. Formel des Naziräats). †

II מוֹרָה, Ps 9_{21}, c. שִׁית, l מוֹרָא c. MSS; al. מְאֵרָה. †

I מוֹרָשׁ: ירשׁ, BL 490d: cs. מוֹרַשׁ: **Besitz**, **Erbgut** Js 14_{23}, ↗ מוֹרָשָׁה: Ob $_{17}$ l מוֹרִישֵׁיהֶם (? l ירשׁ pt. hif. Wtsp.). †

II *מוֹרָשׁ: מוֹרָשֵׁי לְבָבִי Hi 17_{11}: ארשׁ, < *maʾraš*, BL 222b: **Wunsch**: al. sy. *maršā* Seil (LS 406a, G ἄρθρα, ↗ Tur-S. 281f). †

מוֹרָשָׁה: f. v. מוֹרָשׁ: **Erwerb**, **Besitz** Ex 6_8 Dt 33_4 Ez 11_{15} $25_{4.10}$ 33_{24} $36_{2f.5}$. †

Der. מוֹרֶשֶׁת גַּת.

מוֹרֶשֶׁת גַּת: n.l.; מ׳ cs. v. מוֹרָשָׁה, BL 607c;

? = *Muḫrašti* EA 335, 17; „Moraša b. Gat", ? Tochterstadt; = *T. el-Ğudēde* ö. *Eleutheropolis* / *Bet-Ğibrin*, Abel 2, 392, GTT § 1338, Ell. ZDPV 57, 117ff, BRL 172, BHH 1238 (:: Procksch ZDPV 66, 181ff): Mi 1_{14} (Wtsp. m. *מְאֹרָשָׂה Brautgeschenk), Heimat d. Prof. Micha, ☞ מ(ו)רַשְׁתִּי. †

מוֹרַשְׁתִּי Jr 26_{18} u. מֹר׳ Mi 1_1: gntl. v. מוֹרֶשֶׁת (גַּת) הַמ׳: d. Prof. Micha. †

I **מוּשׁ**: Nf. v. ☞ משׁשׁ (:: Delitzsch OLZ 19, 165, Zorell); mhe. נְמוֹשׁוֹת Nachzügler (?), ja.ᵗ sy. md. (MdD 263a) äth. Lesl. 32; akk. *muāšu* < aram. (AHw. 665a):

qal: impf. אֲמֻשְּׁךָ: **betasten** Gn 27_{21}. †

hif: impf. יְמִישׁוּן; imp. הֲימִשֵׁנִי Ri 16_{26Q} (K׳ הֵימִ׳: ימשׁ od. orthogr. Var., ☞ מור hif.): **betasten lassen** Ri 16_{26} Ps 115_7; — יָמֵשׁ Ex 10_{21} ☞ משׁשׁ. †

II **מוּשׁ** u. מִישׁ: mhe. pilpel u. ja. palp. משמש:

qal: pf: מָשׁוּ, מַשְׁתִּי, מָשׁ; impf. יָמוּשׁ Jos 1_8 Js 54_{10}, תָּמוּשׁ Js 22_{25} Pr 17_{13Q}, תָּמֹשׁ Ri 6_{18}, יָמוּשׁוּ, יָמֻשׁוּ Jr 31_{36}, u. יָמִישׁ Ex 13_{22} 33_{11} (Sam. ימוש) Js 46_7 Jr 17_8 Nah 3_1 (4QpNah 2, 3 ימוש) Ps 55_{12}, תָּמִישׁ Pr 17_{13K}, אָמִישׁ Hi 23_{12}: — 1. **v. d. Stelle weichen**: a) Personen Ex 33_{11}, מִן מַלְאַךְ י׳ Ri 6_{18}, c. Josua Ex 33_{11}, אֲרוֹן בְּרִית י׳ וּמֹשֶׁה Nu 14_{44}; b) Sachen: עַמּוּד הֶעָנָן Ex 13_{22}, סֵפֶר Jos 1_8, יָתֵד Js 22_{25}, אֵל (פֶּסֶל) 46_7, הָרִים 54_{10} Zch 14_4, חַסְדִּי Js 54_{10}, דְּבָרַי 59_{21}, הַחֻקִּים Jr 31_{36}, טֶרֶף Nah 3_1, מִרְמָה Ps 55_{12}, רָעָה Pr 17_{13}; — 2. c. מִן **ablassen** Hi 23_{12} (l מִמִּצְוֹת), c. inf. Jr 17_8 (al. hif. c. acc.); Nah 3_1 l יָמוּשׁ V u. 4Q 169, 3/4, II 3; — Zch 3_9 ☞ hif. †

hif: impf. (אָמִישׁ), תָּמִישׁוּ: **entfernen** Mi 2_3, cj Zch 3_9 (וְהֲמִשְׁתִּי), BL 396t, od. וּמַשְׁתִּי: משׁשׁ), Esr 10_{44} (l וַיָּמִישׁוּ Galling, cf. Rud.); — Mi 2_4 l מֵשִׁיב; Nah 3_1 ☞ qal. †

מוֹשָׁב: ישׁב, BL 490d; mhe.; ug. *mṯb*, pl. *mṯbt* (UT nr. 1177), jaud. משב, äga. מיתב, nab. מותב u. palm. (auch מתב, DISO 150. 169. 172), ja. מוֹתְבָא, sy. md. *m(a)utba* (MdD 241a.263b) cp. מיתוביא; akk. *mūšābu*, asa. *mwṯb*, ar. *mīṯab* Bodenerhebung, *wiṯāb* Sitz: cs. מוֹשַׁב, מוֹשָׁבִי, מוֹשָׁבְךָ, מוֹשְׁבֵי, מ(ו)שְׁבֹתָם, מוֹשְׁבֹתֵיכֶם: — 1. **Sitz, Sitzplatz** 1S $20_{18.25}$ Ps 1_1 107_{32} Hi 29_7 Sir 7_4, מוֹשַׁב אֱלֹהִים Göttersitz Ez 28_2; Sitzordnung 1K 10_5 2C 9_4; מ׳ עִיר **Lage** e. Stadt 2K 2_{19}; — 2. **Wohnsitz** Gn 10_{30} 27_{39} 36_{43} Nu 24_{21} 35_{29}, pl. Ex 10_{23} 12_{20} 35_3 Lv 3_{17} 7_{26} $23_{3.14.17.21.31}$ Nu 15_2 31_{10} Ez $6_{6.14}$ 34_{13} 1C 4_{33} 6_{39} 7_{28}; Wohnstätte Ez 48_{15}; — 3. **Aufenthaltsort** Lv 13_{46} Ps 132_{13}; — 4. **Aufenthaltszeit** Ex 12_{40}; — 5. **Standplatz** Ez 8_3; — 6. בֵּית מ׳ **Wohnhaus** Lv 25_{29}, עִיר מ׳ bewohnte Stadt Ps $107_{4.7.36}$; מוֹשַׁב בַּיִת d. Hausgenossen 2S 9_{12}; — Ez 37_{23} l מְשׁוּבוֹתֵיהֶם (Σ). †

מוּשִׁי u. מֻשִׁי 1C 6_4: — 1. n.m. Ex 6_{19} (Enkel v. לֵוִי 6_{16}) Nu 3_{20a} 1C $6_{4.32}$ $23_{21.23}$ $24_{26.30}$; — 2. gntl. v. 1: Nu $3_{20b.33}$ 26_{58}; ? eig. gntl. zu מֹשֶׁה Sam.[M137] *mūšī*. †

מוֹשִׁיעַ: ישׁע pt. hif. > sbst.: מ(ו)שִׁ(י)עוֹ/עֲךָ, מ(ו)שִׁיעִים, מוֹשִׁיעֵךְ/עֵךְ/עָם: **Helfer, Retter**: — 1. menschliche: a) pl. Ob $_{21}$ (G pass., ? נוֹ׳) Neh 9_{27}; b) trop. וְאֵין מ׳ od. מוֹשִׁיעִים u.ä., ohne Retter, unrettbar Dt 22_{27} $28_{29.31}$ Ri 12_3 2S 22_{42} Js 47_{15}; c) v. J. dem Volk erweckt Ri $3_{9.15}$ (d. eig. nur den „kleinen Richtern" zukommende Bezeichnung ist dtst. auf d. Heldenrichter übertragen, Noth ÜSt. 49, Boecker 65, Soggin Kgt. 13³) 2K 13_5 Js 19_{20} 45_{15}; — 2. J. als מוֹ׳: a) 1S 10_{19} Js 45_{15} 63_8; b) c. sf. 2S 22_3 Js 43_3 49_{26} 60_{16} Jr 14_8 Ps 106_{21} od. gen. Ps 7_{11} (Isr.) 17_7 (חסים); c) ausser J. kein Retter 2S 22_{42} / Ps 18_{42} Js 43_{11} 45_{21} Hos 13_4. †

***מוֹשָׁעָה**: ישׁע, BL 490e: מוֹשָׁעוֹת: **Hilfeleistung** (|| יְשׁוּעָה) Ps 68_{21}. †

מוֹת: mhe.; ug. *mt* (UT nr. 1443, Aistl. 1703), kan. EA (VAB 2, 1468), pun. aam. jaud. äga. nab. palm. Hatra (DISO 145), ba. ja. sam. (BCh. 2, 503b) cp. sy. md. (MdD

263b); asa. (Conti 176a) ar. *mwt*, äth. tigr. (Wb. 134b); akk. *mē/īt* (AHw. 634b); äg. *mt(w)* EG 2, 165ff:

qal (ca. 600 ×): pf. מֵת, מֵ֫תָה (BL 392y :: Bgstr. 2, 155[3], Rabin AWAr. 110ff: himj; BM § 80, 1a), מַתָּ/תִּי, מֵתוּ, מַ֫/מַתְנוּ; impf. יָמֻת, יָמוּת Pr 19_{16Q} (K יוּמַת), יָמוּת, וַיָּמָת, תָּמ(וֹ)ת, וַתָּמָת/מֹת, אָמֻ/מוּת, אָמוּתָה, תְּמוּתֶנָה, תְּמֻ(וּ)תוּן, יָמֻ(וּ)תוּ; imp. מֻת; inf. מוֹת, מֻתָן, מְ/מוּתֵנוּ, מוּתִי, לָמוּת; pt. מֵת (BL 392y.393e, BM § 80, 1a), מֵתִי, מֵתִים/תֵי, מֵתֶיךָ, מֵתָה: — 1. **sterben** (THAT 1, 893ff): a) natürlichen Todes: Gn 15_{15} 25_{8} Ri 8_{32} 1C 29_{28} (בְּשֵׂיבָה טוֹבָה), 1S 25_{37} (לִבּוֹ בְּקִרְבּוֹ: Schlaganfall), Hi 42_{17} (זָקֵן וּשְׂבַע יָמִים), Js 66 $_{24}$ (Tier), Hi 14_{8} (Pflanze), 12_{2} (חָכְמָה); b) gewaltsamen Todes: Hi 1_{19}, v. Todesstrafe Dt 19_{12}, מֵת בַּחֶרֶב Jr 11_{22}, מֵת בָּרָעָב Jr 11_{22}, מֵת בַּעֲוֹנוֹ 31_{30}; כְּעֵת מוּתָהּ als sie im Sterben lag 1S 4_{20}; מוּת sterblich werden Ps 82_{7} (Morgenstern HUCA 14, 72ff, auch für Gn 2_{17} 3_{3f}); מֵת תַּחְתָּיו starb auf dem Platz, an Ort u. Stelle Jr 38_{9}; מוֹת תָּמוּת du stirbst unbedingt Gn 2_{17}; l לֹא תָמוּת Hab 1_{12} pr. נָמוּת (Geiger 314, Gsburg 358, SHHooke Origins of Early Sem. Ritual, 1938, 56); c) ? לָמוּת superl. = äusserst (WThomas VT 3, 219f, Driv. Fschr. PKahle 102f): לָמוּת c. קצר sterbensungeduldig Ri 16_{16}, c. חלה sterbenskrank 2K 20_{1}, ℱ מָוֶת 1c; — 2. pt. מֵת (GK § 116e): sterbend Gn 20_{3}, gestorben Dt 25_{5}, מֵתֵי מִלְחָמָה Js 22_{2}, מֵת אָדָם toter Mensch Ez 44_{25} (ℱ Zimm. 1121), einer, der sterben wird (*moriturus*) Dt 4_{22}, dem Tode verfallen Ez 18_{32}, tot geboren Nu 12_{12}; Leiche einer Frau Gn 23_{3ff} (wie ar. *maitat* Leiche, ὁ νεκρός, *mortuus*, Schulz ZAW 59, 187f); זִבְחֵי מֵתִים Totenopfer Ps 106_{28}, Totenspeisung Dt 26_{14} (Jahnow 30f.34f); עַל־מוּת Ps 9_{1} MSS u. 48_{15}.

polel (BL 394k): pf. מוֹתְתָנִי, מוֹתַתִּי; impf. וָאֲמֹתְתֵהוּ, אֲמֹתֵת, תְּמוֹתֵת; imp. מֹ(וֹ)תְתֵנִי; inf. לְמוֹתֵת; pt. מְמוֹתֵת: — 1. **vollends töten**, den Todesstoss geben Ri 9_{54} 1S 14_{13} 17_{51} 2S $1_{9f.16}$; — 2. **umbringen** Jr 20_{17} Ps 34_{22} 109_{16} (? l לַמָּוֶת S). †

polal, pass. z. polel (BL 394k): pt. מְמוֹתָתִים: 2K 11_{2K} (Mtg.-G. 424, al. Tf; Q ℱ hof.) die **getötet werden sollten** (GK § 116e). †

hif. (c. 130 ×): pf. (BL 217b.396t.403 :: Bgstr. 2, 147k) הֵמִית, הֵמַ֫תָּה/תִּי, וְהֵמִיתוּ, הֲמִתֶּן, הֵמִיתְךָ, הֱמִיתָנִי, וַהֲמִתִיו, וַהֲמִתִּיהָ, וְהֵמִיתְךָ, הֱמִתָּהוּ, הֱמִיתָהוּ; impf. יָמִית, וַיָּ֫מֶת, וַיְמִיתֵהוּ/תֵם, תְּמִיתֵנִי, נְמִיתֵם/תֶךָ; imp. הָמֵת, הֲמִיתוּ/תֵם, הָמִית; inf. הֲמִיתֵנִי, הָמִיתוֹ; pt. מֵמִית, מְמִ(י)תִים: — 1. **töten**, a) sbj. Menschen: Menschen Gn 37_{18}, Tiere Ex 21_{29} 1K 13_{24}, d. Todesstrafe vollziehen 2S 14_{7} (Boecker 21f); b) sbj. Gott: **sterben lassen** Gn 18_{25} 38_{7} Ex 4_{24} Nu 14_{15} Dt 32_{39} 1S 2_{6} 2K 5_{7} Js 11_{4}, cj Ps 17_{14} (הֲמִיתֵם), sbj. אֲרוֹן אֱלֹהִים 1S 5_{10f}; Fluchformel וֶהֱמִיתְךָ Js 65_{15}; c) sbj. קִנְאָה Hi 5_{2}; — 2. töten, **hinrichten lassen** 2K 14_{6} Est 4_{11}, d. Tod bringen Pr 21_{25}; מְמִתִים Todesengel (Duhm; akk. *ilāni lemnūti mušmītūti* AHw. 635b) Hi 33_{22}, (G ἐν ᾅδῃ) 33_{23} (G ἄγγελοι θανατηφόροι pr. מַלְאָךְ cf. Pr 16_{14}) || שַׁחַת, לִמְקֹם מֵתִים, Driv. Textus 4, 91; — Pr 19_{18} l הֶמְיָתוֹ s. Heulen (ℱ המה qal 5 :: Gemser 77).

hof: pf. הוּמַת, הֻמְתוּ (BL 397z); impf. יוּמַת/מָת, יוּמְתוּ/מָתוּ, וַתּוּמַ֫ת; pt. מוּמָת, מְ/מוּמָתִים (2K 11_{2Q}): — 1. **getötet werden** Ex 21_{29} (שׁוֹר) 35_{2} Lv 19_{20} $24_{16.21}$ Nu 1_{51} $3_{10.38}$ 18_{7} Dt 13_{6} 17_{6} 21_{22} 24_{16} Jos 1_{18} Ri 6_{31} 1S 11_{13} $19_{6.11}$ 20_{32} 2S 19_{22f} 21_{9} 1K 2_{24} 2K $11_{2K.8.15f}$ 14_{6} Jr 38_{4} Pr 19_{16K} 2C 15_{13} $23_{7.14}$; pt. 2K 11_{2Q}, 2C 22_{11}; — 2. מוֹת יוּמַת **den Tod erleiden**, m. d. Tod büssen (Boecker 144f, Wagner OLZ 63, 325ff, HSchulz BZAW 114, 5ff) Gn 26_{11} Ex 19_{12} $21_{12.15-17}$ 22_{18} 31_{14f} Lv $20_{2.9-13.15f.27}$ 24_{16f} 27_{29} Nu

15$_{35}$ 35$_{16\cdot18\cdot21\cdot31}$ Ri 2$_{15}$, Ez 18$_{13}$ (or. G^{ATS} יָמוּת, ↗ Zimm. 394). †

Der. מָוֶת, מְמוֹתִים*, תְּמוּתָה.

מָוֶת (ca. 160 ×), Sam.^{M139} *mot*: ug. ? n. d. *mt* (UT nr. 1443, Aistl. 1704, CML 161a), kan. EA (VAB 2, 1476), äga. nab. palm. מות (DISO 146), ba. מוֹת, ja. cp. sam. מותא, sy. *mautā*, md. (MdD 263a) *muta*; akk. *mūtu* (AHw. 691a); ar. *maut*: cs. מוֹת (= inf. abs. v. מות), מָוְתָה (BL 528t) Ps 116$_{15}$, מוֹתִי, מ(ו)תָם, לְ/כְמוֹתוֹ, מ(ו)תוֹ, בְּמֹתָיו (Js 53$_9$, ↗ Komm.): — 1. **Tod, Sterben**: a) sg.: Gn 21$_{16}$ 1S 15$_{32}$, מָוֶת וְחַיִּים Pr 18$_{21}$, מָוֶת וּמְשַׁכֶּלֶת 2K 2$_{21}$, אֲבַדּוֹן וָמָוֶת Hi 28$_{22}$, הַחַיִּים :: הַמָּוֶת Dt 30$_{15}$; בֶּן־מָוֶת 1S 20$_{31}$, בְּנֵי מ׳ 26$_{16}$ „Kinder d. Todes", d. Todes schuldig (Boecker 150, Phillips VT 16, 242f) = אִישׁ מ׳ 1K 2$_{26}$, אַנְשֵׁי מ׳ 2S 19$_{29}$; בְּמוֹתָם wenn sie tot sind Lv 11$_{32}$; יוֹם מוֹתִי Gn 27$_2$ (↗ Fschr. Speiser 89ff); מ׳ c. מִשְׁפַּט Dt 19$_6$, c. חֵטְא 22$_{26}$, c. מְהוּמַת 1S 5$_{11}$, c. מוֹקְשֵׁי 2S 22$_6$, c. דֶּרֶךְ Jr 21$_8$, c. כְּלֵי Ps 7$_{14}$, c. חֶבְלֵי 18$_5$, c. עָפָר 22$_{16}$, c. אֵימוֹת 55$_5$, c. מַלְאֲכֵי Pr 16$_{14}$ etc.; לְקֻחִים לַמָּוֶת Pr 24$_{11}$, הָרְגֵי מָוֶת Jr 18$_{21}$, בִּלַּע הַמָּוֶת Js 25$_8$; זְבוּבֵי מ׳ ? tote od. todbringende = giftige Fliegen Koh 10$_1$ (↗ Hertzb. 187); ? אַל־מָוֶת Unsterblichkeit (BDB 39, Zorell 50a, Dahood, Bibl. 41, 176ff :: Driv. JSSt. 10, 112) Pr 12$_{28}$; b) pl. intensiv (GK § 124e) „Tod": מוֹתֵי עֲרֵלִים Ez 28$_{10}$, cf. מְמוֹתִים; בְּמוֹתָיו Js 53$_9$ ↗ בָּמָה 3; c) ? מָוֶת superl. = äusserst (↗ מות 1c), עַד־מ׳ Jon 4$_9$, כַּמָּוֶת HL 8$_6$; —2. tödliche Krankheit, **Seuche**, spez. **Pest**, „Sterben" (kan. *mūtu* RA 19, 93. 47; akk. *mūtānu*, AHw. 687b, > mhe. ja. cp. sy. md. [MdD 263b מותנא, Zimmern 49], = ar. *mū/autān* Frae. 265, tham. Ryckm. 1, 125a, θάνατος Apk 2$_{23}$ 6$_{8b}$ 18$_8$); — 3. personifiziert: **Todesgott** (akk. *Mūtu*, Meissn. Btr. 1, 59; WbMy. 1, 132; ug. *Mot* HBauer ZAW 51, 94ff, ThR 13, 172, WbMy. 1, 300ff) ? Jr 9$_{20}$ Hos 13$_{14}$ Hab 2$_5$ Ps 18$_5$ 49$_{15}$ 116$_3$ Pr 13$_{14}$ (מוֹקְשֵׁי מ׳), בְּכוֹר מ׳ HL 8$_6$; Hi 18$_{13}$ (Hölscher 44, Fohrer 303); — 4. מ׳ || שְׁאוֹל od. שַׁחַת, **Totenreich** Js 28$_{15}$ 38$_{18}$; שַׁעֲרֵי מ׳ Ps 9$_{14}$ 107$_{18}$ Hi 38$_{17}$ (|| אֲבַדּוֹן) ᾅδης Sap 16$_{13}$ 3 Mkk 5$_{51}$; — 5. מ׳ in n.m. אֲחִימוֹת (?), in nn. l. חֲצַרְמָוֶת (?) u. עַזְמָוֶת, ↗ בֵּית I B 34; — Ps 73$_4$ לְמוֹתָם (l לְמוֹ תָּם); Pr 14$_{32}$ בְּמוֹתוֹ l בְּתֻמּוֹ; ? Kl 1$_{20}$? l הַמָּוֶת, :: Rud. 208).

מוֹתָר: יתר, BL 490d; mhe.; ja.^{tg} מוֹתְרָא, ? aLw. 156: cs. מוֹתַר: **Vorteil, Gewinn** Pr 14$_{23}$ u. 21$_5$ (|| מַחְסוֹר) Koh 3$_{19}$. †

מִזְבֵּחַ (ca. 400 ×), Mal 2$_{13}$ G^{Eβρ} μασβηη, Sam.^{M94} *mazba*, auch im abs., or. מ׳: זבח, BL 492r; mhe.; ug. *mdbḥ* pl. -*t*, ph. מזבח pl. ־ת, äga. מדבח (DISO 146), ba., ja. cp. sy. md. (MdD 239a) מַדְבְּחָא, ar. *madbaḥ*, asa. *mḏbḥt* (Ryckm. Fschr. WCaskel 1968, 253ff); lib. *mzbk* ZA 50, 128[1], ↗ נִבְחַז 2K 17$_{31}$, vergöttlicht Mtg.-G. 474, ph. Ζεῦς Μάδβαχος u. Z. Βωμός (ZAW 49, 13): מִזְבַּח, מִזְבְּחִי, מִזְבַּחֲךָ/חֶךָ, הַמִּזְבֵּחָה, (3 × meist Lv), מִזְבְּח(וֹ)ת (abs. u. cs.), מִזְבְּחוֹתֵיהֶם, מִזְבְּח(וֹ)תֵיהֶם 2C 34$_5$ l Q ־תָם: Stelle wo d. זֶבַח vollzogen wird, > **Altar** (BHH 63ff), G θυσιαστήριον u. f. d. heidnischen βωμός: — 1. f. J. a) aus Erde Ex 20$_{24}$ (in Mari, cf. ArchOTSt 138, Diethelm Conrad, Studien zum Altargesetz, 1968, Robertson JSSt. 1, 12ff); aus Stein 20$_{25}$ 27$_5$ Dt 27$_{5f}$ Jos 8$_{31}$ Js 27$_9$, aus נְחֹשֶׁת Ex 38$_{30}$ 2K 16$_{14}$ ↗ mut., aus זָהָב Ex 39$_{38}$ (Bibl. 40, 472ff); b) Verbindungen: c. בָּנָה Gn 8$_{20}$, c. עָשָׂה 13$_4$, c. הִצִּיב 33$_{20}$, c. קִדֵּשׁ Ex 29$_{44}$, c. עָרַךְ Nu 23$_4$, c. הֵקִים 2S 24$_{18}$, c. חִטֵּא Lv 8$_{15}$, c. דִּשֵּׁן Nu 4$_{13}$, c. רִפֵּא 1K 18$_{30}$, c. חִדֵּשׁ 2C 15$_8$, c. טִמֵּא 2K 23$_{16}$, c. הָרַס 1K 19$_{10}$, c. קָרַע 13$_3$; c. מְקוֹם Gn 13$_4$, c. כַּרְכֹּב Ex 27$_5$, c. צַלְעֹת 27$_7$, c. קַרְנֹת u. יְסוֹד 29$_{12}$, c. יֶרֶךְ Lv 1$_{11}$, c. קִיר 1$_{15}$, c. אֵשׁ 6$_2$; הַמִּ׳ אֲשֶׁר לַדְּבִיר 1K 6$_{22}$, ↗ Noth Kge. 101; c) מ׳ לי׳ Gn 8$_{20}$ Dt 27$_5$, מִזְבַּח י׳ Lv 17$_6$ Dt 12$_{27}$ 16$_{21}$ 26$_4$ 27$_6$ Jos

9_{27} $22_{19.28f}$ 1K $8_{22.54}$ 18_{30} 2K 23_{9} Mal 2_{13} Neh 10_{35} 2C 6_{12} 8_{12} 15_{8} $29_{19.21}$ 33_{16} 35_{16}, מִ׳ אֱלֹהִים Ps 43_{4}, מִ׳ אֱלֹהֵי יִשְׂרָאֵל Esr 3_{2}; — 2. nicht-israel. Altäre: Ex 34_{13} Nu 23_{2} Dt 7_{5} 12_{3} Ri 2_{2} 1K 16_{32} 2K 16_{10}, 23_{12} (auf d. Tempeldach, ↗ גָּג 1) 2C 14_{2}; מִ׳ הַבַּעַל Ri $6_{25.28.30}$, מִזְבְּחוֹת הַבְּעָלִים 2C 34_{4}, מִזְבְּחוֹת הַנֵּכָר 14_{2}; — 3. Verwendung: a) c. קְטֹרֶת Ex 30_{27} 1C 6_{34} 28_{18}, c. הָעֹלָה Ex 30_{28} 1C 6_{34} 16_{40} $21_{26.29}$ 2C 29_{18}; b) עָשָׂה עַל herrichten auf Ex 29_{38}, זָרַק 29_{16}, כִּפֶּר 29_{37}, הֶעֱלָה Lv 2_{12}, קָרַב Lv 9_{7}, הִקְרִיב לִפְנֵי Nu 7_{10}, הִקְטִיר Lv 9_{13}, נִגַּשׁ 21_{23}, הִגִּישׁ עַל Mal 1_{7}, עָמַד עַל stehen vor 1K 13_{1}, פִּסֵּחַ עַל 18_{26}, סוֹבֵב Ps 26_{6}; ↗ חֲנֻכָּה, מִשְׁמֶרֶת, תַּבְנִית, צִפּוּי, שָׁרֵת, זָוִית; — 2K 12_{10} l הַמַּצֵּבָה; 16_{14} הַמִּ׳ הַנְּחֹשֶׁת (? GK § 131d) l הַמִּזְבֵּחַ Mtg.-G. 463; Am 3_{14a} l מַצְּבַת ?.

מזג: Wein mischen, mhe. ja. cp. sy. md. (MdD 263b), Uruk Z. $_{6.9}$ (DISO 146), palm. ממזגנא Mundschenk (Syr. 7, 129, 9, p. 139f, DISO 155), > ar. *mazağa* (Frae. 172); he. mhe. מסך: Der. מֶזֶג.

מֶזֶג: mhe., ja. מִזְגָּא, sy. md. (MdD 263b) *mzāgā*; aLw. 157; ↗ מֶסֶךְ: מָזֶג: **Mischwein, Würzwein** HL 7_{3} (= Sperma, Haller HbAT 18, 41). †

I ***מזה**: ar. *mazza* saugen; akk. *mazāʾu, mazū* auspressen (AHw. 637ab): Der. מָזֶה.

II **מזה**: ↗ מָזוּ.

***מָזֶה**: I *מזה, BL 465e; cs. pl. מְזֵי, Sam.[BCh.] *mizze*: **entkräftet**, מְזֵי רָעָב v. Hunger Dt 32_{24}, prp. מְזֵי pr. מְתֵי (Duhm; sg., BL 587j) Js 5_{13}. †

מַזֶּה Ex 4_{2}: < מַה־זֶּה. †

מִזֶּה Ps 75_{9}: gew. < מִן־זֶה (:: Wiesenberg VT 4, 434ff: sbst., √נזה: Strahl). †

מִזָּה, Sam.[M130] *mizze*, G (O)μοζε: n.m.; ↗ Meyer Isr. 349f, Moritz ZAW 44, 87: S. v. רְעוּאֵל Gn $36_{13.17}$ 1C 1_{37} (G^L Μαζε). †

***מָזוּ**: II מזה, BL 576g: מְזָוֵינוּ: **Speicher** (sec. Vrss. u. ctxt, Gkl Ps. 608) Ps. 144_{13}. †

מְזוּזָה: mhe., ja.[t] מְזוּזְתָא u. מְזוּזִיתָא (auch sam. BCh. 2, 514b): ? < akk. *man/-mazzāzu* Standort, Sockel (Zimmern 31, ↗ AHw. 638b) od. ar. *zwz* (Zorell): מְזוּזַת, מְזוּזֹ(וֹ)ת, מְזוּזָתִי: **Türpfosten** Ex $12_{7.22f}$ 21_{6} Dt 6_{9} 11_{20} Ri 16_{3} 1S 1_{9} 1K $6_{31.33a.b}$ (pr. מֵאֵת מְזוּזוֹת רְבֻעוֹת l רְבִיעִית) 7_{5} (gew. cj מֶחֱזוֹת :: Noth 131; Gl. z. פְּתָחִים) Js 57_{8} Ez 41_{21} 43_{8} 45_{19} 46_{2} Pr 8_{34}; Nachbibl. Bezeichnung der am Türpfosten angebrachten Kapsel m. Schriftrolle, Dt 6_{4-9} 11_{13-21}; (Beispiel aus Qumran DJD III p. 158ff, KGKuhn, D. Phylakterien . . . Abh. d. Heidelberger Akademie, 1957, 1), Schürer 2, 566f, Jew. Enc. VIII 531f, BHH 2034, cf. Wellh. RaH 164[1]. †

מָזוֹן: זון, BL 491g :: denom. Albr. BASOR 61, 13[5]; mhe., ja. מָזוֹנָא, sam. BCh. 2, 500a, ba. מָזוֹן, sy. *māzōnā* (? kan. Lw., HBauer OLZ 29, 801): **Speise** Gn 45_{23} 2C 11_{23}, cj (pr. זַן ? l מָזוֹן עַל־מָזוֹן u. Sir 10_{27} GS [pr. מתן] ↗ Smend) Ps 144_{13}. †

I **מָזוֹר**: II מזר, BL 469e. j.; (Lex.[1] Wbg-M. VT 4, 325 :: Dahood ZAW 74, 208: זור fliessen): מְזֹרוֹ: **Eiterwunde**, **Geschwür** Jr 30_{13} Hos 5_{13} (|| חֳלִי). †

II **מָזוֹר**: ja. מְזוֹרָא, sy. *māzōrā/rtā* (LS 379b), akk. *mazūru* (OLZ 20, 275. 278, AHw. 637b) Walkerstock: Vrss. ausser Σ Hinterhalt, Falle: **Fussangel** o.ä. (Rud. ZAW 49, 224) Ob $_{7}$. †

I **מֵזַח**, Js 23_{10}: ? Lw. v. äg. *mḏḥ* e. Schiff zimmern, *mḏḥt* Zimmerwerk, (EG 2, 190f, Lambdin 152a), Werft (Lex.[1]), ? l ↗ מָחוֹז Hafen, (↗ Rud. Fschr. Baumgtl 169). †

II **מֵזַח**: äg. *mḏḥ* d. Gürtel umbinden = mannbar werden (EG 2, 189f, Lambdin 152a), akk. *mēzaḫ* u.ä. Gürtel (AHw. 650a); > ar. *ḥizām*: **Gürtel** (Hönig 74f. 78), מֵ׳ תָּמִיד Ps 109_{19} ständig u. auf d. blossen Leib getragen (AuS 5, 234; Hess, ZAW 35, 131); ↗ מָזִיחַ. †

***מָזִיחַ**: II מֵזַח, BL 470n: cs. מְזִיחַ: **Gürtel**, מְ׳ אֲפִיקִים G. der Starken Hi 12_{21}; ↗ אָפִיק II. †

מֵזִין, Pr 1$_{4}$: < מְאֵזִין < מֵאֲזִין (I אזן hif.).

מַזְכִּיר: pt. hif. v. זכר, > sbst. „Sprecher", königlicher Sekretär, Titel e. hohen Hofbeamten, cf. äg. *wḥmw* Berichterstatter (Morenz RGG^{3} 1, 118 u. ÄgR. 108f; Begr. ZAW 58, 11ff, de Vaux Inst. 1, 202, Boecker 106f, BHH 931, Seeligm. HeWf. 260f): **Sekretär** 2S 8$_{16}$ 20$_{24}$; 1K 4$_{3}$ 1C 18$_{15}$; 2K 18$_{18.37}$ / Js 36$_{3.22}$, 2C 34$_{8}$. †

*מַזָּל: mhe. (> nhe. „Glück" u. „Schlammassel", Lokotsch 1455, Littm. MW. 54), pl. מַזָּלוֹת; ph. למ׳ נעם מזל ἀγαθῇ τύχῃ (DISO 146), ja. מַזָּלָא Glücksstern, sy. *manzaltā* (PSmith 109), md. *mandaltā* (MdD 248a), > ar. *manzil*; < akk. *manzaltu* (< *manzaztu*, Standort d. Sterne AHw. 638a, Mow. StN 23ff): **Tierkreisbilder** 2K 23$_{5}$. †

מַזְלֵג 1S 2$_{13f}$ u. *מִזְלָג: זלג, BL 490z, 492r, Sam.^{M95} *mezlēgot*; mhe. מַזְלֵג u. מַלְזֵג, ar. *mizlāǧ* Riegel (Frae. 18f); Lw. < akk. *mazlagu* Fleischerhaken, „Dreizack" (JLewy Or. 19, 15ff, AHw. 637b): מִזְלָג(וֹ)ת u. מִזְלְגֹתָיו: dreizinkige **Fleischgabel** (BRL 169) Ex 27$_{3}$ 38$_{3}$ Nu 4$_{14}$ 1S 2$_{13f}$ 1C 28$_{17}$ 2C 4$_{16}$ (? l מִזְרָקוֹת F 1K 7$_{45}$, 2C 4$_{11}$). †

מְזִמָּה: זמם, BL 492w; DSS, Dam.: הַמְּזִמָּתָה Jr 11$_{15}$ (BL 528t), מְזִמָּתוֹ, מְזִמּוֹת, מְזִמּוֹתָיו: — 1. **Überlegung, Plan**: a) v. Menschen: cj Js 5$_{12}$ (מְזִמָּתָם pr. מִשְׁתֵּיהֶם); b) Gottes Jr 23$_{20}$ 30$_{24}$ 51$_{11}$ Hi 42$_{2}$; — 2. **böser Plan, Anschlag**: a) c. עָשָׂה ausführen Jr 11$_{15}$; b) מְזִמּוֹת **Ränke** Hi 21$_{27}$, בַּעַל מ׳ Pr 24$_{8}$ u. אִישׁ מ׳ 12$_{2}$ 14$_{17}$ (:: GS verständig) ränkesüchtig, c. חָשַׁב Ps 10$_{2.4}$ 21$_{12}$, c. עָשָׂה 37$_{7}$, לִמְזִמָּה ränkevoll Ps 139$_{20}$; — 3. **Klugheit, Besonnenheit** (|| דַּעַת: Pr 1$_{4}$ 2$_{11}$ 3$_{21}$ 5$_{2}$ (l וְדַעַת, F BH) 8$_{12}$ Sir 44$_{4}$. †

מִזְמוֹר, Sec. μαζμωρ, or. (MTB) מִ׳: I זמר, < **mazmur*, BL 493z; mhe.[2], ja.[g], ar. Flöte, ʿöteb. *mizmāre* kleine Pfeifen (F Lex.[1]): e. zu Instrumentenbegleitung gesungenes Lied, Mow. OS 492, Delekat ZAW 76, 280ff: F זִמְרָה: — 1. **weltliches Lied** Sir 49$_{1}$; — 2. > (tt.) **Psalm** (ar. *zabūr*, Frae. 248) Ps 3-6.8f.12f.15.19-24.29-31 38-41. 47-51. 62-68. 73. 75-77. 79f. 82-85. 87f. 92. 98. 100f. 108-110. 139-141. 143; Sir 44$_{5}$. †

מַזְמֵרָה: II זמר, BL 492s: מַזְמְרוֹת, מַזְמְרֹתֵיכֶם (BL 594v): **Winzermesser** (BRL 476, AuS 6, 312) Js 2$_{4}$ / Mi 4$_{3}$ Js 18$_{5}$ Jl 4$_{10}$. †

*מְזַמֶּרֶת: II זמר, BL 607c; pt. pi. f. > sbst.; ja. מְזַמְּרָה: מְזַמְּרוֹת: „Messer" (F מַזְמֵרָה) als Lichtputzschere 1K 7$_{50}$ 2K 12$_{14}$ 25$_{14}$ Jr 52$_{18}$ 2C 4$_{22}$. †

מִזְעָר: זער, BL 493e; he. mhe. מִצְעָר; aLw. 81: **Kleinigkeit, ein wenig** Sir 48$_{15}$; אֱנוֹשׁ מ׳ (Appos., GK § 131c) wenig Menschen Js 24$_{6}$; מְעַט מ׳ winzig klein (Steigerung durch appos. Synonym od. cs.-Vbdg) Js 10$_{25}$ 16$_{14}$ 24$_{6}$ 29$_{17}$. †

cj I מזר: ja. sich ausstrecken (Epstein MGWJ 1921, 36), sy. *mzīrā* ausgedehnt; ar. ausspannen, (Schlauch) aufblasen:

qal: cj pt. f. מְזָרָה pr. מְזֹרָה (:: Ehrl. 6, 13, Gemser): (Netz) **ausspannen** Pr 1$_{17}$. †

II *מזר: mhe., sy. md. (MdD 258b) מדר, ar. *madira* verfaulen (Ei); Nöld. NB 45f. Der. I מָזוֹר, מַמְזֵר.

מִזְרֶה: I זרה, BL 491n; mhe., ja. sy. מַדְרְיָה: **Worfgabel** (AuS 3, 116f, BRL 139, BHH 2192) Js 30$_{24}$, metaph. Jr 15$_{7}$. †

מַזָּרוֹת: Hi 38$_{32}$, G Θ Μαζουρωθ (2K 23$_{5}$ pr. מַזָּלוֹת), V *lucifer*, 1QHod 2, 27 מזורות; ? = מַזָּלוֹת: **Gestirne** (Mansoor 109, RMeyer ThLZ 1959, 660), Venus als Abend- u. Morgenstern (Schiap. 68f), d. Hyaden als regenbringend (Hölscher, Tur-S.531, Dahood, ZAW 74, 208), Boot des Arcturus (Mow. StN. 27ff), d. südlichen Tierkreisbilder (Lex.[1], Fohrer 492). †

מִזְרָח, or. מַ׳ (MTB 70), Sam.^{M97} *mazrā*: זרח, BL 493e; mhe., äga. nab. palm. (DISO 146), ja. cp. sy. מַדְנְחָא, md. (MdD 239a): מִזְרַח, מִזְרָחָה, cs. מִזְרְחָה Dt 4$_{41}$ (BL 527q):

Ort d. Sonnenaufgangs: — 1. **Sonnenaufgang,** מִ׳ שֶׁמֶשׁ Dt 4$_{47}$ Ri 20$_{43}$ Js 41$_{25}$ 45$_{6}$ 59$_{19}$ Mal 1$_{11}$ (:: מְבֹאוֹ) Ps 50$_{1}$ 113$_{3}$, = מִ׳ הַשֶּׁמֶשׁ Nu 21$_{11}$ Jos 1$_{15}$ 13$_{5}$ (.$_{8\cdot27\cdot32}$ 16$_{1\cdot5f}$) 19$_{12\cdot27\cdot34}$ 2K 10$_{33}$, מִזְרְחָה הַשֶּׁמֶשׁ nach S. hin Jos 12$_{1}$ Ri 21$_{19}$, cj Dt 44$_{1}$, = מִזְרָ֫חָה Ex 27$_{13}$ 38$_{13}$ Nu 2$_{3}$ 33$_{8}$ 32$_{19}$ 34$_{15}$ Dt 3$_{17\cdot27}$ 4$_{49}$ Jos 11$_{8}$ 12$_{1\cdot3}$ 18$_{7}$ 19$_{13}$ 20$_{8}$ 1K 7$_{25}$ Jr 31$_{40}$ Zch 14$_{4}$ 1C 9$_{18}$ 26$_{14}$, עַד־מִזְרָח bis zum S. Am 8$_{12}$ (מִצָּפוֹן וְעַד מִ׳!, ⸗ Budde JBL 44, 93f); אֶרֶץ מִזְרָח Zch 8$_{7}$; — 2. **Osten** Jos 11$_{3}$ 17$_{10}$ Js 41$_{2}$ 43$_{5}$ 46$_{11}$ Da 8$_{9}$ 11$_{44}$ Ps 103$_{12}$ (:: מַעֲרָב) 107$_{3}$ 2C 4$_{4}$ 29$_{4}$, מִזְרָח im O. Neh 12$_{37}$, nach O. 1C 9$_{24}$, מִמִּזְרַח שֶׁמֶשׁ לְ östlich von Ri 11$_{18}$, = מִזְרְחָה הַשֶּׁמֶשׁ לְ Ri 21$_{19}$, מִזְרַח מִמִּזְרַח יָנוֹחָה יְרִיחוֹ Ostseite v. Jer. Jos 4$_{19}$, östlich nach J. hin 16$_{6}$; רְחוֹב הַמִּ׳ Ostplatz 2C 29$_{4}$ (⸗ Rud. 292); שַׁעַר הַמִּ׳ Osttor Neh 3$_{29}$, לְמִזְרָח im Osten Neh 3$_{26}$ 1C 5$_{9}$ 7$_{28}$ 12$_{16}$ 26$_{17}$; מִזְרָח לְ östlich von 2C 5$_{12}$, = לְמִזְרָח 1C 6$_{63}$; עַד לְמִזְרָח bis östlich von 1C 4$_{39}$, לְמִזְרָחָה im O. 2C 31$_{14}$, פְּנֵי מִזְרָח לְ die Ostseite von 1C 5$_{10}$. †

מְזָרִים: I זרה, pi. pt. pl.: d. Zerstreuenden (Winde) (Qoran 51$_{2}$ *aḏ-ḏārijāti*, Kimchi, Ges.: רוּחוֹת נוֹשְׁבִים וּמִ׳): die Kälte bringenden **Nordwinde** (Hölscher 87, :: Tur-S. Job 510f) Hi 37$_{9}$, 1Hen 76$_{10}$. †

***מִזְרָע**: זרע, BL 493e: ug. *mdrʿ* (UT nr. 705, Aistl. 793): cs. מִזְרַע: **Saatland** Js 19$_{7}$ (⸗ Sacchi ZAW 78, 104). †

מִזְרָק, or. מְ׳ מִ׳ (MTB 70), Sam. $^{M97,BCh.\ Ex\ 27_3}$ *mazreq*: mhe., äga. (DISO 146), ja.^{t}; Kelso § 50, Honeym. 83f: מִזְרָקוֹת, מִזְרְקֵי, מִזְרָקִים, מִזְרְקוֹתָיו: metallene **Sprengschale** Ex 27$_{3}$ 38$_{3}$ Nu 4$_{14}$ 7$_{13\text{-}85}$ (14 ×) 1K 7$_{40\cdot45}$ (2C 4$_{16}$ מִזְלָגוֹת).$_{50}$ 2K 12$_{14}$ 25$_{15}$ Jr 52$_{18f}$ Zch 14$_{20}$ Neh 7$_{69}$ 1C 28$_{17}$ 2C 4$_{8\cdot11\cdot22}$; Am 6$_{6}$ Libationsschale (Maag 161), ? Zch 9$_{15}$ (⸗ Komm.). †

***מֵחַ**, מחח, BL 465d; pun. מח Fett (DISO 146): מֵחִים: **Fettschafe** Js 5$_{17}$ (⸗ חֳרָבָה u. גְּדִי) Ps 66$_{15}$. †

מֹחַ: מחח, BL 455f; mhe., ja. מוֹחָא, cp. sy. *mauḥā*, md. (MdD 260b), ar. *ma/uḫḫ*. ug. *mḫ* (UT nr. 1451, Aistl. 1542); akk. *muḫḫu* Schädel (AHw. 667b): **Mark** Hi 21$_{24}$. †

I **מחא**: ⸗ ba., = he. מחץ, II מחה, ʾ < ʿ < *ṣ/ḏ*, aLw. aam. ph. äga. מחא/י (DISO 147), Nöld. ZDMG 57, 418f, Driv. VTSu. 1, 29.

qal: impf. יִמְחֲאוּ; inf. מַחְאֲךָ, BL 354e: schlagen, m. יָד od. כַּף in d. Hände **klatschen** Js 55$_{12}$ Ez 25$_{6}$ Ps 98$_{8}$. †

II **מחא**: מְמָחָאִים pt. pu. Js 25$_{6Q}$ MSS, K מְמֻחָיִם; ⸗ III מחה.

***מַחֲבֵא**: חבא, BL 492r; mhe. מַחֲבָא, ar. *maḫbaʾ* Versteck: cs. = : **Versteck**, מַ׳ רוּחַ V. vor d. Wind (|| סֵתֶר זֶרֶם) Js 32$_{2}$. †

***מַחֲבֹא**: חבא, BL 493e; mhe. מַחֲבוֹאָה: מַחֲבוֹאִים: **Versteck**, אֲשֶׁר יִתְחַבֵּא שָׁם 1S 23$_{23}$. †

מְחַבְּרוֹת: II חבר, pt. pi. > sbst., sg. *מְחַבְּרָה od. ־בֶּרֶת*: **Binder, Klammern,** tt. archt; eisern 1C 22$_{3}$, hölzern 2C 34$_{11}$. †

מַחְבֶּרֶת, Sam.^{M23} *mābbēret*: II חבר, BL 607d; 1QM 5, 5.8; äth. *māḥbart* Verbindung: מַחְבַּרְתּוֹ, מַחְבֶּרֶת: — 1. **Verbindungsstelle** Ex 28$_{27}$ 39$_{20}$ am Efod; — 2. **Verbindungsstück** (an Teppichen) Ex 26$_{4f\cdot10a\cdot b}$ 36$_{11f\cdot17}$. †

מַחֲבַת, Sam.^{M23} *māʾēbat*: *חבת, < מַחֲבֶ֫תֶת, BL 607d; mhe.: — 1. (metallene) **Platte,** Blech zum Rösten u. Backen (AuS 3, 264; Kelso § 51, Honeym. 84, Zimm. 113f) Lv 2$_{5}$ 6$_{14}$ 7$_{9}$ Ez 4$_{3}$ (מַח׳ בַּרְזֶל); — 2. **Plattengebäck** (Rud. neben מֻרְבֶּכֶת) 1C 23$_{29}$. †

מַחֲגֹ֫רֶת: חגר, BL 608g: **Umgürtung,** d. שַׂק Js 3$_{24}$. †

I **מחה**: mhe., ja.^{t} מחי, ? ug. (Aistl. 1540, Labusch. VT 5, 312f), ph. (DISO 147), akk. *maʾū* (AHw. 637a), ar. *mḥw*, ? äth. (Lesl. 30):

qal: pf. מָחָה מָחִתָה, מָחִיתִי; impf. יִמְחֶה, וַיִּמַח, אֶמְחֶה, אֶמְחֶנּוּ; imp. מְחֵה, מְחֵנִי; inf. מְחוֹת, מָחֹה; — 1. **abwischen**: Mund Pr 30$_{20}$, Tränen Js 25$_{8}$, Schüssel

(Stadt) 2K 21_{13}, Geschriebenes Nu 5_{23}; cf. Crüsemann, Fschr. vRad (1971) 61[25]; — 2. **auswischen, vertilgen**: Namen Ex 32_{32f} Dt 9_{14} 29_{19} 2K 14_{27} Ps 9_6, Andenken Ex 17_{14} Dt 25_{19}, Sünden Js 43_{25} 44_{22} Ps $51_{3.11}$, cj Jr 18_{23} (l תִּמַּח) u. Zch 3_9 (l וּמָחִיתִי), Lebewesen Gn 6_7 $7_{4.}$cj $_{23}$; cj מְחָיִם Vertilgte Js 5_{17}; aufzehren שְׁאֵר Sir $31/34_1$, cj Pr 3_{13} (l לְמְחוֹת, :: Gemser 114). †

nif: pf. נִמְחוּ; impf. יִמַּח, יִ׳/ תִּמָּחֶה (BL 424), יִמָּחוּ, תִּמָּח: — 1. **ausgewischt werden**: Name: Dt 25_6 Ps 109_{13}, cf. 69_{29}; — 2. **ausgetilgt werden**: Lebewesen Gn 7_{23}, Stamm Ri 21_{17}, Taten Ez 6_6, Sünde Ps 109_{14} Neh 3_{37}, Schande Pr 6_{33}, Wohlverhalten Sir 3_{14}, כבוד Sir.[MVII 13] = 44_{13}. †

hif: impf. תֶּמַח Neh 13_{14} u. תֶּמְחִי Jr 18_{23} (↗ BL 424 :: Bgstr. 2, 164[b]: l qal): **tilgen lassen** Pr 3_{13} לַמְחוֹת (inf. hif. c. לְ; BL 228a) ↗ qal 2. †

II **מחה**: = I מחא, ↗ מחץ; aLw. 159:

qal: pf. מָחָה: c. עַל **stossen, treffen** auf Nu 34_{11} (sbj. Grenze; al. entlang streichen). †

Der. מְחִי, מְחוּיָאֵל.

III **מחה**: Nf. v. מחח u. II מחא:

pu: pt. K מְמֻחָיִם, BL 424: **m. Mark gewürzte** שְׁמָנִים, Fettspeisen (AuS 6, 89) Js 25_6. †

***מְחוּגָה**: חוג, BL 493b; mhe. מָחוֹג Umkreis: **Zirkel** Js 44_{13}. †

מָחוֹז: mhe. Marktort, Hafenstadt, Werft (Barkochbabrief, Ku.WaH 41ff), ja.[tg] Hafen, [b] Stadt; pehl. (AJSL 57, 365) nab. palm. pun. (DISO 147) מחז Handelsplatz; sy. (LS 219b) md. (MdD 240a) befestigte Stadt; < akk. *māḫāzu* (Kult-)Stadt (Zimmern 9, AHw. 582a, aLw. 161): cs. מְחוֹז; Stadt, **Hafen** (VS), מְ׳ חֶפְצָם ihr ersehnter H. Ps 107_{30} (↗ EHilgert, The Ship a. Related Symbols in the NT, 1962, 29f, RBorger UF 1, 1ff). †

מְחוּיָאֵל Gn 4_{18a} u. **מְחִיָּיאֵל** Q מְחִיָּאֵל $_{18b}$, n.m.; II מחה „v. Gott geschlagen"; vocal. sec. מְתוּשָׁאֵל; Sam.[M32] *mijjā'el* u. G[A] Μαιηλ SV führen auf urspr. מַחְיִיאֵל od. מְחַיִּיאֵל, (pt. pi. od. hif.) חיה, „G. gibt Leben" (↗ KBudde, Urgeschichte, 1883, 127ff); = מַהֲלַלְאֵל Gn 5_{12-17}, P. †

מַחֲוִים: 1C 11_{46}, gntl. z. אֱלִיאֵל, G[B] ὁ Μιει, [A] ὁ Μαωειν, V *Mahumites*, ↗ Rud. 103. †

I **מָחוֹל**, Sec. μαωλ: חול, BL 491g, od. III חלל, BL 493d, Albr. RI 234f, akk. *mēlultu* (*elēlu*) Spiel (AHw. 644a); mhe., ja. מְחוֹלָה: **Reigentanz** Jr 31_{13} Ps 30_{12} 149_3 150_4 Kl 5_{15}; יָצָא בְמָ׳ Jr 31_4; ↗ II מָחוֹל u. מְחֹלָה. †

II **מָחוֹל**: n.m., = I; V. v. הֵימָן, אֵיתָן, 1K 5_{11} (Noth Kge. 83, :: Albr. RI 142: Mitglieder e. Musikergilde). †

מַחֲזֶה: חזה, BL 491n (*ma*-), GnAp. 20, 5 Aussehen: **Schauung**, **Gesicht** Gn 15_1 Nu $24_{4.16}$ Ez 13_7; ↗ מַרְאֶה. †

מֶחֱזָה: חזה, BL 492p (*mi*-); äga. מחזי Spiegel (DISO 147): gew. **Lichtöffnung**, **Durchblick** (Eissf. Kautzsch[4] I, 507; Noth Kge. 136), מֶחֱזָה אֶל־מ׳ 1K $7_{4.5b}$ (dl ?) $_{5a}$ cj pr. הַמְּזוּזוֹת (:: Noth). †

מַחֲזִיאוֹת: n.m.; 1C $25_{4.30}$, S.v. הֵימָן; מַחֲזִיאָה od. Schauung + אוֹת ??, künstlich ↗ Rud. 166ff. †

מחח: denom. v. מֹחַ, ar. *maḫḫa* II Mark aussaugen: Der. מֵחַ, III מחה.

מְחִי: II מחה; BL 457p: **Stoss** des Mauerbrechers od. Stossbalkens (Waschow 57ff) Ez 26_9. †

מְחִידָא: n.m.; ? l c. MSS מְחִירָא, ↗ II מְחִיר „gekauft" (Rud.): Esr 2_{52} Neh 7_{54}. †

מִחְיָה, Sam.[M31] *mā/ījjat*: חיה, BL 492p; mhe.: מִחְיַת, מִחְיָתְךָ: — 1. **Erhaltung d. Lebens** Gn 45_5 Sir 38_{14}; metaph. d. Bundes 1QM 13, 8; — 2. Bildung v. neuem Fleisch (mhe.) Lv $13_{10.24}$; — 3. **Lebensunterhalt, -mittel** Ri 6_4 17_{10}, cj Ps 68_{11} (l מִחְיָתְךָ); — 4. **Wiederaufleben** Est 9_8f; — 5. **Lebendes**

2C 14_{12} (↗ Johnson Vit. 103^4) 1QHod 6, 8 || שְׁאֵרִית. †

מְחִיָּיאֵל Gn 4_{18b}: ↗ מְחוּיָאֵל.

I **מְחִיר**, Sam.[M129] *mīr*, [BCh.3,138] Dt 23_{19} *mā'er*: mhe.; Lw. < akk. *maḫīru* (v. *maḫāru* annehmen) Gegenwert, Kurs, Markt (AHw. 583a, Landsbg. HeWf. 184^2, KRVeenhof: Aspects of Old Assyrian Trade a. its Terminology, Leiden, 1972, 351ff); soq. *meḥor* anbieten (Lesl. 30); ? > äg. *mhr* Kaufmann: מְחִירָהּ, מְחִירֵיהֶם: — 1. **Gegenwert, Kaufpreis**: Dt 23_{19} 2S 24_{24} 1K 10_{28} 21_2 Js 45_{13} 55_1 Jr 15_{13} Mi 3_{11} Ps 44_{13} Pr 27_{26} Hi 28_{15} (|| תַּחַת) Kl 5_4 Sir 6_{15} 42_4 (ממחיר, Sir[M IV 10]), Marktpreis 2C 1_{16}; — 2. > **Geld** Mi 3_{11} Pr 17_{16} Sir 7_{18} 31/34_5 (|| חָרוּץ); — 3. (metaph.) בִּמְחִיר **Lohn**: f. Sünden Jr 15_{13}, als Belohnung Da 11_{39}; ↗ II. †

II **מְחִיר**: n.m.; ? = I (NothN 189^3) od. „gekauft"; ? akk. *Maḫur-ili* APN 123a: 1C 4_{11}; מְחִירָא pr. מְחִידָא MSS, Rud.: Esr 2_{52} u. Neh 7_{54}. †

cj ***מַחֲלֵב**, al. *מַחֲלֵב: n.l., Jos 19_{29} pr. מֵחֶבֶל G[B] Λεβ, klschr. *Maḫal(l)ib(a)*, s. Mündung des *Nahar el-Qāsimīje* (Duss. Top. 12, Abel 2, 67), ? = אַחְלָב Ri 1_{31} (Abel 2, 384). †

***מַחֲלֶה**: I חלה, BL 491n: mhe. מַחֲלָה, 1QpHab 9, 1 מחלים: cs. מַחֲלֵה, מַחֲלֵהוּ, מחלים 4Q 181, 1,1: **Krankheit** Pr 18_{14} 2C 21_{15} Sir 10_{10}; ↗ מַחֲלָה. †

מַחֲלָה: f. v. מַחֲלֶה, BL 492p: **Krankheit** Ex 15_{26} 23_{25} 1K 8_{37} 2C 6_{28}. †

מַחְלָה: חלה; — 1. n.m./tr., Manassit 1C 7_{18} (↗ Rud. Chr. 70); — 2. Sam.[M129] *mā'ēla*, ↗ מַחֲלַת, T.v. צְלָפְחָד Nu 26_{33} 27_1 36_{11} Jos 17_3. †

***מְחֹלָה**: חול, f. v. מָחוֹל; mhe. auch Musikinstrument, Ben Yeh. VI 2904a: מְחֹלַת, מְחֹל(ו)ת: **Reigentanz** Ex 15_{20} 32_{19} Ri 11_{34} 21_{21} 1S 21_{12} 29_5; cj Js 30_{32} (1 וּבִמְחֹלוֹת); כִּמְחֹלַת הַמַּחֲנָיִם HL 7_1 ? Doppelreihentanz (Rud.), Vrss. מ׳ הַמַּחֲנִים Lagertanz (ATD, HbAT) :: Albr. Fschr. Driv, 5^4; — 1S 18_6 1 וְהַמְחֹלְלוֹת, al. בִּמְחֹלוֹת; ↗ אָבֵל מ׳. †

***מְחִלָּה**: II חלל, BL 492w: מְחִלּוֹת: **Höhle** Js 2_{19} (|| מְעָרוֹת). †

מַחְלוֹן: n.m., חלה, (Präf. + Endung, ↗ מִסְדְּרוֹן), „Kränkling", ↗ כִּלְיוֹן (Noth N. 10 :: Rud. KAT XVII/1-3, 38): Rt $1_{2.5}$ $4_{9.10f.}$ †

מַחְלִי, Sam. [M128] *mēlli*, G[B] Μοολει: cf. ihe. *mḥlyh* (NESE 1, 45), Kf. m. mhe. ja. מחל verzeihen od. I חלה od. zu ar. *miḥāl* List (Noth N. 249): — 1. 1C 6_{32} 23_{23} 24_{30}; — 2. Ex 6_{19} Nu 3_{20} Esr. 8_{18} 1C $6_{4.14}$ 23_{21} $24_{26.28}$; — 3. gntl. Nu 3_{33} 26_{58}. †

מַחֲלֻיִים: I חלה, BL 494g, pltt.; ↗ תַּחֲלֻאִים: **Krankheit**, בְּמַ׳ רַבִּים schwerkrank 2C 24_{25}. †

***מַחֲלָף**: I od. II חלף, BL 490z: מַחֲלָפִים: V, ug. *ḫlpnm* (UT nr. 968 Messer, Aistl. 1035 Haarflechte); Messer V; Opferbecken Esd. Ersatzstücke G[AL] ↗ Komm., Rud. 5 cj מְחֻלָּפִים *mutanda* als Randnotiz: Esr 1_9. †

***מַחְלָפָה**: I חלף, BL 490a; ug. *mḫlpt* (UT nr. 968), ph. מחלפת (DISO 147): מַחְלְפוֹת: **Haarflechte**, üppige Haarsträhne (AuS 5, 268) Ri $16_{13.19}$. †

מַחֲלָצוֹת: II (!) חלץ; ar. *ḫalaṣa* rein, weiss sein, ? akk. *ḫalṣu* (:: AHw. 313b), Hönig 115, WThomas JThSt. 33, 279: bes. feine, weisse Kleidung, **Festkleider** Js 3_{22} Zch 3_4 :: בְּגָדִים צֹאִים. †

מַחֲלֹקֶת: II חלק, BL 607d; mhe. Trennung, Streit (?), DSS מחלקת; ba. *מַחְלְקָה, ja. מַחְלְקָתָא: מַחֲלֻקְתּוֹ, pl. abs. cs. מַחְלְקוֹת, מַחְלְק(ו)תָם/תֵיהֶם: — 1. **Verteilung** Sir 41_{21}; — 2. Anteil (am Grundbesitz) Ez 48_{29}; — 3. **Abteilung** a) d. Volkes כְּמַחְלְקֹתָם לְשִׁבְטֵיהֶם nach ihrer Einteilung in Stämme (Noth Jos 64) Jos 11_{23}, cf. 12_7 18_{10}; b) der Priester u. Leviten 1C 23_6 24_1 $26_{1.12.19}$ $27_{1f.4.4}$ (↗ 2 מִקְלוֹת) $_{4.5.15}$ $28_{1.13.21}$ 2C 5_{11} 8_{14} 23_8 $31_{2.15\text{-}17}$ $35_{4.10}$; מַחְלְקוֹת יְהוּדָה לְבִנְיָמִן Neh 11_{36} (↗ Rud. 188.191); — 4. סֶלַע הַמַּחְלְקוֹת

1S 23_{28}, n.t. im מִדְבַּר מָעוֹן (v. $_{24f}$), ƒ Abel 2, 453, GTT § 706/707; erklärt als ,,Scheidefels'', etym. eher zu I חלק glatt sein. †

I מָחֲלַת, Ⓑ מַחֲלַת: III חלה, BL 492p.510v: עַל־מָ Ps 53_1 88_1; G ὑπὲρ μαελεθ, ΑΘΣ מְחֹלוֹת; äth. *māḥlēt* Lied, Musikinstrument (Dillm. 69), tigr. (Wb. 56b). †

II מָחֲלַת: n.f.; ⓁⒷ or, MSS מַחְ׳ u. מַחֲ׳, G Mo(o)λαθ, 2C 11_{18}, Fr. v. K. Rehabeam; u. מַחֲלַת MSS מָחְ׳ u. מָחֱ׳, Sam.[M129] *mā'ēlat*, G[A] Μαελεθ, Gn 28_9, Sam.[M129] *mā'ēlā*, G Μα(α)λα, $36_{3f.10.13.17}$ pr. בָּשְׂמַת, Fr. v. Esau, u. dazu ƒ מַחְלָה Nu 26_{33}, T. v. צְלָפְחָד (u. n.m. 1C 7_{18} ƒ Rud.): unerkl., ƒ Stamm HFN 332f. †

מְחֹלָתִי: gntl. v. אָבֵל מְחוֹלָה, 1S 18_{19} 2S 21_8. †

[מַחְמָאֹת, Ⓑ מַחֲ׳: trad. z. חֶמְאָה, BL 607 d. e: Milchspeisen; l מֵחֶמְאָה mehr als u. פָּנָיו: Ps 55_{22}. †]

*מַחְמָד: חמד, BL 490z; ug. *mḥmd* (UT nr. 872, Aistl. 936), ja.[g] מחמדה: מַחְמַד, מַחֲמַדֵּי, מַחֲמַדֶּיהָ (BL 558c), מַחֲמַדִּים, מַחְמַדֵּיהֶם Kl 1_{11Q} (K מַחְמוֹד): — 1. Begehrenswertes, **Kostbarkeit** Js 64_{10} (־דֵינוּ) Hos 9_6 (l מַחְמַדֵּי כַסְפָּם :: Driv. JSSt. 5, 424: c. G Μαχμας d. grosse Syrte) Jl 4_5 Kl 1_{10f} HL 5_{16} 2C 36_{19}; — 2. metaph. l מַחְמַד עֵינַיִם **Augenweide** 1K 20_6 Ez 24_{16} (Ez.s Frau). $_{21a.25}$ Kl 2_4, Ez 24_{21b} (cj pr. מַחְמַל l מַחְמַד נַפְשָׁם); מַחֲמַדֵּי בִטְנָם ihres Schosses Lieblinge Hos 9_{16}. †

מַחְמֹד: חמד, BL 493e: מַחֲמֻדֶּיהָ **Kostbarkeit** Kl $1_{7.11K}$ (Q ƒ מַחְמָד). †

*מַחְמָל: חמל, BL 490z; cs. מַחְמַל: c. נֶפֶשׁ **Sehnsucht** Ez 24_{21} (|| מַשָּׂא $_{25}$, Zimm. 569; מַחְמָד 2). †

מַחְמֶצֶת: I חמץ, pt. hif. f. od. sbst. (BL 607e); ja. מַחְמְעָא Gesäuertes: **sauer Schmeckendes** (so Noth, ATD 5, 66; gew. Gesäuertes, = חָמֵץ v. $_{15}$) Ex 12_{19f}. †

מַחֲנֶה (ca. 200 ×); Sam.[M47] *māni*, G meist παρεμβολή: חנה, BL 491n; mhe.; ph. jaud. aam. (DISO 147): מַחֲנֵה, מַחֲנֶךָ (Var. ־נֶיךָ, BL 584c) Dt 23_{15}, מַחֲנֵהוּ, מַחֲנֵיכֶם sg. Am 4_{10} (BL 584c); pl. מַחֲנִים Nu 13_{19} † (ƒ 1) u. מַחֲנוֹת (mhe.) du. מַחֲנַיִם/נֶיִם (BL 585e); m. Gn 32_{9b} 33_8 50_9 1C 12_{23}; f. Gn 32_{9a} (corr.?) 2K 7_7 Ps 27_3 1C 11_{15}, ƒ Albrecht ZAW 16, 52 :: Rosenberg 28, 145; ƒ מַחֲנַיִם: — 1. **Lagerplatz** Ex 29_{14} Nu 15_2 13_{19} (:: ƒ מִבְצָר, Sam. מבחנים u. מחבנים [M70] *mābānem*, = cj מַחֲבָנִים ,,fette Städte'', Delekat, חבן, VT 14, 26f), Kriegslager Dt 23_{10} Ri 7_{10}, Wanderlager Gn 32_8; — 2. Leute u. Tiere eines Lagers: Wanderer Gn 32_8 2K 5_{15}, Belagernde Ez 4_2; — 3. **Heer** ausserhalb d. Lagers (cf. παρεμβολή) Jos 8_{13} 10_5 11_4 Ri 4_{15} u. $_{16a.b}$ (:: רֶכֶב) 8_{10-12} 1S $17_{1.46}$; auf d. Marsch 2K 3_9, im Kampf ,,Front'' 1K 22_{34} u. 2C 18_{33} (? G V הַמִּלְחָמָה, ƒ Rud. 255) 1K 22_{36} (V *exercitus*, cf. WRichter, BBB 18^2, 1966, 196ff); — 4. מַחֲנֵה אֱלֹהִים (אֵל׳) sg. od. pl. ?, ,,Geisterheer'', Gkl) Gn 32_3; 1C 12_{23} (? superlat., ƒ אֵל׳ 3e); מַחֲנֵה י׳ 1C 9_{19}. מַחֲנוֹת י׳ 2C 31_2 (ƒ Galling ATD, Rud. 304); מְחֹלַת הַמַּחֲנָיִם ƒ מְחֹלָה; — 2C 22_1 l לַמִּלְחָמָה (ƒ Rud. 268); 2C 31_2 ? l חֲצֵרוֹת G, ƒ Rud. 304).

מַחֲנֵה־דָן: n.l. b. צָרְעָה: Ri 13_{25}; erkl 18_{12}, ƒ Garstang 393, GTT § 606, HJZobel, BZAW 95, 1965, 93. †

מַחֲנַ֫יִם, Sam.[BCh.3,175] *mānem* (? = נַיִם-, äg. *mḥnm*, ZDPV 61, 283): n.l.; מַחֲנֶה du., ,,Doppellager'' erkl. Gn $32_{8.11}$; loc. מַחֲנַיְמָה; ug. *mḥnm* PRU II 3, 4; Abel 2, 373f, GTT § 415; *T. el-ḥeǧǧāǧ* Noth Kge. 72f, Schunck ZDMG 113, 34ff, BHH 1123: Gn 32_3 Jos $13_{26.30}$ 21_{38} 2S $2_{8.12.29}$ $17_{24.27}$ 19_{33} 1K 2_8 4_{14} 1C 6_{65}; HL 7_1 ƒ מְחֹלָה. †

מַחֲנָק: חנק, BL 490z; mhe. חֶנֶק: **Erstickung** Hi 7_{15}. †

מַחְסֶה u. מַחֲסֶה Jl 4_{16} Ps 46_2 62_9; חסה, BL 491n; DSS 2 ×: cs. מַחְסֵה, מַחְ/חֲסִי, מַחְסֵהוּ/סֵנוּ: — 1. **Zufluchtsort** Js 4_6 25_4 (c. מִן vor) Ps 104_{18} (f. Tiere) Hi 24_8; — 2. (metaph.) **Zuflucht**: a) Lüge Js $28_{15.17}$;

b) Jahwe: Jr 17_{17} Jl 4_{16} Ps 14_6 46_2 61_4 62_9 71_7 (מַחֲסִי עֹז m. schützende Z.; GK § 131r) 73_{28} $91_{2.9}$ 94_{22} 142_6 Pr 14_{26}; ↗ מַחְסֶיָה; — Ps 62_8 l חָסוּ (?). †

מַחְסוֹם: חסם, BL 493e: ph. KAI, I, 11 מחסם חרץ (II, S. 16): **Lippenblech, Mundmaske**, golden od. silbern Ps 39_2 (↗ Oppenheim, T. Halaf, 1931, 193, Bunttafel III 5). †

מַחְסוֹר, Sam.[M49] *mās(s)ar*: חסר, BL 493e; ug. *mḫsrn* (UT nr. 988), mhe.[2] ja.[g]; kan. *maḫzir* (Friedr. § 201c), pun. מחסר (DISO 147): מַחְסֹרוֹ, מַחְסוֹרְךָ: **Mangel** Dt 15_8 Ri 18_{10} l ? 7 (↗ כלם hif. mut.) 19_{19} Ps 34_{10} Pr 11_{24} 28_{27}; אַךְ לְמַ׳ (führt) nur zu M, Verarmung, 11_{24} 22_{16}, z. Verlust (:: מוֹתָר) Pr 14_{23} 21_5; אִישׁ מַ׳ d. M. verfallen 21_{17}; מַחְסֹרְךָ was dir fehlt Ri 19_{20} Pr 6_{11} 24_{34} (l sg.). †

מַחְסֵיָה: n.m.; מַחְסֶה + יָ׳, „J. ist Zuflucht" (Noth 158), äga. מחסה/סיה; OS [מח]סיו ?, BASOR 165, 35[7], keilschr. *Maḫsiau* APN 123a: Jr 32_{12} 51_{59}. †

מחץ: ug. (UT nr. 1456, Aistl. 1547) *mḫṣ*, ? auch *mḫš* (UT nr. 1460, Aistl. 1550), kan. (EA 252, 17) *tumḫazu* (Albr. BASOR 89, 31) u. *maḫzū* (EA 245, 14), *maḫṣuni* (Or 16, 9, 28); akk. *maḫāṣu* schlagen, weben (AHw. 580a); äth. tigr. (Wb. 111b) *maḫaṣa* schlagen, ar. *maḫaḍa* schütteln; aram. (*ḏ* > ʿ > ʾ) aam. ↗ ba. מחא; he. II מחה; ↗ מחק:

qal: pf. מָחַץ, מָחֲצָה; impf. יִמְחַץ/חָץ, אֶמְחָצֵם; imp. מְחַץ: **zerschlagen**: Nu 24_8 pr. ↗ לְחָצָיו חִצָּיו $._{17}$ Dt 32_{39} 33_{11} Ri 5_{26} 2S 22_{39} Hab 3_{13} Ps 18_{39} 68_{22} 110_{5f} (? dl, ↗ Komm.) Hi 5_{18} 26_{12}; cj Js 5_{19} (l מֶחֱצַת); — Ps 68_{24} l תִּרְחַץ. †

Der. מַחַץ.

*מַחַץ: מחץ: cs. =: **Schlag** מַ׳ מַכָּתוֹ Schlagwunde, metaph. Js 30_{26}, cj מַחֲצִי pr. חִצִּי Hi 34_6, ↗ חֵץ. †

מַחְצֵב: חצב, BL 492r; mhe. מַחְצֵב, ja.[t] מַחְצְבָא Steinbruch; ph. מחצב (DISO 148), ar. *ḥaṣab* Kiesel: Aushau, אַבְנֵי מַ׳ **Hau-, Bruchsteine** 2K 12_{13} 22_6 2C 34_{11}. †

מֶחֱצָה, Sam.[M53] *māʿiṣa*: חצה, BL 492p; mhe.; ph. מחץ כסף halbes Silberstück (DISO 147); ↗ מַחֲצִית: cs. מֶחֱצַת: **Hälfte** Nu $31_{36.43}$. †

*מַחֲצִית: חצה, BL 492 x; ↗ מֶחֱצָה; mhe.: cs. מַחֲצִ(י)ת, מַחֲצִיתוֹ: — 1. **Hälfte, Mitte** Ex $30_{13.15.23}$ 38_{26} Lv 6_{13} Nu $31_{29f.42.47}$ Jos 21_{25} 1K 16_9 1C 6_{46} (dele חֲצִי) $._{55}$; — 2. מַ׳ הַיּוֹם **Mittag** Neh 8_3. †

מחק: trad. mhe. ja. cp. aus-, abreiben; aram. Form v. ↗ מחץ (Albr. JPOS 2, 80[2], Ku.WaH 50, Driv. VTSu. 1, 29[3], aLw. 160a), ja. cp. sam. (BCh. 2, 504b) ar. *maḥaqa* vernichten:

qal: pf. מָחֲקָה: **zerschmettern** (c. רֹאשׁ u. ‖ מחץ!) Ri 5_{26}. †

מֶחְקָר: חקר, BL 490z; מחקרות ‖ מזמה Sir 44_4: מֶחְקְרֵי: **Erforschung**, מֶחְקְרֵי אָרֶץ Ps 95_4 (:: תּוֹעֲפוֹת הָרִים) unerforschte Tiefen, ↗ חֵקֶר, ? l מֶרְחַקֵּי GV). †

מָחָר (ca. 50 ×), Sam.[M19] *mār*; Etym. strittig: 1) √אחר, < *maʾḥar (VG 1, 241, GB); 2) √akk. *maḫāru* gegenübertreten (Kö. Driv. JRAS 1932, 178f, Macuch MdH 241f); kan. klschr. *ūmi ma-ḫa-ri* (AHw. 580a); mhe., äga. pehl. (DISO 148), ja.[tg] מָחָר, מַחְרָא, cp. sy. מְחַר, md. l.c.: — 1. **andern Tags, Morgen** (adv. acc. BL 632l) Ex 8_{25} (33 ×); = יוֹם מָחָר Gn 30_{33} Js 56_{12} Pr 27_1 = לְמָחָר Ex 8_6 (5 ×); הַיּוֹם וּמָחָר heute u. morgen Ex 19_{10} 2S 11_{12}; כָּעֵת מָחָר morgen um diese Zeit Ex 9_{18} 1S 9_{16} 20_{12} 1K 19_2 20_6 2K $7_{1.18}$ 10_6, מָחָר כָּעֵת הַזֹּאת Jos 11_6; — 2. **künftig** Ex 13_{14} Dt 6_{20}. — Der. מָחֳרָת.

*מַחֲרָאָה: חרא, BL 490a; מַחֲרָאוֹת K (Q מוֹצָאוֹת): **Abtritt** 2K 10_{27}, prp. Am 4_3. †

*מַחֲרֵשָׁה u. מַחֲרֶשֶׁת: I חרש, BL 492s.607d; mhe. מַחֲרִישָׁה: מַחֲרַשְׁתּוֹ u. מַחֲרֶשֶׁת, מַחֲרַשְׁתּוֹ: **Pflugschar** (BRL 427ff, BHH 1444) 1S

13$_{20}$ (sg. bei der Formen, pr. 2. l חֶרְמֵשׁוֹ od. דָּרְבָנוֹ). 21. †

מָחֳרָת, Sam.^{M19} *mā'ēret*: מחר, BL 511v; mhe. morgen, מָחֳרָתַיִם übermorgen, ija. למחרתי ich am anderen Tag GnAp. 21, 10: cs. מָחֳרַת: — 1. sbst. **d. folgende Tag**, יוֹם הַמָּ׳ Nu 11$_{32}$ = לְמָחֳרַת הַיּוֹם 1C 29$_{21}$ = לַמָּ׳ Jon 4$_7$; — 2. adv. anderen Tags a) מָ׳ acc. adv. (BL 632l): cj 2K 6$_{15}$ (pr. מְשָׁרֵת); b) מִמָּחֳרָת **am folgenden Tag** Gn 19$_{34}$ (22 ×); מִמָּחֳרַת **am Tag nach**: c. הַשַּׁבָּת Lv 23$_{11.15f}$ (Schürer 2, 483^{37}, GB 416a, JLewy HUCA 17, 78ff, Ell. Lev. 315, in Qumran BA 30, 137), c. הַפֶּסַח Nu 33$_3$ Jos 5$_{11}$, c. הַחֹדֶשׁ 1S 20$_{27}$; — 1S 30$_{17}$ l לְהַחֲרִמָם.

מַחְשֹׂף, Sam.^{M61} *māššef*: חשׂף, BL 493z. eig. inf. Bgstr. 2, 83p: **Ausschälung, Blosslegen** (d. Holzes unter d. Rinde) Gn 30$_{37}$. †

מַחֲשָׁבָה (2 ×) u. מַחֲשֶׁבֶת (4 ×, 2 × cs.): חשׁב, BL 490a; mhe., DSS auch מחשב: מַחֲשֶׁבֶת, מַחֲשַׁבְתּוֹ, מַחְשְׁבֹ(ו)ת, מַחְשְׁבֹ(ו)תָיו/תַי, מַחְשְׁבוֹתֵיהֶ/כֶם — 1. **Gedanke, Vorhaben**: a) v. Menschen Js 55$_{7-9}$ 59$_7$ 65$_2$ 66$_{18}$ Jr 4$_{14}$ 6$_{19}$ Ps 56$_6$ 94$_{11}$ Pr 6$_{18}$ (חרשׁ) 12$_5$ 15$_{22.26}$ 16$_3$ 19$_{21}$ 20$_{18}$ 21$_5$ Hi 5$_{12}$ 21$_{27}$ Kl 3$_{60}$ Est 8$_{3.5}$ 1C 28$_9$ 29$_{18}$, מַחְשְׁבֹת לִבּוֹ Gn 6$_5$; b) v. Gott Js 55$_{8f}$ Ps 92$_6$ (עָמְקוּ); מַחְשְׁבוֹת שָׁלוֹם Gedanken (Gottes), die Heil bringen Jr 29$_{11}$; מַחְ׳ י׳ Jr 51$_{29}$ (15 MSS sg.) Mi 4$_{12}$; — 2. **Plan** (Übergang v. 1. fliessend): חָשַׁב מַחֲשָׁבָה/בוֹת, ↗ חשׁב qal 5; מַחְשְׁבוֹת עַמִּים Ps 33$_{10}$, מַחְשְׁבֹתֶיךָ אֵלֵינוּ (Gottes) uns gegenüber Ps 40$_6$; רָעָה וּמַחְ׳ d. geplante Unheil (hendiad.; Zü. Bi.) Est 8$_3$; — 3. **Erfindung** c. חשׁב ersinnen Ex 31$_4$ 35$_{32}$, 2C 2$_{13}$ כָּל־מַחֲשֶׁבֶת (or pl.), מְלֶאכֶת מַחֲשָׁבוֹת kunstvolle Arbeiten Ex 35$_{33}$; חִשְּׁבֹנוֹת מַחֲשֶׁבֶת חוֹשֵׁב kunstvoll ausgedachte (Kriegs-) Maschinen 2C 26$_{15}$ (↗ חֶשְׁבּוֹן); — Kl 3$_{61}$ pr. מַחְשְׁבֹתָם ? l *מַלְשְׁנָתָם (לשׁן), BL 494f, Rud. 233 :: Plöger HAT 18^2, 147).

מַחְשָׁךְ: חשׁך, BL 490z: מַחֲשַׁכִּים (BL 558c): — 1. **finstere Stelle**, Stätte Js 29$_{15}$ 42$_{16}$ Ps 88$_7$ 143$_3$ Kl 3$_6$; — 2. **Schlupfwinkel** Ps 74$_{20}$ (txt. ?, ↗ Komm.); — Ps 88$_{19}$ l שְׁכֵחָנִי (↗ Gkl). †

מַחַת: n.m.; ? חתת, BL 491k, „Schrecken", od. „hart", verständig (ar. *maḥt*, Noth N. 225); äga. (AP): — 1. Levit 1C 6$_{20}$, cj 6$_{10}$ pr. ↗ אֲחִימוֹת; — 2. 2C 29$_{12}$; — 3. 2C 31$_{13}$. †

מְחִתָּה: חתת, BL 492w; 1 × 4Q (KQT 120c): מְחִתַּת: — 1. **Schrecken** Js 54$_{14}$ Jr 17$_{17}$ 48$_{39}$ Pr 21$_{15}$; — 2. **Trümmer** Ps 89$_{41}$, **Verderben** Pr 10$_{14f.29}$ 13$_3$ 14$_{28}$ 18$_7$. †

מַחְתָּה: חתה, BL 492p; mhe. Kohlenpfanne; ↗ Kelso § 52: — 1. **Eimer** z. Tragen v. brennenden Kohlen od. Asche (Narkiess JPOS 15, 14ff) Ex 27$_3$ (נְחֹשֶׁת) 38$_3$ Lv 10$_1$ 1K 7$_{50}$ 2K 25$_{15}$ Jr 52$_{19}$ 2C 4$_{22}$; — 2. b. Räucheropfer gebrauchte **Kohlenpfanne** (Zorell) Lv 16$_{12}$ Nu 16$_{6.17.17.18}$ 17$_{2.4.11}$; — 3. kleine **Pfanne** als Zubehör d. מְנוֹרָה Ex 25$_{38}$ 37$_{23}$ Nu 4$_{9.14}$. †

מַחְתֶּרֶת: חתר, BL 607d; mhe.; ? ug. (UT nr. 914): **Einbruch** (cf. akk. *pilšu*, AHw. 863f) Ex 22$_1$ Jr 2$_{34}$. †

מַטְאֲטֵא: טאטא, BL 492r; ja.^{g} מטאט u. טאטיתא: **Besen** Js 14$_{23}$. †

מַטְבֵּחַ: טבח, BL 492r (cf. he. מִזְבֵּחַ); mhe. בֵּית מוּטְבָּחִים u. ja.^{g} בֵּית מַטְבְּחַיָּא Schlachthaus; pun. (DISO 148): **Schlachtplatz** Js 14$_{21}$. †

מַטֶּה (ca. 250 ×), gew. נטה BL 491n; :: Lw. < äg. *mdw* Stab Janssen ATO 40; ug. *mṭ* (↗ מוֹט, UT nr. 1642, Aistl. 1551), *mṭm* (↗ Aartun WdO 4, 296); mhe.; BHH 1845, ↗ שֵׁבֶט: cs. מַטֵּה, מַטֵּהוּ (1QJs^a 10$_{24}$ מטו), מַטְּךָ, מַטֹּ(ו)ת, מַטֹּתָם: — 1. **Stab, Stock**: a) als Stütze: Gn 38$_{18.25}$, v. מֹשֶׁה Ex 4$_{2.4.17}$ 7$_{15.17.20}$ 9$_{23}$ 10$_{13}$ 14$_{16}$ 17$_5$ Nu 20$_{8f.11}$, v. אַהֲרֹן Ex 7$_{9f.12.19}$ 8$_{1.12f}$ Nu 17$_{21.23.25}$; d. äg. Zauberer Ex 7$_{12}$; e. Stab für jeden Stamm Nu 17$_{17.25}$, v. יוֹנָתָן 1S 14$_{27.43}$; zum Ausklopfen von קֶצַח Js 28$_{27}$; b) z. Züchtigung מַ׳ הָאֱלֹ׳ Ex 4$_{20}$ 17$_9$, מַ׳ עֹז starker

St. Jr 48$_{17}$ Ps 110$_{2}$; v. J.: Js 10$_{5.26}$, cj ? (l מַטֵּהוּ, Sellin) Mi 6$_{9}$; v. אַשּׁוּר Js 10$_{24}$, מַ׳ רְשָׁעִים Js 14$_{5}$ (Begr. Dtj. 164), מַ׳ רֶשַׁע Ez 7$_{11}$ Sir 35/32$_{23}$; c) botanisch (Rüthy 53f): **Reis** d. Rebe Ez 19$_{12.14}$; מַטּוֹת עֹז kräftige Reiser, als Herrscherstäbe 19$_{11.14}$ (Zimm. 419); d) **Geschoss**; Pfeil Hab 3$_{9.14}$ (l מַטֶּיךָ, Mow. ThZ 9, 15f; sg. BL 584c); e) מַטֵּה לֶחֶם Brotstab (Stock an dem die ringförmigen ↗ חַלָּה-Brote zum Schutz vor Mäusen usw. aufgehängt sind, Koehler KlLi. 25ff, Schult ZDPV 87, 1971, 206-8; metaph. dazu d. „Stab lebendigen Wassers", MdD 253a), c. שבר Ez 5$_{16}$, auch Lv 26$_{26}$ Ez 4$_{16}$ 14$_{13}$ Ps 105$_{16}$ (cf. מִשְׁעַן־לֶחֶם Js 3$_{1}$); — 2. **Stamm** (Driv. JPhil. 11, 213f, Noth WdAT 58f, BHH 1851, ↗ שֵׁבֶט): meist in P, אִישׁ אִישׁ לְמַטֵּהוּ Jos 7$_{1}$, עָכָן לְמַטֵּה יְהוּדָה Nu 1$_{4}$, רָאשֵׁי הַמַּטּוֹת 1K 8$_{1}$ u. an allen nicht unter 1. genannten Stellen; — Js 9$_{3}$ l מֹטַת || עֹל.

מַטָּה, Sam.^{M146} *mēṭā*: נטה, BL 490b.527r; mhe. nur לְמַטָּה u. לְמַטָּן; ph. מט abwärts (DISO 148): — 1. **drunten** Pr 15$_{24}$; loc. מַ׳ מָטָּה c. יָרַד tiefer u. tiefer Dt 28$_{43}$ (:: מַעְלָה מָעְלָה); — 2. לְמַטָּה (:: לְמַעְלָה) drunten Jr 31$_{37}$; **abwärts, hinunter** Dt 28$_{13}$ 2K 19$_{30}$ Js 37$_{31}$ Ez 1$_{27}$ 8$_{2}$ 1C 27$_{23}$ 2C 32$_{30}$ (? unterirdisch, Rud.); לְמַ׳ לְ hinab zu Koh 3$_{21}$; לְמַ׳ מֵעָוֹן weniger als verdient (↗ חשׁך) Esr 9$_{13}$; — 3. מִלְּמַטָּה von unten > unten auf (↗ מִן 10a) Ex 26$_{24}$ 27$_{5}$ 28$_{27}$ 36$_{29}$ 38$_{4}$ 39$_{20}$. †

מִטָּה, auch or. מִ׳ (MTB 70); Sam.^{B146} *mēṭā*: נטה, BL 492p, wie κλίνη v. κλίνειν; ug. *mṭt* (UT nr. 1465, Aistl. 1776); mhe.: מִטַּת, מִטָּתוֹ, מִטּוֹת: **Lager**, **Bett** (ausgebreitete Tücher, Decken, Kissen) BRL 108f, AuS 7, 186ff, Gese VT 12, 428ff, BHH 235; ↗ מִשְׁכָּב, עֶרֶשׂ: zum Schlafen Ex 7$_{28}$ 2K 4$_{10}$ Ps 6$_{7}$, f. Kranke Gn 47$_{31}$ 48$_{2}$ 49$_{33}$ 1S 19$_{13.15.16}$ (tragbar) 1K 17$_{19}$ 21$_{4}$ 2K 1$_{4.6.16}$ 2C 24$_{25}$, zum Ruhen 1S 28$_{23}$ 2S 4$_{7}$ Pr 26$_{14}$, für Tote 2S 3$_{31}$ (tragbar) 2K 4$_{21.32}$, für Gelage Ez 23$_{41}$ Am 3$_{12}$ 6$_{4}$ (Gestell mit Elfenbeinzier), Est 1$_{6}$ (Gestell aus Silber u. Gold) 7$_{8}$; Lager Salomos HL 3$_{7}$; חֲדַר הַמִּטּוֹת Kammer, in der Decken, Tücher für מִטָּה aufbewahrt werden 2K 11$_{2}$ 2C 22$_{11}$. †

מֹטָה: ↗ מוֹטָה.

מֻטֶּה: נטה, ? pt. hof. > sbst. (BDB): **Beugung**, metaph. d. Rechts Ez 9$_{9}$. †

***מֻטָּה**: נטה, pt. hof. > sbst.; mhe.² (?): מֻטּוֹת: **Spannung** (v. Flügeln) Js 8$_{8}$. †

cj ***מִטְהָר**, Ps 89$_{45}$: טהר, BL 490z; cj c. 17 MSS ΑΣ, Mow. Scr. IV 1, 193, Dahood Bibl. 47, 417 pr. מִטְּהָרוֹ (↗ טְהַר) l מִטְהָרוֹ (Sec. ματ'αρω, Brönno 188): **Reinheit**, d. Reinheitsglanz d. Königs, (iran. *χvarnah* Widgr. Rel. Irans, 1965, 58f), akk. *melammu* (AHw. 643b). †

מַטְוֶה: טוה, BL 491 m.n: **Gespinst** Ex 35$_{25}$. †

***מְטִיל**: cs. מְטִיל בַּרְזֶל Hi 40$_{18}$: ja. מַטְּלָא u. מְטָלָא (geschmiedete) Stange, T 1S 17$_{6}$ מַטַּל pr. כִּידוֹן; etym. ? < μέταλλον (Lewy Fw. 131f, Hölscher Hi. 94); gew. zu מטל, BL 470n; ug. *ṯll* fallen (UT nr. 1037 :: Aistl. 1118, CML 151a); pt. caus. „Fäller", Hempel ZAW 76, 327; ug. *mdl* Blitz (UT nr. 1430, :: Aistl 744a, CML 161a), de Moor ZAW 78, 69f; < heth. *muwattalli*, Beiwort v. Waffe (Rabin Or. 32, 131, Güterbock ArchOr. XVIII 1/2, 216): **Eisenstange**? (|| אֲפִיקֵי נְחֻשָׁה); — Js 50$_{6}$ l מטלים (1QJs^{a} pr. מֹרְטִים, ↗ II טלל hif. †

***מטל**: ar. *mṯl* Eisen schmieden. Der. מְטִיל.

מַטְמוֹן: טמן, BL 493z.a. 546x; mhe.² מטמון Schatz, Sir 42$_{9}$ מטמנת, Rd. מטמון, bestätigt durch Sir^{MIV} 16: מַטְמֹ(ו)נִים, מַטְמֻנֵי Js 45$_{3}$: (verborgener) **Schatz** Gn 43$_{23}$ (|| אוֹצָר) Jr 41$_{8}$ (AuS 3, 200) Hi 3$_{21}$ Pr 2$_{4}$; das oft dazu gestellte mhe. מָמוֹן, ja. מָמוֹנָא, μαμωνᾶς im NT, pun. *mammon* (DISO 155), DSS ממון, Lokotsch nr. 1386, Littm. MW 30 geht eher auf I אמן od. II (aLw. 173, aber nicht aram.!) zurück, ℱ KMarti-GBeer, Abot, 1927, 55f. †

מַטָּע: נטע, BL 490b; mhe. auch מַטָּעָה; ug. *mṭ‘t* (UT nr. 1643, Aistl. 1778), ? pun. (DISO 149): מַטָּעֵי, מַטָּעָה, מַטַּע: **Pflanzung** Ez 177 314 3429 Mi 16; מַטַּע י׳ metaph. f. d. Gemeinde Js 613 (Jub 1626 2124, vdWoude VTSu. 9, 330); Js 6021 נֵצֶר מַטָּעו ℱ 1QJsª מטעו/י׳ נ׳ 1 מַטַּע י׳ Duhm (:: Dahood Bibl. 41, 275ff: נֵצֶר מַטָּעוֹ י׳). †

מַטְעָם*: טעם, BL 490z; ja. erfrischende Speise: מַטְעַמִּים u. ־מוֹת (BL 516p): **Leckerbissen** Gn 274·7·9·14·17·31 Pr 233·6, Sir 33/3624 3729. †

מִטְפַּחַת: I טפח, BL 607d; mhe: מִטְפָּחוֹת: **Umschlagtuch** (Hönig 59f; für d. Qumranrollen DJD I p. 24f) Js 322 Rt 315. †

מטר: denom. v. מָטָר; ug. *mṭr* (UT nr. 1466, Aistl. 1555); mhe.² hif., ja.ᵗᵍ af., sy. pe. pa. af., pehl. (DISO 149); ar. *maṭara*:

nif: (נמטר n.m., DJD II nr. 17 B1, ℱ p. 99 u. מַטְרִי; impf. תִּמָּטֵר: **beregnet werden** Am 47. †

hif: pf. הִמְטַרְתִּי, הִמְטִיר; impf. יַמְטֵר, אַמְטִיר; inf. הַמְטִיר; pt. מַמְטִיר: — 1. הִמְטִיר מָטָר עַל **Regen fallen lassen** auf Js 56; — 2. הִמְטִיר (עַל) **regnen lassen** Gn 25 74 Am 47 Hi 2023 3826; c. obj. גָּפְרִית וָאֵשׁ Gn 1924 Ez 3822 Ps 116 cj 14011, בָּרָד Ex 918·23, לֶחֶם 164 Hi 2023 (cj בְּלַחְמוֹ, Budde, ℱ לְחוּם), מָן Ps 7824, שְׁאֵר 7827. †

cj **hof**: pr. מֻמְטָרָה 1 מְטֹהָרָה, al. pu. (מְ)מֻטָּרָה: **beregnet** Ez 2224. †

מָטָר: ℱ מטר; mhe. sam. מטר (BCh. 2, 503b), cp. md. (MdD 265a) מִטְרָא, sy. *meṭrā*, ? pehl. Frah. 1, 4; ar. *maṭar*, akk. *miṭirtu*, *miṭru* (AHw. 663b: Wasserlauf): מְטַר, pl. מְטָרוֹת Hi 376 (or. מ׳ MTB 73, ? l abs. ℱ Hölscher), s.u.: **Regen** (cf. יוֹרֶה, זֶרֶם, גֶּשֶׁם, מַלְקוֹשׁ, AuS 1, 104ff.115ff, Noth WdAT 26f.30, Reymond 18ff, BHH 1570f): c. נָתַן Dt 1114 2812 1S 1218 1K 836 181 Hi 510 2C 627, c. הִמְטִיר Js 56, c. נִתַּךְ Ex 933, c. הָיָה Dt 1117 1K 835 2C 626 713, c. חָדַל Ex 934, c. עָרַף Dt 322, c. יָרַד Ps 726, c. זָקַק Hi 3627; גֶּשֶׁם ומ׳ זֶרֶם ומ׳ Js 46, קֹלוֹת ומ׳ 1S 1217f, cj (גֶּשֶׁם וּמִטְרוֹת dubl c. cj עֻזּוֹ, עזו, Hölscher) Hi 376, מְטַר־גֶּשֶׁם Gussregen Zch 101 (?1 מַמְטִיר), בָּרָד, קֹלוֹת, מָ׳ בַּקָּצִיר Pr 283, מָ׳ סֹחֵף 261, מ׳ אֶרֶץ, מְ׳ הַשָּׁמַיִם Dt 1111, מָ׳ Ex 934, 1114 2812·24, טַל || מָ׳ Js 3023; מ׳ זֶרַע 2S 121 Hi 3828, טַל וּמָ׳ 1K 171; מָ׳ aus Blitzen Jr 1013 5116 Ps 1357; מִמְּ׳ nach d. R. 2S 234; שְׁאַל מָ׳ מֵיהוה Zch 101, Gott ist מֵכִין מָ׳ Ps 1478; Gott setzt חֹק לַמָּ׳ Hi 2826; יַחֵל כַּמָּ׳ Hi 2923; מָ׳ = Schneefall Sir 4318. †

Der. מַטְרִי, מטר.

מַטָּרָא Kl 312: ℱ מַטָּרָה.

מַטְרֵד, Samᴹ¹⁰⁰ *maṭrad*, 1C 150 Gᴬ Ματραδ, Gn 3639 G ματραειθ u.ä. (Kahle CG 180): n. f. (aber GS בֵּן pr. בַּת!), טרד, od. n.l. c. מִן aus: < מְטַרְאֵד* (Meyer Isr. 375¹) Gn 3639 1C 150. †

מַטָּרָה u. מַטָּרָא Kl 312 (BL 511 x): נטר, BL 490c, = he. נצר, aLw. 189; äga. מנטרה (DISO 159), ja.ᵗᵍ מַטַּרְתָּא, sy. md. (MdD 241b); akk. *maṣṣartu*: — 1. **Ziel (scheibe)** 1S 2020 Hi 1612 Kl 312; — 2. **Wache**: חֲצַר הַמַּ׳ Jr 322·8·12 331 3721·21 386·13·28 3914f Neh 325, שַׁעַר הַמַּ׳ Neh 1239. †

מַטְרִי: n.m., מָטָר, „zur Regenzeit geboren" (Koehler JBL 59, 37, Reymond 19⁶); asa. n.tr. *maṭaran* (ZAW 75, 311), ar. n.m. *Muṭar*, *Māṭir*: מִשְׁפַּחַת הַמַּטְרִי n. tr. 1S 1021. †

מַי: מִי־לִי Js 525: Q מַה־לִּי, K מִי־לִי. †

מִי (420 ×): mhe.; ug. *mi* (UT nr. 1468, Aistl. 1557), Kan. *mija* EA, ph. מי (DISO 149); tigr. (Wb. 105a) was :: *man* wer ℱ מַן) aram. (DISO 157, ba.), ar. asa., äth. ᴳ*man(nu)*, tigr. (Wb. 126b), akk. *mannu*: urspr. e. deiktische Interj., VG 1, 326f, Mosc. CpGr 114f: — 1. **wer** (:: מָה was): מִי הָאִישׁ wer ist der Mann? Gn 2465; מִי אַתְּ Rt 39 (:: 316 wie steht es mit dir ? Rud.; 2Q 17, DJD III p. 74f מה את), cj בְּמִי durch wen 1S 1438, מִי אַתֶּם 2K 1013 in genit. מִבֶּטֶן מִי Hi 38₂₉; בַּת־מִי wessen Tochter? Gn 24₂₃, שׁוֹר מִי wessen Rind? 1S 12₃; in dat. לְמִי wem? Gn 32₁₈; in acc. אֶת־מִי wen? 1S 12₃; fast neutrisch: מִי פֶּשַׁע welches ist? Mi 1₅, מִי שְׁמֶךָ Ri 13₁₇; gedoppelt: מִי וָמִי wer im einzelnen? Ex 10₈; — 2. part. מִי בְּכֹל wer von allen? 1S 22₁₄, מִי בָהֶם Js 48₁₄; מִי אֶחָד מִשִּׁבְטֵי wer(wo) ist einer von? Ri 21₈; מִי מְנוֹשֵׁי wer ist unter? Js 50₁; — 3. מִי mit abhängigem Satz: a) מִי אַתָּה קָרָאתָ wer bist du, der du 1S 26₁₄, מִי אֵל אֲשֶׁר wo ist ein Gott, der Dt 3₂₄, מִי כָל־בָּשָׂר אֲשֶׁר wer (= wo) ist ein Sterblicher, der 5₂₆; b) מִי אָנֹכִי כִּי wer bin ich, dass ich Ex 3₁₁, מִי אֲבִימֶלֶךְ ··· כִּי נַעַבְדֶנּוּ Ri 9₂₈; c) מִי אַתְּ וַתִּירְאִי wer bist du, dass du Js 51₁₂; — 4. מִי im abhängigen Satz: יָדַעְנוּ מִי wir wissen, wer Gn 43₂₂, רְאוּ מִי 1S 14₁₇; — 5. מִי c. impf.: a) מִי יֹאמַר wer dürfte sagen Hi 9₁₂; b) als irrealer Wunsch (HeSy. § 9) מִי יְשִׂמֵנִי שֹׁפֵט 2S 15₄ Mal 1₁₀, Ri 9₂₉; > מִי יִתֵּן als Wunschptcl. Dt 28₆₇, m. folgendem Satz: מִי יִתֵּן יָדַעְתִּי wüsste ich doch Hi 23₃, Nu 11₂₉; — 6. **wer immer** (τίς > ὅς (τις): מִי לַי׳ wer immer zu J. hält Ex 32₂₆, מִי־בַעַל דְּבָרִים 24₁₄, Koh 5₉ Zch 4₁₀ (:: Galling Fschr. Rud. 88f); — 7. מִי als **interj.** (ug. Aistl. 1557, CML 162a): a) als wer > **wie** (= מָה): מִי אַתְּ מִי יָקוּם Am 7₂, wie steht es mit dir? (Rud., 2Q 17, DJD III p. 74f: מה את) Rt 3₁₆; Dt 33₁₁b Sam. מִי pr. מִן: wie werden sie bestehen!; b) ? **wo** ? מִי גוֹי גָּדוֹל Dt 4₇, מִי כְעַמְּךָ 2S 7₂₃; — 8. Versch. מִי הוּא ⅎ הוּא 5; מִי זֶה/זֹאת ⅎ זֶה 15; מִי in neg. Sinn (BHartm. ZDMG 110, 232: „nicht", < (ar. *mā* :: Labusch. 16f, Beyer 125[2]): מִי־ גוֹי גָּדוֹל Dt 4₇, מִי כְעַמְּךָ ··· גּוֹי 2S 7₂₃, bloss rhetor. Frage, G 2 × οὐδείς cf. 5b; 2S 18₁₂ l לִי. Der. מִישָׁאֵל, מִיכָיָה(וּ), מִיכָאֵל, מִיכָא/ה.

מֵידְבָא, Sam.[BCh. 3, 175b] *mīdābe*, G[A] Μαιδαβα: n.l., mo. מהדבא (Segert ArchOr. 29, 216f. 249), ? מַיִם + דבא stark sein (VT 2, 164[1]): **Mādebā** s. חֶשְׁבּוֹן in Moab (Abel 2, 381f, BHH 1179; Mosaik, Avi-Yonah, M.-Mosaic Map, 1954, Donner ZDPV 83, 1ff) Nu 21₃₀ Jos 13₉.₁₆ Js 15₂ 1C 19₇. †

מֵידָד, Sam.[M104] *mūdad*, G Μωδαδ: n.m. klschr. *Mudada* APN 139a; מודד NE 306a; ? aam. *מודד Freund (DISO 144), √ודד „Liebling" (Noth 223): Nu 11₂₆f neben אֶלְדָּד (? Reimbildung, Albr. VSzC 302). †

מֵידַע Rt 2₁: K מְיֻדָּע, 1Q מודע.

מֵי זָהָב, G Μεζοοβ; trad. n.m. Gn 36₃₉ 1C 1₅₀; :: n.l., ? *מְזָהָב (pr. בֶּן) u. = דִּי זָהָב Dt 1₁ (Meyer Isr. 375, Rud. Chr. 9). †

מֵי הַיַּרְקוֹן: trad. n.l. in Dan; n. fl. Abel 2, 53, GTT § 336, 16; Noth Jos 118.121, = *nahr el-Bāride* ö. Jafo: Jos 19₄₆. †

מֵיטָב: יטב, BL 491f; mhe., ja.[g] מֵיטְבָא < he.; מֵיטַב: **das Beste, d. Beste Teil,** v. אֶרֶץ Gn 47₆.₁₁, v. שָׂדֶה u. כֶּרֶם Ex 22₄ (Rabinowitz VT 9, 42ff), v. צֹאן u. בָּקָר 1S 15₉.₁₅. †

מִיכָא: n.m.; Kf. v. מִיכָאֵל/יָהוּ (Noth 144); ? מכא Dir 141f., מיכא/ה u. מיכיה AP 296a; äga. BMAP 306; palm. *myk'*, *mky* PNPI 94a. 95a; ⅎ מִיכָה: **Micha**: — 1. 2S 9₁₂; — 2. Neh 10₁₂; — 3. Neh 11₁₇.₂₂, = מִיכָיָה 12₃₅; — 4. 1C 9₁₅. †

מִיכָאֵל, Sam.[BCh. 3, 175a] *mīkīl*, G Μιχαηλ: n.m.; מִי + כְּ + אֵל „wer ist wie El?", > מִיכָא; cf. מִיכָיָהוּ (Stamm HFN 314); ? מכל Nimrud Ostr. Z. 8; akk. *Mannu-ki-ili* > *Maniki* (APN 126a), > מנך CIS II, I 103 (Driv. Fschr. Furlani 51): **Michael**—I. n.m.; 1-10: Nu 13₁₃; 1C 5₁₃; 5₁₄; 6₂₅; 7₃; 8₁₆; 12₂₁; 27₁₈; 2C 21₂; Esr 8₈; — II. Engel, Patron Israels Da 10₁₃.₂₁ 12₁; WLueken, Michael, 1898, Bousset-Gr. 327, RGG[3] 4, 932, BHH 1212. †

מִיכָה: n.m.: Kf. v. מִיכָאֵל/יָהוּ: ⅎ מִיכָא, Labusch. 21f, BHH 1210f; **Micha**: — 1. d. Prophet Mi 1₁ = מִיכָיָה 4. Jr 26₁₈; — 2. 2C 34₂₀ = מִיכָיָה 3.; — 3.-5. 1C 5₅; 8₃₄f 9₄₀f;

23$_{20}$ 24$_{24f}$; — 6. Ri 17$_{5}$ — 18$_{31}$ (19 ×) = מִיכָ֫יְהוּ/מִיכָה 1; — 7. 2C 18$_{14}$ = מִיכָיְהוּ 2. †

מִיכָהוּ: n.m., 2C 18$_{8K}$: מִי + כְּ + הוּא ,,wer ist wie er?"; akk. *Mannu-ki-šu* (HBauer ZAW 51, 84^{2} cf. *Mannu-šānin-šu* ,,wer ist ihm ebenbürtig?", Stamm 238); aber sachlich u. Q = מִיכָיְהוּ 2, 2C 18$_{14}$ מִיכָה; ? bloss Kf. od. corr. < מִיכָיָה(וּ). †

מִיכָיָה: n.m.; < מִיכָיָהוּ; Dir. 190; — 1. Neh 12$_{35}$, = מִיכָא 3; — 2. Neh. 12$_{41}$; — 3. 2K 22$_{12}$ = מִיכָה 2; — 4. Jr 26$_{18K}$ = מִיכָה 1. †

מִיכָיָהוּ: n. m. u. f.; מִי + כְּ + יָהוּ, Lkš, ↗ מִיכָאֵל; > מִיכָהוּ, מִיכָה u. מִיכָיָה, מִיכָיְהוּ: — 1. 2C 17$_{7}$, שַׂר d. K. Josafat; — 2. 2C 13$_{2}$ M. d. Ks. Abija, meist m. G, S, A cj מַעֲכָה, :: Rud. 231f, Stamm HFN 314. †

מִיכָיְהוּ: n.m., = מִיכָיָהוּ (für 2. MTB 78!); — 1. Ri 17$_{1.4}$ = מִיכָה; — 2. בֶּן־יִמְלָא d. Prophet in 1K 22$_{8-28}$ 2C 18$_{7.8}$ (K מִיכָהוּ) $_{12f.23-25.27}$ = מִיכָה 7; — 3. Jr 36$_{11.13}$. †

***מִיכָל**: cs. מִיכַל הַמַּיִם 2S 17$_{20}$: יכל, כול: **Ansammlung**, **Behälter**, Zorell :: מְכֹל ↗ כול, BL 491g ? l מִכֹּה אֶל־ von hier zum Wasser (Tiktin, Krit. Unters. z. d. Büchern Sam., 1922, 60, :: Honeyman VT 5, 220). †

מִיכַל, מִיכָל: n.f.; c. מִיכָאֵל (Noth 39.144, HFN 315); ? eher Kf. c. n. d. (Jirku ZAW 48, 229f; ug. *mkl* n. pers. [UT nr. 1474], ph. מכל, *Mekal* [PNPhPI 343], Eissf. KlSchr. 2, 41f, WbMy. 1, 298f, ? l מוכל Albr. RI 94f): **Michal**, T. v. Saul (BHH 1213), 1S 14$_{49}$ 18$_{20.27f}$ 19$_{17}$ 25$_{44}$ 2S 3$_{13f}$ 6$_{16.20.23}$ 1C 15$_{29}$; Fr. Davids 1S 19$_{11-13}$ 2S 6$_{21}$; — 2S 21$_{8}$ l מֵרַב (:: Glueck ZAW 77, 72ff). †

מַיִם (ca. 580 ×), Sam.$^{M\ 138}$*mēm*, cs. *mī*; Hier. *maim*: ug. *mj*, pl. *mjm* (UT nr. 1469), kan. *mi(e)ma*, ihe. (Sil.) *mjm* (DISO 149), aam. cs. *mj*, äga. *mjn*, nab. palm. מיא; ja. sy. מַיָּא, md. *mia, mai* (MdD 242a.265a); asa. *mw, mh*; ar. *mā'*, äth. tigr. (Wb. 138b) *māj*; akk. *mā'u, mū, mām/wū* (AHw. 601a. 664a), äg. *mj*, pl. *mw*; Nöld. NB 166ff, BL 491n.619q: מָיִם, 3 × מַיִם, cs. מֵי auch מֵימֵי, מֵימָיו/מֵימֶיךָ/מֵינוּ, מֵימֵיהֶם, loc. הַמַּיְמָה הַמָּיְמָה; pltt. (Nu 19$_{13.20}$ ↗ GK 415b): **Wasser** (Reymond 263f, Goppelt Art. ὕδωρ in ThWbNT VIII, 316ff, BHH 2138): — 1. W. als Urstoff (Kaiser 92ff) Gn 1$_{2}$, הַמַּיִם über u. unter רָקִיעַ 1$_{7}$, מִתַּחַת לָאָרֶץ Ex 20$_{4}$, מֵי הַמַּבּוּל Gn 7$_{10}$; — 2. Regenwasser Ri 5$_{4}$ 2S 21$_{10}$; in יָם Am 5$_{8}$, נָהָר Js 8$_{7}$, בְּאֵר Nu 20$_{17}$, בְּרֵכָה Js 22$_{9}$, מַדְמֵנָה 25$_{10}$ (K בְּמֵי, Q בְּמוֹ); מֵימֵי שֶׁלֶג Schneewasser Hi 24$_{19}$, (חֵמַת) מַיִם Trinkwasser Gn 21$_{14}$, כַּמַּיִם Pr 27$_{19}$ wie in Wasser (Gemser 97); מַיִם רַבִּים ↗ I רַב; ↗ שָׁתָה Dt 11$_{11}$, ↗ שָׁאַב 1S 7$_{6}$, ↗ מָתַק Ex 15$_{25}$, ↗ לַחַץ 1K 22$_{27}$; מַיִם חַיִּים ↗ חַי; — 3. מַ׳ andere Flüssigkeit: II מֵי רֹאשׁ **Giftwasser** Jr 8$_{14}$; **Harn**: מֵימֵי רַגְלַיִם 2K 18$_{27Q}$ u. Js 36$_{12Q}$, > מַיִם Ez 7$_{17}$ 21$_{12}$ (äg. *mjt, mujat*, Albr. Voc. 44); **Sperma** (mhe., sy. Wbg-M. VT 3, 201) ? Js 48$_{1}$ (gew. cj מִמֵּעֶיךָ 1QJs^{a}); — 4. W. im **Kult** ↗ זרק, יצק, חַטָּאת, נִדָּה; — 5. als gefährliche Macht, die W. der Unterwelt (Gkl. SchCh. 103f, Eissf. KlSchr. 3, 256ff, Kaiser 78ff, Reymond 182ff) מַיִם רַבִּים Ps 18$_{17}$ 32$_{6}$, Ps 69$_{2f.15f}$; — 6. metaph. a) = Schwäche לֵבָב, > מַ׳ Jos 7$_{5}$; b) = reichlich Am 5$_{24}$ Kl 2$_{19}$; — 7. in nn. l. (Reymond 99ff): מֵי דִימוֹן Js 15$_{9}$, מֵי יְרִיחוֹ Jos 16$_{1}$, מֵי מְגִדּוֹ Ri 5$_{19}$, מֵי מְרִיבָה Nu 20$_{13}$, מֵי נִמְרִין Js 15$_{6}$, מֵי נֶפְתּוֹחַ Jos 15$_{9}$ 18$_{15}$, עִיר הַמַּ׳ 2S 12$_{27}$ cj $_{26}$, מֵי עֵין שֶׁמֶשׁ Jos 15$_{7}$, ↗ I שַׁעַר 4l; ↗ מֵי זָהָב, מֵי הַיַּרְקוֹן; — Nu 24$_{7}$aα l לְאֻמִּים, aβ בְּעַמִּים Mow. ZAW 48, 246^{2}; Js 40$_{12}$ מֵי יָם (1QJs^{a}, Seeligm. BiOr 6, 7a); Ps 18$_{16}$ l יָם (2S 22$_{16}$); 73$_{10}$ pr. מֵי מָלֵא l מִלֵּיהֶם; Hi 24$_{18}$? l עַל־פְּנֵי יוֹמָם bei Tagesgrauen; 27$_{20}$ l בַּיּוֹם od. יוֹמָם b. Tag, :: Fohrer, Hiob 386, 388.

מִיָּמִין: Neh 12$_{5}$, מִיָּמִן Esr 10$_{25}$ Neh 10$_{8}$ 1C 24$_{9}$: n.m.; מִן + יָמִין ,,Glückskind" (Noth 224), ? eher < ↗ מִן < בִּנְיָמִין Rud. EN

98): — 1. Judäer Esr 10$_{25}$; — 2. - 3. Priester Neh 10$_{8}$ 12$_{5}$; 1C 24$_{9}$ (G^{B} בִּנְ׳). †

*מִין: ↗ תְּמוּנָה; mhe., 3 × DSS; etym. inc.: ? ug. *mn* (CML 161b); ar. *mjn* erdichten (Lex.[1]), *mjn* spalten, pflügen, lügen (Honeym. VT 5, 220); ar. cp. tigr. (Wb. 129a) erschaffen, Fruchtbarkeit: Hervorbringung der Lebewesen derselben Art (Cazelles, Cinquantenaire de l'Ecole des Langues Orientales, 1964, 105, PBeauchamp, Création et séparation, Paris 1969, 240ff); zu akk. *mīnu*, pl. *mīnāti* Portion, Zahl (:: AHw. 665f) Albr. BASOR 93, 18[30]; > kopt. *mine* Art (Spiegelberg 60, Zorell): מִינוֹ u. מִינֵהוּ (Gn 1$_{11.12}$), מִינָה (מִינָה) Ez 47$_{10}$, BL 252l) מִינֵהֶם (↗ BL 534): **Art** (naturwissenschaftl. Species): Gn 1$_{11f.21.24f}$ 6$_{20}$ 7$_{14}$, bei bestimmten Vogelarten (Driv. PEQ 87, 19f, Ell. Lev. 151) Lv 11$_{14.16.19.22.29}$ Dt 14$_{13.15.18}$ Sir 13$_{15f}$ 43$_{25}$, Ez 47$_{10}$ (s.o.); cp. sy. Volk; mhe. ja. Häretiker, spez. judenchristliche, Schürer 2, 544, ThLZ 1904, 589f.631ff; Moore, Judaism 2, 431. Jüd. Lex. IV 191f, Vermès, Fschr. PKahle 232ff. †

מֵינֶקֶת, מֵנֶקֶת Gn 24$_{59}$: ינק, pt. hif. abs. u. cs.; mhe.; ug. *mšnq(t)* (UT nr. 1115), akk. *mušēniqtu*: מֵינִיקֹתַיִךְ, מֵינִיקוֹת, מֵ(י)נִקְתּוֹ/תָּהּ: Stillende, **Amme** Gn 24$_{59}$ 35$_{8}$ Ex 2$_{7}$ 2K 11$_{2}$ Js 49$_{23}$ 2C 22$_{11}$. †

מֵיסַךְ: 2K 16$_{18}$, Q מוּסַךְ, K מֵיסַךְ, 9 MSS מסך; מ׳ הַשַּׁבָּת G τὸ θεμέλιον (= מוּסַד) τῆς καθέδρας (? = הַשֶּׁבֶת), V *musach*, lat. *mesech*, ? נסך hof. (Honeyman VT 5, 220f), od. סכך; unerkl., Mtg.-G. 464. †

מֵ(י)פַעַת: 1C 6$_{64}$, מֵיפָעַת Jos 13$_{18}$ 21$_{37}$, מֵופָעַת (K מוֹ, Q מֵי, Morag ErIsr. 5, 92*) Jr 48$_{21}$; n.l. in Moab; II יפע, asa. מיפע u. מיפעת nn.l. (Conti 164b); strittig (Abel 2, 385, Glueck 1, 4, GTT § 337, 44, v. Zyl 94, Rud. Jer.[3] 287, Kuschke, Fschr. Hertzbg 92). †

מִיץ: מוּץ, BL 452q; mhe. Saft; ↗ מצה, מצץ: **Pressen** (Milch, Nase d. Zorns) Pr 30$_{33}$. †

מִיצִיאִים 2C 32$_{21}$: ↗ יָצִיא.

מִישׁ: ↗ II מוּשׁ.

מֵישָׁא: n.m.; G Μισα, palm. מישא (Baumart, PNPI 94b); ? klschr. *Meʾsā* (APN 136b); ? Kf. v. מֵישַׁע/שָׁע + n.d.; Noth 155: 1C 8$_{9}$. †

מִישָׁאֵל: n. m.; (gew. מִי + שֶׁ + אֵל ,,wer ist wie Gott?'', (Jean RHPhR 35, 125) od. ,,wer gehört zu G.?'', Lex.[1], Labusch. 129[4]; akk. *Ša-ilim*, Stamm 263); od. < מֵישַׁעְאֵל* (Mtg. Da. 129): — 1. Gefährte Daniels Da 1$_{6f.11.19}$ 2$_{17}$; ↗ מֵישַׁךְ; — 2. Ex 6$_{22}$ Lv 10$_{4}$; — 3. Neh 8$_{4}$. †

מִישׁוֹר u. מִישֹׁר: ישר, BL 493e, cf. מֵישָׁרִים: mhe.; ug. *mšr*, ph. Μισωρ (Philo By. 22 [↗ WbMy. 1, 310], Eissf., Taautos u. Sanchunjaton 1952, 19f), pun. *mysyrthoh[om]* Poen. 933 (DISO 150, Sznycer 74f), akk. *mēšaru* (AHw. 659b, Tallqv. AkGE 374); Schwarzb. 36ff: — 1. **ebener Boden** (ar. *jšr* II ebnen), oft metaph.: a) c. עָמַד Ps 26$_{12}$, דרך רגלי במ׳ Sir 51$_{15}$ (11QPs^{a}, DJD IV, XXI 13 pr. אמתה); b) c. gen. = eben: אֹרַח מ׳ Ps 27$_{11}$ (Rowl. Faith of Isr., 1956, 146[18]), אֶרֶץ מ׳ 143$_{10}$; — 2. **Ebene**: 1K 20$_{23.25}$ (:: הָרִים), Zch 4$_{7}$ (↗ Komm.); Js 40$_{4}$ (: עָקֹב) 42$_{16}$ (:: מַעֲקַשִּׁים), Jr 48$_{8}$ (|| עֵמֶק), 2C 26$_{10}$ (:: שְׁפֵלָה); — 3. n.t. für bestimmte Ebene: a) d. Hochplateau n. d. Arnon (Abel 1, 429f, Noth WdAT 56f, Schwarzb. 37, Kuschke Fschr. Hertzbg 92) Jos 13$_{9.16f.21}$ 20$_{8}$, עָרֵי הַמּ׳ Dt 3$_{10}$ u. אֶרֶץ הַמּ׳ 4$_{43}$ Jr 48$_{21}$, auch 2C 26$_{10}$ (s.o. 2.; Rud.); b) d. Plateau v. Ǧolan (↗ גּוֹלָן) 1K 20$_{23.25}$ (Abel 1, 430); — 4. metaph.: a) **Geradheit**, **Billigkeit**, **Gerechtigkeit** (cf. akk. *mēšaru*, KAT[3] 368.370, Speiser 318f) Js 11$_{4}$ (|| צֶדֶק) Mal 2$_{6}$ (|| שָׁלוֹם): שֵׁבֶט מ׳ שָׁפַט מ׳ Ps 67$_{5}$, 45$_{7}$; b) s.o. 1. a; התהלך במ׳ auf ebenem Plan (|| רום עולם) 1QHod 3, 20; — ? Jr 21$_{13}$ צוּר הַמּ׳ = Jerusalem, ↗ Schwarzb. 35 :: Rud. Jer. 126. †

מֵישַׁךְ, G Μεισαχ, bab. Name d. מִישָׁאֵל; unerkl. ? deform. (↗ Bentzen 17; BHH 1196): Da 1_{7} 2_{49} $3_{12\cdot30}$. †

מֵישַׁע: n.m.; ישׁע, BL 491f, G Μωσα = מוֹשַׁע (Morag ErIsr. 5, 92*, Segert ArchOr 29, 246, BL 490d), mo. משע; **Mesa**, K. v. Moab 2K 3_{4}; BHH 1196; Inschrift: Michaud SPA 29ff; KAI 181. †

מֵישָׁע: n. m.; ↗ מֵישַׁע: S. Kalebs 1C 2_{42}. †

מֵישָׁרִים, Pr 1_{3} מֵשָׁרִים: ישׁר, BL 491f; pltt.; pun. *mysyrt* (DISO 150); ↗ מִישׁוֹר; mhe., ja.[tg] מֵישָׁרָא; akk. *mēšaru* Gerechtigkeit, personif. neben *kittu*, KAT³ 368.370; Meissn. BuA 2, 23, AHw. 659b: — 1. **ebene Bahn** (metaph.) Js 26_{7}; בְּמֵ׳ ? leicht, glatt (geht Wein ein, ↗ Gemser :: ATD XVI 284) Pr 23_{31}, לְמֵ׳ HL 7_{10}; — 2. Gott: a) schafft מֵ׳ **Ordnung** (|| מִשְׁפָּט) Ps 99_{4}; b) richtet בְּמֵ׳ **gerecht** Ps 9_{9} 75_{3} 96_{10}; מֵ׳ acc. adv. (GK § 118q) m. Recht Ps 58_{2} (cj sbj. אֵלִים pr. אֵלֶם), HL 1_{4}; || צֶדֶק Js 45_{19} Ps 98_{9}; — 3. מֵ׳ b. Menschen: a) **Aufrichtigkeit, Geradheit** Ps 17_{2} Pr 1_{3} 2_{9} 8_{6} 1C 29_{17}; b) **Wahrheit** reden Js 33_{15} Pr 23_{16}, ? cj 16_{13} pr. יְשָׁרִים (↗ יָשָׁר); c. עָשָׂה e. **Abkommen** treffen Da 11_{6}, gew. cj 11_{17} pr. יְשָׁרִים (↗ יָשָׁר). †

מֵיתָר, Sam.[M113] *mitār*: II יתר, BL 491f; mhe.², ja.[tb] sy. יַתְרָא; ar. *watar* (Bogen-) Sehne: מֵיתְרֵיהֶם, מֵיתָרָיו: — 1. **Bogensehne** (BRL 114) Ps 21_{13}; — 2. **Zeltstrick** Ex 35_{18} 39_{40} Nu $3_{26\cdot37}$ $4_{26\cdot32}$ Js 54_{2} Jr 10_{20}, prp. מֵיתְרֵי pr. מוֹרָשֵׁי Hi 17_{11} (d. Herzens). †

מַכְאֹב, Sam.[M114] *mākā'ūb*: כאב, BL 493e; DSS מכאוב; מַכְאֹבוֹ, מַכְא(וֹ)בִים (Sec. μαχωβιμ, BM § 22, 3a) u. מַכְאֹבָיו, מַכְאֹבוֹת: — 1. **Schmerz** (Scharbert Schm. 45) Js 53_{4} Jr 30_{15} 45_{3} 51_{8} Ps 32_{10} 38_{18}, cj (מַכְאֹבוֹ) 41_{4}, 69_{27} Hi 33_{19} Kl $1_{12\cdot18}$ Koh 1_{18} 2_{23} 2C 6_{29}; אִישׁ מַכְאֹבוֹת voller Schmerzen Js 53_{3}; — 2. **Leiden** Ex 3_{7} Sir 32_{7}. †

מַכְבִּיר Hi 36_{31}: ↗ כבר hif.

מַכְבֵּנָה, G^B Μαχαβηνα, G^A -μηνα: n.m.; כבן, BL 492s; ja. מכבנתא Halsband; n..m. מכבנת Pachtv. 17; cf. מַכְבַּנַּי u. n.l. כַּבּוֹן: S. Kalebs 1C 2_{49}; ? n.l. GTT § 322, 6, = מַדְמַנָּה u. מְכוֹנָה, Rud. Chr. 21, Zorell. †

מַכְבַּנַּי, G^A Μαχαβαναι; n.m.; כבן, ↗ מַכְבֵּנָה; -*ai* Kf. -endung (Noth 38) od. aram. gntl. ?: Recke Davids aus Gad 1C 12_{14}. †

מַכְבֵּר: II כבר, BL 492r, ↗ מִכְבָּר: etwas Geflochtenes, **Decke** od. **Matte** (↗ Vrss.) 2K 8_{15}. †

מִכְבָּר: II כבר, BL 490z; mhe. מַכְבֵּר/רָה Sieb: **Gitterwerk** Ex 27_{4} (erklärt als מַעֲשֵׂה רֶשֶׁת נְחֹשֶׁת) 35_{16} $38_{4f\cdot30}$ 39_{39}. †

מַכָּה, Sam.[M147] *mukkā*: נכה, BL 492p; mhe., Mi.-traktat מַכּוֹת „Prügelstrafe": מַכַּת Js 14_{6} (GK § 130a), מַכָּתוֹ/תֶךָ, pl. מַכּוֹת (4 ×) u. מַכִּים 2K 8_{29} 9_{15} 2C 22_{6}, DSS (2 ×), מַכֹּ(וֹ)תֶהָ u. מַכֹּתֶךָ u. מַכּוֹתֶיךָ/תֶיהָ Jr 19_{8} 49_{17} (BL 252r.s), Fohrer WaM 130: — 1. מַכָּה **Schlag** Dt 25_{3} (רַבָּה viele od. mehr Schläge) Pr 20_{30}; — 2. **Wunde** 1K 22_{35} Js 1_{6} 30_{26} Jr 10_{19} 14_{17} 15_{18} 30_{12} Nah 3_{19}, pl. 2K 8_{29} 9_{15} Jr 30_{17} Mi 1_{9} Zch 13_{6} Ps 64_{8} 2C 22_{6}; — 3. **Plage** (cf. akk. *liptu, lipit ilim*, AHw. 554b) Lv 26_{21} Dt 28_{61} Js 14_{6} 27_{7} Jr 6_{7} 30_{14}, pl. Dt 28_{59} 29_{21} Jr 19_{8} 49_{17} 50_{13}; — 4. **Niederlage** 1S 4_{10} $14_{14\cdot30}$ Js 10_{26}; הִכָּה מ׳ בְּ e. Niederlage anrichten unter Nu 11_{33} 1S 6_{19} 19_{8} 23_{5} 1K 20_{21} Est 9_{5} 2C 13_{17} 28_{5}; הִכָּה מ׳ c. acc. jmd. e. Niederlage beibringen Jos $10_{10\cdot20}$ Ri 11_{33} 15_{8}, = abs. 1S 14_{14}, = הִכָּה בְמ׳ 1S 4_{8}; — 2C 2_{9} l מַאֲכֹלֶת < מַכֹּלֶת. †

מִכְוָה: כוה, BL 492p; mhe. Sam. Ex 21_{25} pr. כְּוִיָּה; מִכְוַת: **Brandwunde** Lv $13_{24f\cdot28}$. †

מָכוֹן: כון, BL 491g; mhe.; pun. מכן (DISO 150); ar. *makān*: מְכוֹן, מְכוֹנוֹ, מְכוֹנֶיהָ: — 1. **Standort, Stätte**: a) J.s Ex 15_{17} 1K $8_{13\cdot39\cdot43\cdot49}$ Js 18_{4} Ps 33_{14} 2C $6_{2\cdot30\cdot33\cdot39}$; b) v. הַר צִיּוֹן Js 4_{5}, v. בֵּית אֵל׳ Esr 2_{68}, הַמִּקְדָּשׁ Da 8_{11}; — 2. **Stütze** v. כִּסֵּא י׳ (äg., Brunner VT 8, 428f) Ps 89_{15} 97_{2}, cf. Pr 16_{12}; pl. d. Grundlagen d. Erde Ps 104_{5}. †

מְכוֹנָה u. 3 × מְכֹנָה: f. v. מָכוֹן; mhe. ja.[t] מְכוֹנְתָא Aufenthaltsort, asa. מכנת (Conti 168a): מְכֻנָתָהּ (BL 598) Zch 5₁₁, מְכֹנוֹת (G μεχωνωθ 1K 7₂₇ff 2K 16₁₇), מְכוֹנֹתָיו: — 1. (gebührende) **Stelle, Stätte** Zch 5₁₁ Sir 44₆, Wohnstelle Sir 41₁, cj Kl 2₆ pr. כַּגַּן (Rud.), עַל מְכוֹנֹתָיו auf d. (alten) Fundamenten Esr 3₃, GAS מְכוֹנָתוֹ an d. (alten) Stelle (Rud.), עַל־מְכוֹנוֹ Esr 2₆₈; — 2. e. Tempelgerät V *basis*, T בְּסִיסָא: **Fahrgestell, Kesselwagen** (↗ AOB 505-08, Mtg.-G. 174ff, Noth Kge. 157f.161f, BHH 944) 1K 7₂₇₋₄₃ 2K 16₁₇ 25₁₃ ?.₁₆ Jr 27₁₉ 52₁₇.₂₀ 2C 4₁₄; ↗ מְכֹנָה n.l. Neh 11₂₈. †

מְכוּרָה: כור ? = I כרה graben, BL 494g: מְכֻרֹתַיִךְ u. מְכֹרֹתַיִךְ (BL 598): 2 × מְכוּרָתָם, c. אֶרֶץ Abstammung, **Herkunft** (|| מוֹלְדוֹת) Ez 29₁₄, pl. 16₃ (Zimm. 334) 21₃₅. †

מָכִי, Sam.[M138] *mīki*: n.m.; pun. מכי (PNPhPI 342f); palm. מכי (PNPI 95a); ? Kf. v. מָכִיר (Noth 232); äga. Gadite Nu 13₁₅. †

מָכִיר, Sam.[M131] *mākir*: n.m. u. tr.: מכר, BL 470n, ,,verkauft'' (::Noth 232; cf. palm. n.m. מזבנא, PNPI 94a), der sich als Lohnarbeiter für Dienst verdingte (Täubler 190ff): **Machir**: I.n.m. — 1. S. v. Manasse Gn 50₂₃ Nu 26₂₉ 27₁ 32₃₉f 36₁ Dt 3₁₅ Jos 13₃₁ 17₁.₃ 1C 2₂₁.₂₃ 7₁₄₋₁₇; — 2. aus Lodebar (Trsjd) 2S 9₄f 17₂₇; — II.n. tr. (Meyer Isr. 516ff. Noth WdAT 67, Kaiser VT 10, 8f, BHH 1119, Zobel BZAW 95, 112f) = מְנַשֶּׁה Ri 5₁₄; gntl. מָכִירִי Nu 26₂₉. †

מכך: ug. *mk* schwach werden (UT nr. 1473, Aistl. 1561, CML 160a); mhe. sich beugen, ja. niedrig werden; adj. *mak* sy. md. (MdD 242b); ar. *mkk* drücken (Schuldner); äth. Lesl. 30; Nf. מוך:

qal: impf. וַיָּמֹכּוּ: **versinken** Ps 106₄₃. †

nif: impf. יִמַּךְ: **sich senken** (Gebälk, || דלף) Koh 10₁₈. †

hof: pf. הֻמְּכוּ (GK § 67y, BL 437): **sich ducken** Hi 24₂₄ (Fohrer Hi. 370) :: cj nif. imp. הִמַּכּוּ (:: רמם; ↗ Komm.). †

מִכְלָא: Ps 50₉ u. מִכְלָה Hab 3₁₇: כלא, BL 490z, ar. *mukalla'* Ufer: cs. pl. מִכְלְאֹת, מִכְלְאֹתֶיךָ: **Hürde** Hab 3₁₇ Ps 50₉ 78₇₀. †

מִכְלוֹל: I כלל, BL 493e; DJD I p. 124, 25: לְבֻשֵׁי מ׳ **Vollkommenheit** (THAT 1, 829) vollkommen / prächtig gekleidet Ez 23₁₂ 38₄; ↗ מַכְלוּל. †

***מַכְלוּל**: I כלל, BL 494g; cf. ja. כִּלְּתָא, sy. *kell^etā* Vorhang, Schleier > ar. *killat* (Frae. 289) md. כלולא (MdD 217a): מַכְלוּלִים: **Prachtgewand** unbestimmter Art (Hönig 69, Zimm. 632, THAT 1, 829) Ez 27₂₄; ↗ מִכְלוֹל. †

מִכְלוֹת, or. מַכְלוּת (MTB 70): I כלה, pl. v. *מִכְלָה, od. sg.-endg. *-ōt* (BL 506t)?: Vollkommenheit (?; THAT 1, 831) מ׳ זָהָב gew. aus reinstem Gold (V,T), 1K 7₄₉, ↗ Rud. 208: 2 C 4₂₁. †

***מִכְלָל**: I כלל, BL 490z: cs. מִכְלַל: **Vollkommenheit**, מ׳ יֹפִי vollkommene Schönheit Ps 50₂ (Zion), ? l pr. מֶלֶךְ בְּיָפְיוֹ Js 33₁₇ (Gkl. Lex.[1]). †

מַכֹּלֶת, 1K 5₂₅: אכל, < מַאֲכֹּלֶת (GK § 23f), äga. מכל u. מאכלא (DISO 141). †

***מִכְמָן**: כמן, BL 490z; mhe., ja. (Ku.), ar. *makman* Versteck; aLw. 164: מִכְמַנִּים (BL 558c): (verborgener) **Schatz** Da 11₄₃. †

מִכְמָס: : Esr 2₂₇ Neh 7₃₁, מִכְמָשׂ (Ⓑ 5 × ־מָשׁ) 1S 13₂.₅ (ö. בֵּית אָוֶן).₁₁.₁₆.₂₃ 14₅.₃₁ Js 10₂₈ Neh 11₃₁ (Ⓑ ־מָשׁ); G Μαχμας: n.l.; כמס/שׁ, BL 490z; ,,verborgener Ort'' (Schwarzb. 203): *Muḫmās* (*ḫ* ↗ Ku. JSSt. 10, 28), 11 km nö. Jerus. ↗ Abel 2, 386, GTT § 674.1021, BHH 1213. †

מִכְמָר: Js 51₂₀ u. *מַכְמֹר, מַכְמֹרָיו Ps 141₁₀: כמר, BL 490z u. 493z; mhe. מִכְמָר u. מִכְמוֹרֶת; ↗ מִכְמֶרֶת: **Stellnetz** u. **Fischernetz** metaph. Js 51₂₀ Ps 141₁₀. †

מִכְמֶרֶת: Hab 1₁₅f u. מִכְמַרְתּוֹ mhe. (1QJs[a] ebenfalls def., ? also ־מֶרֶת, Wernbg.-M. JSSt. 3, 247): f. z: ↗ מִכְמָר u. מַכְמֹר, BL 607c.d; äg. *mkmrwtj* (Humbert ZAW 62,

201): מִכְמַרְתּוֹ: **Fischernetz** Js 198 Hab 115f, 1QHod 326 58 על פני מים. †

מִכְמָשׁ, n.l.: ↗ מִכְמָס.

מִכְמְתָת, G^B Ικασμων, V *Machmethat*, S *maʿkat*: n.l., immer הַמִּ׳, Jos 166 177, an d. Grenze v. Efraim u. Manasse; *Ch. Ğulēğil* s.ö. Sichem-*Balāṭa*, Abel 2, 57f, GTT p. 166, Noth Jos. 103, Kuschke Fschr. Hertzbg 104f :: Bull BASOR 190, 35.41, Wächter ZDPV 84, 55ff, Elliger, Fschr. Galling 91ff. †

מַכְנַדְבַי, G Μαχαδναβου u.ä.: n.m. ?, l.c. Esd 934 n.tr. וּמִבְּנֵי עַזּוּר/זַכַּי (↗ Rud. 100) Esr 1040. †

מְכֹנָה, G^var. Μαχνα (Ra.): n.l. in Juda; כון, ↗ מְכוּנָה: im Negeb, Abel 2, 384, GTT § 322, 6/7 (= מַדְמַנָּה Jos 1531 u. מַכְבֵּנָה 1C 249) Neh 1128. †

***מִכְנָסַיִם**: כנס, BL 490z; mhe., ja. מִ/מַכְנְסִין: מִכְנְסֵי, Sam.^M118 *me/aknēsi*: Grdf. **maknas*, BL 489 x: Beinkleider der Priester (Noth Ex 185f, Hönig 61), e. zweistückiger Doppelschurz (BRL 431), **„Hüfthüllen"** (Ell. 79) aus בַּד Ex 2842 3928 Lv 63 164, aus פִּשְׁתִּים Ez 4418; Sir 458. †

מֶכֶס: mhe., ja. מִ(י)כְסָא, äga. palm. (DISO 150), cp. מכס, sy. md. (MdD 243a) *maksā*, > ar. *maks* (Frae. 283); früher √ *kss*, Ges., BDB, Zorell; < akk. *miksu* Steuer, Ertragsabgabe, Zimmern 10, Widgr. Mesopot. Elements in Manichaeism, 1946, 91f, AHw. 165: aLw. 166; Nu 3128.37.41; **Abgabe**, im Unterschied z. akk. nur kultisch; ↗ מִכְסָה. †

מִכְסָה: f. zu מֶכֶס, he. Neubildung wie denom. מכס, Wagner 166: מִכְסַת: **Betrag, Zahl** Ex 124 Lv 2723. †

מִכְסֶה: כסה, BL 491n; mhe. (Kleid 4Q 184, 1, 5), ug. *mks* (UT nr. 1476); ph. n.m. גרמכס (PNPhPI 343); ar. *kiswat* Hülle d. Kaaba (HwbIsl. 236): מִכְסֵהוּ, מִכְסֵה: **Decke, Hülle**: d. Arche Gn 813, v. Zelt Ex 2614 3511 3619 4019 Nu 325, cj Kajütendach (מִכְסֵךְ pr. מְכַסֵּךְ) Ez 277; aus Fell Nu 48.10-12.25; pl. Ex 3934. †

מְכַסֶּה: כסה, pt. pi. > sbst.: מְכַסֶּיךָ sg. Js 1411 (BL 586i, 66 MSS u. 1QJs^a def.): — 1. **Decke** Js 1411 2318; — 2. (anatomisch) die **fette Netzhaut** über d. Eingeweiden Lv 919 (< הַחֵלֶב הַמְכַסֶּה עַל־הַקֶּרֶב 48, ↗ 919); — Ez 277 מְכַסֵּךְ ? l מִכְסֵךְ (: מִכְסֶה). †

מַכְפֵּלָה, Sam.^M119 *makfēla*: כפל, BL 492s; „Doppelhöhle" od. „geteilte Höhle", mhe. (MiErubin 53a): immer מְעָרַת הַמַּ׳: d. Höhle **Machpēlā** nö. Hebron (BRL 278, Vincent RB 29, 512ff, BHH 1119), Grabstätte v. Abraham, Sara u. Jakob, Gn 239.17.19 259 4930 5013. †

I **מכר**: ug. *mkrm* Kaufleute (UT nr. 1477, Aistl. 1567), pun. (DISO 150); mhe., ja. sy. md. (MdD 272a) kaufen, ja. verloben, ja.^t etp. verlobt werden, äth.^G II 1 raten; äg. *mkrʾ* (EG 2, 163), asa. *mkrn* (Conti 177b) Kaufmann, WThomas JThSt. 37, 388f, Ulldff. VT 6, 194; akk. *makāru* Handel treiben, *tamkāru* Kaufmann, > sum. *damgar* (v. Soden Gr. § 56k :: Landsb. HeWf. 176f), > ja. cp. sy. תַּגָּרָא, md. (MdD 479b) *tangara*; auch denom. vb. > ar. *makara* betrügen:

qal: pf. מָכַר, מְכָרוֹ/רְנוּ; impf. יִמְכֹּר/כָּר־, תִּמְכְּרוּ, תִּמְכְּרֵם, נִמְכְּרֵנוּ, תִּמְכֹּרְנָה; imp. מִכְרָה, מִכְרִי; inf. לִמְכֹּר, מִכְרָם (BL 343b), מָכֹר; pt. מֹ(וֹ)כֵר, מֹכֶרֶת (Nah 34 ממכרת pi. 4Q 169; ³/₄ II 7), מֹכְרִים/רֵי, מֹכְרֵיהֶם: — 1. **verkaufen** (:: קנה kaufen, Js 242 Ez 712f Pr 2323): a) Sachen: Grundstück Gn 4720.22 Lv 2525.27 2720 Ez 4814 Rt 43 (? l מֹכְרָה „will verkaufen", ↗ Rud. 59 :: Gerleman, BK XVIII 35), Vieh Ex 2135.37 Zch 115, Öl 2K 47, Getreide Neh 1032, Fische 1315f, Waren 1320, Hemden Pr 3124, Gestohlenes Ex 2116.37, Haus Lv 2529, Kadaver Dt 1421, etwas Lv 2514-16, Erstgeburtsrecht Gn 2531.33; metaph. Weisheit Pr 2323; b) Menschen: e. Vater verkauft s. Tochter (als Frau) cf. ja. Gn 3115 (Plautz ZAW 76, 313), als Sklave verkaufen Gn

$37_{27f.36}$ 45_{4f} Am 2_{6} Neh 5_{8}, Vater s. Tochter als Sklavin Ex 21_{7}; verkaufen: Sklaven 21_{8}, Kriegsgefangene Dt 21_{14} Jl $4_{3.6f}$, e. geraubten Menschen Dt 24_{7}; abs. Js 24_{2}; — 2. an andere **ausliefern**, **preisgeben** (cf. ZWFalk JSSt 12, 241ff) Gott sein Volk Ex 21_{7} 22_{2} Dt 32_{30} Ri 2_{14} 3_{8} 4_{2} 10_{7} 1S 12_{9} Js 50_{1} Jl 4_{8} Ps 44_{13}, sein Land Ez 30_{12}, e. Einzelnen Ri 4_{9}, cj 1S 23_{7} (pr. נִכַּר l מָכַר, :: Honeym. VT 5, 222); — Nah 3_{4} ? betrügen (ar., Palache 45), al cj כִּמֶּרֶת (cf. מִכְמָר, Sellin), 4QpNah 2_{7} הממכרת (JSSt. 7, 304ff). †

nif: pf. נִמְכַּר, נִמְכַּרְנוּ; impf. יִמָּכֵר; inf. הִמָּכְרוֹ; pt. נִמְכָּרִים: — 1. **verkauft werden** c. בְּ für: Ex 22_{2} Lv $25_{23.34.42}$ 27_{27f} Js 52_{3} Est 7_{4} Neh 5_{8}, c. בְּ wegen: Js 50_{1}, c. לְ an: Lv 25_{39} Dt 15_{12} Jr 34_{14}; לְעֶבֶד als Sklave Ps 105_{17}; — 2. **sich verkaufen** (Selbstversklavung, de Vaux Inst. 1, 128ff, Ell. Lev. 359f, Noth Lev. 168f, Fschr. Speiser 131ff) Lv $25_{47f.50}$ Neh 5_{8}. †

hitp: pf. הִתְמַכֵּר; impf. וַיִּתְמַכְּרוּ; inf. הִתְמַכֶּרְךָ: — 1. c. לְ **sich verkaufen lassen** als Dt 28_{68}; — 2. c. לַעֲשׂוֹת הָרַע **sich hergeben zu** 1K $21_{20.25}$ 2K 17_{17}, לכל רעה Sir 47_{24} (:: II). †

Der. מֶכֶר, ? מַכָּר; n.m. מִכְרִי, מָכִיר; מִמְכָּר, מִמְכֶּרֶת.

II *מכר: äth. tigr. (Wb. 132a) *mak(a)ra* planen, raten, WThomas JThSt. 1936, 388f, Lesl. 30, Ulldff VT 6, 194, für hitp. S חשב. Der. מְכֵרָה.

מֶכֶר, Sam.[M130] *mekker*: I מכר; mhe. Verkauf: 1. **Kaufpreis** Nu 20_{19} Pr 31_{10} (Plautz ZAW 76, 313f); — 2. **käufliche Ware** Neh 31_{6}; — 3. **Handel**: ממכר תגר im H. m. e. Kaufmann Sir 42_{4b} (↗ Sir[MIV 10]). †

*מַכָּר: 2K $12_{6.8}$: מַכָּרוֹ, מַכָּרֵיכֶם: trad. נכר BL 490b; mhe. (T, Ges, Kö. Zorell), :: I מכר GS, ug. *mkr* (UT nr. 1477, Aistl. 1567): **Kaufmann**, pl. ug., neben *khnm* u. *qdšm*: Tempelpersonal, cf. d. κολλυβισταί d. NT, (Mtg.-G. 429.432, Albr. JBL 71, 251, Gray Kings[2] 586). †

*מִכְרֶה: I כרה, BL 491n: cs. מִכְרֵה: (Salz-) **Grube**: מִכְרֵה־מֶלַח (Schwarzb. 44 „wo man nach Salz gräbt") :: Gerlem. Zef. 37: zu aram. כַּרְיָא Haufe, akk. *karū* Getreidehaufe, Speicher (AHw. 452a): Zef 2_{9}. †

*מְכֵרָה: II מכר, BL 594v.597g: מְכֵרֹתֵיהֶם: **Plan**, **Ratschlag** Gn 49_{5} (Ges. 672b, Barr CpPh 57.270, :: Dahood Bibl. 47, 418: *מַכְרֵת, כרת, Beschneidungsmesser, ↗ Gn 34_{15f}, Emerton Fschr. DWThomas 81ff). †

מִכְרִי, or. מַ׳ (MTB 78): n.m.; ? Kf. m. I מכר (Noth 189[3]): 1C 9_{8}. †

מְכֵרָתִי: gntl., v. n.l. od. tr. *מְכֵרָה, ign.; 1C 11_{36}, G[B] Μοχορ, 2S 23_{34} הַמַּעֲכָתִי, Ra. cj ὁ Μοχοραθι; ↗ Rud. Chr. 102. †

מִכְשׁוֹל, 1 × מִכְשֹׁל, or. מַ׳ (MdO 197): כשל, BL 493z: DSS ↗ Braun 1, 293f, בית מ׳ 4Q 173, 5, 2: מִכְשֹׁלָם, מִכְשֹׁלִים: etw., worüber man strauchelt, **Anstoss**, **Hindernis** (Zimm. 91) Lv 19_{14} Js 57_{14} Ez 3_{20} Ps 119_{165}, pl. Jr 6_{21}; מִ׳ עָוֹן Anlass zu Verschuldung Ez 7_{19} $14_{3f.7}$ 18_{30} 44_{12}; מִ׳ לֵב Gewissensvorwurf 1S 25_{31}; צוּר מִ׳ Fels, über den man strauchelt Js 8_{14}; למ׳ לך Sir 4_{22} (Tarb. 29, 132, 20) dir z. Schaden; — Ez 21_{20} l הַמִּכְשָׁלִים. †

מַכְשֵׁלָה: כשל, BL 492s: **Trümmerhaufe** Js 3_{6}; — Zef 1_{3} pr. הַמַּכְשֵׁלוֹת l וְהִכְשַׁלְתִּי. †

מִכְתָּב, or. מַ׳ (MTB 70), Hier. *machthab*: כתב, BL 490z; mhe., ? äga. (DISO 151), ja. מכתבא, sy. *makt[e]bā* Griffel, ar. *maktab* Schule: — 1. **Schrift**: Gottes Ex 32_{16}, In-, Aufschrift (Bickerman JBL 65, 272f) d. Siegelstechers 39_{30}, Dt 10_{4}; בְּמִ׳ schriftlich (:: הֶעֱבִיר קוֹל) Esr 1_{1} 2C 36_{22}; — 2. **Schriftstück** (= כְּתָב 1) 2C 21_{12}, schriftliche Anordnung 2C 35_{4} (↗ Rud. 326; ? l וּכְמִ׳ ··· כְּמִ׳); — Js 38_{9} l מִכְתָּם. †

*מְכִתָּה: כתת, BL 492w: מְכִתָּתוֹ: **Bruchstücke** Js 30_{14}. †

מִכְתָּם: כתם, BL 490z: **Aufschrift**, mhe. 1 ×

(l ? מִכְתָּב), ev. ihe. (Ku.); G στηλογραφία, > literar. tt. „Epigramm" (Delekat VT 14, 31f, Ginsbg. Fschr. Ginzburg 1, 169f :: Mow. PsSt 4, 4f, OS 492f, Rinaldi Bibl. 40, 277f, Tournay, Mélanges Robert 201ff: prière secrète), Ps 16$_{1}$ 56$_{1}$ 57$_{1}$ 58$_{1}$ 59$_{1}$ 60$_{1}$, cj Js 38$_{9}$. †

מַכְתֵּשׁ: כתשׁ, BL 492r; mhe. auch מַכְתֶּשֶׁת, Mörser, ja.^{tg} sy., מַכְתָּשָׁא Plage, GnAp. 20, 18f.24: — 1. **Backenzahn** (Dürr OLZ 29, 646) Ri 15$_{19}$; — 2. **Mörser** Pr 27$_{22}$ (AuS 7, 203f, BA 19, 16, BHH 1239); — 3. n.t. flache Mulde: Stadtteil v. Jerus. Zef 1$_{11}$ (Simons 53^{2}, Dalm. JG 196f); heute הַמַּ׳ הַגָּדוֹל u. הַמַּ׳ הַקָּטָן sö. Beerseba (Vilnay, Isr. Guide, ^{2}1958, 290f). †

מלא; mhe.; ug. *ml*ʾ (UT nr. 1479), ph. pehl. äga. palm. (DISO 151a), ba. ja. cp. sam. (BCh. 2, 502f) md. (MdD 272a); ar. *mala*ʾ*a* füllen, (asa. Conti 177b), *mali*ʾ*a* voll sein, äth.^{G} tigr. (Wb. 108b); akk. *malū*: d. Formen oft wie v. מלה, BL 375:

qal (ca. 100 ×): pf. מָלֵא, מָֽלְאָה, מָלוּ > מָֽלְאוּ/לֵאוּ Hi 32$_{18}$, מָלֵתִי > מָלֵאתִי, Ez 28$_{16}$ (BL 373g :: RMeyer ThLZ 1950, 721), מְלָאוֹ; impf. יִמְלְאוּ, תִּמְלָאֵמוֹ Ex 15$_{9}$ (BL 253z.346u :: JNESt. 14, 246: תִּמְלָא + II מ encl.); imp. מִלְאוּ; inf. מְל(וֹ)ת; pt. מָלֵא (auch adj.!), מְלֵאִים: — 1. **voll sein** (THAT 1, 897ff) 2K 4$_{6}$ Jl 4$_{13}$ Hi 20$_{22}$; Tage (akk. AHw. 597b) vollzählig, z. Ende sein Gn 25$_{24}$ Lv 8$_{33}$ 1S 18$_{26}$ Jr 25$_{12}$; צָבָא Js 40$_{2}$ (1QJs^{a} מלא pr. מָֽלְאָה, ↗ 2 :: Dahood UHPh 20) u.o.; — 2. c. acc. **anfüllen** Gn 1$_{22}$ Ex 10$_{6}$ Js 6$_{1}$ Ps 10$_{7}$ (l מָֽלְאוּ) u.o.; cj Nu 14$_{21}$ u. Ps 72$_{19}$ (l יִמְלָא); — 3. c. acc. materiae: **voll sein v.** Gn 6$_{13}$ Ex 8$_{17}$ Dt 34$_{9}$ Js 1$_{15}$; sich anfüllen mit Ex 15$_{9}$ (s.o.); — 4. c. acc. materiae: **anfüllen mit** 1K 18$_{34}$ Js 14$_{21}$; — 5. Versch.: מָֽלְאָה צְבָאָהּ hat vollendet Js 40$_{2}$, מ׳ עַל־גְּדוֹתָיו (Fluss) ist über s. Ufer getreten Jos 3$_{15}$; מָלֵא שְׁלָטִים ergreifen Jr 51$_{11}$ (THAT 1, 898, RBorger VT 22, 1972, 395ff); מָלֵא יָדוֹ לַיהוה weiht sich dem Dienst J.s Ex 32$_{29}$, ↗ pi. 4; מָלֵא לֵב c. לְ c. inf. fasst Mut zu Koh 8$_{11}$ Est 7$_{5}$; — Ps 110$_{6}$ pi. 2:

nif: impf. יִמָּלֵא, וַתִּמָּלֵא, תִּמָּֽלְאִי, יִמָּֽלְאוּ(ן); pt. נִמְלָא: — 1. c. acc. materiae: **angefüllt werden** mit Gn 6$_{11}$ Ex 1$_{7}$ 1K 7$_{14}$ 2K 3$_{17.20}$ Js 2$_{7f}$ 6$_{4}$ Jr 13$_{12}$ Ez 9$_{9}$ 10$_{4}$ 23$_{33}$, 16$_{30}$ (l אִמָּלֵה, pr. אֲמֻלָה, ↗ לִבָּה) Hab 2$_{14}$ Zch 8$_{5}$ Ps 71$_{8}$ 126$_{2}$ Pr 3$_{10}$ 20$_{17}$ HL 5$_{2}$ Koh 1$_{13}$ cj 1$_{15}$ (? l הִמָּלוֹת), Est 3$_{5}$ 5$_{9}$; — 2. (Tage, ↗ 1) ganz vorübergehen Ex 7$_{25}$; — 3. abs. **angefüllt werden** 2K 10$_{21}$ Ez 27$_{25}$ 32$_{6}$ Pr 24$_{4}$ Koh 1$_{8}$ (מִן von) 6$_{7}$ (נֶפֶשׁ Begierde); — Nu 14$_{21}$ u. Ps 72$_{19}$ l וְיִמְלָא; 2S 23$_{7}$ l אִם לֹא; Ez 26$_{2}$ l הַמְּלֵאָה adj. al. מְלֵאַת* (↗ מְלֵאָה); Hi 15$_{32}$ l תִּמָּל (: מלל nif.). †

pi. (BL 375): pf. מִלֵּא u. Jr 51$_{34}$ מִלָּא, מִלֵּאתָ, וּמִלֵּאתִי, וּמִלֵּאתֶם, מִלְאוּ u. מִלְאוּהָ (BL 220m), מִלֵּאתִיךָ, מִלֵּאנוּ; impf. אֲ/יְמַלֵּא, יְמַלֵּה Hi 8$_{21}$, וַיְמַלְאוּ/אוּם, תְּמַלֶּאנָה, וָאֲמַלְאֵהוּ; imp. מַלֵּא, מַלְאוּ; inf. מַלֵּא, מַלְא(וֹ)ת, מַלְאָם (Ⓑ לְ); pt. מְמַלֵּא, מְמַלְאִים: — 1. c. 2 acc. etw. **anfüllen, „spicken"** mit 1S 16$_{1}$ Js 33$_{5}$; — 2. a) c. 2 acc. etw. **füllen** mit Gn 24$_{16}$ Ex 2$_{16}$ Ez 7$_{19}$, cj Ps 110$_{6}$ גֵּאָיוֹת מִלֵּא גְוִיּוֹת BHS, Sir 36/33$_{19}$; mit עַל 1C 12$_{16}$, c. בְּ Hi 40$_{31}$; vollzählig vorlegen 1S 18$_{27}$; b) Zeit vollmachen: Tage Ex 23$_{26}$ 2C 36$_{21}$, (trächtige Tiere) d. Monate Hi 39$_{2}$; z. Ende verbringen Gn 29$_{27f}$ Js 65$_{20}$ Da 9$_{2}$ (Bentzen 62, :: Mtg. 361); **c)** etwas einfüllen, einschenken Js 65$_{11}$, ↗ מִמְסָךְ; — 3. c. acc. pers. et acc. rei: jmd. m. etw. **erfüllen** Ex 28$_{3}$ 31$_{3}$ 35$_{31.35}$ Jr 15$_{17}$; cj Ez 28$_{16}$ מִלֵּאתָ תוֹכְךָ חָמָס GS, Zimm. 675; — 4. מִלֵּא יַד פְּ׳ jmds Hand füllen, ihm **als Priester einsetzen, weihen** (Weinel ZAW 18, 60ff; ↗ מִלֻּאִים; THAT 1, 898f) Ri 17$_{5.12}$ 1K 13$_{33}$, H. u. P. Ex 28$_{41}$ 29$_{9.29.33.35}$ Lv 8$_{33}$ 16$_{32}$ 21$_{10}$ Nu 3$_{3}$ 2C 13$_{9}$; d. eigene Hand (m.

Opfergaben) füllen cj.c. GVT⁰ Ex 32$_{29}$ 1C 29$_{5}$ 2C 13$_{9}$ 29$_{31}$, trad. sich weihen, ꟳ Beer HbAT I 3, 154, בְּ ,בְּבְנוֹ 17;:: Rud. Chr. 190.236.298: Gaben darbringen; cf. akk. *mullū qātā, ana qāt, qātuššu*, jmd belehnen mit [Zimmern 10, AHw. 598, 8], näher Mari *mīl qāti* Handfüllung = Anteil an d. Beute, Zuweisung e. Anteils am Ertrag e. Tätigkeit (Noth Amt u. Berufung im AT, 1958, 7f.27f); (Altar) einweihen in Dienst stellen Ez 43$_{26}$ (K יָדוֹ, Q יָדָיו); — 5. **erfüllen, ausführen**: Wort Jr 44$_{25}$, Bitte Ps 20$_{6}$, עֵצָה 20$_{5}$, דְּבַר י׳ 2C 36$_{21}$, שָׁנָה 1K 2$_{27}$ דָּבָר, 2C 36$_{21}$; מ׳ בְּיָדוֹ (:: דִּבֶּר בְּפִיו) 1K 8$_{15.24}$ 2C 6$_{4.15}$, c. דָּבָר bestätigen, in Kraft setzen (Noth Kge. 20) 1K 1$_{14}$; — 6. c. כַּפּוֹ (Sam. G pl.) u. מִן e. Handvoll nehmen (ꟳ קֹמֶץ, Ell. Lev. 130) Lv 9$_{17}$; — 7. c. אַחֲרֵי treu halten zu Nu 14$_{24}$ 32$_{11f}$ Dt 1$_{36}$ Jos 14$_{8f.14}$ 1K 11$_{6}$; — 8. c. בְּ u. acc. materiae (akk. *mullū*, ꟳ qal 4) etw. **besetzen, einfassen** mit Ex 28$_{17}$ 39$_{10}$; abs. 31$_{5}$ 35$_{33}$, ꟳ pu., מִלֻּאָה ,מִלֻּאִים; c. יָדוֹ בַּקֶּשֶׁת (sy. pe., akk. AHw. 598a, 7) d. Pfeil auf d. Bogen legen 2K 9$_{24}$; c. acc. als Pfeil auflegen Zch 9$_{13}$ (THAT 1, 898); — 9. Versch.: קִרְאוּ מַלְאוּ m. voller Stimme (= laut) rufen Jr 4$_{5}$ (:: WThomas JJSt. 3, 47ff: aufbieten, :: Rud.); (Fluss) überschwemmen c. עַל 1C 12$_{16}$ (akk. *mīlu* Hochwasser, AHw. 652b); c. נֶפֶשׁ sich sättigen Jr 31$_{25}$, Gier stillen Pr 6$_{30}$; — Js 23$_{2}$ l מַלְאָכָיו ꟳ 1QJsᵃ, Rud. Fschr. Baumgtl. 168); Ps 17$_{14}$ l תְּמַלֵּא (G, ꟳ Gkl).

pu: pt. מְמֻלָּאִים: **besetzt, eingefasst** mit (ꟳ pi. 8) HL 5$_{14}$, cj Kl 4$_{2}$ (V, ꟳ Rud.). †

hitp: impf. יִתְמַלָּאוּן: **sich zusammen scharen** Hi 16$_{10}$. †

Der. מִלֻּאִים ,מְלֵאָה ,מְלֹא ,מָלֵא ,מִלֻּאָה, מִלּוֹא n.m. יִמְלָא.

מָלֵא, Sam.ᴹ¹³² *māli*: מלא; auch pt. (BL 317n.464z); mhe., ja. מַלְיָא: cs. מְלֵא, f. מְלֵאָה ,הַמְלֵאָה Am 2$_{13}$ u. הַמְ׳ Koh 11$_{5}$ (BL 220 m.p), cs. מְלֵאַתִי (BL 526k), מְלֵאִים, מְלֵא(וֹ)ת: — 1. **voll**: שִׁבֳּלִים Gn 41$_{7.22}$, כְּלִי 2K 4$_{4}$, עֲגָלָה Am 2$_{13}$, מְזָוֵינוּ Ps 144$_{13}$, בֶּטֶן Koh 11$_{5}$, Wind Jr 4$_{12}$; vollgültig: כֶּסֶף מָ׳ (ꟳ כֶּסֶף 3) Gn 23$_{9}$ 1C 21$_{22.24}$; — 2. adj. > sbst. מְלֵאָה (sc. אִשָּׁה) Koh 11$_{5}$ Schwangere (mhe.), הַמְּ׳ Frau m. Mann u. Söhnen Rt 1$_{21}$; — 3. a) abs. m. nachfolgender Ergänzung im acc. (HeSy. § 90d): **voll von**: Nu 7$_{13-86}$ (25 ×); Dt 6$_{11}$ Neh 9$_{25}$; Dt 33$_{23}$ 34$_{9}$ Ri 16$_{27}$ 2S 23$_{11}$ 1C 11$_{13}$ 2K 7$_{15}$ Js 51$_{20}$ Jr 5$_{27}$ 35$_{5}$ Ez 1$_{18}$ 10$_{12}$ 17$_{3}$ 28$_{12}$ 36$_{38}$ 37$_{1}$ Ps 65$_{10}$ 75$_{9}$ Pr 17$_{1}$ Koh 8$_{11}$ 9$_{3}$; b) im gen. nach cs.; (GK 128x); מְלֵא יָמִים Jr 6$_{11}$; — 4. מָלֵא hinter d. Ergänzung: תְּשֻׁאוֹת מְלֵאָה voll v. תְּ Js 22$_{2}$, פֶּרֶק מְלֵאָה Nah 3$_{1}$; — 5. d. Ergänzung nach cs.: מְלֵאֲתִי מִשְׁפָּט Js 1$_{21}$; — 6. מָ׳ präd. Koh 1$_{7}$; — ? Jr 12$_{6}$, cj Rud. כֻּלָּם :: Echter: m. lauter Stimme (ꟳ pi. 9); Nah 1$_{10}$ l הֲלֹא u. cjg. c. 11a (:: Dho. Echter: adv. ,,völlig"); ? Ps 73$_{10}$ מֵיִם מָלֵא ,,Wasser in Fülle" ? (ꟳ Komm., Castellino Fschr. Levi dV. 1, 140ff: מֵיִם לֹא מָצְאוּ). †

מְלֹ(וֹ)א, מְלוֹ Ez 41$_{8}$ (BL 534); Sam.ᴹ¹³² *mēlū*: mhe. u. ja.ᵍᵇ, ja.ᵗ מְלָאָה (?): מְלֹאוֹ, מְלֹאָהּ: — 1. **das, was füllt, voll macht**: a) קֹמֶץ מ׳ כַּף e. Handvoll 1K 17$_{12}$ Koh 4$_{6}$, c. קֹמֶץ Lv 2$_{2}$ 5$_{12}$, c. חָפְנַיִם Ex 9$_{8}$ Lv 16$_{12}$, c. עֹמֶר Ex 16$_{32f}$, c. סֵפֶל Ri 6$_{38}$, c. בֶּגֶד 2K 4$_{39}$, מְ׳ בֵּיתוֹ Nu 22$_{18}$ 24$_{13}$; b) הַיָּם וּמְלֹאוֹ d. Meer u. alles, was darin ist Js 42$_{10}$ Ps 96$_{11}$ 98$_{7}$ 1C 16$_{32}$, אֶרֶץ וּמְלֹאָהּ Dt 33$_{16}$ Js 34$_{1}$ Jr 8$_{16}$ 47$_{2}$ Ez 12$_{19}$ 19$_{7}$ 30$_{12}$ 32$_{15}$ Mi 1$_{2}$ Ps 24$_{1}$, תֵּבֵל וּמְ׳ Ps 50$_{12}$ 89$_{12}$; עִיר וּמְ׳ Am 6$_{8}$; — 2. **Fülle, volle Zahl, Menge, Ausdehnung** (THAT 1, 900) c. הַגּוֹיִם Gn 48$_{19}$, c. קוֹמָתוֹ seiner ganzen Länge nach 1S 28$_{20}$, c. הַחֶבֶל 2S 8$_{2}$, c. רֹחַב Js 8$_{8}$, c. הַקָּנֶה Ez 41$_{8}$; cj מְלֹא יָמֶיךָ all deine Tage Nah 1$_{10f}$; — Ex 16$_{32}$ l מְלֹאוֹ; Js 6$_{3}$ l מְלֹאָהּ. †

מִלֹּא 2K 12$_{21}$: ꟳ בֵּית מִ׳ (ꟳ בַּיִת B 26, 2).

מְלֵאָה: f. v. adj. מָלֵא; mhe. Fülle, Erstlingsgabe; ug. *bjm ml'ṭ* (AfO 20, 214b) im weiten Meer (?); äga. Pachtv. 9 במלאתא vollkommen (?), ja. מלאתא Erstlingsgabe: מְלֵאָתְךָ (BL 597g): **voller Ertrag**, v. יֶקֶב Nu 18_{27}, v. יֶקֶב u. גֹּרֶן Dt 22_{9}, neben דֶּמַע Ex 22_{28}, ⸗ Cazelles 82, Milik DJD III 250. †

***מִלֻּאָה**: מלא, BL 48 u: מִלֻּאַת, Sam.^{M132} *mālāt*, מִלֻּ/וּאָם: **Besatz** (m. Steinen, ⸗ pi. 8 u. מִלֻּאִים 2; cf. akk. *tamlūm* [*tamli*] „Garnitur, Füllung", AOAT 12, 86^{4}) Ex 28_{17} 39_{13}. †

מִלֻּאִים, 2 × מִלּוּאִים, Sam.^{M132} $^{BCh.}$ *me/allā'em*: מלא, BL 48v: pltt.; ⸗ Gulk. 20:: mhe. sg. Füllung d. Hände, Priesterweihe: — 1. **Einweihung** (⸗ מלא pi. 4; THAT 1,898) Ex $29_{22 \cdot 26f \cdot 31 \cdot 34}$ Lv 7_{37} $8_{22 \cdot 28f \cdot 31 \cdot 33}$; — 2. **Besatz** m. Steinen ⸗ pi. 8 u. מִלֻּאָה) Ex 25_{7} $35_{9 \cdot 27}$ 1C 29_{2}. †

מַלְאָךְ, Hier. *malach* (Sperber 236): לאך, BL 490z, schicken; ug. (UT nr. 1344, Aistl. 1432), pun. n.m. בעלמלאך (PNPhPI 344), ar. äth. tigr. (Wb. 42a); *Sendung (VG 1, 376f, ar.) > Bote (Eilers WdO 3, 133, wie akk. *našpāru*, AHw. 761a); Bote ug. ph. aam. (DISO 151); > (kan. Frw.) akk. *malāḫu* (AHw. 593a); sy. ar.; äth. tigr. (Wb. 42a) soq.; Engel mhe. ja. cp. sy. md. (MdD 243b) ar. (HwbIsl. 405ff) tigr.; ⸗ RGG^{3} 2, 465ff, König RgWb 184ff: מַלְאַךְ, מַלְאָכוֹ, מַלְאָכִי, מַלְאָכִים, מַלְאֲכֵי, מַלְאָכָיו: — 1. (menschlicher) **Bote**; c. שׁלח Ez 23_{40} Neh 6_{3}; a) sg. 1S 23_{27} 2S 11_{19} (17 ×); b) pl. (meist mehrere zus. geschickt) Js 18_{2} (|| צִירִים), v. יַעֲקֹב Gn $32_{4 \cdot 7}$, מֹשֶׁה Nu 20_{14}, שָׁאוּל 1S 11_{7} (67 ×); Ez 30_{9} (⸗ Zimm. 733); ? Händler Js 23_{2} || סֹחֵר (Dahood CBQ 22, 403f); מַלְאָכִים קַלִּים Js 18_{2}, מַלְאֲכֵי שָׁלוֹם 33_{7}, מַלְאֲכֵי גוֹי Js 14_{32}, 23_{2} l מַלְאָכַיִךְ (1QJs^{a}, Rud. Fschr. Baumgtl. 168); — 2. **Gottes Boten** (THAT 1, 900ff) sind: a) Propheten, sg. Hg 1_{13}, pl. Js 44_{26} 2C 36_{15}; b) Priester Mal 2_{7} מַ׳ יְ׳ צְבָאוֹת הוּא, > הַמַּלְאָךְ Koh 5_{5} (GS^{h} Gott; Rud. 123, ⸗ Hertzb. 120, :: Dahood Bibl. 43, 39: phön. Gesandter); c) kosmisch: d. Winde Ps 104_{4}; — 3. himmlische Boten, **Engel**: a) ein Engel: Gn 48_{16} (Sam. מלך; ⸗ Lods Fschr. Wellh. 269, ⸗ Wildberger J.s Eigentumsvolk, 1960, 87^{41}) Ex 23_{20} 33_{2} Nu 20_{16} 2S 24_{16} 1K 13_{18} 19_{5} (מ׳ י׳ $_{\cdot 7}$) Js 63_{9} Hos 12_{5} Zch (⸗ 3c) Hi 33_{23} (|| מֵלִיץ) 1C 21_{15} 2C 32_{21}, מַלְאָכִי Ex 23_{23} 32_{34}, Js 42_{19} Mal 3_{1}, מַלְאָכוֹ Gn $24_{7 \cdot 40}$; b) e. Mehrheit: מַלְאָכִים Gn $19_{1 \cdot 15}$; מַלְאֲכֵי אֱל׳ Gn 28_{12} 32_{2} 2C 36_{16}; מַלְאָכָיו Js 44_{26} Ps 91_{11} 103_{20} 104_{4} 148_{2} Hi 4_{18} 2C 36_{15}; 11Q Ps^{a}, DJD IV p. 90,5; c). besondere: מ׳ הַבְּרִית Mal 3_{1}, ⸗ בְּרִית III 10; מ׳ פָּנָיו Js 63_{9} trad. noch in d. Komm. v. Dillm. u. König „E. seines Angesichts" l מַלְאָךְ u. פָּ׳ „er selber" G, ⸗ פָּנִים 8, > מלאך/כי פנים „Angesichts / Gegenwarts-E." der Apokr. (Bouss.-Gre. 326f, Kuhn ZAW 39, 262ff) u. DSS (KQT 123a, DJD 1 p. 126, III p. 99); הַמַּ׳ הַדֹּבֵר בִּי Zch $1_{9 \cdot 13f}$ $2_{2 \cdot 7}$ $4_{1 \cdot 4f}$ $5_{5 \cdot 10}$ 6_{4}, הַמַּ׳ הַמַּשְׁחִית 1C 21_{15}, הַמַּ׳ הַמַּשְׁחִית בָּעָם 21_{12}, מַ׳ יְ׳ מַשְׁחִית 2S 24_{16}, > מַשְׁחִית Ex 12_{13}, מַ׳ אַכְזָרִי Pr 17_{11}; מַלְאֲכֵי רָעִים Ps 78_{49} (⸗ GK § 130e, ? l מַלְאָכִים); מַלְאֲכֵי מָוֶת Pr 16_{14}; ⸗ Bousset-Gre. 320ff, Eichr. 2, 131ff, BHH 410f, RNorth CBQ 29, 419ff, Interpr. DiBi 1, 128ff; cf. גִּבּוֹר 4; d) **J./Gottes Engel** (⸗ Ped. Isr. 3/4, 495ff, v. Rad 1, 284f, ZATU 240ff, THAT 1, 904ff): מַלְאַךְ אֱל׳ Gn 21_{17} 1S 29_{9}, מַ׳ הָאֱל׳ Gn 31_{11} Ex 14_{19} Ri 6_{20} $13_{6 \cdot 9}$ 2S $14_{17 \cdot 20}$ 19_{28}, מַ׳ יְ׳ Gn $16_{7 \cdot 9 - 11}$ $22_{11 \cdot 15}$ Ex 3_{2} Nu 22_{22-35} (10 ×) Ri $2_{1 \cdot 4}$ 5_{23} $6_{11f \cdot 21f}$ $13_{3 \cdot 13 \cdot 15 - 21}$ (8 ×) 2S 24_{16} 1K 19_{7} 2K $1_{3 \cdot 15}$ 19_{35} Js 37_{36} Zch $1_{11 \cdot 12}$ $3_{1 \cdot 5f}$ Zch 2_{7} (מַ׳ אַחֵר), Mal 2_{7} (מ׳ יְ׳ צְבָאוֹת) Ps 34_{8} 35_{5f} 1C $21_{12 \cdot 15f \cdot 18 \cdot 30}$; — 2S 11_{1Q} l הַמְּלָכִים K (G^{B}MSS 1C 20_{1}).

מְלָאכָה, Sam.^{M123} *mālāka*, or. *mäl'ākā* (MTB 73: לאך, < **mal'akat*, BL 614; ug. *ml'kt* (UT nr. 1344), ph. ihe. (DISO 151), Assbr. 19 (Botschaft, KAI II 286); mhe.: cs. מְלֶאכֶת, מְלָאכֶת, מְלַאכְתְּךָ/תֶּךָ/תּוֹ, pl. cs.

מַלְאֲכ ת, מַלְאֲכוֹתֶיךָ: — 1. **Sendung, Geschäftsreise** (ug., BASOR 150, 38[14]) Ps 107$_{23}$ Pr 18$_9$ 22$_{29}$; — 2. **Geschäft, Werk** Pr 24$_{27}$ Da 8$_{27}$, Gewerbe Jon 1$_8$; J. hat s. Arbeit Jr 50$_{25}$; עָשָׂה מְלַאכְתּוֹ (Gott) Gn 2$_{2f}$, (Menschen) 39$_{11}$ Ex 20$_9$ 36$_4$ Dt 5$_{13}$ 1K 7$_{14}$; עָ׳ לִמְלַאכְתּוֹ f. s. Arbeit verwenden 1S 8$_{16}$ Ez 15$_3$, c. נַעֲשָׂה pass. 15$_5$; — 3. **Arbeit, Hantierung:** a) Ex 31$_{3.5}$ 35$_{31}$ 38$_{24}$ 39$_{43}$ Neh 4$_{9.16}$ 5$_{16}$ 6$_{3.9}$ 13$_{30}$ 1C 22$_{15}$ 28$_{21}$ 29$_1$; עָשָׂה מְ׳ e. Arbeit ausführen Ex 35$_{35}$ 36$_{2.5.8}$ Neh 6$_{16}$ 2C 4$_{11}$ 5$_1$ 34$_{13}$, arbeiten Ex 20$_{10}$ 31$_{14f}$ 35$_2$ Lv 16$_{29}$ 23$_{3.28.30f}$ Nu 29$_7$ Dt 5$_{14}$ 16$_8$ Jr 17$_{22.24}$ 18$_3$ Hg 1$_{14}$ Neh 2$_{16}$; נַעֲשָׂה מְ׳ es wird gearbeitet Ex 12$_{16}$ 31$_{15}$ 35$_2$ Lv 23$_3$ Ri 16$_{11}$; כִּלָּה מְ׳ e. Arbeit vollenden Ex 40$_{33}$; b) מְלֶאכֶת הַחוֹמָה Arbeit an der Mauer Neh 5$_{16}$, מְ׳ חָרָשׁ Ex 35$_{35}$; מְלֶאכֶת c. gen. Arbeit für Ex 36$_{1.3f}$ 38$_{24}$ 1C 28$_{20}$; עָשָׂה מְלֶאכֶת עֲבֹדָה Werktagsarbeit tun Lv 23$_{7f.21.25.35f}$ Nu 28$_{18.25f}$ 29$_{1.12.35}$; עָשָׂה מְ׳ בְּ Dienst tun an Nu 4$_3$; מְ׳ coll. Arbeiten 1K 7$_{40.51}$ Neh 4$_5$ 1C 29$_5$ 2C 8$_{9.16}$ 16$_5$ 24$_{13}$ 29$_{34}$ 34$_{12}$; הַמְּ׳ die Arbeiten Ex 35$_{29}$ 1K 5$_{30}$ 9$_{23}$ 2C 13$_{10}$ (F Rud.); עֹשִׂים מ׳ לעובד d. Sklaven Sir [Adler] 33$_{25}$; c) בַּמְּ׳ bei den Arbeiten beschäftigt 1K 5$_{30}$ 9$_{23}$ 11$_{28}$ Neh 4$_{10f.15}$; עֹשֵׂי הַמְּ׳ Arbeiter Esr 3$_9$ 1C 22$_{15}$ 2C 34$_{10.17}$, Vorarbeiter 2K 12$_{12.15f}$ (F Mtg-G. 433) 22$_{5.9}$ 2C 24$_{13}$ 34$_{10}$, Beschäftigte 1C 23$_{24}$, Beamte Est 3$_9$ 9$_3$; d) Arbeit הַמְּ׳ הַרְבֵּה וּרְחָבָה Neh 4$_{13}$; מְלֶאכֶת m. gen. Arbeit an Ex 35$_{21.24}$ 1K 7$_{22}$ 1C 9$_{19}$ Esr 3$_{8f}$ (בְּ) 6$_{22}$; מְלָאכָה בְּ Arbeiten in [Erz] 1K 7$_{14}$; in Gold Ez 28$_{13}$; מְלֶאכֶת הַשָּׂדֶה Feldarbeit 1C 27$_{26}$; F 1C 28$_{13.20}$ 2C 24$_{12}$; מַלְאֲכוֹת הַתַּבְנִית dem Plan gemässe Arbeit 1C 28$_{19}$; מְלֶאכֶת עוֹר in Leder Gearbeitetes Lv 13$_{48.51}$; מְ׳ מַחֲשֶׁבֶת d. Ausführung e. Planes Ex 35$_{33}$; Werke (Gottes) Ps 73$_{28}$; — 4. **Ware, Sache** jeder Art: Angelegenheit Esr 10$_{13}$ Neh 2$_{16}$, Ware 1S 15$_9$, Vorräte 2C 17$_{13}$, Vieh Gn 33$_{14}$, Besitz Ex 22$_{7.10}$ 36$_7$; etwas Ex 36$_6$ Lv 11$_{32}$ Ez 15$_4$; כָּל־מְ׳ alles Mögliche Lv 7$_{24}$; — 5. **Dienst**: 1C 4$_{23}$ 23$_4$ Neh 10$_{34}$ 11$_{22}$ 1C 6$_{34}$ 9$_{13}$, הַמְּ׳ הַחִיצֹנָה d. äussere D. Neh 11$_{16}$ 1C 26$_{29}$, אַנְשֵׁי מְ׳ in Dienst gestellte 25$_1$; שָׂרֵי מְלֶאכֶת הַמֶּלֶךְ (sic l.) d. Oberen im königl. Dienst 1C 29$_6$; — 6. **Kultdienst**, Kult (Rud. EN 24; ba. פָּלְחָן, cf. עֲבֹדָה 2): מְ׳ בֵּית אֱל׳ Neh 11$_{22}$, עֹשֵׂי הַמְּ׳ (לְבֵית) Neh 11$_{12}$ 13$_{10}$, cj עֲבֹדַת הַמְּ׳ 1C 9$_{33}$; מְלֶאכֶת י׳ 1C 26$_{30}$ (:: הַמֶּלֶךְ) Jr 48$_{10}$; מְלָאכָה Kultschatz Neh 7$_{69a}$ = אוֹצַר הַמְּ׳ $_{69b}$ = אוֹצָר Esr 2$_{69}$ Neh 7$_{70}$; — 2C 23$_{10}$ l בְּמַלְאֲכֻתוֹ (Rud.); F מְלֶכֶת. †

***מַלְאָכוּת**: מַלְאָךְ, BL 505 o, Gulk. 43; mhe.[2] Engelgestalt: cs. מַלְאֲכוּת: **Botenauftrag** Hg 1$_{13}$; cj (l בְּמַלְאֲכֻתוֹ, Rud.) kraft der Beauftragung durch ihm 2C 23$_{10}$. †

מַלְאָכִי, G ἀγγέλου αὐτοῦ, Überschrift Μαλαχιας: d. Prophet „**Maleachi**" (BHH 1131), Mal 1$_1$ < מַלְאָכִי 3$_1$. †

מְלֶאכֶת: F מְלָאכָה.

מְלֵאת: מלא, BL 508m; HL 5$_{12}$ inc.: 1) trad. d. Tauben (cf. Gerleman BK XVIII, 174), GV: Wasserfülle, Teich; ja.[g] מליתא Schöpfstelle (Ku. HeWf. 170); 2) v. d. Augen: Füllung, Einfassung S, cf. מִלֻּאָה; 3) v. d. Zähnen: ins. שִׁנָּיו: Fassung (Canticum, 1952, 48, Rud. 158f). †

מִלְּבַד 1K 12$_{33}$: K מִלְּבַד (F I בַּד), l Q מִלִּבּוֹ. †

מַלְבּוּשׁ: לבשׁ, BL 494g; mhe., (4Q 184, 1, 4 *מלבש) md. (MdD 228b, ? < he.); ug. *mlbš* (UT nr. 1353, Aistl. 1444); ar. *malbūs*, äth. *malbas*; kan. ? *malbašu* (EA, DISO 151) :: akk. *nalbašu* (AHw. 724a) Mantel; Hönig 14f: מַלְבּוּשְׁךָ, מַלְבֻּשֵׁיהֶם/שֵׁי: (kostbares) **Gewand**: 1K 10$_5$ (? l מַלְבִּישָׁיו Garderobiers, Ehrl. Rud. Chr. 222, :: Noth Kge. 225) 2C 9$_4$ Ez 16$_{13}$, fremdländisch Zef 1$_8$; Kultkleid 2K 10$_{22}$, Arbeitskleid Js 63$_3$ Hi 27$_{16}$. †

מַלְבֵּן: II לבן, BL 492r; mhe. ja. מַלְבְּנָא viereckiges Stück, Rahmen, Beet; akk. *nalbanu/ntu/ttu* Ziegelform, Ziegelbau, -terrasse

(AHw. 724a): — 1. viereckige **Ziegelform** Nah 3$_{14}$, ↗ Meissner BuA 1, 233, Kelso § 83; 2S 12$_{31}$Q (K מלכן ?); — 2. Ziegelterrasse, **Lehmboden** Jr 43$_{9}$ (? Dittogr. od. Gl. z: מֶלֶט, Rud.); Kelso § 84.86. †

[מלה: qal: מָלוֹ Ez 28$_{16}$, pi. יְמַלֵּה Hi 8$_{21}$ u.ä. Formen ↗ מלא.]

מִלָּה: III מלל, BL 455e; aLw. 172, = he. דָּבָר; mhe.[2] ?, ja. מִלְּתָא, sy. *meltā*, md. *miltā, miniltā* (MdD 268b); aam. äga. nab. (DISO 152), ↗ ba.; > ar. *millat* (HwbIsl. 505ff): מִלָּתוֹ, מִלִּים (10 ×) u. מִלִּין (13 × Hi), מִלֶּיךָ, מִלַּי, מִלֵּיהֶם: **Wort** 2S 23$_{2}$ Ps 19$_{5}$ 139$_{4}$, cj 73$_{10}$ (pr. מִלֵּיהֶם l מֵי מָלֵא) Pr 23$_{9}$ Hi 4$_{2}$-38$_{2}$ (34 ×) u. cj 42$_{3}$; im Rechtsstreit Hi 23$_{5}$, הֵשִׁיב מִלִּים בְּ erwidern (↗ ba. תוב haf.), הָיָה לְמִלָּה אֵת z. Gerede werden Hi 30$_{9}$ (|| נְגִינָה, ↗ מָשָׁל Dt 28$_{37}$ 1K 9$_{7}$). †

מָלוֹ, MSS Edd מְל(ו)א Ez 41$_{8}$: ↗ מְלֹא.

מִלּוֹא: מלא, BL 478f; ja. מַלְיָתָא, Füllung, Wall, המלה DJD III 248, 97. 272, 53 Stützmauern u. Aufschüttung d. Terrasse vor d. Tempel d. Herodes: „Füllung", e. **Bauwerk auf Terrasse**; Zweck verschieden; BRL 300ff, Simons 131f, BHH 1217, Noth Kge 219f, Soggin Kgt. 23[24], Herb. Schmid, Fschr. Galling 242ff; KMKenyon, Jerusalem, London, 1967: — 1. in Jerus. 2S 5$_{9}$ (vordavidisch!) 1K 9$_{15.24}$ 11$_{27}$ 2K 12$_{21}$ (בֵּית מ׳) 1C 11$_{8}$ 2C 32$_{5}$; — 2. in Sichem בֵּית מ׳ Ri 9$_{6.20}$ ↗ Simons OTSt. 2, 35ff, BA 25, 29 fig. 5. †

מִלּוּאָה u. מִלּוּאִים: ↗ מִלֻּאָה, מִלֻּאִים.

מַלּוּחַ: II מֶלַח, BL 480r, GΘA ἅλιμα; **mhe.**, ja.[t] מַלּוּחָא, sy.; ar. *mullāḥ* salzige Pflanze, ? tigr. (Wb. 108a) *melḥeṭṭa*; ? > μολόχη, μαλάχη (Lewy Fw. 31, Mayer 324); „Salzkraut" *Mesembrianthemum Forsk.*, Löw 1, 648, Lex.[1], Fohrer 413 :: Hö. 74: Melde, *Atriplex Halimus*: Hi 30$_{4}$ (Armeleutespeise), cj 24$_{24}$ (G μολόχη; pr. כַּכֹּל). †

מַלּוּךְ: n.m.; מלך, BL 480t; Kf. v. מֶלֶךְ (Noth 118) od. v. (*Baʿal-*)**malok*, ph. = מלך (Friedr. Gr. § 76a); im bTalm. (Jastr. 788) als ar. genannt; palm. *mlwkʾ* (PNPI 95a); klschr. *Baalmaluku* APN 49a: — 1.-5. Esr 10$_{29}$; 10$_{32}$; Neh 10$_{5}$ 12$_{2}$.cj 14 (G, K ↗ מַלּוּכִי); 10$_{28}$; 1C 6$_{29}$. †

מְלוּכָה, 1 × מְלֻכָה: מלך, BL 472v; mhe.[2], äga. (DISO 152); jünger durch מַלְכוּת verdrängt: — 1. Stellung als König, **Königtum** 1S 10$_{16}$ 11$_{14}$ 14$_{47}$ (c. ↗ לָכַד u. עַל) 18$_{8}$ 2S 16$_{8}$ 1K 2$_{15.22}$ 11$_{35}$ 12$_{21}$ Ez 16$_{13}$ (13b$_{\beta}$ Zusatz ? ↗ Zimm.) 1C 10$_{14}$, ליהוה הַמְּ׳ Ob 21 Ps 22$_{29}$; (:: Dahood Bibl. 47, 419: 2S 12$_{26}$ Js 34$_{12}$ cj Jr 10$_{7}$ Ez 16$_{13}$ Ps 22$_{29}$ König, ↗ מַמְלָכָה 3, ph.); — 2. עָשָׂה מְ׳ עַל (akk. *šarrūta epēšu*) als K. herrschen über 1K 21$_{7}$; קָרָא מְ׳ d. Königtum ausrufen Js 34$_{12}$; מִשְׁפַּט הַמְּ׳ Königsrecht 1S 10$_{25}$; כִּסֵּא הַמְּ׳ 1K 1$_{46}$; זֶרַע הַמְּ׳ Nachkommen d. K. 2K 25$_{25}$ Jr 41$_{1}$ Ez 17$_{13}$ Da 1$_{3}$; צְנִיף מְ׳ Js 62$_{3}$; — 2S 12$_{26}$ (l הַמַּיִם v. 27 :: Dahood l.c.). †

מְלוּכִי: Neh 12$_{14}$ (Q מְלִיכוּ), G Μαλουχ cf. K מלוכי; ? ↗ מַלּוּךְ. †

מָלוֹן: לין, BL 491g; mhe.[2] (pl. f. 4Q 184, 1, 6) Herberge: מְלוֹן: **Nachtlager** Gn 42$_{27}$ 43$_{21}$ Ex 4$_{24}$ Jos 4$_{3.8}$ Js 10$_{29}$; מְ׳ אֹרְחִים Jr 9$_{1}$; מְלוֹן קִצֹּה 2K 19$_{23}$ u. cj Js 37$_{24}$ (pr. מְרוֹם) s. fernstes Nachtquartier. †

מְלוּנָה: f. v. מָלוֹן: לין, BL 491i: (schwankendes) **Gestell** f. d. Feldhüter nachts (AuS 2, 61, Abb. 12.13) Js 1$_{8}$ 24$_{20}$. †

מַלּוֹתִי: (n.m.), Sängerklasse 1C 25$_{4.26}$: III מלל, qal pr. pi.; wie אֱלִיאָתָה etc. 1C 25$_{4ff}$ künstlich aus Liedtext gewonnen (Noth 236f, nr. 144, Rud. Chr. 167). †

I מלח: ? ar. *malaḥa* zergliedern, VIII Schwert ziehen, ug. *ḥrb mlḥt* (UT nr. 1482) gezückt, scharf (Gd. :: schimmernd, Aistl. 1452, CML 162a); äth. *malḥa* herausreissen, tigr. (Wb. 107b) d. Schwert ziehen:

nif: pf. נִמְלָחוּ: **zerfetzt werden**, zerflattern שָׁמַיִם כֶּעָשָׁן Js 51$_{6}$. † Der. I מֶלַח.

II מלח: denom. v. II מֶלַח; ug. (↗ I) im

Salz getaucht, Ulldff JSSt. 7, 344ff; mhe. ja. ar. *malaḥa* salzen, *maluḥa* salzig sein; äth. tigr. *malḥa* (Wb. 107b) salzen, Lesl. 30:

qal: impf. תִּמְלָח: (Opfer) **salzen** (cf. lat. *mola salsa*) Lv 2_{13}. †

pu: pt. מְמֻלָּח: **gesalzen werden** (Räucherwerk, ↗ Haran VT 10, 125[3]) Ex 30_{35} Sir 49_{1}. †

hof: pf. הָמְלַ֫חַת (BL 330e.360r :: BM § 17,1: Mf); inf. הָמְלֵחַ: (Neugeborenes) **m. Salz(wasser) abgerieben w.** (Zimm. 349 :: Ulldff s.o.: in Salz getaucht werden) Ez 16_{4}. †

I *מֶלַח: I מלח: מְלָחִים: **Kleiderfetzen** Jr 38_{11f} (:: סְחָבוֹת). †

II מֶלַח, Sam.[M132] *mēla*: ug. (↗ II מלח, Dietr.-Lor. 221[60]); mhe., aam. äga. palm. (DISO 152), ja. מִלְחָא, cp. sy. *melḥa*, md. *mihlā* (MdD 266a); ar. *milḥ*, äth.[G], tigr. *malḥ*, soq. *milḥo*; akk. *mil'u* Salpeter :: *mallaḫtu* salziges Gras (AHw. 596a.653a): **Salz** (BHH 1653): aus Lagunen Ez 47_{11}, מִכְרֵה מֶ׳ Zef 2_{9}, נְצִיב מֶ׳ Gn 19_{26}; als Speisezutat Hi 6_{6} Ez 47_{11}, z. Verbesserung v.Wasser 2K 2_{20f}, Zusatz z. Opfer Lv 2_{13} Ez 43_{24}; auf gebanntes Land gestreut Dt 29_{22} (גָּפְרִית) Ri 9_{45}: ↗ Smith RS 594f, Honeyman VT 3, 192ff, Fensham BA 25, 48ff, cf. *immolare* m. gesalzenem Opfermehl, *mola salsa*, bestreuen (G. Wissowa, Rel. u. Kult d. Römer[2], 1912, 41ff), מֶ׳ בְּרִית Lv 2_{13} u. בְּרִית מֶ׳ Nu 18_{19} 2C 13_{5} (Mahlgemeinschaft, ↗ Ped. Eid 25.48f; HRPDickson, The Arab of the Desert, London [2]1951, 121f); in nn.l. ↗ עִיר, יָם, גֵּי, מְלוּחַ, מְלֵחָה; ↗ תֵּל.

*מַלָּח: früher v. II מֶלַח, noch Kö.; < sum.-akk. *malāḫu* (BL 542l, AHw. 592b, Salonen Naut. 10ff); ph. äga. (DISO 152); mhe.[2], ja.[b] (auch Salzhändler) sy. md. (MdD 243a); > ar. *mallāḥ* (Frae. 221), aLw. 168: מַלָּחִים, מַלָּחַיִךְ: **Schiffer, Seemann** Ez $27_{9.27.29}$ Jon 1_{5}. †

מְלֵחָה: II מֶלַח, f. v. adj. *מָלֵחַ (BL 464a), < אֶרֶץ מְ׳; 1QHod 8_{24}; ja. מְלַחְתָּא Salzlache, ug. *mlḥt* (WdO 3, 221[60]), akk. *ma/ullaḫtu* salziges Gras (AHw. 596a); אֶרֶץ מְ׳ **salzhaltiges unfruchtbares Land** Jr 17_{6} > מְלֵחָה Ps 107_{34} Hi 39_{6} Sir 39_{23} (:: משקה). †

מִלְחָמָה, מִלְחֶ֫מֶת (BL 607d. 608 l) 1S 13_{22}, or. *ma* (MTB 70), Sam.[M124] *mālāmma*; (315 ×): I לחם, BL 490a; mhe., äga. (DISO 152, ? < he.); ug. *mlḥmt* (UT nr. 1367): מִלְחַמְתִּי, מִלְחָמוֹת, מִלְחֲמוֹת, מִלְחֲמֹתָיו: — 1. **Gedränge** > **Handgemenge, Kampf, Krieg** (BHH 1005ff): a) עָשָׂה מִ׳ Gn 14_{2} Dt 20_{12}, עָרַךְ מִ׳ Ri 20_{20}, יָצָא לַמִּ׳ Ex 1_{10}, קָרָא מִ׳ Nu 21_{33}; ↗ אסר, עמד, נטשׁ, דבק, גרה hif., למד, לחם nif., קִדֵּשׁ, שָׁמַע, תְּרוּעָה, תָּקוּם מִ׳ Ps 27_{3} (Dahood Bibl. 47, 419: Truppen), וַתִּכְבַּד מִ׳ war heftig 1S 31_{3}, מִ׳ כָּבְדָה Ri 20_{34}, כֹּבֶד מִ׳ Js 21_{15}; מִ׳ חֲזָקָה 2K 3_{26}, 1S 14_{52}; מִלְחָמוֹת גְּדֹלוֹת 1C 22_{8}, מִ׳ קָשָׁה 2S 2_{17}, $_{31}$, פְּנֵי הַמִּ׳ מִ׳ אֲרֻכָּה 2S 10_{9} 11_{15} 1C 19_{10}, מִ׳ נָפֹצֶת 2S 18_{8}; b) אִישׁ מִ׳ Kämpfer Ex 15_{3} (9×), אַנְשֵׁי הַמִּ׳ Nu 31_{28} (29×), Kriegsmannen (Junge BWANT 4, 69ff: Söldner od. Heerbanntruppen? 33f) עֹשֵׂה מִ׳ felddienstfähig 2K 24_{16} 2C 26_{13}, אַנְשֵׁי מִלְחַמְתֶּךָ/תֵּךְ deine Gegner Js 41_{12}, Ez $27_{10.27}$, אִישׁ מִלְחָמוֹת תֹּעוּ Gegner T.s 1C 18_{10}, אִישׁ מִלְחָמוֹת kampfgewohnt 2S 8_{10} Js 42_{13} 1C 28_{3}, עַם מִ׳ Jl 2_{5}, עֱזוּז מִ׳ Js 42_{25}, עֱרוּךְ מִ׳ Jos $8_{1.3.11}$ 10_{7}, צְבָא מִ׳ Nu 31_{14} etc. עֹזְרֵי מִ׳ 1C 12_{1}, תֹּפְשֵׂי מִ׳ Nu 31_{27}, גִּבּוֹרֵי מִ׳ 2C 13_{3}, מְשִׁיבֵי מִ׳ Js 28_{6}, שָׂרֵי מִלְחָמוֹת 2C 32_{6}; — 2. J. u. מִ׳ (Lit. z. „Heiligen Kr.", BHH 1009, FStolz: AThANT 60, 1972): מִ׳ לַיהוה Ex 17_{16} 1S 17_{47}, י׳ ist אִישׁ מִ׳ Ex 15_{3}, גִּבּוֹר מִ׳ Ps 24_{8}; מִלְחֲמוֹת י׳ (wie מִלְחֲמוֹת כְּנַעַן Ri 3_{1}) Nu 21_{14} 1S 18_{17} 25_{28}; לִפְנֵי י׳ לַמִּ׳ Nu $32_{20.27.29}$ Jos 4_{13}; י׳ ist מַשְׁבִּית מִ׳ Ps 46_{10}; — 3. e. bestimmte **Waffe**, Lanze od. Keule (< *כְּלִי מִ׳) Ps 76_{4} (Gkl., Driv. Fschr. Berth. 145f) ? auch

Hos 17 2 20 Js 30 32b, (Bach, Fschr.vRad(1971) 15[5]); — Js 30 32 l מְחֹלוֹת (:: Driv. JSSt. 13, 51); מִלְחַמְתִּי 2C 35 21 ? l בָּבֶל pr. בֵּית od. adde post בֵּית noch מֶלֶךְ בָּבֶל (Rud. 330).

I מלט: mhe.[2] nif. hitp., ja.[t] itpe., sam. Peterm. (Gl. 23) u. äth. (Lesl.30) מלט mhe. pi. (? sy. LS 391a) retten; ↗ פלט, md. MdD 374b), ar. *flt* (!) entrinnen; akk. *balāṭu* leben, *bulluṭu* am Leben erhalten (AHw. 99a).

nif. (60 ×): pf. נִמְלַט, נִמְלַטְתִּי, נִמְלְטוּ/לָטוּ; impf. יִמָּלֵט, אִמָּלְטָה, יִמָּלְטוּ; imp. הִמָּלְטִי; inf. הִמָּלֵט; pt. נִמְלָט, נִמְלָטָה (BL 511y) Jr 48 19: **sich in Sicherheit bringen** Gn 19 17 Ri 3 26, cj Am 2 15a u. Ps 33 17 u. Hi 20 20; pt. נָס וְנִמְלָטָה Jr 48 19 (↗ Rud. 276); cj 1S 27 1 (כִּי־אִם הִמָּלֵט G); — 2K 10 24 l יְמַלֵּט, ↗ pi. 1b).

pi: pf. מִלַּט, מִלֶּט־ Koh 9 15 (Bgstr. 2, 95d), מִלְּטָנוּ; impf. יְמַלֵּטוּ, יְמַלְּטֵהוּ, אֲ/יְמַלֵּט, אֲמַלֶּטְךָ; imp. מַלְּטָה, מַלְּטוּ, מַלְּטוּנִי; inf. abs. cs. מַלֵּט; pt. מְמַלֵּט, מְמַלְּטִים: — 1. c. acc. **jmd. retten**: a) 2S 19 6.10 Js 46 2 Jr 39 18 Ps 41 2 107 20 (l מִשַּׁחַת חַיָּתָם), 116 4 Hi 6 23 22 30 29 12 Koh 8 8 9 15; abs. retten Js 46 4; b) entrinnen lassen cj 2K 10 24; — 2. מ׳ נַפְשׁוֹ **sich retten** 1S 19 11 1K 1 12 Js 46 6 51 6.45 Ez 33 5 Am 2 14f Ps 89 49; — 3. c. acc. **unbehelligt, in Ruhe lassen** 2K 23 18 (|| הִנִּיחַ 2b); — 4. Versch.: Eier legen u. brüten Js 34 15, ↗ hif. u. פלט pi. (cj hif.) Mi 6 14bβ; — Am 2 15 u. Ps 33 17 u. Hi 20 20 l יִמָּלֵט. †

hif: impf. הִמְלִיטָה, הִמְלִיט: — 1. **davonbringen** Js 31 5 (l הַמְלִיט, 1QJs[a] והפליט); — 2. **gebären** (↗ pi. 4, 1QHod 3 9 hif.) Js 66 7. †

hitp: impf. יִתְמַלְּטוּ: (entschlüpfen, mhe.) (Funken) **hervorsprühen** Hi 41 11. †

Der. n.m. מְלַטְיָה; ? Μελίτη - Malta „Zufluchtsort" (Lewy Fw. 209ff :: Meyer GAt II 2, 107[1], P-W XV 541).

II מלט: sy. schlüpfrig sein; ar. *malaṭa* abrasieren, *maliṭa* schwach behaart sein, äth.[G] abkratzen, abstreifen (Dillm. 154), tigr. (Wb. 110a) *malaṭa* enthaaren; ↗ מרט:

hitp: impf. וָאֶתְמַלָּטָה (? 3. pl. f., BL 315 o; ↗ Hö. 46, Fohrer 308 :: Dho.): **kahl sein** Hi 19 20. †

III מלט: ja. מַלְטֵט Überzug, Verkleidung; sy. **mlaṭ*, ar. *malaṭa* überstreichen. Der. מֶלֶט.

מֶלֶט: III מלט: sy. *mlāṭā* m. Sand vermischte Schmiere; ar. *milāṭ* Mörtel; ? > grie. μάλθη (Lewy Fw. 172, Mayer 330): **Lehmboden** (?) Jr 43 9 (Rud. 258; :: Kelso § 86: Mörtel). †

מְלַטְיָה, G Μαλτιας: n.m., I מלט + ״ „J. hat gerettet" (Noth 180): Neh 3 7. †

מַלּוּכִי: n.m. Neh 12 14Q: ↗ K מַלּוּכִי.

* מְלִילָה, Sam.[M] *mēlīlat* [BCh] *millīlat*: IV מלל, BL 471 o; ja.[t] (?) מְלִילְתָא: מְלִילוֹת: **Reibähren**, noch milchige Ähren, deren Körner man ausreibt (AuS 1, 456) Dt 23 26. †

מֵלִיץ: ? ליץ pt. hif.; :: Buhl Fschr. Wellh. 86; DSS: — 1. Beamter, **Mittelsmann** (ph. מלץ, DISO 138): a) **Dolmetscher**, G ἑρμηνευτής, Gn 42 23 1QHod 9× (1× מליץ בנם, ↗ בְּנִים); b) **Abgesandter** (G πρεσβευτής) מְלִיצֵי שַׂר (sic!) בָּבֶל 2C 32 31; c) des Volkes Js 43 27 (G ἄρχοντες, „Wortführer"?); Sir 10 2 || שופט, G λειτουργοί; — 2. **untergeordnete, himmlische Wesen**, Fürsprecherengel (Mow. Fschr. Marti 209f) מַלְאָךְ מֵלִיץ Hi 33 23. †

מְלִיצָה: ליץ, BL 492v (:: Richardson VT 5, 178: מלץ); mhe. ? Bildrede: **anspielender Spruch** Hab 2 6 u. Pr 1 6 // מָשָׁל, Sir 47 17 auch || שִׁיר u. חִידָה; 1QpHab. 8 6 מליצי חידות ↗ Segert § 263. †

I מלך: herrschen, Sem. ausser akk. (AHw. 594a, < kan.); ug. (UT nr. 1483), amor. (Huffmon 230), ph. jaud. moab. äga. (DISO 152), md. (MdD 273a), tigr. (Wb. 109a); ? < besitzen (ar. äth.[G] tigr., Wb. 109b) od. denom. v. מֶלֶךְ (Zimmern 7; GB):

qal: (ca. 300 ×): pf. מָלַךְ (or. מָלֵךְ, MdO 184), מָלָךְ, מָלַכְתָּ, מָלְכוּ (Gn 36 31 Sam.[M132] מָלְכוּ, BM § 23, 2a); impf. יִמְלֹךְ, יִמְלָךְ־, אֶ/יִמְל(וֹ)ךְ; imp. מְלֹךְ־, מָלְכָה

(K מְלֹוכָה Ri 9₈, BL 306 o, 1QJs[a], BM § 68, 2e) u. מָלְכִי (K מְלוֹכִי Ri 9₁₂); inf. מְלֹךְ־ ,מְלָךְ ,מָלְכוֹ ,מְלֹךְ; pt. מֹלֶכֶת: — 1. **König sein, herrschen** (THAT 1, 908ff): c. עַל über Ri 9₈; c. בְּ in Gn 36₃₁a Jos 13₁₂, über Gn 36₃₂; c. לְ bei (al. gen. GK § 129c) Gn 36₃₁b; abs. zur Herrschaft kommen Pr 30₂₂, sbj. מַלְכוּת (GK § 117r) 2C 36₂₀; Frau 2K 11₃ Est 2₄ †; בְּמָלְכוֹ als er König wurde 1S 13₁; שְׁנַת מָלְכוֹ 2K 25₂₇: d. Akzessionsjahr, Begr. Chron. 61[1] :: JLewy MVAeG 29, 2, 25[3] u. Albr. JBL 51, 101f: d. 1. volle Regierungsjahr, ☞ Mtg.-G. 556f, Rud. Jer. 323[2]; = רֵאשִׁית מַמְלְכוּת Jr 26₁, מַמְלֶכֶת 27₁ 28₁, מַלְכוּת 49₃₄, :: הַשָּׁנָה הָרִאשֹׁנִית 25₁; — 2. v. Gott gesagt König sein: a) 1S 8₇ Ez 20₃₃ (sonst nicht in Ez); b) m. Gottesnamen: מָלַךְ י׳ (THAT 1, 914f) Js 24₂₃ (י׳ צְבָאוֹת), Mi 4₇, cj Zef 3₁₅ (G[A]) 1C 16₃₁, c. אֱלֹהִים Ps 47₉ Js 52₇ (אֱלֹהָיִךְ); י׳ מָלָךְ (d. Akklamationsformel, EPeterson, Εἷς Θεός, 1926, 141ff, cf. 2S 15₁₀ 1K 1₁₁.₁₈ 2K 9₁₃) Ps 93₁ 96₁₀ 97₁ 99₁, י׳ יִמְלֹךְ Ex 15₁₈ Ps 146₁₀; Mow. OS 523ff. Eissf. ZAW 46, 81ff, Koehler VT 3, 188f, Johnson SKsh 38ff 65[1], Eichr. 1, 123ff, Ringgren IR 71ff, Lipinski Bibl. 44, 405ff; — 2K 23₃₃ dl בְּמָלְךְ בִּירוּשׁ׳ u. 2C 36₃ ins. מִמְּלֹךְ ante בִּירוּשׁ׳ (☞ 2K 23₃₃Q).

hif. (ca. 50 ×): pf. הִמְלַכְתִּי ,הִמְלִיךְ, הִמְלִכוּ ,וְהִמְלַכְתָּ/תַּנִי; impf. וָאַמְלִיךְ ,וַיַּמְלֵךְ, וַיַּמְל(י)כֵהוּ/כֶהָ ,נַמְל(י)ךְ ,וַיַּמְל(י)כוּ; inf. הַמְלִיכוֹ ,הַמְלִיךְ; pt. מַמְלִיךְ: **als König einsetzen**: a) sbj. י׳: c. acc. oft c. לְמֶלֶךְ: 1S 15₃₅ 1K 3₇ 2C 1₈.₁₁; b) d. Volk Ri 9₁₆ etc. מֶלֶךְ בָּבֶל 2K 24₁₇ Jr 37₁ Ez 17₁₆ 2C 36₁₀, מֶלֶךְ מִצְרַיִם 36₄, דָּוִד 1K 1₄₃, אַבְנֵר 2S 2₉; Könige machen Hos 8₄ (☞ Rud. 157.163); שֵׁנִית „z. 2. Mal" 1C 29₂₂ > G[BA], cf. 23₁; z. Königin machen Est 2₁₇.

hof: pf. הָמְלַךְ Da 9₁ [trad. pass.]: **König werden** ΘSV, G pl., sy. af. (LS 392b) קַבֵּל מַלְכוּתָא 6₁ 7₁₈, ? l hif. Mtg. Bentzen; beweist also nicht untergeordnete Stellung (☞ Rowley, Darius the Mede, 1935, 52f). † Der. I מֶלֶךְ ,מֹלֶךְ ,מַלְכָּה ,מַלְכוּת ,מַמְלָכָה, מַמְלָכוּת; n.m. II מֶלֶךְ ,יַמְלֵךְ ,מַלְכִּיאֵל, מַלְכִּישׁוּעַ ,מַלְכִּירָם ,מַלְכִּי־צֶדֶק ,מַלְכִּיָּה(וּ), מַלְכָּם; n.f. מִלְכָּה n. dei מִלְכֹּם ,מֹלֶכֶת.

II מלך: (be)raten, mhe. ja.[tb] cp. sy. überreden, versprechen, etpe. sich beraten, md. (MdD 273a); akk. *malāku*, *māliku* Ratgeber (AHw. 593b), Rép. Mari 1, 221, JSSt. 10, 125; ? äga. palm. (DISO 153):

nif: impf. וַיִּמָּלֵךְ: **m. sich zu Rate gehen** Neh 5₇. † Der. cj III מֶלֶךְ.

I מֶלֶךְ (ca. 2500 ×), Sam.[M132] *mālek*: I מלך, Sem., < **malk*, G u. gr. in compos. neben μαλχ- auch μελχ- (= *milk* ?, Sperber 237); mhe.; ug. ph. aram. מַלְכָּא (DISO 153), ba. ja.; asa. *mlk*, pl. *ʾmlk* (Conti 178), ar. *malik*; > äth. *ʾmlāk* Gott pl. e. nicht erhaltenen sg. **malk* (Dillm. 151), ? < **malk* Rat (Eilers WdO 3, 133); akk. *mal(i)ku* (AHw. 595b, Fürst, ? :: *šarru* König); n.d. *Milk*, *Malik*, KAT[3] 469ff, Huffm. 230f, Baud. Kyr. 3, 97ff, WbMy. 1, 453, WHSchmidt, BZAW 80[2], 66f, ☞ מִלְכֹּם: מַלְכֵי ,מְלָכִים (Epiphanius μαλαχει/χημ, ZAW 71, 115ff), מְלָכִין Pr 31₃ (BL 517t), מַלְכֵי ,מְלָכֶיהָ ,מַלְכֵיהֶם; — 1. **König** verschiedenen Ranges (BHH 978f, THAT 1, 908ff): a) (v. Menschen) הִמְלִיךְ מֶלֶךְ לְ Ri 9₆, הִמְלִיךְ לְמֶלֶךְ 1S 8₂₂, ☞ כּוּן ,מָשַׁח ,קוּם ,שִׂים; K. e. Volks: מ׳ יִשְׂרָ׳ (Saul) 1S 15₂₆ 24₁₅ 26₂₀ 2S 6₂₀ 13₃₇ (Jerobeam) 1K 15₉ etc. (Widgr. SKgt. 31f), מ׳ הָיִיתִי עַל עַל יִשְׂרָ׳ 1S 15₂₆ 2S 19₂₃, Koh 1₁₂ (? ph. Dahood Bibl. 47, 266; Galling ZAW 50, 298 :: Albr. VTSu. 3, 15[2]); מַלְכֵי יְהוּדָה מ׳ יהוד ihe. (BASOR 197, 30), 1K 14₂₉; מ׳ פְּלִשְׁתִּים Gn 26₁, e. Landes: מ׳ יְרוּשָׁלַיִם מ׳ עֵילָם Jos 10₁, מ׳ בִּירוּשׁ׳ Koh 1₁, מ׳ גְּרָר Gn 20₂, e. Reiches מ׳ אַשּׁוּר Js 36₄; pl. מַלְכֵי כְנַעַן Ri 5₁₉; b) Titel: מֶלֶךְ der König Ps 21₂,

אֲדֹנִי הַמֶּלֶךְ 2S 3$_{21}$, הַמֶּלֶךְ דָּוִד 2S 3$_{31}$ 1C 17$_{16}$, > (besonders später) דָּוִד הַמֶּלֶךְ 24$_{31}$, הַמֶּלֶךְ הַגָּדוֹל der Grosskönig (= d. assyrische K. akk. *šarru rabû*) 2K 18$_{19.28}$ Js 36$_{4.13}$, מֶ׳ מְלָכִים (K. v. Babel) Ez 26$_7$ (↗ ba.) cf. אֲדוֹן מְלָכִים (Galling ZDPV 79, 145ff); יְחִי הַמֶּ׳ 1S 10$_{24}$ 2S 16$_{16}$ 1K 1$_{34.39}$ 2K 11$_{12}$ 2C 23$_{11}$ ↗ חיה qal 1; ? מֶ׳ = Königtum, ? מֶלֶךְ, ar. *mulk*; ug. *mlk* || *drkt* (↗ דֶּרֶךְ 4), ? Ps 138$_4$ מַלְכֵי (Dahood ThStudies 15, 630); d. künftige David Ez 37$_{22}$ (↗ Zimm. 905) 24a; למלך auf pal. Krugstempeln Dir. 145ff, Lapp BASOR 158, 11ff; — 2. Gottesbezeichnung: a) für J. (↗ מלך 2, Eissf. Kl.Schr. 1,172; Eichr. 1, 123ff): הַמֶּלֶךְ Js 6$_5$ Jr 46$_{18}$ 48$_{15}$ 51$_{57}$ Ps 98$_6$ 145$_1$; מַלְכְּכֶם 1S 12$_{12}$ Js 43$_{15}$, מַלְכֵּנוּ Js 33$_{22}$; מֶ׳ יַעֲקֹב 41$_{21}$, מֶ׳ יִשְׂר׳ (↗ 1, Widgr. l.c.) 44$_6$ Zef 3$_{15}$, מֶ׳ הַגּוֹיִם Jr 10$_7$; מֶ׳ עוֹלָם 10$_{10}$, מֶ׳ הַכָּבוֹד Ps 24$_{7-10}$, מֶ׳ גָּדוֹל Mal 1$_{14}$ Ps 47$_{3.(8)}$ 95$_3$; מֶ׳ יהוה Zch 14$_{16f}$; מ׳ מלכי מלכים Sir 51$_{12n}$ (mhe., Bouss.-Gress, 313[2]); Nu 23$_{21}$ Dt 33$_5$ Jr 8$_{19}$ Mi 2$_{13}$ Zch 14$_9$ Ps 5$_3$ 29$_{10}$ 44$_5$ 47$_7$ 48$_3$ 68$_{25}$ 74$_{12}$ 84$_4$ 149$_2$; n.m. נְתַן־מֶלֶךְ; b) v. anderen Göttern: d. nicht isr. Baal Jr 32$_{35}$ (↗ מֹלֶךְ) Hos 10$_7$ (Rud. 197f) Am 5$_{26}$ (↗ סִכּוּת) ↗ מַלְכָּם, מֶ׳ בַּלָּהוֹת Hi 18$_{14}$; — 3. Komposita m. מֶלֶךְ: בֶּן־מֶלֶךְ Jr 36$_{26}$, בְּנֵי הַמֶּ׳ Zef 1$_8$; מִשְׁתֵּה הַמֶּ׳ 1S 25$_{36}$, מַעֲדַנֵּי מֶ׳ Gn 49$_{20}$, מִקְדַּשׁ מֶ׳ Am 7$_{13}$; אֶבֶן הַמֶּ׳ königliches Gewicht (↗ אֶבֶן 6) 2S 14$_{26}$; דֶּרֶךְ הַמֶּ׳ Reichsstrasse (*eṭ-Ṭarīq es-Sulṭān*, v. Aqaba nach Syrien, Glueck III, 60ff) Nu 20$_{17}$ 21$_{22}$; כְּיַד הַמֶּ׳ mit königlicher Freigebigkeit 1K 10$_{13}$ Est 1$_7$ 2$_{18}$; — 4. Versch.: a) מֶ׳ 37 × in Ez, nie v. Gott gesagt, 37$_{22.24}$ s.o. 1; b) metaph.: Pflanzen Ri 9$_{8-15}$, Tiere Hi 41$_{26}$ Pr 30$_{27}$; c) cj הַמְּלָכִים 2S 11$_1$, cj הַמֶּלֶךְ 2K 6$_{33}$ u. 1C 21$_{20}$; — l מִלְכֹּם 2S 12$_{30}$ u. 1C 20$_2$; l מוֹלִיךְ Pr 30$_{31}$. Der. n.m. II מֶלֶךְ, אֲבִימֶלֶךְ, אֲחִימֶלֶךְ, אֱלִימֶלֶךְ, מַלּוּךְ; n. dei עֲנַמֶּלֶךְ.

II מֶלֶךְ: n.m.; = I, ? Kf. (Noth 118f), ug. (Gröndahl 157f), pun. (PNPhPI 138.344f) asa. tham. nab. palm. *mlk* (ʾ/*w*/*y*) PNPI 95, > Μαλ(ι)χος NT, Wuthn. 70f, DJD II, 109: 1C 8$_{35}$ 9$_{41}$. †

cj III מֶלֶךְ: II מלך; ja. מַ/מִלְכָא cp. md. MdD 267a), sy. *melkā*; akk. *milku*: **Rat**, cj pr. מוליך u. cj. ס/שֶׂכֶל Hi 12$_{17}$. †

מֹלֶךְ, Sam.[M132] *mēlek*, GAT Μολοχ, Suidas Μολωχ, mhe. ja.[t]: הַמֹּלֶךְ Lv 20$_5$, לַמֹּ׳ 18$_{21}$ 20$_{2-4}$ 2K 23$_{10}$ Jr 32$_{35}$, cj Js 30$_{33}$; G Lv ἄρχων, ἄρχοντες, Jr μολοχ βασιλεύς, 2K μολοχ danach **Moloch** (THAT 1, 918); gew. (s. Geiger 299ff, Gsburg 459f) als n.d. מֶלֶךְ, diffam. vokalisiert sec. בֹּשֶׁת, :: Eissf., Molk als Opferbegriff, 1935, PEQ 79, 85f, Février RHR 143, 8ff, JA 1960, 167ff, BHH 1232, WbMy. 1, 299f, Gese RAAM 175ff, tt. für Opfer, wie לְעֹלָה, לְאָשָׁם, pun. *molc*, *molchomor* (DISO 154), √ מלך (Eissf.) od. מַהֲלָךְ* < הלך, akk. *mālaku* (v Soden ThLZ 1936, 45ff); erst seit Dt zum Gottesnamen umgedeutet :: Dho RHR 113, 276ff, Bea Bibl. 18, 95ff, de Vaux RB 45, 278ff, Zimm. 357, Albr. RI 179f.247 (n.d. *Muluk* in Mari u. akk.), Rud. Jer.[3] 212; Dronkert, Molochdienst in het OT, Leiden, 1953, Mulder 57ff; n.d. jedenfalls in Lv 20$_{2-5}$ (Ell. Lev. 272f) 2K 23$_{10}$ (c. הֶעֱבִיר לְ) Jr 32$_{35}$; ↗ Cazelles DictBi. Su. V 1337ff, Ringgren IR 159f, Thiel, ZAW 81, 53f; — 1K 11$_7$ l מִלְכֹּם. †

*מַלְכֹּדֶת: לכד, BL 608g, „Fanggerät": מַלְכֻּדְתּוֹ: **Schlinge** auf d. Weg (|| ↗ I חֶבֶל, AuS 6, 337) Hi 18$_{10}$. †

מַלְכָּה: f. v. מֶלֶךְ; mhe.[2]; ug. *mlkt*, ph. pehl. nab. palm. (DISO 153); ja. cp. sy. מַלְכְּתָא, md. (MdD 243b) *malakta*; ar. *malikat*: מַלְכַּת, מַלְכוֹת: — 1. **Königsfrau** :: גְּבִירָה (cf. הִמְלִיךְ Est 2$_{17}$), pl. HL 6$_{8f}$; — 2. (ausserisr.; Molin ThZ 10, 161ff) ausserhe. **Königin**: מַלְכַּת שְׁבָא 1K 10$_{1.4.10.13}$ 2C 9$_{1.3.9.12}$; וַשְׁתִּי הַמַּ׳ Est 1$_{9.11.16f}$, הַמַּ׳ וַשְׁתִּי 1$_{12.15}$, אֶסְתֵּר הַמַּ׳ 2$_{22}$ 5$_{2f.12}$ 7$_{1.3.5.7}$ 8$_{1.7}$

912·29·31, הַמַּ׳ I18 44 76·8; ↗ מְלֶכֶת u. n.f. מִלְכָּה. †

מִלְכָּה: n.f. = *malkatu* „Fürstin" (Stamm HFN 326), Beiname d. Istar (ATAO ^{4}297, KAT^3 364f); palm. *mlkt* (PNPI 95b); ph. מלכתבעל (PNPhPI 140. 345f): — 1. Fr. v. נָחוֹר, Br. v. Abraham, Gn 1129 2220·23 2415·24·47; — 2. T. v. צְלָפְחָד (↗ Noth 242, nr. 457) Nu 2633 271 3611 Jos 173. †

מִלְכָּה: 1S 1025: ↗ מְלוּכָה.

מַלְכוּת, 3 × מַלְכֻת, Sam.^{M132} *mālākut*: מֶלֶךְ (BL 505 o, Gulk. 110); aam. äga. (DISO 154); häufig in Est, 1C, 2C, Da (Jr 5231 l מָלְכוֹ, Begr. Chron. 61[1]); DSS; verdrängt älteres מְלוּכָה u. מַמְלָכָה: מַלְכוּתוֹ, מַלְכֻיּוֹת (BL 605h :: BM § 56, 3: l = *ūjō*): — 1. **Königsherrschaft** Nu 247 Jr 107 (? l מַלְכֵיהֶם Θ) Ps 457 14513 Est 14 Da 823 1121 1C 1224 142 1711 287 2C 11 1117 121; 1S 2031 u. 1K 212 תִּכּוֹן מַ׳; — 2. **Königswürde**: David 1C 1110, Königin Est 414, e. Armer (? l לְמַלְכוּתוֹ) Koh 414, Isr.s Könige Neh 935; — 3. **Regierungstätigkeit** 1C 2930; — 4. **Regierungszeit** Jr 4934 Est 216 Da 11 21 81 Esr 45f 71 81 Neh 1222 1C 2631 2C 32 1510·19 161·12 2030 2919 3519; — 5. **Königreich** Est 11·14·20 23 36·8 53·6 72 930 Da 120 114·9·17·20 2C 3313 3622, מַ׳ כַּשְׂדִּים 91, מַ׳ פָּרַס 1013 2C 3620, מַ׳ יָוָן Da 112; pl. 822; — 6. = **königlich**: כִּסֵּא Est 12 1C 2210 2C 718, יַיִן Est 17, כֶּתֶר 111 217, דְּבַר 119, לְבוּשׁ 68 815, cj 51 (adde לְבוּשׁ), בֵּית 19 216 :: בֵּית לְמַ׳ 2C 118 211, הוֹד Da 1121 1C 2925; — 7. **von J. gesagt** (Maag VTSu. 7, 129ff; ELipinski, La royauté de Jahwé dans la poésie et le culte de l'ancien Israël, Brüssel, 1965; THAT 1, 916) Königsherrschaft Ps 10319 14511-13, 1C 1714 (Davids Nachkommen gegeben; 1C 285 כִּסֵּא מַלְכוּת י׳ עַל־יִשְׂרָאֵל). †

מַלְכִּיאֵל, Sam.^{M133} *malkīl, mēlīkā'il*: n.m., מֶלֶךְ + אֵל (Noth 140; cf. אֱלִימֶלֶךְ u. מַלְכִּיָּה), Baud. Kyr. 3, 98, Eissf. KlSchr. 3, 384f; kan. (KAT^3 470) u. amor. (Huffmon 231) *Milkili* u. *Ilimilki*; asa. *Ilmalik*, saf. *Malik'il* (Ryckm. 1, 234): Gn 4617 Nu 2645 1C 731; — gntl. מַלְכִּיאֵלִי Nu 2645. †

מַלְכִּיָּה: n.m.; < מַלְכִּיָּהוּ; äga. AP: — 1. Jr 211 381; — 2. Esr 1031 Neh 311; — 3. Neh 84; — 4. מַ׳ בֶּן־רֵכָב Neh 314, ↗ Rud. 115; — Verschiedene, Identität untereinander u. m. 1-3 zweifelhaft: 1C 625 912 249 Esr 1025 Neh 331 104 1112 1242. †

מַלְכִּיָּהוּ: n.m.; I מֶלֶךְ + י׳, Noth 249, Baud. Kyr. 3, 102f, יהומלך Mosc. Ep. 65, 44: בֶּן־הַמֶּלֶךְ Jr 386. †

מַלְכִּי־צֶדֶק, מלכיצדק GnAp. 2214: n.m., G Μελχισεδεκ; I מֶלֶךְ + צֶדֶק/צַדִּיק „K. ist Z." od. „M. ist gerecht" (Baud. Kyr. 3, 45[1]. 410 :: Speiser 318: cs.-Verbdg, = *šar mēšarim*); ph. צדקמלך (PNPhPI 177.398f) Baud. Kyr. 3, 409f, Noth 118f, Del Medico, ZAW 69, 160ff, Dahood CBQ 25, 311ff: **Melchisedek**, K. v. שָׁלֵם Gn 1418 Ps 1104; RGG^3 IV 843ff, BHH 1185, Fitzm. GnAp 156ff; in Qumran Erlösergestalt, vdWoude OTSt. 14, 354ff. †

מַלְכִּירָם: n.m.; I מֶלֶךְ + רום (Noth 146) „m. K. ist erhaben"; Dir. 352b; ph. (PNPhPI 140: n.d.!), klschr. *Milkirāmu* APN 137b: 1C 318. †

מַלְכִּי־שׁוּעַ: n.m.; I מֶלֶךְ + I שׁוע „m. K. ist Hilfe" (Noth 154[2], Eissf. ZAW 46, 89: S. v. Saul 1S 1449 312 1C 833 939 102. †

מַלְכָּם: n.m.; I מֶלֶךְ + *ām* (Kf. Noth 118 od. Mimation, BM § 41, 6): ↗ מִלְכֹּם: 1C 89. †

מִלְכֹּם, G Μελχομ: n.d.; I מֶלֶךְ + *-ōm*, ↗ מַלְכָּם, VG 1, 396; ug. *mlkm* (UT nr. 1484); **Milkom**, Gott d. בְּנֵי עַמּוֹן, Baud. Kyr. 3, 46, Nyberg StHos. 38f.46f, WbMy. 1, 299, BHH 1217, Gray, Kings^2 276ff, THAT 1, 919: 1K 115·33 cj 7, pr. מַלְכָּם 2S 1230 u. 1C 202 u. Jr 491·3 u. Zef 15, 2K 2313. †

מַלְכֵּן 2S 1231K: ↗ Q מַלְבֵּן.

* **מְלֶכֶת**, מְלֶכֶת הַשָּׁמַיִם Jr 718 4417·19·25 für MT

= מְלֶאכֶת (MSS, מְלָאכָה) = „Heer d. H.s" (G στρατιά Jr 7₁₈); tendenziös pr. *מַלְכַּת (G βασιλίσσα Jr 44₁₇ff, οἱ λοιποί 7₁₈) „d. Himmelskönigin", kan. Aschera, Astarte, ʿAnat; bab. Istar; äg. Isis, ↗ AKuenen, Gesammelte Abhandlungen, 1894, 186ff, Dölger AuC 1, 92ff, BHH 721f. †

מֹלֶכֶת: הַמּ׳ 1C 7₁₈; n.f. (tr. ?); I מלך pt. f. qal, ↗ מַלְכָּה; G^BA ἡ Μαλεχεθ, G^L Μελχαθ, V *Regina*: Schwester v. גִּלְעָד 1C 7₁₇f (:: Gd. BeBi. 146⁴: appell. **Sororarch,** ↗ Rud. 70). †

I מלל: Nf. v. אמל; ? ph. (DISO 155), ar. *malla* müde, verdrossen sein, lib. weiss werden (ZA 50, 136):

qal (od. nif.): impf. יִמַּל, יִמָּלוּ: **welken, verdorren** Ps 37₂ Hi 14₂ 18₁₆ 24₂₄, cj 15₃₂ (תִּמָּל) u. Ps 90₆ (l יִמַּל). †

po: impf. יְמוֹלֵל: **welken** (? l qal) Ps 90₆. †

hitpo: impf. יִתְמוֹלָלוּ: **verdorren** Ps 58₈. †

II מלל: Nf. v. מול (Haupt ZDMG 64, 710); mhe.:

qal: imp. מֹל: **beschneiden** Jos 5₂. †

nif: pf. נְמַלְתֶּם (BL 431t): **sich beschneiden lassen** Gn 17₁₁. †

III מלל: mhe.²; ? ph. Karat. II 16f *mtmll* (Dahood Bibl. 44, 71f :: DISO 155, KAI II 42); ba. ja. cp. sy. md. (MdD 273b), ar. *malla* IV diktieren; aLw. 171:

qal: pf. ↗ מַלּוֹתִי: **sprechen** 1C 25₄.₂₆ als n.m.; ↗ Rud. 167; — Pr 6₁₃ מֹלֵל ↗ IV. †

pi: pf. מִלֵּל, מִלְּלוּ; impf. יְמַלֵּל, תְּמַלֶּל־: **sagen, künden** Gn 21₇ Ps 106₂ Hi 8₂ 33₃. †

Der. מִלָּה.

IV מלל: mhe. m. d. Fingern zerreiben:

qal: pt. מֹלֵל: c. בְּרַגְלָיו scharren, ΑΣV, > **Zeichen geben** (|| m. Augen u. Fingern) Pr 6₁₃. †

Der. מְלִילָה.

מִלֲלַי: n.m., BL 202j; Kf. < *מְלַלְיָה, ? aram. מלל (↗ ba.), od. Dittogr. (>G^L; Noth 249, Rud): Neh 12₃₆. †

*מַלְמָד: למד, BL 490z; mhe. ja.ᵗ Pflugsterz GΘΣV, Löw ZA 23, 283f, Ochsenstachel TS: cs. מַלְמַד: **Treibstecken**, mit vorn eingelassenem Stift od. Nagel, (↗ דָּרְבָן, AuS 2, 117ff) Ri 3₃₁ מַ׳ בָּקָר als Waffe, Sir 38₂₅ c. תמך (↗ Smend). †

מלץ: ar. *maliṣa* gleiten, glatt sein; äth. tigr. (Wb. 35b) *lamaṣa* glatt sein:

nif: pf. נִמְלְצוּ: **gleiten**, metaph. (Rede) leicht eingehen Ps 119₁₀₃, cj Hi 6₂₅. †

Der. עֲמָלֵק.

מֶלְצַר, מֶלְצָר: Da 1₁₁.₁₆; Lw. < akk. *maṣṣāru* < **manṣāru* Wächter (AHw. 621a) v. *naṣāru*, he. נָצַר, aram. ↗ נטר; unter Einfluss von S *m^enaṣṣar* > ar. *manaṣar*, ↗ Löfgren, Arab. Da.-Übersetzung, 1936, 78f; Θ Αμελσαδ/ρ (↗ Ziegler, Sept. XVI 2, 95), V *Malasar*, G Αβιεσδρι (1₃ pr אַשְׁפְּנַז): „Aufseher", Beamter unter אַשְׁפְּנַז Da 1₃. †

מלק: mhe. ja.ᵗ einkneipen, sy. losreissen, ar. VIII ziehen, ausreissen, tigr. (Wb. 108a) *malqaqa* zerreissen, ? akk. *malāqu* (AHw. 594b); *Mulluqtu* Frau mit fehlenden Gliedern (Holma, Personennamen d. Form *quttulu*, 1914, 71 :: ? AHw. 671a):

qal: pf. מָלַק: einem Vogel m. d. Fingernagel d. Kopf **abkneipen**: Lv 1₁₅, b. קָרְבָּן, 5₈b b. חַטָּאת (↗ Noth, ATD 15. 34, MGaster; The Samaritans, 1923, 69). †

מַלְקוֹחַ, Sam.ᴹ ¹²⁶ *malqa*, > äg. *mrqḥt* (EG 2, 113): לקח, BL 493z.e: cs. =: **Kriegsbeute** (Menschen, Tiere, Sachen), ↗ שָׁלָל, בַּז; Nu 31₁₁f.₂₆f.₃₂ Js 49₂₄f. †

מַלְקוֹחַיִם: לקח, BL 493z.e., akk. *lī/āqu* (AHw. 555b :: Holma NKt. 25); ar. *ḥalq*, *ḥulqūm*, äth. *ḥelq* (Dillm. 68), tigr. (Wb. 54a) *ḥelqem*: **Gaumen** (zweiteilig gedacht, lat. *fauces*) Ps 22₁₆. †

מַלְקוֹשׁ: mhe.², ja.ᵗᵍ sam. BCh. 2, 516b מַלְקוֹשָׁא: **Spätregen** (März-April, :: יוֹרֶה, AuS 1, 302ff) Dt 11₁₄ Jr 3₃ (? l לְמוֹקֵשׁ,

↗ Duhm) 5_{24} Hos 6_3 Jl 2_{23} Zch 10_1 Hi 29_{23} Pr 16_{15}. †

מֶלְקָחַיִם, Hier. *malcaim* (Sperber 237): לקח, BL 490z; mhe.[2] מֶלְקָחָה Zange, du. auch Lichtputze (cf. mhe. צֶבֶת, ja. צִבְתָּא < akk. *ṣabātu* ergreifen), ug. *mqḥm* (UT nr. 1396, Aistl. 1482): du. מֶלְקָחֶיךָ: **Lichtputzschere** z. Beschneiden d. Dochtes Ex 25_{38} 37_{23} Nu 4_9 1K 7_{19} Js 6_6 (↗ Budde, Jes. Erleben, 1928, 16) 2C 4_{21}. †

מֶלְתָּחָה: **Kleiderkammer** 2K 10_{22}, cj Jr 38_{11} אֶל־מֶלְתַּחַת (cs., BL 490a); gew. Lw. < akk. *maštaku/ktu* (AHw. 630a; :: Eissf. JSSt. 5, 46): ug. (UT nr. 179) *mšlḥ*, äth. *ᵓeltāḥ* (Dillm. 46) Gewand. †

***מַלְתָּעוֹת**: cs. מַלְתְּעוֹת: **Kinnlade** Ps 58_7, ↗ מְתַלְּעוֹת. †

***מַמְּגוּרָה**: ? מגר, BL 494g, Dag. dir. BL 212k; Sprengling JBL 38, 136ff: מַמְּגֻרוֹת: **Getreidegrube** (cf. II מָגוֹר, מְגוּרָה) Jl 1_{17} :: Rudolph, HeWf. 246. †

***מֵמַד** od. מָ׳: מדד, BL 560r; akk. *namaddu* Messgefäss (AHw. 725a): מְמַדֶּיהָ: **Mass** Hi 38_5 (‖ קָו). †

מְמוּכָן (K מומכן, Tf): n.m.; ? pers., Scheft. 48, Gehman 324f: Ratgeber d. Königs Est $1_{14 \cdot 16 \cdot 21}$. †

***מָמוֹת**: מות, BL 493e; ug. *mmt* (CML 107 :: UT nr. 2396, Aistl. 1591), äga. ממתה (DISO 155); ar. *mamāt*: מְמוֹתֵי; ? pltt.: **Tod, Todesart**, c. תַּחֲלוּאִים Jr 16_4, c. חָלָל Ez 28_8. †

מַמְזֵר: II מזר, BL 492r; ? äth.[G] *manzer* ungesittet, *manzerān* unrecht, *amanzara* ehebrechen, Nöld. NB 45f; mhe. u. ja. מַמְזֵירָא Kind aus verbotener Mischehe, Bastard, G ἐκ πόρνης, V *de scorto natus*: isr. **Mischling** (Nestle ZAW 20, 166f, Neufeld 224ff, Ell. ZAW 62, 81f) Dt 23_3, zu Asdod Zch 9_6 (:: Cazelles VT 4, 121[1]). †

מִמְכָּר: מכר, BL 490z: mhe. :: מקח Verkauf u. Kauf, ὠνὴ καὶ πρᾶσις (J Rabinowitz Jewish Law, 1956, ch. 3): מִמְכַּר, מִמְכָּרוֹ/רָיו: — 1. **Verkauftes** Lv $25_{25 \cdot 28}$ Ez 7_{13}; — 2. **Verkäufliches**, (cf. מֶכֶר 2) Ware Lv 25_{14} Neh 13_{20}; — 3. **Verkauf** Lv $25_{27 \cdot 29}$ (> G; Var. z. יָמִים ?).$_{33}$ (l מִמְכַּר בֵּית־עִיר d. verkaufte Stadthaus).$_{50}$ כֶּסֶף מִמְכָּרוֹ d. Verkaufspreis; ? Dt 18_8 לְבַד מִמְכָּרָיו prp. מִכְּמָרִים, ↗ כֹּמֶר :: Horst GsR 145[356]. †

מִמְכֶּרֶת: f. v. מִמְכָּר: **Verkauf**, מִ׳ עֶבֶד wie man Sklaven verkauft Lv 25_{42} 4Q 159, 2-4, 3. †

מַמְלָכָה (ca. 115 ×): I מלך, BL 490a; Gulk. 26; ph. König (DISO 155): cs. מַמְלֶכֶת (Sam.[M132] *mamlākat*), מַמְלַכְתּוֹ, מַמְלְכוֹת, מַמְלָכוֹת: — 1. **Herrschaftsbereich, Königtum** Gn 10_{10}, pl. Ps 135_{11}, מַמְלְכוֹת הָאָרֶץ Dt 28_{25} (15 ×), Js 19_2, בָּבֶל צְבִי מַמְלָכוֹת 13_{19} u. גְּבֶרֶת מַ׳ 47_5; ist מַ׳ שְׁפָלָה Jr 28_8, מַ׳ גְּדוֹלָה Ez 17_{14} 29_{14}; בֵּיתְךָ David: אָנֹכִי וּמַמְלַכְתִּי 2S 3_{28}, גּוֹי וּמַמְלָכָה וּמַמְלַכְתְּךָ 7_{16}; (hier König wie ph., Albr. HUCA 23, 1, 34, ↗ 3) 1K 18_{10} (7×); שְׁתֵּי מַמְלָכוֹת = Israel u. Juda Ez 37_{22}; — 2. **Königswürde, -herrschaft** (Beyerlin, Herkunft u. Geschichte der ältesten Sinaitraditionen, 1961, 84f): 1S 28_{17} Js 17_3 Jr 27_1; עִיר הַמַּ׳ Königsstadt 1S 27_5, cj 1C 27_{25a} בְּעִיר הַמַּ׳ (Rud.), עָרֵי הַמַּ׳ Jos 10_2; בֵּית מַ׳ Reichstempel Am 7_{13}; כִּסֵּא מַמְלַכְתּוֹ s. Königsthron Dt 17_{18}, pl. Hg 2_{22}; Königshaus 2C 29_{21} (Rud.); — 3. **König** (ph.) הַמַּמְלָכוֹת הַלֹּחֲצִים אֶתְכֶם 1S 10_{18}, ? auch 1K 10_{20} 2C 9_{19} 12_8 Kl 2_2 Jr 1_{15} 25_{26} Ps 68_{33} 79_6 102_{23} 135_{11}; Albr. BASOR 87, 35[20], Albr. JBL 63, 218[70], Dahood Bibl. 44, 547f; — 4. **theologisch**: נָתַן יהוה מַמ׳ לְ 1C 29_{11}; לְךָ י׳ הַמַּמְלָכָה 2C 13_5; ↗ הֵכִין, הֶעֱבִיר, קָרַע; מַמְלֶכֶת כֹּהֲנִים (Caspari ThBL 8, 105ff, Scott OTSt. 8, 213ff) Königreich von Priestern Ex 19_6 (↗ Noth ATD 126, Eichr. 1, 124[85], HWildberger, Jahwes Eigentumsvolk, 1960, 80ff).

***מַמְלָכוּת**, immer cs. מַמְלְכוּת: I מלך, kontam. v. מַמְלָכָה u. מַלְכוּת, BL 505p, Gulk. 26 ↗ Wellh. Text d. Bücher Sam. 100f: l

מַמְלֶכֶת, ⸗ Budde Sam. 112: — 1. **Königsherrschaft** Jos $13_{12 \cdot 21 \cdot 27 \cdot 30f}$ 1S 15_{28} 2S 16_{3} Jr 26_{1}; — 2. **Königreich** Hos 14. †

מִמְסָךְ, or. מִ׳: מסך, BL 490z: mhe. Mischung; (trad. Mischtrank, ⸗ מֶסֶךְ): **Mischkrug**, ug. *mmskn* || *spl* (UT nr. 1509, Aistl. 1611) Js 65_{11} (|| שֻׁלְחָן; 1QJs[a] מסכה = I מַסֵּכָה, sec. 2C 28_{2} assoziativ verlesen) Pr 23_{20} (|| יַיִן). †

מֶמֶר, or. *mämēr* (MTB 73): I מרר, < **mamir*, BL 491k: **Bitternis** (:: Betrübnis, BM § 40, 4a) Pr 17_{25} (|| כַּעַס). †

I מַמְרֵא, Sam.[M135. BCh. 3, 175b] *mamri*: G Jos. Antt. Μαμβρη, V *Mambre*: III מרא, BL 492r: **Mamre**, n.l., n. *Ramet el-Ḫalīl*, Hebron; Abel 2, 375, BRL 275ff, FMader, Mamre, 1957, Hempel ZAW 70, 170ff, BHH 1135, GTT § 351: Gn $23_{17 \cdot 19}$ 25_{9} 35_{27} 49_{30} 50_{13}, אֵלֹנֵי מ׳ (G δρῦς) 13_{18} 14_{13} 18_{1}; V *convallis* (⸗ Stummer JPOS 12, 6ff); de Vaux DictBi.Su. V 753ff, Noth WdAT 125. †

II מַמְרֵא, ממרה 4Q 180, II 4: n.m.; = I; מַ׳ הָאֱמֹרִי mit עָנֵר u. אֶשְׁכֹּל Freund Abrahams (2 Tim 3_{8} Μαμβρῆς ältere Var. zu Ἰαμβρης, ⸗ BHH 802) Gn $14_{13 \cdot 24}$. †

מַמְרֹרִים: מרר, BL 493e, dag. dir. BL 212k; pltt; ⸗ תַּמְרוּרִים; **Bitternis** Hi 9_{18}. †

מִמְשַׁח: II משח, BL 490z.539b; Ez 28_{14} כְּרוּב מִ׳, cs.-Verbindung = adj. GK § 128p; מִ׳ > G; entw. II משח, Ausdehung, V *extentus* „hochgereckt" (Dho. Fohrer) od. „m. ausgebreiteten Flügeln" (Dahood Fschr. Tisserant I 95); od. III משח aufleuchten, glänzen, akk. *mišḫu*, *nimšaḫu* (Torcz. JPOS 16, 5, AHw. 623b, 660b) „glänzend"; inexpl. Zimm. 675. †

מִמְשָׁל: II משל, BL 490z; DSS: מִמְשָׁלִים: — 1. **Herrschaft** Da $11_{3 \cdot 5}$; — 2. בָּנִים הַמִּמְשָׁלִים abstr. pr. concr. (GK § 83c), **Herrscher** 1C 26_{6} (in ihren Familien, l הֵם מֹשְׁלִים, Ehrl., Rud.). †

מֶמְשָׁלָה: II משל, BL 490a, 614; mhe. DSS: cs. מֶמְשֶׁלֶת (Sir 74 abs.), מֶמְשַׁלְתְּךָ Ⓛ Js 22_{21} Ps 145_{13} Ⓑ מֶמְשַׁ׳, מֶמְשַׁלְתּוֹ, מֶמְשָׁלוֹת (Ps 136_{9} l מֶמְשֶׁלֶת), מַמְשְׁלוֹתָיו (MSS מֶמְ׳, GS Hier. sg.): — 1. **Herrschaft** über c. sf. Gn 1_{16}, c. בְּ Ps 136_{8f}, abs. Js 22_{21} Mi 4_{8} Ps 103_{22} 145_{13} (J.s) Da 11_{5} Sir 74 43_{6}; — 2. **Herrschaftsgebiet** אֶרֶץ מֶ׳ 1K 9_{19} Jr 34_{1} 51_{28} 2C 8_{6}; > מֶ׳ 2K 20_{13}/Js 39_{2}, pl. Ps 114_{2} (s.o.!); — 3. **Heeresmacht** 2C 32_{9} (= חֵיל כָּבֵד 2K 18_{17}). †

*מִמְשָׁק, Hier. *mamasac*: משק, BL 490z; ⸗ ? מֶשֶׁק; ar. *ma/isq* rote Erde: cs. מִמְשַׁק: מִ׳ חָרוּל Zef 2_{9} (|| מִכְרֵה מֶלַח) v. Unkraut überwucherter **Boden**. †

מַמְתַקִּים: מתק, BL 490z.558c; pltt: **Süsse** HL 5_{16}, süsse Getränke Neh 8_{10} (c. שתה). †

I מָן: מַנְךָ Neh 9_{20}, Grdf. **man* (BL 547) G μαν, μαννα; mhe.; ja. מַנָּא, cp. *mn*ʾ, *mnt*ʾ, sy. *manᵉnā*, ar. *man* (auch Honigtau), tigr. (Wb. 127a) *manā*; Lokotsch nr. 1398: **Manna**: heisst מָן Ex 16_{31}, beschrieben Ex 16_{31} Nu 11_{7}, Namengebung Ex 16_{15}, ⸗ $16_{33 \cdot 35}$ Nu $11_{6 \cdot 9}$ Dt $8_{3 \cdot 16}$ Jos 5_{12} Neh 9_{20}; Engelspeise לֶחֶם אַבִּירִים Ps 78_{24f}, לֶחֶם שָׁמַיִם 105_{40} Sap 16_{20}; Plin XII 62: im Sinai u. in N.Ar. an e. Tamariskenart, *Tamarix mannifera*, gefunden: gelblich-weisse Kügelchen, *menn, munn.* Früher als durch Stiche d. Schildlaus erzeugter Ausfluss d. Tam. erklärt, heute als tierisches Produkt, e. die Bruthülle d. Schildlaus umgebende u. v. ihr selber ausgeschiedene Flüssigkeit, cf. den Honigtau in Baselland (Baumgartner u. Eglin ThZ 4, 235ff; OKaiser ZDPV 53, 63ff, MAvi-Jonah u. EGKraeling, D. Bibel in ihrer Welt, 1964, 50f, Harrison 40^{10}, BHH 1141ff, :: Wolfr. Herrmann, ZAW 72, 215f). †

II מָן Ex $16_{15a\alpha}$ = מַה $_{15a\beta}$: **was?**; EA 286_{15} *manna* (⸗ Böhl, Spr. § 18b); ug. *mn* auch „wer" (Aistl. 1593) „wieviele" (UT nr. 1504), PRU V 1, RS 16 *mnw*; amor. *mana* (Bauer Ok 64), sy. *mān*, *mānā mōn* (LS

393b); amhar. *men* (Ulldff 16.98), äth. *ment* (Dillm. Gram. d. äth. Sprache[2], 1899, § 63a); ↗ מַן. †

cj מַן **wer?** pr. מִנֵּהוּ Ps 68_{24} (trad. seit Ges. מֵן) l מַן־הוּא, cjg. c. $_{25a}$ u. l רָאָה (Albr. HUCA 23 I 29, Mow. ANVAO 1953, 1, 50); ug. *mn* (Aistl. 1592, CML 161b), aram. מַן, ↗ ba., ja. sy. md. (MdD 246a) auch מַנּוּ < **man-hū*; akk. *mannu* (AHw. 603a), amor. (Huffm. 231f); ar. *man* (cf. Singer 93ff), asa. *mn* (Conti 178b, rel. Höfner § 41.44), tigr. (Wb. 126b) *man*, amh. *mān* (Ulldff 16), äth.[G] *mannū*; — Ps 61_{8} dl Gl. (Driv. Textus 1, 125). †

*מֵן: מנן, BL 454b; sy. *mennᵉtā*, pl. *mennē* Nerv; akk. *manānu* Haare, Nerven (AHw. 602a): מִנִּים, Ps 45_{9} מִנִּי (GK §87f, BL 517w, Driv. HVS 101): **Saite**, pl. **Saiteninstrument** (Kolari 56) Ps 45_{9} (s.o.) 150_{4}, כלי מני[ם] Sir 39_{15}; — Ps 68_{24} מִנֵּהוּ ↗ מַן. †

מִן: Sem., ausser akk.; ug. *b* (UT nr. 435, Aistl. 486A3d, Dahood UHPh 16.26.29); מנה; ph. מן, בן, ב (DISO 155f, Friedr. § 251, 1); aram. מן, ↗ ba., pehl. Frah. 25, 6, sogd. Uruk, md. (MdD 273b); ar. *min*, asa. *bn*, *mn* (Conti 114b.178b, Höfner 143ff), tigr. (Wb. 126b) *men*, äth.[G] *emna*; BL 642p-y: Sec. μεν assim. (Brönno 239f); Nformen מִנִּי Ri 5_{14} (30 ×, 15 × Hi, BL 643×), לְמִנִּי Mi 7_{12}, מִנֵּי־ Js 30_{11}. מִן behält s. Form meist vor Art. מִן־הָאָרֶץ, sonst מִן־אָז Jr 44_{18}, מִן־שְׁאוֹל Ps 30_{4} (Tf. ?, Sec. μεσσω[λ], Brönno 326), מִן־בַּת־ Kl 1_{6} (Ⓑ Q מִבַּת). Meist proklit. assim. מִבֵּן, vor Gutt. u. ר meist *mē*, מֵאָדָם, מֵרַע, :: מִהְיוֹת, מֵ־מִרְדֹּף) u. (↗ חוּץ 3d) מִחוּצָה, מִחוּץ; vor Art. מֵהָאֵשׁ Ez 15_{7} (Sperber JBL 62, 140ff), מֵהַחוּץ Ez 41_{25}; vor Kons. m. Šwā כְּמִשְׁלֹשׁ Gn 38_{24}, vor יְ: מִידֵי, :: מִיְּשֵׁנֵי Da 12_{2}; c. יהוה BH u. BHS מֵיְהוָה, Ⓑ מֵיְהוָֹה Gn 18_{14}; c. sf. meist redupl. (BL 643× :: VG 1, 498) **minman* > **mimman*: מִמֶּנִּי (Koh 2_{25} l מִנּוּ־, :: Dahood Bibl. 47, 269f: ph!), מִמֶּךָּ, מִמֶּנּוּ/נָּה, 1 pl. or. מִמֶּנּוּ (BL 644y); aber מִמֵּךְ, מִמְּךָ, auch מִנִּי (4×) u. מֶנִּי (6 ×), מֶנְהוּ Hi 4_{12}, מִנֵּהוּ Ps 68_{24} ↗ מַן, מִן־הוּא Js $18_{2.7}$ (s.u. 1a), מִכֶּם, מֵהֶם, מֵהֵמָּה (2 ×, מִנְהֶם 1 ×), מֵהֶן Ez $16_{47.52}$, HeSy. 108f: Grdb. **von . . . aus, von . . . weg**: — 1. **örtlich**, a) als Ausgangspunkt e. Bewegung: **von . . . aus**, c. יָצָא, הוֹצִיא etc. Hi 1_{21} Ri 11_{36} Ex 12_{42}, c. הִמְשָׁה Ps 18_{17}, c. הִצִּיל 1S 17_{35} u. in verwandten Ausdrücken; מִן־הַחוֹר/הַחַלּוֹן aus = durch HL 2_{9} 5_{4}; מִמְּךָ (בָּנִים) Js 39_{7} (1QJs[a] ממעיך, cj Stade); מֵנֵס fahnenflüchtig Js 31_{9}, מִן־הוּא וָהָלְאָה weit u. breit Js $18_{2.7}$; b) zus. m. אֶל bezeichnet es d. Richtung e. Bewegung: מִזַּן אֶל־זַן Ps 144_{13}, c. עַד Ex 22_{3}, c. וְעַד Lv 13_{12}; cf. מִמְּךָ וָהֵנָּה von dir aus herwärts 1S 20_{21}, מִמְּךָ וָהָלְאָה von dir aus nach d. andern Seite, hinwärts, hinter dir 20_{22}; מִשְּׂמֹאל nordwärts Jos 19_{27}; מֵרָחוֹק (fliehen) weithin Js 22_{3}; c) zeigt den Ort an, in dessen Richtung, **wo** etwas ist (HeSy. § 111a; in = בְּ, Dahood Bibl. 48, 427): מִקֶּדֶם ostwärts, im Osten Gn 2_{8}, מִבַּיִת innen Lv 14_{41}, מִירוּשׁ׳ in Jerus. 2S 5_{13}; מִכָּל־הַמְּקֹמוֹת allerorts Esr 1_{4}, מֵעָלַי auf mir Hi 30_{30}, מֵרָחוֹק von fern her = in d. Ferne Js 5_{26} 23_{7}, cf. מִמַּעַל oberhalb, oben u. מִתַּחַת unten Ex 20_{4}; — 2. **zeitlich**: a) **seit** מִנְּעָרִים 1S 12_{2}; מִבֶּטֶן אִמִּי Ri 16_{17}, מִן־הִתְחַבְּרוּת Da 11_{23}; der Anfangspunkt ist eingeschlossen: מִיָּמֶיךָ vom Anfang d. Tage an Hi 38_{12}, מִשְּׁנַת הַיֹּבֵל v. Anfang d. J. an Lv 27_{17} (:: אַחַר הַיּוֹבֵל) 27_{18}; b) **gleich nach** (cf. *ex itinere*): מֵהָקִיץ Ps 73_{20}, מֵרֶחֶם gleich als ich aus . . . kam Hi 3_{11}, מִמָּחֳרָת gleich andern Tags Gn 19_{34} Ex 9_{6}; c) **nach**: מִקֵּץ יָמִים einige Tage darauf Gn 4_{3}, מִיֹּמָיִם nach 2 T. Hos 6_{2}, מִיָּמִים nach einiger Zeit Ri 11_{4}; auch v. zukünftiger Zeit Js 24_{22} Ez 38_{8}; d) v. d. Zeit, in der etwas geschieht (= בְּ ↗ 1c): מִימֵי קֶדֶם in d. Urzeit Js 37_{26}, מֵחֹרֶף im Herbst Pr 20_{4}, c.

inf. מְבוֹא bei d. Heimfahrt Js 23$_{1}$; cf. c. טֶרֶם, אָז; — 3. bezeichnet a) den **Stoff**, aus dem etwas gemacht ist: מִן־הָאֲדָמָה Gn 2$_{19}$, נִסְכֵּיהֶם מִדָּם ihre blutigen Trankopfer Ps 16$_{4}$, מֵחָמֵץ תּוֹדָה Dankopfer von Gesäuertem Am 4$_{5}$; b) den Ursprungsort: מִצָּרְעָה aus Z. Ri 13$_{2}$; — 4. bezeichnet a) d. **Ursache**: מֵרֵיחַ מַיִם vom Duft d. Wassers Hi 14$_{9}$, מֵחֶזְיֹונוֹת durch Gesichte Hi 7$_{14}$ (|| בַּחֲלֹמוֹת), מֵרֹב durch d. Menge Ez 28$_{18}$; b) den **Urheber**: מֵהַמֶּלֶךְ v. König ausgegangen 2S 3$_{37}$, מִמֶּנִּי וּמֵהֶם das meine u. d. ihre (Wort) Jr 44$_{28}$, הוֹכֵחַ מִכֶּם v. euch ausgehender Tadel Hi 6$_{25}$; c) d. logische Sbj. b. pass. Vb: מִמֵּי הַמַּבּוּל von d. Wassern d. Flut Gn 9$_{11}$, מֵרֹעֶה אֶחָד von einem H. Koh 12$_{11}$; — 5. bezeichnet d. Standort d. Beurteilenden (GK § 133c, HeSy § 111g): a) קָטֹנְתִּי מִן bin zu gering für Gn 32$_{11}$, כָּבֵד מִן zu schwer Ex 18$_{18}$, נִפְלָא מִן zu wunderbar > unbegreiflich Dt 17$_{8}$, רַב מִמְּךָ הַדֶּרֶךְ zu weit für dich 1K 19$_{7}$; b) ersetzt so beim Adj. d. fehlenden Komparativ, **mehr als** (cf. עַל 1e): חכם מִן weiser s. als 1K 5$_{11}$; b. Vb. גִּדֵּל מִן grösser machen als 1K 14$_{7}$, הִשְׁחִיתוּ מִן trieben es ärger als Ri 2$_{19}$; — 6. bezeichnet d. logische Ursache (☞ 4a): in Folge von, **wegen**: מִקּוֹל הַקֹּרֵא Js 6$_{4}$, מִפִּי י׳ nach J.s Befehl 2C 36$_{12}$, מִכֶּם euretwegen Rt 1$_{13}$; daher מִבְּלִי ,מִבִּלְתִּי weil nicht ist, aus Mangel an; — 7. m. Vben d. Fürchtens, Verbergens, Warnens, Sichhütens: **von, vor**: a) c. בָּרַח Hi 27$_{22}$, c. גֵּרֵשׁ Ex 23$_{31}$, c. זהר hif. Ez 33$_{8}$, יָרֵא Ex 34$_{30}$, סתר nif. Gn 4$_{14}$, שׁמר nif. Gn 31$_{29}$; b) daher: fern von > **ohne** (VG 2, 402): מִפַּחַד Hi 21$_{9}$, מִנִּי רֶגֶל ohne Gebrauch d. Fusses Hi 28$_{4}$, מִמּוּם ohne Fehl Hi 11$_{15}$, מֵעֹצֶר וּמִמִּשְׁפָּט Js 53$_{8}$ (:: Driv. Fschr. PKahle 94: „nach" sec. 2b), מֵרִיב Pr 20$_{3}$, מֵעֵינֵי הָעֵדָה ohne Wissen d. Gemeinde Nu 15$_{24}$, מֵאַחֶרֶת abgesehen v. d. anderen 2S 13$_{16}$ (al. מֵהָאַחֶרֶת grösser als d. a.); — 8. **partitiv** (HeSy § 111a) a) Teil eines ganzen וַאֲשֶׁר ··· מִכָּל־יִשְׂר׳ aus ganz Isr. Ex 18$_{25}$, מִן־הַלְוִיִּם u. sofern einer v. d. L. Lv 25$_{33}$ (☞ Ell. 356[40]), מֵהַרְבֵּה v. vielen Jr 42$_{2}$, מִכֹּל הָעַמִּים unter allen V. Dt 14$_{2}$; b) nach Adj. **superlativisch** (GK § 133g): הַטּוֹב וְהַיָּשָׁר מִבְּנֵי der Wägste u. Beste von 2K 10$_{3}$; c) d. Teilgrösse ist nicht genannt: מִן־שָׂרָיו einer v. s. Fürsten Da 11$_{5}$, מִבְּנוֹת eine v. d. Töchtern Ex 6$_{25}$, מִזִּקְנֵי einige v. Ex 17$_{5}$, מִפְּרִי (Könige) aus d. Frucht Ps 132$_{11}$, מִנְּשִׁיקוֹת mit Küssen HL 1$_{2}$ (☞ Rud.); neg.: מֵעַבְדֵי niemand v. d. Dienern 2K 10$_{23}$, לֹא מִיָּמָי keinen meiner Tage Hi 27$_{6}$; d) unbestimmter Teil e. Ganzen: מִדָּם etwas v. d. Blut Lv 5$_{9}$, מֵעֲוֹנֶךָ e. Teil d. Schuld Hi 11$_{6}$ (txt. ?); c. אַחַת ,אֶחָד irgend etw. v. diesen Dingen Lv 4$_{2}$; — 9. מִן c. inf.: a) מֵאַהֲבַת weil er liebt Dt 7$_{8}$; b) sodass nicht (cf. 7): מֵרְאוֹת Gn 27$_{1}$, נָקֵל מִהְיוֹתְךָ לִי עֶבֶד es ist dir zu wenig, mein Knecht zu sein Js 49$_{6}$; הֱיוֹת dabei ausgelassen: מִמֶּלֶךְ 1S 15$_{23}$, מִגּוֹי dass es kein Volk mehr ist Jr 48$_{2}$; c) zeitlich: מִן־שָׁלְחוֹ אֹתָם nach dem er 1C 8$_{8}$; — 10. m. andern Präp.: a) davor: מֵעִם, מֵאֵת, מֵעַל, מִבַּעַד, מִבֵּין, מֵאַחַר, מִתַּחַת ☞ אַחַר, בֵּין etc.; מבראשית im Anbeginn Sir 15$_{14}$; b) dahinter: לְמִן (ph. Friedr. § 253, sy. md. MdD 226a) von . . . her: לְמֵרָחוֹק Hi 36$_{3}$, (tpl.) von lange her Js 37$_{26}$, :: (לְ hin) fern hin Hi 39$_{29}$; לְמִבֵּית לְ innerhalb von Nu 18$_{7}$; לְמִתַּחַת לְ unterhalb von 1K 7$_{32}$; לְמִיּוֹם Js 7$_{17}$, לְמִן־הַיּוֹם seit d. Tage, da 2S 7$_{11}$, לְמִיָּמִים 1C 17$_{10}$, לְמִימֵי Mal 3$_{7}$, לְמִבֶּן ··· וּלְמַטָּה v. d. Zwanzigjährigen an u. darunter 1C 27$_{23}$, לְמִנִּי ··· וְעַד von . . . an u. bis Mi 7$_{12}$, לֹא לְמֵאִישׁ וְעַד בְּהֵמָה weder . . . noch Ex 11$_{7}$; — 11. Dt 33$_{11}$ מִן־יְקוּמוּן (= 4Q Test.$_{20}$ בל יקומו, DJD V p. 58, 20, p. 60, Lohse 250) conj. damit nicht, (GK § 165b) ? 1 פֶּן (☞ Kennedy 95; Steuern. GHK I 3 Dtn.); — 2K 20$_{18}$ u. Js 39$_{7}$ pr. מִמְּךָ l מִמֵּעֶיךָ (1QJs[a]); Js

30_6 l מֵהֶם (המם hif.) od. נֹהֵם; Ez 32_6 l מִדָּמֶךָ.

מְנָאוֹת Neh 12_{44}: ↗ מְנָת.

***מַנְגִּינָה**, or. מ׳ (MTB 73): נגן, BL 494f: מַנְגִּינָתָם: **Spottlied** Kl 3_{63}; ↗ נְגִינָה. †

מנה: מנו/י teilen, zählen, Albr. BASOR 94, 18[30]; mhe., ja. cp. sy. מנא; ug. *mny* (UT nr. 1502, Aistl. 1600), aram. (DISO 159), ba., md. (MdD 274a); akk. *manû* (AHw. 604a, ZA 59, 225) zählen, rechnen, rezitieren; ar. *mnj/w* versuchen, erproben, bestimmen, fehlt äth.[G] (Lesl. 31); asa. *mnw* (Conti 179a, Höfner RAAM 350, Müller 102):

qal: pf. מָנָה, מָנִיתִי; impf. יִמְנוּ, תִּמְנֶה; imp. מְנֵה; inf. מְנוֹת; pt. מוֹנֶה: — 1. in Teile zerlegen, **zählen**: Staubkörner Gn 13_{16} Nu 23_{10}, Tage Ps 90_{12}, Sterne Ps 147_4 (den Sternen ihre Zahl, Meissn. BuA 2, 131, Jeremias Hdb. 265ff), Vieh Jr 33_{13}, Volk 2S 24_1 1C 21_1 27_{24}, Geld 2K 12_{11}; sich ein Heer auszählen 1K 20_{25}; c. בָּעָם Zählung durchführen 1C 21_{17}; — 2. **rechnen als** (↗ חשב) חיים als Leben Sir 40_{29}; — 3. zuzählen, **übergeben** (cf. ספר Esr 1_8) Js 65_{12}. †

nif: pf. נִמְנָה; impf. יִמָּנֶה, יִמָּנוּ; inf. הִמָּנוֹת: — 1. 1K 3_8 (|| ספר nif.) 8_5 2C 5_6 **sich zählen lassen** (BL 289w, 1c, Bgstr. 2, 90) Koh 1_{15}; — 2. **gezählt werden** Gn 13_{16}, c. אֶת־ unter (cf. I משל nif.) Js 53_{12}. †

pi. (Jenni 213): pf. מִנָּה, מִנּוּ; impf. וַיְמַן: ↗ מְנָת, ? aLw. 174: — 1. **zuteilen** Hi 7_3 (? l מִנּוּ GSV), bestimmen (Gott) Ps 16_5 (pr. מְנָת l מִנִּיתָ); — 2. **entbieten** Jon 2_1 4_{6-8} Da $1_{5.10f}$; — Ps 61_8 ↗ מַן. †

pu: pt. מְמֻנִּים **bestellt** 1C 9_{29}; ↗ pi., ba. pa. †

Der. מַן (?), מָנֶה, *מֹנֶה, מְנִי, *מְנָת; n.m. יִמְנָה.

מָנֶה: mhe.; ug. *mn*, *mana* (Eissf. Fschr. Berth. 153[2], UT nr. 1495); asin. (Albr. PrSinI 41) *mn.*; äga. מנה (DISO 158), ba. מנא, ja. מְנֵא/י, ja. sy. md. (MdD 275a) מַנְיָא; < akk. *manû* > sum. *mana* (Zimmern 20, AHw. 604a) > äg. *mnn* (EG 2, 82) > ar. *manan*; > grie. μνᾶ, lat. *mana* (Lewy Fw 118, Mayer 330, Masson 32f): **Mine** (Gewichtseinheit f. Edelmetall) BRL 185ff, BHH 1166f, de Vaux Inst. 1, 309f: = 50 (l חֲמִשִּׁים) שֶׁקֶל Ez 45_{12}, 4Q 159, II 9; 3 M. Gold 1K 10_{17} (= 2C 9_{16} שְׁלֹשׁ מֵאוֹת sc. שֶׁקֶל, Rud. Chr. 223, Noth 230), 5000 M. Silber Esr 2_{69}, 2000 Neh 7_{71}, 2200 7_{70}. †

מָנָה, Sam.[M133] [BCh.] *māne/i*: מנה, ↗ מְנָת; mhe., äga. palm. (DISO 158): מְנוֹת, מְנָתָהּ (BL 240t.252r; Ⓑ ־תֵיהָ) Est 2_9: — 1. **Anteil**, **Portion** (an Opferfleisch, Speise) a) an Opferfleisch Ex 29_{26} Lv 7_{33} 8_{29} 1S 1_{4f} 9_{23}; b) an d. Delikatessen d. Festtages (AuS 1, 428f) Est $9_{19.22}$ Neh $8_{10.12}$ 2C 31_{19} Sir 41_{21}; c) gebührende Verpflegung Est 2_9; — 2. **Geschick** (ar. *manan*, cf. αἶσα, μοῖρα) Sir 26_3 Var. pr. מתנה (Tarb. 29, 133). †

***מֹנֶה**: מנה, BL 475q, Barth Nb. § 98bβ: מֹנִים, Sam.[M133] *mānem*: Teil, **Mal**, עֲשֶׂרֶת מֹנִים Gn $31_{7.41}$. †

מִנְהָג: נהג, BL 490z; mhe. u. ja.[tg] מִנְהָגָא Brauch, Sitte, מ׳ התורה Dam. 19, 3; asa. (ZAW 75, 312) *mnhg* Weg: מִנְהַג: **Fahren u. Lenken** (e. Wagens) 2K 9_{20}. †

***מִנְהָרָה**: III נהר, BL 490; ar. *manhar* Strombett in Felsschlucht: מִנְהָרוֹת: **Löcher** im Felsboden (G[B] τρυμαλία Nadelöhr; neben מְעָרוֹת) als unterirdische Behälter (Karge, Rephaim, 1917, 4[1]) Ri 6_2. †

***מָנוֹד**: נוד, BL 491g.493e; mhe.[2] zittern: מְנוֹד Schütteln, c. ראש (Gegenstand v.) **Kopfschütteln** (|| מָשָׁל; cf. Ps 22_8, ↗ נוד hif. u. נוע hif. 3) Gestus d. Spottes, ? urspr. apotrop. Ps 44_{15}; cj 31_{12} u. 80_7. †

I **מָנוֹחַ**: נוח, BL 491g; mhe.[2], DSS; ? ug. *mnḥ* (Aistl. 1772, CML 161b :: UT nr. 13); ? asin. (PrSinI. 41): מָנוֹחַ, מְנוּחָיְכִי (BL 193q.253u) Ps 116_7: — 1. **Rastplatz**

(↗ מְנוּחָה): für Tiere Gn 8_{9}, Vertriebene Dt 28_{65} Kl 1_{3}, Familienlose Rt 3_{1}, לִילִית Js 34_{14}; בית מ׳ Sir$^{Adl.}$ 33_{4}, cj ובנית (Marcus, :: Driv. ExpT 49, 37); f. d. נֶפֶשׁ Ps 116_{7}; — 2. dauernd (wie m. inf.) מְמ׳ הָאָרוֹן nachdem sie ihre bleibende Statt gefunden 1C 6_{16}; — Sir 12_{3} l מניח (נוח hif. pt.). †

II **מָנוֹחַ**: n.m.; ar. *manāḥ* freigebig (Noth 228); מנח Dir. 172: V. v. Simson, Ri 13_{2}-16_{31}; ↗ מְנַחַת, cf. Zobel BZAW 95, 89.

מְנוּחָה, Gn 49_{15} מְנֻחָה, Sam.^{M154} *mānūwwa*: (Dahood Bibl. 48, 427f: מָנוֹחַ + ה loc.): mhe., ihe. Grab (DISO 159): מְנֻחָתוֹ, מְנֻחָתֵךְ, מְנֻ/נוּחוֹת: **Ruhe** (v. Rad, GesSt. 101ff.): — 1. örtlich: a) **Rastplatz** (G NT κατάπαυσις) Gn 49_{15} Nu 10_{33}, מֵי מְ׳ am Wasser Ps 23_{2}, שַׂר מְ׳ Quartiermeister Jr 51_{59}; b) **Ruheplatz** Js 28_{12} (|| מַרְגֵּעָה) 32_{18}, neg. Mi 2_{10}; Heimstätte Rt 1_{9}; c) Kanaan als Wohnsitz für Isr. Dt 12_{9} 1K 8_{56} Js 11_{10}; d) Gottes Wohnsitz Js 66_{1} Ps 95_{11} $132_{8.14}$; f. s. Wort Zch 9_{1}; בֵּית מְ׳ f. d. Lade 1C 28_{2}; — 2. psycholog: **Beruhigung** 2S 14_{17} Jr 45_{3}; Ruhe: אִישׁ מְ׳ gelassen 1C 22_{9}; — Ri 20_{43} ? l מִמְּנוּחָה ohne Rast (↗ לאין מנוח 1QHod 8_{30}) od. l מְנוּחָה v. N. aus (n.l., ↗ 1C 8_{2}); 1C 2_{52} l הַמָּנַחְתִּי $_{54}$. †

cj ***מָנוֹל**: Hi 15_{29}: l מְנֹלָם pr. מִנְלָם: II נול, BL 491g; ar. *manāl*: Erworbenes, **Besitz** (Zorell 450a, Dahood Fschr. Grünth. 60f). †

מָנוֹן, מנן, BL 466n.469e; ? **hochfahrend, frech, rebellisch**: Pr 29_{21} (Sklave), Sir 47_{23} (V *contumax* Rehabeam :: Salomo). †

מָנוֹס: נוס, BL 491g: mhe. בֵּית מְ׳: מְנוּסִי: **Zufluchtsort** 2S 22_{3} (|| מִשְׂגָּב) Jr 16_{19} 46_{5} (pr. inf. abs., GK § 117q) Ps 59_{17}; Zuflucht c. אבד geht verloren Jr 25_{35} Am 2_{14} Ps 142_{5} Hi 11_{20}; ↗ מְנוּסָה. †

מְנוּסָה: f. v. מָנוֹס, BL 491i; mhe.^{2}: מְנֻסַת: **Zufluchtsort** Lv 26_{36} Js 52_{12}. †

מָנוֹר: = mhe. נִיר; ja.^{gb} sy. נִירָא; > ar. *nīr* (Webstuhljoch; ? ar. *naul, minwal* Webstuhl); akk. *nīru* (AHw. 793b): מְנוֹר אֹרְגִים **Web(er)baum**, Querbalken am Webstuhl (AuS 5, 112ff, BHH 2143) 1S 17_{7} (z. Vergleich ↗ Yadin PEQ 86, 58ff :: Galling VTSu. 15, 158ff) 2S 21_{19} 1C 11_{23} 20_{5}. †

מְנוֹרָה u. מְנֹרָה: נור, BL 491i; mhe. ja.^{tg} u. sam. (BCh. 2, 502b) מְנַרְתָּא, äga. (DISO 158), asa. *mnwrt* (Conti 185a): מְנֹ(ו)רַת, מְנֹ(ו)רוֹת; **Lampenständer, Leuchter** (BRL 349, Möhlenbrink ZDPV 52, 262ff, BHH 1075) im Haus 2K 4_{10}, in Stiftshütte u. Tempel Ex 25_{31-35} 26_{35} 30_{27} 31_{8} 35_{14} 37_{17-20} 39_{37} $40_{4.24}$ Lv 24_{4} Nu 3_{31} 4_{9} 8_{2-4} 1K 7_{49} Jr 52_{19} Zch $4_{2.11}$ 1C 28_{15} 2C $4_{7.20}$ 13_{11}. †

***מִנְּזָר**: (dag. dir. BL 212k): ? Lw. v. akk. *maṣṣāru, manzaru* (Zimmern 7, √ *naṣāru*, AHw. 621a), :: *manzāzu, manzaz pāni/bābi* (AHw. 639a; ז: ר ↗ Del. LSF § 112, Kennedy 72, BASOR 113, 26): מִנְּזָרִים: **Höfling** Nah 3_{17} (|| טִפְסָר; מֶלְצָר). †

מֻנָּח: Ez $41_{9.11a.b}$; נוח hof. II pt., > sbst. (SS, BDB; Zimm. 1031); ? freigelassener Raum, e. Brandgasse (Ell. Fschr. Alt I 82, Galling b. Fohrer Ez. 231). †

מנח: ar. *manaḥa* geben, leihen, tigr. (Wb. 127a, Lesl. 31) *mannaḥa* e. Kuh leiheweise überlassen od. schenken; Der. מִנְחָה; ? denom. (Albr. BASOR 146, 35).

מִנְחָה (210 ×); Sam.^{M133} *mānā*, 2K 17_{3f} G μαναα, Mal 2_{13} G^{Eβρ} μανα, Hier. *manaa* (Sperber 237), or. מ׳ (!) MTB 69f; מנח, BL 459y; mhe. ja. (pl. מִנְחָתָא) Nachmittagsgebet, ja.^{tg} Opfer; ug. *mnḥ* (UT nr. 1500, Aistl. 1597) Geschenk, Tribut (|| *ʾrgmn*, ↗ he. אַרְגָּמָן) pl. *manaḫāti* PRU IV p. 293_{5} (BASOR 146, 35), ph. מנחת, äga. u. מנחה (DISO 159); ar. *minḥat* Geschenk: מִנְחָתֶךָ, מִנְחָתְךָ/תֵךְ, מִנְחָתִי, מִנְחַת (BL 252r), מִנְחֹתֵיכֶם: Grdb. Gabe (Koehler Theol. 174f, Ringr. IR 152f): — I (37 ×) **Gabe, Geschenk** (profan) um Verehrung, Dank, Huldigung, Freundschaft, Abhängigkeit auszudrücken, G meist δῶρα: — 1. **Verehrung**: Gideon-

Engel Ri 6$_{18}$, Volk-König 1S 10$_{27}$, König-Prophet 2K 8$_{8f}$; — 2. **Dank**: Völker-יהוה Ps 96$_8$ 1C 16$_{29}$, Judäer-יהוה 2C 32$_{23}$, Judäer-König 17$_5$; — 3. **Huldigung**: Jakob-Esau Gn 32$_{14.19.21f}$ 33$_{10}$, Brüder-Josef 43$_{11.15.25f}$; — 4. (politische) **Freundschaft**: Könige u. Reiche untereinander 2K 20$_{12}$ Js 39$_1$; 1K 5$_1$ 10$_{25}$ 2C 9$_{24}$; Ps 45$_{13}$ 72$_{10}$; — 5. **Tribut** (↗ ug.) Ri 3$_{15.17f}$; 2S 8$_2$/1C 18$_2$; 2S 8$_6$/1C 18$_6$; 2K 17$_{3f}$; Hos 10$_6$; 2C 17$_{11}$; 26$_8$; c. כִּפֶּר Gn 32$_{21}$, c. הִקְרִיב Ri 3$_{17}$, c. הִנִּיחַ 6$_{18}$, c. הִגִּישׁ 1K 5$_1$, c. חִלָּה פְנֵי Ps 45$_{13}$;

II **Opfer** (Gray Sacr. 13ff, Ringr. IR 152f, Rendtorff, Studien zur Geschichte d. Opfers im Alten Israel, 1967, 169ff): — 1. ältere Stellen Huldigungsopfer (gleichgültig, ob Fleisch oder Brotfrucht) Gn 4$_{3-5}$ Ri 13$_{19.23}$ 1S 2$_{17}$ (מִנְחַת י׳); יָרַח מ׳ 1S 26$_{19}$; ↗ Js 1$_{13}$ Am 5$_{22.25}$ מ׳ וָנֶסֶךְ Jl 1$_{9.13}$ 2$_{14}$; vielleicht auch 1S 2$_{29}$ Js 19$_{21}$ Jr 14$_{12}$ (עֹלָה וּמ׳) 17$_{26}$ (עֹלָה, זֶבַח, מ׳, לְבֹנָה) 33$_{18}$ (מַקְטִיר מ׳) 41$_5$ (מ׳ וּלְבֹנָה) Zef 3$_{10}$; — 2. in den Gesetzen Ex 29$_{41}$ 30$_9$ 40$_{29}$ Lv 2$_1$-23$_{37}$ (35 ×) Nu 4$_{16}$-29$_{39}$ (62 ×), nie in Dt; Ez 42$_{13}$-46$_{20}$ (15 ×); **Speiseopfer** (Brotfrucht, de Vaux Inst. 2, 300, BHH 1347), ↗ בלל, בִּכּוּרִים, זִכָּרוֹן, מַאֲפֶה (↗ Rud. EN 89f), עֶרֶב u. בֹּקֶר, מַחֲבַת, מַרְחֶשֶׁת, סֹלֶת, פַּת, קְנָאָה, קָרְבָּן, מ׳ חֲדָשָׁה Lv 2$_1$, מִנְחַת כֹּהֵן 6$_{16}$, מִנְחָה לַי׳; תָּמִיד 23$_{16}$ Nu 28$_{26}$; c. לְבֹנָה Lv 6$_8$; Reste verwendet als מַצּוֹת 10$_{12}$; c. עָשָׂה Ez 45$_{17}$ 46$_{7.14f}$, c. הֶעֱלָה Js 57$_6$ 66$_3$ Jr 14$_{12}$ 17$_{26}$, c. הֵבִיא Gn 4$_3$ Js 1$_{13}$ 66$_{20}$ Jr 41$_5$ Mal 1$_{13}$?, c. אָפָה Ez 46$_{20}$, c. הִקְטִיר 2K 16$_{13}$, c. הִגִּישׁ Am 5$_{25}$ Mal 2$_{12}$ 3$_3$; מִנְחָה \|\| חַטָּאת u. אָשָׁם Nu 18$_9$ Ez 42$_{13}$ 44$_{29}$, \|\| עֹלָה Nu 28$_{20.31}$ 29$_6$ u. oft, \|\| זֶבַח 1S 3$_{14}$ Js 19$_{21}$ Da 9$_{27}$, עֹלָה וּמ׳ Ex 30$_9$ (18 ×), \|\| עֹלָה u. זֶבַח Jos 22$_{29}$ Jr 17$_{26}$ 33$_{18}$ (Snaith, VT 21, 620ff); זֶבַח וּמ׳ Ps 40$_7$; — 3. übrige Stellen: Jos 22$_{23}$ 1K 8$_{64}$, עֲלוֹת הַמִּנְחָה als Zeitbestimmung 1K 18$_{29.36}$ 2K 3$_{20}$; 2K 16$_{13.15}$ Js 43$_{23}$ Mal 1$_{10.11}$ (מ׳ טְהוֹרָה) 2$_{13}$ 3$_4$ Ps 20$_4$ 141$_2$ Da 9$_{21}$ Esr 9$_{4f}$ Neh 10$_{34}$ 13$_{5.9}$ 1C 21$_{23}$ 23$_{29}$ 2C 7$_7$. †

מְנַחֵם: n.m.; נחם pi., „Tröster" (Noth 222; HEN 421b), als Ersatz f. verstorbenes Familienglied, cf. מְשֻׁלָּם, Dir. 352 fem. מנחמת (HFN 322); klschr. *Min(a)ḫimu* u.ä. (APN 138a), *Menuḫim(m)e* (Arch OTSt. 65); ug. *mnḥm*, *Munaḫimu* (UT nr. 1634, Aistl. 1598, PRU III 251a); äga. (AP); Μαναημ (Wuthnow 71), Μανεεμος (Dura-Europos JAOS 57, 319), KAI 41, 3 wiedergegeben m. sinnverwandtem Μανασσης = *מְנַשֶּׁה „vergessen machend" : **Menahem**, K. v. Isr. (BHH 1188) 2K 15$_{14-23}$. †

I **מָנַחַת**: n.m.; נוח, BL 608i; edom. Stamm, Meyer Isr. 340, Moritz ZAW 44, 91: Gn 36$_{23}$ 1C 1$_{40}$. †

II *מָנַחַת: מָנֶחַת: n.l.; נוח (BL 608i; BDB 630a, Lex.[1]), „Ruheort" od. נחת, aram., „Ort am Abstieg" (Noth Jos. 147); — 1. G Μανοχω, n.l. od. Sippe in Juda, = *el-Mālḥa* n. Βαιθηρ, Bether; ? = *Manḫate* EA 292, 30; Abel 2, 377, GTT § 319, E 11, Noth Jos. 99; G Jos 15$_{59}$; gntl. מָנַחְתִּי 1C 2$_{54}$, cj 52; — 2. n.l. od. terr.; G^{BA} Μαναχθει, G^{L} Μανουαθ; ausserpal. Benjaminiten v. גֶּבַע dorthin deportiert; ign.: 1C 8$_6$, ↗ Rud. Chr. 79. †

מְנִי: מנה, BL 458x: Zuteilung, Schicksal; > n.d. Schicksalsgott **Meni**; ar. f. *Manāt* (↗ מְנָת), nab. מנ(ו)תו Cant. Nab. 2, 116a, tham. Lihj, Ryckm. 1, 128, Wellh. RaH. 25ff, HwbIsl. 418, Klinke 36f, WbMy 1, 454, Mulder 85: Js 65$_{11}$ (\|\| גַּד). †

I **מִנִּי**: Jr 51$_{27}$ neben אֲרָרַט u. אַשְׁכְּנַז, Volk u. Landschaft in Armenien, ssö. Urmiasee, ass. *Man*, *Mannai*, VAB VII CCCLVff 796, Rud. Jer.[3] 310, BHH 1218. †

II **מִנִּי**: — 1. (30 ×) u. מִנֵּי Js 30$_{11}$: ↗ מִן; — 2. מִנִּים Ps 45$_9$ 150$_4$: ↗ מֵן.

מְנָיוֹת: pl. v. ↗ מְנָת.

מִנְיָמִין: n.m.; klschr. *Miniamin* u.ä. (BEUP IX 27. 63, X 55; [מ]נימין ja. Dura-Europos

(Milik Syr. 45, 103f); < ↗ בִּנְיָמִין u. > מִיָּמִ(י)ן (:: BDB, Lex.[1]): — 1. Priester (?) unter Hiskia 2C 31_{15} (MSS u. GSV 'בְּנֵי); — 2. Priester Neh $12_{17.41}$, מִיָּמִין 12_{5}. †

I מִנִּית: n.l. in Ammon; Eus. Onom. מענית, 4 Meilen v. חֶשְׁבּוֹן, Abel 2, 388; :: Noth PJb 37, 71[2] GTT § 596/7: Ri 11_{33}. †

II מִנִּית: חִטֵּי מִנִּית Ez 27_{17} ? ,,Minnit-Weizen"; ? indisches Lehnwort. **Reis** < tamilisch *unṭi* > ar. *tem(e)n* (Rabin JSSt. 11, 2ff). †

[מִנְלָם Hi 15_{29}: ↗ cj מָנוֹל.]

מנן: ? ar. *mnn* einem Wohltaten vorwerfen, äth. tigr. (Wb. 128a) verachten, ablehnen. Der. מָנוֹן.

מנע: mhe. jaud. äga. (DISO 159), ja. md. (MdD 274b), ar. *manaʿa*, tigr. (Wb. 129a) aufhalten, hindern, fernhalten, verweigern; sy. gelangen:

qal: pf. מָנַע, מָנַעְתִּי, מְנָעֲךָ; impf. יִמְנַע/אֶ, יִמְנָעֶנָּה, יִמְנָעֵנִי; imp. מְנַע, מִנְעִי; pt. מֹנֵעַ: — 1. etw. **zurückhalten** Ez 31_{15} Hi 20_{13}, Brotfrucht v. Verkauf Pr 11_{26}; — 2. etw. **vorenthalten, verweigern** Sir 41_{19}; c. מִן jmdm Gn 30_{2} 2S 13_{13} 1K 20_{7} Jr 42_{4} Am 4_{7} Ps 21_{3} Pr 3_{27} 23_{13} 30_{7} Hi 22_{7} 31_{16} Neh 9_{20}, c. לְ Ps 84_{12} (↗ לְ 5); — 3. c. מִן a) jmd **abhalten** von 1S $25_{26.34}$ Jr 2_{25} 31_{16} Pr 1_{15} Koh 2_{10}; b) **fernhalten** von Nu 24_{11} Jr 5_{25} 48_{10}. †

nif: pf. נִמְנַע; impf. יִמָּנַע: — 1. **vorenthalten werden** Jl 1_{13} Hi 38_{15}, Regen Jr 3_{3}; — 2. **sich abhalten lassen** Nu 22_{16}. †

Der. n.m. יִמְנָע.

מַנְעוּל: נעל, BL 494g; mhe.: מַנְעוּלָיו; **Verschluss, Riegel**: HL 5_{5} (כַּפּוֹת מַ') Neh $3_{3.6.13-15}$ (immer neben בְּרִיחַ). †

*מִנְעָל: נעל, BL 490z; mhe. Schuh, cf. נַעַל: בַּרְזֶל מִנְעָלֶיךָ (mhe. מִנְעָלוֹת): Dt 33_{25} (v. בַּרְזֶל u. נְחֹשֶׁת) **Riegel** (Zobel, BZAW 95, 44[80]; al. c. GSV Schuhe, Saadja Gen. 893, ↗ Dt 29_{4} Jos 9_{13}). †

מַנְעַמִּים: נעם, BL 558c; ph. מנעם (DISO 159): pltt: **Leckerbissen** Ps 141_{4}. †

מְנַעַנְעִים: נוע, pt. pilp., BL 482l; e. Schlaginstrument, ,,Rassel" d. äg. **Sistrum** (AΣV), ↗ BRL 393, Kolari 20f, Wegner 17.24f, BHH 1258: 2S 6_{5}, der Klagefrauen MiKel XVI 7. †

*מְנַקִּית: II נקה, BL 604c; mhe. מְנַקִּיּוֹת Röhren; DJD III 253.143 מנקיאות, sy. *mnēqītā*, md. (MdD 286a) *nāqītā*: מְנַקִּיֹּת, מְנַקִּיֹּתָיו: **Spendeschale** (Kelso § 54) Ex 25_{29} 37_{16} Nu 4_{7} Jr 52_{19}. †

מֵנֶקֶת Gn 24_{59}: ↗ מֵינֶקֶת.

מְנַשֶּׁה, Sam.[M153] *mānāši*: n.m. et tr.; נשה pi. pt., ,,vergessen machend" (Noth 222; HEN 422a), cf. Gn 41_{51}; ph. מנשי, Μνασεας (PNPhPI 142.363f), Μανασες (= ↗ מְנַחֵם KAI 41, 3); klschr. *Menasī, Minsē* (APN 136): **Manasse** (BHH 1136f): — I. n.m.: — 1. S. v. Josef Gn 41_{51} 46_{20} 48_{1-20} 50_{23} Nu 1_{10} 27_{1} 32_{39-41} 36_{1} Dt 3_{14} Jos 13_{31} 16_{4} 17_{1-3} 1K 4_{13} 1C $7_{14.17}$; Ri 18_{30} ↗ מֹשֶׁה; — 2. K. v. Juda 2K 20_{21} 21_{1-20} 24_{3} Jr 15_{4} 2C 32_{33} 33_{1-23} (↗ Ehrlich ThZ 21, 281ff) Sgl d. מ' בן המלך IEJ 13, 133; — 3. u. 4. Esr. $10_{30.33}$ (Judäer m. fremden Frauen); hellenistisch dafür Μενέλαος. — II. d. Stamm M. (Meyer Isr. 515ff, Mow. Fschr. Eissf. II 141f, Noth GI 86ff, WdAT 66f, Zobel, BZAW 95, 115ff) Nu $26_{28.34}$ Dt 33_{17} 34_{2} Jos 17_{5-11} Ri 1_{27} $6_{15.35}$ 7_{23} 11_{29} 12_{4} Js 9_{20} Ez 48_{4} Ps 60_{9} 80_{3} 108_{9} 1C 12_{20f} 2C 15_{9} $30_{1.10f.18}$ 31_{1} $34_{6.9}$, בְּנֵי מְ' Nu 1_{34} 2_{20} 7_{54} 26_{29} 36_{12} Jos 16_{9} $17_{2.6.12}$ 22_{30f}; מַטֵּה מְ' Nu 1_{35} 2_{20} 13_{11} Jos 17_{1} 20_{8} 1C 6_{47}; מַטֵּה בְנֵי מְ' Nu 10_{23} 34_{23}; חֲצִי מַטֵּה מְ' Nu 34_{14} Jos $21_{5f.25.27}$ $22_{1.7}$ 1C $6_{46.55f}$ 12_{32}; חֲצִי שֵׁבֶט מְ' Nu 32_{33} Dt 3_{13} Jos 1_{12} 4_{12} 12_{6} $13_{7.29}$ 18_{7} $22_{9-11.13.15.21}$ 1C $5_{18.23.26}$ 12_{38} 26_{32} 27_{20}; מַטּוֹת מְ' וְאֶפְרַיִם Jos 14_{4}; בְּנוֹת מְ' Jos 17_{6}; גְּבוּל מְ' 17_{7-9} Ez 48_{5}; עָרֵי מְ' Jos 17_{9}; Apk 7_{6} Ersatz f. Dan, aus dem d. Antichrist kommen sollte, ↗ WBousset, Antichrist, 1895, 112ff; — gntl. מְנַשִּׁי Dt 4_{43} 29_{7} 2K 10_{33} 1C 26_{32}.

***מְנָת**: מנה, BL 463x. 598; aLw. 175; mhe.; äga. palm. (DISO 158), ja. sy. cp. md. (MdD 275a) מְנָתָא; ug. *mnt* 1. Teil, Portion, 2. Aufzählung (Aistl. 1600, UT nr. 1502); ? akk. *manātu* (AHw. 602); ↗ n.d. מְנִי: cs. =; pl. cs. מְנָיוֹת Neh 12$_{47}$ 13$_{10}$, מְנָאוֹת 12$_{44}$: **Anteil** Jr 13$_{25}$ Ps 63$_{11}$ 2C 31$_{4}$, pl. Neh 12$_{44.47}$ 13$_{10}$, cj מְנִיָּת (↗ Kennedy 100) 13$_{5}$ V (pr. מִצְוַת) u. 2K 23$_{9}$ (pr. מַצּוֹת); מְנָת כּוֹס Becheranteil Ps 11$_{6}$ 16$_{5}$ מְ׳ חֶלְקִי וְכוֹסִי (cj מְנָתָ, :: ROtto, Reich Gottes u. Menschensohn, 1934, 238[1]); — ? Beitrag 2C 31$_{3}$, cj מַתְּנַת Ehrl., ↗ Rud. †

מָס: Hi 6$_{14}$; לַמָּס, MSS לַמָּאס u. לַמַּס: ? מסס, BL 453w, „verzagt"; prp. לַמֹּאֵס, לֹא מָאַס u.a., ↗ Komm. †

מַס, Sam.[M134] *mos, massem*: Etym. ?: נשׂא Mtg. JQR 25, 267; asa. *mnšʾ* (Conti 191a), äth. *menšā* (Dillm. 639) Abgabe, mhe.[2] ja.[t] מִסָּא Tribut, Steuer, נסה Kö.; kan. *mazza*, [ameluti]*mazza* Fronarbeiter, EA F 14.23.25 (Thureau- Dangin RA 19, 97f. 108, Alt KlSchr. 3, 171[5]); akk. *massu* Dienstverpflichtung (AHw. 619a); ↗ Täubler 108ff, Mendelsohn BASOR 85, 16f; 167, 31ff, de Vaux Inst. 1, 218ff: מַס Jos 17$_{13}$ Pr 12$_{24}$ (BL 233n), מִסִּים: **Zwangsleistung**, **Frondienst**, ↗ סֵבֶל: Stat. הָיָה לְמַ׳ Dt 20$_{11}$ Ri 1$_{30.33.35}$ Js 31$_{8}$ Pr 12$_{24}$ Kl 1$_{1}$, לְמַ׳ עֹבֵד ↗ 3; שִׂים מַ׳ Jos 17$_{13}$, שִׂים לְמַ׳ Ri 1$_{28}$, נָתַן לְמַ׳ עַל Est 10$_{1}$; הֶעֱלָה מַ׳ 1K 9$_{15.21}$, c. מִן 5$_{27a}$, jmd c. לְמַ׳ 1K 9$_{21}$, הָיָה מַ׳ 1K 5$_{27b}$; — 1. besonders schwere Leistung (Frondienst, Steuer) cf. unterworfenes Volk: d. Kanaanäer Dt 20$_{11}$ (יִהְיוּ לְךָ לְמַ׳ וַעֲבָדוּךָ) Jos 17$_{13}$ Ri 1$_{28.30.33.35}$, Assur Js 31$_{8}$, Steuer f. d. Perserreich u. d. אִיֵּי הַיָּם (↗ Bardtke 402f) Est 10$_{1}$; — 2. Frondienst in Israel 1K 5$_{28}$ 9$_{15}$ 2K 5$_{27}$, שַׂר עַל הַמַּס Aufseher 2S 20$_{24}$ 1K 4$_{6}$ 5$_{28}$ 12$_{18}$ 2C 10$_{18}$; in Äg.: שָׂרֵי מִסִּים (doppelter pl. GK § 124q) Ex 1$_{11}$; metaph. Jerus. הָיְתָה לְמַ׳ Kl 1$_{1}$; רְמִיָּה (יַד) Pr 12$_{24}$; — 3. מַס עֹבֵד (ע׳ attr. od. gen. ?): besondere niedrige Fron, (Noth Kge. 217): völlige Versklavung: Gn 49$_{15}$ (Issachar), Jos 16$_{10}$ (Kanaanäer) c. הָיָה לְ, c. הֶעֱלָה לְ ausheben 1K 9$_{21}$, cj 2C 8$_{8}$ (ins. עֹבֵד, haplogr. Rud.): Staatssklaven als עֲבָדִים d. Königs 2C 8$_{18}$ 9$_{10}$ Esr 2$_{55-58}$ Neh 7$_{57-60}$ (↗ Mendelsohn BASOR 85, 14ff :: Künstlinger OLZ 34, 611f: zu dauernder Tributzahlung. †

***מֵסַב** od. *מֵסֵב (mhe.): סבב, BL 491 l; ↗ מְסִבָּה; mhe. Polster (?), Gelage: מְסִבּוֹ, מְסִבַּי/בָּי: — 1. a) **Tafelrunde** (mhe. מְסִבָּה :: Rud. 127, l מְסִבִּי um mich) HL 1$_{12}$; b) pl. **Umgebung** 2K 23$_{5}$, d. Territorium d. Stadtstaates Jerus. (Noth GesSt. 180[11]); — 2. adv. (BL 632l, Noth l.c.) **rundum** 1K 6$_{29}$, pl. sf. ringsum mich Ps 140$_{10}$ (al. סבב pt. hif.), ctxt. inc., ↗ Komm. †

מְסִבָּה: סבב, f. v. *מֵסַב, BL 433l; mhe. MMidd. IV 3b 5a 7b Tafelrunde, Bankett, ja.[t] מְסִבְּתָא Wendeltreppe: מְסִבּוֹת: — 1. adv. (BL 632l) **rundum** Hi 37$_{12}$; — 2. cj Ez 41$_{7}$ (pr. נָסְבָה c. T, ↗ Zimm. 1030.1036) ug. *msb(?)bt* (UT Text nr. 1151, 10, p. 242) **Umgang** (?). †

I **מַסְגֵּר**: I סגר, BL 492r; ↗ מִסְגֶּרֶת; mhe.[2] Verschluss, ja.[t] מסגרתא Gefängnis, jaud. מסגרת, äga. מסגרא (DISO 160, Lex.[1] 1103a s.v. סגר): **Gefängnis** Js 24$_{22}$ (|| בּוֹר) 42$_{7}$ Ps 142$_{8}$ (= שְׁאוֹל, Dahood, Bibl. 48, 428). †

II **מַסְגֵּר**: II סגר, BL 492r: **Metallarbeiter**, **Schlosser** (:: חָרָשׁ), coll. 2K 24$_{14.16}$ Jr 24$_{1}$ 29$_{2}$. †

מִסְגֶּרֶת, Sam.[M157] *me/asgēret*, Sec. Ps 18$_{46}$ μασγωρωθ, Brönno 179f: סגר, f. v. I מַסְגֵּר, BL 607e; mhe.[2] Leiste; jaud: מִסְגַּרְתּוֹ, מִסְגְּרֹתֶיהָ/תֵיהֶם, מִסְגְּרוֹת (abs. !): — 1. (I סגר) **Gefängnis** Ps 18$_{46}$ / 2S 22$_{46}$, Mi 7$_{17}$; — 2. (? eig. √) **Leiste** an Tisch, Gestell Ex 25$_{25.27}$ 37$_{12.14}$ 1K 7$_{28f.31f.35f}$ 2K 16$_{17}$, Noth Kge. 156f, Gray, Kings[2] 193f. †

מַסָּד, Ⓑ מַסַּד: יסד, BL 490b: **Fundament** (:: טְפָחוֹת) 1K 7_{9}. †

*__מִסְדְּרוֹן__: סדר, m. aff. u. praef., BL 492r + 500p, Barth Nb § 204: loc. מִסְדְּרוֹנָה: inc. T Vorhalle, ? Abort (Glaser ZDPV 55, 81f), ? cf. פַּרְשְׁדוֹן, Delitzsch OLZ 29, 645: Luftloch; cf. Richter BBB 18², 6: Ri 3_{23}. †

מסה: mhe. u. ja. zerfliessen, sy. md. (MdD 275a) gerinnen; ar. *maswat* „Lab", geronnene Milch; äth.ᴳ *masawa* auflösen; Nf. v. מסס:

hif: pf. הִמְסִיו (BL 424); impf. אַמְסֶה, יַמְסֵם, וַתֶּמֶס: — 1. (Eis) **schmelzen machen** Ps 147_{18}; metaph. verschwinden lassen: Herz Jos 14_{8}, Anmut Ps 39_{12}; — 2. (m. Tränen) **schwemmen** Ps 6_{7} (|| שׂחה hif.). †

I *__מַסָּה__: נסה, BL 492p; mhe.: מַסּוֹת: **Erprobung, Versuchung** Dt 4_{34} 7_{19} 29_{2}; ↗ III מַסָּה. †

II *__מַסָּה__: מסס; BL 454a: מַסַּת: **Verzagen** Hi 9_{23}. †

III **מַסָּה**: n.l.; ? = I; Gressm. Mose 451⁴; Wüstenstation, meist m. מְרִיבָה zus.: **Massa**, Ex 17_{7} Dt 9_{22} 33_{8} Ps 95_{8}, הַמַּסָּה Dt 6_{16}, Lehming ZAW 73, 73f, BHH 1158. †

*__מִסָּה__: nur cs. מִסַּת, Sam.ᴹ¹³⁴ *massat*: etym. ?; mhe. מִסַּת genügend, entsprechend; ja. מִסְּתָא für he. רַב, דַּי, חֹק; cp. (Schulth. Gr. 138b), sy. *messᵉtā* Genüge, äga. (DISO 161) כמסת so viele als: (nach) **Massgabe**: מִ׳ נִדְבַת יָדְךָ Dt 16_{10} (l כְּמִ׳, Horst GsR 122²⁸¹). †

מַסְוֶה: סוה, ↗ סוּת, G κάλυμμα, npu. משוית (DISO 160), משות RB 50, 185, 5, ? ar. *šawat* Hirnhaut; mhe. ja. מַסְוָא Hülle, Schleier: **Hülle** Ex 34_{33-35}, cf. סֵתֶר פָּנִים Hi 24_{15}; Schleier: Hönig 99f, Dummermuth ThZ 17, 241ff; Maske d. Priesters: Gressm. Mose 246ff, ZAW 40, 75ff, Jirku ZDPV 67, 43ff, Noth Exod. 220. †

מְסוּכָה: I סוך, od. שׂ/סכך, BL 493b.d; ↗ מְשׂוּכָה; **Dornhecke** Mi 7_{4}. †

מַסָּח: נסח, BL 490b; Mtg.-G. 424, Driv. JThSt. 34, 376; ja. מְסָחָה u. מִסְחֲתָא Wage: Ablösung > adv. (BL 632l) **abwechselnd** 2K 11_{6}. †

[**מִסְחַר** 1K 10_{15}: l וּמִסַּחַר.]

מסך: ug. *msk* (UT nr. 1509, Aistl. 1611) mischen, mhe. (mhe.² auch Metallgiessen); ja. sy. md. (MdD 264a) מזג; ar. *maš/zağa* (↗ Fraenkel BzA 3, 61f):

qal: pf. מָסַךְ, מָסַכְתִּי; inf. מְסֹךְ: m. Zusatz (Gewürz, Honig, AuS. 6, 129) versetzen, **mischen** Js 5_{22} 19_{14} Ps 102_{10} Pr $9_{2.5}$ (:: Zorell, Dahood Bibl. 48, 428: [Wein] abziehen). †

Der. מֶסֶךְ, מִמְסָךְ.

מֶסֶךְ: מסך, ↗ מֶזֶג: ug. *msk* Mischtrank; ar. *misk* Moschus, Lokotsch 1515a; **Würzzusatz** z. Getränk Ps 75_{9}. †

מָסָךְ, Sam.ᴹ¹⁵⁷ *mēsek*: סכך, BL 491k; mhe.²: cs. מָסַךְ, BL 552 o: — 1. **Decke** 2S 17_{19}; metaph. Gewölk Ps 105_{39}; Judas Decke Js 22_{8}; — 2. **Vorhang**, am Eingang d. Stiftshütte Ex 26_{36f} 35_{15} 36_{37} 39_{38} $40_{5.28}$ Nu 3_{25} 4_{25}; am Hoftor Ex 27_{16} 35_{17} 38_{18} 39_{40} $40_{8.33}$ Nu 3_{26} 4_{26}; am Allerheiligsten Nu 3_{31}; פָּרֹכֶת הַמָּ׳ (↗ 1, :: Dho. EM 17, akk. *mašku* Haut, AHw. 627b) der verhüllende Vorhang Ex 35_{12} 39_{34} 40_{21} Nu 4_{5}. †

*__מְסֻכָּה__: סכך, BL 493d: מְסֻכָּתֶךָ, Var.ᴳ מְסֻכָּ׳; **Decke**, Gewand od. Umhegung (Zimm. 673) Ez 28_{13}. †

I **מַסֵּכָה**, Sam.ᴹ¹⁴⁷ *me/assīka*: I נסך giessen, BL 492t; mhe., ph. (DISO 160): מַסֵּכַת, מַסְּכוֹת u. מַסֵּכֹתָם (BL 597g): — 1. Metallguss, **Gussbild** (BRL 379ff, BHH 570): פֶּסֶל וּמַ׳ Dt 27_{15} Ri 17_{3f} 18_{14} Nah 1_{14}; צַלְמֵי מַ׳ gegossene Bilder Nu 33_{52}; מַסֵּכַת זָהָב goldenes Gussbild Js 30_{22}, עֵגֶל מַ׳ gegossenes Stierbild Ex $32_{4.8}$ Dt 9_{16} Neh 9_{18}, אֱלֹהֵי מַ׳ gegossene Götterbilder (Amulette ?) Ex 34_{17} Lv 19_{4}; מַ׳ gegossenes Idol Dt 9_{12} 18_{17f} 2K 17_{16} Js 42_{17} Hos 13_{2} Hab 2_{18} Ps 106_{19}, pl. 1K 14_{9} 2C 28_{2} (לַבְּעָלִים)

343_f; — 2. **Trankopfer** (:: Ped. Isr. 1/2, 521: zu II): c. I נָסַךְ נֶסֶךְ wie Trankopfer spenden, u. dies wie σπονδὰς σπένδειν (↗ Wendel 112ff), bei Vertragsabschluss, darum = **Bündnis schliessen** Js 30_1 (|| עָשָׂה עֵצָה). †

II מַסֵּכָה: II נסך flechten, BL 492t; mhe. Gewebe: **Decke**, הַמּ׳ הַנְּסוּכָה Js 25_7 (|| לוּט), 28_{20} (|| מַצָּע; 1QJs[a] המסכסכה: mhe. מְסַכְסֶכֶת, II סכך). †

מִסְכֵּן: mhe.[2], denom. arm werden, ja. מִסְכֵּינָא / מִסְכֵּן, ja.[tg], sam. *meskīn* (BCh. 2, 516b), cp *mskjn*, sy. ar. auch aussätzig, md. (MdD 250a.268b) *ma/iskīn*, arm; mhe.[2] ja. cp. sy. denom. מַסְכֵּן verarmen; ↗ מְסֻכָּן; *mskn* ph. n.m. (PNPhPI 365f); ar. soq. *miskīn*, äth. tigr. (Wb. 120b) *maskīn* auch verkrüppelt, denom. *maskana*; Lw. < akk. *muškēnu* (:: *kabtu* angesehen), *muška'en* √ *šukēnu* (AHw. 684a, ZA 56, 133ff, Driv.-M. BL 2, 152, RLA III 254f, Speiser 332ff; aLw. 177/78); ar. > span. *mesquina*, it. *meschino*, frz. *mesquin* armselig, bösartig, Littm. ZA 17, 262ff, MW 101, Lokotsch nr. 1470: **arm** Koh 4_{13} $9_{15f.}$ †

Der. מִסְכֵּנֻת.

מְסֻכָּן: Js 40_{20} הַמּ׳ תְּרוּמָה; mhe. schwerkrank; trad. סכן pu. pt. zu מִסְכֵּן wer zu arm ist für solche Gabe (Ges. Thes. 954), noch Kö, Torrey 307f, Westerm.; ? l.c. G. הַמְסַכֵּן תְּמוּנָה der e. Bild aufstellt / herstellen lässt (Gray LoC² 262f, Fohrer Jes. 3, 26), ug. *skn* Stele (UT nr. 1754, Aistl. 1908, CML 147a), auch denom. vb. :: Dho: N. e. Baum, akk. *musukkānu* (Zimmern 53, AHw. 678a), ph. *amsuchan* Hier. (Stummer JPOS 8, 37f). †

מִסְכְּנוֹת, or. מַ׳ (MTB 70), Sam.[M157] *maskēnet*, pl. f. sg. ?: Lw. < akk. *maškantu/kattu* (v. *šakānu* niederlegen) Depot, Lagerhaus (AHw. 626b); > משכן Hatra (DISO 170) u. ? ar. *maskin* Wohnung u. (?) *maḫāzin* Magazin (Guill. 2, 27; Wbg.-M. JSSt. 11, 125; Lokotsch nr. 1362): **Depot**, **Vorräte**, Vorratsräume, -häuser 2C 32_{28}, c. עָשָׂה, f. Getreide, Wein u. Öl, Gebäude m. weiten Räumen in Lkš u.a., ↗ Noth Kge. 215f, Kelso § 101, Redford VT 17, 413ff; עָרֵי הַמּ׳ c. בָּנָה „Speicherstädte", Militärbasen m. Zeughäusern u. Vorratslagern (Junge 13⁸) Ex 1_{11} (G πόλεις ὀχυράς) 1K 9_{19} 2C $8_{4.6}$ 17_{12}, עָרֵי מ׳ 2C 16_4 (↗ BH u. Rud. 246). †

מִסְכֵּנֻת, Sam.[BCh.] *maskēnet*: zu מִסְכֵּן, Gulk. 31f.; sam. (BCh. 2, 516b), sy. md. (MdH. 539a), ar. *maskanat*: **Armut** Dt 8_9. †

*מַסֶּכֶת, מַסֶּכֶת: ↗ II מַסֵּכָה: mhe. Gewebe, Lehrabschnitt, Traktat: **Kettenfäden** (d. liegenden Webstuhls, AuS 5, 101, BRL 536f) Ri $16_{13f.}$ †

מְסִלָּה: סלל, BL 492w, ↗ מַסְלוּל; mhe.; mo. (DISO 160), ? tigr. (Wb. 167a) *salal* Saumpfad, *masalal*, auch amh. Leiter (Lesl. 37): מְסִלַּת, מְסִלָּתוֹ, מְסִלּוֹת, מְסִל(וֹ)תַי/תָם: (urspr.) durch Steinbelag od. Aufschüttung angelegte **Strasse** (Noth WdAT 76ff; :: דֶּרֶךְ damit wechselnd 1S 6_{12}) Ri $20_{31f.45}$ 21_{19} Js 19_{23} (מִצְרַיִם nach אַשּׁוּר), in Jerus. 2K 18_{17} Js 7_3 36_2 1C $26_{16.18}$; c. סלל Js 62_{10}, יָשַׁר 40_3, רום 49_{11}; שָׂדֶה :: מְסִלָּה 2S 20_{12}f; עָלָה בַמּ׳ Nu 20_{19}; בַּמּ׳ אַחַת auf d. gleichen Strasse 1S 6_{12}; בְּתוֹךְ הַמּ׳ 2S 20_{12}; מ׳ לְ Js 11_{16}; נָשַׁמּוּ מְסִלּוֹת 33_8; Bahn der Sterne Ri 5_{20}; metaph. Lebensweg מְסִלַּת יְשָׁרִים Pr 16_{17} Js 59_7 Jr 31_{21} Jl 2_8; — Ps 84_6 l מַעֲלוֹת Wallfahrten G, al. כְּסִלָּתֶךָ; ? 2C 9_{11}: GV Treppen, S Bänke, pr. ↗ מִסְעָד 1K 10_{12}, ? Geländer, ↗ Rud 222. †

מַסְלוּל: סלל, BL 494g: = מְסִלָּה: **Strasse** Js 35_8 (pr. וָדֶרֶךְ ? l בָּרוּר G, :: Torrey 299). †

*מַסְמֵר u. *מִסְמֵר: ס/שׂמר, ס urspr.; ↗ מַשְׂמְרָה; denom. ↗ סמר, BL 492r: mhe. מַ/מִסְמְר, ja. מַסְמְרָא; äga. מסמר (DISO 161); jaud. סמר Szepter (Galling, BASOR 119, 15, DISO 195); ar. *mismār* > (Lesl.

31) tigr. (Wb. 172b) *masmar* Pflock, Nagel: מַסְמְרִים Js 41_{7}, מַסְמְרוֹת Jr 10_{4}, מִסְמְרִים 1C 22_{3} (a. Eisen, Wright 118a), מִסְמְרוֹת 2C 3_{9}: **Stift, Nagel.** †

מסס: mhe. nif. zerfliessen (auch qal DSS, inf. מוס u. mhe.^{2}), ja. etp. verzagen, מַסְמֵס ja. u. mhe.^{2} zerfliessen machen; ar. *mašša* im Wasser auflösen: Nf. מסה/א:

qal: inf. מְסֹס Js 10_{18} u. מְשׂוֹשׂ 8_{6} u. Hi 8_{19} (?): **verzagen.** †

nif: pf. נָמֵס (BL 431s.t., Sam.^{M134} *nāmas*) נָמַסּוּ ,נָמֵס; impf. יִמַּסּוּ ,יִמַּס/מֶס; inf. הִמֵּס; pt. נָמֵס (נמוס 4QM): — 1. **zerfliessen**: מָן Ex 16_{21}, דּוֹנַג Ps 68_{3}; (metaph.) הָרִים Js 34_{3} Mi 1_{4} Ps 97_{5}; flüssig werden cj Hi 7_{5} (l וַיִּמַּס); zergehen, metaph. לֵב = Mut Jos 2_{11} 5_{1} 7_{5} Js 13_{7} 19_{1} Ez 21_{12} Nah 2_{11} Ps 22_{15}; ? מְשׂוֹשׂ = מְסוֹס verzagen (qal wegen d. Reimwortspiels m. מָאַס, Duhm) Js 8_{6}; — 2. **schwach werden**: אֵסוּר Ri 15_{14}, בֶּן־חַיִל 2S 17_{10}, רָשָׁע Ps 112_{10}; l נִמְאֶסֶת 1S 15_{9}; Dt 20_{8} l hif. יָמֵס. †

hif: pf. הֵמַסּוּ; impf. יָמֵס: **zerfliessen machen** Dt 1_{28}, cj 20_{8} (↗ nif.). †

Der. מַס (?), II מַסָּה ,תֶּמֶס.

מַסַּע: נסע, BL 490b, ↗ מַסָּע; eig. inf. (BL 317h), Nu 10_{2} (c. אֶת־) Dt 10_{11}; cf. מַסָּע, BL 539b; mhe.^{2}; ? äga. מנסע (*W. Hammāmāt*, Dup.-S. RA 41, 108): מַסְעֵי u. מַסְעֵיהֶם (BL 220m), מַסָּעָיו: — 1. **Abbruch** (d. Lagers) c. acc. Nu 10_{2}; — 2. **Aufbrechen** (d. Nomadenheeres): a) לְמַסַּע לִפְנֵי הָעָם Dt 10_{11}; b) pl. Aufbruchsordnung Nu 10_{28} 33_{1}; Aufbrüche Nu 10_{6} > **Tagesmärsche** לְמַסָּעָיו Gn 13_{3}, לְמַסְעֵיהֶם Ex 17_{1} Nu 10_{12} $33_{2a.b}$; c) = Wanderzeit בְּכָל־מַסְעֵיהֶם Ex $40_{36.38}$ (DSS, מסעיהם :: מחניהם Märsche :: Lager, DJD I p. 110, II 15). †

מַסָּע: נסע, BL 490b; mhe., ↗ מַסַּע: Ausbruch (v. Steinen); אֶבֶן מַסָּע (unbehauene) **Bruchsteine** 1K 6_{7} (↗ Noth Kge. 115f); Hi 41_{18} e. Waffe (G δόρυ, ↗ Komm., :: Tur-S. 573: = מַסַּע). †

מִסְעָד: סעד, BL 490z; אַלְמֻגִּים-Hölzer als מ׳ f. Tempel u. Palast 1K 10_{12}: tt. archt. ign.; GVT Stütze, 2C 9_{11} מְסִלּוֹת; ? **Geländer**, ↗ Noth Kge. 228, RWeiss Textus 6, 130. †

מִסְפֵּד, or. מַ׳ (MTB 70), Sam.^{M158} *masfad*: ספד, BL 492r; mhe.^{2}, ja. מִסְפְּדָא: cs. מִסְפַּד (BL 544), מִסְפְּדִי: **Trauerfeier, Trauerbräuche** (↗ Jahnow 11ff, BHH 2021f): Zch 12_{10f} (↗ הֲדַד־רִמּוֹן) Ps 30_{12} (:: מָחוֹל) Est 4_{3}; סָפַד מ׳ Gn 50_{10}, קָרָא לְמ׳ Js 22_{12}, עָשָׂה מ׳ Jr 6_{26} Mi 1_{8}; c. עַל wegen Zch 12_{10}; ↗ Jr 48_{38} Ez 27_{31} Jl 2_{12} Am 5_{16f} Est 4_{3}; Mi 1_{11} cj מִיסֹדוֹ od. מוּסַד (:: Schwantes VT 14, 457). †

מִסְפּוֹא, Sam.^{M159} *masfā*: ספא, BL 493e: **Futter**: f. Kamele Gn $24_{25.32}$, f. Esel 42_{27} 43_{24} Ri 19_{19} Sir.$^{Adl.}$ 33_{25}. †

***מִסְפָּחָה**: III ספח, BL 490a; ar. *safīḥ* grobes Gewand: מִסְפְּחֹתֵיכֶם ,מִסְפָּחוֹת, G ἐπιβόλαια: Hülle, **Kopfbedeckung**, od. Schleier? (Driv. Bibl. 19, 63f) der נְבִיאוֹת (↗ Zimm. 295f) Ez $13_{18.21}$. †

מִסְפַּחַת: II ספח ,שׂפח, BL 490a: eig. Stelle v. סַפַּחַת, dann gleichbedeutend, (gutartiger) **Hautausschlag**, Grindmal (↗ Ell. Lev. 181f) Lv 13_{6-8}. †

I **מִסְפָּר** (ca. 130 ×), or. מַ׳ (MTB 70, ↗ II), Sam.^{M159} *masfar*, G^{A} μασφαρ: mhe. Zahl, zählbar, wenig; ug. *mspr* (UT nr. 1793, CML 160a) Erzählung, ph. Zahl (DISO 161): מִסְפָּר ,מִסְפָּרָם ,מִסְפַּרְכֶם ,מִסְפְּרֵי: — 1. **Zahl, Anzahl**, das Gezählte im Gen. מִסְפַּר הַשָּׁנִים d. Zahl d. J. Da 9_{2}, מ׳ שֵׁמוֹת Nu 1_{2}, מ׳ כָּל־זָכָר alles dessen, was männlich war Nu 3_{22}, מ׳ יָמֶיךָ Ex 23_{26} (cf. Sir.$^{Adl.}$ 33_{24}); מ׳ עָרֶיךָ so zahlreich wie deine Städte sind Jr 2_{28}, 11_{13}, מ׳ הַיָּמִים אֲשֶׁר תִּשְׁכַּב soviel Tage du so liegst Ez 4_{4}, הֲיֵשׁ מ׳ הָעָם wieviel Leute es sind 2S 24_{2}, מ׳ לָהֶם können sie gezählt werden ? Hi 25_{3}, Aufzählung Esr 1_{9} 1C 11_{11} (:: 2S 23_{8} שְׁמוֹת, ↗ Rud. Chr. 96); מִסְפְּרֵי רָאשֵׁי הֶחָלוּץ

1C 12$_{24}$? d. Kopfzahlen (Rud. 106, al. dl. רָאשֵׁי), מִ׳ מִפְקַד־ Ergebnis 2S 24$_{9}$; — 2. a) מִסְפָּר Abzählung, בְּמִ׳ abgezählt 1C 9$_{28}$, cj Ez 20$_{37}$; b) gezählt, zählbar: = **wenige**, cf. מְעַט: α) appos. nachgestellt (GK § 131e) יָמִים מִסְפָּר Nu 9$_{20}$; β) nach cs. שְׁנוֹת מִ׳ Hi 16$_{22}$, אַנְשֵׁי מִ׳ Ez 12$_{16}$ einige wenige, = מְתֵי מִ׳ Gn 34$_{30}$ (4 ×); γ) הָיָה מִ׳: werden wenige sein Dt 33$_{6}$ Js 10$_{19}$ (:: ꟻ 3); c) מִ׳ ansehnliche, grosse Zahl: α) מִ׳ c. neg: **unzählbar**: אֵין מִ׳ Gn 41$_{49}$ (10 ×, Sir 41$_{13}$), unbegrenzt תְּבוּנָה Ps 147$_{5}$, לְאֵין מִ׳ 1C 22$_{4}$, עַד־לְאֵין Ps 40$_{13}$ (2 ×); β) als Frage Hi 25$_{3}$; — 3. c. praep.: a) c. בְּ nach, entsprechend der Z.: בְּמִ׳ שָׁנִים Lv 25$_{15}$, בְּמִ׳ הַיָּמִים Nu 14$_{34}$, בְּמִסְפָּרָם Nu 29$_{18}$; בְּמִסְפָּר in d. erforderlichen Z. 1C 23$_{31}$; abgezählt Js 40$_{26}$ Esr 8$_{34}$, 1C 9$_{28}$; b) c. כְּ: nach d. Z.: כַּמִ׳ Nu 15$_{12}$, כְּמִ׳ שִׁבְטֵי 1K 18$_{31}$; c) id. c. לְ: לְמִ׳ שִׁבְטֵי Jos 4$_{5}$, לְכָל־מִסְפַּרְכֶם n. eurer gesamten Z. Nu 14$_{29}$, לְמִסְפָּרָם soviele sie selber waren Ri 21$_{23}$; d) :: מִ׳ in adv. od. tpl. acc. (GK § 118d m): מִ׳ נַפְשֹׁתֵיכֶם n. d. Zahl eurer Seelen Ex 16$_{16}$, מִ׳ כֻּלָּם n. ihrer aller Z. Hi 1$_{5}$; עֶשְׂרִים וְאַרְבַּע מִ׳ (an Z. =) im ganzen vierundzwanzig 2S 21$_{20}$, מִ׳ יְמֵי חַיֵּיהֶם ihre ganze (kurze) Lebenszeit hindurch = solange sie leben Koh 2$_{3}$; — 4. c. Verb: c. הָיָה e. ansehnliche Z. werden Dt 33$_{6}$, e. geringe Zahl Js 10$_{19}$, c. נָתַן d. Z. angeben 2S 24$_{9}$ 1C 21$_{5}$; מָנָה מִ׳ לְ d. Zahl bestimmen Ps 147$_{4}$; נָשָׂא מִ׳ d. Z. aufnehmen, feststellen 1C 27$_{23}$, עָלָה מִ׳ (in e. Buch) aufgenommen werden 1C 27$_{24}$, עָבַר בְּמִ׳ abgezählt werden 2S 2$_{15}$; — 5. **Erzählung** (ספר pi. 4; ug.) Ri 7$_{15}$; — Nu 23$_{10}$ l מִי סָפַר; 1C 27$_{24}$ l סֵפֶר.

II מִסְפָּר: n.m., = I ?; Esr 2$_{2}$ G^{A} Μασφαρ (ꟻ I); Neh 7$_{7}$ ꟻ I מִסְפֶּרֶת, sic l Bewer 18:: Rud. Galling: Gefährte v. Zerubbabel. †

I מִסְפֶּרֶת: n.m. (!) Neh 7$_{7}$; ꟻ סֹפֶרֶת, קֹהֶלֶת; Esr 2$_{2}$ ꟻ II מִסְפָּר, ꟻ Bewer 18:: corr. < pers. n.m אספדת (Hölscher :: Rud. EN 6): Gefährte d. Zerubbabel. †

II מִסְפֶּרֶת: I ספר, BL 607d: **Schriftgelehrsamkeit** Sir 44$_{4}$Rd u. Sir.M VII 10 pr. ꟻ סִפְרָה. †

מסר: mhe., ja. מְסַר, sam. (BCh. 2, 653b), md. (MdD 276a) übergeben, überliefern, spez. zufügende Masora margin. u. fin. (Edelmann, Fschr. PKahle 116ff), sy. auch belehren; Dam. 3, 3 tradieren, 19, 10 ausgeliefert werden; asa. *msr* wegschaffen (Conti 181b); sam. zählen, Grdb. (BCh. ScrHieros. 4, 212ff, Ku. Leš. 21, 135ff):

qal: inf. לִמְסָר־: הָיוּ לִמְ׳ מַעַל Nu 31$_{16}$, T לְשַׁקָּרָא שְׁקַר wurden Anlass z. Abfall, ? l לִמְעָל־ (Ges.). †

nif: impf. וַיִּמָּסְרוּ: gezählt = **ausgewählt, -gehoben** werden T cf. G: Nu 31$_{5}$. †

Der. מָסֹרֶת.

מֹסֵרוֹת: n.l. Nu 33$_{30f}$ ꟻ II מוֹסֵרָה.

[מֹסָרָם Hi 33$_{16}$: l בְּמֹרָאִים u. יְחִתֵּם G.]

מָסֹרֶת, auch מָסוֹרֶת; mhe. auch מַסּ(וֹ)רָה 1QM 3$_{13}$ S 10$_{4}$, BL 71b, Roberts 40ff; √מסר; aber gebildet nach *מַאֲסֹרֶת, √אסר, AΣV (BCh ScrHieros. 4, 212ff, Seeligm. VT 11, 201f): Ez 20$_{37}$ הֵבִיא בְּ מָ׳ הַבְּרִית c. trad. Überlieferung od. Bindung (אסר, ꟻ Ell. Lev. 376[45]), dl. הַבְּרִית, dittgr. v. וּבָרוֹתִי v. 38 u. l מִסְפַּר G (ꟻ מִ׳ 2) in Abzählung = **abgezählt** hereinbringen (ꟻ Zimm. 437). †

מִסְתּוֹר: סתר, BL 493e; Versteck, **Obdach**, vor Regen Js 4$_{6}$. †

מַסְתֵּר, Js 53$_{3}$: ꟻ סתר (Duhm) ? l מַסְתִּיר hif. pt. c. 1QJs^{a}: כְּמַ׳ פָּנִים מִמֶּנּוּ wie einer, vor dem man (aus Abscheu) d. Gesicht verhüllt (cf. JHeller, Communio Viatorum, Prag, 2, 1959, 263ff). †

מִסְתָּר: סתר, BL 490z; ? ph. (DISO 161); מִסְתָּרָיו, מִסְתָּרִים; exc. Hab 3$_{14}$ u. Ps 10$_{9}$ immer pl.: **Versteck** Js 45$_{3}$ Jr 13$_{17}$ 23$_{24}$ 49$_{10}$ Hab 3$_{14}$ Ps 10$_{8f}$ 17$_{12}$ 64$_{5}$ Kl 3$_{10}$. †

*מַעֲבָד: עבד, BL 490z; BLA 195w; ba. ja.

sy. md. (MdD 238a), aLw. 209: מַעְבָּדֵיהֶם: **Tat** Hi 34$_{25}$. †

*מַעֲבֶה: עבה, BL 491m; ? = מעבא, DJD III 259, 209: 1K 7$_{46}$ מַעֲבֵה הָאֲדָמָה = עֲבִי הָאֲ׳ 2C 4$_{17}$; oft, z.T. auch betr. Chr., cj מַעְבַּר, d. Furt v. Adama (Abel 2, 238, Galling ATD Chr. 85, Rud. 208 : : Tonerde formen Mtg.-G. 182.184, Glueck IV 345ff): **Erdgiesserei** (Noth Kge. 164; Rud. Dho. Echter nur f. Chr.), BRL 379, BHH 570, Gray, Kings² 199. †

*מַעֲבָר: עבר, BL 490z; ug. *mʿbr* (UT nr. 1807, Aistl. 1618), npun. (DISO 161) Furt; ja. cp. sy. md. (MdD 238a) ar. *maʿbar*, asa. (Conti 201a) Furt; akk. *nēberu* (AHw. 773b): מַעֲבַר: — 1. Bewegung, **Hieb** (e. Stockes) Js 30$_{32}$; — 2. **Furt** (Schwarzb. 74) Gn 32$_{23}$ (am Jabbōq); F *מַעֲבֶה; — 3. Durchgang, **Schlucht** (*W. Suwēnīt* s. מִכְמָס) 1S 13$_{23}$; F מַעְבָּרָה. †

מַעְבָּרָה: f. v. *מַעֲבָר, BL 490a; mhe., ja. מַעֲבַרְתָּא, sy. md. (MdD 238a); akk. *nēbertu* (AHw. 773b): מַעְבָּרוֹת, cs. מַעְבְּרוֹת: — 1. **Furt** Jos 2$_{7}$ Ri 3$_{28}$ 12$_{5f}$ d. Jordan, Js 16$_{2}$ d. Arnon, pl. Übergänge d. Eufrat Jr 51$_{32}$ (Rud. 287); F *מַעֲבֶה; — 2. Durchgang, **Schlucht** (Schwarzb. 74f) 1S 14$_{4}$ u. Js 10$_{29}$. †

I מַעְגָּל: עגל, BL 490z; mhe. Wagenburg, מַעֲגִיל/לָה Dachwalze (AuS 7, 83.120), מעגלי הדבורים Dam. 12, 12 Bienenlarven: הַמַּעְגָּלָה: Lagerrund, **Wagenburg** = מַחֲנֶה, 1S 17$_{20}$ 26$_{5.7}$. †

II מַעְגָּל (in Lex.¹ v. I abgetrennt): עֲגָלָה: מַעְגַּל, מַעְגְּלֵי, מַעְגָּלֶיךָ, u. מַעְגְּלֹתֶיהָ: **Wagenspur, Geleise** Ps 65$_{12}$; metaph. Js 26$_{7}$ 59$_{8}$ Ps 17$_{5}$ 23$_{3}$ 140$_{6}$ Pr 2$_{9.15.18}$ 4$_{11.26}$ 5$_{6.21}$. †

מעד: sy. wanken, ar. *maʿada* Land durcheilen, Schwert zücken, *muʿida* schwach, magenkrank sein:

qal: pf. מָעֲדוּ; impf. תִּמְעַד, אֶמְעָד; pt. מוֹעֲדֵי: **wanken** Ps 18$_{37}$ / 2S 22$_{37}$ Ps 26$_{1}$ 37$_{31}$ Hi 12$_{5}$, cj Pr 25$_{19}$ (l מוֹעֶדֶת) u. Sir 16$_{18}$ (l מועדים). †

[**pu**: pt. מוּעֶדֶת Pr 25$_{19}$, l מוֹעֶדֶת qal. †]

hif: imp. הַמְעַד (GK § 64h): **wanken machen** Ps 69$_{24}$, cj Ez 29$_{7}$ (l וְהַמְעַדְתָּ, Zimm. 704) u. Hab 3$_{6}$ (l וַיַּמְעֵד). †

מַעֲדַי: n.m.; Kf. v. מַעַדְיָה: Esr 10$_{34}$. †

מַעַדְיָה: n.m.: > מַעֲדַי, עֲדִי, III עדה, „J.s. Schmuck" (Noth 182), Neh 12$_{5}$, cj 12$_{17}$ pr. מוֹעַדְיָה. †

מַעֲדַנִּים: I עדן, BL 558c; pltt.; ug. *mǵd*, UT nr. 1519, CML 159b :: Aistl. 2134: מַעֲדַנֵּי: — 1. **Leckerbissen** Gn 49$_{20}$ Kl 4$_{5}$ (לְ pr. acc., GK § 117n), cj Jr 51$_{34}$ (l מַעֲדַנַּי; F Rud.); — 2. metaph. **Labsal** Pr 29$_{17}$.

מַעֲדַנּוֹת: II עדן, BL 490z; mhe. מַעֲדָן/דַנִּים; ? עָנַד/√ < *מַעֲנָדוֹת (GB, BDB 772b, Hölscher Hi. 90); — 1. F מ׳ כִּימָה || מוֹשְׁכוֹת כְּסִיל Hi 38$_{31}$, G δεσμός, d. **Bänder** d. Plejaden (Hö. 30f, Tur-S. 531, Fohrer Hiob 492 :: Driv. JThSt. 7, 1ff); — 2. 1S 15$_{32}$, adv. acc. (GK § 118q) c הָלַךְ; in Banden (F 1, F Talmon VT 11, 456f); al. zitternd G (? מעד), od. heiter, gelassen (ΑΣΤ: ? עדן). †

מַעְדֵּר: II עדר, BL 492q; mhe., ja. מַעְדְּרָא Hacke, Pflugschar; sy.-ar. *maʿdūr* (Barthélemy 516), ? berb. *amadir* (Stumme ZA 27, 125): **Hacke** Js 7$_{25}$, cj 10$_{34}$. †

*מָעָה: mhe. Körnchen, äga. nab. (DISO 161), sy. Gewicht, ja. מַעֲתָא kleine Münze: מְעֹתָיו: **(Sand-) Korn** Js 48$_{19}$; cj (?) Pr 10$_{20}$ (l בִּמְעָה). †

*מֵעֶה: mhe., pl. u. du. מְעַיִם od. מֵעִים; ja. מְעָא, מְעַיָּא, sy. *maʿjā*, md. (MdD 276b); ar. *maʿan, maʿj*, ? äth.ᴳ *ʾamāʿūt*, tigr. (Wb. 356b) *ʾamʿīt*, ? akk. *amūtu* Schafsleber (AHw. 46b); Rundgren OrSuec. 10, 121ff; Grdf. **miʿaj* (BL 467u) Darm, Eingeweide: du. *מֵעַיִם, מֵעַי, מֵעֶיךָ/עָיו, מֵעֵיהֶם: — 1. **Eingeweide, Gedärm** 2S 20$_{10}$ 2C 21$_{15.18f}$; — 2. **Leib** als Sitz d. Entstehung d. Menschen (cf. בֶּטֶן) Gn 15$_{4}$ 25$_{23}$ Nu 5$_{22}$ 2S 7$_{12}$ 16$_{11}$ Js 48$_{19}$ 49$_{1}$, cj מִמֵּעֶיךָ 2K 20$_{18}$ u. Js 39$_{7}$ (1QJsª) u. וּמִמְּעֵי Js 48$_{1}$, מִמְּךָ

58_{12} als מֵעֶיךָ hinter מַיִם 11_b (Koehler Trtjs. 201), Ez 3_3 7_{19} Jon 2_{1f} (Fisch) Ps 22_{15} 40_9 71_6 Hi 20_{14} Rt 1_{11} 2C 32_{21}; — 3. **Inneres** (Sitz d. Gefühle, Erregungen, Dho. EM 135f) Js 16_{11} 63_{15} Jr 4_{19} 31_{20} Hi 30_{27} HL 5_4 Kl 1_{20} 2_{11}; — 4. **Bauch** (äusserlich, ba. Da 2_{32}) HL 5_{14}. Der. מְעַי. †

מָעוֹג: II עוג, BL 491g; ar. *maʿāǧ* Ort, wohin man sich wendet, Platz f. Vorräte, (Lex.[1], :: Kraus, Psalmen z. St.): ? **Vorrat** 1K 17_{12}; — Ps 35_{16} לְעַגֵי מָ׳, gew. cj לַעֲגוּ לָעֹג/ לִעֲגֵי מְעֻוָּג, anders Driv. ThZ 9, 468f: l לַעַג (בְּחַנְפִי, II חנף || בְּצַלְעִי 15_a) Verspotter e. Verkrüppelten (ar. *ʾaʿwaǧ*). †

מָעוֹז: Der. v. עזז (BL 493d) u. v. עוז (BL 491g, ar. *ʿwḏ, maʿāḏ* Zufluchtsort), formal zusammengefallen u. semantisch schwer zu trennen (GB, GK § 85i), DSS 6 ×, Zuflucht exc. 1QHod 8_{32}: cs. מָעוֹז (*ā* bleibt unverkürzt, BL 240t) Js 30_2 Da 11_7, מָעוּזִּי, מָעֻזִּי, מָעֻזֵּךְ u. מָעוּזּוֹ, מָעֻזָּה, מָעֻזְּכֶם/ן; מָעֻזִּים, מָעוּזַּי: — 1. **Bergfeste, Zufluchtsstätte** (cf. מְצָד, מְצוּדָה, צוּר): a) Ri 6_{26} (MSS מָעוֹן) Js 17_{10} 23_{14}, cj $_{11}$ (l מָעֻזֶּיהָ), 25_4 27_5 (יַחֲזֵק בְּמָ׳ ? sucht Zuflucht b. mir, :: Rud., Jes. 24-27, 1933, 24) Ez 24_{25} Jl 4_{16} Nah 1_7 3_{11} (מִן vor) Ps 27_1 28_8 31_3 37_{39} 52_9 60_9, pr. מָעוֹן cj 71_3 90_1 91_9; 108_9 Pr 10_{29} Da 11_1 Neh 8_{10}; מָעוֹז Feste Da $11_{7.10}$, מָעֻזֵּי אַרְצוֹ 11_{19}, עָרֵי מָעֻזּוֹ s. festen Städte Js 17_9; pleon. מִבְצְרֵי מָעֻזִּים feste Burgen Da 11_{39}; b) spez.: הַמָּ׳ הַמִּקְדָּשׁ appos. **Burgheiligtum** = Tempel Da 11_{31}, בִּירָה 1C $29_{1.19}$; אֱלֹהֵי מָעֻזִּים Da 11_{38} n. d. GV θεὸς Μαωζιν, *deus Maozim* Gott *Mausim* (Lu.), Gott d. Burgen, wohl Ζεῦς Ὀλύμπιος, *Jupiter Capitolinus*, ↗ Komm., BHH 1178; מָ׳ מִצְרַיִם Ez 30_{15}, appos. zu I סִין = Sais (G) od. Pelusium V (↗ Zimm. 736f); מָ׳ הַיָּם am Meer Js 23_4, Gl. zu יָם (Rud. Fschr. Baumgtl. 168); מָ׳ פַּרְעֹה 30_{2f}; — 2. Gott als מָ׳: Jr 16_{19} Ps 28_8 (עֹז ... וּמָעוֹז) 31_5 43_2, מָ׳ חַיַּי m. Lebensschutz Ps 27_1 (cf. ph. ʿAnat מעז חים, ↗ Baud. AE 18[2]. 457); 2S 22_{33} l מְאַזְּרֵנִי (Ps 18_{33}); Js 23_{11} ↗ *מָעוֹזֶן. †
Der. n.m. מַעַזְיָה; *מָעוֹזֶן (?).

? ***מָעוֹזֶן**: מָעֻזְנֶיהָ Js 23_{11}: עוז, präf. *ma-* u. aff. *-n*, ↗ מִסְדְּרוֹן: **Zuflucht**, Nf. v. מָעוֹז ?, gew. cj מָעֻזֶּיהָ 1QJs[a] u. Ges. Th. 340b; ? MT contam. m. מְעוֹנֶיהָ (מָעוֹן, Talmon Textus 4, 124). †

מָעוֹךְ: n.m.; II מעך ?; ? Kf. v. II מַעֲכָה (Noth 38): K. v. גַּת 1S 27_2. †

I **מָעוֹן**: I עון, ↗ מָנוֹס, BL 491g; ar. *maʿūnat*: **Hilfe** Ps 90_1 (MSS G מָעוֹז). †

II **מָעוֹן**: II עון, ar. *ġjn*, bedecken, dicht belaubt sein: III עון wohnen: מָעוֹן, מְעוֹנֵךְ/נוֹ: — 1. **verstecktes Lager**, v. Löwen Nah 2_{12}, Schakalen Jr 9_{10} 10_{22} 49_{33} 51_{37} (|| שַׁמָּה, שְׁמָמָה); — 2. **Wohnung** (ar. *maġnan*), spez. Gottes 2C 36_{15}, מְעוֹן בֵּיתֶךָ Ps 26_8; מְ׳ קָדְשְׁךָ/שׁוֹ Dt 26_{15} Jr 25_{30} Zch 2_{17} Ps 68_6 2C 30_{27}; Ri 6_{26} Var. z. מָעוֹז (↗ BH); 1S 2_{29} u. $_{32}$ l מְעַיֵּן missgünstig, ↗ IV עין; Zef 3_7 l מֵעֵינֶיהָ; Ps 71_3 90_1 l מָעוֹז; 91_9 l מְעוּזֶּךָ. †

III **מָעוֹן**: n.m.; ? ar. *maʿnu* gewandt (Noth 228): Nachkomme Kalebs 1C 2_{45} (= n.l. IV מָ׳, Rud. 21). †

IV **מָעוֹן**: n.l., = II; = *T. Maʿīn*, 13 km. s. Hebron, Abel 2, 377, GTT § 706/07, Noth ZDPV 67, 60; 80, 12; BHH 1143: Jos 15_{55} 1S 25_2, מִדְבַּר מָ׳ 1S 23_{24f}, cj 25_1 (:: Mtg-G. 239); — Ri 10_{12} ? l מִדְיָן G. †

מְעוּנִים: n. tr., הַמְּ׳ 1C 4_{41}; G Μιναῖοι, = asa. מען (Conti 179f, P-W Su VI 461ff); im späteren Gebiet Simeons, 1C 4_{41} 2C 26_7, cj 20_1 u. 26_8 מֵהַמְּעוּנִים (pr. הָעַמּוֹנִים); בְּנֵי מְ׳ Esr 2_{50Q} (Ⓛ K מְעִינִים) Neh 7_{52} Nachkommen von Kriegsgefangenen, ZDPV 67, 45ff, Rud. Chr. 258f; ar. Stamm, n.l. *Maʿān* ö. Petra (↗ סֶלַע), Musil NH 1, 243ff, GTT § 164. †

מְעוֹנֹתַי: n.m.; ? doppelte Kf. v. III מָעוֹן (Noth 250.38f): 1C 4_{14}, cj $_{13}$; ↗ Rud. Chr. 35. †

[מְעוּף Js 8_{22}: l מֵעִיף, עוּף: Gsbg ErIsr. 4, 64*f. †]

*מָעוֹר: II עור, BL 493z: ? ar. *maʿājir* Laster: אֶל־מְעוֹרֵיהֶם: pltt: Geschlechtsteile, **Scham** (NPCES 149) Hab 2_{15} (G σπήλαια), 1QpHab 11_3 על־מועדים (מוֹעֵד); cf. 1QHod. IV 12 (cf. Ell. 211f, Mansoor 125[1]). †

מַעַזְיָה: n.m.; < מַעַזְיָהוּ: Neh 10_9. †

מַעַזְיָהוּ: n.m.; מָעוֹז + י׳ (Noth 157), „J. ist m. Zuflucht"; AP מעוזי: 1C 24_{18}. †

מעט: mhe. ja.; ar. *maʿiṭa* weniger werden, *maʿaṭa* ausreissen, wegnehmen; äth. (↗ Lesl. 31), tigr. (Wb. 137b) *meʿāṭā* schlank; akk. *maṭū* gering werden/sein (AHw. 636a):

qal: impf. תִּמְעֲטוּ, יִמְעֲטוּ, יִמְעַט/עָט; inf. מְעֹט: — 1. **wenig sein** Lv 25_{16} Js 21_{17}; wenig werden Jr 29_6 30_{19} Ps 107_{39} Pr 13_{11}; — 2. **zu klein sein** c. מִן c. inf. Ex 12_4, gering erscheinen Neh 9_{32} (c. אֵת, ↗ Rud. 168). †

pi. (Jenni 52): pf. מִעֲטוּ: **wenig werden** (Zähne) Koh 12_3; c. נֶפֶשׁ **sich demütigen** Sir 3_{18} (Var. השפיל). †

hif: pf. הִמְעִיטָה, הִמְעַטְתִּים; impf. יַמְעִיט, תַּמְעִיטוּ, תַּמְעִיטֵנִי; pt. מַמְעִיט (:: הִרְבָּה): — 1. **wenig** sammeln Ex 16_{17f} Nu 11_{32}, wenig wegnehmen Nu 35_8, wenige (Gefässe) verwenden 2K 4_3, weniger geben Ex 30_{15}; — 2. **verringern**: die Zahl gering machen (Volk) Lv 26_{22}, Viehbestand Ps 107_{38} (c. לֹא Litotes = רבה, Lande 61); (Kaufpreis) gering bemessen Lv 25_{16}, (Erbteil) Nu 26_{54} 33_{54}; — 3. (Volk) durch Verminderung **vernichten** Jr 10_{24} Ez 29_{15}. † Der. מְעַט, מְעָטָה.

מְעַט (100 ×), Sam.[M128] *maṭ*, Sec. ματ (Sperber 238); מעט; mhe. מְעַט, ? Grdf., BL 456j: מְעָט Ez 11_{16} u. 5 × מְעָט, מְעַטִּים (BL 558c): — 1. sbst. abs.: **e. Weniges, e. Kleinigkeit** Gn 30_{30} 47_9 Lv 25_{52} Ps 8_6, wenig (:: רַב) Nu 13_{18} Hi 10_{20}; מְעַט בְּמִסְפָּר einige wenige Ez 5_3, ↗ מ׳ מִזְעָר winzig klein Js 16_{14}; — 2. c. gen. **wenig**: מְעַט צֳרִי ein wenig Salbe Gn 43_{11}; מ׳ הַצֹּאן die paar Kleintiere 1S 17_{28}; — 3. מ׳ nachgestellt: a) als n. rect.: מְתֵי מ׳ wenig Leute Dt 26_5 28_{62}; b) als appos.: אֲנָשִׁים מ׳ Neh 2_{12}, עֵזֶר מ׳ e. kleine Hilfe Da 11_{34}; — 4. adj. (mhe. מָעוּט): הַמְעַט das kleinste, volksärmste v. allen Dt 7_7; דְּבָרִים מְעַטִּים wenige Worte Koh 5_1, יִהְיוּ יָמָיו מ׳ Ps 109_8; — 5. adv.: a) in geringem Mass, **ein wenig**: 2K 10_{18} (:: הַרְבֵּה) 2S 16_1, Sir 51_{16} (11QPs[a] כמעט), עוֹד מ׳ noch e. w., **beinahe** Ex 17_4, וָאֱהִי לָהֶם לְמִקְדָּשׁ מ׳ nur wenig z. e. H. Ez 11_{16} (↗ Zimm. 249f, Baltzer, BZAW 121, 34f); b) tpl.: f. kurze Zeit Hi 24_{24} Rt 2_7 (Rud. 46f), עוֹד מ׳ in Bälde Jr 51_{33} Hos 1_4, מְעַט מ׳ nach u. nach Ex 23_{30}; — 6. m. praep.: a) כִּמְעַט beinahe Gn 26_{10} Pr 5_{14}, pleon. nach לוּלֵי Js 1_9 Ps 94_{17}; leicht, schnell (entbrennt Zorn) Ps 2_{12}; in Bälde Ps 81_{15} 2C 12_7 Hi 32_{22}, wie nichts Pr 10_{20} (cj כִּמְעָה); erst kurz im Land Ps 105_{12} u. 1C 16_{19} (al. gering an Zahl); כִּמְ׳ רֶגַע e. kleinen Augenblick Js 26_{20} Esr 9_8, כִּמְ׳ שֶׁ kaum dass (Rud.) HL 3_4; b) לִמְעַט: zu wenige 2C 29_{34}; בין רב למ׳ sei es viel od. wenig Sir 42_4 (↗ בֵּין); — 7. elativ: מְעַט zu wenig 2S 12_8 Gn 30_{15}, c. מִכֶּם für euch Nu 16_9 Js 7_{13}, מְעַט לָנוּ noch nicht genug für uns Jos 22_{17}, הַמְעַט war es nicht genug? Ez 16_{20}.

מְעָטָה Ez 21_{20}: f. zu *מָעָט wenig (BL 558c); gew. cj מְרֻטָּה 21_{20}, al. gezückt (ar. *mṭ*), ↗ Zimm. 472. †

*מַעֲטֶה: I עטה, BL 491n; ar. *ġiṭāʾ* Kleidungsstück: cs. מַעֲטֵה: **Hülle**, ? e. Überkleid, Mantel Sir 11_4 מעטה sbst. od. בעוטה pt. qal (Tarb. 29, 130, Segal 65.68); metaphor. Js 61_3 (מ׳ אֵבֶל). †

*מַעֲטֶפֶת: I עטף; mhe. Mantel; sy. *ʿeṭāfeṭā* Mantel, ar. *miʿṭaf* Mantel, Kittel: מַעֲטָפוֹת: **Überkleid** Js 3_{22}, Sir 11_4 (Tarb. 29, 130 במעוטף בגדים ?). †

[מְעִי Js 17$_{1}$: > G, dittgr. v. מֵעִיר od. < לְעִי (Seeligm.). †]

מָעַי, MSS מְעִי: n.m.; Kf. inc. (Noth 250), palm. *mʿyʾ* (PNPI 95b) :: Rud. 197: Neh 12$_{36}$. †

מְעִיל: Hier. *mail* (Sperber 238): I עלה, BL 492; :: Palache 10f: מעל, cf. בֶּגֶד; mhe. ja., ar. *ġilālat* Schleier, Überwurf (√*ġll*): מְעִילֵיהֶם, מְעִ(י)לוֹ: ärmelloses, mantelartiges **Obergewand** (AuS 5, 228ff, Hönig 60ff); — 1. profan: 1S 15$_{27}$ 18$_{4}$ 24$_{5.12}$ Ez 26$_{16}$ Hi 29$_{14}$ 1C 15$_{27}$; c. עָטָה 1S 28$_{14}$ Js 59$_{17}$ 61$_{10}$ Ps 109$_{29}$; c. קָרַע Hi 1$_{20}$ 2$_{12}$ Esr 9$_{3.5}$; — 2. kultisch 1S 2$_{19}$ Ex 39$_{23}$ Lv 8$_{7}$; Tracht d. Hohenpriesters: כְּתֹנֶת, מְעִיל u. אֵפוֹד Ex 28$_{4}$; מְעִיל הָאֵפוֹד Obergewand zum Efod Ex 28$_{31}$ 29$_{5}$ 39$_{22}$, am Saum mit Glöckchen besetzt Ex 28$_{34}$ 39$_{24-26}$; — 2S 13$_{18}$ l מֵעוֹלָם. †

מֵעִים: ↗ מֵעֶה*.

מַעְיָן, Sam.^{M67} *mājjan*: עין, BL 547; mhe., ja., sy. *meʿīnā*, aam. (DISO 161), ar. *maʿīn* Quelle: cs. מַעְיַן u. מַעְיְנוֹ Ps 114$_{8}$ (BL 547), מַעְיְנוֹת, מַעְיָנִים, מַעְיָנַי, מַעְיָנוֹ, מַעְיְנֹתֶיךָ, מַעְיְנוֹת: Quellort, **Quell** (↗ עַיִן 3, Reymond 57ff): מַ׳ ובור Lv 11$_{36}$, c. מַיִם Jos 15$_{9}$ 18$_{15}$ 1K 18$_{5}$ 2K 3$_{19.25}$ Ps 114$_{8}$, מַ׳ וְנַחַל 74$_{15}$ (Emerton VTSu. 15, 125ff); c. יָצָא Jl 4$_{18}$, c. בָּקַע Ps 74$_{15}$, c. סָתַם 2C 32$_{4}$, c. שִׁלַּח Ps 104$_{10}$; מַעְיְנוֹת תְּהוֹם Gn 7$_{11}$ 8$_{2}$; מַעְיָן נִרְפָּשׂ Pr 25$_{26}$, מַ׳ חָתוּם HL 4$_{12}$; c. גַּנִּים 4$_{15}$; ↗ Js 41$_{18}$ Hos 13$_{15}$ Pr 8$_{24}$; (metaph.) מַעַיְנֵי הַיְשׁוּעָה Js 12$_{3}$; v. Geschlechtsleben Pr 5$_{16}$; — Ps 84$_{7}$ l מַעְיָן; 87$_{7}$? l כֻּלָּם עֹנֵי בָךְ (IV ענה). †

מעך: mhe. ja. zerdrücken, sy. verwirren, ar. *maʿaka* auf d. Boden reiben, kämpfen:

qal: pt. מְעוּכָה, מָעוּךְ: — 1. **pressen** (Brüste; l לְמְעֹךְ od. לְמַעֵךְ pr. לְמַעַן) Ez 23$_{21}$; — 2. מָעוּךְ (Stier, Bock) mit **zerquetschten** Hoden Lv 22$_{24}$ (Ell. Lev. 300, ↗ פְּצוּעַ Dt 23$_{2}$); — 3. c. בְּ **hineinstossen**: Speer in die Erde 2S 26$_{7}$. †

pu: pf. מֹעֲכוּ: **betastet, gepresst werden** Ez 23$_{3}$ (|| II עָשָׂה). †

Der. n.m. מָעוֹךְ, n. f. m. II מַעֲכָה.

I מַעֲכָה, מַעֲכַת Jos 13$_{13}$: — 1. G Μααχα, Μωχα, Μαχατι/θι: aram. Kleinstadt s. Hermon, benachbart גְּשׁוּר Jos 13$_{13b}$ 2S 10$_{6.8}$ 1C 19$_{7}$, אֲרַם מ׳ 19$_{6}$ ↗ Noth ZDPV 68, 28ff, BHH 1117; — 2. אָבֵל בֵּית מַ׳, G Βη/αιθμαχα, 2S 20$_{14f}$; ↗ II אָבֵל 1. †

Der. מַעֲכָתִי.

II מַעֲכָה: מעך, BL 601c; PN; sem., ? „dumm", ar. *maʿ(i)k* (Noth 250), :: Albr. RI 246, kan. n. d. f.; ? philist. ↗ I 2 (Stamm HFN 332): — I. n.m. — 1. Gn 22$_{24}$, Sam.^{M128} *māk(k)e*; — 2. K. v. Gat 1K 2$_{39}$, = מָעוֹךְ 1S 27$_{2}$; — 3. u. 4. 1C 11$_{43}$; 27$_{16}$; — II. n. fem. — 1. M. Absaloms, T. d. Königs v. גְּשׁוּר (Albr. RI 175) 2S 3$_{3}$ 1C 3$_{2}$; — 2. T. Absaloms, Lieblingsfrau Reḥabeams, M. Abias 1K 15$_{2}$ 2C 11$_{20-22}$ cj 13$_{2}$ (G pr. מִיכָיָהוּ, ↗ Mtg-G. 274); — 3. M. d. Königs אָסָא 1K 15$_{10.13}$ 2C 15$_{16}$; — 4.-6. 1C 2$_{48}$; 7$_{15f}$; 8$_{29}$ 9$_{35}$. †

מַעֲכַת Jos 13$_{13b}$: ↗ I מַעֲכָה.

מַעֲכָתִי, gntl. v. מַעֲכָה: — 1. (v. I מ׳), Sam.^{BCh} *mākētti*: Dt 3$_{14}$ Jos 12$_{5}$ 13$_{11.13a}$; — 2.-4. (v. II מַ׳): — 2. 2S 23$_{34}$ (Ell. PJb. 31, 56f); — 3. 2K 25$_{23}$ Jr 40$_{8}$; — 4. 1C 4$_{19}$ (↗ Ell. l.c. :: Rud. Chr. 34). †

מעל: mhe. u. ja. veruntreuen, Heiliges zweckwidrig verwenden; ar. *maġila* lasterhaft sein; ↗ Palache 45; nur b. Ez u. spät:

qal: pf. מָעַל (מָעַל־בִּי Ez 17$_{20}$), מָעֲלָה, מָעַלְתָּ/נוּ, מְעַלְתֶּם; impf. (BL 353b) יִמְעַל, תִּמְעֹל Lv 5$_{15}$ Nu 5$_{27}$, תִּמְעֲלוּ/עָלוּ; inf. מְעֹל, לִמְעָל־ 2C 36$_{14}$ K מעול, מַעֲלָם Ez 20$_{27}$ (BL 354e), מָעַל (מַעַל) מָעוֹל: **pflichtwidrig handeln, untreu sein** (Boecker 34. 115 sakralrechtlich, THAT 1, 920ff): a) gegen (בְּ) Gott Lv 5$_{15.21}$ 26$_{40}$ Nu 5$_{6}$, cj 31$_{16}$, Dt 32$_{51}$ Jos 22$_{16.31}$ Ez 14$_{13}$ 15$_{8}$ (implicite) 17$_{20}$ 20$_{27}$ 39$_{23.26}$ Da 9$_{7}$ Esr 10$_{2}$ Neh 13$_{27}$ 1C 5$_{25}$ 10$_{13}$ 2C 12$_{2}$ 26$_{16}$ 28$_{19.22}$ 30$_{7}$; b) gegen den

Ehemann Nu 512·27; sich an Banngut vergreifen Jos 71 2220 1C 27; abs. Ez 1824 Pr 1610 Esr 1010 Neh 18 2C 2618 296 3614. † Der. I מַעַל, מְעִיל (?).

I מַ֫עַל: מעל; mhe., Nf. מועל, 4Q 166 I 9; auch מְעִילָה Verleumdung (auch Mi. Traktat); ar. *maġālat* Verrat: מַעֲלוֹ/לָם, מָעַל (inf. sf.!), מַעְלוֹ 2C 3319 (BL 568m): — 1. **Pflichtwidrigkeit**, **Untreue** (Boecker 34, THAT 1, 920f; immer gegen Gott) Jos 2216·22·31 Sir 107 4118 4816; Esr 92·4 106 1C 91 1013 2C 2919 3319, c. מָעַל Lv 515·21 2640 Nu 56·12·27 3116 Jos 71 2220 Ez 1413 158 1720 1824 2027 3926 Da 97 2C 2819 3614; — 2. **Trug** Hi 2134 (|| הֶבֶל, G οὐδέν, Dho. Hölscher, Fohrer u.a.).†

II מַ֫עַל: I עלה, BL 492o; ph. (DISO 162); eig. sbst. Oberes, das Oben, מרומי מעל Sir 2616 (Tarb. 29, 133); Barth Fschr. Nöld. 790: מָ/מַ֫עְלָה, מָ֫עַל: > adv. **oben**: — 1. nur in מִמַּעַל, von oben, > **droben**: a) אֱלֹהַּ בַּשָּׁמַיִם מִמַּעַל Ex 204 Dt 439 Js 458; מִמַּ׳ G. in d. Höhe Hi 34; b) מִמַּ׳ לְ **oberhalb** v. Js 62, cj Jr 5232, Da 126; **obenauf** Gn 229 Jr 4310, = מִמַּ׳ עַל 1K 73, c. מִלְמַעְלָה 1K 720 (↗ I עָמָּה); — 2. מָ/מַ֫עְלָה eig. loc. (BL 527n) **nach oben** > oben: a) מַ׳ מָעְלָה immer höher Dt 2843, וָמַ׳ u. darüber hinaus Ri 136 1S 92; tpl. מִן־הַיּוֹם הַהוּא וָמַ׳ und weiter 1S 1613 Hg 215; b) לְמַעְלָה Ex 2520 Js 711 (:: cj שְׁאָלָה), c. נשׂא nif. hochgebracht werden (לְ)מַטָּה (מַלְכוּת) 1C 142; :: nach unten Dt 2813 Pr 1524; c. גִּדֵּל od הִגְדִּיל hoch auszeichnen 2C 11 1C 225; עַד־לְמַ׳ war sehr schwer (חֳלִי) 2C 1612; מִן ··· וּלְמַ׳ לְמַ׳ מִן hinaus über 1C 293, u. darüber hinaus 1C 2327; לְמַ׳ רֹאשׁ über d. Kopf hinaus Esr 96; הפך לְמַ׳ n. oben kehren, auf d. Kopf stellen Ri 713, cj Am 57(G); c) מִלְמַ֫עְלָה/מָעְלָה (3Q 15, 10, 2) Jos 313·16 v. oben herab, > oben Gn 616 Jr 3137 (:: לְמָטָּה) Ez 111 2C 44, עַל ··· מִלְמַ׳ oben auf Ex 2521, oben darauf 1K 725; — Ez 417 l מִמַּעְלָה לְמַעְלָה; Ps 745 ? l לְמוֹ עָלֶה.

מַעַל: ↗ עַל + מִן.

מֹ֫עַל: I עלה, Var. v. מַעַל (↗ BH, BL 492o); ? typ. *muqṭal* (ar. akk., Nöld. SGr. § 126F, Kö. :: Rud. 146f): Erhobensein, **Erhebung** (d. Hände) Neh 86. †

*מַעֲלָה, Sam.[M39] *mālli*: עלה, BL 491n; akk. *mēlû* (AHw. 644a): cs. מַעֲלֵה, sf. מַעֲלוֹ K, Q ־לָיו Ez 4031·34·37 (BL 588 l); Schwarzb. 28f: — 1. **Aufstieg**, **Aufgang**, **Steig**: a) c. sf. מַעֲלוֹ zu ihm Ez 4031 (s.o.).34·37; c. gen. [חל] מעלה sandiger A. Sir 2519; מַ׳ הָעִיר 1S 911 2S 1530 2C 2016, מַ׳ קִבְרֵי 3233 (:: Galling: Oberstock); c. לְחוֹמָה לְ Neh 1237, cf. עֲלוֹת 319; b) in nn.l. c. gen. Steig, Pass (Noth WdAT 82ff) ↗ בֵּית־חֹרוֹן, אֲדֻמִּים, גּוּר, הֶחָרֶס, הַלּוּחִית, עַקְרַבִּים, צִיץ; — 2. tt. archt.: a) **Tribüne**, **Podium** (f. d. Leviten, :: Schwarzb.) Neh 94; b) **Stockwerk**: 2C 3233 (? ↗ 1) u. cj Ez 417 (l מִמַּעֲלָה לְמַעְלָה pr. לְמַעְלָה לְמַעְלָה). †

מַעֲלָה: I עלה, BL 492p; mhe.: pl. abs. cs. מַעֲל(וֹ)ת, מַעֲלֹתָו, מַעֲלֹתֵהוּ (BL 253v) Ez 4317: — 1. **Hinaufzug**: a) מִבָּבֶל = Heimkehr Esr 79; b) pl. **Wallfahrten** cj Ps 846[G]; die Festkarawanen nach Jerus. (Mow. OS 492f, BHH 2135) שִׁיר הַמַּעֲלוֹת im Titel Ps 120.122-34 u. שִׁיר לַמַּ׳ 1211 (שיר המ׳ 11Q = DJD IV 24), :: Dahood Bibl. 48, 429: DJD IV 86.14 מ׳ || תשבחתך (?); — 2. **Stufe**: Neh 315, v. מִזְבֵּחַ Ex 2026, כִּסֵּא 1K 1019f 2C 918f, שַׁעַר 2K 913 Ez 406·22·26 Neh 1237 (↗ Rud.), אֵילָם Ez 4031·34·37·49, אֲרִיאֵל 4317; Treppe 3Q 15, DJD III 247,93; מַעֲלוֹת אָחָז 2K 209-11 Js 388 Sonnenuhr, antik γνώμων, äg. Erman-Ra. 399f (1QJs[a] עלית = עֲלִיַּת Iwry BASOR 147, 30): 2 Treppenfluchten z. Dach m. Sonnenuhr, BHH 1822f, Barr BWT 103[3]; — 3. metaph. מַעֲלוֹת רוּחֲכֶם aufsteigende Gedanken Ez 115; — Am 96 l עֲלִיָּתוֹ; ? 1C 1717. †

מַ֫עְלָה: ↗ II מַ֫עַל 2.

*מַעֲלִיל Zch 14K: ↗ מַעֲלָל.

*מַעֲלָל, Sam. Dt 2820 *mällel*: I עלל, BL

491k; mhe. ja. מַעְלְלָא: ? pltt.: מַעֲלָלִים, מַעַלְלֵיכֶם, מַעַלְלֶיךָ/לֵינוּ, מַעֲלָלָיו, מַעַלְלֵי (so auch Q Zch 14, K מַעֲלִיל): (gute, schlechte) **Taten**: v. Menschen: c. רֹעַ Hos 915 Js 116 Dt 2820 Jr 44 2112 232.22 255 263 4422 Ps 284, c. הֵרֵעוּ Mi 34, c. הֵיטִיבוּ Jr 73.5 1811 2613 3515; c. לֹא טוֹבִים Ez 3631, c. רָעִים Zch 14 Neh 935; ↗ Hos 49 54 72 123 Js 38 Jr 418 1118 Ri 219 1S 253 Zch 16 Ps 10629.39 Pr 2011, cj 1414 (l וּמִמַּעֲלָלָיו); פְּרִי מ׳ Js 310 Jr 1710 2114 3219 Mi 713; Taten Gottes Mi 27 Ps 7712 787. †

מַעֲמָד: עמד, BL 490z; מַעֲמַד, מַעֲמָדְךָ, מַעֲמָדָם; ↗ מָעֳמָד: — 1. **Aufwartung** (cf. עָמַד לִפְנֵי jmd bedienen, aufwarten) 1K 105 2C 94; — 2. **Posten**, **Stellung** (DSS) Js 2219 1C 2328 2C 3515, cj Sir 3312 (Adl. l מעמדיהם): — 3. מ׳ מים stehendes Wasser (↗ עמד 3, Reymond 267) = Wasserfläche Sir 4320. †

מָעֳמָד: עמד, pt. hof. > sbst. (GB) od. typ. *muqtal*, ↗ מֹעַל; ↗ מַעֲמָד: **fester Grund** Ps 693. †

מַעֲמָסָה: עמס, BL 490a: Hochheben, Stemmen, אֶבֶן מ׳ **Stemmstein** im Sport (Hier., ↗ Zorell, BHH 1834 :: Driv. ZAW 80, 180f: Wegsperre) Zch 123 (= λίθος δοκιμασίας Sir 621 :: he. אבן משא). †

***מַעֲמַקִּים**: עמק, BL 490z, 558c: mhe. ja.: מַעֲמַקֵּי; pltt.: **Tiefen** Js 5110 (1QJsa במ׳ ים) Ez 2734 Ps 693.15 1301. †

מַעַן (270 ×): III ענה, BL 492o, cf. מַעַל; II מַעֲנֶה; DSS; äga. (DISO 162); immer c. לְ; Sec. λαμαν (Brönno 218): לְמַעֲנִי, למענו Sir 4314Rd. M VI 7, לְמַעַנְךָ/כֶם: — 1. praep.: **in Rücksicht auf**, **um .... willen**, **wegen**: לְמַעַן שְׁמוֹ um seines Namens willen Ps 233; ↗ 2511 314 799 1068 10921 14311 Jr 147.21 Ez 209.14.22.44 Js 489 †, לְמַעַן חַסְדֶּךָ Ps 65 4427 †, לְמַ׳ צִדְקוֹ Js 4221 †, לְמַ׳ יהוה Js 497, לְמַעֲנִי (Gott) 2K 1934 206 Js 3735 4325 4811; לְמַעַן זֹאת deswegen 1K 1139; — 2. conj. a) c. inf. **um zu**: לְמַ׳ הַצִּיל um zu retten Gn 3722, לְמַ׳ הֱיוֹתְכֶם damit ihr seid Jr 448, לְמַ׳ שִׁתִי damit ich geschehen lasse Ex 101, m. wechselndem Sbj. לְמַ׳ רְבוֹת 119, לְמַ׳ דַּעַת Jos 424a, cj לְמַ׳ יִרְאָתָם 424b; b) c. impf.: **damit** לְמַעַן אֲשֶׁר Gn 1819 Dt 2018 2S 135 Jr 426 etc.; > gekürzt. לְמַעַן יִיטַב Gn 1213 Ex 45 Js 519 etc.; c. לֹא: לְמַעַן לֹא Ez 1411 Zch 127; c) oft ist Folge als Absicht ausgedrückt: Dt 2918 Jr 2715, od. לְמַעַן ist ironisch gebraucht Hos 84; — Ez 2120 l הַמּוֹג (Zimm. 472); 2133 l בָּרָק; 2321 l לְמֹעֵךְ; — HA Brongers OTS 18,84 ff.

I **מַעֲנֶה**: I ענה, BL 491n; mhe.; ug. *mʿn* (UT nr. 1883); ? akk. *maʾna* (AHw. 601b): cs. מַעֲנֵה: **Antwort** (Chr. Barth, Fschr. vRad 47f) Mi 37 u. Pr 151 u. 23 || דָּבָר, Hi 323.5, מַ׳ לָשׁוֹן Pr 161 Sir 424; — Pr 2919 ↗ I ענה hif. †

II ***מַעֲנֶה**: III ענה, BL 491n; ar. *maʿnan* Sinn, Bedeutung: לְמַעֲנֵהוּ Mf. v. < לְמַעֲנֵה u. לְמַעֲנֵהוּ (Driv. JSSt. 10, 113): **Zweck** Pr 164 Sir 4314 u. 26 (למענו, Rd. -עהו, ↗ Smend 405); Der. מַעַן. †

מַעֲנָה: I ענה, BL 492p; ug. ? *ʿnt* Furche (Gray LoC[2] 71[3]), ar. *maʿnātu* Streifen, Ackerland: pl. מַעֲנוֹתָם (Q מַעֲנִיתָם): **Pflugbahn** (d. Strecke, an deren Ende d. Pflug gewendet wird (FrzDelitzsch Ps.[3] 389ff, AuS 2, 171f, Delekat VT 14, 38f, Driver, ZAW 80, 174) 1S 1414 (text?) Ps 1293. †

מְעֹנָה, Sam.[M67] *mūna*: II עון f. v. II מָעוֹן: מְעֹ(ו)נָתוֹ, מְעוֹנוֹת, cs. מְעֹנוֹת, מְעֹ(ו)נֹתָם/תֶיהָ: **Versteck**, **Lagerstatt** für Löwen Am 34 Nah 213 Ps 10422 Hi 3840 HL 48, f. צִפְעֹנִי (cj Js 118), חַיָּה Hi 378; f. Jahwe (? als Löwe :: Gkl, Bilder a. d. Zeltleben d. Vorzeit, || סֹךְ) Ps 763; f. Menschen Jr 2113; — Dt 3327 l מְעֻנֶּה (↗ Seeligm. VT 14, 87f). †

***מַעֲנִית**, Ps 1293Q: ↗ מַעֲנָה.

מַעַץ: n.m.; Kf. v. אֲחִימַעַץ (↗ Noth 235 nr. 97): 1C 227. †

מַעֲצֵבָה: II עצב, BL 492s: **Ort d. Qual** Js 5011. †

מַעֲצָד: עצד, BL 490z; mhe. kleines Beil;

ug. *m‘ṣd* (UT nr. 1904), ar. *mi‘ḍad*, äth. *mā‘ḍad*: gekrümmtes Strauchmesser, **Gertel**: Js 44$_{12}$ cj 10$_{33}$, Jr 10$_3$. †

מַעְצוֹר 1S 14$_6$ Sir 39$_{18}$ u. מַעְצָר Pr 25$_{28}$: עצר, BL 493z.490z; mhe. מַעְצוֹר: **Hindernis, Schranke** 1S 14$_6$ Sir 39$_{18}$; לְרוּחוֹ Selbstbeherrschung Pr 25$_{28}$. †

מַעֲקֶה, Sam.^{M54} *māqa*; *עקה, Nf. v. עוק, BL 491n; mhe.; ph. מעק (DISO 162); ar. *‘qw* abschrecken, *‘wq* zurückhalten, *ma‘āqe* Geländer (AuS 7, 82f, Müller VT 21, 561f): **Geländer** Dt 22$_8$. †

מַעֲקַשִּׁים: עקשׁ, BL 558c: **unebenes Gelände** (Schwarzb. 210) Js 42$_{16}$ (:: מִישׁוֹר). †

מַעַר: I ערה, < *מַעֲרֶה, BL 492o: מַעֲרֶךְ: **Blösse** Nah 3$_5$; — ? מֵעֵבֶר אִישׁ || מַעַר אִישׁ (F Mtg-G. 181, Noth Kge. 145) 1K 7$_{36}$. †

I *מַעֲרָב: I ערב, BL 490z; pun. *marob* Bürgschaft, Poen. 933 (Sznycer 70f), ph. ערב (DISO 221); sec. ctxt. c. ערב Tauschhandel treiben Ez 27$_{9.27}$ (:: Driv. Fschr. Robinson 64f: IV ערב Opfer darbringen Hos 9$_4$, asa. sy.); Ez 27$_{13.17.19.25.34}$, pl. 27$_{33}$. †

II **מַעֲרָב**: V ערב, *ġrb*, BL 490z: ja. מַעֲרְבָא, ug. *m‘rb*; jaud. äga. palm. (DISO 162); asa. מערב (Conti 212a); ar. *maġrib*, *Maghreb* (:: Rössler ZA 54, 171f): מַעֲרָב, מַעֲרָבָה: **Sonnenuntergang, Westen** Js 43$_5$ (:: מִזְרָח) 45$_6$ (l מִמַּעֲרָבָה) 59$_{19}$ Ps 103$_{12}$ 107$_3$ (:: מוֹצָא) 75$_7$, Da 8$_5$ 1C 7$_{28}$ 12$_{16}$ 26$_{16.18}$; cj Ri 20$_{33}$ מִמַּעֲרָב לַגִּבְעָה; loc.: מֵעֵבֶר לַיַּרְדֵּן מַעֲרָבָה westwärts v. Jd. (Gemser VT 2, 352, Rud. 176) 1C 26$_{30}$, c. לְ nach d. Westseite von 2C 32$_{30}$ 33$_{14}$, למערבא לאשור Gn Ap 17$_8$. †

מַעֲרָבָה Js 45$_6$: l מַעֲרָבָה (II מַעֲרָב).

***מַעֲרֶה**: ? II ערה, BL 491n; מִמַּעֲרֵה־הַגָּבַע Ri 20$_{33}$, G^B Μααραγαβα; ? Blösse, Lichtung; ? l מִמַּעֲרַב־הַגֶּבַע G^A, westl. v. G. †

I **מְעָרָה**: II ערר, BL 491l, < *ma‘arrat*; mhe., ja. מְעָרְתָא, Sardes äga. palm. (DISO 163), cp. sy. *me‘artā*; ug. *mġrt* (UT nr. 1523, Aistl. 1630), ph. מערת (? *Megara*, Harris Gr. 135), äg. *magarata* (EG 2, 164, Albr. Voc. 44); ar. *maġārat*, lib. n.l. *mġrt* (ZA 54, 169); > gr. μέγαρον Opfergrube (Lewy Fw. 93f, Mayer 234, Hö. Prof. 142²; :: Masson 87f skeptisch): מְעָרַת: pl. abs. cs. מְעָרוֹת: **Höhle** (Schwarzb. 49, Smith RS 199f.567f) Gn 19$_{30}$ Jos 10$_{16-27}$ (8 ×) Ri 6$_2$ 1S 13$_6$ 24$_4$ (יַרְכְּתֵי הַמְּ׳) $_{.8f.11}$ Ps 57$_1$ 142$_1$ 1K 18$_{4.13}$ 19$_{9.13}$ (פֶּתַח הַמְּ׳) Js 2$_{19}$ (מְעָרוֹת צֻרִים) Jr 7$_{11}$ Ez 33$_{27}$, cj Nah 2$_{12}$ (für Löwen); מְעָרַת הַמַּכְפֵּלָה F Gn 23$_9$ 25$_9$ = מְעָרַת שְׂדֵה הַמְּ׳ 23$_{19}$ 50$_{13}$ = הַמְּ׳ 23$_{11.17.20}$ 49$_{29f.32}$; — ? Jos 13$_4$, F Noth 70; Abel RB 58, 47ff; 1S 17$_{23}$ מִמַּעַרְכוֹת l מִמְּעָרוֹת; 1S 22$_1$ u. 2S 23$_{13}$ u. 1C 11$_{15}$ l מְצַדַת (עֲדֻלָּם). †

II *מְעָרָה: ערה; ar. *ma‘ir*, BL 594v: מְעָרוֹת: **kahles Feld** Js 32$_{14}$ (Driv. JSSt. 13, 52). †

*מַעֲרָךְ: ערך, BL 490z; mhe. מערכים Anordnung: מַעַרְכֵי לֵב **Überlegungen** d. Herzens Pr 16$_1$. †

מַעֲרָכָה, Sam.^{M57} *marreket*: ערך, BL 490a, F מַעֲרֶכֶת; mhe. Holzstoss, 1QM 45 ×; nab. ערכותא (DISO 222) ar. *ma‘ra/ukat* Schlacht(feld); cs. מַעַרְכ(ו)ֹת: — 1. **Reihe, Schicht** Ex 39$_{37}$ Lampen, Ri 6$_{26}$ (בַּמְּ׳) in d. gewohnten Weise, Dho., al. m. derselben Steinschicht, Gressm.); — 2. milit. tt: **Schlachtreihe** (Yadin ScrW 163f): 1S 4$_{2.12.16.16}$ 17$_{20.22.48}$ (F Stoebe VT 6, 408^{13}), 1C 12$_{39}$ c. עֹדְרֵי (F I עדר); מַעַרְכ(ו)ֹת v. Isr. 1S 17$_{8.10.45}$, פְּלִשְׁתִּים 17$_{23Q}$ 23$_3$; Gottes 17$_{26.36}$. †

מַעֲרֶכֶת: ערך, BL 490a.607d, abs. u. cs., F מַעֲרָכָה: abs. מַעֲרָכוֹת: Aufschichtung, Schicht, **Schicht-** oder **Schaubrote**: (Ell. Lev. 328, Noth Lev. 154f) לֶחֶם הַמַּעֲרָכוֹת Neh 10$_{34}$ 1C 9$_{32}$ 23$_{29}$, מַעֲרֶכֶת לֶחֶם 2C 13$_{11}$, in 2 Schichten übereinander Lv 24$_{6f}$; מַעֲרֶכֶת לֶחֶם 2C 13$_{11}$, מַעֲרֶכֶת תָּמִיד d. tägliche Aufschichtung 2C 2$_3$ (F Rud. 198); שֻׁלְחַן הַמַּעֲרֶכֶת 2C 29$_{18}$, שֻׁלְחֲנוֹת הַמְּ׳ 1C 28$_{16}$. †

*מַעֲרָם: עָרֹם, BL 493z.558c; ? מערמיה

Sir 51_{17} (DJD 4, S. 80): מַעֲרֻמֵּיהֶם: Nacktheit, > concr. (HeSy § 14aε) **Nackter** 2C 28_{15}. †

cj *מַעֲרָץ (מַעֲרָצָה, — רִיץ —): I ערץ, BL 490z: Js 8_{13} l מַעֲרַצְכֶם pr. ־רִצ׳ (Ⓑ ־רִיצ׳): **Schrecken** || מוֹרָא. †

מַעֲרָצָה: I ערץ, BL 490a: **Schreckensgewalt** (G ἰσχύς, V *terror*) Js 10_{33}, ? l מַעֲצָד Axt (Duhm). †

מַעֲרָת: n.l. in Juda, Gau Betlehem; I od. II מְעָרָה, BL 510v; Abel 2, 371, GTT § 319, D4, Noth Jos. 99, DJD III 272, 49: Jos 15_{59}. †

מַעֲשֶׂה (220 ×), Sam.[M63] *maššī*: עשׂה, BL 491n; mhe., DSS; > ja. Prijs ZDMG 117, 278f; pun. (DISO 163): cs. מַעֲשֵׂה (מַעֲשֵׂי ? sg., MSS ־שֵׂה, cf. GK § 93ss; Ps 138_{8}), מַעֲשֶׂךָ, מַעֲשֵׂהוּ/נוּ u. ־שַׂיִךְ Ps 66_{3} (BL 584c; DSS, Goschen-Gottstein, JSSt. 4, 104ff), מַעֲשִׂים, מַעֲשֵׂי, מַעֲשָׂיו/שַׂי, מַעֲשֵׂיכֶם: — 1.a) **Tun** Gn 44_{15} Ex 23_{24}, מַעֲשֵׂנוּ unser T. Koh 2_{17}, מַ׳ אִשָּׁה זוֹנָה Ez 16_{30}, מַ׳ יְדֵיהֶם Jr 32_{30} Hg 2_{17} (al. 3.); pl. Ps 106_{39} (|| מַעֲלָלִים) Esr 9_{13}, Brauch Lv 18_{3} (sg) Ps 106_{35}; b) **Ergehen** (der Gerechten u. Gottlosen) Koh 8_{14}; — 2. **Arbeit** Gn 5_{29} (|| עִצְּבוֹן יָדֵינוּ) pl. Ex $5_{4.13}$ 23_{12}, Feldarbeit Ex 23_{12}; יְמֵי הַמַּ׳ Werktage Ez 46_{1} (:: שַׁבָּת; ? :: 1S 20_{19}); Arbeitsertrag Js 65_{22}; מַ׳ זַיִת Hab 3_{17}, מַ׳ חֹשֵׁב Ex $26_{1.31}$, מַ׳ רֹקֵם Ex 26_{36} 27_{16}, מַ׳ חָרַשׁ אֶבֶן 28_{11}, מַ׳ אֹרֵג 28_{32}, מַ׳ רֹקֵחַ 30_{25}; — 3. **Werk**, Erzeugnis d. (technischen) Tuns Js $59_{6a.b}$, מַ׳ יָדַיִם Händewerk Jr 32_{30} Hg 2_{17}; מַ׳ יְדֵי אָמָּן v. Künstlerhänden HL 7_{2} (יְדֵי > G[BL]) מַ׳ אֹפֶה Backwerk Gn 40_{17}, מַ׳ הַחֲבִתִּים Zubereitung v. 1C 9_{31} (Tiegelgebäck), Gussarbeit מַ׳ צַעֲצֻעִים 2C 3_{10}; מַ׳ לִבְנַת הַסַּפִּיר Arbeit in Ex 24_{10}, מַ׳ רֶשֶׁת Gitterwerk 27_{4}; כְּלִי מַ׳ Geschmeide Nu 31_{51}, כְּמַעֲשֵׂהוּ von d. gleichen Arbeit Ex 28_{8} 39_{5}; מַ׳ הָאֵפֹד wie d. E. gemacht ist 28_{15}; מַ׳ (הַמְּכוֹנָה) Machart Nu 8_{4} 1K 7_{28-33} 2K 16_{10}; מַ׳ עִזִּים aus Ziegenhaar gemacht Nu 31_{20}, מַ׳ (מִרְקַחַת) kunstgerechte (Salbenmischung) 2C 16_{14}; כְּמַ׳ שְׂפַת כּוֹס wie der Rand e. Bechers gemacht 1K 7_{26} 2C 4_{5}; מַ׳ Bauart 1K $7_{8.17.19.22}$; מַ׳ מִקְשֶׁה Haargekräusel Js 3_{24}; — 4. **Werke u. Taten Gottes** (v. Rad, Fschr. Vriezen 290ff) Ex 34_{10} Dt 3_{24} 11_{7} Jos 24_{31} Ri $2_{7.10}$ Js 5_{19} 10_{12} 28_{21} Jr 51_{10} Ps 33_{4} 64_{10} Pr 16_{11} Hi 37_{7} Da 9_{14}, Ps 107_{24} 111_{2} 118_{17} Koh 3_{11} 7_{13} 8_{17} 11_{5} etc., יְדֵי מַעֲשָׂיו s. Tun Js 5_{12} Ps 28_{5} 111_{7}, כל מעשה אל alle Werke G.s. Sir 33_{15} (MS Adl.); d. Schöpfung Ps 8_{7} 19_{2} 102_{26} 103_{22} 138_{8}; מַעֲשָׂיו s. Geschöpfe 145_{9} Hi 34_{19}; s. Händewerk Js 5_{12} 29_{23} Ps 19_{2} 28_{5} 111_{7} Koh 5_{5}, so Isr. Js 60_{21}, so Assur 19_{25}; Gott tut מַעֲשֵׂינוּ לָנוּ 26_{12}; מַ׳ :: עֹשֵׂהוּ 29_{16}; — 5. **Menschenwerk**: מַ׳ יְדֵיכֶם Jr 25_{6f} 44_{8} Hg 2_{17}; Götzen Jr 25_{6f} 44_{8} Hos 14_{4} Mi 5_{12} 2C 34_{25}; מַ׳ הַצְּדָקָה Js 32_{17} מַ׳ תַּעְתֻּעִים Taumelwerk Jr 10_{15} 51_{18}; — 6. Versch. עָשָׂה מַ׳ עִם an jmd handeln Gn 20_{9}; מַ׳ עֲבֹדַת was beim Dienst zu tun ist 1C 23_{28}; מַ׳ תָקְפּוֹ Erweis s. Macht Est 10_{2}, מַ׳ הָעוֹלָה was zur עוֹ׳ gehört 2C 4_{6} (:: Rud.: die zugerichteten Stücke d. עוֹ׳), מַעֲשֵׂהוּ s. Behandlung Ri 13_{12}, s. Betrieb, s. Tätigkeit 1S 25_{2} Pr 16_{3}; מַעֲשַׂי (? l מַעֲשִׂי) = m. Lied Ps 45_{2}; — Jr 48_{7} l בְּמְצֻדֹתַיִךְ; Ps 104_{13} l מֵרִי אֲסָמֶיךָ (רִי ⟋ F).

מַעְשַׂי: 1C 9_{12}, n.m.; Kf. מַעֲשֵׂיָה (Noth 172) od. corr.; cf. עֲמַשְׁסַי Neh 11_{13} (Rud.). †

מַעֲשֵׂיָה: n.m.; < מַעֲשֵׂיָהוּ: — 1. Priester Jr 21_{1} 29_{25} 37_{3}, 42_{1} u. 43_{2} G, (F Rud. 254) pr. הוֹשַׁעְיָה; — 2. Jr 29_{21}; — 3. Verschiedene: Esr $10_{18.21f.30}$ Neh 3_{23} $8_{4.7}$ 10_{26} 11_{5} (1C 9_{5} עֲשָׂיָה).$_{7}$ 12_{41f}, cj 1C 6_{25}. †

מַעֲשֵׂיָהוּ: n.m.; מַעֲשֶׂה + י׳ „J.s Werk" (Noth 172) > מַעֲשֵׂיָה u. מַעְשַׂי, Dir. 208. 212: 1.-6. Jr 35_{4}; 1C $15_{18.20}$; 2C 23_{1}; 26_{11}; 28_{7}; 34_{8}. †

מַעֲשֵׂר, Sam.[M62] *maššar*: עשׂר, BL 492r; mhe., T. Arad (Phoenix XI 257), ja. מַעְשְׂ/סְרָא; ug. *maʿšaru* (PRU III p. 225, >

akk. AHw. 624a); akk. *ešrū, ešrētu* (AHw. 257b); asa. *m*ʿ*srt*; cs. (BL 545u, 207 i) מַעְשַׂר, Neh 10_{39} מַעֲשַׂר, מַעַשְׂרוֹ, מַעַשְׂרוֹת, מַעְשְׂרֹתֵיכֶם: — 1. **zehnter Teil** (ƑF עֲשִׂרִית) Ez $45_{11.14}$; — 2. **Zehnten** (als Abgabe, Ped. Isr. 3/4,307ff, Eissf. Erstlinge u. Z. 1917, Cazelles VT 1, 131ff, de Vaux Inst. 2, 244f. 276f, BHH 2208) Am 4_4, נָתַן מַ׳ מִן d. Zehnten v. etw. geben Gn 14_{20}, גָּאַל מִמַּ׳ Lv 27_{31}, לָקַח מַ׳ מֵאֵת Nu 18_{26}, c. הֵבִיא Mal 3_{10}; מַ׳ neben עֹלָה, זֶבַח, תְּרוּמָה Dt $12_{6.11}$, קָדָשִׁים 2C 31_{12}, הַמַּ׳ וְהַתְּרוּמָה Mal 3_8; שְׁנַת הַמַּ׳ d. Jahr, in dem d. Zehnte gegeben wird Dt 26_{12} (= הַקֹּדֶשׁ v. 13); Ƒ Dt 12_{17} $14_{13.28}$ Lv 27_{30-32} Nu $18_{21.24.26.28}$ Neh 10_{38f} 12_{44} $13_{5.12}$ 2C $31_{5f.12}$. †

מַעֲשַׁקּוֹת: עשק, BL 558c; pltt: **Erpressung** Js 33_{15} (c. בֶּצַע; ANEP 370) Pr 28_{16}. †

מֹף, מַפֵּיס T Jr 2_{16}: n.l.; äga. מנפי; klschr. *Me/impi*, äg. *Mn-nfr* > *Mnf*; G grie. Μεμφις, sonst נֹף, BzA 1, 594f, RLAeR 446ff, GTT § 1472.1663, BHH 1236: **Memphis**, 20 km. s. Kairo auf d. linken Nilufer: Hos 9_6. †

מִפְגָּע, or. מַ׳ (MTB 70): פגע, BL 490z, **Zielscheibe**, (Ƒ מַטָּרָה; ANEP 390) Hi 7_{20}. †

מַפָּח: נפח BL 490z; mhe., ja. מַפָּחָא u. מַפַּחְתָּא: **Aushauchen** (d. Seele) = Herzeleid, G ἀπώλεια, Hi 11_{20} Sir 30_{12}. †

מַפֻּחַ, or. מַפַּח (BH): נפח, BL 494g; mhe. מַפּוֹחַ, ja. מַפּוֹחָא; ug. *mpḫm* (du., UT nr. 1673, Aistl. 1815); ar. *minfa/āḫ*; ? akk. *munappiḫtu* (AHw. 672b): **Blasbalg** (AuS 4, 24.28, AOB 51, ANEP 3, Albr. RI 223, BASOR 163, 20f) Jr 6_{29}, cj Pr 26_{21}. †

מְפִ(י)בֹשֶׁת, G^BA^ Μεμφιβοσθε, G^L^ βααλ; deform. < Ƒ מְרִי־בַעַל 1C 9_{40b}, מְרִיב בַּעַל 1C 8_{34} 9_{40a}, מרבעל Ostr. Sam. Dir. 46f, MT מפי sinnlose Änderung ? :: Junker OLZ 42, 370: kan. מְפִיבַעַל: — 1. S. v. Saul 2S 21_8; — 2. S. v. Jonatan 2S 4_4 9_{6-13} $16_{1.4}$ $19_{26.31}$ 21_7. †

מֻפִּים, Sam.[M134] *mabbem*: n.m., mhe.: Nachk. Benjamins Gn 46_{21}, = שׁוּפָם Nu 26_{39}, pr. שֻׁפִּים cj 1C 7_{12} (Rud. :: Galling). †

[מֵפִיץ Pr 25_{18}: l מַפֵּץ Hammer.]

מַפָּל: נפל, BL 490b; sy. *mappālā* Fall; Ƒ מַפָּלָה: מַפַּל, מַפְּלֵי: — 1. **Abfall** (v. Getreide) Am 8_6; — 2. מַפְּלֵי בָשָׂר d. fleischigen **Wampen** (d. בְּהֵמוֹת) Hi 41_{15}. †

*מִפְלָאוֹת, or. מַ׳ (MTB 70): פלא, BL 490a; מִפְלְאוֹת: **Wunderwerk** Hi 37_{16}, gew. l נִ׳ (v. 14 :: Tur-S. 514). †

*מִפְלַגָּה, or. מַ׳ (MTB 70): I פלג, BL 490a. 558c; DSS, auch מפלג: Abteilung, **Familiengruppe** d. Laien :: מַחְלְקוֹת d. Leviten 2C 35_{12} :: 10. †

מַפָּלָה Js 17_1 u. מַפֵּלָה 23_{13} 25_2: נפל, BL 490c.492t; mhe., ja. sy. מַפַּלְתָּא; ph. מפלת (DISO 163); Ƒ מַפָּל u. מַפֶּלֶת: — 1. **Trümmerhaufe** Js 17_1; — 2. **Verfall** Js 23_{13} 25_2. †

מִפְלָט: פלט, BL 490z: **Zufluchtsort** Ps 55_9, cj 18_3 u. 144_2 u. 2S 22_2 (11Q Ps^a^ מפלט לי, DJD IV p. 44, 13). †

מִפְלֶצֶת: פלץ, BL 607d; 1K 15_{13} 2C 15_{16} מִ׳ לַאֲשֵׁרָה, Grausen (Ƒ פַּלָּצוּת) > Gottesbild (Ges.Thes. 1107)G^C^ εἴδωλον, V *simulacrum turpissimum*, G^A^ σύνοδος, Versammlung (S ʿ*ēdā* Fest), auch *coitus*, e. unzüchtiges Bild d. Ƒ Ašera (V im Zushg. der *sacra Priapi*); cf. MOhnefalsch-Richter, Kypros, d. Bibel u. Homer, 1893, 146f; Terrien, VT 20, 330: **Schandbild** (Ƒ Rud. Chr. 246, Noth Kge 337). †

*מִפְלָשׂ, or. מַ׳ (MTB 70): פלשׂ, BL 490z; = II פלס u. פֶּלֶס: מִפְלְשֵׂי: **Schweben** (?), c. עָב Hi 37_{16}, cj 36_{29} (Hölscher, Fohrer). †

מַפֶּלֶת: נפל, BL 607d; mhe. Ƒ מַפָּלָה: מַפַּלְתּוֹ/תֵּךְ: — 1. Gefallenes, **Aas**, Kadaver Ri 14_8 (d. Löwen); — 2. **Gefällter Stamm** Ez 31_{13}; — **Fall**, **Sturz** Ez $26_{15.18}$ 27_{27} 31_{16} 32_{10} Pr 29_{16}. †

*מִפְעָל, or. מַ׳ (Sperber 238): פעל, BL 490z; iam. (DISO 163): pl. cs. מִפְעֲלוֹת (Sec.

μαφαλωθ, Brønno 173), מִפְעָלָיו: **Tat** (Gottes) Ps 46₉ 66₅ Pr 8₂₂, מפעל איש Sir 15₁₉. †

מֵפַעַת Jos 13₁₈ n.l.: ↗ מֵיפַעַת.

*מַפָּץ: נפץ, BL 490z: **Zerschlagung**, Zerstörung (1QHod 4₂₆), כְּלִי מַפָּצוֹ s. Zerstörungswerkzeug (GK § 135n) Ez 9₂. †

מַפֵּץ: נפץ, BL 492t: (Kriegs-)**Hammer** (cf. II מַקֶּבֶת, פַּטִּישׁ) Jr 51₂₀ || כְּלֵי מִלְחָמָה, cj Pr 25₁₈. †

מִפְקָד, G^BA^ Μαφεκαδ: פקד, BL 490z: tt. archt. ph. (DISO 163): cs. מִפְקַד: — 1. **Anordnung** (d. Königs) 2C 31₁₃, עת מ׳ Sir 32/35₁₁ ? festgesetzte Zeit, ? corr., < *מִפְטָר Aufbruch (Smend); — 2. **Zählung, Musterung** (c. הָעָם) 2S 24₉ 1C 21₅; — 3. n.l. ? a) שַׁעַר הַמִּ׳ Neh 3₃₁: Stadttor im NO d. Stadt, „Wachttor" ↗ Dalm. JG 140, Simons 340ff, BHH 839; al. e. Tempelhoftor, Rud. EN 121; b) מִ׳ הַבַּיִת Ez 43₂₁ „Musterungsplatz d. Tempels", ↗ Fohrer 240, Zimm. 1103. †

*מִפְרָץ: פרץ, BL 490z: ar. *furḍat* Hafen; מִפְרָצָיו: **Bucht, Anlegeplatz** (Schwarzb. 77 :: Täubler 117ff: z. Küstenebene führende Schluchten) Ri 5₁₇. †

*מַפְרֶקֶת: פרק, BL 607d; mhe., ja. פִּרְקְתָּא, sy. *pāraqtā*, ar. *farq* Scheitel: מַפְרַקְתּוֹ: **Genick** 1S 4₁₈. †

מִפְרָשׂ, or. מַ׳ (MTB 70): פרשׂ, BL 490z; ? pun. (DISO 163), ar. *mifraš* Tischtuch, *mifrašat* Satteldecke: מִפְרָשֵׂךְ: מִפְרְשֵׂי: **Ausspannung**: a) **Segel** Ez 27₇; b) c. עָב Hi 36₂₉ (or. מִפְרַשֵׂי, פרשׂ pi. cf. מפרש שחקים 1QM 10, 11) l מִפְלְשֵׂי (1 MS, 37₁₆, ↗ Hölscher, Fohrer). †

מִפְשָׂעָה: (trad. I פשׂע schreiten) II פשׂע, BL 490a, Koehler ZAW 58, 228: Ort d. Bedeckung, **Gesässgegend** (= I שֵׁת) 1C 19₄. †

*מִפְתָּח: פתח, BL 490z: mhe. Eingang, Öffnung, ja. sy. מַפְתְּחָא, äga. öffnen (DISO 164): cs. מִפְתַּח: **Öffnen** (d. Lippen) Pr 8₆, cj (l מִפְתָּחוֹ; c. cj עַל וְעֲלֵיהֶם: 1b, Rud. Chr.; Öffnung d. Tempels) 1C 9₂₇. †

מַפְתֵּחַ: auch cs. (BL 542m) Js 22₂₂: פתח, BL 492q; mhe., ja. מַפְתְּחָא, cp.; ar. *miftāḥ*, tigr. *mafteḥ* (Wb. 665a); akk. *na/eptū*, *naptētu* (AHw. 742a, Salonen Naut. 82): **Schlüssel** (↗ Luschan MVAG 22, 357ff, BRL 460, AuS 7, 53f.71ff, BHH 1703) Ri 3₂₅ Sir 42₆, als Amtszeichen auf d. Schulter getragen Js 22₂₂ (cf. 9₅; AOB 99; Seeligm. 34); — 1C 9₂₇ l מִפְתָּחוֹ. †

מִפְתָּן, or. מַ׳ (MdO 197), G αμαφεθ: *פתן, BL 490z; mhe. פְּתִין/ם tt. archt., Querbalken (?): cs. מִפְתַּן: **d. untere Schwelle** (Ges. Thes. 1140, T סְקוּפְתָּא, ↗ מַשְׁקוֹף :: HWinckler AOF 3, 381ff, Gerleman Zeph. 9ff, BHH 1749: Stufenpodium): מִ׳ הַבַּיִת Ez 9₃ 10₄.₁₈ 47₁ מִ׳ הַשַּׁעַר 46₂; wird nicht betreten (דרך) sondern übersprungen (דלג) 1S 5₄f Zef 1₉ (↗ Frazer FOT 3, 1ff, Sartori, Sitte u. Brauch, 1914, 1. 113f; Elliger ATD 25², 58.63, Donner JSS 15, 42ff). †

[מֵץ: Js 16₄ הַמֵּץ, 1QJs^a^ ח/המוץ, l חמוץ (Nötscher VT 1, 301, Ku LJs 174). †]

מֹץ: mhe., ar. *mauṣ* Stroh: **Spreu** (AuS 3, 137f). Js 17₁₃ 29₅ 41₁₅, cj 5₂₄ (↗ מק) Hos 13₃ Zef 2₂, cj Hab 3₁₄a (כְּמֹץ) Ps 1₄ 35₅ Hi 21₁₈. †

מצא: mhe., (>) äga. (DISO 164), ja. sy. md. (MdD 276b) finden, erreichen, imstande sein, äth. u. tigr. (Wb. 145a) *maṣ'a*; amh. *maṭā*, aram. מטא/י (ba., DISO 148) äga. palm. md. (MdD 264a) erreichen, imstande sein; (? > ar. IV *'anṭā* < *'*amṭā*), asa. *mṭw* u. *mẓ'* ankommen, ar. *mṣj* weggehen; ? ug. *mṣ'* u. *mġj* erreichen (UT nr. 1524.1520); akk. *maṣū* genügen, ausreichen (AHw. 621b), amor. (Huffm. 232); Grdf. *mẓ'*, *mġj* u. *mṣ'* Wvar. ? (vSoden HeWf. 293):

qal (320 ×): pf. מָצָא (Pr 8₃₅Q, K מֹצְאִי), מָצְאָה, מָצָאתָ, מָצָאת/צָאתָ֫ וּמָצָאתָ, מָצָאת, מָצָתִי (BL 375, Bgstr. 2, 157d), מְצָאתֶם, מְצָאתֶם, מְצָאתָה, מְצָאתְנוּ/אָתְנוּ, מְצָאוֹ, מְצָאנוּ, מְצָאָהוּ, מְצָאתִים, מְצָאתִיהוּ, מְצָאתַנִי (2. f.),

מְצָאֻנְהוּ; impf. יִמְצָא, תִּמְצְאִי, יִמְצָאוּ, תִּמְצֶאןָ, תִּמְצָאֵךְ, יִמְצָאֻהוּ, יִמְצָאֻנְנִי (BL 338p), יִמְצָאוּנְהָ; imp. מְצָא־, מִצְאוּ, מְצֶאןָ; inf. מְצ(וֹ)א, לִמְצֹא(־) (Pr 19$_{8}$, ↗ GK § 114i, Gemser), מֹצַאֲכֶם Gn 32$_{20}$ (BL 375); pt. מוֹצֵא, מוֹצֶא (sec. ל״ה) Koh 7$_{26}$, מֹ(וֹ)צֵאת, מוֹצְאֵת HL 8$_{10}$ (BL 612y), מֹצְאִים/אֵי, מֹצְאוֹת, מֹצְאִי, מֹצְאֵיהֶם: — 1. **erreichen**: c. acc. 1S 23$_{17}$, c. לְ Js 10$_{10}$, c. עַד Hi 11$_{7}$ (? l תִּגַּע, :: Dahood Fschr. Gruenth. 57), ausreichen für (↗ nif. 5) Nu 11$_{22}$ Ri 21$_{14}$ Hos 12$_{9}$; — 2. **zufällig treffen**: Gn 4$_{14}$ 1S 9$_{11}$, auf etw. stossen Ex 22$_{5}$ Dt 19$_{5}$, finden Gn 11$_{2}$ Ex 5$_{11}$, zufällig finden 2K 22$_{8}$; יִמְצָא בַּאֲשֶׁר (גור) wo es sich trifft Ri 17$_{8f}$, הַמֹּצְאוֹת אוֹתָם was ihnen passiert war Jos 2$_{23}$; תִּמְצָא יָד was dir unter die Hand kommt, sich dir bietet Ri 9$_{33}$ 1S 10$_{7}$ 25$_{8}$ Koh 9$_{10}$, c. לֹא (finanziell) nicht aufbringen Lv 12$_{8}$; — 3. **Gesuchtes finden** (THAT 1, 922ff) Gn 2$_{20}$, ausfindig machen 1S 31$_{3}$; c. לְ bei Dt 22$_{14}$ Hos 12$_{9}$: findet man bei mir (↗ Rud. 222f); zu finden suchen 1S 20$_{21}$; c. עַל gegen Hi 33$_{10}$; ertappen Nu 15$_{32}$ Jr 2$_{34}$; c. בְּיַד finden an 1S 12$_{5}$, c. בְּ finden von 2K 9$_{35}$; Gott finden Dt 4$_{29}$, Rätsel erraten Ri 14$_{18}$, Schuld ausfinden Gn 44$_{16}$; מָצָא דָבָר e. Antwort finden Neh 5$_{8}$; מָ׳ חָזוֹן e. Gesicht erlangen Kl 2$_{9}$; מָ׳ לִבּוֹ לוֹ fasst sich e. Herz, zu 2S 7$_{27}$, ohne לֵב, wagen, es fertig bringen 1C 17$_{25}$ (Ehrl. Rud.), מָ׳ חֵן Gn 6$_{8}$ (↗ חֵן 2); erfinden Hi 33$_{10}$ (↗ תְּנוּאוֹת); כְּמוֹ צֵאת שָׁלוֹם Frieden, Freundlichkeit finden HL 8$_{10}$ (trad. :: Rud., Echter כְּמוֹצְאֵת שָׁלוֹם wie eine die man gegen Bezahlung hergibt); — 4. **erlangen, erzielen**: Ernte Gn 26$_{12}$, Beute Nu 31$_{50}$ Ri 5$_{30}$, c. לוֹ für sich 2S 20$_{6}$; מָצְאוּ יְדֵיהֶם wissen ihre Hände zu gebrauchen Ps 76$_{6}$; — 2S 18$_{22}$ l מוּצֵאת (יצא hof.); Jr 10$_{18}$ l לְמַעַן מִצֵּאת (Rud.); Ps 10$_{15}$ l בַּל תּוֹצֵא (יצא hif. entkommen lassen); 21$_{9a}$? l תָּבוֹא; 32$_{6}$? l מָצוֹר קֹל (= מָצוֹר), ↗ Komm., vdWoude OTSt. 13, 131ff = ZAW 76, 91; Koh 9$_{15}$ l נִמְצָא (:: Dahood Bibl. 47, 278: l מֻצָּא qal pass.):

nif (135 ×): pf. נִמְצָא, נִמְצֵאת, נִמְצֵאתִי, נִמְצְאוּ/צָאוּ; impf. יִמָּצֵא, תִּמָּצְאִי, יִמָּצְאוּ[ן], תִּמָּצֶאינָה (ל״ה!); inf. הִמָּצֵא, הִמָּצְאוֹ; pt. נִמְצָא, נִמְצָאָה (Jr 48$_{27}$ l Q נִמְצָא), נִמְצְאִים (BL 234p, 12 ×; 1 × נִמְצָאִים), נִמְצָאוֹת, נִמְצָאַיִךְ; (Iwry Textus 5, 34ff): — 1. **gefunden werden**, sich vorfinden Gn 18$_{29}$ Esr 2$_{62}$, cj Koh 9$_{15}$, c. אֵת bei 1C 29$_{8}$, c. לְ Dt 22$_{20}$ 1S 13$_{22}$, 1QJs[a] 37$_{31}$ הנמצאה Var. f. הַנִּשְׁאָרָה; erfunden werden als Da 1$_{19}$, cj Pr 8$_{12}$ (l אֶמָּצֵא), richtig befunden werden Est 2$_{23}$; erreicht werden Pr 16$_{31}$; — 2. **angetroffen, ertappt werden** Gn 44$_{9}$ Ex 22$_{1}$ Dt 17$_{2}$ 22$_{22.28}$ 24$_{7}$ Jr 2$_{26}$ 48$_{27}$ Pr 6$_{31}$; — 3. gelegentlich, zufällig gefunden werden Dt 21$_{1}$ Jr 23$_{4}$ Mi 1$_{13}$ Zef 3$_{13}$ 2C 34$_{21.30}$; הַנִּמְצָא עָלָיו was gegen ihn vorgebracht wurde (al. was ihm widerfuhr) 2C 36$_{8}$; — 4. **sich finden lassen** (Gott; THAT 1, 924): Js 55$_{6}$ 65$_{1}$ Jr 29$_{14}$ Ps 46$_{2}$ (al. bewahrt, ↗ 1) 1C 28$_{9}$ (c. לְ von) 2C 15$_{2.4.15}$; — 5. נִמְצָא לְ **reicht aus für** (akk. *maṣū*, Otzen 250f) Jos 17$_{16}$ Zch 10$_{10}$ (l וּלְבָנוֹן לֹא יִמָּצֵא); — Js 22$_{3}$ l אַמִּיצַיִךְ; Hi 28$_{12}$? l תָּבוֹא (v. 20) od. תֵּצֵא.

hif: pf. הִמְצִיאוּ, הִמְצִיתִךְ (BL 375); impf. יַמְצִאֵהוּ/אֶנּוּ, וַיַּמְצִאוּ; pt. מַמְצִיא: — 1. (etw.) **reichen**, bringen Lv 9$_{12f.18}$; — 2. **treffen lassen** Hi 34$_{11}$; — 3. (in jmds Hand) **geraten lassen** 2S 3$_{8}$ Zch 11$_{6}$; — Hi 37$_{13}$ gelingen lassen, verwirklichen, ?, ↗ Komm. †

cj **hof**: pt. f. מוּצֵאת HL 8$_{10}$, ↗ qal 3. †

מֹצָא: ↗ מוֹצָא.

מַצָּב, G Μεσσαβ: נצב, BL 490b, Eilers WdO 3, 133; mhe. Stelle, Besatzung, ug. *mṣb* Gestell (Aistl. 1831, UT nr. 1685); nab. palm. מצבא Flachrelief, Stele (DISO 164); cp. Säule; ar. *manṣib* Posten, Amt. ↗ מַצָּבָה: מַצָּב, מַצָּבְךָ: — 1. **Standort** (d. Füsse) Jos 4$_{3.9}$; — 2. **Posten** 1S 13$_{23}$

14$_{1.4.6.11.15}$ 2S 23$_{14}$;—3. Stelle, **Amt** Js 22$_{19}$. †

מֻצָּב: נצב, pt. hof. sbst.: G χάραξ, V *agger*; milit. tt. inc. || מְצֻרֹת, Belagerungswall (Vrss) Js 29$_{3}$; — Ri 9$_{6}$ l הַמַּצֵּבָה. †

מַצָּבָה: f. v. מַצָּב; mhe. Aufstellung: **Posten** 1S 14$_{12}$, cj Zch 9$_{8}$. †

מַצֵּבָה: נצב, BL 492t; ↗ מַצֶּבֶת 2S 18$_{18}$: mhe.; ug. *nṣbt* Festigkeit, n.l. *maṣibat* (UT nr. 1525, Aistl. 1637) *mṣb*; ph. מצבת u. מנצבת; npu. *mṣb* Grabgewölbe (ZDMG 117, 19f), nab. (Syr. 35, 246f m. Bild u. Inschrift) מצבא, מצבתא u. palm. נצבא (DISO 164.184); ar. *nuṣb*, asa. נצב (Conti 189b), saf. *mṣb* (Grimme TU 184): cs. מַצְּבַת u. ↗ מַצֶּבֶת (BL 613b), מַצַּבְתָּהּ Js 6$_{13}$ (s.u.), pl. מַצֵּבוֹת, cs. מַצְּבוֹת, מַצֵּבֹתֶיךָ (BL 597g), מַצֵּבֹתָם/תֵיהֶם: **Mazzebe, Malstein** (BRL 368ff, BHH 1169) meist unbehauener aufgerichteter Kult-, Grab-, Denkstein: Gn 28$_{18.22}$ 31$_{13}$ 35$_{14}$, kan. Ex 23$_{24}$ 34$_{13}$ Dt 7$_{5}$ 12$_{3}$, pl. v. Mose bei e. Altar errichtet Ex 24$_{4}$, v. Israel errichtet 1K 14$_{23}$ 2K 17$_{10}$ Hos 3$_{4}$ 10$_{1}$, v. Ahab für בַּעַל 2K 3$_{2}$; in Aegypten für Jahwe Js 19$_{19}$; im Tempel v. צֹר Ez 26$_{11}$; aeg. Obelisken Jr 43$_{13}$; in Israel verboten Lv 26$_{1}$ Dt 16$_{22}$, vernichtet 2K 3$_{2}$ 10$_{27}$ 18$_{4}$ 23$_{14}$ 2C 14$_{2}$ 31$_{1}$, sollen vernichtet werden Hos 10$_{2}$ Mi 5$_{12}$; Denkstein beim Bundesschluss Gn 31$_{45}$; מַצֵּבָה zusammen mit גַּל 31$_{51f}$; an Rahels Grab 35$_{20}$, v. Absalom für sich selber errichtet 2S 18$_{18}$; מַצֵּבָה c. שִׂים Gn 28$_{18.22}$, c. מָשַׁח 31$_{3}$, c. הֵקִים Lv 26$_{1}$ Dt 16$_{22}$, c. הִצִּיב Gn 35$_{14.20}$; מַצֶּבֶת אֶבֶן Gn 35$_{14}$; פֶּסֶל וּמַ׳ Lv 26$_{1}$, pl. Mi 5$_{12}$; מַ׳ u. בָּמוֹת u. אֲשֵׁרִים 1K 14$_{23}$, מַ׳ u. אֲשֵׁרִים 2K 17$_{10}$; cj אֵלוֹן הַמַּצֵּבָה Ri 9$_{6}$; Smith RS 203ff.456, Ringr. IR 21f, de Vaux Inst. 2, 109f BHH 18; — 2K 10$_{26}$ l אֲשֵׁרַת (שׂרף!) u. 10$_{27}$ l מִזְבַּח (cf. 1K 16$_{32f}$; SBOT IX 232f). †

מְצֹבָיָה: הַמְּ׳ 1C 11$_{47}$: gntl. „aus צוֹבָא", ? Mf. v. מְצֹבָה u. *הַצֹּבָתִי (↗ Rud.). †

מַצֶּבֶת: נצב, BL 490c; = ↗ מַצֵּבָה: מַצַּבְתָּהּ: — 1. **Malstein**, d. „Absalom-Stein" im Königstal bei Jerus. 2S 18$_{18a.b}$, ↗ BHH 1169; — 2. Js 6$_{13}$: d. frühere Übersetzung „Wurzelstock" fraglich; entweder d. kahle Stamm nach Verbrennen d. Gezweigs (Seeligm.) od. „neues Gewächs" (aram. ↗ I נצב, Tur-S. ScrHieros 8, 169); :: 1QJs[a] אשר משלכת מצבת במה, danach Iwry JBL 76, 225ff: d. heilige Baum abgehauen u. den Abhang d. בָּמָה hinuntergerollt; ähnlich Hvidberg Fschr. Mow. 97ff, Albr. VTSu. 4, 254f, Driv. JSSt. 13, 38; ↗ Wildbg. BK X/1 234. †

***מצד**: ar. *maṣada* (Brust) saugen, *maṣd* u. *maṣād* Berggipfel, Zufluchtsort (cf. תֵּל, akk. *tillu*, ar. *tallu* < ar. *tal*ʿ Brust; Holma NKt. 46); Der. מְצָד u. II מָצוֹד, II מְצוּדָה.

מְצָד, מְצַד 1C 12$_{9}$ (↗ Rud.): (früher צוד, GB) מצד, BL 470l; ja. מְצָדְתָא Festung Μασαδα, המצד 3Q 15 IX 17 (DJD III 269, 37), מצד חסדין „Feste der Frommen" = Qumran (DJD II nr. 45, p. 164, RMeyer GNbd 9³); n.l. Μασαδα **Maṣada** (Schürer 1, 638, Abel 2, 380, BHH 1158, Yadin Masada 1966): schwer zugänglicher Ort (für Kämpfende, Flüchtige, Wegelagerer): pl. abs. cs. מְצָדוֹת: Ri 6$_{2}$ 1S 23$_{14.19}$ 24$_{1}$ Js 33$_{16}$ (c. סְלָעִים) Jr 48$_{41}$ 51$_{30}$ Ez 33$_{27}$ (neben מְעָרוֹת) 1C 11$_{7}$ (= מְצֻדָה 2S 5$_{9}$) 12$_{9.17}$. †

מְצֹדָה, מְצֻדָה: ↗ מְצוּדָה, מְצוֹדָה.

מצה: mhe. ja. sy. md. (MdD 277a) auspressen; ar. *mṣw* II u. *mṣṣ* schlürfen, tigr. (Lesl. 31) *maṣaja* saugen; cf. מוץ, מצץ:

qal: pf. מָצִית; impf. יִמְצוּ, וַיִּמֶץ: — 1. **auspressen** (nasses Fell) Ri 6$_{38}$; — 2. **ausschlürfen** (Becher) Js 51$_{17}$ Ez 23$_{34}$ Ps 75$_{9}$. †

nif: pf. נִמְצָה; impf. יִמָּצֵה (*ē* wie ל״א; od. aram., BL 422t s. v. גלה) **ausgepresst werden** Lv 1$_{15}$ 5$_{9}$; — ? Ps 73$_{10b}$; Ps 73$_{10a}$ schlürfen (Wasser in Fülle ?), ↗ Komm., Gkl Ps. 317f, Würthwein, Wort u. Existenz 1970, 172. †

Der. מֹצָה (?).

מִצָּה: n.l. in Benjamin ? מצה, BL 475p (?), „Presse" ↗ Abel 2, 392f, GTT § 327 II, 6, Noth Jos. 112, Avigad IEJ 8, 113ff: Jos 18_{26}. †

I מַצָּה: trad. מצץ saugen od. ar. *mazza* geschmacklos, zw. süss u. sauer sein (Wein), *muzz* säuerlich, geschmacklos, ? unsem. Lw. (Beer, Pesachim 1912, 21): מַצּ(ו)ת: **Mazze**, G ἄζυμον, Lokotsch nr. 1441, BHH 2049, ↗ פֶּסַח: — 1. ohne Sauerteig schnell gebackenes Fladenbrot aus Gerstenmehl u. Wasser Gn 19_3 Ri 6_{20} 1S 28_{24}; — 2. P, das aus dem nicht verbrannten Anteil der מִנְחָה am Heiligtum ohne Säuerung hergestellte, den Priestern vorbehaltene Brot Lv 2_{4f} 6_9 7_{12} $8_{2.26}$ 10_{12} 23_6, Ex 12_{39} 29_2 Nu $6_{15.19}$ 9_{11}, Jos 5_{11} 1C 23_{29}; — 3. חַג הַמַּצּוֹת, d. **Mazzenfest** (↗ Eerdmans Fschr. Nöld. 671ff, Horst GsR 116f, Ringr. IR 170f, Kraus, Gottesdienst in Israel[2], 1962, 61ff, de Vaux, Inst. II 391ff) Ex 12_{17} 23_{15} 34_{18} Lv 23_6 Dt 16_{16} Esr 6_{22} 2C 8_{13} $30_{13.21}$ 35_7, = מַצּוֹת Ex 12_{17} Jos 5_{11}; סַל הַמּ׳ Ex 29_{23} Lv $8_{2.26}$ Nu $6_{15.17}$; Ez 45_{21} חַג מַצּוֹת u. הַשָּׁבֻעוֹת ↗ Zimm. 1158. 1162; — 2K 23_9 ? l מְנָיוֹת (: מְנָת, ↗ Komm.).

II מַצָּה: נצה, BL 492p; mhe. ja. מַצּוּת Streit: **Streit, Rauferei** Js 58_4 Pr 13_{10} 17_{19} Sir 31_{26}. †

מֻצְהָב: צהב, typ. *muqṭāl* (↗ מֻטָּה etc.): נְחֹשֶׁת מ׳ **Messing** (Driv. WdO 2, 24f) od. Goldglanz (Rud. EN 82): Esr 8_{27}. †

*מִצְהָלוֹת: צהל, BL 490a: cs. מִצְהֲלוֹת, מִצְהֲלוֹתַיִךְ: **Gewieher** Jr 8_{16} 13_{27}. †

I *מָצוֹד: צוד, BL 491g; cp. *mṣdʾ* Netz: מְצוֹדִים: **Fangseil, Netz** Hi 19_6 (al. II, ↗ Komm.) Koh 7_{26}, cj Ps 116_3 (l מְצָדֵי pr. מְצָרֵי). †

II *מָצוֹד: מצד, BL 469f, = מְצָד, ↗ II מְצוּדָה; מְצוֹד, מְצוֹדִים: **Bergfeste** מְצוֹד רָעִים Pr 12_{12} (Mow. Scr. IV 1, 414.470, Gemser), text? ↗ Ringgren ATD 16,52[2]; — Koh 9_{14} „grosse Türme" (noch Hertzb. 181f) ? l.c. 2 MSS Vrss מְצוּרִים (Ges.; II מָצוֹר). †

I מְצוּדָה: צוד, f. v. I מָצוֹד; BL 491i.493b; ↗ מְצוּדָה; mhe. auch מְצָדָה (↗ מְצָד), vorausgesetzt statt II in πύργος θανάτου f. d. böse Weib Sir 26_{22} (Smend Komm. S. CXII, G^{Ra} II 422) ↗ Skehan CBQ 16, 154; ja. מְצוּדְתָא, sy. *mṣīdtā* (LS 626b); ar. *miṣjadat* Falle, Netz; AuS 6, 335f: — 1. **Jagdnetz** Ez 12_{13} (|| רֶשֶׁת) 17_{20}, cj מְצוּדוֹת Ez 19_8, Sir 9_3; — 2. **Jagdbeute** Ez 13_{21}; — Ez 19_9 l מְצָרוֹת o.ä. G. „Gewahrsam" (: נצר, Zimm. 419). †

II מְצוּדָה u. 4 × מְצֻדָה: מצד, ↗ מְצָד u. מָצוֹד; mhe. (↗ I), ja. מְצוּדְתָא: מְצֻדַת, מְצוּדָתִי, מְצֻ/מְצוּדוֹת (Sec. μισουδωθ, Sperber 238): **Bergfeste** 1S 22_{4f} 24_{23} 2S $5_{9.17}$ 23_{14} Js 29_3 (10 MSS, Js^a), cj Jr 48_7 (l בִּמְצֻדוֹתַיִךְ), 2C 11_{16}; מְצֻדַת צִיּוֹן 2S 5_7 1C 11_5, = עִיר דָּוִד 2S 5_9; מְצֻדַת [עֲדֻלָּם] cj 1S 22_1 u. 2S 23_{13} u. 1C 11_{15}; שֶׁן־סֶלַע || מְצוּדָה Hi 39_{28}; metaph. J. ist בֵּית מְצוּדוֹת Ps 31_3, cj 71_3 u. מְצֻדָתִי 2S 22_2 Ps 18_3 31_4 71_3 91_2 144_2; — Ps 66_{11} ? l בַּמָּצוֹר.

מְצוּדָה: צוד, BL 491i; ↗ I מְצוּדָה: **Netz** Koh 9_{12} (|| פַּח); — Js 29_7 l c. $1QJs^a$ מצרתה (מְצָרָה Wache od. מְצֻרָה Schanze); Ez 19_9 l בַּמָּצוֹר o.ä. Gewahrsam (Zimm. 419. 423). †

מִצְוָה (180 ×, Dt 43 ×), or. מ׳ (MTB 70) Sec. μ(α)σωθ (Sperber 238, Brönno 174), Sam.[M174] *mēṣāba*: צוה, BL 492; mhe., ja. מִצְוְתָא; > äth.[G] *meṣwat* u. denom. *maṣwata* Almosen geben (Ulldff. EthBi. 121): מִצְוַת, מִצְוֹת (Neh 9_{14} מִצְוֹת, Bgstr. 1. 45e), מִצְוֹתָיו: **Auftrag**, (einzelnes) **Gebot**, (Summe aller) **Gebote**, **Anrecht**: — 1. v. Menschen erteilt: צִוָּה (שְׁלֹמֹה) מִצְוָה 1K 2_{43}; מ׳ הַמֶּלֶךְ 2K 18_{36} Est 3_3 Neh 11_{23} (11 ×); מ׳ אֲנָשִׁים Menschensatzung Js 29_{13}; מ׳ יוֹנָדָב Jr $35_{14.16.18}$, v. אָב Pr 4_4 6_{20} 7_{1f}, חָכְמָה (ZAW 51, 181[1]) 2_1 3_1; מ׳ דָּוִד (d. Kult betreffend) Neh $12_{24.45}$ 2C 8_{14} 29_{25} 35_{15}†; מ׳ v. Mose gegeben Jos 22_5 2C 8_{13}; מ׳ || תּוֹרָה Pr 6_{23}; יְרֵא מ׳ 13_{13}, שֹׁמֵר מ׳ 19_{16}

Koh 8$_5$; הֶעֱמִיד עָלָיו מִצְוֹת nimmt Verpflichtungen auf sich Neh 10$_{33}$; — 2. v. Gott gegeben (so immer Gn-Dt); a) pl.: מִצְוֹת י׳ Nu 15$_{39}$ Dt 4$_2$ 1K 18$_{18}$ (22 ×), c. מ׳ אֲשֶׁר לֹא תֵעָשֶׂינָה Lv 4$_{2.13.22.27}$ 5$_{17}$ †; מִצְוֹתָיו אֱלֹהָי Ps 119$_{115}$; מ׳ אֱלֹהִים Esr 10$_3$, מִצְוֹתֶיךָ Dt Ex 15$_{26}$ Dt 4$_{40}$ 1K 2$_3$ (31 ×), מִצְוֹתַי Dt 26$_{13}$ Ps 119$_6$ 1C 29$_{19}$ (26 ×), מִצְוֹתַי Gn 26$_5$ Ex 16$_{28}$ Js 48$_{18}$ (21 ×), הַמִּ׳ הָאֵלֶּה Lv 26$_{14}$ Nu 15$_{22}$, הַמִּ׳ Lv 27$_{34}$ Nu 36$_{13}$ Neh 1$_7$, מ׳ וְחֻקִּים Neh 9$_{13}$, חֻקִּים וּמ׳ טוֹבִים 9$_{14}$; b) sg. הַמִּצְוָה das Gebot Ex 24$_{12}$ Dt 5$_{31}$ 1K 13$_{21}$ Jr 32$_{11}$ (21 ×), מִצְוָתוֹ Nu 15$_{31}$, מִצְוָתְךָ Dt 26$_{13}$ Ps 119$_{96}$. cj 9$_8$, מ׳ י׳ Ps 19$_9$, pl. Esr 7$_{11}$, הַמִּצְוָה הַזֹּאת Mal 2$_{1.4}$; מ׳ שְׂפָתָיו Hi 23$_{12}$, לְמִצְוָה hinsichtlich e. Gebots 2C 19$_{10}$; — Ps 119$_{19}$ l אִמְרָתֶךָ; Neh 13$_5$ l מְנָיוֹת V.

מְצ/צוּלָה, מְצוֹלָה, Sam.[M177] *māṣālot*: *צול, BL 493b, Nf. v. II צלל; ≠ צוּלָה; mhe. מְצוּלָה, DSS; ja. מְצוּלָא Tiefe, nsy. ar. *miṣwal* Schüssel z. Körnerwaschen ZDPV 14, 3; מְצ/צוּלֹת, מְצֹ(וּ)לֹ(וֹ)ת: — 1. sg. **(Meeres-) Tiefe** Jon 2$_4$ Zch 1$_8$ Ps 69$_{3.16}$ 107$_{24}$ Hi 41$_{23}$; — 2. **Tiefe(n)**: v. Nil Ex 15$_5$ Zch 10$_{11}$ Neh 9$_{11}$, יָם Mi 7$_{19}$ Ps 68$_{23}$ 88$_7$ (|| תַּחְתִּיּוֹת). †

מָצוֹק: צוק, BL 491g, ≠ מְצוּקָה: **Drangsal** Dt 28$_{53.55.57}$ Jr 19$_9$ Ps 119$_{143}$; אִישׁ מָ׳ in bedrängter Lage 1S 22$_2$ (neben אֲשֶׁר לֹא נֹשֶׁא u. אִישׁ מַר נֶפֶשׁ, = germanisch: „Ächter“. †

***מָצוּק** od. *מָצוֹק: mhe, Säule (?); etym. ? II צוק: מְצֻקֵי אֶרֶץ מְצֻקֵי 1S 2$_8$, **Pfeiler** (SV); — 1S 14$_5$ dl (dittgr. ?). †

מְצוּקָה: f. v. מָצוֹק, צוק, BL 491i; ≠ מוּעָקָה: מְצוּקוֹתַי/תֵיהֶם: **Bedrängnis** Zef 1$_{15}$ Hi 15$_{24}$; pl. Ps 25$_{17}$ 107$_{6.13.19.28}$. †

I **מָצוֹר**: I צור, BL 491g; DSS; aam. מצר (DISO 165): מְצוֹר, מְצוּרְךָ: — 1. **Bedrängnis** Dt 28$_{53.55.57}$ Jr 10$_{17}$ 19$_9$ Ps 31$_{22}$ (l בְּעֵת), cj 32$_6$ (l לְעֵת מָצֹאר [מצאר pr. מָצוֹר] vdWoude OTSt. 13, 131ff) u. 66$_{11}$ (בַּמָּ׳, od. cj בּוֹא בַּמָּ׳ בִּמְצוּרָה BH); — 2. **Belagerung**: בּוֹא בַּמָּ׳ belagert werden Dt 20$_{19}$ 2K 24$_{10}$ 25$_2$ Jr 52$_5$; יָשַׁב בְּמָ׳ ruhig sich belagern lassen 2C 32$_{10}$; בָּנָה מָ׳ עַל Belagerungswerke bauen gegen Dt 20$_{20}$, cj Koh 9$_{14}$ (l מְצוּרִים), נָתַן מָ׳ עַל Ez 4$_2$ u. שִׂים מָ׳ עַל Mi 4$_{14}$ Belagerung verhängen über; הָיָה בַּמָּ׳ unter Belagerung sein Ez 4$_3$ Zch 12$_2$; מְצוֹר יְרוּשׁ׳ Ez 4$_7$, יְמֵי מָ׳ 4$_8$ 5$_2$; מֵי מָ׳ Wasser f. d. Belagerung Nah 3$_{14}$. †

II **מָצוֹר**: ≠ II מְצוּרָה; ? IV צור, Nf v. נצר; od. Lw. < akk. *maṣṣartu*, EA auch *manṣ-* (AHw. 620b); mhe., ja.[b] (Feld-) Grenze; ija. מצר Grenze (DISO 165), ar. *manẓar(at)* Ort m. weiter Aussicht, Wachtturm: **Befestigung, feste Stadt**: בָּנָה עָרִים לְמָ׳ 2C 11$_5$, עָרֵי מָ׳ 8$_5$, עִיר מָ׳ (1QHod 6$_{25}$, || חומה נשגבה) Ps 60$_{11}$ (= עִיר מִבְצָר 108$_{11}$) Petra, ≠ II סֶלַע (:: al. עַד מָ׳), Zch 9$_3$; — Hab 2$_1$ (|| מִשְׁמֶרֶת, 1QHab מצורי) Warte, cj נצר: מַצּוֹר (cf. J Jeremias WMANT 35, 104f). †

III **מָצוֹר**: n.t. = מִצְרַיִם **Ägypten**: Mi 7$_{12a}$ (l מָ׳ 12b וַעֲדֵי l צַר G); יְאֹרֵי מָ׳ 2K 19$_{24}$/ Js 37$_{25}$ u. Js 19$_6$ (:: Eissf. ZDMG 112, 263[1]), ? cj חַכְמֵי מָ׳ Ez 27$_8$ (:: Fohrer: צֶמֶר, Zimm. 628. 635). †

I cj ***מְצוּרָה**, f. v. I מָצוֹר: **Bedrängnis** Ps 66$_{11}$ pr. מְצוּדָה.

II **מְצוּרָה** u. **מְצֻרָה**: f. v. II מָצוֹר: מְצוּרוֹת: Befestigung: עָרֵי מְצוּרָה 2C 14$_5$ u. עָרֵי מְצֻרוֹת (GK § 124q) 11$_{10.23}$ 12$_4$ 21$_3$ **befestigte Städte** > מְצֻרוֹת 2C 11$_{11}$; Js 29$_3$ מְצֻרֹת (1QJs[a] מצדות, = II מְצוּדָה) מַצָּב || Belagerungswall (Vrss), al. l מְצֻרוֹת; — Nah 2$_2$ l מַצָּרָה. †

***מַצּוּת**: נצה, BL 505p, Gulk. 123; ja.[tg(?)] מַצּוּתָא, sy. md. (MdD 277a) *mṣūtā*; מַצֻּתֶךָ: **Streit** Sir 31/34$_{26}$, אַנְשֵׁי־מַצֻּתֶךָ deine Widersacher (|| מִלְחָמָה u. רִיב) Js 41$_{12}$. †

מֵצַח: צחח, BL 491l, glänzen, Lex.[1], Blau VT 5, 342 (:: Guill. 4, 9: ar. *wḍḥ* hell sein); mhe. ja.[g(?)] מצחא: מִצְחוֹ, מִצְחֲךָ/חֵךְ, pl. cs. מִצְחוֹת: **Stirn** (Dho. EM 68) Ex 28$_{38}$ 1S 17$_{49}$, zeigt צָרַעַת 2C 26$_{19f}$, trägt תָּו Ez 9$_4$, ist נְחוּשָׁה Js 48_4, חָזָק Ez 3_{7-9}, verrät die זוֹנָה Jr 3_3; c. העיז d. Stirn bieten Sir 8_{16}; ℱ מִצְחָה.

*מִצְחָה: f. v. מֵצַח: cs. מִצְחַת: Stirnseite > **Beinschienen** (BRL 89f, Galling VTSu. 15, 163f) 1S 17_6. †

*מְצִלָּה: I צלל, BL 492w: מְצִלּוֹת, Hier. *mesaloth* (Sperber 238): **Schelle** Zch 14_{20} apotrop. am Pferd (Wellh. RaH 165). †

מְצִלְתַּיִם: I צלל, BL 492w; ℱ צֶלְצְלִים; ja. מצלצלא Kastagnette; ug. *mṣltm* (du., UT nr. 2164, Aistl. 2318): Schallbecken, **Zimbeln** (grie. κύμβαλα, BRL 393, Kolari 21ff, Wegner 38f, BHH 1259, 8) Esr 3_{10} Neh 12_{27} 1C 13_8 $15_{16.19.28}$ $16_{5.42}$ $25_{1.6}$ 2C 5_{12f} 29_{25}. †

מִצְנֶפֶת, Sam.[M175] *ma-*, Jos. Antt. III 7, 3 μασναεφθής: צנף, BL 490a. 607c; mhe., ja.[tg] מַצְנַפְתָּא, sy. *maṣ-*: Hönig 92: **turbanähnlicher Kopfbund**: d. Königs Ez 21_{31}, d. Hohenpriesters (Noth Ex. 185) Ex $28_{4.37.39}$ 29_6 $39_{28.31}$ Lv 8_9 16_4 Sir 45_{12}. †

מַצָּע: יצע, BL 490z; mhe.²: (Ruhe-)**Lager** Js 28_{20}, cj Koh 10_{20} (l בְּמַצָּעֲךָ pr. בְּמַדָּעֲךָ :: Hertzb. 197f). †

*מִצְעָד, or. מַ׳ (MTB 70): צעד, BL 490z: mhe., 1QHod.: מִצְעֲדֵי, מִצְעָדָיו: — 1. **Schritt** Ps 37_{23} Pr 20_{24}, ℱ פַּעַם; — 2. **Spur** (cf. akk. *kibsu*, AHw. 472a): בְּמִצְעָדָיו in s. Gefolge Da 11_{43}. †

מִצְעָר, 2 MSS מִזְעָר, or. *mi-* (! MdO 198): צער, BL 490z: מִצְעָר: **kleine Menge** (:: שׂגה Hi 8_7): — 1. als präd.: ist **gering** an Zahl (HeSy. § 14bε) Gn $19_{20a.b}$ Hi 8_7; מספר ימיך מ׳ Sir[Adl.] 33_{24}; — 2. c. gen. **wenig** 2C 24_{24}; — 3. in n.t. (?) Ps 42_7: הַר מִ׳, ign. (Dalm. PJb. 5, 101 :: GTT 108) Js 63_{18} pr. לַמִּ׳ l לָמָּה צָעֲרוּ (צער pi. gering achten). †

I מִצְפֶּה: I צפה, BL 491n; ℱ מִצְפָּה: Beobachtungsstelle, **Warte** Js 21_8 2C 20_{24} Sir 37_{14}. †

II מִצְפֶּה: = I: cs. מִצְפֵּה (4. 5): — beliebter n.l. (BHH 1228): — 1. הַמִּ׳ in Juda, b. לָכִישׁ, Abel 2, 390f, GTT § 318 B 5: Jos 15_{38}; — 2. הַמִּ׳ in Benjamin, G Μασφα u. Νασφα (Abel 2, 92), ℱ מִצְפָּה 2: *T. en-Naṣbe* Abel 2, 92, Alt ZDPV 69, 1ff, Wright 148, Muilenburg StTh 8, 25ff; :: *en-Nebi Samwīl* n. Jerus. Noth Jos. 112, de Vaux JSSt. 9, 366: Jos 18_{26} (:: Alt ZDPV 69, 15ff); — 3. בִּקְעַת מִ׳ „d. Ebene v. M." Jos 11_8, ? = אֶרֶץ הַמִּצְפָּה 11_3; Noth Jos. 62, GTT § 112, ℱ מִצְפָּה 3; — 4. in Gad רָמַת הַמִּ׳ „Wachtturmhöhe", Jos 13_{26}, ? = מִצְפֵּה גִּלְעָד Ri 11_{29}, *Ch. eṣ-Ṣar* 16 km. n. חֶשְׁבּוֹן, Noth Jos. 82, Lapp BASOR 165, 24^{11}, Gese ZDPV 74, 64, Kuschke Fschr. Hertzb. 96f, BHH 1228; — 5. מִצְפֵּה מוֹאָב 1S 22_3, ign., Abel 2, 391, vZyl 88. †

מִצְפָּה, or. מַ׳ (MTB 70); n.l. = I מִצְפֶּה, loc. מִצְפָּתָה: — 1. הַמִּ׳ in Gilead, Abel 2, 30, BHH 1228, Gn 31_{49} Ri 10_{17} $11_{11.34}$ Hos 5_1 (מִ׳); — 2. הַמִּ׳ in Benjamin, ℱ II מִצְפֶּה 2, Ri $20_{1.3}$ $21_{1.5.8}$ 1S 7_{5-16} 10_{17} Neh $3_{7.15.19}$, befestigt 1K 15_{22} 2C 16_6, Sitz v. גְּדַלְיָה 2K $25_{23.25}$ Jr 40_{6-15} 41_{1-16} Neh $3_{15.19}$, Μασσηφα 1 Mak 3_{46}. Die verschiedenen Orts gefundenen Krugstempel sind nicht מצפה (Gsbg BASOR 109, 21f) zu lesen, sondern מצה (Wright 203a); — 3. אֶרֶץ הַמִּ׳ Jos 11_3 = בִּקְעַת מִצְפֶּה 11_8, Noth Jos 62. †

*מַצְפּוֹן: צפן, BL 493z: מַצְפֻּנָיו: versteckte Schätze (GV) od. Verstecke (S) Ob $_6$ (Marti KHC XIII, 233). †

מצץ: mhe. ja.[t] sy. md. (MdD 277a), ar. *maṣṣa*; Nf. מוץ ja., מיץ he., מצה ja. sy. md.:
qal: impf. תָּמֹצּוּ: **schlürfen** Js 66_{11}, cj Ps 73_{10} (l וּמַיִם מָלֵא יָמֹצּוּ :: Würthwein, Wort u. Existenz, 1970, 172). †
Der. מַצָּה (?).

מֻצָק Hi 11_{15}: ℱ יצק hof.; מֻצַק־ 1K 7_{16}: ℱ מוּצָק.

מֵצַר: צרר, BL 491l; mhe.²: מְצָרִים: **Bedrängnis** Ps 118_5, pl. Kl 1_3; — Ps 116_3 l מְצָדֵי. †

מַצְרֵף: I צרף, BL 492r: ? ug. *mṣrp* (:: Aistl. 2360): **Schmelztiegel** (Kelso § 93.94; || כּוּר; DSS [? 1 *מִצְרָף] Läuterung, Prüfung KQT 131b) Pr 17$_{3}$ 27$_{21}$. †

מָק, מַק: מקק, BL 453w: **Moderduft** Js 3$_{24}$ (:: בֹּשֶׂם) 5$_{24}$ (|| אָבָק, cj מֵץ, Gsbg Fschr. Driv. 72). †

מַקֶּבֶת: I נקב, BL 490c: sy. *maqqabtā* Höhlung, Grube: — 1. **Höhlung**, מַ׳ בּוֹר Zisternenmund Js 51$_{1}$ (cf. van Uchelen ZAW 80, 189; al. Steinbruch, בּוֹר Gl.); — 2. < Instrument z. Einschlagen v. Nagel u. Pflock, Hammer, BDB; mhe., ja.[b] מקבא, ja.[t] מקובין; naram. *maqqōbā* (Bgstr. Gl. 57), ug. *mqb*, *ma(q)qabūma* (UT nr. 1533, Eissf. NKT 23), ph. > akk. *maqqabu* (AHw. 607b), ar. *minqab* Bohrer; > äg. *mngbt* (Albr. Fschr. DMRobinson, 1951, 225.250): **Hammer**, d. kleine Arbeitshammer (:: d. Schmiede- u. Kriegshammer פַּטִּישׁ, מַפֵּץ), Ri 4$_{21}$ 1K 6$_{7}$ Js 44$_{12}$ Jr 10$_{4}$; > Μακκαβαῖος, *Maccabaeus*, cogn. d. Judas 1 Mak 2$_{4}$, מַקֳּבִי; > Μακκαβαῖοι (Schürer 1, 204, BHH 1130). †

מַקֵּדָה: n.l. in d. שְׁפֵלָה; II נקד; Lage?, Abel 2, 378, GTT § 492, Ell. PJb. 30, 55ff, Noth Jos. 95, BHH 1130: Jos 10$_{10\text{-}29}$ 12$_{16}$ 15$_{41}$. †

מִקְדָּשׁ, מִקְּדָשׁ Ex 15$_{17}$, dag. dir. (GK § 20h): קדשׁ, BL 490z; F קֹדֶשׁ; mhe. ug. *mqdšt* (UT nr. 2210) ph. מקדש (DISO 165); ja. מִ/מַקְדְּשָׁא, sy. *maqdešā*, md. (MdD 405b); ar. *maqdis*: מִקְדַּשׁ, מִקְדָּשׁוֹ (מִקְדְּשׁוֹ Nu 18$_{29}$, BL 547), מִקְדָּשַׁי, מִקְדָּשֶׁיךָ, מִקְדָּשִׁים, מִקְדָּשֵׁנוּ מִקְדְּשֵׁיכֶם: — 1. heilige Stätte, **Heiligtum**, bes. beliebt in Lv (P!) u. Ez: in Moab Js 16$_{12}$, in Jerus. Kl 1$_{10}$; מִ׳ מֶלֶךְ in Bethel Am 7$_{13}$, מִקְדְּשֵׁי יִשְׂרָאֵל 7$_{9}$; הַמִּקְדָּשׁ = Stiftshütte Ex 25$_{8}$ Nu 3$_{38}$ 18$_{1}$, = Tempel Ez 45$_{3\cdot18}$ 47$_{12}$ Da 11$_{31}$ 2C 20$_{8}$ 26$_{18}$ 29$_{21}$; eingeschränkt auf Vorhang u. Altar Lv 21$_{23}$, auf d. Allerheiligste 16$_{33}$, d. heiligen Geräte Nu 10$_{21}$ (c. נֹשְׂאֵי, :: הַמִּשְׁכָּן, Ell. Lev. 158[2]);

מִצְרִי: gntl. v. מִצְרַיִם; mhe.[2], G Μεσραια, Jos. NFJ 85 Μεσραῖος; ug. *mṣrj*, *muṣrija* (UT nr. 1531) u. *miṣrija* (PRU III p. 250b), ph. (PNPhPI 142.352) äga. מצרי, (AD, BMAP) nab. palm. ja. מִצְרָיָא, md. (MdD 269b), sy. *meṣ-*, klschr. *miṣirai* (MélSyr. 930f), ape. *Mudrāja* (HbAP 133), elam. *Muṣirria* u.ä. (Cameron 208), ar. *Miṣr*: מִצְרִים, מִצְרִית, מִצְרִיּוֹת: — 1. **Ägypter** Dt 23$_{8}$, הַמִּ׳ der Äg. Gn 39$_{5}$ Ex 2$_{12\cdot14}$ 2S 23$_{21}$ 1C 11$_{23}$, coll. die Äg. Esr 9$_{1}$, = pl. Gn 12$_{12\cdot14}$ 43$_{32}$ Dt 26$_{6}$ Jos 24$_{7}$; sg. fem. Gn 16$_{3}$ (Hagar) 21$_{9}$ 25$_{12}$; — 2. **ägyptisch** Gn 39$_{1f}$ Ex 2$_{11\cdot19}$ Lv 24$_{10}$ 1S 30$_{11\cdot13}$ 2S 23$_{21}$ 1C 2$_{34}$ 11$_{23}$, fem. Gn 16$_{1}$, pl. Ex 1$_{19}$. †

מִצְרַיִם (680 ×), Sam.[M134] *miṣrem*, G Μεσραιν, Μεσραια, Da 11$_{5\cdot25\cdot29}$ Αἴγυπτος; n. p., n. terr.: mhe., ug. *mṣrm*, Lkš. ph. מצרים, äga. מצרין, sy. *meṣrēm*; akk. *Muṣur/ṣru*, *Miṣir*; ape. *Mudrāja*, Μυσρα (HbAP 133), ar. *Miṣr*; etym.: *miṣr* Grenze, Gebiet (akk. AHw. 659, ja. md., MdD 269a), ar. auch grosse Stadt; e. anderer Name ug. *ḥkpt* (UT nr. 860, Aistl. 925), EA *ḫik/quptaḫ*, Albr. BASOR 70, 22, Eissf.KlSchr. 2, 514ff :: Alt AfO 15, 71ff: **Ägypten** (BHH 31ff): — 1. d. Land: Reich wechselnder Ausdehnung Gn 10$_{6\cdot13}$ 12$_{10}$, אֶרֶץ מִ׳ 13$_{10}$ Js 19$_{18}$, עַל־פְּנֵי מִ׳ Gn 25$_{18}$, אַדְמַת מִ׳ 47$_{20}$, נַחַל מִ׳ Jos 15$_{4}$; F אָבֵל, אֵטוּן, אֱלִיל, חַרְטֹם, חֶרְפָּה, יְאֹר, יָם, נַחַל, תּוֹעֵבָה etc.; מִ׳ Unterägypten neben פַּתְרוֹס Oberägypten Js 11$_{11}$; Beschreibendes zu מִ׳ Js 19; — 2. מִ׳ die **Ägypter** (m. vb. im sg. fem. od. pl., VG 2, 178c,fα) Gn 45$_{2}$ Ex 1$_{13}$ 3$_{9}$ 12$_{33}$ u.ö.; — 3. מִ׳ anderwärts?: a) in Arabien, HWinckler KAT[3] 136ff :: Meyer Isr. 455ff; b) in Kappadokien od. Kilikien: klschr. *Muṣur*, *Muṣraia*, neben *Quʾē* F קְוֵה, מצר KAI II 244, Mtg.-G 387, Noth Kge. 205.234ff; 1K 10$_{28}$ 2K 7$_{6}$ 2C 1$_{16f}$ (Pferdehandel) :: (Äg.) Dt 17$_{16}$ 2C 1$_{17}$; Der. מִצְרִי.

pl. einschliesslich d. verschiedenen Bauwerke Jr 51$_{51}$ Ez 21$_{7}$ 28$_{18}$; der ganze heilige Bezirk Ex 25$_{8}$ Lv 12$_{4}$ 19$_{30}$ 20$_{3}$ 21$_{12}$ 26$_{2.31}$ Nu 3$_{38}$ 18$_{1}$ 19$_{20}$, d. Priester sind מְשָׁרְתֵי הַמּ׳ Ez 45$_{4}$; מ׳ יהוה Nu 19$_{20}$ Jos 24$_{26}$ Ez 48$_{10}$ 1C 22$_{19}$, מ׳ אֲדֹנָי Kl 2$_{20}$, מ׳ אֱלֹהָיו Lv 21$_{12}$, מִקְדָּשַׁי (v. יהוה) Lv 19$_{30}$ 20$_{3}$ 21$_{23}$ (pl.) Ez 5$_{11}$ 8$_{6}$ 9$_{6}$ 23$_{38f}$ 25$_{3}$ 37$_{26.28}$ 44$_{7.9.11.15f}$; מִקְדָּשְׁךָ (v. י׳) Js 63$_{18}$ Ps 68$_{36}$ 74$_{7}$ Da 9$_{17}$, מִקְדָּשׁוֹ (v. י׳) Ps 78$_{69}$ 96$_{6}$ Kl 2$_{7}$ 2C 30$_{8}$, מְכוֹן מִקְדָּשׁוֹ Da 8$_{11}$; Israels: מִקְדָּשָׁם (4 MSS pr. מִקְדָּשִׁים) Ez 21$_{7}$, מִקְדָּשֵׁנוּ Jr 17$_{12}$, pl. Lv 26$_{31}$ (53 MSS מִקְדַּשְׁכֶם), cj Ez 7$_{24}$ (l מִקְדְּשֵׁיהֶם); — 2. Spez.: heilige Abgabe Nu 18$_{29}$; ? Pal. als Gottesland Ex 15$_{17}$ (|| הַר נַחֲלָתְךָ, Eissf. ZAW 77, 115, Noth Ex. 100); J. ist לְמִקְדָּשׁ מְעַט Ez 11$_{16}$ (cj לְמוֹקֵשׁ, Galling ZDPV 72, 165f); מִקְדְּשֵׁי־אֵל Ps 73$_{17}$, Heiligtum GVS, ? Gottes Geheimnisse (Kautzsch[4]) μυστήρια θεοῦ Sap 2$_{22}$, רזי אל 1QS 3, 23, 1Q pHab 7, 5, → Komm., Würthwein, Wort u. Existenz, 1970, 176f; — Js 8$_{14}$ l מוֹקֵשׁ T; Ez 45$_{4b}$ l מִגְרָשׁ לְמִקְנֶה.

*מַקְהֵל: קהל, BL 492q: מַקְהֵלִים u. מַקְהֵלוֹת: **Versammlung** (cf. קָהָל רָב) Ps 26$_{12}$ 68$_{27}$ (:: Dahood UHPh 27; בְּמוֹ קְהָלִים/לוֹת, cf. Albr. HUCA 23. 1, 30). †

מַקְהֵלֹת, G Μακηλωθ: n.l.; מַקְהֵל, „Sammelplatz": Wüstenstation Nu 33$_{25f}$ cf. קְהֵלָתָה 33$_{22f}$; — Ps 68$_{27}$ → מַקְהֵל. †

מִקְוֵא, or. מ׳ (MdO 197); 2C 1$_{16}$ = II מִקְוֶה. †

I מִקְוֶה, or. מ׳ (MdO 197): I קוה, BL 491n; DSS: **Hoffnung** Jr 14$_{8}$ 17$_{13}$ (|| מָקוֹר, cf. 1QS 12, 29; ? zu II, Dahood Bibl. 48, 430) Esr 10$_{2}$ (לְ für); 1C 29$_{15}$ Vertrauen, Sicherheit (Rud.; Wallenstein VT 4, 214). †

II מִקְוֶה, מ׳ Gn 1$_{10}$ BH: II קוה, BL 491n; mhe. Wasserbassin, ja.^{t} מִקְוְיָא auch Teich; → מִקְוָה: cs. מִקְוֵה: **Ansammlung**, c. מַיִם Gn 1$_{10}$ Ex 7$_{19}$ (Reymond 95) Lv 11$_{36}$, cj Js 33$_{21}$ Sir 50$_{3}$ (Rd מקורי, Sir^{M} VI 14 מקור); abs. Sir 43$_{20}$; — 1K 10$_{28b\alpha}$ u. 2C 1$_{16a\alpha}$ (מִקְוֵא) = 1K 10$_{28b\beta}$ u. 2C 1$_{16b\beta}$ (l מִקְוֶה, → קְוֵה/א). †

מִקְוָה: II קוה, BL 492p: **Sammelbecken** Js 22$_{11}$. †

מָקוֹם (ca. 400 ×), מְקֹם Ex 29$_{31}$: קום, < *maqām, BL 491g (:: Freedman, Textus 2, 97: < *maqaum); mhe., ph. pun. jaud. ihe. מקם (DISO 165); sam. (Peterm., Cowl.); ja.^{t} מְקָמָא Position, cp. sy. GnAp XIX 26 (→ Fitzm. 106) Stand, Besitz, Sache; ar. *maqām*, asa. *mqm* Ort: מְקֹ(ו)מוֹ, מְקוֹם, ־מִים, מְקֹ(ו)מ(ו)ת (ph. cp. sam.); m. (Ri 19$_{13Q}$ MSS אַחַת pr. אַחַד → Albrecht ZAW 16, 53); sachlich cf. akk. *ašru* (AHw. 82b), aram. אֲשַׁר/תְרָא: — 1. **Standort**: 1S 5$_{3}$, מ׳ הַשֶּׁבֶת Sitz 1K 10$_{19}$, מְקוֹם (סַפִּיר) Fundstelle Hi 28$_{6}$; — 2. **Ort**, **Stelle**: a) מ׳ אֶחָד eine Stelle Gn 1$_{9}$, מ׳ מִשְׁכַּן כְּבוֹדֶךָ Ps 26$_{8}$; בְּכָל־מ׳ an jedem Ort Ex 20$_{24}$, בְּכָל־הַמּ׳ überall Am 8$_{3}$; מ׳ הַמִּשְׁפָּט Koh 3$_{16}$; מ׳ רֹאִים Hi 34$_{26}$; Ort, wo jmd zu Hause ist, Heimat Gn 30$_{25}$ Nu 24$_{11.25}$; b) mit Relativsatz: מ׳ אֲשֶׁר wohin Ex 21$_{13}$, meist מְקוֹם (GK § 130d), מקום יביט wohin er blickt Sir 31/34$_{14}$ (Vogt Bibl. 48, 16f), מ׳ אֲשֶׁר dort wo Gn 39$_{20}$, = בִּמְ׳ אֲשֶׁר Lv 4$_{24}$, = בִּמְ׳ שֶׁ Koh 1$_{7}$, = אֶל־מ׳ זֶה (→ זֶה 12), בִּמְ׳ אֲשֶׁר anstatt dass 1K 21$_{19}$ Js 33$_{21}$ Hos 2$_{1}$ (:: Rud. 55), מ׳ לֹא יָדַע אֵל Stätte dessen, der Hi 18$_{21}$; — 3. **Platz**: a) מ׳ des רָשָׁע Ps 37$_{10}$ Hi 20$_{9}$; מ׳ לָשֶׁבֶת Wohnraum 2K 6$_{1}$, לַחֲנוֹת Lagerplatz Dt 1$_{33}$; b) am Tisch 1S 20$_{25}$ Koh 10$_{4}$; נָתַן מ׳ Platz anweisen 1S 9$_{22}$, שִׂים 1K 8$_{21}$; Platz לְבָתִּים Ez 45$_{4}$, c. זֶרַע zum Säen Nu 20$_{5}$, c. הַגֹּרֶן 1C 21$_{22}$; — 4. **Raum**: a) מ׳ לַעֲבֹר Neh 2$_{14}$, מ׳ בֵּין Raum zwischen 1S 26$_{13}$; b) **Gegend** Ri 18$_{10}$, מ׳ מִקְנֶה Gegend f. Viehzucht Nu 32$_{1}$, מ׳ הַכְּנַעֲנִי Gebiet Ex 3$_{8}$; — 5. **Ortschaft**: אַנְשֵׁי הַמּ׳ Gn 26$_{7}$, שֵׁם הַמּ׳ 22$_{14}$, **Wohnort** (Dahood Bibl. 48, 431) Gn 18$_{24}$ (|| עִיר) Hi 7$_{10}$ (|| בַּיִת); c. sf. לִמְקוֹמוֹ Gn 18$_{33}$; — 6. מ׳ **heilige Stätte** (ar. *maqām*): v. Gott gesagt: מְקוֹמִי Hos 5$_{15}$ Jr 7$_{12}$, מְקוֹמוֹ Js 26$_{21}$ Mi 1$_{3}$, הַמָּקוֹם הַזֶּה = Jerus. 1K 8$_{30}$ 2K 22$_{16}$ Jr 7$_{3}$ 19$_{3}$; מ׳ שְׁכֶם

Gn 12₆; הַמָּקוֹם die (heilige) Stätte Gn 22₃f 28₁₁.₁₉, pl. 1S 7₁₆, (heidnische) Dt 12₂; מְ׳ שֵׁם יהוה Js 18₇; הַמָּ׳, den J. erwählt Dt 12₅ 14₂₃.₂₅ 1K 8₂₉; מְ׳ מִקְדָּשִׁי Js 60₁₃, מְ׳ קָדְשׁוֹ Ps 24₃ Esr 9₈, מָ׳ קָדֹשׁ Ex 29₃₁ Lv 6₉.₁₉f; מְ׳ הַקֹּדֶשׁ 14₁₃; כָּסִפְיָה הַמָּ׳ Esr 8₁₇ (Rud. 83); מְ׳ קָדוֹשׁ Koh 8₁₀ (l מָ׳) d. Tempel (Hertzbg 173f) od. Totenstadt (äg., Galling HAT 18,81 :: 18², 111) od. Begräbnis stätte (Dahood, Bibl. 43, 360); מִמָּ׳ אַחֵר Est 4₁₄ = v. Gott her (mhe. הַמָּ׳ = Gott, Bousset-Gre. 519³ :: Bardtke 332f); — Js 33₂₁ l מְקוֹר od. מִקְוֶה; Nah 1₈ l בְּקָמָיו; Ps 44₂₀ l תַּנִּין (↗ Gkl); Neh 4₆ l הַמְּזִמּוֹת (Rud. 124).

מָקוֹר: קור, BL 491g: mhe., DSS; ug. *qr*, *mqr*, *mqrt* (UT nr. 1538, Aistl. 2443; || *mbk* ↗ *מַבָּךְ); sy. *māqūrā* (LS 656b) Zisterne < kan. (HBauer OLZ 29, 801); > äg. *qrrt* (EG 5, 62) Höhlung; ar. *maqarr(at)*: מְקֹ(ו)רוֹ, מְקֹרָהּ: **Quellort, Quelle** (Schwarzb. 57ff): — 1. Quelle (|| מַעְיָן) Hos 13₁₅, מְ׳ מָשְׁחָת (? zu 2) Pr 25₂₆; v. Eufrat Jr 51₃₆; eschat. ↗ בֵּית דָּוִד Zch 13₁; Sir 43₂₀Rd u. ᴹ ᵛᴵ ¹⁴ Var. pr. מִקְוֶה; — 2. metaph.: a) Quell v. Tränen Jr 8₂₃, v. Übermut Sir 10₁₃; מְ׳ חַיִּים Ps 36₁₀ Pr 10₁₁ 13₁₄ 14₂₇ 16₂₂; מְ׳ חָכְמָה 18₄ (MSS G חַיִּים); J. ist מְ׳ מַיִם חַיִּים Jr 2₁₃ 17₁₃; d. Ehefrau (|| אֵשֶׁת נְעוּרֶיךָ) Pr 5₁₈; b) v. Blut d. Menstruierenden Lv 20₁₈α.β, der gebärenden 12₇; — Ps 68₂₇ l בְּמִקְרָאֵי. †

***מִקָּח**, or. מַ׳ (MdO 197): לקח, eig. aram. inf. Nehmen, BL 317h :: מֶלְקָחַיִם vSoden WZUH 17, 174; mhe. Einkauf, מַשָּׂא: cs. מִקַּח: **Entgegennahme** v. שֹׁחַד 2C 19₇. †

מַקָּחוֹת: לקח; < **malqahat*, BL 490c: **Waren** Neh 10₃₂. †

***מִקְטָר**, Sam.ᴹ¹⁸¹ *maqṭer*: קטר, BL 490z; ar. *miqṭar* Räucherfass, asa. (Conti 231a) Räucheraltar: cs. מִקְטַר: מִזְבֵּחַ מְ׳ קְטֹרֶת Altar z. Verbrennen v. Räucherwerk, **Räucheraltar** (BHH 1555) Ex 30₁. †

מֻקְטָר: Mal 1₁₁; קטר, pt. hof., Gl z. מֻגָּשׁ, od. Sbst. (cf. מָעֳמָד) **Räucherwerk** (BHH 1555f).

***מְקַטֶּרֶת** od. *־טְּרָה: קטר, pt. pi.: מְקַטְּרוֹת: **Räucheraltäre** 2C 30₁₄. †

מִקְטֶרֶת: קטר, BL 607c: מִקְטַרְתּוֹ: (metallene) **Räucherpfanne** (Kelso § 55) Ez 8₁₁ 2C 26₁₉, מ׳ ניחוח DSS. †

מַקֵּל, Sam.ᴹ ¹³⁵ *māqel*: Etym. inc., ↗ BDB, GB, ? *bql* (ar. äth.ᴳ tigr. Wb. 284b spriessen, sbst. akk. *baqlu* AHw. 105a) sy. ar. äth. :: Lesl. 31); mhe. Stab, äg. *maqira* (Albr. Voc. 45): cs. = Ez 39₉, מַקַּל Gn 30₃₇ (BL 195a); מַקְלוֹ/לִי (BL 220 m), מַקֶּלְכֶם, מַקְלוֹת; m. Jr 48₁₇ (בָּהֵן Gn 30₃₇ neutr. daran, mhe. auch f.): — 1. **Rute, Zweig** מַ׳ לִבְנֶה וְלוּז וְעֶרְמוֹן Gn 30₃₇.₄₁, מַ׳ שָׁקֵד Jr 1₁₁; in d. Hand d. Reiters Nu 22₂₇; — 2. **Stab**: d. Wanderers Gn 32₁₁ Ex 12₁₁, d. Hüters 1S 17₄₀.₄₃; symbolisch Zch 11₇.₁₀.₁₄; מַ׳ תִּפְאָרָה Prachtsstab (|| מַטֵּה עֹז) Jr 48₁₇; מַ׳ יָד Schlagstock (Bonnet 1ff) Ez 39₉; für Orakel (Rhabdomantie, Küchler Fschr. Baudissin 292f, Rud. 110f) Hos 4₁₂. †

מִקְלוֹת, or. מַ׳ (BH): n.m., G Μακαλωθ/κελλωθ: Etym. ?, ↗ Noth 250; ? pun. n.m. מקלא (PNPhPI 353): — 1. Benjaminit 1C 8₃₂, 9₃₇f, ins. 8₃₁; — 2. Offizier Davids 1C 27₄, > Gᴮ ↗ Rud. 178. †

מִקְלָט, or. מַ׳ (MTB 70): II קלט, BL 490z; מִקְלָטוֹ, מִקְלָט: **Zuflucht, Asyl**: הָיָה לְמִ׳ Nu 35₁₂.₁₅ Jos 20₃; עִיר מִ׳ Nu 35₂₅.₂₈, עָרֵי (הַ)מִּ׳ Nu 35₆.₁₁.₁₃f.₃₂ Jos 20₂ 1C 6₄₂.₅₂; עִיר מִ׳ הָרֹצֵחַ Asylstadt f. d. Totschläger Jos 21₁₃.₂₁.₂₇.₃₂.₃₈. †

***מִקְלַעַת**: II קלע, BL 490a.607c d; mhe. מִקְלָעָה u. ja. מַקְלִיעֲתָא Geflecht, Netz; cs. מִקְלַעַת, מִקְלָעוֹת, מִקְלְעוֹת: **Schnitzerei, Schnitzwerk** 1K 6₁₈.₂₉.₃₂ 7₃₁. †

מִקְנֶה (75 ×), or. מַ׳ (MTB 69), Hier. *macne* (Sperber 239): קנה, BL 491m; mhe. pun. מקנא/ת, aam. מקני (DISO 165); ar. *qunwat* Vieh(besitz); soq. *qenhoh* Kühe

(Lesl. 31): מִקְנֵהוּ/נוּ, מִקְנְךָ, מִקְנֶה, sg. auch מִקְנֵי/נֶיךָ u. מִקְנֵיכֶם/הֶם (BL 584c): Erwerb, **Besitz**: — 1. **Grundbesitz** מ׳ הַשָּׂדֶה Gn 49$_{32}$; — 2. meist **Viehbesitz** מ׳ צֹאן וּמ׳ בָקָר Besitz an 26$_{14}$ 47$_{17}$: מ׳ הַבְּהֵמָה 47$_{18}$, (רְכֻשׁ :: מ׳) 1C 28$_{1}$, רְכֻשׁ וּמ׳ 4$_{20}$ 30$_{29}$, > מִקְנֶה Gn 31$_{18}$, ↗ Ex 9$_{3}$ Dt 3$_{19}$ Ri 6$_{5}$ Js 30$_{23}$ 1C 5$_{9}$ (49 ×); Viehbestand Gn 13$_{2}$ 34$_{5}$ Jr 9$_{9}$ Ez 38$_{12f}$; מִקְנֶה besteht aus צֹאן u. בָּקָר Gn 26$_{14}$ 2C 32$_{29}$, aus צֹאן, בָּקָר, גְּמַלִּים, אֲתֹנוֹת Hi 1$_{3}$; aus צֹאן, גְּמַלִּים, חֲמוֹרִים 1C 5$_{21}$; מְקוֹם מ׳, אֶרֶץ מ׳ Gegend für Viehzucht Nu 32$_{1.4}$; אָהֳלֵי מ׳ Zelte mit Viehbestand 2C 14$_{14}$; רֹעֵי מ׳ אַנְשֵׁי מ׳ Viehzüchter Gn 46$_{32.34}$; Viehhirten Gn 13$_{7}$, שָׂרֵי מ׳ Aufseher über das Vieh 47$_{6}$; מ׳ קִנְיָנוֹ s. erworbenes Vieh 31$_{18}$; מִקְנֵיכֶם וּבְהֶמְתְּכֶם Schlachtvieh u. Lasttiere 2K 3$_{17}$; cj Ez 45$_{4b}$ (l מִגְרָשׁ לְמִקְנֶה); — Hi 36$_{33}$ l מִקְנֶה (or. MTB 80) = מְקַנֵּא (קנא hif.). Der. מִקְנֵיָהוּ.

מִקְנָה: קנה, BL 492p; mhe., ar. *qu/injat* Erwerb: מִקְנָתוֹ, מִקְנַת: **Erwerb** (durch Kauf, Geld) Ankauf Sir 42$_{5}$ (|| מחיר; Rd. חשבון), שְׂדֵה מ׳ gekauftes Feld (:: שְׂדֵה אֲחֻזָּה) Lv 27$_{22}$; מִקְנַת כֶּסֶף um Geld gekaufter Sklave (:: יְלִיד בַּיִת) Gn 17$_{12f.23.27}$ Ex 12$_{44}$; כֶּסֶף מ׳ Kaufpreis Lv 25$_{51}$, > מִקְנָה 25$_{16}$ (הִרְבָּה heraufsetzen, הַמְעִיט heruntersetzen); סֵפֶר מ׳ Kaufbrief Jr 32$_{11f.14.16}$; קוּם לְמִקְנָה לְ käuflich übergehen an (mit Kaufformel) Gn 23$_{17f}$. †

מִקְנֵיָהוּ: n.m.; מִקְנֶה + י׳ „Eigentum J.s" (Noth 172, Fschr. Humbert, 172); Sgl Mosc. Ep. 65, 44 u. Cross HThR 55, 251[118]; ph. מקנמלך (PNPhPI 143) 1C 15$_{18.21}$. †

***מִקְסָם**: קסם, eig. aram. inf., (BL 317h): cs. מִקְסַם: **Orakel(erteilung)**, מִקְסַם חָלָק (? l מִקְסָם, BH, :: GK § 128w, HeSy 76e) Ez 12$_{24}$ u. מַחֲזֵה/חֲזוֹן שָׁוְא :: מ׳ כָּזָב 13$_{7}$, cj Js 2$_{6}$ pr. מִקֶּדֶם. †

מָקָץ: ? I קוץ, BL 491g; n.l. in jud. Küstenebene; ign., Abel 2, 377, GTT § 874, II 1, Noth Kge 68: 1K 4$_{9}$. †

מִקְצֹ(וֹ)עַ, Sam.[M184] **mēqeṣṣāot*: II קצע, BL 493e; mhe. Ecke, besonderer Raum: מִקְצֹעֹתָם, מִקְצֹעוֹת, מִקְצוֹעֵי: — 1. **Ecke**: d. Altars Ex 26$_{24}$ 36$_{29}$ Ez 41$_{22}$, d. חָצֵר 46$_{21f}$, e. Gerätes 3Q 15 XI 1, II 13e, Teiches (DJD III p. 239 nr. 11, 301f); — 2. nn.t. „Winkel", in Jerus.: a) an 2 verschiedenen Stellen d. Ostmauer Neh 3$_{19f.24f}$ (Simons 119); b) mit Turm 2C 26$_{9}$ (↗ Rud. 285). †

***מַקְצֻעָה**: I קצע, BL 494g: mhe. מקצוע Feigenmesser: מַקְצֻעוֹת: **Schnitzmesser** Js 44$_{13}$. †

מִקְצָת: Da 1$_{2.5.15.18}$ Neh 7$_{69}$ ↗ קְצָת.

מקק: mhe. nif.; ja.[tg] itpalp. verfaulen; ja.[t] II מקק pr. זרר po. 2K 4$_{35}$ niesen, md. (MdD 278a):

nif: pf. נְמַקֹּתֶם, נָמַקּוּ; impf. יִמַּקּוּ/מַקּוּ, תִּמַּקְנָה; pt. נְמַקִּים: — 1. **(ver)faulen**: Wunden Ps 38$_{6}$, Augen u. Zunge Zch 14$_{12}$; — 2. (metaph.) **zergehen**: Hügel Js 34$_{4}$; Menschen als Strafe (Hempel Heilg. 304[1]) Lv 26$_{39}$ Ez 4$_{17}$ 24$_{23}$ 33$_{10}$, cj Ps 106$_{43}$ (l וַיִּמַּקּוּ). †

hif: inf. הָמֵק: **faulen machen** (Fleisch) Zch 14$_{12}$ (al. inf. nif. הִמֵּק יִמַּק). †

Der. מַק.

מִקְרָא, Sam.[M184] *maqrā*: I קרא, BL 490z; mhe. pl. מִקְרָאוֹת; äga. Erklärung, Lesung (DISO 166); Kutsch, ZAW 65, 247f: Grdb: d. Rufen: מִקְרָאֵי (BL 317h, Albr. HUCA 23 I 30), מִקְרָאֶהָ (BL 252r, MSS Edd אֶיהָ-, al. אָהּ-): — 1. a) **Einberufung**: (לְמַסַּע הַמַּחֲנוֹת || לְמִקְרָא הָעֵדָה, eig. inf., BL 317h, Ku. JAOS 74, 234) Nu 10$_{2}$; b) **Versammlung** Ex 12$_{16}$ Lv 23$_{2f.4.7f.27.35f}$ Nu 28$_{18.25f}$ 29$_{1.7.12}$ Js 1$_{13}$ 4$_{5}$ (al. Sammelplatz; ↗ Textus 3, 141f); — 2. (↗ קרא 10) **Lesung, Vorlesung** Neh 8$_{8}$ (mhe. > das Vorgelesene, Bibelvers, heilige Schrift). †

מִקְרֶה, or. מ׳ (MTB 70): קרה, BL 491n: מִקְרֵהוּ, מִקְרֶהָ: was v. selbst, ohne eigenes Zutun u. ohne d. Willen d. Betroffenen u. ohne bekannten Urheber vorfällt ↗ Dt

23$_{11}$: — 1. **Widerfahrnis, Zufall** 1S 6$_9$, וַיִּקֶר מִקְרֶהָ c. acc. חֶלְקַת ihr Z. traf = zufällig geriet sie Rt 2$_3$ (Rud. 46, Gerleman BK XVIII, 25); מִ׳ הוּא e. Zufall (? Pollution, ↗ קֶרֶה) 1S 20$_{26}$; — 2. **Geschick, Ergehen** Koh 2$_{14f}$ 3$_{19}$ (l 2 × מִקְרֵה) 9$_{2f}$. †

מְקָרֶה: קרה, pi. pt. > sbst., ↗ קוֹרָה: **Gebälk** Koh 10$_{18}$. †

מְקֵרָה: קרר, BL 492w: ja.[t] מְקִירְתָּא Kühlung; ar. *maqarr* Aufenthaltsort; spbab. *maqartu* e. Gefäss (AHw. 605b, Or 35, 18): Kühlung, in cstr. Verbindung > **kühl**: עֲלִיַּת הַמְּ׳ Ri 3$_{20}$ (T בֵּית קִיטָא, ↗ קַיִץ) u. חֲדַר הַמְּ׳ 3$_{24}$ kühler Raum (Driv. ALUOS 4, 6). †

מִקְשֶׁה: II קשה, BL 491n: **Haargekräusel** (AuS 5, 337) Js 3$_{24}$. †

I **מִקְשָׁה**, or. מַ׳ (MdO 197): II קשה, BL 492p: **gedrehte, getriebene Arbeit** Ex 25$_{18.31.36}$ 37$_{7.17.22}$ Nu 8$_4$ 10$_2$, cj Pr 25$_{11}$ מַשְׂכִּיּוֹת pr. מִקְשִׁיּוֹת (↗ Gemser). †

II **מִקְשָׁה**: *קִשְּׁאָה, BL 492p; mhe. מִקְשָׁאוֹת, ja.[t] מִקְשְׁיָא, ar. *maqṯaʾat*: **Gurkenfeld** Js 1$_8$ Jr 10$_5$. †

I **מַר**, Sam.[M135] *mar, mirra*: מרר, BL 453y; mhe., äga. מ[ר]יר (DISO 166), ja. cp. sy. md. (MdD 254b) *marīr*, ar. *murr* bitter, *mirrat* Galle, äth. *marīr* bitter, tigr. (Wb. 113b) *mer* Bitterkeit, akk. *marru*: מָר, f. מָרָה, u. Rt 1$_{20}$ מָרָא (BL 511x), מָרֵי מָרִים מָרַת: — 1. **bitter** (↗ מָרֹר, im Geschmack, :: מָתוֹק Js 5$_{20}$ Pr 27$_7$): מַיִם Ex 15$_{23}$, מֵי הַמָּרִים (GK § 128w) Bitterwasser Nu 5$_{18f.23f.}$ cj 27 (:: Driv. Syr. 33, 73ff: Streitwasser), לַעֲנָה Pr 5$_4$; — 2. bitter (als Erfahrung): a) מָוֶת 1S 15$_{32}$ Koh 7$_{26}$, Bitteres 2S 2$_{26}$ Jr 2$_{19}$ 4$_{18}$ (? l מְרֵיךְ), יוֹם Am 8$_{10}$ Zef 1$_{14}$ (l הַמַּר), דָּבָר Ps 64$_4$, צְעָקָה Gn 27$_{34}$, זְעָקָה Est 4$_1$, מִסְפֵּד Ez 27$_{31}$, עֳנִי cj 2K 14$_{26}$ (l הַמַּר); b) adv. (GK § 100d) bitterlich: בָּכָה מַר Js 33$_7$, זָעַק מָרָה Ez 27$_{30}$; — 3. bitter (als Gefühl): a) attr.: נֶפֶשׁ מָרָה (:: ↗ 4!) betrübten Herzens Hi 21$_{25}$; b) c. gen. (GK § 128x): מָרֵי נֶפֶשׁ erbittert Ri 18$_{25}$ 2S 17$_8$ Hi 3$_{20}$ Pr 31$_6$; verbittert 1S 1$_{10}$ 22$_2$ > מַר Ez 3$_{14}$ Rt 1$_{20}$, grimmig (Volk) Hab 1$_6$ = מר רוח Sir 4$_1$; — 4. מַר sbst. **Bitterkeit**: a) Leid מַר לִי Js 38$_{17}$ (↗ Begr. PsHi 43f, מָר dl); b) c. gen. מַר נֶפֶשׁ Herzleid Ez 27$_{31}$, מַר נַפְשִׁי Js 38$_{15}$ (1QJs[a] מור, RMeyer ZAW 70, 43f) Hi 7$_{11}$ 10$_1$, מר רוח Sir 7$_{11}$. †

II **מַר**: II מרר, BL 453y :: WThomas Fschr. PKahle 219ff: ar. *mūr* Staub: **Tropfen** Js 40$_{15}$. †

מֹר (6 ×) u. מוֹר (4 ×), cs. מָר־ Ex 30$_{23}$, Sam.[M135] *mar*: מרר, BL 455f; ug. *mr* (UT nr. 1539, Aistl. 1660), kan. *murru* (DISO 145); mhe., ja.[tg] cp. (u. ja.[t] auch מירא), sy. (LS 400b) md. (MdD 262b) *mūrā*; ar. *murr*, asa. *mrt* (Conti 181b), akk. *murru* (AHw. 676a), > μύρρα, σμύρνα (Lewy Fw. 42, Mayer 324, Masson 54f), lat. *murra*: **Myrrhe**, d. Harz *Commiphora abessinica* (Arabien): HL 4$_{14}$ 5$_1$, Geschmack bitter (I מרר), Geruch würzig, als Gewürzpulver אַבְקַת רוֹכֵל HL 3$_6$ durch Händler nach Palästina; von Frauen in Duftbeutelchen zwischen den Brüsten getragen HL 1$_{13}$; man beräuchert damit: sich selbst 3$_6$, s. Kleider Ps 45$_9$, s. Betten Pr 7$_{17}$; flüssig gemacht träufelt es (עָבַר) HL 5$_{5.13}$; in Öl geweicht gibt es zur Massage gebrauchtes שֶׁמֶן הַמֹּר (ug. *šmn mr*) **Myrrhenöl** Est 2$_{12}$; d. Harzkörner u. -klumpen, gelblich-rot bis braun, sind besonders geschätzt: ↗ מָר־דְּרוֹר **Klumpenmyrrhe** f. Salböl gebraucht Ex 30$_{23}$; הַר הַמֹּר HL 4$_6$ || גִּבְעַת הַלְּבוֹנָה erotisch f. d. 2 Brüste; ↗ Rud. :: Gerleman BK XVIII, 150; BHH 1263, BA 23, 70ff, Harrison 45f. †

I **מרא**: qal: pt. מוֹרְאָה Zef 3$_1$: trad. Nf. v. I מרה. „Widerspenstige" (cf. Gerleman, Zephanja, 1942, 47) :: ? nach || נִגְאָלָה pt. hof. denom. v. mhe. רְאִי Kot: = מְרָאָה (↗ מֻרְאָה) „Beschmutzte" ↗ Sellin KAT XII[2]. †

II **מרא**: hif.: impf. תַּמְרִיא Hi 39_{18}, v. d. Straussin: inc.; ar. *mrj* (↗ מרה) (Huf) d. Boden schlagen (Aharoni RÉS 1938, 37f): d. Luft mit d. Flügeln peitschen, emporschnellen (Hölscher Dho., Fohrer), männlich sein, ar. *maruʾa* d. Männchen spielen (Driv. PEQ 87, 138), ↗ Komm. †

III **מרא**: mhe. = מרה ug. *mrʾ* fett werden (Aistl. 1663, CML 161b, UT nr. 1544), akk. *marū* (AHw. 617a) mästen; ar. *mara/iʾa* (Speise) bekömmlich sein (Wehr); cf. מְרִיא u. II ברא (u. I ברה):

cj **qal**: impf. יִמְרְאוּ (pr. וּמְרִיא) Js 11_6, cf. G, 1QJsᵃ ימרו (Barthélemy RB 57, 542): **sich mästen, weiden.** †

Der. מְרִיא; ? n.f. מִרְיָם, n.l. מַמְרֵא.

מָרָא Rt 1_{20}: ↗ I מַר; cf. n.f. palm. *mrʾ/h* (PNPI 96b, 97a). †

מַרְאֶה, Sam.^M192^ *mārī*: I ראה, BL 491n; mhe.: מַרְאֶה (Koh 11_9 K מראי), מַרְאֵהוּ, מַרְאָיו, מַרְאַיִךְ (HL 2_{14b} Q מַרְאֵךְ), מַרְאֶהָ, מַרְאֵינוּ (alle sg., BL 584c): — 1. **Sehen,** נֶחְמָד לְמַ׳ lieblich anzusehen Gn 2_9, לְכָל־מַרְאֵה עֵינֵי הַכֹּהֵן nach allem, was d. Augen d. P. sehen können Lv 13_{12}, מַרְאֵה עֵינֶיךָ Dt $28_{34.67}$; גָּדוֹל לְמַ׳ weithin sichtbar Jos 22_{10}; לְמַ׳ עֵינָיו nach d. Augenschein Js 11_3, לְמַ׳ עֵינֶיהָ als sie sah Ez 23_{16}; בְּמַ׳ עֵינֶיךָ wo deine Augen dich locken Koh 11_9; — 2. **Aussehen** ((↗ תֹּאַר) HL 2_{14} (|| קוֹל); a) c. יְפֵה Gn 39_6 1S 17_{42} (David), c. יְפַת Gn 12_{11} 29_{17} 2S 14_{27}, c. יְפוֹת Gn $41_{2.4}$ c. טוֹבַת 24_{16} 26_7 2S 11_2 Est 1_{11} $2_{3.7}$, c. טוֹבֵי Da 1_4, c. טֹבוֹת Est 2_2, c. רַע Gn 41_{21}, c. רָעוֹת $41_{3.4}$; b) einer Sache: מַ׳ הַנֶּגַע d. Aussehen d. Mals = d. Mal sieht aus Lv 13_3 (9 × in Lv 13 u. 14); (gesundes) Aussehen Da $1_{13.15}$; c) Aussehen, Anblick e. Person Ri 13_6 1S 16_7 Js 52_{14} Ez $1_{5\text{-}28}$ (15 ×) $8_{2.4}$ $10_{1.9f.22}$ 11_{24} 23_{15} 40_3 41_{21} $43_{3\cdot cj\ 10}$ Jl 2_4 Nah 2_5 Hi 41_6 41_1 (l גַּם schon b. s. Anblick) Da 8_{15} 10_{18} (= דְּמוּת v. 16); לֹא מַ׳ unansehnlich Js 53_2; Gestalt HL 5_{15} (כַּלְּבָנוֹן); — 3. **Erscheinung, Gesicht** (↗ מַרְאָה): Ex 3_3 24_{17} Nu 8_4 12_8 (l לֹא בְּמַ׳ :: Noth ATD 7, 82) Da $8_{16.26f}$ 9_{23} 10_1; — 4. **Schein**: מַ׳ אֵשׁ Nu 9_{15f}, מַ׳ בָּרָק Da 10_6; — 2S 23_{21} (l אִישׁ מִדָּה, 1C 11_{23}).

מַרְאָה: ראה, BL 492p: mhe., tigr. (Wb. 116a) *merājat*: pl. cs. מַרְא(ו)ת (Sam.^M192^ *mārāʾot*): — 1. **Erscheinung, Gesicht** (= מַרְאֶה 3) Nu 12_6 1S 3_{15} (Wortoffenbarung!) Da $10_{7f.16}$; pl. c. לַיְלָה Gn 46_2 (G S sg.), c. אֱלֹהִים Ez 1_1 8_3 40_2; 43_3 l כְּמַרְאֶה; Sir 41_2 Rd. המראה, M III 2 המרה; — 2. **Spiegel,** mhe., 1QM 5, 5 מראת פנים, ar. *mirʾāt*; = מַחֲזִית mhe. ja. äga.; BRL 493, Yadin Finds 1, 125ff, BHH 1831: Ex 38_8. †

***מֻרְאָה**, Sam.^M135^ *mertu*: I od. II מרא, BL 601b; mhe. Kropf, ar. *marīʾ* Speiseröhre: מֻרְאָתוֹ: **Kropf** (Ell. Lev. 26f. 38 :: Tur-S. 547) Lv 1_{16}. †

מְרֹאוֹן Ⓑ מְרֹאן, Gᴬ Μαρ(ρ)ων: שִׁמְרוֹן מְ׳; n.l. in Galiläa, Gᴸⱽ nur שׁ׳, Gᴮᴬ מֶלֶךְ שִׁמְעוֹן מְ׳, ? מְ׳ מֶלֶךְ dittgr. GTT § 510, 23 u.a. :: Noth Jos 72: Jos 12_{20}. †

מָרֵאשָׁה: Jos 15_{44}, sonst מָרֵשָׁה, gr. Μαρισα: n.l., ראשׁ, „Ort auf d. Kuppe" (Noth 148); — 1. = *T. Sandaḥanne* in W.-Juda, 2 km. s. *Bet Ğibrin*, Abel 2, 379, BRL 361, GTT § 319C 9, 1138, BHH 1147: Mi 1_{15} 1C 4_{21} (n.m., Nachk. v. Juda) 2C 11_8 14_{8f} 20_{37}; — 2. S. v. כָּלֵב, V. v. חֶבְרוֹן 1C 2_{42} (↗ Rud. 18), n.l. ign. im Negeb (Rud. 21). †

***מְרַאֲשׁוֹת** od. מַרְאָ׳, Sam.^M191^ *mārāšit*: ראשׁ, BL 600i, pltt.; cf. מַרְגְּלוֹת, JBarth Fschr. Nöld. 793f, VG 1, 275fβ; 4Q 161, 2, 3/4, 3 מרואש; ph. מראש Haube (DISO 167): מְרַאֲשֹׁתָיו: was zu Häupten ist, **Kopfstütze** Gn $28_{11.18}$ (Erm.-Ra. 212, Abb. 58); acc. loci (GK § 118d) **zu Häupten v.** 1S $19_{13.16}$ $26_{7.11f.16}$ 1K 19_6; — Jr 13_{18} (l מֵרָאשֵׁיכֶם). †

מֵרַב, G Μεροβ: ? Noth N 250; ? ירב, Nf. v. רבב (Stamm HFN 333); n.f.: älteste T. Sauls 1S 14_{49} $18_{17.19}$; l pr. מִיכַל 2S 21_8 Gᴸ S. †

***מַרְבַד** (ב ohne Dag.!): רבד, BL 490z; ug.

mrbd(*t*) (UT nr. 2300, Aistl. 2483), kan: *marbadu* (EA 120, 21): מַרְבַדִּים (BL 558c). **Decke** Pr 7_{16} 31_{22}. †

[מַרְבָּה] Ez 23_{32}: l מַרְבָּה (רבה hif. pt.).]

מַרְבֶּה: רבה pt. hif., od. sbst. (BL 491l): — 1. Js 33_{23}, שָׁלָל מ׳ gew. als sbst. Mehrung, Menge ↗ מַרְבִּית, syntaktisch ?; ? pt. hif. attrib. „zahlreich" (?); 1QJs^{a} מרובה pt. pu. viel (mhe.); — 2. Js 9_{6} לְמַרְבֵּה Q u. MSS zur Mehrung (b Sanh. 94a); K u. 1QJs^{a} לם רבה, sic l, || לם, אֵין קֵץ dittgr :: Morenz ThLZ 1949, 698, Driv. Fschr. Nötscher 49; Wildbg. BK X/1,365. 384. †

מַרְבִּית: רבה, BL 492x, f. z. מַרְבֶּה (1QHod. fr. 45, 5); äga. מרבי(ת) Zins (DISO 167), mhe. ja. sy., ? md. (MdD 252a) Zweig, Sprössling: מַרְבִּיתָם: — 1. **Grossteil, Mehrzahl, Menge** 1C 12_{30} 2C 30_{18}, חֲצִי מ׳ חָכְמָתֶךָ 2C 9_{6}; — 2. **Zuwachs**: a) **Zinszuschlag** (?) Lv 25_{37} (neben ↗ נֶשֶׁךְ, Sam. תרבית wie $_{36}$) de Vaux Inst 1, 260f, Ell. Lev. 357 :: Speiser 140; b) מ׳ בֵּית **Nachwuchs** (in d. Familie) 1S 2_{33}. †

מַרְבֵּץ: רבץ, BL 492r, Zef 2_{15} u. *מִרְבָּץ BL 490z, Ez 25_{5}: מִרְבַּץ (cs. v. מַרְבֵּץ, BM § 27, 3, cf. מַרְזֵחַ): **Lagerstätte**, v. צֹאן Ez 25_{5}, v. Wild Zef 2_{15}; מרבץ 1Q Js 55_{10} pr. רֵבֶץ bei בָּקָר. †

מַרְבֵּק: *רבק, BL 492r, :: Rin BiZ 7, 28: √ *rbḏ*; mhe. pl. רְבָקוֹת Gespann, ja.^{t} רִבְקָא: **Mästung** עֵגֶל מ׳ Mastrind 1S 28_{24} Jr 46_{21} Am 6_{4} Mal 3_{20}, c. כלה d. M. beenden Sir 38_{26}. †

מַרְגּוֹעַ: רגע, BL 493y.e; ↗ מַרְגֵּעָה: **Ruheplatz** (metaph. f. d. נֶפֶשׁ) Jr 6_{16}, ? cj 31_{2} (l מַרְגּוֹעוֹ, Rud.). †

***מַרְגְּלוֹת**: רֶגֶל, BL 600i, pltt. cf. מְרַאֲשׁוֹת; mhe., ja. מַרְגַּלְתָּא: מַרְגְּלֹתָיו (־תָו, BL 252r): Platz z. Füssen, **Fussende** Rt $3_{4.7f.14}$ Da 10_{6}. †

מַרְגֵּמָה: רגם, BL 492s: ↗ כִּצְרוֹר אֶבֶן בְּמ׳ Pr 26_{8a}: gew. erkl. c. GST „wie Festbinden e. Steines an d. Schleuder" (Gemser) od. v. ar. *rǧm* Steine aufhäufen, *ruǧm* Steinhaufen, „wie e. Bündel Edelsteine auf e. Steinhaufen" (Frankenberg Sprüche, GHK 144). †

מַרְגֵּעָה: רגע, BL 492s; ↗ מַרְגּוֹעַ: **Ruheplatz** (|| מְנוּחָה) Js 28_{12}. †

מרד: mhe. sich empören; äga. (DISO 167), ba. ja. cp. sy. md. (MdD 278a), ar. saf. *mara/uda* (Grimme 184), asa. *mrd* Einfall (Conti 181a), äth. *merād* Aufruhr, lihj. Rebell (Ryckm. 1, 132):

qal: pf. מָרַד/רָד, מָרְדוּ, מָרָדְנוּ; impf. יִמְרֹד־, תִּמְרְדוּ, תִּמְרֹד; inf. מְרֹ(וֹ)ד, מְרָדְכֶם (BL 343a); pt. מוֹרְדִים/דֵי: **sich auflehnen, empören**: — 1. politisch (in bab. dafür *nkr*, ↗ נכר): Gn 14_{4} Neh 6_{6} Sir 33_{28} (MS. Adler: Sklave); c. בְּ gegen 2K $18_{7.20}$ $24_{1.20}$ Js 36_{5} Jr 52_{3} Ez 17_{15} 2C 36_{13}; c. עַל Neh 2_{19} 2C 13_{6}; — 2. gegen J. (THAT 1, 925ff): Hi 24_{13} (? l אֵל pr. אוֹר, ↗ Hö. 59, :: Fohrer 368) Da 9_{5} cj Jr 2_{31} (l מָרַדְנוּ); c. בְּ Nu 14_{9} Jos $22_{16.18.19b\alpha.29}$ Ez 2_{3} 20_{38} Da 9_{9} Neh 9_{26}, c. acc. Jos $22_{19b\beta}$. †

Der. I מֶרֶד u. n.m. II מֶרֶד (?), I מַרְדּוּת.

I **מֶרֶד**: מרד; mhe., ja.^{t} מַרְדָּא, sy. *merdā*, md. מירדא (MdD 270a): **Auflehnung**, (THAT 1, 925ff), Jos 22_{22}; ↗ II. †

II **מֶרֶד**: מֶרֶד: n.m.; = I; „*audax*"; palm. *mrd* (PNPI 97a): 1C 4_{17f}. †

I **מַרְדּוּת**: I מרד, BL 505o; ? md. (MdD 253b) *mardu/it* Rebellion; ? aLw. 179: **Auflehnung** 1S 20_{30} (↗ עוה nif.). †

II ***מַרְדּוּת**: ? II רדה, BL 492x; mhe. ja.: **Züchtigung**, **Zucht** Sir 33_{25} (MS. Adler: c. מלאכה) 42_{8} Rd cf. Sir$^{M\ IV\ 14}$ pr. מוסר. †

מְרֹדַךְ Jr 50_{2}, auch in מְרֹדַךְ בַּלְאֲדָן Js 39_{1} (Ⓑ מְרֹאדַךְ, 1QJs^{a} מרודך) 2K 20_{12} בְּרֹאדַךְ (↗ Mtg.-G. 512) u. in אֱוִיל מְרֹדַךְ 2K 25_{27} Jr 52_{31}; bab. *Mar*(*u*)*duk*(*u*), sum. *Amar-utuk* „Jungrind d. Sonnengottes"; z. he. Namensform ↗ ZAW 34, 73. 46, 81^{3}: **Marduk**, Stadtgott v. Babylon u. Reichsgott: v. Soden ZA 51, 130ff. 52, 224ff,

Tallqv. AkGE 362ff, WbMy I 96f, BHH 1146: Jr 50_2, ↗ בֵּל; Der. מְ׳ בַּלְאֲדָן, אֱוִיל מ׳, מָרְדֳּכַי.

מְרֹדַךְ־בַּלְאֲדָן (Var. בְּרֹאדַךְ u. מְרֹאדַךְ) 1QJs^a ־אדין, ↗ בַּלְאֲדָן: n.m.; ↗ מְרֹדָךְ; = bab. *Marduk-apla-id(d)in(na)* APN 128b: „M. gab d. Erbsohn": > **Merodach-Baladan** II, chaldäischer Fürst, 2 × zeitweilig K. v. Babylon, † ca. 695, BHH 1195, Oppenh. Mspt. 162: 2K 20_{12}/Js 39_1. †

מָרְדֳּכַי (BL 208r), Ⓑ מָרְדְּכַי exc. Est 4_{12}; G Μαρδοχαῖος: n.m., bab. *Mardukā/āʾi/u* APN 128a; aram.: מרדך AD 6, 1, מרדכא LDelaporte Epigraphes Aram., 1912, nr. 57; ↗ ZAW 58, 243f. 59, 219; Kf. < מְרֹדָךְ + vb. od. n. (Stamm 342) od. aram. Nisbe (BLA 196d): **Mardochai**: — 1. Onkel u. Ziehvater der אֶסְתֵּר/הֲדַסָּה Est 2_5-10_3 (BHH 1146); — 2. e. Heimkehrer Esr 2_2 Neh 7_7.

מֻרְדָּף: רדף, typ. *muqṭal*; DSS 3 × מרדף, 1 × מרדוף (Yadin ScrW 94f, Carmignac VT 5, 351: **Verfolgung** Js 14_6 (|| מַכָּה), Dahood Bibl. 48, 432 :: al. מִרְדַּף (BHS). †

מרה: mhe. hif. widerspenstig sein, ja.$^{b(g?)}$ af. widerspenstig sein, mhe. u. sy. wetteifern; ar. *mrj* anspornen, III sich widersetzen (Wehr):

qal: pf. מָרְיָנוּ, מָרוּ, מָרִיתָ, מָרְתָה, מָרָה; inf. abs. מָרֹה; pt. מֹרִים, מֹ(וֹ)רָה: **widerspenstig sein** (:: שׁמע, cf. Jepsen, Fschr. vRad 179f, THAT 1, 928ff) Nu 20_{10} Js 1_{20} 50_5 63_{10}, cj מָרָה Ez 2_8 Kl 1_{20} 3_{42} Sir 16_7; סוֹרֵר וּמוֹרֶה Dt $21_{18.20}$, cj Js 65_2 (1QJs^a סורה pr. סוֹרֵר) Jr 5_{23} Ps 78_8, c. בְּ gegen Hos 14_1 Ps 5_{11} Sir 30_{12}, c. אֶת־ gegen Jr 4_{17}, c. אֶת־פִּי gegen d. Befehl Nu 20_{24} 27_{14} 1S 12_{15} 1K $13_{21.26}$ Kl 1_{18} Sir 39_{31}; Ex 23_{21} u. Ps 106_{43} ↗ hif.; — 2K 14_{26} l הַמַּר, Ps 105_{28} l שָׁמְרוּ. †

hif: pf. הִמְרוּ; impf. יַמְרֶה, וַתֶּמֶר, תַּמְרוּ, יַמְרוּהוּ; inf. לַמְרוֹת (< *לְהַמְרוֹת, BL 228a), הַמְרוֹתָם (dag. dir., BL 212k); pt. מַמְרִים: **sich widerspenstig benehmen** (Bgstr. 2, 102d, b) Hi 17_2 Neh 9_{26} cj Ez 5_7 (l הַמְרֹתְכֶם); c. בְּ Ez $20_{8.13.21}$, Sir 3_{23} תמר, ? Ex 23_{21} u. Ps 106_{43} l qal. pr. hif.; c. לְ cj Est 1_{18} (l תַּמְרֶינָה); c. עִם gegenüber Dt $9_{7.24}$ 31_{27}, c. acc. gegen Ez 5_6 Ps $78_{17.40.56}$ 106_7 (l עֶלְיוֹן) 107_{11}, cj 139_{20} (יַמְרוּךָ), c. אֶת־פִּי gegen d. Befehl Dt $1_{26.43}$ 9_{23} Jos 1_{18} 1S 12_{14}, c. עֵינֵי Js 3_8 (1QJs^a, ? לְעֵינֵי angesichts); — Ps 106_{33} l הֵמֵרוּ (מרר). †

Der. מְרִי, מְרָתַיִם; n.m. יִמְרָה (?).

I **מָרָה**: ↗ I מַר 2b.

II **מָרָה**, Sam.^{M135} *merra*, G Μερρα: n.l.; I מַר, BL 453x; Wasserstelle m. ungeniessbarem Wasser (Reymond 97); loc. מָרָתָה, Sam. *merta*: Wüstenstation **Mara**, *ʿAin Hawāra* b. קָדֵשׁ Abel 2, 378f, GTT § 427 :: Noth PJb 36, 26[1], ATD 5, 102: Ex 15_{23} Nu 33_{8f}. †

*__מָרָה__, Sam.^{M135} *mirrat*: cs. מֹרַת u. מָרַת (BL 222s), or. *murāt* (Pr 14_{10}, BH): **Bitterkeit, Gram**: c. רוּחַ Gn 26_{35}, c. נֶפֶשׁ Pr 14_{10}. †

מֹרָה Dt 11_{30}: ↗ מוֹרֶה.

*__מַרְהֵבָה__ Js 14_4, 1 MS u. GST u. 1QJs^a pr. מַדְהֵבָה, auch 1QHod 3_{25} 12_{18}: מרהבה? 1QHod 3_{25} תד/רהב vb.; מדהבה 12_{18} u. מדהוב Dam. 13_9: מַרְהֵ׳ BH **Ansturm** (Nötscher VT 1, 300, Ku. LJs 197, Mansoor 118[9], Wbg.-M. Textus 4, 146, :: Orlinsky VT 7, 202f). †

*__מָרוּד__ od. *מָרוֹד: רוד, BL 491g.193q; מְרוּדֶיהָ, מְרוּדִים, מְרוּדִי: — 1. **Heimatlosigkeit** Kl 3_{19} sg, 1_7 pl. (GK § 124e, ↗ Rud. 206); — 2. concr. (GK § 83c) pl. **Heimatlose** Js 58_7. †

מֵרוֹז: n.l. in Naftali; etym. inc.; *ch. Mārūs* 12 km. v. קֶדֶשׁ 2; Abel 2, 385, GTT § 559, Alt Kl Schr. I 274 ff: Ri 5_{23}. †

*__מָרוֹחַ__: מרח, BL 536e.470k: cs. מְרוֹחַ (? l מְרוּחַ): **zerrieben** (Jastr. 838b), מְ׳ אֶשֶׁךְ einer mit beschädigten Hoden (GK § 128x) Lv 21_{20}, cf. Dt 23_2 (Ell. Lev. 291, BHH 413). †

מָרוֹם: רום, BL 491g, cf. מָקוֹם; mhe., ja.^{tg} מְרוֹמָא (< he.); ug. *mrjm* (? pl. zu *מרם; Aistl. 2514, UT nr. 2311), pun. *mrm* (DISO

168): מְרוֹמָיו, מְרֹ(ו)מִים/מֵי, מְרוֹם: **Höhe**: — 1. Bodenerhebung Ri 5_{18} 2K 19_{23} Js 37_{24} Jr 31_{12} (מְ׳ צִיּוֹן) 49_{16} 51_{53} (d. Zion, הַר מְ׳ יִשְׂר׳) Ez 17_{23} 20_{40} 34_{14}, רֹאשׁ מְרוֹמִים Pr 8_2, מְרוֹמֵי קֶרֶת $9_{3.14}$; — 2. **hochgelegene Stelle**: Js 22_{16} auf d. Höhe = **hoch** (GK § 118q) 26_5 33_{16} (pl.) Hab 2_9 Ps 7_8 68_{19} 75_6, cj 78_{69} (בִּמְרוֹמִים), 92_9, = erhaben Jr 17_{12}; Hi 39_{18} (☞ II מרא hif.); — 3. **nach oben** (acc., GK § 118d): 2K 19_{22} Js 37_{23} 40_{26}; — 4. **hohe** soziale **Stellung**: Hi 5_{11} Koh 10_6 (? l sg.) Js 24_4 (? txt); — 5. moralisch: מִמָּ׳ von oben herab (reden) Ps 73_8; — 6. מָ׳ = **Himmel** (mhe.): a) אֲרֻבּוֹת מִמָּ׳ Js 24_{18}, צְבָא הַמָּ׳ 24_{21}; b) Gottes Wohnort (auch pl.) Js $33_{5.16}$ 57_{15}, אֱלֹהֵי מָ׳ Mi 6_6, בַּמָּ׳ im H. Js 58_4 Ps 7_8 93_4, pl. 148_1 Hi 16_{19} 25_2, מָ׳ (GK 118d, VG 2, 266) Ps 92_9; c) bis z. H.: לַמָּ׳ Js 38_{14} Ps 75_6, עַד־מָ׳ 71_{19} (verkündigen äg., ☞ Gkl 303), מִמָּ׳ vom H. her 2S 22_{17}/Ps 18_{17} Js 24_{18} 32_{15} (רוּחַ) Ps 102_{20} 144_7 Hi 31_2 (pl.) Kl 1_{13}; — Js 37_{24b} l מְלוֹן; Ob 3 l מֵרִים (רום hif.); Ps 10_5 l סָרוּ; 56_3 l רוֹמְמֵנִי (cjg. c. v. 14). †

מֵרוֹם: n.l. רום, „Höhenplatz" (Noth Jos. 148, BL 491j); G^B Μαρρων u. G^A Μερρων, מֵרוֹן im Talmud, äg. *Mrm*, *Marama* (Albr. Voc. 48); מֵי מֵ׳ Jos $11_{5.7}$ in Obergaliläa (Zobel, BZAW 95, 80f); nicht d. Hule-See zuoberst im Jordantal, sondern *Merum*, 6 km. nw. Safed, Abel 2, 385, Noth WdAT 50, BHH 1195 :: GTT §505. †

מֵרוֹץ: רוץ, BL 491j: das **Laufen** Koh 9_{11}. †

I ***מְרוּצָה**: רוץ, BL 493b: mhe.^{2} pun. *mrṣm* (DISO 168): מְרוּ/רֻצַת, מְרוּצָתָם Jr 8_{6Q} (K ־צוֹתָם): **d. Art zu laufen** 2S 18_{27}; d. Laufen Jr 8_6. 23_{10}. †

II **מְרוּצָה**: רצץ, ? *maqtul*, BL 493d; od. *maqtūl*, 494g: **Erpressung** (|| עֹשֶׁק) Jr 22_{17}. †

***מְרוּקִים**: מרק, BL 472x.z; pltt.: מְרוּקֵיהֶם: **kosmetische Behandlung** m. Massage u. Salben (Bardtke 305f) Est 2_{12}, ☞ תַּמְרוּק. †

מָרוֹת: n.l. ign. in S. Juda: מרר, II מָרָה; Abel 2, 379f, GTT § 319 D 4: Mi 1_{12}. †

***מַרְזֵחַ**, cs. מִרְזַח: רזח, BL 492r; mhe., ja. מַרְזְחָא; ug. *mrzḥ*, *marzaḥ*, *marzeu/zai*, Der. *marziḥi* u. (?) *mrzʿj* (UT nr. 2312/13, PRU III p. 234, AfO 20, 214a), ph. מרזח(א) (PNPhPI 354), äga. nab. palm. (DISO 167f), *Beto-Marsea* auf Mosaik v. Madeba, ☞ מֵידְבָה; Kultfest u. d. zugehörige Brüderschaft, palm. מרזחו (cf. grie. θίασος) Gressm. ZNW 20, 228, Févr. 201ff, Ingholt Syr. 7, 129ff, Ku.WaH 6f, P-W s.v. *Maiuma*, Eissf. KlSchr. 4, 286ff, Hoft. RA 28f, RAAM 179; BPorten, Archives from Elephantine 1968, 179ff: **Kultfeier** m. Gelage Am 6_7, Trauermahl Jr 16_5. †

מרח: mhe. pi., ja.^{b} pa.; aam. מרחיא (DISO 168); ar. *mrḫ* einreiben, salben, *marḫ* Holz, durch dessen Reiben man Feuer erzeugt; ?akk. *marāḫu* (AHw. 608b); > äg. *mrḥ.t* Salbe (Albr. BASOR 93, 24, Lambdin 152a):

qal: impf. יִמְרְחוּ **aufstreichen** Js 38_{21}. †

Der. *מָרוֹחַ.

מֶרְחָב: רחב, BL 490z; ar. *marḥab* Weite, *marḥaban bika* „willkommen"; asa. *Marḥab*; ar. n.d. (Ryckm. 2, 90, WbMy. I 455): מֶרְחֲבֵי: **Weite** (:: מֵצַר): — 1. **Weite, Ausdehnung** (pl., GK § 124b) לְמֶ׳ אֶרֶץ in d. Weiten d. Erde Hab 1_6, כְּכֶבֶשׂ בַּמֶּ׳ Hos 4_{16} (☞ Rud. 107); — 2. (metaph.) das Weite = **freier Raum** (cf. מִישׁוֹר, mhe. רְוָחָה) 2S 22_{20} Ps 18_{20} 31_9 118_5 בַּמֶּרְחָב יָהּ, MSS Edd ־חַבְיָהּ J.-Weite, ☞ Gsbg 385f, Geiger 274f u. יָהּ 2, :: Cross-Fr. JBL 67, 208^{66}: l מֶרְחָבֵ(י). †

מֶרְחָק, Ps 138_6 Ⓑ מֶרְחַק (BL 539b): רחק, BL 490z; mhe.^{2}, ug. *mrḥq(t)* (UT nr. 2324, Aistl. 2505); äga. Entfernung (DISO 168): מֶרְחַקִּים, מַר׳ Js 33_{17} s.u. (BL 558c), מֶרְחַקֵּי: **Ferne, die Weite** אֶרֶץ מֶ׳ Js 13_5 46_{11} Jr 6_{20} Pr 25_{25}, אֶרֶץ הַמֶּ׳ Jr 4_{16}, אֶרֶץ מַרְחַקִּים (pl. GK § 124b) weit u. breit im Lande (Rud.)

8$_{19}$, מֶרְחַקֵּי אֶרֶץ d. Enden d. E. Js 8$_{9}$, cj Ps 95$_{4}$; בְּמֶרְחַקִּים (GK § 124b) in d. Ferne Zch 10$_{9}$; מִמֶּרְחָק v. ferne Js 10$_{3}$ 30$_{27}$, cj 52$_{6}$ Jr 5$_{15}$ Ez 23$_{40}$ Ps 138$_{6}$ Pr 31$_{14}$ (↗ Gems.), weithin (↗ מִן 1d) Js 17$_{13}$, בֵּית הַמֶּרְחָק d. äusserste, letzte Haus 2S 15$_{17}$; בָּאִיִּים מִמֶּרְחָק auf d. Inseln / Gestaden in der F. Jr 31$_{10}$; אֶרֶץ מֶרְחַקִּים Js 33$_{17}$ e. weites L. (?), ? l מַחְמַדִּים (Gkl ZAW 42, 179). †

מַרְחֶשֶׁת: רחש, BL 490a; mhe. **Backpfanne** m. Deckel (Kelso § 56, Honeyman 84) Lv 2$_{7}$ 7$_{9}$. †

מרט: Sem. *mrṭ*; mhe. ja.^{tb} raufen, enthaaren äga. etp. ausgerissen werden (DISO 168); sy. ar. Haar ausraufen, *mariṭa* haarlos, glatt sein; tigr. (Wb. 117a) *mrṣ* blank sein; akk. *marāṭu* abschaben (AHw. 610b), har. abstreifen (Lesl. 31); ↗ II מלט:

qal: impf. אֶמְרְטֵם, אֶמְרְטָה; inf. מָרְטָה (BL 316c); pt. מְרוּטָה, מֹרְטִים: — 1. (Haar) **raufen** Esr 9$_{3}$ Neh 13$_{25}$; — 2. (Schwert) **fegen, wetzen** Ez 21$_{14.16.33}$ u. cj 21$_{20}$ (pr. מְעֻטָּה l מְרוּטָה, :: Zimm. 472: pr. מְרוּטָה l (מְ)מֹרָטָה ↗ pu.); — 3. pt. (Schulter) blank gescheuert, zerschunden Ez 29$_{18}$; — Js 50$_{6}$ ↗ טלל hif. †

nif: impf. יִמָּרֵט **kahl werden** Lv 13$_{40f}$. †

pu: pf. (od. pass. qal, BL 286n.357) מֹרָטָה; pt. מְמֹרָט 1K 7$_{45}$ > מוֹרָט Js 18$_{7}$ (1QJs^a ממרט): — 1. **blank gefegt**: נְחֹשֶׁת 1K 7$_{45}$, Schwert Ez 21$_{15f}$, cj 14; — 2. **glatt** od. blank (Haut) Js 18$_{2.7}$. †

מְרִי, Sam.^{M136} *mirri*: מרה, BL 458x; מֶרְיִ, מֶרְיְךָ (Sam.^{BCh} *marjak*): — 1. **Widerspenstigkeit** Dt 31$_{27}$ 1S 15$_{23}$ Hi 23$_{2}$, cj Jr 13$_{25}$ (l מֶרְיֵךְ): Neh 9$_{17}$ cj pr. עַם מְ׳ מִרְיָם; בְּנֵי מֶרִי Js 30$_{9}$, Nu 17$_{25}$, בֵּית מְרִי Ez 2$_{5f}$ cj 7 3$_{9.26f}$ 12$_{2f}$ cj Ez 44$_{6}$, בֵּית הַמֶּרִי Ez 2$_{8}$ 12$_{2.9.25}$ 17$_{12}$ 24$_{3}$; — 2. abstr. > concr. (GK § 83c, Dahood Bibl. 48, 433) **widerspenstig** Ez 2$_{8}$ Pr 17$_{11}$ (S). †

מְרִיא: III מרא, BL 471s; ug. *mrỉ* /ʒ/ ׳י (UT nr. 1544, Aistl. 1663), akk. *marū*: מְרִיאִים/, מְרִיאֵיכֶם, אֵי: **Mastvieh**, nach 2S 6$_{13}$ 1K 1$_{9.19.25}$ bes. Rinder (Büffel, *bubalus buffalus* Aharoni Os. 5, 464), 2S 6$_{13}$ 1K 1$_{9.19.25}$ Js 1$_{11}$, ins. 34$_{7}$ (l עִם מְרִיאִים), Am 5$_{22}$ Ez 39$_{18}$; — Js 11$_{6}$ l יִמְרְאוּ. †

cj ***מָרִיב**, (pr. מְרִיבֵי) Hos 4$_{4}$; **Streit**, Nf. v. I מְרִיבָה (Rud. 96, al. רִיבִי). †

***מֵרִיב**: ריב ?, pt. hif.; cs. מְרִיב בַּעַל „Bestreiter Baals" 1C 8$_{34}$ 9$_{40a}$; ↗ מְרִי־בַעַל 9$_{40b}$ ↗ Rud. 80. †

I **מְרִיבָה**, Sam.^{M198} *mārība*: ריב, BL 492v; mhe.: מְרִיבַת: **Streit** Gn 13$_{8}$ Nu 27$_{14}$. †

II **מְרִיבָה**: n.l.; = I; Wüstenstation, ign. ↗ III מַסָּה; BHH 1194, Lehming ZAW 73, 76f: **Meriba**; heilige Quelle u. Gerichtsstätte: m. מַסָּה zus. Ex 17$_{7}$ Dt 33$_{8}$ (? appell., Lehming) Ps 95$_{8}$; מֵי מְ׳ Nu 20$_{13.24}$ Ps 81$_{8}$ 106$_{32}$; מֵי מְרִיבַת קָדֵשׁ Nu 27$_{14}$ Dt 32$_{51}$ cj 33$_{2}$ Ez 48$_{28}$, מֵי מְרִיבוֹת קָדֵשׁ (l בַּת MSS STV ↗ Zimm. 1205) 47$_{19}$. †

מְרִי־בַעַל 1C 9$_{40b}$, G Μεριβααλ 8$_{34}$ 9$_{40a}$ ↗ מֵרִיב: OS (Dir. 46f) מרבעל (cf. אֶשְׁבַּעַל) + בעל ?; äg. *mrj* geliebt (Humbert ZAW 38, 86 :: Spiegelberg ib. 38, 172), aram. מר(א) Herr (Noth N. 143^2, Baud. Kyr. 3, 90^3, ↗ ba.; DISO 166, ug. UT nr. 1543); > מְרִיב־בַּעַל, trad. „Bestreiter Baals" 1C 8$_{34}$ 9$_{40a}$, Ri 6$_{31f}$; :: Albr. BASOR 87, 35^{21a}: *מֵרִיב abs. „B. führt (m.) Sache", Albr. RI 129 „B. verteidige (meine) Sache", akk. *rābu*; sonst im AT als ↗ מְפִיבֹשֶׁת; BHH 1194: — 1. S. v. Saul u. רִצְפָּה 2S 21$_{8}$; — 2. S. v. Jonathan 2S 4$_{4}$-21$_{7}$. †

מְרָיָה: n.m., ↗ מְרָיוֹת u. מִרְיָם; äg. Humbert ↗ מְרִי־בַעַל, eher מרה „Trotzkopf" (Noth 250b): Neh 12$_{12}$. †

מֹרִיָּה, Sam. המוראה, ^{M135} *mūrījja*: n.t. הַמּוֹרִיָּה *Ch. Bet-Lejj* (ZAW 70, 210, Phoenix 11, 253) erklärt m. ראה cj Gn 22$_{14}$: אֶרֶץ הַמּ׳ Gn 22$_{2}$, Jos. Antt. I 13, 1f τὸ Μώριον ὄρος, ? l האמרי, S.: הַר הַמֹּרִיָּה d. Tempelberg 2C 3$_{1}$, ↗ Abel 1, 374, GTT

§ 373, Dalm. JG 125f, BHH 823, 1239, Stolz, BZAW 118, 207f. †

מְרָיוֹת: n.m.; ↗ מְרָיָה u. מִרְיָם: — 1. Esr 7₃ 1C 5₃₂f 6₃₇; — 2. Neh 11₁₁ 1C 9₁₁ (G^B Μαρμωθ); — 3. Neh 12₁₅ (l מְרֵמוֹת 12₃). †

מִרְיָם, Sam.^M135 *Mariam* (sam.-aram. auch מרין, Ku., MiHe 42, < ar., s.u.): n. fem. **Miriam**: Etym. strittig, ↗ Grimme BiZ 7, 245ff Stamm HFN 333: 1) מרה „Trotzkopf" (↗ מְרָיוֹת, מְרָיָה); 2) III מרא „Dicksack" (Rud. HL 172⁷), 3) äg. *mrjt* „Geliebte" (↗ מְרִי־בַעַל); 4) „(Gottes) Geschenk", akk. √*rjm* (vSoden, UF 2, 1970, 269-72); > Μαριαμ(μ)η Eph. 3, 50, DJD II p. 239^ab, (sem. מרימא DJD II p. 91 col. II 2), > Μαριαμ, Μαρία (WbNT); palm. *mrjm* (PNPI 97a): — 1. Schwester v. Aaron u. Mose, Ex 15₂₀f Nu 12₁₋₁₅ 20₁ 26₅₉ Dt 24₉ Mi 6₄ 1C 5₂₉; Gressm. Mo. 351, Noth ATD 5, 97f, BHH 1219; — 2. n.m.! (↗ BH, Rud. 32, 35¹) Nachk. v. Juda 1C 4₁₇. †

מְרִירוּת: מרר, BL 505 o; מָרִיר* (ja.) + *ūt*; mhe. ja. (מָ׳), äga. מררו (DISO 168), syr. *marr-*, md. (MdD 254b.278b) **Bitterkeit, Betrübnis**, בְּמְ׳ bitterlich (seufzen) Ez 21₁₁. †

מְרִירִי: מרר, מָרִיר* (↗ מְרִירוּת) + *ī*, BL 501w; **bitter** Dt 32₂₄ (קֶטֶב). מ׳ יום (GK § 128x) der e. bösen Tag (= e. schweres Leben) hat Sir 11₄; ja. dann e. Dämon (Jastr. 843b, Gulk. 86¹, AIT 294b). †

מֹרֶךְ: רכך, BL 493d: **Verzagtheit** Lv 26₃₆. †

מֶרְכָּב: רכב, BL 490z; mhe., ja.^tg מַרְכְּבָא; ar. Sattel, Schiff (Frae. 215), tigr. *merkab* Schiff (Wb. 157b); ↗ מֶרְכָּבָה: — 1. **Sattelsitz** (mhe. ar.) Lv 15₉, **Sitz** (d. Sänfte) HL 3₁₀; — 2. **Streitwagenpark** 1K 5₆. †

מֶרְכָּבָה: f. v. ↗ מֶרְכָּב, BL 614; ug. *mrkbt* (UT nr. 2331), mhe.², ja.^t sy. md. (MdD 254b) מַרְכַּבְתָּא auch Sattel; sy. md. Schiff, wie ar. *markab*, akk. *narkabtu* (AHw. 747a, Salonen Ldfz. 19.44); > äg. *mrkbt* (Erm.-Ra. 584f), kopt. *merkobte*: מַרְכֶּבֶת (BL 614), מֶרְכַּבְתּוֹ, מַרְכָּבוֹת, מַרְכְּבֹ(ו)תָיו/תֵיהֶם, מַרְכְּבוֹת: d. zweirädrige Prunk-, Reise- u. Streitwagen, ↗ רֶכֶב, עֲגָלָה (BRL 422f.532f, MG Amadasi, Iconografia del carro di guerra, Rom, 1925, Salonen, Ldfz; WNagel, D. mesopot. Streitwagen, 1966, ↗ BiOr 25, 48f; BHH 2127ff): — 1. **Streitwagen**: ägyptische Ex 14₂₅ 15₄ 1K 10₂₉ 2C 1₁₇, kanaanäische Jos 11₆.₉ Ri 4₁₅ 5₂₈, v. כּוּשׁ 2C 14₈, isr. 1K 12₁₈ 20₃₃ 22₃₅ Js 2₇ Mi 5₉ 2C 9₂₅ 10₁₈ 18₃₄ 35₂₄, v. צָפוֹן Jr 4₁₃; ↗ Mi 1₁₃ Nah 3₂, Hab 3₈ Hg 2₂₂; — 2. **Prunkwagen** Gn 41₄₃ 1S 8₁₁ 2S 15₁ Js 22₁₈; — 3. **Reisewagen** 2K 5₂₁.₂₆ 10₁₅, 9₂₇ (Gl.₂₈, ↗ G); אָסַר מְ׳ Gn 46₂₉, אֹפַן מְ׳ 1K 7₃₃, קוֹל מְ׳ Jl 2₅; — 4. mytholog.: J.s מְ׳ Js 66₁₅, in Vision Zch 6₁₋₃ (5 ×); — 5. kultisch מַרְכְּבוֹת הַשֶּׁמֶשׁ 2K 23₁₁ (l sg., G), cf. bab. *Šamaš rākib narkabti* (Gressm. ZAW 42, 325, Mtg.-G. 532f, Tallqv. AkGE 455); תַּבְנִית הַמְּ׳ 1C 28₁₈ (↗ Rud. 188) u. זני המ׳ d. Wesen am W. Sir 49₈ (= d. Lade mit d. Keruben Ez 1 u. 10, d. ersten Belege f. מְ׳ als d. rabb. Bezeichnung d. Lade, JewEnc. 8, 498ff, GFMoore Judaism 1, 1927, 411ff); — ? HL 6₁₂ מַרְכְּבוֹת עַמִּי־נָדִיב, Komm., Ringgren ATD, 16, 286, Rud. 166; Gerleman, BK XVIII, 191f. †

מַרְכֹּלֶת*: רכל, BL 607d; sy. *rakkālūtā*: מַרְכֻּלְתֵּךְ: (trad. Markt, Handelsplatz) ? l c. T בָּם רְכֻלָּתֵךְ (↗ 21, cf. BL 467r): **Händlerschaft** Ez 27₂₄. †

I **מִרְמָה**, or. *ma-* (MTB 70), Sam.^M196 *marmi*: רמה, BL 492p; mhe.², aam. (DISO 168), sy. *marmītā*: מִרְמוֹת; Klopfenstein, Lüge 312f: — 1. **Hinterlist, Trug** Gn 27₃₅ 34₁₃ (l וַיְדַבְּרוּ בְמִרְמָה) Js 53₉ Jr 5₂₇ 9₇ Hos 12₁ Zef 1₉ Ps 5₇ 17₁ 34₁₄ 36₄ 43₁ 50₁₉ 55₁₂.₂₄ 109₂ Pr 12₅.₁₇.₂₀ 26₂₄ Hi 15₃₅ 31₅ Da 8₂₅ 11₂₃, מִרְמָה בְמִרְמָה Trug über Trug Jr 9₅, c. מֹאזְנֵי מ׳ falsche Wage Hos 12₈ Am 8₅ Pr 11₁ 20₂₃, c. אַבְנֵי falsche Gewichte Mi 6₁₁, c. לָשׁוֹן Ps 52₆; לְמִ׳ betrügerisch

Ps 24$_4$; Verrat 2K 9$_{23}$; pl. Trug Ps 10$_7$ 35$_{20}$ 38$_{13}$; — 2. **Enttäuschung** Pr 14$_{8.25}$ (ℱ Gemser 42). †

II מִרְמָה: n.m.; = I ? G^AL Μαρμα, G^B Ιμαμα, S. Jarmāmā: 1C 8$_{10}$. †

מְרֵמוֹת: n.m.; ihe. T. Arad, BA 31, 29; ? Etym., Noth 39; ℱ יְרֵמוֹת: — 1. Priester Esr 8$_{33}$ Neh 3$_{4.21}$ 10$_6$; — 2. Priester Neh 12$_3$, l p. מְרָיוֹת 12$_{15}$; — 3. Esr 10$_{36}$ m. fremder Frau. †

מִרְמָס: רמס, BL 490z; mhe.²: cs. מִרְמַס: **Zertretung, zertretenes Land**: מִרְמַס רַגְלֵיכֶם was eure F. zertreten haben Ez 34$_{19}$; הָיָה לְמִ׳ Js 5$_5$ 7$_{25}$ 28$_{18}$ Mi 7$_{10}$, שׂוּם לְמִ׳ Js 10$_6$; — ? Da 8$_{13}$, ℱ Komm. †

מֵרֹנֹתִי: gntl. v. *מֵרֹנֹת, n.l. ign. b. גִּבְעוֹן, GTT § 864: Neh 3$_7$ 1C 27$_{30}$. †

מֶרֶס: n.m.: pers. (Scheft. I 48f, Gehm. 324, Duch.-G. 107): Rat am pers. Hof Est 1$_{14}$.†

מַרְסְנָא: n.m.; pers. (Scheft. I 48f, Gehm. 324, Duch.-G. 107): Rat am pers. Hof Est 1$_{14}$. †

*מֵרַע: I רעע, BL 491l; äga. מרע (DISO 168) מֵרַע: **Böses, Untat** Da 11$_{27}$. †

I מֵרֵעַ: Sam.^M192 *mārē*: II רעע = II רעה, BL 465d; ℱ רֵעַ: מֵרֵעֵהוּ (4 ×) u. מֵרֵעֵהוּ Pr 19$_7$ (BL 534), מֵרֵעִים ,מֵרֵעֶךָ; v. Selms JNESt. 9, 65f: **Busenfreund** (:: אַחִים Pr 19$_7$ u. :: רֵעִים 19$_4$): a) spez. b. d. Hochzeit Ri 14$_{20}$ 15$_{2.6}$; b) sonst (pl.) Gn 26$_{26}$ Ri 14$_{11}$ 2S 3$_8$ Hi 6$_{14}$ (Horst 108 :: Fohrer, Hiob 161; al.: מִן־רֵעֵהוּ) Pr 19$_7$; — Pr 19$_4$ ℱ רֵעַ. †

II *מֵרֵעַ: ℱ I רעע hif. pt.

מִרְעֶה, or. מַ׳ (MTB 70), Sam.^M192 *mērī*: I רעה, BL 491n; mhe.²: מִרְעֵהוּ ,מִרְעֶה, מִרְעֵיכֶם (sg. BL 584c): **Weide** (ℱ מַרְעִית, *נָוֶה ,נָוֶה) Gn 47$_4$ Js 32$_{14}$ Ez 34$_{14.18}$ Jl 1$_{18}$ Hi 39$_8$ Kl 1$_6$ 1C 4$_{39-41}$, cj Pr 12$_{26}$; Nah 2$_{12}$ l וּמְעָרָה. †

מַרְעִית: I רעה, BL 604b, ℱ מִרְעֶה, ja.; äth. *marʿēt* (Dillm. 311, Barth § 248b), tigr. (Wb. 159b) *marʿīt*: מַרְעִיתוֹ: **Weideplatz** Js 49$_9$ Jr 10$_{21}$ 23$_1$ 25$_{36}$ Ez 34$_{31}$ Ps 74$_1$ 79$_{13}$ 95$_7$ 100$_3$; — Hos 13$_6$ pr. כְּמַרְעִיתָם gew. cj *כְּמוֹ רְעִיתִים od. כְּרְעוֹתָם :: Rud. 238 מַ׳ als inf; Wolff BK XIV/1 als Subst. „ihrem Weideplatz entsprechend". †

מַרְעֲלָה, G^B Μαραγελλα, G^AL Μαρι/αλα: n.l.; רעל: „Ort am Bergvorsprung" (ar. *raʿl*; Noth Jos 148); b. יָקְנְעָם, Abel 2, 379, GTT p. 181: Jos 19$_{11}$. †

I מַרְפֵּא u. מַרְפֵּה Jr 8$_{15}$: רפא, BL 492q; mhe., ? pun. (DISO 282), בעל מרפא Baud. AE 322: — 1. **Heilung** Jr 33$_6$ Mal 3$_{20}$ Pr 4$_{22}$ Sir 43$_{22}$, עֵת מַ׳ Pr 6$_{15}$, וְאֵין מַ׳ Jr 14$_{19}$ = 8$_{15}$ (־פֵּה); לְאֵין מַ׳ 2C 21$_{18}$ u. עַד־לֹא מַ׳ 36$_{16}$ unheilbar; — 2. **Heilmittel** (Abgrenzung gegen 1. inc.) Pr 12$_{18}$ 13$_{17}$ 16$_{24}$; וְאֵין מַ׳ Pr 29$_1$. †

II מַרְפֵּא: רפה, BL 491m; abs. u. cs. (GK § 93m): — 1. **Gelassenheit** Koh 10$_4$, לֵב מַ׳ e. gelassenes Herz Pr 14$_{30}$; — 2. **Lindigkeit** מַ׳ לָשׁוֹן linde Zunge Pr 15$_4$. †

מַרְפֵּה: רפא, **Heilung**, Jr 8$_{15}$, = ℱ I מַרְפֵּא. †

*מִרְפָּשׂ: רפשׂ/ס, BL 490z; md. *mirpas* Niedertreten (MdD 270a): מִרְפַּשׂ: durch Betreten getrübte **Wasserlache** Ez 34$_{19}$ (|| מִרְמָס). †

מרץ: ug. *mrṣ* krank sein, Krankheit (UT nr. 1555, Aistl. 1683), akk. *marāṣu* (AHw. 609a); aram. מרע: ? äga. (DISO 168), ja. cp. sy. krank sein, sam. Grauen empfinden (BCh 2, 443.480); asa. *mrḍ*, ar. *mariḍa* krank sein:

nif: pf. נִמְרְצוּ (Hi 6$_{25}$ s.u.); pt. נִמְרָץ, נִמְרֶצֶת: **schlimm, schmerzhaft sein** (akk. *marṣu* v. Wunde, Fluch, AHw 613b), c. III חֶבֶל Schaden Mi 2$_{10}$ (auch 1QHod 38$_{11.12}$, m. Hineinspielen v. חֵבֶל) c. קְלָלָה 1K 2$_8$ unheilvoll (:: Noth Kge 31: kraftlos); ? Hi 6$_{25}$ c. אִמְרֵי יֹשֶׁר: ? krank (Torrey 127f), kränkend (Horst 111, Fohrer 158), ? l נִמְלְצוּ sind süss (Ps 119$_{103}$ T, Hölscher). †

hif: impf. יַמְרִיצְךָ: **reizen** Hi 16$_3$. †

מְרֻצָּתָם Jr 8$_6$: ℱ מְרוּצָה.

מַרְצֵעַ, Sam.^M196 *marṣā*: רצע, BL 492r:

mhe., ja. מַרְצְעָא: **Pfriem**; starke, spitze **Nadel** (AuS5, 197.286, BHH 1445) Ex 21$_6$ Dt 15$_{17}$. †

מַרְצֶפֶת: I רצף, BL 603f; mhe. רִצְפָּה, ja. רִצְפְּתָא, ar. *raṣīf* Pflaster: **Steinpflaster, -belag** 2K 16$_{17}$, מַ׳ אֲבָנִים (↗ Dussaud, Syr. 7, 252). †

I **מרק**: mhe., aam. iam. (DISO 168), sam. (BCh. 2, 466b) ja. sy. md. (MdD 279a) abreiben, polieren, reinigen; > ar. *maraǧa* (Blau VT 5, 342) u. äth.[G] tigr. (Wb. 116b, Lesl. 31f) *maraga* m. Lehm bestreichen :: *maraqa* (Haare) abschaben (Wb. 114a); akk. *marāqu* zerreiben (AHw. 608b):

qal: imp. מִרְקוּ; pt. מָרוּק: **polieren** Jr 46$_4$ (רֹמַח) 2C 4$_{16}$ (נְחֹשֶׁת). †

pu. (od. qal pass.): pf. מֹרַק: **ausgerieben werden** (:: שׁטף abspülen) Lv 6$_{21}$. †

hif: impf. Q תַּמְרִיק (K ↗ תַּמְרוּק sbst.) **säubern** (pr. בְּרָע prp. בְּרֵעַ [III רֵעַ] od. מֵעִים) Pr 20$_{30}$. †

II ***מרק**: ar. denom. Brühe in Topf schöpfen: ↗ מָרָק.

מָרָק: II מרק (ă, BL 539b. 549b); ar. *maraq* > äth.[G] tigr. (Wb. 114a) *maraq* (Lesl. 32, Blau VT 5, 342): **Brühe** (m. eingeriebenen Kräutern) Ri 6$_{19f}$ Js 65$_4$ (Q, 1QJs[a], K *מְרַק), cj Ez 24$_{10}$ (Zimm. 558).

***מֶרְקָח**: רקח, BL 490a; mhe. Salbe, Parfüm: מֶרְקָחִים: **Würzkräuter** HL 5$_{13}$. †

מֶרְקָחָה: רקח, BL 490a: **Salbentopf** (Kelso § 57, || סִיר) Hi 41$_{23}$; — Ez 24$_{10}$ l מָרָק. †

מִרְקַחַת: רקח, BL 607c; mhe.², ja.[g] מרקחתא: **Salbengemisch** (:: Honeyman 84: Würzwein) Ex 30$_{25}$ 1C 9$_{30}$ 2C 16$_{14}$. †

I **מרר**: mhe.; ug. *mrr* stärken, segnen (UT nr. 1556, Aistl. 1659, CML 161b, Loretz BiZ 3, 293f); äga. (DISO 168), ja.[tg] sam. (BCh. 2, 515b) sy. md. (MdD 279a); ar. *marra* bitter sein, *marīr* stark, *mirrat* Körperkraft, Galle; äth. tigr. (Wb. 113a) u. akk. *marāru* (AHw 609a) bitter sein:

qal: pf. מַר (↗ adj.!), מָ֫רָה, מֵר; impf. יֵמַר (BL 428d :: Bgstr. 2, 135d, BM § 79, 2a): — 1. **bitter sein** Js 24$_9$ (שֵׁכָר); — 2. **verzweifelt sein** (נֶפֶשׁ) 1S 30$_6$ 2K 4$_{27}$; — 3. מַר **es steht bitter** Jr 4$_{18}$; מַר לִי es ist mir leid Rt 1$_{13}$, (מִכֶּם um euch) Kl 1$_4$. †

pi. (Jenni 105f): impf. אֲמָרֵר, יְמָרְרוּ, (Ⓑ -בְרוּ) u. יְמָרֲרֻהוּ (BL 437): **bitter machen**: d. Leben Ex 1$_{14}$, jmd reizen Gn 49$_{23}$; בַּבֶּכִי bitterlich weinen Js 22$_4$. †

hif: pf. הֵמַר; impf. תַּמֵּר Ex 23$_{21}$ (l תֶּמֶר, מרה hif., GK § 67y); inf. הָמֵר: — 1. **Bitternis bereiten, betrüben** Hi 27$_2$ Rt 1$_{20}$, verbittern cj Ps 106$_{33}$ (l הֵמָרוּ); — 2. c. עַל **bitter klagen** um Zch 12$_{10}$, cj seid bitter od. hadert Ps 4$_5$ (l הָמֵרוּ, od. הַמְּרוּ). †

hitpalp. (BL 432z): impf. יִתְמַרְמַר: **ergrimmen** Da 8$_7$ 11$_{11}$. †

Der. I מַר, מֹר, ↗ *מָרָה, מָרֹר, ↗ *מְרֵרָה, *מְרֹרָה, מַמְּרוֹרִים, מֶמֶר; n.l. מָרָה; מְרִירוּת, תַּמְרוּרִים, מְרִירִי, n.m. מְרָרִי.

II ***מרר**: Ges. Thes. 821, BDB 601b; ug. *mrr* (Aistl. 1658, CML 161b :: UT nr. 1556) u. akk. *marāru* (Frw. im akk., AHw. 609a) weggehen, tigr. (Wb. 113a) laufen; ar. *marra* vorbeigehen, fliessen: Der. II מַר.

מָרֹר u. מָרוֹר: I מרר, BL 466n; mhe. (adj., DSS sbst.), ja. מְרוֹרָא (< he.) u. sy. md. מְרָרָא (MdD 278f) sbst.; ↗ I מַר u. מְרִירִי: מְרֹ(וֹ)רִים, מְרֹ(וּ)רֹ(וֹ)ת: **bitter**: — 1. Trauben מְרֹרֹת Dt 32$_{32}$ (al. sbst. *מְרֹרָה, || רוֹשׁ); — 2. pl. מְרוֹרִים (sy.) bittere Kräuter (b. Passamahl, Harrison 29) Ex 12$_8$ Nu 9$_{11}$; — 3. **bitterer Trank** Kl 3$_{15}$, || לַעֲנָה (J. als Gastgeber, ↗ Rud.); מְרֹרוֹת bittere Erfahrungen (? medizinisch od. forensisch) Hi 13$_{26}$. †

***מְרֵרָה**: I מרר, BL 465i; ↗ *מְרֹרָה; ja. sy. מְרָרְתָא, md. (MdD 278b) מרירתא, akk. *martu* (RLA 3, 134, AHw. 614a); mhe. מָרָה, sy. *mertā*, ar. *mirrat* Galle, *marārat* G.-blase, äth. (Lesl. 32): מְרֵרָתִי: **Gallenblase** (|| *כִּלְיוֹת) Hi 16$_{13}$. †

***מְרֹרָה**: מרר, BL 491l (?), f. v. מָרֹר;

מְרֹרַת, מְרֹרָתוֹ: — 1. **Gallenblase** (↗ מְרֵרָה) Hi 20$_{25}$ (|| II גֵּוָה); — 2. d. Flüssigkeit v. 1.: **Gift** (mhe., ja. מְרֵירְתָא, sy. *mertā*, *mirraʾ* Uruk Z. 6, md. מירתא [MdD 270a]) Hi 20$_{14.25}$ (לֶחֶם || מְ׳ פְּתָנִים) χολή Act 8$_{23}$, im Altertum in d. Gallenblase der Schlange gedacht, SBochartus Hierozoikon 1663ff, I 24, BHH 512; Arznei Tob 6$_9$ 11$_{8.11}$; cf. unser „Gift u. Galle". †

מְרָרִי: n.m.; „Stark" (↗ I מרר; Noth 225); pun. מרר (בעל) (PNPhPI 143.354): — 1. S. v. לֵוִי Gn 46$_{11}$ Ex 6$_{16.19}$ Nu 3$_{17.20}$ 4$_{29.33.42.45}$ 7$_8$ 10$_{17}$ 26$_{57}$ Jos 21$_{7.34.40}$ Esr 8$_{19}$ (↗ Rud. 81) 1C 5$_{27}$ 6$_{1.4.14.29.32.48.62}$ 9$_{14}$ 15$_{6.17}$ 23$_{6.21}$ 24$_{26f}$ 26$_{10.19}$ 2C 29$_{12}$ 34$_{12}$; — 2. gntl. v. 1: Nu 3$_{33.35f}$ 26$_{57}$. †

I מָרֵשָׁה: n.l. Mi 1$_{15}$ + 5 ×: ↗ מָרֵאשָׁה.

II מָרֵשָׁה: n.m.; S.v. כָּלֵב u. V.v. חֶבְרוֹן 1C 2$_{42}$, = I Rud. 21). †

מִרְשַׁעַת: 2C 24$_7$ c. art. appos. z. עֲתַלְיָהוּ, or. מְ׳ (MTB 70): רשע, BL 490a, concr. (Ausbund v.) **Gottlosigkeit** (GK § 83c); al. c. S A l pt. hif. מַ׳: die Verführerin. †

מֹרַשְׁתִּי Mi 1$_1$: ↗ מוֹרַשְׁתִּי.

מְרָתַיִם: מרה, du. v. I *מָרָה, BL 513d: הָאָרֶץ מְ׳ Jr 50$_{21}$ „Doppeltrotz", Schimpfname f. בָּבֶל, l אֶרֶץ S; sec. Bab. $^{n\bar{a}r}$*marratu* grosse Lagune in S.-Bab., VAB VII 2, 337[15] im Mündungsgebiet v. Eufrat u. Tigris wie פְּקוֹד im Wtsp. m. מרר f. ganz Bab.; Rud. 303. †

I מַשָּׂא: נשא, BL 490b; mhe., מַ׳ וּמַתָּן Nehmen u. Geben = Handeltreiben, > jüd. *Massematten*, מתת ולקח Sir 42$_7$, Sir$^{M\ IV\ 13}$ δόσις καὶ λῆμψις Phil 4$_{15}$ (Littm. MW 51f, Zimmern 16): מַשָּׂאֲכֶם, מַשָּׂאוֹ: — 1. **Tragen** (GK § 114a): לְאֵין מַ׳ (cf. I אַיִן 5) sodass es nicht zu tragen war 2C 20$_{25}$, אֵין לָכֶם מַ׳ ihr habt nichts zu tragen 35$_3$; — 2. **Traglast**, **Last**: für Esel Ex 23$_5$, 2 Maultiere 2K 5$_{17}$, 40 Kamele 8$_9$, f. יָתֵד Js 22$_{25}$; מַ׳ כֶּסֶף e. Last Silber 2C 17$_{11}$ (Rud., al. „als Abgabe"); Nu 4$_{15.19.24.27.31f.47.49}$; N.N. בְּ/בַּמַּשָּׂא hatte d. Aufsicht b. Tragen (al. b. Anstimmen, VT 10, 252) 1C 15$_{22.27}$; מִלֵּט מַ׳ d. Last in Sicherheit bringen Js 46$_2$, מַ׳ לַעֲיֵפָה 46$_1$ Last f. d. müde (Vieh), 1QJs^a משמיעיהמה, (↗ Westermann ATD 19, 143); מַ׳ כָּבֵד Ps 38$_5$; נָשָׂא מַ׳ Jr 17$_{21.27}$, הוֹצִיא מַ׳ 17$_{24}$ Neh 13$_{15}$, בָּא מַ׳ 13$_{19}$, הֵבִיא מַ׳ Jr 17$_{22}$; — 3. Last, **Beschwer** Nu 11$_{11.17}$ Dt 1$_{12}$, הָיָה לְמַ׳ עַל jmd zur Last fallen 2S 15$_{33}$ 19$_{36}$ Hi 7$_{20}$; metaph. Sir 51$_{26}$, Weisheit ist אבן מ׳ lastender Stein 6$_{21}$, מַ׳ נַפְשָׁם Sehnsucht ihrer Seele Ez 24$_{25}$ cj 21; — 4. doppelsinniges Wtsp. m. II „Ausspruch" Jr 23$_{33-38}$, ↗ Rud. 143f, Hoft. VT 14, 68[1]; — Hos 8$_{10}$ meist cj מִמְּשֹׁחַ G :: Rud. 159f. †

II מַשָּׂא: נשא, BL 490b; pl. cs. מַשְּׂאוֹת (BL 220 m); von נָשָׂא קוֹל d. Stimme erheben, e. Ausspruch tun; DJD I S. 103, 1.8 || דבר Rinaldi Bibl. 40, 278f: **Ausspruch**: נָשָׂא מַ׳ 2K 9$_{25}$; חָזָה מַ׳ (↗ חזה qal. 2) Js 13$_1$ Hab 1$_1$ Kl 2$_{14}$ (l *מַשָּׂאוֹת Budde, od. מַשְׂאוֹת Rud. 220, Koehler Th. § 36) Sir 9$_{18}$; מַ׳ דְּבַר י׳ Zch 9$_1$ 12$_1$ Mal 1$_1$, מַ׳ עַל 2C 24$_{27}$, Ez 12$_{10}$; מַ׳ מוֹאָב A. über M. Js 15$_1$ ↗ 17$_1$ 19$_1$ 21$_{1.11.13}$ 22$_1$ 23$_1$ 30$_6$ Nah 1$_1$; הָיָה הַמַּ׳ Js 14$_{28}$; Jr 23$_{33-38}$ ↗ I מַ׳; ↗ מַשָּׂאָה; 4Q 160, 1, 4 pr. מַרְאָה 1S 3$_{15}$. †

III מַשָּׂא, G Μασση: n.(m.)p.; S. v. Ismael Gn 25$_{14}$ 1C 1$_{30}$; Ps 120$_5$ cj pr. מֶשֶׁךְ; n.-ar. Stamm **Massa**, klschr. *Masʾu*, gntl. *Masʾaia* neben תֵּימָא, (Del. Par. 302f, Albr. Fschr. Levi dV. 1, 1ff, GTT § 121, 7, Winnett-Reed, Ancient Records from North Arabia, 1970, 91f); ? identisch m. ↗ מַשׁ u. ↗ מֵשָׁא; הַמַּשָּׂא ··· אָגוּר (l הַמַּשָּׂאִי od. מִמַּ׳) Pr 30$_1$, מַ׳ לְמוּאֵל מֶלֶךְ 31$_1$. †

מַשֹּׂא: נשא, BL 493z od. e; mhe.: מַשּׂוֹא פָּנִים (↗ נשא 5 c. פָּנִים); > NT προσωπολημψία **Parteilichkeit** 2C 19$_7$. †

מַשָּׂאָה: f. v. I מַשָּׂא, BL 490c. 614; Nf. מַשְׂאֵת: נשא, **Erhebung** מַ׳ ↗ כֹּבֶד (? l כָּבֵד) gewaltig an Wucht Js 30$_{27}$; — Ri 20$_{38.40}$ ↗ מַשְׂאֵת. †

מַשְׂאוֹת: — 1. Ez 17_{9}? sec.ctxt (Baum v. s. Wurzeln) wegreissen, ? נשׂא 18, aramais. inf., BL 441c, ↗ Zimm. 375; — 2. Kl 2_{14} ↗ II מַשָּׂא Ausspruch; — 3. מַשְׂאוֹת Gn 43_{34} u. מַשְׂאוֹתֵיכֶם Ez 20_{40} ↗ מַשְׂאֵת 2, Anteil, Portion (↗ נשׂא 16). †

מַשְׂאֵת: נשׂא, BL 614; Nf. v. מַשָּׂאָה; akk. *maššītu* Herantragung, Lieferung (AHw. 629b); ? cs. מַשְׂאַת (BL 220m), מַשְׂאוֹת, מַשְׂאוֹתֵיכֶם: — 1. **Erhebung**: a) c. כַּפַּי Hochheben d. Hände z. Gebet Ps 141_{2} || תְּפִלָּה, cf. akk. *nīš qāti*, sec. sum. *šu-illa* Gebet (AHw. 797a; SAHG 24, Dho. EM 145, Oppenh. JAOS 61, 269f); b) מַשְׂאַת הֶעָנָן aufsteigende Rauchwolke Ri $20_{38.40}$, Feuersignal (Lkš 4, 10 [KAI I 194, 10], DISO 169, mhe. מַשּׂוֹא u. מַשּׂוֹאָה) Jr 6_{1}; — 2. **Abgabe, Spende** (↗ נשׂא qal. 15, pun. משאת) 2S 11_{8} Jr 40_{5} Ez 20_{40} (↗ Geiger 382, BH, Zimm. 437) cj Zch 6_{10} (l מַשְׂאַת pr. מֵאֵת) Sir 38_{2}; נָתַן מַ׳ (Korn-)Spende bewilligen Est 2_{18}; מַ׳ מֹשֶׁה von M. befohlene Sp. 2C $24_{6.9}$; מַשְׂאַת בַּר Abgabe v. Getreide (? בַּר sachlich richtige Gl.) Am 5_{11}; Ehrenportion Gn 43_{34}; — Zef 3_{18} ↗ Ell. ATD 25. †

מִשְׂגָּב, or. מַ׳ (MTB 70): שׂגב, BL 490z; DSS 1 ×: מִשְׂגַּבּוֹ, מִשְׂגַּב (BL 558c): — 1. **Anhöhe** als Zuflucht: Felsen Js 33_{16}, Mauern 25_{12}; — 2. metaph. v. Gott **Zuflucht** 2S 22_{3} Jr 48_{1} (↗ BH) Ps 9_{10} 18_{3} $46_{8.12}$ 48_{4} (לְמִ׳ als Z.) $59_{10.17f}$ $62_{3.7}$ 94_{22} 144_{2}. †

מַשֶּׂגֶת, נשׂג, BL 607e: **Einholen** לְמַ׳ 1C 21_{12} (↗ Budde KHC VIII 332, Rud. 144); Lv 14_{21} ↗ נשׂג hif. †

***מְשׂוּכָה**: II שׂוך/ס sperren, BL 493b u. שׂכך spitzig sein, BL 493d; > מְשֻׂכָה, ↗ מְסוּכָה; mhe. מְשׂוּכָה Umzäunung: מְשׂוּכָתוֹ: **Dornhecke** Js 5_{5}. †

מַשּׂוֹר: נשׂר, BL 493e; mhe. ja. cp. sy. md. (MdD 302b) נסר sägen; mhe. ja. מסר denom.; Säge mhe. מַסָּר ja. sy. md. (MdD 249a) מַסָּרָא; ar. *minšār* u. äth.[G] *mošar*(*t*) (√ *wšr* Nöld. NB 182 sonst äth. Axt, tigr. (Wb. 119a, Lesl. 32) Säge; akk. *šaššaru* < **šaršar* (v. Soden Gr. § 57a): **Säge** Js 10_{15}. †

מְשׂוּרָה: III שׂור, BL 491i; mhe.: **Hohlmass** f. Flüssigkeit, neben מִדָּה u. מִשְׁקָל Lv 19_{35}, 1C 23_{29}; בִּמְ׳ abgemessen Ez $4_{11.16}$. †

I **מָשׂוֹשׂ**: שׂישׂ, BL 491w: מְשׂוֹשִׂי, מְשׂוֹשׂ: **Freude** Js $24_{8.11}$ 32_{13f} 60_{15} 62_{5} (des חָתָן) 65_{18} 66_{10} Jr 49_{25} (v. יהוה) Ez 24_{25} Hos 2_{13} Kl 2_{15} 5_{15} Ps 48_{3}. †

II ***מָשׂוֹשׂ**: שׂוּשׂ = סוס, BL 493d: מְשׂוֹשׂ: **Verfaultes** Hi 8_{19} (Dho. Hölscher) :: zerfliessen (Fohrer); Js 8_{6} ↗ מסס. †

מִשְׂחָק: שׂחק (= צחק), BL 490z: **Gelächter** Hab 1_{10}. †

מַשְׂטֵמָה: שׂטם (↗ שׂטן), BL 492s; > äth. *mastēmā* Anfeinder (Dillm. 177), d. Satan in Jub. (Bousset-Gre. 333, Yadin ScrW 233f); etym. „Anfeindung", < מַלְאַךְ (הַ)מַּ׳ „Engel d. A." Dam. 16, 5, 1QM 13, 11, cf. 1QS 3, 23 (JSSt. 4, 399): **Anfeindung** Hos 9_{7f}. †

***מְשֻׂכָה**: Pr 15_{19} = מְשׂוּכָה u. מְסוּכָה, **Dornhecke**. †

מַשְׂכִּיל: שׂכל, BL 494f; in Überschrift Ps 32.42.44f.52-55.74.78.88f.142 u. זַמְּרוּ מַ׳ 47_{8} (Maag Am. 193ff, cj מַשְׂכִּילִים vocat.); G συνέσεως, εἰς σύνεσιν, V *intellectus*, Hier. *eruditio*, ס/שִׂכְלָא טָבָא; ungeklärter tt: „Kultlied" (Kittel), „Lehrstück" (Maag 193f), zu Musik vorgetragenes Weisheitslied (Mow. Ps St. 4, 5ff, OS 493); ↗ Rinaldi Bibl. 40, 278, Delekat ZAW 76, 282f, GWAhlström, Psalm 89, 1959, 21-26; —:: מַשְׂכִּיל einsichtig, I שׂכל hif. pt. †

מַשְׂכִּית: שׂכה, BL 492 x; ? jaud. משכי Denkmal (DISO 170 :: Driv. JThSt. 12, 62); pun. n.f. מסכת (PNPhPI 142. 351): מַשְׂכִּיּוֹתָם, מַשְׂכִּיּוֹת, מַשְׂכִּ(י)תוֹ: — 1. **Bild, Bildwerk** Nu 33_{52}, aus Silber Pr 25_{11}, אֶבֶן מַ׳ Stein m. Reliefdarstellung Lv 26_{1}; חַדְרֵי מַ׳ Bilderkammern Ez 8_{12} (Zimm.

194, Albr. RI 183f); — 2. metaph. pl. c. לֵבָב **Gebilde**, **Einbildung** Ps 73_{7}, Pr 18_{11}, ✝ Gemser Spr. 75. †

מַשְׂכֹּרֶת: שׂכר, BL 607d מַשְׂכֻּרְתִּי/תֵּךְ/תֶּךָ: **Lohn** Gn 29_{15} $31_{7.41}$ Rt 2_{12}. †

*מַשְׂמְרָה: מַסְמֵר; ס/שׂמר, BL 492s: מַשְׂמְרוֹת Koh 12_{11} (MSS מַס׳ wie Jr 10_{4}: **Nagel** an d. Spitze d. Ochsensteckens Jr 10_{4} (Hertzb. Fschr. Baumgtl. 71f; Albr. BASOR 119, 8: Ochsenstecken); metaph. Koh 12_{11}. †

מִשְׂפָּח: (trad. Blutvergiessen, so auch Wildberger 172f, ס/שׂפח, ar. *safaḥa* vergiessen), eher (Lex.[1] u. Schottroff ZAW 82, 90[95]) < מִפְשָׂח, פשׂח, BL 590z; ar. *fasḫ/ḥ*- Nichtigkeitserklärung, G ἀνομία: **Rechtsbruch** (Wtsp. :: מִשְׁפָּט Rechtsspruch, Duhm) Js 5_{7}, cj Hos 10_{4} (Rud.). †

מִשְׂרָה: II שׂרה, Ges. Thes. 1339, Noth N. 191f, BL 492p :: 1QJs[a] משורה, שׂרר (BL 493d), Driv. VT 2, 357: **Herrschaft** Js 9_{5f} (1QM 13, 4 Belials, 17, 6.7 Michaels). †

*מִשְׂרָפוֹת: שׂרף, BL 490a: cs. מִשְׂרְפוֹת, pltt.?: **Verbrennung**: — 1. a) מִשְׂרְפוֹת שִׂיד Js 33_{12} zu Kalk (d.h. vollständig) verbrannt werden (Leichenbrand Am 2_{1}); b) בְּמִ׳ Ⓑ כְּמִשְׂרְפוֹת אֲבוֹתֶיךָ, wie bei (✝ כְּ 4), Verbrennen v. Spezereien b. d. Bestattung d. Königs (de Vaux Inst. 1, 95, Rud.) Jr 34_{5}, cf. שְׂרֵפָה 2C 16_{14} 21_{19}; — 2. מִשְׂרְפוֹת מַיִם Jos 11_{8} 13_{6} „Kalkbrennereien am Wasser" in phön., *Ch. el mšērefe*, s. *Rās en-Nāqūra*, Garst. Joshua-Judges 190, GTT § 506, Noth 68f; ? l מִיָּם im Westen. †

מַשְׂרֵקָה: n.l. terr. in Edom; II שׂרק, BL 492s; „Land d. Σαρακηνοί" (Moritz Mus. 50, 114f); ? *ǧ. el Musraq* sw. *Maʿān*, Abel 2, 380, GTT § 390: Gn 36_{36} 1C 1_{47}. †

מַשְׂרֵת: ס/שׂרת, BL 492r; mhe. מַסְרֵת, ja. מַסְרֵתָא: **Backpfanne** (G τήγανον Tiegel, Kelso § 58, Honeyman 84) 2S 13_{9}. †

מַשׁ, Gn 10_{23}, Sam. משא, BCh 3, 175 *māša*, 1QM 2, 11 משא, Jos. Antt. I 6, 4 Μησας, G Μοσοχ wie f. מֶשֶׁךְ; cj 1C 1_{17} pr. מֶשֶׁךְ c. 6 MSS S.; Grdf. (א)מש (Hölscher Erdk. 50, Albr. Fschr. Levi d. V. I 1ff) = מֵשָׁא, klschr. *Mas/šʾaia*, Μάσιον ὄρος *Mons Masius*, sy. *ṭūrā de maššeʾ* = *Ṭūr ʿAbdīn* P-W 14, 2068f, GTT p. 8; :: Zorell: Libanon u. Antilibanon. †

מַשָּׁא: I נשׁא, BL 490b, ✝ מַשָּׁאָה: — 1. **Schuldforderung**, G ἀπαίτησις (de Vaux Inst. 1, 263) Neh 5_{10} cj v. 11 10_{32}; — 2. נָשָׁא מ׳ ב Neh 5_{7}: (trad. Wucher treiben GV) **sich e. Gläubigerschuld verschaffen** gegenüber (Galling ATD 12, 226 :: Rud. EN 130, Dho.: l c. K u. MSS מַשָּׂא ... נֹשְׂאִים e. Last auflegen :: de Vaux Inst. 1, 263: gage personnel). †

מֵשָׁא. Sam.[BCh 3, 175b] *māša*, G Μασση(ε); n. terr. in N.Ar., Grenzgebiet der בְּנֵי יָקְטָן Gn 10_{30}, ? = ✝ מַשָּׂא, Albr. Fschr. Levi d. V. I, 1ff, GTT § 121, 7; = Oase *Bīša Jaqtān* (Forrer SAr. 32[2]. 204. 223 :: Winnett, Fschr. HGMay, 182). †

*מַשְׁאָב: שׁאב, BL 490z: מַשְׁאַבִּים (BL 558c): **Tränkrinne** Ri 5_{11} (AuS 6, 269f, Reymond 143) Ri 5_{11}. †

*מַשָּׁאָה od. *מַשָּׁאת (✝ חַטָּאת): I נשׁא, BL 490a; ✝ מַשָּׁא; pun. משאה Schuld (DISO 169; Abgabe KAI III 15): מַשָּׁאת, מַשָּׁאוֹת: **Pfanddarlehen** (de Vaux Inst. 1, 263) Dt 24_{10} Pr 22_{26}, Schuld cj Neh 5_{11} (l מַשַּׁאת, Rud. 130). †

מְשׁוֹאָה Hi 30_{3} 38_{27}: ✝ מְשׁוֹאָה.

מַשָּׁאוֹן: II נשׁא, Barth Nb. § 204; mhe. Pap. VT 1, 56 Rs 3 [מ]שאן: ? äga. (DISO 169): **Täuschung** Pr 26_{26}. †

מַשְּׁאוֹת: III נשׁא, BL 494g; pltt. (?); **Trümmerhaufen**, c. נֶצַח Ps 74_{3} (:: ✝ מְשׁוֹאָה 73_{18}, מְשׁוּאוֹת). †

מִשְׁאָל: n.l.; שׁאל, BL 490z; ? äga. (DISO 169), akk. *mašʾaltu* (AHw. 623b); „Ort d. Befragens" cf. אֶשְׁתָּאוֹל, in Asser nahe עַכּוֹ, äg. *mšjr* (BASOR 88, 33, Noth ZDPV

61, 55); Abel 2, 388, GTT § 332, 337, 30: Jos 19$_{26}$ 21$_{30}$; cj 1C 6$_{59}$ pr. II מָשָׁל. †

*מִשְׁאָלָה: שׁאל, BL 490a; ? äga. (DISO 169): pl. cs. מִשְׁאֲלוֹתֶיךָ, מִשְׁאֲלוֹת: **Begehr** Ps 20$_{6}$ 37$_{4}$. †

*מִשְׁאֶרֶת, or. מַ׳ (MdO 197), Sam.[M201] *māš(š)ārat*: BL 607d, v. שְׁאֵר (Ges. Thes. 1351, Palache 42) od. שְׂאֹר (l מַשְׂ׳, Geiger 381f): מִשְׁאֲרוֹתֶיךָ, מִשְׁאֲרֹתָם, מִשְׁאַרְתֶּךָ: **Backtrog** (AuS 4, 54f) Ex 7$_{28}$ neben תַּנּוּר, Dt 28$_{5.17}$ neben טֶנֶא, Backschüssel Ex 12$_{34}$. †

מִשְׁבְּצוֹת, Sam.[M203] *mšabbēṣot*: שׁבץ, BL 492s; abs. u. cs. pl.: — 1. (gewirkte) **Fassungen** Ex 28$_{11.13f.25}$ 39$_{6.13.16.18}$; — 2. מִמִּשְׁבְּצוֹת זָהָב (pr. בְּ l מִ) golddurchwirkte Stoffe, Brokat Ps 45$_{14}$ (al. מִשְׁבְּצוֹת eingefasst). †

מַשְׁבֵּר: שׁבר, BL 492r; cf. III שׁבר hif. denom. e. Knaben gebären (:: הִפִּיל) Js 66$_{9G}$ (Seeligm. 61f); mhe. Gebärstuhl, 1QHod 3$_{8-16}$ Muttermund m. Übergang in מִשְׁבָּר (↗ Maier 2, 74): cs. מִשְׁבַּר (BL 215l) Hos 13$_{13}$: **Muttermund** 2K 19$_{3}$/Js 37$_{3}$ Hos 13$_{13}$. †

*מִשְׁבָּר, or. מַ׳: שׁבר, BL 490z; מִשְׁבָּרֶיךָ, מִשְׁבָּרֵי: **Brandung**, sich überschlagende Wellen Jon 2$_{4}$ Ps 42$_{8}$ 88$_{8}$ 93$_{4}$ (מִשְׁבְּרֵי יָם), 2S 22$_{5}$ מִ׳ מָוֶת (cj c. G[L] מִ׳ מַיִם). †

*מִשְׁבָּת: שׁבת, BL 490z.558c: מִשְׁבַּתֶּהָ (MSS ־תֶּיהָ, BL 252r, ? l sg. ־תָּהּ, Ehrl., Rud. 206): **Aufhören**, ,,dass es mit ihr aus ist''; Kl 1$_{7}$. †

מִשְׁגֶּה: שׁגה, BL 491n; DSS 3 × *מִשְׁגָּה (KQT 134b): **versehentliche Verfehlung, Vergehen** Gn 43$_{12}$. †

משה: ar. *msj*; ja. sy. md. (MdD 279a):

qal: pf. מְשִׁיתִהוּ: (a. d. Wasser) **herausziehen** Ex 2$_{10}$, erkl. מֹשֶׁה. †

hif: impf. יַמְשֵׁנִי: **herausziehen** (a.d. Wasser) 2S 22$_{17}$/Ps 18$_{17}$. †

מֹשֶׁה, Sam.[BCh 3, 175] *mūsi*, G Μωσης u. Μωυσης (Nestle ZAW 27, 111ff, Lisowsky 140, cf. Θωυθ neben Θωθ für äg. Thot); palm. *mws'* (PNPI 93b); Etym.: he. משה Ex 2$_{10}$; äg. *mś(w)*, *mesu* Kind (= ? ug. *mṯ*, UT nr. 1579, Aistl. 1717), od. *Mśj* (ZÄS 58, 135), Kf. e. theophoren Namens wie *Ḥaramašši* EA 20, 33 = **Ḥar-mose* ,,Horus ist geboren'', Ranke Äg. Personennamen, 1935, I. 338a.340; II, 1953, 216ff; Albr. VSzC 254, Morenz Mullus, Fschr. Th. Klauser, 1964, 252 :: SHerrm. s.u., VT 18, 389 ,,Gott NN hat ihn erzeugt'': Ex 2$_{10}$-Jos 24$_{5}$ (ca. 700 ×) Ri 1$_{16.20}$ 3$_{4}$ 4$_{11}$ 1S 12$_{6.8}$ 1K 2$_{3}$ 8$_{9.53.56}$ 2K 14$_{6}$ 18$_{4.6.12}$ 21$_{8}$ 23$_{25}$ Js 63$_{11f}$ Jr 15$_{1}$ Mi 6$_{4}$ Mal 3$_{22}$ Ps 8 × Da 9$_{11.13}$ Esr 3$_{2}$ 6$_{18}$ 7$_{6}$ Neh 7 ×, 1C 9 ×, 2C 12 ×, dafür מְנַשֶּׁה Ri 18$_{30}$, Hertzberg ATD 9,242, Gsbg 335ff. 941, Geiger 258, BH; v. J. geschaffen עָשָׂה 1S 12$_{6}$ (Budde KHC VIII 79), v. J. gesandt 12$_{8}$; סֵפֶר תּוֹרַת מ׳ 2K 14$_{6}$ Neh 8$_{1}$, סֵפֶר מ׳ Neh 13$_{1}$ 2C 25$_{4}$ 35$_{12}$ (ba. כְּתָב סְפַר מ׳ Esr 6$_{18}$), מִצְוַת מ׳ 2C 8$_{13}$, עַבְדֵּי מ׳ 2K 21$_{8}$, מ׳ עַבְדּוֹ Ps 105$_{26}$; מ׳ וּשְׁמוּאֵל Jr 15$_{1}$, מ׳ אַהֲרֹן (וּמִרְיָם) Mi 6$_{4}$ 1C 5$_{29}$ 23$_{13}$, מ׳ אִישׁ הָאֱלֹהִים Ps 90$_{1}$ 1C 23$_{14}$, מ׳ בְּחִירוֹ Ps 106$_{23}$, תּוֹרַת מ׳ 1K 2$_{3}$ 2K 23$_{25}$ Mal 3$_{22}$ Da 9$_{11.13}$ Esr 3$_{2}$ (6$_{18}$) 7$_{6}$ 2C 23$_{18}$ 30$_{16}$, 34$_{14}$; Lit. Gressm. Mose, Volz Mose u. s. Werk[2] 1932, Rowl. ZAW 69, 1ff, EOsswald D. Bild d. M, 1955; RSmend D. Mosebild v. Ewald bis Noth, 1959, BHH 1239ff, Cornelius ZAW 78, 75ff, SHerrmann EvTh, 1968, 301ff, HSchmid, Mose. 1968, Widengren, OT Essays . . . GHDavies, 1970, 21ff.

*מַשֶּׁה: I נשׁא, BL 491n; trad. pt. hif., Horst GsR. 85f: cs. מַשֵּׁה: **Darlehen** Dt 15$_{2}$ (מַ׳ יָדוֹ s. Handdarlehen; v. Rad, ATD 8, 74[1] davon cj. בַּעַל מַשֵּׁה ,,Gläubiger''):: Cazelles VT 6, 220: Vorwegnahme e. Teils d. väterlichen Erbes, cf. ug. *mašū* PRU III 224. †

מְשׁ(וֹ)אָה: שׁאה, BL 491i; mhe.: immer mit שׁוֹאָה zus. (König Stil 287f): Öde u. **Ödland** Zef 1$_{15}$ Hi 30$_{3}$ 38$_{27}$ Sir 51$_{10}$; cj pl. מְשֹׁאוֹת Ps 74$_{3}$. †

*מַשּׁוּאָה: II נשׁא, BL 493b: מַשּׁוּאוֹת: **Täuschung** Ps 73_{18} (|| חֲלָקוֹת), cj 62_5 u. Kl 2_{14} (l מַשָּׂאוֹת); — Ps 74_3 l מְשֹׁאוֹת. †

מְשׁוֹבָב: n.m.; שׁוב pol. ,,Restitutus'' Nöld. BS 100, Stamm HEN 421 :: Noth 250 ,,Abtrünnig'': Simeonit 1C 4_{34}. †

מְשׁוּבָה (74 ×) u. מְשֻׁבָה (5 ×): שׁוב, BL 493b; Holladay 49.108, Cazelles VT 18, 150ff: מְשׁוּבַת, מְשׁוּבָתִי/תָם, מְשֻׁ(ו)ב(ו)תַיִךְ/תֵיכֶם: **Abfall, Abtrünnigkeit** Jr 8_5 Hos 11_7 (S Umkehr zu mir, ℱ Rud. 211) 14_5 Pr 1_{32} (|| שַׁלְוָה); pl. Treulosigkeiten Jr 2_{19} 3_{22} 5_6 14_7, cj Ez 37_{23} מְשֻׁבֹתֵיכֶם; > concr. (GK § 83c): leibhaftige Abtrünnigkeit, appos. z. יִשְׂ׳ Jr $3_{6.8.11f}$. †

*מְשׁוּגָה: *שׁוג, BL 493b; ℱ שׁגה, שׁגג: מְשׁוּגָתִי: **Vergehen** Hi 19_4. †

מָשׁוֹט, Ez 27_{29}; שׁוט, BL 491g, u. *מִשּׁוֹט 27_6 (BL 538): I שׁוט rudern, ar. *miswaṭ* Stock z. Umrühren; mhe., ja. מְשׁוֹטָה: מְשׁוֹטַיִךְ: **Ruder** Ez $27_{6.29}$. †

מְשׁוֹסָה Js 42_{24}: ℱ Q מְשִׁסָּה.

I משׁח: ug. *mšḥ* (UT nr. 1561 :: CML 160a, Aistl. 1689); mhe.; aam., äga. palm. (DISO 169), ja. sam. (BCh. 2, 593b) cp. sy. md. (MdD 279a); ar. *masaḥa* md. mit d. Hand streichen über, betasten, ab/einreiben, > äth.^{G} *masḥa* (Lesl. 32); amor. *msḫ* (Huffmon 145. 232); vb. pehl. äga. palm. iam. (DISO 169); מִשְׁחָא ja. sy. md. (MdD 270b) Öl, Weinel ZAW 18, 1ff, EKutsch, Salbung als Rechtsakt, 1963, BHH 1646, KAartun WdO 4, 289:

qal: pf. מָשַׁח, וּמָשַׁחְתָּ, וּמְשַׁחְתּוֹ, מְשָׁחוֹ/חֲךָ; impf. יִמְשַׁח, תִּמְשַׁח, וַיִּמְשָׁחֲךָ, יִמְשָׁחֵם, יִמְשָׁחֻהוּ; imp. מְשַׁח, מִשְׁחוּ, מְשָׁחֵהוּ; inf. מְשֹׁחַ, לְמָשְׁחֲךָ, מָשְׁחוֹ, מָשְׁחָה Ex 29_{29} (BL 316d), מִשְׁחָה; pt. מֹשֵׁחַ, מְשֻׁחִים, מְשֻׁחִים: — 1. m. Flüssigkeit (Öl, Farbe) **bestreichen**: Brote Ex 29_2 Lv 2_4 7_{12} Nu 6_{15}, Schild Js 21_5, cj 2S 1_{21} (l מָשׁוּחַ), Haus Jr 22_{14}; Am 6_6 (Körperpflege), Ps 45_8; — 2. (Kultgegenstände) **salben** Gn 31_{13} Ex 30_{26} 40_{9-11} Lv 8_{10f} Nu 7_1 Da 9_{24}; Opfertiere מָ׳ לְקַדְּשׁ Ex 29_{36}; — 3. Menschen salben (akk. *pašāšu*, AHw. 843b) Noth Kge 26; Ell. Lev 118^{20}, Kutsch 22ff. 52ff, THAT 1, 913ff): a) z. König לְמֶלֶךְ (auch heth., Kutsch 37); c. עַל לְמֶלֶךְ 1S $15_{1.17}$ 2S $2_{4.7}$ $5_{3.17}$ 12_7 1K 1_{34} 19_{15f} 2K $9_{3.6.12}$ (l עַל) 1C 11_3, c. עַל מֶלֶךְ Ri $9_{8.15}$, c. לְמֶלֶךְ 1K 1_{45} 5_{15}, c. obj. מֶלֶךְ cj Hos 7_3 u. 8_{10}; abs. 1S 16_{12f} 1K 1_{39} (Salomo; Kutsch 56), 2K 11_{12} (Joas: Kutsch 54) 23_{30} 2C 22_7 23_{11}, c. עַל 2S 19_{11}, c. לְנָגִיד עַל 1S 9_{16} 10_1 1C 29_{22} (ohne עַל), c. לִי = לַיהוה 1S 16_3; b) z. Priester (akk. *pašīšu*, Gesalbter AHw. 845a, Kutsch 27^{55}) Ex 28_{41} 29_7 40_{15} Lv 7_{36} 16_{32} 1C 29_{22} (לְכֹהֵן); c. בְּשֶׁמֶן הַקֹּדֶשׁ Nu 35_{25} Ps 89_{21}; כֹּהֲנִים מְשֻׁחִים Nu 3_3 (cf. מָשִׁיחַ 3); מָשַׁח וְקִדֵּשׁ Ex 30_{30} 40_{13} Lv 8_{12}; c) z. Propheten (analog 3a) 1K 19_{16}; c. לְ inf. seiner Tätigkeit Js 61_1 2C 22_7; — 2S 3_{39}. †

nif: pf. נִמְשַׁח; inf. הִמָּשַׁח: **gesalbt werden**: König 1C 14_8, Priester Lv 6_{13}, Altar Nu $7_{10.84.88}$. †

Der. I מִשְׁחָה, I מָשְׁחָה, מָשִׁיחַ.

II *משׁח: mhe. sy. md. (MdD 260a.279a), ar. *masaḥa*, *masḥ* Landmessung, akk. *mašāḫu* (AHw. 623a, Zimmern 22f): messen. Der. מִמְשַׁח (?), II *מִשְׁחָה, II מָשְׁחָה.

? III *משׁח: ℱ מִשְׁחַת Js 52_{14}.

I מִשְׁחָה, Sam.^{M136} *māša*: I משׁח, BL 601b; mhe. Öl (ℱ SBOT IX 295), pehl. Frah. 7, 5; sy. *mšāḥā*; ℱ מָשְׁחָה: מִשְׁחַת: **Salbung**: שֶׁמֶן הַמִּ׳ Salböl Ex 25_6 $29_{7.21}$ 31_{11} $35_{8.15.28}$ 37_{29} 39_{38} 40_9 Lv $8_{2.10.12.30}$ 21_{10} Nu 4_{16}; שֶׁמֶן מִ׳ י׳ Lv 10_7, מִ׳ אֱלֹהָיו 21_{12}, שֶׁמֶן מִ׳ קֹדֶשׁ Ex $30_{25.31}$. †

II *מִשְׁחָה, Sam.^{M136} *māša*: II משׁח, BL 601b; mhe., äga. (משחת) (DISO 170), ja. מִשְׁחָא Messen, מִשְׁחֲתָא Länge; akk. *mišiḫtu* Mass, ar. *misāḥat* Vermessung: מִשְׁחַת: **Anteil** (מִן an) Lv 7_{35}. †

I מִשְׁחָה: I משח, BL 461l; ↗ I מִשְׁחָה: מִשְׁחָתָם: **Salbung** Ex 29_{29} 40_{15}. †

II מִשְׁחָה, Sam.[M136] *māša*: II משח, BL 461l; ↗ II מִשְׁחָה: **Anteil** Nu 18_8. †

מַשְׁחִית: שחת, (1) pt. hif., (2) BL 494f; מַשְׁחִיתִי: — 1. **Verderber**: a) militärisch (Houtsma ZAW 27, 59): Zerstörungsdetachement 1S 13_{17} 14_{15} Jr 22_7; b) dämonisch: Ex 12_{23} 2S 24_{16} (הַמַּלְאָךְ הַמַּ׳) Js 54_{16}, G Ex 12_{23} ὁ ὀλεθρεύων, cf. ὁ ὀλοθρευτής 1 Kor 10_{10}; auch für Ez 21_{36} 5_{16} 9_6 2C 20_{23} (H Duhm, D. bösen Geister im AT, 1904, 14f; Rost ZDPV 66, 208f); רוח הַמַּ׳ Geist e. Verderbers Jr 51_1; — 2. **Verderben**: לְמַ׳ Ez 5_{16} 25_{15} Da 10_8 (:: הוד) 2C 20_{23} 22_4, c. הָיָה Ex 12_{13}, c. הרג Ez 9_6, c. נֶגֶף Ex 12_{13}; בַּעַל מַ׳ Pr 18_9 u. אִישׁ מַ׳ 28_{24} Bösewicht, חָרָשֵׁי מַ׳ die Verderben schmieden Ez 21_{36}; Jr 51_1 ↗ 1b; — 3. concr. **Vogelfalle** (cf. פַּח, מוֹקֵשׁ) Jr 5_{26}; — 4. הַר הַמַּ׳ Jr 51_{25} ↗ 2, = בָּבֶל; 2K 23_{13} „Berg d. Ärgernisses" VS, diffam., l הַמִּשְׁחָה „Ölberg" T זיתיא, G Μοσο(α)θ (? corr. < מַשְׁחַת), MMidd II 4, Dalm. JG. 39ff, Mtg-G. 540, Gray Kings² 731, GTT § 184, Curtis HUCA 28, 137ff, BHH 1339. †

מִשְׁחָר: II שחר, BL 490z; = מֵרֶחֶם מִ׳ שַׁחַר; aus d. **Morgenrotes** Schoss Ps 110_3 :: bei Stoebe, Fschr. Baumgtl. 188. †

*מַשְׁחֵת: שחת, BL 492q: מַשְׁחֵתוֹ (BL 543 o): Vernichtung Ez 9_1 (|| מַפָּץ 2). †

מִשְׁחַת, Js 52_{14} ? :: III משח, BL 490z; gew. cj מָשְׁחַת pt. hof. BH; corr. Ges. Thes. 1395, ? Mf. a. pt. nif. u. hof. (Barthélemy RB 57, 546); 1QJs[a] משחתי, Brownlee BASOR 132, 10ff; :: Guill. JBL 76, 41f: ar. *msḫ* wundreiben, umwandeln, *masīḫ* hässlich v. Gestalt, Barr CpPh 284f: c. מֵאִישׁ „unmenschlich entstellt". †

*מָשְׁחָת: II שחת: typ. *muqṭal* (↗ מָעֳמָד) = pt. hof.: מָשְׁחָתָם: **Schaden, Fehler** Lv 22_{25} (Ell. Lev. 295.300). †

מִשְׁטוֹחַ u. *מִשְׁטָח: שטח, BL 546x: cs. מִשְׁטַח: — 1. **Trockenplatz** (f. Netze, G ψυγμοί, V *siccatio*) Ez $26_{5.14}$ 47_{10}; — 2. ? cj מִשְׁטוֹחַ Nu 11_{32} pr. שָׁטוֹחַ, (inf. abs. getrennt v. vb. fin.!; G ψυγμούς: Ausgebreitetes, Aufschüttung (Lex.¹, ↗ Gressm. Mose 140). †

*מִשְׁטָר, or. מַ׳ (MdO 197): שטר, BL 490z; pun. משטר militärischer Titel (DISO 170), Lw. < akk. *mašṭaru* In-, Aufschrift: מִשְׁטָרוֹ: J.s. מ׳ Hi 38_{33}, Himmelsschrift = **Sternenhimmel**, akk. *šiṭir(tu) šamê/āmi* HAOGk 41ff, Hölscher Hi. 95, Fohrer Hiob 508, Torcz. ArchOr. 17 II 419ff, vdPloeg OTSt. 10,189. †

מֶשִׁי: ? Θ μεσσε, Hier. *mes(s)e/i* (Sperber 239) G τρύχαπτον aus Haar gewoben, V *subtilia* (Feines) u. *polymitus* (buntgewirkt); < äg. *mšj*, e. Art Kleid (EG 2, 143) od. heth. *maššì(ja)* Schal (Rabin, Or 32, 129f): rabb. u. trad. Seide, ar. *wašj* Seidenbrokat (Guill. 4, 9); Hönig 129f: **feiner Kleiderstoff** Ez $16_{10.13}$. †

מֻשִׁי 1C 6_4: ↗ מוּשִׁי.

מְשֵׁיזַבְאֵל, G Μασε/Μεσωζεβηλ u.ä: n.m., < akk. *mušēzib* (↗ ba. שֵׁיזִב, Stamm 221) + אֵל, „El rettet" (Noth 156, aLw. 180); cf. צלמשזב KAI 228, 9.11; ↗ שֵׁיזָא: — 1.-3. Neh 3_4; 10_{22}; 11_{24}. †

מָשִׁיחַ: I משח, BL 470n; G exc. 2 × χριστός; mhe. (Dam. 12, 23 משוח), ja. cp. sy. md. (MdD 280b); pun. *messe* (Augustin, Friedr. § 136); asa. *msḥ* (Conti 179a), ar. *masīḥ*; > äth. (Lesl. 32, Ulldff EthBi. 123) *masih*, denom. *tamasḥa* gesalbt werden: מְשִׁיחַ, מְשִׁיחוֹ, מְשִׁיחִי: **Gesalbter** (THAT I, 913f): — 1. d. isr. König, Saul, David u. s. Nachkommen, מְשִׁיחַי (Kutsch, Salbung als Rechtsakt, 1963, 53. 60f: als s. Bevollmächtiger) 1S 2_{35} $24_{7.11}$ $26_{9.11.16.23}$ 2S $1_{14.16.21}$ 19_{22} Kl 4_{20}: מְ׳ אֱלֹהֵי יַעֲקֹב 2S 23_1; c. sf. 1. 2. 3. sg) 1S 2_{10} $12_{3.5}$ 16_6 Ps 2_2 18_{51} (|| 2S 22_{51}) 20_7 28_8 84_{10} $89_{39.52}$ $132_{10.17}$; Salomo 2C 6_{42} (l מְשִׁיחֶךָ); || עַמֶּךָ Hab 3_{13}; — 2. Kyros Js 45_1 (Kutsch 61, WH

Schmidt, Fschr. vRad 451f); — 3. Priester הַכֹּהֵן הַמָּ׳ d. gesalbte Priester Lv $4_{3.5.16}$ 6_{15}, cf. הַכֹּהֲנִים הַמְּשֻׁחִים Nu 3_3; d. Hohepriester Da 9_{26}, ? auch d. מָ׳ נָגִיד 9_{25} (od. König ?, ϝ Komm.); — 4. d. Erzväter Ps 105_{15} u. 1C 16_{22} (|| נְבִיאִים, cf. Gn 20_7 23_6); — 5. „Messias" (gräzis. < מְשִׁיחָא, Dalm. Gr. 157[3]) als eschat. Retter nirgends im AT (:: Zorell 480: 1S 2_{10} Ps 2_2 Da 9_{25f}), erst im Judentum, Χριστός im NT, ϝ Rowl. OTSt. 8, 100ff, BHH 1197ff; für Qumran ϝ ASvdWoude, D. messian. Vorstellungen d. Gemeinde v. Q., 1958, 185ff; Braun 2, 75ff. †

משך: mhe. ja.; ug. *mtk* (Aistl. 1720, CML 160b) d. Hand reichen; ar. *masaka*, asa. (Conti 179a) packen, äth.[G] Bogen spannen, tigr. (Wb. 120b) satteln, anschirren:

qal: pf. מָשַׁךְ, מָשַׁכְתִּי, מְשַׁכְתִּיךָ; impf.: תִּמְשֹׁךְ, יִמְשְׁכוּ, אֶמְשְׁכֵם, תִּמְשְׁכֵנִי; imp. מִשְׁכוּ u. מָשְׁכוּ Ez 32_{20} (BL 306l, txt?), מָשְׁכֵנִי; inf. מְשֹׁךְ, מָשְׁכוֹ; pt. מֹשֵׁךְ, מֹשְׁכִים/כֵי: — 1. **packen, wegraffen** Ps 28_3 Hi 24_{22} (? txt. ϝ Komm.); — 2. **ziehen, schleppen**: herausziehen m. folgendem הֶעֱלָה Gn 37_{28} Jr 38_{13}; im Netz Ps 10_9 (|| חטף :: d. Netz zuziehen, Lex.[1]); den Leviatan Hi 40_{25} (? Wtsp. m. Namen d. Krokodils, äg. *pemsaḥ*, kopt. πεμσαχ, ar. *timsāḥ*, Hölscher Hi. 95); c. יָד (ug.) d. Hand reichen Hos 7_5 114, c. אַחֲרֵי hinter . . . her HL 1_4; c. בְּ Dt 21_3 (עַל); ? Ri 5_{14} מֹשְׁכִים בְּשֵׁבֶט סֹפֵר (? dl. סֹפֵר u. l בַּשֵּׁבֶט d. Zepterträger (|| מְחוֹקְקִים, al. II סֵפֶר Erz); c. מ׳ בַּקֶּשֶׁת d. Bogen spannen (äth.) 1K 22_{34}; c. בַּקֶּרֶן d. Horn blasen Jos 6_5, הַיֹּבֵל das Jobelhorn Ex 19_{13}; > hinbringen Ri 4_7; metaph. herbeiziehen עָוֹן Js 5_{18}; תורה c. אחרי צדכו d. Th. nach s. Belieben verderben Sir $32/35_{17}$; — 3. **hinziehen, in d. Länge ziehen**: lang bewahren (cf. שמר III) חֶסֶד Jr 31_3 Ps 36_{11} 109_{12}, ohne חֶ׳ Geduld haben mit Neh 9_{30}, אַף Ps 85_6; ? hegen, laben c. בָּשָׂר (trad; mhe. c. לֵב) Koh 2_3 :: ϝ Komm., Torcz. Fschr. Marti 279f; — 4. intr. **ziehen gehen** (mhe. ja.) Ex 12_{21} (wie קום vor Hauptvb.), Ri 4_6 20_{37}, c. אַחֲרֵי nachfolgen Hi 21_{33} Sir 14_{19}; — 5. denom.: m.d. ϝ מֶשֶׁךְ Saatbeutel umgehen (ϝ 2), pt. d. **Sämann** Am 9_{13} (Maag 161); — Js 66_{19} l וְרֹשׁ (II) מֶשֶׁךְ; Hos 7_5 l הִשְׁכִּירוּ אֹתוֹ (ϝ Rud. 147f).

nif: impf. יִמָּשֵׁכוּ, תִּמָּשֵׁךְ; **sich hinziehen, verzögern** (Zeit) Js 13_{22} Ez $12_{25.28}$ 1QpHab 7, 12. †

pu: pt. מְמֻשָּׁךְ, מְמֻשָּׁכָה: — 1. **hingehalten** (Hoffnung) Pr 13_{12}; — 2. **langgestreckt** (Volksschlag) Js $18_{2.7}$. †

Der. I מֶשֶׁךְ, מֹשְׁכוֹת.

I **מֶשֶׁךְ**: משך abziehen (cf. δέρμα: δέρω); äga. palm. (DISO 170), ja. מְ/מַשְׁכָּא, cp. sy. md. *meškā* (MdD 270b); akk. *mašku* (AHw. 627b), ar. *mask* abgezogene Haut, in Indien *mašk* Wasserbeutel (ZAW 73, 267); äg. *mśk*[3] (EG 2, 150); ? > grie. μέσκος (Lewy Fw. 131, Mayer 330): Haut, Leder, > **Lederbeutel** (Koehler ZAW 55, 161f, AuS 3, 304f) für Saatgut Ps 126_6, f. Perlen u. metaph. f. Weisheit Hi 28_{18}. †

II **מֶשֶׁךְ**, Sam.[M136] *mūšak*, G Μοσοχ: **Moscher**, kleinasiatisch-kaukasisches Gebirgsvolk sö. Schwarzes Meer, klschr. *Mušku*, *Muškāja*, heth. *Musakaia* (Syr. 14, 356); immer mit תֻּבַל zus. (wie ass. *M.* u. *Tabalu*, u. Μόσχοι . . . Τιβαρηνοί (Hdt 3, 94): Gn 10_2 Ez 27_{13} 32_{26} 38_{2f} 39_1 1C 1_5, cj Js 66_{19} (l מֶשֶׁךְ וְרוֹשׁ); P-W Su. VI 534, GTT § 162, Dho. Syr. 14, 356; AGötze, Kleinasien[2], 1957, 179.185. 202, BHH 1196, JPBrown VT 21, 16f; — Ps 120_5 l III מַשָּׂא; 1C 1_{17} ϝ מַשׁ. †

מִשְׁכָּב, or. מַ׳ (MTB 70, MdO 197): שכב, BL 490z; mhe., ug. *mškb(t)* (UT nr. 2411, Aistl. 2603), Mari *maskabtum* (Noth AbLAk 2, 270), ph. משכב (DISO 170), ja. מִשְׁכְּבָא, cp. *mškwbj* (f), sy. *maškᵉbā*; äth. *meskab*, tigr. auch *maskab* (Wb. 191b); Grdf. *maškab*: מִשְׁכַּב, מִשְׁכָּבוֹ, מִשְׁכַּבְכֶם, מִשְׁכָּבֵי, מִשְׁכְּבוֹתָם:

— 1. **Lager (statt), Bett** Lv 15$_{4f\cdot21\cdot23f\cdot26}$ 2S 4$_{11}$ 11$_{2\cdot13}$ 13$_{5}$ 1K 1$_{47}$ Js 57$_{2}$ Ez 32$_{25}$ Hos 7$_{14}$ Mi 2$_{1}$ Ps 4$_{5}$ 36$_{5}$ 149$_{5}$ (txt?) Pr 7$_{17}$ 22$_{27}$ Hi 7$_{13}$ 33$_{15\cdot19}$ HL 3$_{1}$ 2C 16$_{14}$; נָפַל לְמִשְׁכָּב bettlägerig werden Ex 21$_{18}$; שִׂים מ׳ L. bereiten Js 57$_{7}$ (↗ 2.), גִּלָּה מ׳ (Decken für d. L.) ausbreiten 57$_{8}$, הֶעֱלָה מ׳ e. hohes L. bereiten u. הִרְחִיב מ׳ e. breites L. 57$_{8}$; עַרְשַׂת מ׳ cj 2S 17$_{28}$; חֲדַר מ׳ (ug. PRU II 151, 6) Schlafraum (m. מִטָּה) Ex 7$_{28}$ 2S 4$_{7}$ 2K 6$_{12}$, חַדְרֵי מ׳ Koh 10$_{20}$; עָלָה מִשְׁכְּבֵי jmd.s L. besteigen Gn 49$_{4}$; — 2. **Liegen, Beilager**: מ׳ דּוֹדִים Liebeslager Ez 23$_{17}$; Bett z. kultischen B. Js 57$_{7f}$, cf. Ez 16$_{16f}$ (Eissf. JPOS 16, 287ff); מ׳ זָכָר m. e. Mann Nu 31$_{17f\cdot35}$ Ri 21$_{11f}$, מִשְׁכְּבֵי אִשָּׁה Lv 18$_{22}$ 20$_{13}$; — 3. מ׳ צָהֳרַיִם Mittagschlaf 2S 4$_{5}$; — Ps 41$_{4}$ (Krankenlager?) l מַכְאֹבוֹ. †

מַשְׁכוֹת: משך, BL 475q, pl. od. 506t; ar. *masak(at)* Damm, Armband: **Bande, Fessel**: מ׳ כְּסִיל des Orion Hi 38$_{31}$ (|| מַעֲדַנּוֹת). †

מִשְׁכָּן, or. מַ׳ (MTB 70): שׁכן, BL 490z; mhe., ja. cp. md. (MdD 255b); ug. *mšknt* (UT nr. 2414, Aistl. 2606) Wohnstatt (|| *'hl*); ar. *maska/in* Wohnung, akk. *maškanu* Tenne, Stätte (AHw. 626b), in Mari auch Zeltheiligtum (Rép. Mari 224, Finet 58, Malamat ErIsr. 5,87*), Grdf. *maškan*; akk.-sum. Lw. (Goetze AJSL 52, 143ff :: Falkenstein HbOr I 2, 1/2, 15): מִשְׁכַּן, מִשְׁכָּנוֹ, מִשְׁכְּנוֹת, מִשְׁכְּנוֹתָיו/תֵינוּ: Cross BA 10, 65ff, WSchmidt ZAW 75, 91f: — 1. **Wohnstatt** v. קֹרַח Nu 16$_{24\cdot27}$, Israel Nu 24$_{5}$ Js 32$_{18}$ Jr 30$_{18}$ Ps 78$_{28}$ 87$_{2}$, Zion Js 54$_{2}$ Jr 9$_{18}$, Babel Jr 51$_{30}$ ↗ בְּנֵי קֶדֶם Ez 25$_{4}$, v. Fremden Hab 1$_{6}$, רֹעִים HL 1$_{8}$, מִשְׁכְּנוֹת רְשָׁעִים Hi 21$_{28}$, c. עַוָּל 18$_{21}$ (= sg., Dahood Bibl. 46, 212[1]), v. פֶּרֶא u. עָרוֹד 39$_{6}$; — 2. Grab Js 22$_{16}$, Ps 49$_{12}$ (|| cj קִבְרֵיהֶם); — 3. **Wohnstatt J.s** (↗ אֹהֶל 3) Lv 15$_{31}$ 26$_{11}$ Ez 37$_{27}$ Jos 22$_{29}$, l קִדֵּשׁ מִשְׁכָּנוֹ Ps 46$_{5}$; מְקוֹם מ׳ כְּבוֹדֶךָ Ps 26$_{8}$, מ׳ שְׁמֶךָ 74$_{7}$; pl. Ps 43$_{3}$ 132$_{5\cdot7}$; מִשְׁכַּן י׳ Lv 17$_{4}$ Nu 16$_{9}$ 17$_{28}$ 19$_{13}$ 31$_{30\cdot47}$ 2C 1$_{5}$ 29$_{6}$ (Thiel ZAW 81, 49); מִשְׁכְּנוֹתֶיךָ Ps 84$_{2}$ (? = sg., ↗ 1.); in גִּבְעוֹן 1C 16$_{39}$ 21$_{29}$; מ׳ שִׁלוֹ Ps 78$_{60}$; מ׳ אֹהֶל מוֹעֵד Ex 39$_{32}$ 40$_{2\cdot6\cdot28}$ 1C 6$_{17}$; מ׳ הָעֵדֻת Ex 38$_{21}$ Nu 1$_{50\cdot53}$ 10$_{11}$ (Rost Fschr. Baumgtl. 158ff); מ׳ בֵּית הָאֱל׳ 1C 6$_{33}$; בְּאֹהֶל וּבְמִ׳ 2S 7$_{6}$ (? hendiad. „Zeltwohnung", :: Rud. Chr. 131f, cf. 1C 17$_{5}$); — 4. הַמִּשְׁכָּן das (Zentral-)Heiligtum (74 × v. 130 ×), die Stiftshütte (↗ אֹהֶל מוֹעֵד): Ex 25$_{9}$ 26$_{1\cdot6}$ (אֶחָד)-$_{35}$ (16 ×) 27$_{9}$ 36$_{8-32}$ (12 ×) 38$_{21\cdot31}$ 40$_{5-38}$ (14 ×) Lv 8$_{10}$ Nu 1$_{50f}$ 3$_{7-38}$ (9 ×) 4$_{16\cdot26\cdot31}$ 5$_{17}$ 7$_{1\cdot3}$ 9$_{15-20}$ (5 ×) 10$_{17\cdot21}$ 1C 23$_{26}$.

I מָשַׁל: mhe., ja. sy. md. (MdD 281a) מתל vergleichen; akk. *mašālu* gleichen, *mašlu* halb, *mišlu* Hälfte (AHw. 623b); ar. *mṯl* gleichen, *miṯl* Ähnlichkeit, asa. *mṯl* Abbild, äth. tigr. (Wb. 117b) *mas(a)la* gleichen; Eissf. Maschal im AT, 1913, 1 ff; qal. u. pi. denom. v. I מָשָׁל, :: nif. hitp. hif.:

qal: impf. יִמְשֹׁל, יִמְשְׁלוּ; imp. מְשֹׁל; pt. מֹשֵׁל, מֹשְׁלִים/לֵי: denom. v. I מָשָׁל wie pi.: — 1. **Spruch, Gleichnis machen**: sich als Rhapsode betätigen (Mow. ZAW 53, 142): מָשַׁל מָשָׁל Ez 12$_{23}$ 18$_{2f}$ 24$_{3}$, c. אֶל über 17$_{2}$; — 2. spez. **Spottverse** (I מָשָׁל 3) **sagen** über Ez 16$_{44}$, abs. 16$_{44}$, c. בְּ auf Jl 2$_{17}$; — 3. pt. (Spott-)Redner Nu 21$_{27}$ Sir 44$_{4}$; מֹשְׁלֵי הָעָם Js 28$_{14}$ (al. sec. II: Meister in); — Hi 17$_{6}$ l לְמָשָׁל. †

nif: pf. נִמְשַׁל, נִמְשַׁלְתִּי: **gleichgesetzt sein, gleich werden**, c. כְּ wie Ps 49$_{13\cdot21}$, c. עִם 28$_{1}$ 143$_{7}$ u. c. אֶל Js 14$_{10}$ mit (cf. מנה nif.). †

pi. (Jenni 218): pt. מְמַשֵּׁל: c. מָשָׁל (↗ qal; GK § 52f) **Rätselsprüche vortragen**, in Rätseln reden Ez 21$_{5}$. †

hif: impf. תַּמְשִׁילוּנִי: c. לְ **vergleichen mit** Js 46$_{5}$. †

hitp: impf. אֶתְמַשֵּׁל: **etw. gleich werden** Hi 30$_{19}$. †

Der. I מָשָׁל, I מֹשֶׁל.

II מָשַׁל: mhe. (be-)herrschen, etw. unternehmen; ph. aam. (DISO 171, PNPhPI 355):

qal: pf. מָשַׁל/שַׁל, מָשְׁלָה; impf. יִמְשֹׁל/שָׁל, יִמְשְׁלוּ (Sam.[M137] *j/timšal, jimšālu*); imp. מְשָׁל־; inf. לִמְשֹׁל (Sam. *lamšal*), מָשׁוֹל; pt. מֹשֵׁל, מֹשְׁלָה, מֹשְׁלִים/לֵי, מֹשְׁלוֹ Js 52_{5} (Q מ(ו)שֵׁל־לָיו, K u. 1QJs[a] מושלו): — 1. **herrschen** (THAT 1, 930ff): a) über c. בְּ: Gestirne über Tag u. Nacht Gn 1_{18}, Gatte über Frau 3_{16}, Mensch über Sünde 4_{7}, Sklave über Besitz d. Herrn 24_{2}, Josef über Äg. $45_{8.26}$, Frauen über Volk Js 3_{12}; b) abs.: 2S 23_{3} Zch 6_{13} Pr 29_{26}; c) Herrschaft gewinnen, ausüben c. מֹשֵׁל Da 11_{4}, מִמְשָׁל $11_{3.5}$; d) pt. Herrscher, Gewalthaber sg. מ׳־אֶרֶץ Js 16_{1}, מ׳ עַמִּים (= Pharao) Ps 105_{20} Hab 1_{14} Pr 6_{7}; ? grosser Herr Pr 23_{1} 28_{15} 29_{12} Koh 10_{4}, c. כְּסִילִים Narrenbeherrscher Koh 9_{17} (:: Galling 82: מִשְׁלֵי כְּסִילִים); pl. Js 14_{5} 52_{5} (s.o.); e) metaph. מ׳ בְּרוּחוֹ sich selber beherrschen Pr 16_{32} (cf. Sir 23_{6}[Adl. 26]); befugt sein zu Ex 21_{8} (Dam. 13, 12); — 2. **herrschen** (v. Gott, ↗ Koehler Th. § 5), Ri 8_{23} (MBuber, Königtum Gottes³, 1956, 3ff) Ps 22_{29} (? l וּמָשְׁלוּ) 59_{14} 66_{7} 89_{10} 1C 29_{12}, זְרֹעוֹ Js 40_{10}, מַלְכוּתוֹ Ps 103_{19}; — 3. sonst: Gn 37_{8} Dt 15_{6} Jos $12_{2.5}$ Ri 8_{22f} 9_{2} 14_{4} 15_{11} 1K 5_{1} Js 3_{4} 19_{4} 28_{14} (↗ I משל qal) 49_{7} 63_{19} Jr 22_{30} 30_{21} 33_{26} 51_{46} Ez $19_{11.14}$ Mi 5_{1} Ps 19_{14} 105_{21} 106_{41} Pr 12_{24} 17_{2} 19_{10} 22_{7} 29_{26} Kl 5_{8} Koh 9_{17}; Da 11_{43} 2C 7_{18} 9_{26} 20_{6} 23_{20}. †

hif: pf. הִמְשִׁילָם; impf. תַּמְשִׁילֵהוּ; inf. הַמְשֵׁל; — 1. **z. Herrn machen** über c. בְּ Ps 8_{7} Da 11_{39} Sir 45_{17}; — 2. הַמְשֵׁל inf. sbst. als sbj. (GK § 113b) **Herrschaft**, הַ׳ וָפַחַד ? hendiad. Schreckensherrschaft (König Stil 160f) Hi 25_{2}. †

Der. II מֹשֶׁל, מִמְשָׁל, מֶמְשָׁלָה.

I מָשָׁל: I משל; mhe., ja. sy. מַתְלָא, md. (MdD 271a) מיתלא; ar. *maṯal* Spruch, asa. *mṯl* Denkmal (Conti 271); äth. *mesl*, tigr. (Wb. 118a) *masal*; akk. *mišlu* Hälfte: מְשַׁל, מְשָׁלוֹ, מְשָׁלִים, מִשְׁלֵי, מִשְׁלוֹת* (מִשְׁלוֹת als Titel, Hier. im Prologus galeatus *mesaloth* neben *misle*, Jepsen ZAW 71, 118); ↗ Eissf. Maschal, 1913, Boström; RGG³ 6, 1577, Gemser Sprb. 8⁶.114, Hermisson WMANT 28, 38ff: —1. **Spruch** verschiedener Art u. Gattung; c. מָשַׁל Ez 12_{23} 17_{2} 18_{2f} 24_{3} u. c. נָשָׂא Nu $23_{7.18}$ $24_{3.15.20f.23}$ Js 14_{4} Mi 2_{4} Hab 2_{6} Hi 27_{1} 29_{1} s. Spr. anheben, Hi 27_{1} 29_{1}, 13_{12} 1S 24_{14}; — 2. **Sprichwort** (Eissf. 45ff): a) הָיָה לְמָ׳ z. Sprichwort werden, dieses ist einfach 1S 10_{12}, zweiteilig 1K 9_{7} Ez 12_{22} 18_{2} Ps 69_{12}; b) jmd z. מָ׳ machen: c. נָתַן Jr 24_{9} 2C 7_{20}, c. שׂוּם Ez 14_{8} (l וְשַׂמְתֶּם u. לְמָשָׁל) Ps 44_{15} (|| מְנוֹד רֹאשׁ); — 3. **Weisheitsspruch** 1K 5_{12} Salomo 3000 W.-sprüche (Alt KlSchr. II, 90ff); Ez 12_{22f} u. Hab 2_{6} u. Pr 1_{6} (|| מְלִיצָה), Ps 49_{5} u. 78_{2} (|| חִידָה); בְּפִי כְּסִילִים Pr $26_{7.9}$; Lehrrede Hi 27_{1} 29_{1}, Gleichnis Ez 17_{2} 21_{5} 24_{3} Hi 13_{12}; — 4. **Spottlied** (Eissf. 52ff, cf. I משל qal b): || מְלִיצָה (↗ 2), ↗ חֶרְפָּה, שְׁנִינָה u. קְלָלָה Mi 2_{4} (|| נְהִי, Eissf. 67f) Dt 28_{37}; — 5. **Überschrift** e. Sammlung מִשְׁלֵי שְׁלֹמֹה Pr 1_{1} 10_{1} 25_{1}; c. תִּקֵּן Koh 12_{9}. †

[II מָשָׁל 1C 6_{59}: n.l., l מִשְׁאָל.]

I מֹשֶׁל: I משל; ar. *miṯl* Gleiches: מָשְׁלוֹ: — 1. **Ähnlichkeit**, c. sf. מָשְׁלוֹ seinesgleichen (ar. *miṯluhu*) Hi 41_{25}; — 2. coll. z. I מָשָׁל: **Spruchdichtung**, Sir 50_{27} c. אפנים (↗ אֹפֶן), Sprd. f. alle Lebenslagen (Peters, 1913, 435, ZüBi, Echter) od. in richtigen (metrischen ?) Formen (Smend, Charles). †

II מֹשֶׁל: II משל: מָשְׁלוֹ: **Herrschaft** Zch 9_{10} Da 11_{4} (MSS כְּמָ׳). †

מִשְׁל(וֹ)חַ: I שלח, BL 546x; auch cs.: — 1. **Zusendung** v. Speisen מָנוֹת Est $9_{19.22}$; — 2. מ׳ יָדָם (↗ מִשְׁלָח u. שלח qal 2), woran man d. Hand legt, **Machtbereich** Js 11_{14} (|| מִשְׁמַעַת). †

*מִשְׁלָח: I שלח, BL 490z; ↗ מִשְׁלוֹחַ: מִשְׁלַח: — 1. מִשְׁלַח יָד das, wonach man d. Hand streckt (שלח qal. 2), **Unternehmung**

Dt 15$_{10}$ (|| מַעֲשֶׂה) 23$_{21}$ 28$_{8.20}$; Erwerb 12$_{7.18}$; — 2. מִשְׁלַח שׁוֹר (↗ שׁלח qal 1) **Weideland** f. d. Vieh Js 7$_{25}$. †

מִשְׁלַחַת: I שׁלח, BL 607c; mhe. Sendung, משלחות DJD I p. 143, 40, 8, 1: — 1. מִ׳ בַּמִּלְחָמָה **Entlassung** im (? vom, ↗ בְּ 13) Kriegsdienst (:: Dt 20$_{8}$ 1 Mak 3$_{56}$) Koh 8$_{8}$, ↗ Hertzbg. 166f, Zimm. ATD XVI 218): — 2. **Schar**, **Rotte** Ps 78$_{49}$ c. מַלְאֲכֵי רָעִים (↗ מַלְאָךְ 3c). †

מְשֻׁלָּם: n.m.; שׁלם pt. pu. „als Ersatz gegeben" (Noth 174, Stamm HEN 421b), Dir. 352, äga. (AP 298a), palm. *mšlm* (PNPI 97b), Mosc. 76, 11; ↗ מְשֻׁלֶּמֶת: 1.-8.: 2K 22$_{3}$; Esr 8$_{16}$; 10$_{15.29}$ Neh 8$_{4}$ 10$_{8.21}$ 12$_{13.16.25}$ (= שַׁלּוּם 1C 9$_{17}$).$_{33}$ 1C 3$_{19}$ 8$_{17}$ 2C 34$_{12}$ Neh 3$_{4}$ = 3$_{30}$? 6$_{18}$?; Neh 3$_{6}$; 11$_{7}$ = 1C 9$_{7}$?; Neh 11$_{11}$ 1C 9$_{11f}$ (= שַׁלּוּם 5$_{38}$); 1C 5$_{13}$; 9$_{8}$. †

מְשִׁלֵּמוֹת: n.m.; שָׁלֵם, Kf. m. Endg *-ot* (Noth 39, 250, Stamm HEN 420b :: HBauer, OLZ 33, 593: < מְשִׁלֵּם מוֹת): 1. Neh 11$_{13}$ = 1C 9$_{12}$; — 2. 2C 28$_{12}$. †

מְשֶׁלֶמְיָה: n.m., < מְשֶׁלֶמְיָהוּ: 1C 9$_{21}$. †

מְשֶׁלֶמְיָהוּ: n.m. < *מְשֻׁלֶּמְיָהוּ „J. gibt Ersatz" (Noth 31.145; Stamm HEN 420b: < akk. *mušallim* —, ↗ שֶׁלֶמְיָהוּ 1C 26$_{1f.9}$. †

מְשִׁלֵּמִית, 1C 9$_{12}$: n.m., = מְשִׁלֵּמוֹת et sic l (Stamm HEN 420b).

מְשֻׁלֶּמֶת: n.f., zu מְשֻׁלָּם (Noth 174, Stamm HFN 322); äga. (AP 298b): 2K 21$_{19}$. †

מִשְׁלֹשׁ כְּמִשׁ׳ Gn 38$_{24}$ ungefähr nach 3 Monaten; trad. כְּ + מִן, Fehlen d. Dag. ↗ BL 643r, meist c. Sam. שְׁלֹשֶׁת gelesen; :: Driv. OLZ 60, 7: ug. *m-* für Gruppenbildung benützt (*mṯltt, mšb*ʿ Gr. v. 3 bezw. 7 Personen), hier **Periode von 3 Monaten**; כְּ (GK § 118u). †

מְשַׁמָּה: שׁמם, BL 491l, ↗ שַׁמָּה u. שְׁמָמָה: מְשַׁמּוֹת: 1. **Entsetzen**, **Grausen** Ez 5$_{15}$, שְׁמָמָה וּמְ׳ (König Stil. 287f) Entsetzen u. Grausen Ez 6$_{14}$ 33$_{28f}$ 35$_{3.cj\,7}$; — 2. מְשַׁמּוֹת (pl. GK § 124b) Stätte d. Grausens, **Wüstenei**, Öde Js 15$_{6}$ Jr 48$_{34}$. †

***מִשְׁמָן**: I שׁמן, BL 490z; ar. *musmin* Edler (GB): מִשְׁמַנָּיו/נֵּיהֶם, מִשְׁמַנֵּי, מִשְׁמָן (BL 558c): — 1. **Fettheit**, **Feiste** מִשְׁמַן בְּשָׂרוֹ Js 17$_{4}$; — 2. pl. concr. (GK § 83c) **fette**, **stattliche Leute** (ar. *samīn* Edler., ↗ GB[17] 471a) Js 10$_{16}$ Ps 78$_{31}$; — 3. pl. **fette Landstriche** (cf. λιπαρός) Da 11$_{24}$ (Mtg. 453); — Gn 27$_{28.39}$ l מִשְׁמַנֵּי (↗ שָׁמָן* Lex.[1]) od. מִשְׁמַנֵּי (שֶׁמֶן 3, Ginsbg KU 63: ug. *šmn ʾrṣ*, UT § 17, 4). † Der. מַשְׁמַנִּים, מִשְׁמַנָּה.

מִשְׁמַנָּה: n.m. (!), f. v. מִשְׁמָן, BL 558c; „fetter Bissen" (Noth 223) od. ? „Edler" (↗ מִשְׁמָן): 1C 12$_{11}$. †

מַשְׁמַנִּים: pltt z. מִשְׁמָן: mit viel Fett bereitete leckere **Festspeisen** Neh 8$_{10}$. †

I ***מִשְׁמָע**: I שׁמע, BL 490z; mhe. Hören, DSS auch Gehorsam; ja. מִשְׁמְעָא, cp. *mšmwʿ*, sy. *ma-*: מִשְׁמַע: Hörensagen, **Gerücht**, c. אָזְנַיִם Js 11$_{3}$. †

II **מִשְׁמָע**, or מַ׳ (Sperber 240), Sam.[BCh 3, 176b] *mašma*: (n.m.) ar. Stamm, S. v. Ismael Gn 25$_{14}$ 1C 1$_{30}$; 4$_{25f}$ m. Simeon verwandt; ? klschr. *Isamme* (VAB VII 788); Wohnsitze ign. GTT § 121, 4. †

***מִשְׁמַעַת**, or. מַ׳ (MTB 70): שׁמע, BL 607c; mo. Untertanenland (DISO 171); ja. מִשְׁמַעְתָּא Leibwache, Rechtstradition; sy. *ma-* Gehör, Ohr: מִשְׁמַעְתּוֹ/תֶּךָ: — 1. **Leibwache** Davids 1S 22$_{14}$ 2S 23$_{23}$ 1C 11$_{25}$; — 2. Gehorsamspflichtige, **Untertanen** Js 11$_{14}$ (de Vaux Inst. 2, 19, Ell. Kl. Schr. 111). †

מִשְׁמָר, or. מַ׳ (MTB 70): I שׁמר, BL 490z; mhe., ph. (DISO 171): מִשְׁמַרְכֶם, מִשְׁמַר, מִשְׁמָרָיו: — 1. **Bewachung**, **Gewahrsam** Gn 40$_{3f.7}$ 41$_{10}$ 42$_{17.\,cj\,30}$ Lv 24$_{12}$ Nu 15$_{34}$; Hut מִכָּל־מִ׳ mehr als alles, was man sonst behütet (cf. Aḥqr 98) Pr 4$_{23}$, בֵּית מִ׳ Gefängnis Gn 42$_{19}$; — 2. **Wache**, **Wachtposten** Neh 4$_{3.16}$ 7$_{3}$; Hi 7$_{12}$ (::Dahood JBL 80, 270), אַנְשֵׁי הַמִּ׳ Neh 4$_{17}$; c. ↗ הֶחֱזִיק starke

W. aufstellen, halten Jr 51_{12}; הָיָה לְמִ׳ zur Verfügung stehen (↗ Zimm. 926) Ez 38_{7}; — 3. **Dienstabteilung** (mhe. מִשְׁמָרוֹת, ↗ מִשְׁמֶרֶת Kahle CG. 37; ihe., DISO 171): מִ׳ לְעֻמַּת מִ׳ Abteilung neben A. Neh 12_{24} 1C 26_{16}; pl. Dienst (am Tempel, Reicke 123; al. s. Einrichtungen) Neh 13_{14}; 12_{25} cj שָׁמַר מִ׳ Wache halten (l שׁוֹעֲרִים שֹׁמְרִים, Rud.); — Nu 4_{27} ? בְּשֵׁמוֹת G (v. 32). †

מִשְׁמֶרֶת, or. מַ׳ (MTB 70), Sam.[M213] *mešmāret*: I שמר, fem. z. I מִשְׁמָר, BL 607c; mhe.: מִשְׁמָרוֹת, מִשְׁמָרוֹת, מִשְׁמַרְתּוֹ, מִשְׁמֶרֶת, מִשְׁמְרוֹתָם/תֵיהֶם: — 1. das **Aufzubewahrende** (↗ שמר qal 3) Nu 18_{8}, לְמִ׳ zur Aufbewahrung Ex $16_{23.32-34}$ Nu 17_{25}, הָיָה לְמִ׳ soll aufbewahrt werden Ex 12_{6} Nu 19_{9}; persönlich: מִ׳ אַתָּה in guter Hut 1S 22_{23} (GK § 118q); — 2. **Bewachung**: a) שָׁמַר מִ׳ Wache übernehmen 2K 11_{5-7}, 1C 12_{30} Gefolgschaft leisten, al. Treue halten, מִ׳ Überlieferungstreue Sir 44_{4} (Smend); b) Wachtposten Js 21_{8} Hab 2_{1} (J Jeremias WMANT 35, 106); Bewachung 1C 9_{27}, הֶעֱמִיד מִשְׁמָרוֹת לְמִשְׁמָרוֹת 1C 9_{23}; Wachmannschaft aufstellen Neh 7_{3}; לְמִשְׁמָרוֹת nach Dienstabteilungen 12_{9} 1C9_{23}; בֵּית מִ׳ Gewahrsam 2S 20_{3}; — 3. a) **Verpflichtung**, c. שָׁמַר, מִשְׁמַרְתִּי was mir geschuldet Gn 26_{5} Dt 11_{1}, cj Mal 3_{7}; מִ׳ gegenüber J. Lv 8_{35} 18_{30} 22_{9} Nu $9_{19.23}$ 1K 2_{3} Ez $44_{8.16}$ 48_{11} Zch 3_{7} Mal 3_{14} Neh 12_{45} 2C 13_{11} 23_{6}, מִ׳ אֱלֹהִים Neh 12_{45}; מִ׳ מִצְוַת י׳ Beobachtung d. Gebotes J.s Jos 22_{3}, מִ׳ הַטָּהֳרָה Beob. d. Reinheitsgesetzes Neh 12_{45}; b) **Obliegenheit**, **Dienst** Nu $3_{25.31.38}$ 4_{28} 1C 23_{32}; מִ׳ c. gen. Dienst an Nu 1_{53} $3_{28.32}$ $18_{3-5.38}$ Ez $3_{130.47}$ 40_{45f} $44_{8a.14f}$; 1C 23_{32}, מִ׳ was zu besorgen ist Nu $3_{7f.36}$, was **jmd** obliegt Nu 8_{26} 1C 25_{8}, pl. 26_{12} 2C 7_{6} 8_{14} 31_{16f} 35_{2}; מִ׳ מַשָּׂאָם ihre Aufgabe beim Tragen Nu 4_{31f}; pl. Dienstordnungen Neh 13_{30}; — Nu 4_{27} l בְּשֵׁמוֹת. †

מִשְׁנֶה, Sam.[M214] *mešni*: I שׁנה wiederholen, BL 491n; mhe. Wiederholung, Kopie: cs. מִשְׁנֵה, מִשְׁנֵהוּ, מִשְׁנִים: Zweites, Doppel: — 1. **Zweitstellung**, an Stelle e. Ersten: a) כֹּהֵן הַמִ׳ 2K 23_{4} (c. T l כֹּהֵן pr. pl.) Jr 52_{24}, כֹּהֵן מִ׳ 2K 25_{18}, Stellvertreter, Priester 2. Ranges (? pun., DISO 313; Stade ZAW 22, 325ff, Rundgren OrSuec. 12, 92ff); מִרְכֶּבֶת הַמִ׳ zweitbester Wagen Gn 41_{43}; — 2. > **Zweiter**: Neh 11_{9} 2C 31_{12}, הָיָה לְמִ׳ 1S 23_{17}, רֶכֶב הַמִ׳ d. 2. Wagen 2C 35_{24}, in Aufzählung הַמִ׳ 1C 5_{12}; מִשְׁנֵהוּ sein Zweiter 1S 8_{2} 17_{13} 2S 3_{3} 1C 16_{5}; מִשְׁנֵה הַמֶּלֶךְ 2C 28_{7} u. מִ׳ לַמֶּלֶךְ Est 10_{3} Zweiter (= Erster!) nach d. K., מִשְׁנֶה מִן Neh 11_{17}, הַמִּשְׁנִים 2. Dienstgrad 1C 15_{18}; הַמִּשְׁנִים 1S 15_{9} Tiere vom höher bewerteten 2. Wurf (Qimchi, Ges. Thes. 1451, gew. l הַשְּׁמֵנִים; akk. cf. BWL 87, 260-63); lokal הַמִּשְׁנֶה d. 2. Stadtteil, d. Neustadt v. Jerus. 2K 22_{14} Zef 1_{10} 2C 34_{22} (:: Neh 11_{9}, ↗ Rud. 183) GTT § 291f.333ff, Dalm. JG 111; — 3. **Zweifaches**, **Doppeltes**: מִ׳ Zch 9_{12}, הַמִ׳ Ex 16_{5} Js 61_{7b}; מִ׳ (sic l) בָּשְׁתָּם zweifache Sch. 61_{7a}, מִשְׁנֶה כֶּסֶף Gn 43_{15}, כֶּ׳ מִ׳ 43_{12}, לֶחֶם מִ׳ Ex 16_{22}, מִ׳ שְׂכַר Dt 15_{18} u. מִ׳ שִׁבָּרוֹן Jr 17_{18} (appos., GK § 131q, HeSy. § 62e) מִשְׁנֵה עֲוֹנִים Jr 16_{18} (= vergelte doppelt); הוֹסִיף לְמִ׳ auf das Doppelte Hi 42_{10}, :: vRad ZAW 79, 80-82: zu Dt 15_{18} Jr 16_{18} (Zch 9_{12}) = Aequivalent, Ersatz; — 4. **Abschrift**, **Kopie**: מִ׳ הַתּוֹרָה Dt 17_{18} Jos 8_{32} (Tsevat HUCA 29, 125); משנא הכתב 3Q 15, XII 11 (DJD III 252, 135); — ? Esr 1_{10}, ↗ Rud. 5. †

מְשִׁסָּה, Js 42_{24}, K משוסה, 1QJs[a] auch v. 22, (BASOR 124, 20): שׁסס, BL 491l: pl. מְשִׁסּוֹת: **Plünderung** 2K 21_{14} Js $42_{22.24Q}$ Jr 30_{16} Zef 1_{13}, pl. Hab 2_{7}. †

מִשְׁעוֹל, Sam.[M200] *maša'el*, *māšal*: שׁעל, BL 493z: **Hohlweg** Nu 22_{24}. †

מִשְׁעִי: לְמִ׳ לְ Ez 16_{4}, sec. ctxt. „zur Reinigung" T., ? aramais. inf. v. *שׁעה, ja.

beschmieren, cf. he. II שׁעע (Driv. Fschr. ThH Robinson 63f; Zimm. 334). †

מִשְׁעָם, G^B Μεσσααμ, G^L Μεσοαμ: n.m., Benjaminit in Moab 1C 8_{12}; cf. מֵישַׁע; Rud. 76-79. †

מִשְׁעָן: שׁען, BL 490z; ↗ מַשְׁעֵן; cs. מִשְׁעַן: **Stütze** Ps 18_{19} / 2S 22_{19} v. J.; Sir 33_1 36_{29}, מִשְׁעַן לֶחֶם Js 3_1 = מַטֵּה־ לֶ׳ **Brotstab** Lv 26_{26}: ringförmige Brote auf e. Stecken aufgereiht, c. שָׁבַר = alle Vorräte vernichten (Koehler KlLi. 25ff, Ell. Lev. 376, Schult ZDPV 87, 206-8); מִ׳ מַיִם Js 3_1 (md., MdD 252b, rituell, || Margnastab, Drower MII 34.39³), hier als Komplement zu מִ׳ לֶחֶם, zus. Gl. zu מַשְׁעֵן וּמַשְׁעֵנָה.

מַשְׁעֵן u. **מַשְׁעֵנָה**: שׁען, BL 492r.s, ↗ מִשְׁעָן: **Stütze**, zus. Ausdruck d. Totalität (GK § 122v): jegliche Stütze Js 3_1. †

מִשְׁעֶנֶת, or. מַ׳ (MdO 198): שׁען, BL 607c; cf. מִשְׁעָן, מַשְׁעֵן/עֵנָה; mhe.: מִשְׁעַנְתּוֹ, מִשְׁעֲנֹתָם: **Stütze, Stab**: für Kranke Ex 21_{19}, Alte Zch 8_4, Herrscher Nu 21_{18}, Engel Ri 6_{21}; ↗ 2K $4_{29.31}$ 18_{21} Js 36_6 Ez 29_6 Ps 23_4 (|| שֵׁבֶט). †

מִשְׁפָּחָה (300 ×, Nu 154 ×, Jos 42 ×), or. מַ׳ (MdO 198): שׁפח, BL 490a; mhe., DSS; ug. *šph̤* u. pun. שפח Sippe (DISO 316): cs. מִשְׁפַּחַת, מִשְׁפַּחְתּוֹ, מִשְׁפָּחוֹת, מִשְׁפְּחֹתָיו/תֵיהֶם: — 1. **Grossfamilie, Sippe** (der Kreis, in dem Blutsverwandtschaft noch empfunden wird; Ped. Isr. 1/2, 46ff, de Vaux Inst. 1, 39f, BHH 1808, Haran VT 19, 17f): Dt 29_{17} Jos 6_{23} 7_{14}; Unterteil v. שֵׁבֶט Ri 18_{19} 21_{24} 1S 9_{21}, v. עָם Nu 11_{10}, v. מַטֶּה Jos 21_5 Nu 36_6; מִ׳ אָבִי 1S 18_{18}; זֶבַח מִ׳ 1S 20_{29}; מִשְׁפַּחְתִּי Sippe, Verwandtschaft e. Einzelnen Gn $24_{38.40f}$ Lv 25_{49} Nu 27_{11}; מִ׳ als Bluträcher 2S 14_7; als Zunft, Gilde (BASOR 80, 18f) 1C 2_{55} 4_{21}; — 2. מִשְׁפָּחוֹת **Arten, Unterteile**: a) der Völkerwelt Gn $10_{5.20.31}$, מִ׳ גּוֹיִם Ps 22_{28}, מִ׳ עַמִּים Ps 96_7 1C 16_{28}; מִ׳ הָאֲדָמָה Gn 12_3 28_{14} Am 3_2, מִ׳ הָאָרֶץ Zch 14_{17}, מִ׳ הָאֲרָצוֹת Ez 20_{32}; b) d. Tiere Gn 8_{19}; 4 Arten v. Unheil: Schwert, Hunde, Vögel u. Raubwild Jr 15_3.

מִשְׁפָּט (425 ×), or. מַ׳ (MTB 70); Sam.^{M215} *mašfaṭ*: שׁפט, BL 490z; mhe. DSS; ug. *mṯpṭ* (UT nr. 2727, Aistl. 2921) u. ph. משפט (DISO 171) Regierung: מִשְׁפַּט, מִשְׁפָּטוֹ, מִשְׁפָּטֶךָ Ps 36_7, מִשְׁפָּטַי, מִשְׁפְּטֵי, מִשְׁפָּטִים (BL 252r), מִשְׁפְּטֵיהֶם (vdPloeg OTSt. 2, 151f): Schiedsspruch > Rechtsentscheid > Rechtssache > Recht, Anrecht, Anspruch > was einer Sache gemäss ist, Koehler Th. 14f.193f, HeMe. 151f (:: Hertzb. ZAW 40, 261ff: zentrifugale Willensbetätigung), Ped. Isr. 1/2, 349ff, Mow. NTT 1960, 107ff, KKoch, Fschr. vRad 249ff: — 1. **Schiedsspruch, Rechtsentscheid**: a) J. giebt מִשְׁפָּטוֹ Zef 2_3, אֱלֹהֵי הַמִּ׳ Mal 2_{17} cj Ps 50_6; שָׁאַל מִ׳ (cf. ug. de Moor UF 2, 304) Js 58_2, מִשְׁפַּט הָאוּרִים Nu 27_{21}; עָשָׂה צְדָקָה וּמִ׳ Gn 18_{19} Pr $21_{3.15}$, עָשָׂה מִ׳ Gn 18_{25}, c. בֵּין ... וּבֵין Jr 7_5; c. עָרַךְ Hi 13_{18} 22_4 (Seeligm. HeWf. 266); מִשְׁפַּט צֶדֶק gerechter Entscheid, Spruch Dt 16_{18}, מִ׳ אֱמֶת Ez 18_8; נִגַּשׁ אֶל־הַמִּ׳ Dt 25_1, דָּרַשׁ מִ׳ Js 1_{17}; דִּין מִ׳ Jr 21_{12}, שָׁפַט מִ׳ Dt 16_{18} 1K 3_{28}; מִשְׁפָּטִי d. Urteil über mich Js 49_4 (|| פְּעֻלָּתִי); b. Rechtsentscheidungen J.s > **Rechtsbestimmungen**: הַמִּשְׁפָּטִים, oft zus. m. חֻקִּים Dt 4_8, מִצְוֹת Nu 36_{13}, עֵדֹת 1K 2_3; מִשְׁפְּטֵי י׳ Ps 19_{10}, מִשְׁפָּטַי Lv 18_4 (28 ×), מִשְׁפָּטֶיךָ Js 26_8 (24 ×), מִשְׁפָּטָיו Ps 18_{23} (4 ×), מִשְׁפְּטֵי פִיו Ps 105_5 1C 16_{12}; מִשְׁפַּט מָוֶת Rechtsentscheid, der den Tod fordert Dt 19_6 21_{22} Jr $26_{11.16}$; בּוֹא בַמִּ׳ vor d. Gerichtshof kommen Hi 9_{32} 22_4 Ps 143_2 (Boecker 85.88f), נִגַּשׁ אֶל הַמִּ׳ Dt 25_1 (Boecker 122f); — 2. **Rechtssache, -streit** עָשָׂה מִשְׁפָּטוֹ setzt s. Recht durch Ez 39_{21}; שָׂם מִ׳ setzt fest Ex 15_{25}; נָתַן מִ׳ לִפְנֵי legt die Rechtssache vor Ez 23_{24}; מִ׳ נְאֻפוֹת d. Recht gegenüber Ehebruch Ez 16_{38}, מִ׳ דָּמִים Rechtshändel um Blutschuld Ez 7_{23} (↗ Zimm. 165), מִ׳ שִׁפְכוֹת דָּם 23_{45}; אֹרַח מִ׳

Rechtsweg Js 40$_{14}$; בַּעַל מִ׳ Rechtsgegner Js 50$_{8}$; מִ׳ כָּתוּב Ps 149$_{9}$; — 3. a) **Rechtsanspruch** רִיב וּמִ׳ 2S 15$_{4}$; מִ׳ הַמֶּלֶךְ 1S 8$_{9.11}$, מִ׳ הַבָּנוֹת Ex 21$_{9}$, מִ׳ עַבְדּוֹ 1K 8$_{59}$, מִ׳ יָתוֹם וְאַלְמָנָה Dt 10$_{18}$, מִ׳ גֵּר 27$_{19}$, מִ׳ אֶבְיוֹנִים 21$_{17}$, מִ׳ אֱלֹהָיו Js 58$_{2}$, מִ׳ הַבְּכֹרָה Jr 5$_{28}$ Ps 140$_{13}$; b) **Anspruch auf**: מִ׳ הַגְּאֻלָּה u. מִ׳ הַיְרֻשָּׁה Jr 32$_{7.8}$, משפטיו das ihm Gebührende Sir 50$_{19}$; כְּמִשְׁפָּט לְ׳ wie es denen zusteht, die Ps 119$_{132}$ :: אֲשֶׁר אֵין מִשְׁפָּטָם לִשְׁתּוֹת die nicht verurteilt sind zu Jr 49$_{12}$; מִשְׁפַּט הַכֹּהֵן מֵאֵת Anspruch d. Pr. gegenüber 1S 2$_{13}$; דִּבֶּר מִ׳ s. A. kundtun Js 32$_{7}$, דִּבֶּר מִשְׁפָּטִים אֶת seinen A. geltend machen gegen Jr 4$_{12}$ 12$_{1}$, מִשְׁפָּטַי 1$_{16}$; הִטָּה מִ׳ d. A. beugen Ex 23$_{6}$, עָבַר מִ׳ מִן A. entgeht ihm Js 40$_{27}$; — 4. **Gemässheit**: Bauplan, כְּמִשְׁפָּטוֹ Ex 26$_{30}$, d. Tempel וּלְכָל־מִשְׁפָּטָיו in allem, was dazu gehört (‖ וּלְכָל־דְּבָרָיו u. in allen s. Teilen) 1K 6$_{38}$; Lebensweise, Art מִ׳ הַנַּעַר Ri 13$_{12}$, מִ׳ צִדֹנִים Ri 18$_{7}$, מִשְׁפָּטוֹ s. Verfahren 1S 27$_{11}$, אִישׁ כְּמִשְׁפָּטוֹ jeder wie es ihm zukam 1K 5$_{8}$; כְּמִשְׁפָּטָם wie es b. ihnen Brauch ist 1K 18$_{28}$ 2K 11$_{14}$, מִ׳ הָאִישׁ Aussehen 2K 1$_{7}$; מִ׳ הַגּוֹיִם Religion 17$_{33}$; — 5. **Recht** (Horst GsR. 250ff), oft zus. m. חֹק Ex 15$_{25}$, m. צֶדֶק u. צְדָקָה Js 1$_{21.27}$ Ps 89$_{15}$, אֱמֶת וּמִ׳ 111$_{7}$, חֶסֶד וּמִ׳ Ps 101$_{1}$, ‖ תּוֹרָה Js 42$_{4}$ (JJeremias VT 22, 31ff); Rechtsempfinden Mi 3$_{8}$; cj מִשְׁפָּט אֶחָד einerlei Recht Lv 24$_{22}$ (↗ Ell. Lev. 335); abs. Js 42$_{3}$ (al. „Wahrheit" od. „Religion", Wellh., Jeremias l.c.); — Dt 32$_{41}$ l אַשְׁפָּה; Ez 5$_{8}$ l שְׁפָטִים; Ps 94$_{15}$ l מִשְׁפָּטוֹ.

מִשְׁפְּתַיִם, Sam.[M216] *mešfātem* Gn 49$_{14}$, [BCh] *ma-*; שׁפד, BL 491z; ug. *mṯpdm* (Aistl. 2918, CML 161a), ar. *maṯāfīd*: d. 2 **Sattelkörbe** d. Packesels, m. denen er sich oft störrisch niederlegt (Saarisalo 92 :: Albr. HUCA 23 I 22: Herdkessel :: Zobel BZAW 95, 16: Gabelhürde): Gn 49$_{14}$ Ri 5$_{16}$, cj Ps 68$_{14}$ pr. שְׁפַתַּיִם (?). †

מֶשֶׁק, Sam.[M137] *māšaq*, G Μασεκ: בֶּן מֶשֶׁק בֵּיתִי, nachträglich glossiert m. הוּא דַמֶּשֶׂק Gn 15$_{2}$; unerkl., ? ug. *mšq* (UT nr. 1565), zuletzt: Seebass ZAW 75, 317ff, Dahood UHPh. 65. †

*מַשָּׁק: שׁקק, BL 491k: cs. מַשַּׁק: **Ansturm** (v. Heuschrecken) Js 33$_{4}$ (↗ ZAW 75, 317[1]). †

*מְשֻׁקָּד, Sam.[M216] **mšaqqād*: שָׁקֵד pt. pu.: מְשֻׁקָּדִים: **mandelblütenförmig gestaltet** (Kelche d. Leuchters) Ex 25$_{33f}$ 37$_{19f}$. †

מַשְׁקֶה, Sam.[M217] *mašqi̇*: שׁקה, 3. BL 491, m; 1.2.4.pt. hif.; mhe. Getränk, ug. *mšq* (UT nr. 1565), akk. *mašqū* Tränke, Tränkgefäss (AHw. 629a): מַשְׁקֵה, מַשְׁקֵהוּ, מַשְׁקָיו: — 1. (pt.) **Mundschenk** Gn 40$_{1-23}$ (7 ×) 41$_{9}$ Neh 1$_{11}$; — 2. (pt.) **wasserreich** (Schwarzb. 82), Land Gn 13$_{10}$; — 3. **Getränk** Lv 11$_{34}$ Js 32$_{6}$, pl. 1K 10$_{5}$ u. 2C 9$_{4}$ (G sec. 1.), c. כְּלֵי Trinkgefäss 1K 10$_{21}$ 2C 9$_{20}$; — 4. **Schenkenamt** Gn 40$_{21}$; — Ez 45$_{15}$ l מִמִּשְׁפְּחוֹת G od. מִמִּקְנֵה. †

מִשְׁקוֹל: שׁקל, BL 493e; mhe., = מִשְׁקָל: **Gewicht**, בְּמִ׳ genau abgewogen Ez 4$_{10}$. †

מַשְׁקוֹף: שׁקף, BL 493e; ↗ שֶׁקֶף; mhe. Oberschwelle; cf. akk. *askuppu*, *-atu* Schwelle (AHw. 74b, Zimmern 31) > mhe. אַסְקֻפָּה, ja. sy. md. (MdD 335b) אִסְקוּפְתָּא ar. *ʾuskuppat* (*saqf* Dach); ja. שְׁ/סְקוֹף: **Oberschwelle, Türsturz** (:: מִפְתָּן Unterschwelle) Ex 12$_{7.22f}$, cj 1K 7$_{5}$ (? l רְבִעֵי מַשְׁקֹף, ↗ Mtg.-G. 166, Noth Kge. 97f). †

מִשְׁקָל, or. מַ׳ (MdO 198): שׁקל, BL 490z; mhe. מִשְׁקֹלֶת Bleilot; ph. (DISO 171); akk. *mašqalu* (EA Gewicht, kan. Lw.; AHw. 628b); ja. sy. מַתְקְלָא Gewicht, Wage, md. (MdD 271b) *mitqal*, > ar. *miṯqal* (Frae. 202): מִשְׁקַל, מִשְׁקָלוֹ: — **Gewicht**: neben מִדָּה Längen- u. מְשׂוּרָה Hohlmass Lv 19$_{35}$, מִ׳ מֹאזְנֵי Ez 5$_{1}$, מִ׳ d. Windes Hi 28$_{25}$; Gn 24$_{22}$ 43$_{21}$ Nu 7$_{13-79}$ (12 ×) Jos 7$_{21}$ Ri 8$_{26}$ 1S 17$_{5}$ 2S 12$_{30}$ 1C 20$_{2}$, 2S 21$_{16}$ 1K 7$_{47}$ 2C 4$_{18}$, 1K 10$_{14}$ 2C 9$_{13}$, Ez 5$_{1}$ Hi 28$_{25}$ Esr 8$_{30.34}$ (l בְּמִסְפָּר וּבְמִשְׁקָל, Rud. 84) 1C 21$_{25}$ 28$_{14-18}$

(8 × בְּ/בַּמִ׳ im Gewicht, cj v. $_{16}$, dl. v. $_{15}$ ↗ Rud.) 2C 3$_{9}$; בַּמִּשְׁקָל Lv 26$_{26}$ u. בְּמִ׳ Ez 4$_{16}$ genau abgewogen; ↗ לֹא הָיָה מִ׳ לְ war nicht zu wägen (akk. *ša minūta lā īšū*, AHw. 657a) 2K 25$_{16}$ Jr 52$_{20}$; אֵין מִ׳ unwägbar viel 1C 22$_{3.14}$; Sir 6$_{14}$ (Freund) 26$_{15}$; metaph. הִבִּיעַ רוּחַ בְּמִ׳ abgewogen, massvoll Sir 16$_{25}$. †

*מִשְׁקֹ֫לֶת, מִשְׁקֶ֫לֶת ־קֶ֫לֶת Js 28$_{17}$ u. מִשְׁקֹלֶת 2K 21$_{13}$: שׁקל, BL 607c.d; mhe. מִשְׁקוֹלֶת, DSS; ja. מַשְׁקוֹלְתָּא Senkblei; akk. *mašqaltu* Darwägung, Gewicht (AHw. 628b) **Setzwage** (BRL 531; ↗ מֹאזְנַיִם). †

*מִשְׁקָע, or. מַ׳ (MdO 198): שׁקע, BL 490z: cs. מִשְׁקַע: c. מַיִם **klares Wasser** (das sich gesetzt hat, Reymond 99) Ez 34$_{18}$. †

*מִשְׁרָה, Sam. משארת, $^{M\ 201}$ *māššārat* (contam. m. *מִשְׁאֶרֶת Dt 28$_{5}$, Geiger 382): II שׁרה wässern, ar. *ṯarija*, *ṯaran* feuchte Erde, ja. sy. md. (MdD 490a) תרא: cs. מִשְׁרַת: **Flüssigkeit**, c. עֲנָבִים Traubensaft od. Extrakt (Noth ATD 7,51) Nu 6$_{3}$. †

מֵשָׁרִים Pr 1$_{3}$: ↗ מֵישָׁרִים.

מִשְׁרָעִי, or. מַ׳ (MTB 70): gntl. v. unbekanntem *מִשְׁרָע: Sippe in קִרְיַת־יְעָרִים 1C 2$_{53}$. †

משׁשׁ: mhe. pilp., ja. pa. betasten; akk. *mašāšu* abwischen, ar. *massa* betasten, fühlen, äth. (Lesl. 32), tigr. (Wb. 119b) reiben; Nf. I מושׁ (md. MdD 280b) u. ימשׁ:

qal: impf. יְמֻשֵּׁהוּ/נִי: **betasten** Gn 27$_{12.22}$. †

pi. (Jenni 213): pf. מִשַּׁשְׁתָּ; impf. יְמַשֵּׁשׁ, יְמַשְׁשׁוּ (BL 328a); pt. מְמַשֵּׁשׁ: — 1. **abtasten**, durchsuchen Gn 31$_{34.37}$; — 2. **umhertasten** Dt 28$_{29}$ Hi 5$_{14}$ 12$_{25}$. †

hif: impf. יָמֵשׁ: c. חֹשֶׁךְ betasten lassen, ? = **greifen** (G, :: Rüger ZAW 82, 108f) Ex 10$_{21}$; — הֲיִמִשֵׁנִי Ri 16$_{26}$ ↗ ימשׁ. †

מִשְׁתֶּה, or. מַ׳ (! ThZ 9, 156), Sam.^{M219} *mašti*: I שׁתה, BL 491n; mhe. Gelage, Hochzeit; ug. *mštt* Getränk (UT nr. 2501); ja. מִשְׁתְּיָא, sy. *ma-* Getränk, Gelage, md. (MdD 476b) *mjš(j)tj* Trinken, Getränk, akk. *maštū* Trinkgefäss, -becher: cs. מִשְׁתֵּה, sf. am sg. (BL 584c) מִשְׁתֵּיכֶ/הֶם, מִשְׁתָּיו: — 1. das **Trinken**: מִשְׁתֵּה יַיִן Trinkgelage Est 5$_{6}$ 7$_{2.7f}$ Sir 49$_{1}$; — 2. d. zugehörige **Getränk** Da 1$_{5.8.10.16}$ Esr 3$_{7}$; — 3. **Gastmahl** m. Wein: עָשָׂה מִ׳ Mahl rüsten Gn 19$_{3}$ 26$_{30}$, Fest veranstalten Gn 21$_{8}$ 29$_{22}$ 40$_{20}$ Ri 14$_{10}$ 2S 3$_{20}$ 1K 3$_{15}$ Hi 1$_{4}$ Est 1$_{3.5.9}$ 2$_{18}$ 5$_{4f.8.12.14}$ 6$_{14}$; מִ׳ Fest Ri 14$_{12.17}$ 1S 25$_{36}$ Pr 15$_{15}$ Hi 1$_{5}$ Est 8$_{17}$ 9$_{19}$, מִ׳ גָּדוֹל Gn 21$_{8}$; מִ׳ הַמֶּלֶךְ 1S 25$_{36}$; מִ׳ שְׁמָנִים u. מִ׳ שְׁמָרִים (↗ I שֶׁמֶר) Festmahl Js 25$_{6}$, מִ׳ נָשִׁים Frauenfest Est 1$_{9}$, מִ׳ אֶסְתֵּר Est 2$_{18}$; בּוֹא אֶל־הַמִּ׳ Est 5$_{4f.8}$, הֵבִיא אֶל־הַמִּ׳ z. F. einladen 5$_{12}$, ans F. geleiten 6$_{14}$; Festtag יוֹם מִ׳ וְשִׂמְחָה 9$_{17f}$, pl. 9$_{22}$ Hi 1$_{5}$; — 4. **Gelage** Js 5$_{12}$ (↗ Wildberger); Jr 51$_{39}$; בֵּית מִ׳ Festhaus (↗ Rud. ZAW 59, 189[4]: Hochzeitshaus) Jr 16$_{8}$ Koh 7$_{2}$ (4Q [ש]מחה, BASOR 135, 27); — Js 5$_{12}$ l מְזִמָּתָם od. מַחְשְׁבֹתָם :: Wildberger BK X/1, 177. †

מַשְׁתִּין: ↗ שׁין hif.

מֵת: Toter, Leiche, ↗ מות.

*מת, (*מְתוּ, *מֹת): ug. *mt* (UT nr. 1569, Aistl. 1705), akk. *mutu* Ehemann, Krieger, (AHw. 690b, 691a), amor. in nn.pr. (Huffm. 234, Rép. Mari 226); äth. *met* (Dillm. 183) Gatte; > äg. *mt* (EG 2, 168, NPCES 81); ↗ Nöld. NB 146, HBauer OLZ 33, 593.595, Albr. JBL 58, 97, Eilers WdO 3, 120[3] (zu מות ?): sg. *מתו in nn. m. מְתוּשָׁאֵל/שֶׁלַח, בְּתוּאֵל (?), עַזְמָוֶת (?); ug. n.m. *mtbʿl*: pl. מְתִים (auch DSS), מְתֵי, מְתָיו/תֶיךָ: — 1. **Männer**: מְתִים :: הַנָּשִׁים וְהַטַּף Dt 2$_{34}$ 3$_{6}$, cj Ri 20$_{48}$ (l מְתִים, BH), Js 3$_{25}$, cj מְתֵי חֲנִית Speerbewaffnete Neh 4$_{7}$ (Rud.); — 2. **Leute**: מְתֵי מִסְפָּר wenige (↗ מִסְפָּר 2b) Gn 34$_{30}$ (+ 5 ×), = מְתֵי מְעָט Dt 26$_{5}$ 28$_{62}$; מְתֵי שָׁוְא Ps 26$_{4}$ Hi 11$_{11}$ Sir 15$_{7}$; מְתֵי אָוֶן Hi 22$_{15}$; מְתֵי אָהֳלִי m. Zeltgenossen Hi 31$_{31}$, מתי עם Volksgenossen Sir 7$_{16}$; — Js 5$_{13}$ l מְזֵה (|| צִחֵא); Js 41$_{14}$ gew. l cj רִמַּת ||

תּוֹלַעַת, cf. Elliger BK XI, 146f; Ps 17_{14} מְמִתִים 1 u. ² ? 1 הֲמִיתֵם u. הַתְמֵם :: Mow. Scr. IV 1, 50¹: מְמִתִים Todesdämonen (s. Feinde); ? Hi 24_{12} ↗ Komm.

מַתְבֵּן: תֶּבֶן, BL 492r; mhe. Schuppen für Stroh: **Strohhaufen** Js 25_{10}. †

מתג: mhe. pi. zäumen, denom. v. ↗ מֶתֶג.

מֶתֶג: mhe., ja. מִתְגָּא, tigr. (Wb. 126b) *mateg* dünner Hals: **Zaum** (:: Maulkorb V *camus*, Dahood Bibl. 48, 435): Ps 32_9 (neben רֶסֶן) Pr 26_3 (f. d. Esel), 2K 19_{28} / Js 37_{29} an d. Lippen; מֶתֶג הָאַמָּה 2S 8_1 ↗ I אַמָּה. †

***מְתוּ**: ↗ I מת.

מָתוֹק: מתק, BL 471u; mhe., akk. *matqu* (AHw. 633b), äth. *metūq*: מְתוּקָה, מְתוּקִים (BL 193q, BM § 23 1c): **süss** = angenehm (:: מַר) Ri $14_{14.18}$ Js 5_{20} Ps 19_{11} (מִשְׁפְּטֵי י׳) Pr 16_{24} 24_{13} 27_7 HL 2_3 Koh 5_{11} (שֵׁנָה) 11_7 (אוֹר); לְמָתוֹק an Süsse Ez 3_3. †

מְתוּשָׁאֵל, G Μαθουσαλα: n.m.; מת + שֶׁ + אֵל, „Mann Gottes", akk. **Mutu-ša-ili*, *Mutum-ilum*, Gemser Pn. 105f, Stamm 298; V. v. לֶמֶךְ Gn 4_{18}, = מְתוּשֶׁלַח $5_{21\text{-}27}$. †

מְתוּשֶׁלַח, מְתוּשָׁלַח, Sam.^{M137} *metūšāla*, V *Mathusalam* > *Methusalem*: n.m.; מת + שֶׁלַח (? = I, Wurfspiess), ? n.d. (Tsevat VT 4, 41ff. 322; √לחח, v. Selms Fschr. Vriezen 318ff: Gn $5_{21f.25\text{-}27}$ 1C 1_3, V. v. לֶמֶךְ, = מְתוּשָׁאֵל 4_{18}. †

מתח: mhe. ausspannen, strecken, ja. sy. md. (MdD 280b), ar. *mattāḥ* lang, akk. *matāḫu* aufheben (AHw. 632a):

qal: impf. וַיִּמְתָּחֵם: **ausspannen** Js 40_{22} (|| נטה). † Der. מִתְחָה, אַמְתַּחַת.

cj ***מִתְחָה**: מתח, BL 458s; ja. מִתְחָא Ausspannung: cj מִתְחַת pr. מִתַּחַת: **Ausbreiten** (der Hände) Dt 33_{27}. †

מָתַי, Sam.^{M137} *mētī*: mhe. meist אימתי (s.u., Ku. MiHe 44f); kan. EA *matīma*, ph. מתם (KAI II, 42, Dahood Bibl. 44, 71f, DISO 155); ar. *matā*ʾ, asa. *mt* (Conti 121b), amh. *matu/e* (Ulldff 98a, Lesl. 32); akk. *immati* < *in(a)mati* (AHw. 632b), > mhe.: אֵימָתַי, ja. אֵי/אֵמָּתַי (s.o. mhe.) sy. *emmat(j)* md. (MdD 352a), pehl. Frah 251 ʾ*jmt* (Nyb. 2, 296); THAT 1, 933ff: — 1. **wann ?**, c. impf. Gn 30_{30} Am 8_5 Ps 41_6 42_3 94_8 $119_{82.84}$ Pr 6_9 23_{35} Hi 7_4; — 2. לְמָתַי **auf wann** Ex 8_5; — 3. עַד־מָתַי **bis wann?** wie lange? a) c. pf. Ex 10_3 Ps 80_5; b) c. impf., wie lange noch? Ex 10_7 1S 1_{14} 2S 2_{26} Jr $4_{14.21}$ 12_4 31_{22} 47_5 Ps 74_{10} 82_2 94_3 101_2 Pr 1_{22} 6_9 Neh 2_6 Sir 51_{24}, c. לֹא wann endlich? Hos 8_5 Zch 1_{12}; c) ohne vb: Nu 14_{27} Js 6_{11} Hab 2_6 Ps 6_4 90_{13} 94_3 Da 8_{13} 12_6; d) c. pron. u. pt.: 1S 16_1 1K 18_{21}; — Jr 13_{27} עַד מָ׳ תְּאַחֲרֵי עוֹד ? 1 אַחֲרֵי מָתַי עוֹד ↗ Rud.; 23_{26} pr. עַד־מָתַי 1 חֲלֹמְתִּי et cjg. c. v. $25b$. †

מַתְכֹּנֶת: תכן, BL 493a.607d; mhe. Betrag, Mass: מַתְכֻּנְתּוֹ/תָּם: **Abmessung**, **Verhältnis**; bestimmte Zahl (d. Ziegel) Ex 5_8, Zubereitung, Zusammensetzung Ex $30_{32.37}$, Massbestimmung Ez 45_{11}; n. s. Angemessenheit = wie es sich gehört 2C 24_{13}, im rechten Mass Sir 31/34_{27}. †

מַתְּלָאָה Mal 1_{13}; < מַה־תְּלָאָה „welch eine Plage". †

מְתַלְּעוֹת, 3 ×, abs. u. cs., auch 1QHod 5_{10}, or. Hi 29_{17} מְתַלְּעוֹת u. מַלְתְּעוֹת Ps 58_7: I תלע, BL 490a; äth. *maltāḥt* Kinnlade, tigr. (Wb. 41a) *melteḥ* Schläfe: **Kinnlade** Jl 1_6 (|| שִׁנַּיִם) Ps 58_7 Hi 29_{27} Pr 30_{14}. †

מְתֹם: תמם, BL 493d: **heile Stelle** Js 1_6 Ps $38_{4.8}$; — Ri 20_{48} 1 מְתִם. †

מתן, ↗ מָתְנַיִם, ar. *matuna* fest sein. †

I **מַתָּן**: נתן, BL 490b, ↗ מַתָּנָה; ug. *mtn* (UT nr. 1169, Aistl. 1255), ph. מתן Pyrgi 5 in PN (Harris Gr. 44.108, Friedr. § 201b, PNPhPI 356) AlbrPrSinI 41: *mtn*; mhe., äga. מתן (DISO 172) ja. מַתְּנָא, mhe. מַ׳ וּמַשָּׂא Geben u. Nehmen = Handeltreiben > jüd. *Massematten*, מתת ולקח Sir 42_7, ↗ Sir^{MIV} 13, δόσις καὶ λῆμψις Phil 4_{15}; Littm. MW 51f, Zimmern 16: **Gabe**, **Geschenk** Gn 34_{12} Pr

18_{16} (l מַתַּן) 21_{14} Sir 4_3, coll. Nu 18_{11}; אִישׁ מַ׳ freigebig Pr 19_6, חיי מ׳ Schmarotzerleben Sir 40_{28}. †
Der. I מַתָּנָה, n.m. II מַתָּן; מַתְּנַי, מַתַּנְיָה(וּ).

II **מַתָּן**: n.m.; = I מַ׳, Kf. c. n. d. (Noth 170); ug. (UT nr. 1574, Aistl. 1710); ph. *Mattan*, *Muttun* u.ä. (Harris Gr. 44.108, Friedr. § 201b, PNPhPI 143-6. 356f); saf. מתן (Ryckm. 1, 133b), NT Ματθ/θθαν; palm. *mtn*ʾ/*w*/*y* (PNPI 98a): — 1. G^{B} Μαγδαν (cf. Μαγδα, Wuthn. 69), G^{A} Μαχαν, Baalspriester 2K 11_{18} 2C 23_{17}; — 2. G^{B} Ναθαν, Jr 38_1. †

I **מַתָּנָה**: נתן, f. zu I מַתָּן; mhe., ba. מַתְּנָה, ja. מַתַּנְתָּא, cp. *mtwnt*: מַתְּנַת, מַתָּנוֹת, מַתְּנוֹתָם/תֵיכֶם, מַתְּנוֹת: **Geschenk**, **Gabe**: a) profan Nu $18_{6.7}$ (↗ עֲבוֹדָה 1).$_{29}$ Ez 46_{16f} Ps 68_{19} 2C 21_3 Sir 3_{17} 26_3 (Tarb. 29, 133, 24 מנה); Geschenk als Abfindung Gn 25_6, zur Beeinflussung Pr 15_{27} Koh 7_7, an die Armen Est 9_{22}; b) ans Heiligtum Ex 28_{38} Lv 23_{38} Nu 18_6 Dt 16_{17} Ez $20_{26.31.39}$. †

II **מַתָּנָה**: ? n.l., Wüstenstation in Moab; Lage ?, Abel 2, 217.381, GTT § 441; (:: appell. Driv. ErIsr. 5, 17a „als Gabe an d. Wüste"): Nu 21_{18f}. †

מִתְנִי, G^{A} Μαθθανι: gntl. z. unbekanntem n.l. מֶתֶן od. מַתָּן: 1C 11_{43}. †

מַתְּנַי, G^{A} Μαθθαναι, G^{BL} Μαθανια(μ): n.m.; Kf (Noth 38.170) v. מַתַּנְיָהוּ; aram. (Eph. 3, 102Ad); ph. (PNPhPI 146); saf. (Ryckm. 1, 133b): 1.-3.: Esr 10_{33}; 10_{37}; Neh 12_{19}. †

מַתַּנְיָה: n.m.; < מַתַּנְיָהוּ: — 1. urspr. Name d. ↗ צִדְקִיָּהוּ, K. v. Juda 2K 24_{17}; — 2.-10. Neh $11_{17.22}$ 12_{35} 1C 9_{15}; 2C 20_{14}; Esr 10_{26}; 10_{27}; 10_{30}; 10_{37}; Neh 12_8; 12_{25}; 13_{13}. †

מַתַּנְיָהוּ: n.m.; I מַתָּן + ״, „Gabe J.s" (Noth 170) > מַתַּנְיָה u. מַתְּנַי; klschr. *Matan-jāma* (BEUP X 55); ph. מתנבעל u.ä. (PNPhPI 144ff): — 1. 1C $25_{4.16}$; — 2. 2C 29_{13}. †

מָתְנַיִם, Sam.^{M137} *mātēnem*: מתן, BL 460h; mhe.; ja. מָתְנַיָּא, sy. pl. *matnātā*, md. (MdD 257a) *matna*, pl. *matnē*; ar. *matn* Rücken(-seite) bes. v. Tieren, *tamtīn* u. *ʿimtān* Zeltschnüre, äth. *matn*; akk. *matnu* Sehne (AHw. 633b); ↗ Held Fschr. Landsberger 405; Grdf. *matn*: מָתְנַי, מָתְנָיו, מָתְנֵיכֶם: d. starke Muskulatur, die Ober- u. Unterkörper verbindet, d. äussere Lendengegend, **Hüften** u. **Kreuz**: Gn 37_{34} Ex 12_{11} 28_{42} Dt 33_{11} (מָ׳ acc., HeSy. § 94c, Sam. מתני) 2S 20_8 1K 2_5 12_{10} 2C 10_{10} 1K 18_{46} 20_{31f} 2K 1_8 4_{29} 9_1 Js 11_5 20_2 21_3 45_1 Jr 1_{17} $13_{1f.4.11}$ 48_{37} Ez 1_{27} 8_2 $9_{2f.11}$ 21_{11} 23_{15} 29_7 44_{18} Am 8_{10} Nah $2_{2.11}$ Ps 66_{11} 69_{24} Pr 31_{17} Hi 12_{18} 40_{16} Da 10_5 Neh 4_{12}; מֵי מָ׳ Wasser bis an d. H. Ez 47_4, :: מֵי בִרְכַּיִם u. מֵי אָפְסַיִם (sic. l) v. $_{3f}$; — Pr 30_{31} l זַרְזִיר מִתְנַשֵּׂא. †

מתק: ug. *mtq* süss; mhe. süss sein, saugen, sy. saugen; ar. *mtq* V schmatzen (*ṭ* assim. an ק, Blau VT 5, 342), tigr. *maṭṭaqa* süss sein (Wb. 143b); akk. *matāqu* (AHw. 632b): ? luwisch *mitgaimi* süss sein (Rabin Or. 32, 130):

qal: pf. מָתְקוּ; impf. יִמְתְּקוּ/תָּקוּ: **süss sein, werden**: Ex 15_{25} (↗ hif. 1), metaph. gestohlenes Wasser Pr 9_{17} (:: נעם), Leben Sir 40_{18}; Erdschollen Hi 21_{33}, cf. lat. *sit tibi terra levis* (FCumont, After life in Roman Paganism, 1923, 46); — Hi 24_{20} l רְחוֹב מְקוֹמוֹ d. Markt s. Wohnortes (:: Dho., ↗ Hölscher 60, Fohrer, Hiob 369). †

hif: impf. נַ/תַּמְתִּיק: — 1. **süss schmecken** (BL 294b): Wasser Sir 38_5; metaph. רָעָה Hi 20_{12}; — 2. (kaus.) **enge Gemeinschaft pflegen**: סוֹד Ps 55_{15}. †

Der. מָתוֹק, *מֹתֶק, *מֶתֶק, מַמְתַּקִּים; n.l. מִתְקָה ?.

***מֶתֶק**: מתק, BL 565b: cs. מֶתֶק (BL 552p): **Süsse**, c. שְׂפָתַיִם Anmut d. Sprache Pr 16_{21}; — Pr 27_9 l מֶ׳ רֵעֵהוּ מֵעֲצֶבֶת מִתְקָרְעָה. †

***מֹתֶק**: מתק, BL 460h; akk. *mutqu* (AHw. 688b): מָתְקִי: **Süsse**, süsser Duft d. Feigenbaumes (Ehrl.) Ri 9_{11}. †

מִתְקָה, Sam.M138 *mātīqa*, G^BA Ματθεκκα, V *Methca*: מתק, BL 456j.459d; ar. *Matqat* Süsse; Stelle m. süssem Wasser; unbekannte Wüstenstation, GTT § 431: Nu 33₂₈f. †

מִתְרְדָת: sy. *Mahrᵉdat*, ThLZ 1940, 10, G Μιθρα/ιδάτης, klschr. *Mitradātu*, pe. *dāta* ,,Gabe d. Mithra'' (Scheft. I 89, HbAP 133) od. ,,v. M. gegeben'': — 1. Schatzmeister d. Kyros Esr 1₈; — 2. pers. Beamter in Samaria Esr 4₇. †

***מַתָּת**: נתן, < **mattant*, BL 613b; ph. מתת (DISO 172): cs. = מַתַּת: n.m. (Dir. 352): **Gabe** 1K 13₇ Pr 25₁₄ (מ׳ שָׁקֶר) Koh 3₁₃ 5₁₈; מ׳ יָדוֹ soviel er geben kann Ez 46₅.₁₁ (ﬤ יָד 5b); Sir 42₇ ﬤ Sir^M IV 13. †

מַתַּתָּה: n.m.; Kf. v. מַתִּתְיָה(וּ) (MSS): Esr 10₃₃. †

מַתִּתְיָה: n.m.; < מַתִּתְיָהוּ; > מַתְיָה*/מַתַּי*, Ματ/θθαῖος NT, DJD II p. 232: — 1.-3. Esr 10₄₃; Neh 8₄; 1C 9₃₁ 16₅. †

מַתִּתְיָהוּ: n.m.; מַתַּת + ״י, ,,Gabe J.s'' (Noth 170), > מַתִּתְיָה: 1C 15₁₈.₂₁ 25₃.₂₁. †

נ

נ, final ן: נוּן, G Ps 119 u. Kl νουν, V *nun* grie. νῦ, äth. *nāḥas* (= *naḥas* Schlange, Nöld. BS 132f). Das Bildzeichen ist nicht Fisch, sondern Schlange (äth.!, Driv. SWr. 165. 170). Später Zahlzeichen 50, נא = 51. Entspricht unserem *n*-Laut. Wechselt innerhe. 1. bes. am Wortende mit ﬤ מ; 2. mit ﬤ י: יצב ,יצת; 3. mit ר (Nöld. NB 139f): נחם, זרח, גהר, בֵּן, בחר; ausserhe.: שְׁנַיִם, זרם; 4. mit ל: נחץ. Ist Nom.-praefix (BM § 40, 5, Gordis JNESt 9, 45f): 1. inf. abs. u. pt. nif., sonst: I נֵבֶל, II נוֹצָה, נָזִיר; nn. l. נִבְשָׁן, נִבְלָט; 2. dissimiliert in נַבְלוּת u. נַפְתּוּלִים. Ist Folge von Entdoppelung, Nasalisierung von Geminaten (VG 1, 243ff): ausserhe. II מִדָּה; wird gern assimiliert (meist regressiv; BL 199 n-p:: Rössler ZAW 74, 125ff): נתן, הִבִּיט; fällt im Anlaut leicht weg: נגשׁ, imp. גַּשׁ, inf. גֶּשֶׁת; wird zw. Vokalen eingeschoben: שִׁילֹנִי, גִּילֹנִי (VG 1, 52d, BL 503g :: JLewy HUCA 19, 444*); *n* als Augment e. urspr. 2-radikaligen Wurzel, ﬤ v. Soden, GAG § 102b: נתן.

I **נָא** (180×): eindringlich machende ptcl. (BL 652a); nach auslautendem Vokal oft c. Maq. od. Dag. f., beides Gn 18₂₁ אֵרְדָה־נָּא; mhe. (? < bhe.) ? cf. Energ. *-an(-na)* (BM § 87, 5, HGottlieb ActOr. 33 [1971] 47ff), ihe. (DISO 173); נה GnAp 20₂₅, äga. (Fitzm. GnAp. 121) u. sam. (BCh 2, 521, Ku. ScrHieros. 4 [1958] 13); ug. (UT nr. 1586); sy. *nē/ī*, amor. *na* (Huffm. 236), ? äth.^G, amh. *nā* (Ulldff. 111), akk. *-na* (AHw. 693a): **doch**: — 1. am Imp. שָׂא נָא erhebe doch Gn 13₁₄ (45×), אִמְרִי נָא 12₁₃ (8×), תְּנוּ נָא 34₈ (16×); — 2. am Imp. energ.: הַגִּידָה־נָּא teile doch mit Gn 32₃₀ (11×); — 3. am coh. אֲדַבְּרָה־נָּא Ps 122₈ (3×), אֵלְכָה־נָּא Rt 2₂; — 4. am juss. יֻקַּח־נָא Gn 18₄ (13×); — 5. nach sf. סְפָחֵנִי נָא 1S 2₃₆ (6×); — 6. nach ptcl: a) הִנֵּה־נָא Gn 12₁₁ (21×); b) אַל־נָא c. impf./juss.: אַל־נָא תְהִי es sei doch nicht Gn 13₈ (16×); allein: nicht doch Gn 19₁₈ 33₁₀; c) c. אִם: אִם־נָא מָצָאתִי möge ich doch finden Gn 18₃ (8×): d) אוֹי־נָא weh doch Jr 4₃₁ (3×); e) אַיֵּה־נָא wo denn Ps 115₂; f) sonst: אִם־יֶשְׁךָ־נָּא מַצְלִיחַ wenn du wirklich gelingen lässt Gn 24₄₂, נֶגְדָה־נָּא לְ ja vor Ps 116₁₄.₁₈; ﬤ אָנָּה.

II **נָא**: ניא, BL 451p; mhe. halbgar; ar. *nj'*

ungekocht sein, *nīʾ* roh, unreif; äth. *nāʾet* ungesäuertes Brot (Dillm. 679, Lesl. 32); tigr. (Wb. 332b): **roh, halbgar** (Fleisch) Ex 12_9.†

נֹא: n.l.; äg. *nij, nwt* (ZÄS 70, 82ff), *nwt* Stadt (EG 2, 210), klschr. *Niʾi* (BzA 1, 596f, Vycichl 82f), heth. *Nija*, grie. Ναύ(κρατις): d. äg. **Theben** (RLAeR 791ff, BHH 1316, ArchOTSt. 21ff); äga. מדינת נא Bezirk Th. (AP 298b): נֹא אָמוֹן, *Nut Amen* Th. des A. (↗ III אָמוֹן) Nah 3_8; > נֹא Nah 3_8 Ez $30_{14\text{-}16}$, G Διόσπολις, TV *Alexandria*, Stummer JPOS 8, 39; v. 15 l נֹף Memphis G; אָמוֹן מִנֹּא Jr 46_{25} A. v. Theben (G* בְּנֹא; ↗ Rud.[3] 272).†

נאד: ar. *nʾd* sprudelnde Quellen haben; soq. *nʾd*, šḫ. *nid* Wasser bringen (Lesl. 32); Der. נֹאד.

נֹאד, נאוד Ri 4_{19} (Q נֹאד, Var. נוֹד u. נוֹאד, RMeyer Gr. 1, 51[1], DSS auch ראוש u. רואש, Martin Scr. 1, 213ff): נאד, BL 456m; mhe. נוֹד, ja.[t] נוֹדָא; akk. *nādu* (AHw. 704b) Wasserschlauch: נֹאדְךָ, נֹאדוֹת: **Schlauch** (Tierhaut vernäht u. verpicht, AuS 4, 254; BHH 1701, Yadin Finds 1, 162ff), f. Wein Jos $9_{4.13}$ 1S 16_{20}, cj Ps 33_7 (l כַּנֹּד), f. Milch Ri 4_{19}, im Rauchfang Ps 119_{83}, für Tränen 56_9 (cf. d. Tränenkrüglein im Märchen, Meuli, Romanica Helvetica 20, 1943, 763ff). †

נאה: mhe. pi. u. hitp. schmücken; ? contam. a. נוה u. אוה nif. (Bgstr. 2, 107[a], cf. Nöld. NB 191), od. < אוה nif. (BL 422 t); ↗ יאה;

qal: pf. נאתא Sir 15_9 u. נָאווּ Js 52_7 HL 1_{10} u. נַאֲוָה Ps 93_5 (?) **lieblich sein** ↗ s.u.; II נוה.†

cj. **pi**: impf. juss. יְנָאֵ Ps 141_5 pr (א)יָנִי: **schmücken** (cf. Kraus Psalmen z. St.).† Der. נָאוֶה.

נָאוֶה: f. נָאוָה; נאוה Sir 41_{16}; ↗ נאה; mhe. schön, geziemend: — 1. **schön, lieblich** Ps 147_1 (> G, ↗ Gkl) HL 1_5 2_{14} 4_3 6_4; — 2. **passend**, geziemend Ps 33_1 Pr 17_7 19_{10} 26_1; — Jr 6_2 u. Ps 68_{13} ↗ נָוֶה, ebenso נְאוֹת Jr 9_9 u.ö. †

נִאֻפִים: נאף, BL 480v, pltt.: נִאֻפַיִךְ: **ehebrecherisches Treiben** Jr 13_{27}; — Ez 23_{43} ↗ Komm. †

נְאוֹת: ↗ *נָוֶה.

נאם: ar. *naʾama* brüllen, knurren, seufzen, flüstern; mhe. auch נום, נאם, ? Mf. aus *nwm* u. *nmh* (Ku. LJs. 494); denom. נְאֻם sagen od. cf. akk. Partikel *umma*; ↗ נהם.

נְאֻם, (ca. 360×, Jr ca. 160×, Ez 80×, Js 25×, Am u. Zch 20×, Hg 12×): cs. v. *נָאוּם, BL 472x; DSS meist נואם, spr. *nōʾa/em* od. **nūm*, cf. Origenes νουμ (cf. Ku. LJs. 393, 4; Martin ScrCh. 1, 14); fest geprägter tt. d. prophetischen Rede u. in Verbindung m. anderen Formeln bes. m. כֹּה אָמַר י׳ ↗, ↗ Rendtorff ZAW 66, 27ff, Baumgärtel ZAW 73, 277ff, Wildberger BK X/1, 62: urspr. **Raunung** > **Ausspruch**, doch cf. zu נאם; in d. Regel Schlussformel; am Anfang Js 56_8 Zch 12_1 Ps 110_1; Zwischenformel Am 2_{11} (↗ Komm.); ausserhalb d. proph. Bücher Gn 22_{16} Nu 14_{28} 1S 2_{30} 2K 9_{26} 19_{33} 22_{19} Ps 110_1 2C 34_{27}; נְאֻם הַגֶּבֶר Nu $24_{3.15}$ 2S 23_1 Pr 30_1; נְאֻם בִּלְעָם Nu $24_{3.15}$; נְאֻם שֹׁמֵעַ אִמְרֵי אֵל Nu $24_{4.16}$; נְאֻם דָּוִד 2S 23_1, ↗ Baumgtl. l.c. 283f; נְאֻם פֶּשַׁע Ps 36_2? פֶּ׳ als inspirierender Dämon (Gkl. Mow.), al. נְאֻם פֶּשַׁע G V, ↗ Komm. (cj statt נְאֻם l נָעִים od. נָאוֶה).

נאף: mhe. qal u. pi., ja.[t] pa. ehebrechen; ar. *naḫaba* u. äg. *nhp* (EG 2, 284) sich begatten:

qal: impf. וַיִּנְאָפוּ, תִּנְאָף, יִנְאַף; inf. נָא(וֹ)ף; pt. נֹאֵף, נֹאֶפֶת, נֹאֲפוֹת: — 1. **Ehebruch treiben** c. II אֶת: a) m. d. Frau od. Verlobten eines anderen Mannes Lv 20_{10a} Pr 6_{32}; abs. Ex 20_{14} Dt 5_{18} Lv 20_{10b} Jr 5_7 7_9 23_{14} Hos 4_2 Hi 24_{15}; b) Frau abs. sich auf Ehebruch einlassen Lv 20_{10b} Ez 16_{38} 23_{45} (HSchulz, BZAW 114, 15ff);

— 2. metaph. **Götzendienst treiben,** m. אֶבֶן u. עֵץ Jr 3_{9} (= מַצֵּבָה u. אֲשֵׁרָה Rud. Jer.[3] 24.28). †

pi. (BL 355k, Jenni 161): pf. נִאֲפָה, נִאֲפוּ; impf. תְּנָאַפְנָה, וַיְנָאֲפוּ; pt. מְנָאֵף, מְנָאֲפִים, מְנָאֶפֶת: c. II אֶת **Ehebruch treiben** mit e. Frau Jr 29_{23}; abs. Jr 3_{8} Ez 23_{37}; Frauen Hos 4_{13f}; pt. ehebrecherisch: Männer Jr 9_{1} 23_{10} Mal 3_{5} Ps 50_{18}, Frauen Js 57_{3} (l מְנָאֶפֶת), Ez 16_{32} (c. תַּחַת אִישָׁהּ), Hos 3_{1} (F Komm. ? Kultdirne, Tushingham JNESt. 12, 151ff) Pr 30_{20}; Hos 7_{4}, Wolff BK XIV/1; al. cj אֹנְפִים:: Rud. 147. †

Der. נִאוּפִים, נַאֲפוּפִים.

*נַאֲפוּפִים: נאף, BL 483w, RMeyer, Gr. 2, § 39, 1, pltt: נַאֲפוּפֶיהָ **Ehebruchsmale** (F Rud. 66, Wolff, BK XIV/1[2], 40) Hos 2_{4}.†

נאץ: mhe.[1] pi., ja.[t] נִיאוּצָה Schmähung; ug. *nʾṣ* verachten, verunglimpfen (Aistl. 1731, CML 156a :: UT nr. 1589); ar. *nwṣ* vermeiden; akk. *nāṣu, naʾāṣu* (AHw. 758a) geringschätzig ansehen:

qal: pf. נָאַץ, נְאָצוּ/אָצוּ; impf. יִנְאַץ/אָץ, יִנְאָצוּן: **verschmähen** Dt 32_{19} Jr 14_{21} 33_{24} (מִהְיוֹת עוֹד גּוֹי sodass sie nicht mehr), Ps 107_{11} Pr 1_{30} 5_{12} (|| שׂנא) 15_{5} (or. יְנָאֵץ) Kl 2_{6}.†

pi. (BL 355k; Jenni 225): pf. נִאֵץ, נִאַצְתָּ, נִאֲצוּ/אֲצוּ, נִאֲצֻנִי; impf. יְנָאֵץ, יְנַאֲצוּנִי; inf. נָאֵץ 2 S 12_{14} (BL 329j); pt. מְנַאֲצַי, מְנַאֲצָיִךְ: **unehrerbietig behandeln, verwerfen** (Wildberger BK X/1, 22f): obj. Gott Nu 14_{11} (|| לֹא הֶאֱמִין).$_{23}$ 16_{30} Dt 31_{20} 2S 12_{14} (dl אֹיְבֵי F Gsbg 364f, Geiger 267; Mulder VT 18, 108ff) Js 1_{4} 60_{14} (l מְנַאֲצַיִךְ), Ps $10_{3.13}$ מִנְחַת י׳ 1S 2_{17}, אִמְרַת קְדוֹשׁ יִשׂ׳ Js 5_{24}, דְּבַר י׳ Jr 23_{17} (l לִמְנַאֲצֵי דְּבַר), שֵׁם י׳ Ps $74_{10.18}$.†

hitpo. (BL 283t): pt. מִנֹּאָץ < *mitn (BL 198g; Bgstr. 2, 108b, ? l מְנֹאָץ GB): **gelästert werden** Js 52_{5}.†

Der. נְאָצָה, *נֶאָצָה.

נְאָצָה: נאץ, BL 463t: **Schmach** 2K 19_{3} Js 37_{3}.†

נֶאָצָה: נאץ, *qaṭṭālā*, BL 479n, RMeyer, Gr. § 38, 1b; mhe. נִאוּץ, נִיאוּצָה: **Schmähung** Ez 35_{12} Neh $9_{18.26}$.†

נאק: F אנק u. נהק (so ja.[tg]) schreien; ja.[t(?)], akk. *nāqu* (AHw. 744b); tham. Ryckm. 1,134:

qal: pf. נָאַק; impf. יִנְאֲקוּ: **stöhnen** Ez 30_{24} Hi 24_{12}.†

Der. נְאָקָה.

*נְאָקָה: נאק, BL 463t; mhe.: נַאֲקַת, נַאֲקָתָם: **Gestöhn** Ex 2_{24} 6_{5} Ri 2_{18} Ez 30_{24}.†

נאר: ? ar. *nwr* III beschimpfen (Kö.) ? < נער, Driv. Fschr. Bertholet 138; dial. Nf. zu ארר verfluchen:

pi. (BL 355k; Jenni 239): pf. נֵאַר, נֵאַרְתָּה: **verwerfen** Ps 89_{40} (בְּרִית || חִלֵּל) Kl 2_{7} (זנח || מִקְדָּשׁ). †

נֹב, G No(μ)βα: n.l., loc. נֹבֶה (BL 529v): *Scopus, Ras el-Mešarif*, 2 km. n. Jerus., Dalm. OW 24f, PJb 21, 86ff, Abel 1, 375. 2, 399f. GTT § 776, BHH 1815, Stoebe, KAT VIII/1, 392: 1S 21_{2} $22_{9.11}$ Js 10_{32} (G ἐν ὁδῷ < εν *νοδ <* εννοβ, Seeligm. 30) Neh 11_{32}, עִיר הַכֹּהֲנִים 1S 22_{19}; 2S 21_{16} txt. ?, F Komm.†

נבא: he. denom. v. נָבִיא, dessen Etym. strittig ist: 1) ar. (denom. v. *nabiʾu*) *nabbaʾa* verkünden; 2) asa. *nbʾ*: *tnbʾ* melden, versprechen, Conti 183, Hölscher Prof. 139; 3) ar. *nabaʿ/ġa* sprudeln (Šanda 1, 436); 4) akk. *nabû* nennen, berufen, AHw. 699b, 697b, *nabīu, nabû* (nicht d. Sprecher, sondern) der Berufene, Albr VSzC 301; mhe.[1] hitp.; mhe.[2] auch nif.; ja. [b]cp. sam. etpa., md. (MdD 287a) af. ettaf., sy. pa., denom.: tigr. (Wb. 371a):

nif: (ca. 85×, 35× Jr u. 34× Ez), einzelne Formen nach ל״ה (BL 373h-n): pf. נִבָּא, נִבֵּאתָ, נִבְּאוּ/בָּאוּ; impf. יִנָּבֵא, יִנָּבְאוּ; imp. u. inf. הִנָּבֵא: inf. sf. הִנָּבְאִי/וֹ (הִנָּבְאתוֹ) Zch 13_{4}, BL 440c); pt. נִבָּא, (הַ)נִּבְּאִים 1S 19_{20} Jr

14_{14} u.ö. (BL 541j), נִבָּאִים 1C 25_{1Q}, (BL 234p), נִבְּאֵי: — 1. abs. **in prophetischer Verzückung sein, sich als נָבִיא aufführen** 1S 10_{11} 19_{20} 1K22_{12} Jr 19_{14} 23_{21} 26_{18} 28_{6} 32_{3} Ez $11_{4\cdot13}$ 12_{27} $21_{14\cdot19\cdot33}$ 30_{2} 34_{2} $37_{7\cdot9\cdot12}$ $38_{14\cdot17}$ Jl 3_{1} Am 2_{12} 3_{8} 7_{12f} Zch 13_{3f} 2C 18_{11}; c. בְּשֵׁם י׳ (unter Anrufung d. Namens/im Auftrag J.s) Jr 11_{21} 14_{14f} 23_{25} 26_{9} 27_{15} 29_{21}; c. בַּבַּעַל (v. בַּ׳ getrieben) Jr 2_{8}; c. לַשֶּׁקֶר 27_{15}; c. בַּשֶּׁקֶר 5_{31} 20_{6}; dass נִבָּא nicht notwendig Reden bedeutet, zeigt הִנָּבֵא וְאָמַרְתָּ Ez $21_{14\cdot33}$ 30_{2} 34_{2} $36_{1\cdot3\cdot6}$ $37_{4\cdot9\cdot12}$ 38_{14} 39_{1}, cj 13_{2}; — 2. als נָ׳ reden: a) c. לְ gegenüber Jr 14_{16} 20_{6} 23_{16} $27_{10\cdot14\text{-}16}$ $29_{9\cdot21}$ 37_{19}, c. אֶל/עַל Jr 25_{13} $26_{11\cdot12\cdot20}$ 28_{8} Ez 4_{7} 6_{2} 11_{4} $13_{2\cdot16\cdot17}$ $21_{2.7}$ 25_{2} 28_{21} 29_{2} 34_{2} 35_{2} $36_{1\cdot6}$ $37_{4.9}$ 38_{2} 39_{1} Am 7_{15f}; b) c. acc. etw. sagen שֶׁקֶר Jr 14_{14} 23_{25f} $27_{10\cdot14\cdot16}$ $29_{9(MS)\cdot21}$, דְּבָרִים 20_{1} 26_{12}, תַּרְמִית 23_{26} (נִבְּאֵי l) ,חֲלֹמוֹת שֶׁקֶר 23_{32}; c) c. לְ hinsichtlich: רָעָה Jr 28_{8}, שָׁלוֹם 28_{9}, עִתִּים Ez 12_{27}; d) 1C 25_{1} (s.o.) cj. 25_{3} (הַנִּבָּא בַכִּנּוֹר) geisterfüllt musizieren, נִבָּא allein 25_{2}.

hitp. (↗ BL 373h z.T. nach ל׳ה, ↗ nif.): pf. הִתְנַבִּיתָ, Ez 37_{10} הִנַּבֵּאתִי, Jr 23_{13} הִנַּבְּאוּ (BL 198g. 440c); impf. יִתְנַבֵּא, יִתְנַבְּאוּ; inf. הִתְנַבּוֹת; pt. מִתְנַבֵּא, מִתְנַבְּאוֹת: — 1. **sich als נָ׳ gebärden**, oft = **rasen** Nu $11_{25\text{-}27}$ 1S $10_{5f\cdot10\cdot13}$ 18_{10} $19_{20\text{-}24}$ 1K 18_{29} 22_{10} Jr 29_{26} 2C 18_{9}; — 2. (an jüngeren Stellen) als נָבִיא reden Ez 37_{10}; c. לְ gegenüber Jr 29_{27}; c. טוֹב (רַע) עַל mit Gutem (Bösem) über 1K $22_{8\cdot18}$ 2C $18_{7\cdot17}$, חֲזוֹן שֶׁקֶר Jr 14_{14}, עַל gegen 2C 20_{37}; בַּבַּעַל (v. בַּ׳ getrieben) Jr 23_{13}, בְּשֵׁם י׳ (unter Anrufung J.s) 26_{20}, מִלִּבּוֹ Ez 13_{17}; m. mantischen Praktiken $13_{18\cdot21}$ (Zimm. 296ff).

נבב: hohl sein, mhe. ja. *ʾbwb*, ar. *ʾunbūb* hohles Schilfstück, Schlauch; ug. **nbb* (*jb*) aushöhlen, ausweiden (UT nr. 1591, Aistl. 1734, CML 158a); ? akk. (AHw. 180b) *em/nbūbu*, > *ebbūbu* Flöte, > mhe. ja. אַבּוּב, lat. *ambubaia* Flötenspielerin; denom. akk. *nabābu* (AHw. 694a) flöten: ar. meckern, äth. reden. Der. נָבוּב.

I נְבוֹ: n. montis, n.l. G Ναβαυ, Joseph. Ναβα (NFJ 88b); äga. Sam.[BCh3,164]; ar. *nab(ā)wat* (√*nbʾ* hoch sein) Berghöhe: — 1. **Berg Nebo**, *en Nebā*, 7 km. nw. Mādeba; Abel 1, 379ff, Alt PJb 30, 28ff; Glueck 4, 109ff, Noth AbLAk 1, 400f, GTT § 309, Kuschke Fschr. WRudolph 287, BHH 1295: Nu 33_{47} Dt 32_{49} 34_{1}; — 2. n.l. in Ruben, später moabitisch (Mesa 14), am Sw. - Hang d. Berges N.; *ch. el- Muḥajjiṭ* Abel 2, 397, vZyl 89, Rud. Jer.³ 287, GTT § 1154: Nu $32_{3.38}$ Js 15_{2} Jr $48_{1\cdot22}$ 1C 5_{8}; — 3. בְּנֵי נְ׳ Esr 2_{29} 10_{43} u. אַנְשֵׁי נְ׳ אַחֵר Neh 7_{33} n.l., ? *en-Nūba* 12 km. nw. Hebron (Abel 2, 398), al. = נֹב; :: e. Geschlecht Esr 2_{29} (Rud. EN 9).†

II נְבוֹ: n.d.; akk. *Nabū*, d. bab. Gott **Nebo**, Zimmern KAT³ 399ff, Tallq. AkGE 380ff, WbMy. 1, 106f, RAC 1, 1096f; ? asa. *ʾnbj* Conti 107b; נבו NE 320, נבא KAI 222 A8, palm. u. T. Halaf in nn. pr. (PNPI 98, NESE 1, 50f): Js 46_{1} (G^{B} Ναβω, $G^{\aleph AQ}$ Δαγων, Seeligm. 77, Eissf. ThLZ 1949, 477); ↗ עֲבֵד נְגוֹ.†

נְבוּ Jr 39_{3}: pr נְבוּ שַׁר־סְכִים 1 נְבוּ שַׁזְבָּן v. 13, cf. Rud.³ 244f. †

נְבוּאָה: נָבִיא, BL 472v; mhe., Sir 44_{3}, 1QPsᵃ DJD 4, 92, 11; 4Q 165, 1/2, 1; ja. נְבוּתָא: נְבוּאַת: **Prophetenwort** Neh 6_{12} (:: אֱלֹהִים!) 2C 15_{8}; aufgezeichnet 2C 9_{29}.†

נָבוּב: נבב, BL 471u; ev. pt. pass. cs. נְבוּב: inwendig **hohl** Jr 52_{21}, נְבוּב לֻחֹת hohler Bretterkasten Ex 27_{8} 38_{7}; נָבוּב Hohlkopf Hi 11_{12}.†

נְבוּזַרְאֲדָן, G Ναβουζαρδαν; = bab. Nabū-zēr-iddin APN 164a, „N. gab Nachkommenschaft". Im parallelen Fall ↗ בַּלְאֲדָן hat 1QJsᵃ genauer אדו/ין–: bab. General 2K $25_{8\cdot11\cdot20}$ Jr $39_{9f\cdot13}$ 40_{1} 41_{10} 43_{6} $52_{12\cdot15f.26\cdot30}$ persönlich identisch ? mit d. *rab nuḫtimmu* „Oberbäcker", N. in Beamtenliste Nebukadnezars (Unger, Bab. die heilige Stadt, 1931, 289, Z. 36, ANET 307b), Eissf. WZUH 1965, 3, 183f, BHH 1297.†

נְבוּכַדְנֶאצַּר: ↗ נְבוּכַדְרֶאצַּר.

נְבוּכַדְרֶאצַּר Jr 21$_{2}$ (30 ×, ־ראצור Jr 49$_{28}$ K) > נְבוּכַדְנֶאצַּר (dissim. Ruž. 24) 2K 25$_{22}$ (14 × ־נֶאצַּר Esr 2$_{1}$), נְבֻכַדְנֶאצַּר 2K 24$_{1}$ (7 ×) u. נְבוּכַדְנֶאצַּר 1C 5$_{41}$ Ⓛ u. נְבֻכַדְנֶצַּר Da 1$_{18}$ 2$_{1}$; < akk. *Nabū-kudurru-uṣur* ,,N. schütze d. Erbsohn'' (Stamm 43), ape. *Nabukudračara* (HbAP 133), Gu. Joseph. Ναβουχοδονοσορ, Abydenus (Schnabel 270f) u. Strabo XV 1, 6 Ναβο(υ)κοδροσορ; ar. *Buḫt-Naṣṣar* (Forrer SAr 25[3]): **Nebukadnezar** II 604-562, v. Chr. BHH 1296: 2K 24$_{1.10.11}$ 25$_{1.8.22}$ Jr 21$_{2.7}$ 22$_{25}$ 25$_{1.9}$ 27$_{6.8.20}$ 28$_{3.11.14}$ 29$_{1.3.21}$ 32$_{1.28}$ 34$_{1}$ 35$_{11}$ 37$_{1}$ 39$_{1.5.11}$ 43$_{10}$ 44$_{30}$ 46$_{2.13.26}$ 49$_{28.30}$ 50$_{17}$ 51$_{34}$ 52$_{4.12.28-30}$ Ez 26$_{7}$ 29$_{18f}$ 30$_{10}$ Est 2$_{6}$ Da 1$_{1.18}$ 2$_{1}$ (↗ ba.) Esr 1$_{7}$ 2$_{1}$ (↗ ba.) Neh 7$_{6}$ 1C 5$_{41}$ 2C 36$_{6-13}$; N. ass. K. Jud 1$_{1.5.7.11f}$ 2$_{1.4.19}$ 3$_{2.8}$ 4$_{1}$ 6$_{2.4}$ 11$_{1.4.7.23}$ 12$_{13}$ 14$_{18}$ ist ebenso apokryph wie s. General Holofernes (BHH 743). †

נְבוּשַׁזְבָּן, l נְבוּ שַׁזְבָּן Ⓑ, Var.[G] ־בָּז, G[A]א[Q] Ναβουσαζαβαν, V *Nabusesban*: < akk. **Nabū-šēzibanni* (cf APN 160, Stamm 170) ,,N. errette mich'' (↗ ba. שֵׁיזִב), רַב־סָרִיס am bab. Hof Jr 39$_{13}$ cj v. 3 (↗ BH, Rud.[3] 245).†

נָבוֹת: n. m., ,,Sprössling'' (ar. *nabata* wachsen, *nabāt*, soq. *nēbot* Pflanze, Noth 221, asa. *Nābit*, Ryckm. 1, 135), Kf. + * n.d. (↗ G[B] Ναβουθαι, Noth 38 :: HBauer ZAW 51, 83[3]): aus Jezreel 1K 21$_{1-19}$ 2K 9$_{21.25f}$ (BHH 1272, Miller VT 17, 309ff, Welten Ev Th 33, 18ff).†

נבח: mhe., ja. sy. md. (MdD 287a), ar. *nabaḥa*, äth. tigr. (Wb. 329b), akk. *nabāḫu* bellen:

qal: inf. לִנְבֹּחַ: **bellen** (Hund) Js 56$_{10}$.† Der. I נֹבַח.

I **נֹבַח**, Sam.[M142] *nāb(b)ā*: n.m., נבח, G Ναβαυ; Manassit Nu 32$_{42}$ (Meyer Isr. 517f).†

II **נֹבַח**: n.l.; in Gilead; Nu 32$_{42a}$ (G Ναβωθ) GTT § 574, Bergman JPOS 16, 235[5]; = b. יָגְבְּהָה, G[B] Ναβαι, G[A] Ναβεθ, Ri 8$_{11}$ (Noth AbLAk 1, 372).†

נִבְחַז, 2K 17$_{31}$ neben תַּרְתָּק, c. ז maiusc. (GK § 5n, 2, BL 80 u): Var. נִבְחַן, G[A] Ναιβας, ? < *na/ibḫaz* נבחז < *מבחז < מִזְבֵּחַ, Mtg.-G. 474.479, :: Driv. ErIsr. 5, 19*; d. vergöttlichte Altar.†

נבט: mhe.[2] hif. anschauen; asa. Conti 183a, Ryckm. 2, 92 in nn. pr.: huldvoll anblicken, ja.; md. (MdD 287a) Lichtgenius, ar. *nabaṭa* hervorquellen, -spriessen, X ersinnen, akk. *nabāṭu* (AHw. 697a) aufleuchten; ug. *nbṭ* (pass.) erscheinen, zutage kommen (CML 94a, UT nr. 456 :: Aistl. 507):

pi. (Jenni 257): pf. נִבֵּט: c. לְ **blicken auf** Js 5$_{30}$.†

hif: pf. הִבִּיט, הִבִּיטוּ, הִבַּטְתֶּם; impf. יַבִּיט, תַּבֵּט, אַבִּיטָה; imp. הַבֵּט, הַבֵּיט Ps 142$_{5}$ u. Kl 5$_{1}$ K (BL 366t, Q הַבִּיטָה), הַבֶּט־, הַבִּיטָה Ps 142$_{5}$ Q, הַבִּיטִי; inf. הַבִּיט, הַבִּיטָם; pt. מַבִּיט: — 1. in bestimmter Richtung **blicken**: Gn 15$_{5}$ (הַשָּׁמַיְמָה), 1K 18$_{43}$ Ps 142$_{5}$ Pr 4$_{25}$; ausschauen Js 18$_{4}$ Hi 6$_{19}$, cj Ri 5$_{28}$ (l וַתַּבֵּט), hinsehen 1S 17$_{42}$ 1K 19$_{6}$, בְּעֵינָי mit eigenen Augen Ps 91$_{8}$, aufblicken Js 42$_{18}$ 63$_{5}$; mit folgendem רָאָה Js 63$_{15}$ Ps 142$_{5}$ Kl 1$_{12}$ 5$_{1}$ 1C 21$_{21}$, רָאָה voran Hab 1$_{5}$ Kl 1$_{11}$ 2$_{20}$; zuschauen Ex 33$_{8}$; — 2. c. praep.: a) אַחֲרָיו hinter sich/zurückschauen Gn 19$_{17}$ 1S 24$_{9}$, מֵאַחֲרָיו Gn 19$_{26}$; c. אַחֲרֵי jmdm nachschauen Ex 33$_{8}$; b) c. אֶל hinschauen auf: auf d. Erde Js 8$_{22}$ Ps 102$_{20}$ Ex 3$_{6}$ Nu 21$_{9}$, wertlegend 1S 16$_{7}$; c. אֶל u. רָאָה keines Blickes würdigen 2K 3$_{14}$, gehorsam Ps 119$_{6}$, vertrauensvoll Js 22$_{8}$ 51$_{1f}$ Jon 2$_{5}$ Zch 12$_{10}$ Ps 34$_{6}$; gnädig Js 66$_{2}$ Hab 1$_{13}$; c) c. בְּ s. Lust sehen (↗ רָאָה 10) Ps 92$_{12}$, m.